TERRE
CHAMP DE BATAILLE

Une Épopée de l'An 3000

TERRE
CHAMP DE BATAILLE

VOLUME 2 - LE SECRET DES PSYCHLOS

Traduit de l'américain par Michel Demuth

avec la collaboration de Peter Berts

L. RON HUBBARD

ALBERT SOUSSAN
MONTRÉAL

Publié par
Les Éditions Albert Soussan
5518, Ferrier
Montréal
et
Les Presses de la Cité
8, Rue Garancière
Paris
et
NEW ERA® Publications International ApS
Store Kongensgade 55, Copenhague K
Danemark

Traduit de l'américain par Michel Demuth
pour NEW ERA Publications International

Titre original :
BATTLEFIELD EARTH
© 1982, 1983, 1984 by L. Ron Hubbard
ALL RIGHTS RESERVED

Diffusion:
Albert Soussan Inc.
5518, Ferrier, Ville Mont-Royal, Qué.
H4P 1M2 — Tél. 738-0202

Ce volume fait suite à «Terre - Champ de Bataille: Les Derniers Hommes» disponible dans la même collection. L'ensemble de ces deux volumes constitue l'édition intégrale de cette épopée de l'an 3000 par L. Ron Hubbard.

ISBN 2-920129-43-0

Imprimé au Canada

PERSONNAGES ET GLOSSAIRE

Andrew: Mineur et soldat écossais.

Angus MacTavish: Écossais qui possède un certain talent pour la mécanique et l'électronique. L'un des meilleurs amis de Jonnie.

Bittie MacLeod: Jeune écuyer de Jonnie.

Brown Le Boiteux: Fils du Père Staffor et ennemi juré de Jonnie.

Bureau d'Investigation de l'Empire (B.I.E.): Organisation d'espionnage et de sécurité de l'empire Psychlo.

Chef de clan Fearghus: Grand chef de l'Ecosse et descendant direct de la famille des Steward.

Chinkos (les): Race extra-terrestre d'érudits et d'artistes exterminée longtemps auparavant par les Psychlos.

Chirk: Femelle Psychlo et secrétaire particulière de Terl.

Chrissie: Petite amie de Jonnie qui ne reculera devant aucun danger pour le retrouver.

Colonel Ivan: Chef du groupe russe.

Compagnie Minière Intergalactique: Compagnie Psychlo qui possède le monopole total de l'extraction minière et du marché du métal à travers la galaxie. L'organisation qui a envahi la Terre et en a détruit la population.

Coordinateurs (les): Groupe composé de 250 Écossais dont la tâche est de localiser les tribus éparses existant sur la Terre et d'agir en tant qu'intermédiaires et organisateurs pour le nouveau gouvernement terrien.

Docteur Allen: Médecin écossais.

Docteur MacDermott: Historien dont le rôle est d'immortaliser la lutte de la Terre pour sa liberté.

Docteur MacKendrick: Médecin écossais.

Fend-le-Vent: Cheval de Jonnie. A une spécialité: attaquer les Psychlos.

Frères Chamco (les): Ingénieurs Psychlos dont le patriotisme laisse fortement à désirer.

Hockners (les): Race extra-terrestre.

Jonnie Goodboy Tyler: Jeune Américain qui décide de mettre fin à onze siècles de domination Psychlo.

Ker: Psychlo, contremaître de mines, et criminel en cavale. Est contraint à servir les desseins de Terl pour ne pas être dénoncé par celui-ci.

Kerbango: Boisson favorite des Psychlos qui a sur eux un effet nettement euphorique.

Numph: Défunt Directeur Planétaire de la Compagnie Minière Galactique, section Terre, qui avait ses propres plans pour gagner davantage d'argent. A malheureusement découvert qu'il est difficile de tenir tête à Terl.

Pattie: Jeune soeur de Chrissie.

Père MacGilvy: Homme dévoué à la salvation des âmes écossaises et un ferme partisan de « chacun a le droit à sa propre croyance ».

Père Staffor: Maire et chef religieux du village de Jonnie. A eu quelques différends avec la famille Tyler.

Psychlo: La planète qui règne sur tous les univers connus et possède le secret du transfert de matière. Spécialisée dans les génocides.

Psychlos (les): Extra-terrestres qui ont envahi la Terre et pratiquement exterminé sa population afin de pouvoir s'emparer de ses ressources minières. Ont fait de même avec un nombre incalculable d'autres planètes et sont haïs et craints à travers tout l'univers.

Robert Le Renard: Chef de guerre de l'Ecosse et général en chef des forces militaires terriennes. L'un des amis intimes de Jonnie.

Stormalong: Pilote d'élite écossais chargé de l'entraînement des pilotes. L'un des amis intimes de Jonnie.

Tante Ellen: Tante de Jonnie.

Terl: Psychlo, chef de la sécurité pour la Terre. A un plan personnel pour quitter cette planète en s'enrichissant. Ennemi personnel de Jonnie.

Tolneps (les): Race extra-terrestre.

AVANT-PROPOS

par le Docteur MacDermott
historien du nouveau gouvernement terrien
auteur de « Jonnie Goodboy Tyler Tel Que Je L'Ai Connu »

« Je me souviens encore du jour où Jonnie Goodboy Tyler apprit que je m'étais porté volontaire pour immortaliser ses exploits dans un livre qui lui serait dédié.

J'avais déjà vu Jonnie dans une fureur noire, mais rarement comme ce jour-là. Je passerai sur les détails de notre entrevue dans cette ancienne base militaire des Montagnes Rocheuses où il avait établi son quartier général. Sinon que j'ai dû lui jurer solennellement que je m'en tiendrai à la pure vérité et prendrai de grandes précautions pour ne pas me laisser entraîner par les légendes qui couraient déjà à cette époque sur l'extraordinaire courage avec lequel il s'était attaqué à l'empire Psychlo tout entier.

Il faut dire que les Psychlos n'avaient cessé de terroriser, exterminer ou réduire en esclavage toutes les civilisations qu'ils avaient eu l'occasion de rencontrer au cours des derniers milliers d'années pour piller les ressources minières de leurs planètes. Le jour où les hommes ont envoyé dans les étoiles cette sonde spatiale qui contenait des métaux précieux et la position exacte de la planète, ils se sont jetés eux-mêmes dans la gueule du loup. Quelques années plus tard, la race humaine avait pratiquement disparu et les Psychlos commençaient à craquer la croûte terrestre pour en extraire ses minéraux.

Un millier d'années passe... Un jour, Jonnie Goodboy Tyler descend de son village des Montagnes Rocheuses — jusque-là protégé par la présence de radioactivité qui a la particularité de faire exploser l'atmosphère respirée par les Psychlos — insoucieux des légendes locales au sujet des monstres qui hantent les plaines. La rencontre de Jonnie et de Terl, le chef de la sécurité Psychlo, ne se raconte pas. Si vous n'avez pas encore lu le premier volume de cette épopée, je vous conseille vivement de vous le procurer au plus tôt. On n'a pas fini d'en parler dans la galaxie, et j'aime autant que vous ayez toute l'histoire.

Lorsque cette deuxième partie commence, Jonnie vient de substituer à la tonne d'or que Terl convoitait de transférer secrètement sur Psychlo un plein chargement d'armes nucléaires retrouvées dans une base secrète américaine. Les humains, sous la direction de Jonnie, s'insurgent et reprennent le contrôle de la planète. Provisoirement. Quand et comment l'empire Psychlo, qui règne par la terreur sur plus de seize univers, va-t-il réagir à cette première attaque ?

C'est à la fois un plaisir et un honneur pour moi de vous introduire à cette seconde partie que je, suis sûr, vous n'oublierez pas de si tôt. »

Dr MacDermott

SEIZIÈME PARTIE

1

Dans son trou noir, Terl ruminait sombrement.

Il n'était pas avec les autres Psychlos : ils lui auraient lentement arraché jusqu'au dernier poil de son pelage. Il se trouvait dans un réduit où les employés à l'entretien des dortoirs rangeaient jadis leur matériel. Il avait été équipé d'un système de recyclage de gaz respiratoire, d'un lit très étroit et suffisamment long. On avait aménagé une ouverture pour servir de passe-plat, et il était possible de voir à l'extérieur à travers ses panneaux rotatifs. Un intercom avait été fixé au bas de la porte.

La construction, il l'avait appris à ses dépens, était solide : il avait essayé tous les moyens d'évasion. Il n'était pas enchaîné mais, à toute heure du jour et de la nuit, il se trouvait sous la surveillance d'une sentinelle armée d'une carabine d'assaut qui montait la garde dans le couloir.

Tout cela, se disait Terl, était de la faute des deux femelles et de Chirk. Sa perception des événements était plutôt éloignée de la vérité mais rien n'aurait pu le convaincre qu'il avait tort. Terl avait toujours excellé dans l'art de se créer des illusions et, ces derniers temps, il était au mieux de sa forme en ce domaine.

Lorsqu'il comparait sa triste situation avec ses rêves somptueux de richesse et de pouvoir sur Psychlo, il ne pouvait s'empêcher de trembler de rage et d'impuissance. Lui qui s'était vu salué par la famille impériale et craint de tout le monde, ne s'était-il pas fait dérober son dû par ces animaux ? Dix merveilleux couvercles de cercueil en or croupissaient dans le cimetière de la Compagnie, sur Psychlo, il le savait sans le moindre doute. Quand il ne rêvait pas de la puissance et de la fortune qu'ils lui apporteraient, il se voyait les exhumant secrètement par quelque nuit obscure.

Il avait su se montrer un ami pour ces animaux. Et comment l'avaient-ils traité en retour ? Ils l'avaient enfermé dans un placard à balais. Lui !

Mais Terl n'était jamais à court de ruse. Il se secoua et s'efforça d'éclaircir ses pensées et de réfléchir intensément. C'était l'instant ou jamais de retrouver le calme et l'habileté dont il avait toujours su faire preuve.

Il retournerait coûte que coûte sur Psychlo. Et coûte que coûte, il obtiendrait que ces animaux et cette maudite planète soient détruits. A jamais. Et il récupérerait ces cercueils, et tous trembleraient devant lui et s'inclineraient à son approche. Non, rien ne pourrait plus l'arrêter désormais !

Il se mit à faire le compte des moyens de pression dont il disposait encore. Bien entendu, son atout premier était son habileté. Ensuite, il était pratiquement certain que le premier animal qu'il avait capturé avait oublié qu'une

7

importante charge d'explosif avait été disposée sous la cage. Troisième point : il avait eu *trois* télécommandes. L'une avait été capturée, une autre se trouvait toujours dans le bureau, mais la troisième était encore dans la cage, près de la porte. Il l'avait mise là au cas où il serait pris au piège ou capturé. Elle aurait pu lui permettre de faire sauter la tête des deux femelles ou encore de couper le courant dans les barreaux de la cage, et il avait la certitude que personne n'avait mis la main dessus. Quant aux quatrième et cinquième moyens de pression qu'il lui restait encore : l'un était d'une importance appréciable et l'autre était véritablement colossal !

Tout était encore possible ! Il suffisait d'avoir des moyens de pression.

Assis dans la pénombre, il réfléchissait, encore et encore. Il s'écoula ainsi plusieurs jours, et finalement il trouva. Tout, dans ce schéma tortueux d'événements, était désormais parfaitement inscrit, déterminé et conçu. Il n'avait plus qu'à mettre les choses en train.

La phase initiale consistait à quitter cette cage. Parfait ! Il y arriverait.

C'est ainsi qu'un certain matin, un Terl particulièrement humble et accommodant remarqua que les sentinelles ne portaient plus de kilt. En risquant un œil au travers de l'ouverture passe-plat, il dut faire un effort pour ne pas montrer sa joie. Il examina la créature qui le gardait. Pantalon long, bottes à brides. Et un curieux insigne sur le côté gauche du torse : une aile unique.

Terl avait été un des meilleurs élèves des écoles de la Compagnie mais il n'avait pas la moindre connaissance en linguistique. Cette discipline relevait des arts et aucun Psychlo digne de ce nom ne s'intéressait à ce genre de chose. Il fallait donc qu'il compte ici sur la chance...

- Cette aile unique, c'est pour quoi ? demanda-t-il en psychlo dans l'intercom de la porte.

La sentinelle parut plutôt surprise. Très bien, songea Terl.

- Je me disais qu'il devrait y avoir deux ailes, ajouta Terl.

- Les deux ailes, c'est pour les pilotes brevetés, dit la sentinelle. Moi, je ne suis encore qu'un élève. Mais j'aurai mes deux ailes un jour !

Terl, pour un instant, oublia ses convictions profondes selon lesquelles il était inutile de chercher à comprendre ces animaux. Tout son mépris l'incitait à ne pas les entendre ni les voir, mais, pour l'heure, nécessité faisait loi. La chose s'exprimait bel et bien en psychlo. Avec un net accent chinko, comme il fallait s'y attendre, mais c'était du psychlo.

- Je suis certain que vous mériterez ces ailes, dit Terl. Je dois dire que votre psychlo est excellent ! Mais vous devriez continuer de le perfectionner. Cela vous aiderait de parler avec un vrai Psychlo...

La jeune sentinelle fut rassérénée. Oui, c'était l'exacte vérité. Et c'était un vrai Psychlo qui disait cela. Jamais auparavant il n'avait eu l'occasion de parler avec un authentique Psychlo. Il décida alors de se présenter, ce qui était un terrain de discussion facile. Il dit qu'il s'appelait Lars Thorenson, qu'il faisait partie du contingent suédois qui était arrivé quelques mois auparavant dans le cadre de la formation de nouveaux pilotes. Il n'éprouvait pas le même ressentiment à l'encontre des Psychlos que les Écossais, car ceux de son peuple, qui avaient habité l'Arctique, n'avaient jamais été au contact direct avec les Psychlos. Il pensait même que les Écossais exagéraient quelque peu. A propos, Terl était-il lui aussi pilote ?

Oui, absolument, lui dit Terl. Il était un vétéran du vol, de toutes les tactiques de combat aérien. Et il était capable de prouesses acrobatiques, comme de piquer au fond d'un puits de mine de dix kilomètres pour récupérer une machine en péril.

Le jeune Suédois se rapprocha. L'aviation était sa passion et il avait un as en face de lui. Il dit à Terl que le meilleur d'entre eux était Jonnie. Est-ce que Terl le connaissait ?

Ça, oui ! Non seulement Terl le connaissait mais, jadis, avant qu'il existe entre eux ce malentendu, il lui avait lui-même appris quelques astuces, et c'était bien pour cela que Jonnie était un pilote aussi émérite. Quelqu'un de très bien, en vérité, et Terl avait été son ami le plus dévoué.

Terl exultait. Ces sentinelles étaient des cadets. Ils montaient la garde en renfort, en dehors des heures de cours, afin de soulager le personnel en titre particulièrement surchargé de travail.

Plusieurs jours durant, chaque matin, Lars Thorenson entreprit d'améliorer son psychlo et apprit les secrets du combat aérien. Et tout cela de la bouche même d'un as du pilotage qui avait été naguère l'ami personnel de Jonnie. Il n'avait absolument pas conscience que si jamais il venait à appliquer certains des « trucs » de Terl, il perdrait le plus élémentaire des combats aériens et que d'autres devraient lui désapprendre toutes ces absurdités avant qu'il y laisse la vie. Quant à Terl, il savait parfaitement qu'il risquait gros en jouant ce tour pendable à l'animal, mais cela avait été plus fort que lui.

Terl améliora le psychlo du jeune Lars jusqu'à un certain point, avant de lui déclarer un matin qu'il devait clarifier le sens de certains termes et que, pour cela, il leur fallait absolument un dictionnaire. Des dictionnaires, il en existait des quantités et, le lendemain matin, le jeune Suédois lui en apporta un.

C'est avec une joie intense que Terl se mit au travail, profitant de chaque absence de Lars. Dans la langue composite qu'était le psychlo, il existait une quantité de termes que les Psychlos n'utilisaient jamais. Ils provenaient du chinko et d'autres langages. Si les Psychlos ne les utilisaient pas, c'était tout simplement parce qu'ils n'arrivaient pas à en comprendre le sens profond.

Aussi Terl clarifia-t-il des mots et des expressions tels que « racheter ses fautes », « culpabilité », « expiation », « c'est de ma faute », « pitié », « cruauté », « juste », ou encore « s'amender »...

Terl connaissait l'existence de ces termes et savait que d'autres races les employaient. C'était une tâche particulièrement ardue et, plus tard, il devait la considérer comme la phase la plus difficile de tout son plan. Car tout cela lui était *étranger,* absolument et totalement *étranger !*

Quand il se considéra prêt, il décida qu'il était temps de passer à la seconde phase.

- Tu sais, déclara-t-il à la sentinelle un matin, je me sens très coupable d'avoir mis en cage ton pauvre Jonnie. En vérité, je brûle de racheter mes fautes. Car c'est à cause de moi qu'il a été soumis à tant de cruauté. Je souhaite de tout mon cœur m'amender. Je suis terrassé par la culpabilité et je lui demande pardon pour tout ce que j'ai fait. Ce ne serait que justice que j'expie pour tout en souffrant dans une cage comme il a souffert, lui.

En débitant ce discours, Terl transpirait sous l'effort, mais cela ne faisait que rajouter à sa mine contrite.

Le jeune Suédois avait pris l'habitude d'enregistrer leurs conversations afin de les étudier plus tard et d'améliorer sa prononciation. Et les mots qu'il venait d'entendre étaient rares en psychlo. Il était donc d'autant plus heureux de les avoir sur disque. Et Terl lui aussi était heureux. Ce numéro avait été épuisant !

La sentinelle avait la soirée libre et s'empressa d'ingérer tout ça. Puis elle décida qu'il valait mieux faire un rapport au commandant du camp.

Le commandant avait été récemment nommé. C'était un Argyll particulièrement bien noté pour ses prouesses pendant les raids, et un homme d'expérience - mais qui n'avait jamais mis les pieds en Amérique. La facilité avec laquelle on abattait les Psychlos d'une simple balle à radiations l'avait amené à les mépriser. Et il avait, de plus, un problème qui prenait toute son attention.

Des groupes de visiteurs de plus en plus nombreux affluaient en avion de tous les coins du monde pour visiter le camp. Les coordinateurs leur servaient de guides, leur montrant les lieux où s'était déroulé tel ou tel événement fameux. Particulièrement excités et bavards, ils étaient devenus une véritable plaie.

Et presque tous demandaient à voir un Psychlo. La plupart n'en avaient jamais vu, même s'ils avaient souffert de l'oppression psychlo durant des siècles. Certains chefs, certains hauts dignitaires avaient suffisamment d'influence sur le Conseil pour obtenir cette permission spéciale. Ce qui signifiait qu'on devait leur fournir une escorte de gardes dont le commandant ne disposait pas, puis les accompagner, aux sous-sols dans les dortoirs ; dont l'accès leur était en principe interdit. Mais surtout, cela supposait des risques certains puisque la plupart des Psychlos qui se trouvaient dans ces quartiers étaient des irréductibles !

Le commandant soupesa par conséquent l'idée qui venait de lui être proposée. Il alla examiner la cage. Oui, il était évident qu'on pouvait la mettre sous tension - en fait, un circuit était déjà en place - et que l'on pouvait faire passer un voltage important dans les barreaux. Il suffirait de prévoir une barrière de protection pour éviter que les visiteurs ne s'électrocutent accidentellement. Et ainsi, il serait débarrassé de ces visites absurdes dans les dortoirs des sous-sols.

Et puis, l'idée d'avoir une sorte de « singe en cage » le séduisait plutôt. Cela aurait le meilleur effet sur le moral. Et ce serait une attraction supplémentaire. Il comprenait parfaitement qu'on veuille expier certains actes et s'amender publiquement.

Il expliqua en gros le projet lors d'une réunion du Conseil. Tous les membres étaient très occupés, ils avaient l'esprit ailleurs, et il omit de leur préciser qu'il s'agissait de Terl.

Des techniciens vinrent vérifier le montage électrique de la cage et s'assurèrent qu'elle pouvait être déconnectée de l'extérieur, à partir du boîtier de commande qui avait été relié à un poteau. Ils mirent également en place une barrière pour éviter que les visiteurs ne s'électrocutent accidentellement.

Terl, ravi mais affichant un air morne, fut amené sous bonne escorte et enfermé dans la cage où Jonnie et les deux filles avaient si longtemps séjourné.

- Ah, le ciel ! fit Terl. (Il haïssait le ciel bleu de ce monde autant que son atmosphère empoisonnée.) Mais je ne peux y prendre vraiment plaisir. Je vais être incarcéré, exposé à la vue du public, ridiculisé, soumis aux railleries. (Il avait appris encore quelques termes nouveaux.) Je le mérite !

Aussi se mit-il en devoir d'accomplir consciencieusement sa tâche. Le public se mit à défiler et il prit un air féroce et fit de grands bonds. Ses yeux luisaient de rage derrière son masque respiratoire et les petits enfants poussaient des cris d'effroi. Terl avait entendu parler des gorilles - des bêtes que l'on trouvait en Afrique - et il tambourina sur son torse comme ils le faisaient.

Il remporta un vif succès. Les gens pouvaient enfin contempler un vrai Psychlo et même lui jeter des choses.

Ils avaient entendu dire que Terl avait mis un collier à Jonnie. Le jeune Lars, qui était venu lui rendre visite, lui dit à travers les barreaux que le public voulait savoir où il avait mis ce fameux collier.

Terl trouva l'idée sensationnelle. Deux jours après, cinq gardiens entrèrent dans la cage avec un énorme collier et une chaîne et l'on attacha Terl au vieux poteau.

Le commandant du camp était très satisfait. Mais il précisa à l'attention des gardiens que, si jamais Terl faisait mine de vouloir s'enfuir, ils devraient le transformer en passoire.

Terl continuait de gesticuler et de gronder. Mais il y avait la trace d'un sourire sur ses os-bouche.

Son plan marchait à merveille.

2

Jonnie jeta le livre qu'il lisait et repoussa le déjeuner qu'il n'avait pas touché.

Le factionnaire de garde regarda à travers la vitre de la porte, et le colonel Ivan pivota automatiquement, en position de combat : il avait cru entendre l'explosion d'une grenade.

- Ça n'a pas de sens ! s'exclama Jonnie. Ça n'a vraiment pas de sens !

Voyant qu'il n'y avait pas motif de s'inquiéter, les autres se détendirent. L'homme de garde reprit sa posture habituelle et le colonel se remit à nettoyer le carrelage.

Mais Chrissie était inquiète. Jamais Jonnie ne s'était montré irritable, et pourtant, depuis plusieurs jours, depuis qu'il s'était plongé dans la lecture de tous ces livres -, Chrissie ne savait pas lire, mais c'étaient apparemment des ouvrages psychlos -, son humeur n'avait fait qu'empirer.

Le fait qu'il n'eût pas touché à son déjeuner la préoccupait. On lui avait servi un ragoût de gibier avec des aromates sauvages tout spécialement mitonné pour lui par Tante Ellen. Elle était arrivée à la base quelques semaines auparavant, soulagée et heureuse : ses pires craintes avaient bien failli se réaliser, mais il était vivant ! Elle était transportée de bonheur. Et puis, elle avait vu tout à coup ce qu'on servait à Jonnie en guise de cuisine. Le vieux village n'était qu'à quelques kilomètres et, depuis, tous les jours, Tante Ellen confectionnait les plats préférés de Jonnie. Quand elle ne les apportait pas elle-même, elle les faisait livrer par des jeunes garçons : Jonnie avait laissé des chevaux au village. Il suffisait de réchauffer les mets. Ensuite, Tante Ellen ou le garçon récupérait les ustensiles. Assurément, Tante Ellen serait peinée de voir que Jonnie n'avait pas touché à son repas. Chrissie se promit que la sentinelle en mangerait une partie, et peut-être réussirait-elle à en grignoter un peu elle-même.

S'il avait pu marcher, Jonnie se serait levé pour donner un grand coup de pied dans le livre qu'il avait jeté. D'ordinaire, il avait beaucoup de respect pour les livres, mais certainement pas pour celui-là ! Il lui semblait absolument incompréhensible. Il avait trait, comme pas mal d'autres ouvrages, aux mathématiques de la téléportation. Déjà l'arithmétique psychlo était complexe, mais les mathématiques !... Il supposait que cela s'expliquait en partie par le fait que les Psychlos avaient six griffes à la patte droite, et cinq à la gauche. Ce qui les avait conduits à choisir le *onze* comme base de calcul. Et l'ensemble des mathématiques psychlos tournait autour du onze. Jonnie avait appris que les mathématiques humaines utilisaient le système décimal, dont la racine était le dix. Mais il ne connaissait que les mathématiques psychlos. Il n'en restait pas moins que ces données sur la téléportation étaient autrement plus compliquées que l'arithmétique psychlo ordinaire. Ces derniers temps, ses maux de tête avaient presque disparu. Et voilà que ce maudit livre lui avait donné la migraine ! Il était intitulé *Principes élémentaires des équations intégrales de téléportation*. Si cela était « élémentaire », qu'en serait-il d'un traité compliqué ?... Il n'y comprenait rien !

Il repoussa la table roulante et se redressa avec peine en s'appuyant de la main gauche sur le lit.

- Je vais sortir ! annonça-t-il sur un ton décidé. C'est absurde de rester là à attendre que le ciel nous tombe sur la tête ! Où est ma chemise ?

Ça, c'était nouveau. Le colonel se précipita pour aider Jonnie à se lever, mais il le repoussa. Il pouvait se débrouiller tout seul.

Chrissie ouvrit précipitamment trois ou quatre tiroirs sans trouver ce qu'elle voulait. Le colonel voulut empoigner tout un lot de cannes et de bâtons qui se trouvaient dans un coin et en fit tomber la moitié. Quant à la sentinelle, qui avait pour instruction de rapporter le moindre fait inhabituel à Robert le Renard, elle se saisit de sa radio.

Jonnie porta son choix sur un knobkerrie (*). Mackendrick l'avait fait s'entraîner avec tout un choix de cannes. Cela avait été difficile : son bras droit et sa jambe droite étaient hors d'état et ce n'était pas très pratique de tenir un bâton de la main gauche tout en sautillant. Le knobkerrie était un présent d'un chef venu d'Afrique qui ignorait que Jonnie était infirme. C'était une pièce magnifiquement gravée qui pouvait aussi être utilisée comme une arme de jet. Elle avait dû être façonnée pour des hommes de haute taille car sa longueur convenait parfaitement à Jonnie. Et sa prise était très agréable.

Jonnie boitilla jusqu'au bureau, s'assit sur le bord et se débarrassa de sa robe de chambre militaire. Chrissie avait fini par trouver trois chemises de daim. Obéissant à une sorte de perversité, Jonnie choisit la plus vieille et la plus crasseuse, puis la passa, et Chrissie noua les lacets sur son torse. Puis il se glissa dans un pantalon de peau et Chrissie lui mit ses mocassins.

Jonnie ouvrit un tiroir. L'un des cordonniers lui avait confectionné un holster pour gaucher et il avait fixé sa vieille boucle d'or sur un ceinturon plus large et plus pratique. Jonnie le ceignit par-dessus sa chemise.

Dans le holster, il y avait un Smith & Wesson 457 Magnum chargé avec des balles radioactives. Il l'ôta et le remplaça par un petit éclateur. Il vérifia qu'il était bien chargé avant de le glisser dans le holster. Il surprit le regard intrigué du colonel et dit :

- Je n'ai pas l'intention de tuer des Psychlos aujourd'hui.

(*) Massue d'origine africaine à tête non dégrossie (N.d.T.).

Il bataillait pour mettre sa main droite dans le ceinturon - son bras avait tendance à brimbaler - quand des éclats de voix retentirent dans le couloir.

Il avait fermement l'intention de sortir et il ne s'interrompit pas pour autant. C'était sans doute Robert le Renard et le pasteur qui accouraient pour lui rappeler ses devoirs devant le Conseil.

Mais ce n'était ni l'un ni l'autre. La porte s'ouvrit avec violence et le capitaine MacDuff, commandant actuel de la base, un grand gaillard écossais qui portait kilt et claymore, se rua dans la pièce.

- Sir Jonnie !

Jonnie était certain que l'officier était venu pour protester contre sa décision de sortir et il était sur le point de répondre impoliment quand le capitaine débita son message :

- Sir, avez-vous fait demander un Psychlo ?

Jonnie cherchait un bonnet de fourrure. Il avait eu le crâne rasé avant ses opérations et il avait l'impression pénible d'être un puma bouclé. La question s'imposa à lui avec un temps de retard. Il saisit le knobkerrie et, tant bien que mal, s'avança jusqu'à la porte pour jeter un coup d'œil dans le couloir.

Et il découvrit Ker !

Dans la clarté des lampes de mine, c'était une créature particulièrement défaite qu'il avait devant lui. La fourrure de Ker était collée par la crasse et ses crocs, qui dépassaient sous la visière de son masque, étaient jaunis et tachetés. Sa tunique était lacérée sur tout un côté, il n'avait plus de casquette et il ne lui restait qu'une seule botte. Même ses os-tympans avaient l'air démis.

Il était maintenu par quatre chaînes, avec un soldat à chaque extrémité. Ce qui semblait beaucoup pour le petit Psychlo.

- Pauvre Ker, fit Jonnie.

- Vous l'avez envoyé chercher, Sir Jonnie ? demanda le capitaine MacDuff.

- Faites-le entrer, dit simplement Jonnie.

Il s'appuya contre son bureau. Il éprouvait un certain amusement teinté de pitié.

- Vous estimez que c'est raisonnable ? protesta MacDuff tout en exécutant l'ordre.

Jonnie demanda aux quatre soldats de laisser tomber les chaînes et de se retirer. C'est alors seulement qu'il remarqua la présence de quatre autres soldats armés de carabines d'assaut. Il dit aux huit hommes de sortir, à la grande stupeur du colonel.

Chrissie plissa le nez. Quelle puanteur ! Elle se dit qu'elle allait être obligée de nettoyer la pièce et de l'aérer dès que le Psychlo serait parti.

Personne ne voulait se retirer. Jonnie surprit le regard suppliant de Ker derrière son masque, et fit signe à tout le monde de sortir. Tous se retirèrent à contrecœur et refermèrent la porte.

- Il a fallu que j'invente ce mensonge, dit Ker. J'avais besoin de te voir, Jonnie.

- On dirait que tu ne t'es pas peigné depuis pas mal de temps.

- L'endroit où ils m'ont mis, c'est un véritable enfer. Je deviens à moitié fou. J'étais chef de la planète et me voilà clodo, Jonnie. Je n'ai qu'un ami et c'est toi.

- J'ignore comment ou pourquoi tu as pu te retrouver ici, mais...

- A cause de *ça* !

Ker plongea une patte sale sous sa chemise déchirée sans songer une seconde que si Jonnie avait été nerveux, il l'aurait instantanément abattu. Même de la main gauche, Jonnie était encore capable de faire feu rapidement. Mais il connaissait Ker.

Le petit Psychlo lui brandissait un billet de banque sous le nez.

Il le prit avec une certaine curiosité. Il n'en avait vu que de loin, entre les mains de Psychlos, les jours de paye, et n'avait jamais eu l'occasion de toucher un billet. Il n'ignorait pas qu'il s'agissait du symbole par lequel s'effectuaient les échanges et qu'on lui accordait une très grande valeur.

Le billet mesurait trente centimètres de long sur quinze de large. Le papier avait un toucher rêche mais, pourtant, il paraissait brillant. Un côté était imprimé en bleu et l'autre en orange. Il portait l'image d'une nébuleuse spirale et d'une étoile. Mais ce qui était le plus remarquable, c'était le nombre de langues qui figuraient sur la coupure : trente inscriptions différentes, trente systèmes numériques, trente types de caractères imprimés. Au nombre desquels le psychlo. Le seul que Jonnie pouvait identifier.

Il lut « Banque Galactique », « Cent Crédits Galactiques », « Valeur Garantie Pour Toutes Transactions », « Les Contrefacteurs Seront Vaporisés », et enfin : « L'Échange Est Garanti Sur Présentation A La Banque Galactique. »

Sur le côté bleu, il y avait l'image de quelqu'un, ou de quelque chose. C'était humanoïde. Peut-être s'agissait-il d'un de ces Tolneps avec qui l'on avait confondu Dunneldeen, ou encore... Qui pouvait savoir ? En tout cas, l'expression, pleine de dignité, était celle-là même de l'intégrité. De l'autre côté était représenté un bâtiment imposant aux arches innombrables.

Tout cela était très intéressant, mais Jonnie avait décidé de faire autre chose aujourd'hui. Il rendit le billet à Ker et se remit à chercher son couvre-chef. Avec son crâne rasé, il se sentait très mal à l'aise.

Ker avait l'air abattu, soudain.

- Mais c'est un billet de cent crédits ! s'exclama-t-il. Et ce n'est pas une banque de Psychlo. Tout le monde se sert de cette monnaie. Ce n'est pas un faux. J'en suis certain. Tu vois comment le billet brille ? Et ces petites lignes fines autour de la signature...

- Tu essaies de m'acheter ou quoi ? demanda Jonnie en rejetant le couvre-chef qu'il avait enfin trouvé pour se mettre en quête d'un foulard coloré.

- Mais non ! Écoute, Jonnie. Cet argent ne me sert à rien... Regarde !

Jonnie s'installa plus confortablement sur le bureau et regarda docilement.

Ker jeta un regard en direction de la porte afin de s'assurer que seul Jonnie pouvait le voir et, d'un geste dramatique, il écarta les revers déchirés de sa tunique.

Il y avait une marque sur sa poitrine.

- Les trois barres des renégats, dit-il. La marque des criminels. Je ne pense pas que ce soit vraiment une nouvelle pour toi, Jonnie. Je suis un criminel et c'était un des moyens par lesquels Terl me tenait. C'était pour ça qu'il me faisait confiance et qu'il m'a demandé de t'instruire. Si jamais je retournais sur Psychlo, et que l'on découvre que j'avais un emploi avec de faux papiers, je serais vaporisé. Et si Psychlo reprenait ce monde, on conclurait que tous les survivants sont des renégats. On nous examinerait tous et je serais immanquablement découvert. Mes papiers d'identité sont faux. Mais je ne te révélerai pas mon vrai nom. Aussi longtemps que tu l'ignoreras, on ne pourra te considérer comme complice. Tu comprends ?

Non, Jonnie n'y comprenait rien. D'autant plus que les Psychlos l'abattraient à vue sans se soucier de savoir s'il était ou non complice de quelque chose. Il hocha la tête. Toute cette conversation ne rimait à rien. Où Chrissie avait-elle bien pu mettre les foulards ?

- Et s'ils trouvent ces deux milliards de crédits sur moi, ajouta Ker, je serai vaporisé *lentement.*

- Deux milliards ?

Eh bien, oui. Apparemment, le vieux Numph avait refait la Compagnie pendant les trente années de son mandat. Il y avait même des escroqueries qui avaient échappé à Terl : des commissions sur les fonctionnaires femelles, vente de kerbango au double du prix, et même la revente de minerai à des races étrangères qui venaient clandestinement faire le ramassage... Quoi encore ? Numph avait pris l'habitude curieuse de dormir sur quatre matelas, et Ker avait trouvé qu'ils craquaient bizarrement. Il en avait déchiré un pour voir. Et il avait vu !

- Et c'est où ? demanda Jonnie.

- Dans le hall.

Le petit Psychlo referma sa tunique et Jonnie fit un signe au garde à travers la lucarne de la porte. Dès qu'on ouvrit, Ker se précipita dans le couloir en traînant bruyamment ses chaînes derrière lui, affolant tout le monde, et revint avec une grande boîte qu'il déposa dans la pièce. Il répéta la manœuvre et ramena une seconde boîte. Il était à peine plus grand que Jonnie, mais d'une force exceptionnelle. Avant que quiconque ait pu l'arrêter, et malgré l'entrave de ses chaînes, Ker eut bientôt entassé des vieilles boîtes de kerbango dans toute la pièce. Et chaque boîte était bourrée à craquer de crédits galactiques !

- Il y en a bien plus encore sur ses comptes bancaires de Psychlo, dit Ker, mais impossible d'y toucher.

Il restait là, haletant, avec un grand sourire, très fier de lui.

- Maintenant, tu vas pouvoir payer les renégats comme les Chamco en liquide.

Le capitaine MacDuff avait tenté d'expliquer à Jonnie qu'ils avaient inspecté le contenu des boîtes pour s'assurer qu'il n'y avait pas d'explosifs à l'intérieur, mais il ignorait toujours de quoi il s'agissait exactement. Et il voulait également savoir comment Jonnie avait pu adresser un message au camp sans que les sentinelles aient été au courant. Avaient-ils eu raison de laisser entrer Ker ? Il était effaré. Un Psychlo courait de tous côtés en agitant ses chaînes et Jonnie se contentait de rire.

- Et tu veux quoi ? demanda Jonnie à Ker.

- Je veux sortir de cette prison ! gémit Ker. Ils me haïssent tous parce que j'étais le chef. Mais ils me haïssaient déjà avant, Jonnie. Je connais les machines. Est-ce que je ne t'ai pas appris à conduire toutes celles qui sont au camp ? J'ai entendu dire qu'ils ont une école pour les machines, là-bas, dans ce que vous appelez l'Académie. Ils n'y connaissent rien, Jonnie. Ce n'est pas comme toi et moi ! Laisse-moi les aider comme je l'ai fait pour toi !

Il était tellement pathétique, tellement suppliant, tellement convaincu d'avoir bien agi que Jonnie se mit à rire à gorge déployée et, après un temps, les os-bouche du Psychlo esquissèrent un sourire.

- Je crois que c'est une excellente idée, Ker. (A cet instant, Jonnie leva les yeux et aperçut Robert le Renard, immobile sur le seuil, avec une expression glaciale, et il poursuivit en anglais :) Sir Robert, je crois que nous avons un nouvel instructeur pour notre maître d'école. Il est exact que Ker est un très bon opérateur et il connaît absolument toutes les machines. (Il sourit à Ker et ajouta, revenant au psychlo :) Conditions : un litre de kerbango par jour, plein salaire et primes, avec le contrat standard de la Compagnie, moins, bien entendu, l'inhumation garantie sur Psychlo. Ça va ?

Il ne doutait pas un instant que Ker avait sans doute enterré quelque part plusieurs centaines de milliers de crédits.

Ker hocha la tête avec enthousiasme. Il se félicitait d'avoir gardé par prudence quelques centaines de milliers de crédits. Au cas où... Il tendit la patte à Jonnie. Il fit mine de se retirer puis il revint sur ses pas, s'approcha de Jonnie et s'adressa à lui dans l'équivalent psychlo d'un chuchotement :

- J'ai autre chose pour toi, Jonnie. Ils ont mis Terl en cage. Ne le perds pas de vue, Jonnie. Il prépare quelque chose !

Quand le petit Psychlo se fut retiré, Robert le Renard se pencha sur les piles de billets.

- Les pots-de-vin sont en nette augmentation, ces derniers temps, dit Jonnie en s'esclaffant. Faites porter tout ça au Conseil !

- C'est de la monnaie galactique, n'est-ce pas ? Je vais contacter un Écossais du nom de MacAdam, à l'Université des Highlands. Il est spécialiste en monnaie.

Mais il était intrigué de voir Jonnie habillé. Il était plus qu'heureux de constater que l'état de Jonnie s'était à ce point amélioré, même si, au fond de lui, il lui reprochait sa témérité : d'un seul coup de griffes, le petit Psychlo aurait pu lui arracher la moitié du visage.

Il se rendit compte alors que Jonnie clopinait vers la porte, qu'il s'apprêtait à sortir. Jonnie rencontra son regard intrigué.

- Il est possible que je ne sois pas de taille à maintenir le ciel en place, mais ce n'est pas une raison pour attendre indéfiniment qu'il nous tombe dessus. Je vais au camp.

Il avait décidé qu'il devait avoir un entretien avec les frères Chamco. Il lui avait été rapporté qu'ils n'avaient pas du tout avancé dans les réparations de l'aire de transfert. Impossible donc, de découvrir ce qui était advenu de Psychlo.

3

La route était longue jusqu'à l'héliport, surtout avec une seule jambe valide et une canne du mauvais côté. Les ascenseurs ne fonctionnaient pas et ne seraient sans doute jamais remis en état de marche. Clopin-clopant, Jonnie était en train d'apprécier les travaux de nettoyage des lieux quand il entendit un bruit de pas pressés derrière lui et un ordre aboyé en russe. Deux hommes surgirent, de part et d'autre, nouèrent leurs bras de façon à former une chaisse porteuse, et soulevèrent Jonnie en souplesse avant de dévaler les marches de l'escalier qui accédait au terrain.

On avait dû prévenir le pilote de service, car il attendait devant un des avions de la mine, la porte grande ouverte du côté du passager.

- Non ! s'écria Jonnie en indiquant le siège du pilote de son bras valide. Mais pour qui le prenaient-ils ? Pour un infirme ?

Certes, c'était ce qu'il était pour l'heure. Le colonel Ivan surgit devant l'avion et les deux Russes propulsèrent littéralement Jonnie sur le siège de pilotage.

Quelque peu désorienté, le pilote de service tendit la main pour refermer la porte du côté passager, mais il fut repoussé sans ménagement par trois Russes hors d'haleine qui venaient de dévaler l'escalier et qui s'entassèrent à l'intérieur de l'appareil dans un cliquetis bruyant de carabines.

Comme par magie, le colonel se retrouva de l'autre côté pour aider Robert le Renard et deux Écossais à s'installer. Il entra à leur suite.

Le pilote était suédois. Il s'installa dans le siège du copilote et se lança dans une longue déclaration que Jonnie n'était pas en mesure de comprendre. Est-ce qu'il s'agissait d'un Afrikander des Monts de la Lune ? Non, c'était peu probable : les quelques Blancs vivant en pays bantou avaient été contactés trop récemment pour qu'un de leurs représentants eût déjà appris à piloter. Puis, Jonnie prit conscience que ce pilote n'était là que pour des liaisons aériennes locales, qu'il devait encore être cadet, en fait.

Il se boucla dans son siège, prenant soin d'immobiliser son bras inutile, et se tourna vers les passagers. Les Russes portaient des pantalons rouges bouffants et des tuniques grises et achevaient de se harnacher. Le colonel Ivan ôta le foulard de son crâne pour le remplacer par un bonnet de fourrure. Jonnie l'enleva pour le coiffer d'aplomb et découvrit un insigne sur le devant : une étoile rouge dans un disque d'or.

- En avant ! s'exclama Ivan en anglais.

Jonnie sourit. Ils formaient un contingent vraiment très international !

Il fit décoller l'appareil.

Les portes latérales avaient été laissées ouvertes et le soleil entrait à flots dans l'avion. C'était une journée d'été magnifique.

Ils survolèrent les montagnes, majestueuses et blanches sur le fond bleu profond du ciel. Tout en bas, ils virent un ours qui dévalait une pente. Plus loin, une harde de mouflons. Les bêtes levèrent la tête au passage de l'avion. Ce spectacle leur était sans doute devenu familier depuis quelque temps.

Sa main gauche courant sur la console, Jonnie prit de l'altitude au-dessus des ultimes collines et redescendit vers les grandes plaines. L'été. C'était l'été et il avait plu récemment car les prairies étaient émaillées de fleurs. L'étendue verte se perdait à l'horizon de l'est, ondulant à l'infini, peuplée de troupeaux paisibles de ruminants. Tout l'espace dont les hommes avaient besoin pour vivre !

Quelle planète merveilleuse, magnifique ! Une planète où il faisait bon vivre. Elle méritait d'être sauvée.

Le pilote observait avec admiration Jonnie qui pilotait avec la main et le pied gauche. Même avec cinq mains et cinq pieds, il n'aurait jamais fait mieux.

Un cavalier ! Jonnie amorça une boucle vers le sol pour essayer de voir de qui il pouvait s'agir. Des pantalons bouffants ? Un chapeau de cuir noir à fond plat ? Un lasso dans les mains ? Devant, galopait une petite harde.

- Un llanero, dit Robert le Renard. Ils sont venus d'Amérique du Sud. Ils gardent les troupeaux...

Jonnie abaissa la vitre de son côté et salua de la main le Ilanero qui lui répondit.

Pour son premier jour de sortie, il avait droit à une journée merveilleuse !

Ils étaient déjà en vue du camp ! Il y avait une telle foule ! Trente ou quarante personnes observaient l'approche de l'avion.

Jonnie se posa avec une telle légèreté qu'il n'aurait pas fêlé la coquille d'un œuf.

Dieu merci, les gens ne s'étaient pas trouvés sur l'aire d'atterrissage pendant qu'il se posait. A présent, ils affluaient vers l'avion : hommes, femmes, peaux brunes ou noires, blousons de soie ou robes tissées à la main... Tant de gens !

Il ouvrit la porte, mit deux doigts dans sa bouche et émit un sifflement perçant. Par-dessus le brouhaha de la foule, il entendit ce qu'il avait espéré entendre : le martèlement familier de sabots lancés au galop. Fend-le-Vent accourait !

Jonnie détacha ses ceintures de sécurité et, avant que personne n'ait pu l'en empêcher, il se laissa glisser jusqu'au sol. Ce qui était une performance vu la hauteur des cockpits psychlos. Son bras droit le gêna une seconde et il le coinça dans sa ceinture.

Fend-le-Vent s'ébrouait et caracolait pour manifester sa joie d'avoir retrouvé son maître et il faillit renverser Jonnie d'un grand coup de museau.

- Voyons ta jambe, dit Jonnie en s'agenouillant pour examiner le jarret de la jambe avant gauche de sa monture : elle s'était blessée lors de sa course depuis le haut de la falaise.

Mais Fend-le-Vent pensa qu'il devait se livrer à un tour que lui avait appris Jonnie - la poignée de main - et, presque avec reproche, il leva son sabot droit et le lui présenta. Cette fois, Jonnie faillit bel et bien se retrouver sur le dos et il éclata de rire.

- Je vois que tu es parfaitement remis ! s'exclama-t-il.

Et, prenant le sabot, il le secoua chaleureusement.

Il avait mis au point une nouvelle façon de monter. En lançant sa jambe gauche haut et vite, le corps à l'horizontale, il se retrouverait sur sa monture... Il y réussit ! Il n'avait pas besoin de tous ces gens pour l'aider.

A présent, il devait trouver les Chamco. Et obtenir une explication pour ce retard dans les réparations du dispositif de transfert.

Mais la foule se pressait maintenant autour de son cheval. Des visages innombrables, blancs, bruns et noirs. Des mains touchaient ses mocassins, lui tendaient des cadeaux. Et tout le monde parlait en même temps.

Il fut effleuré par un sentiment de culpabilité. Tous ces gens lui souriaient, lui souhaitaient la bienvenue. Cela ternissait un peu sa joie. Car ils n'avaient pas conscience qu'il pouvait avoir totalement échoué. Et que ce magnifique ciel bleu pouvait virer au gris pour laisser pleuvoir la mort.

Il crispa les lèvres. Il était temps de se mettre au travail. Une telle adulation était d'autant plus embarrassante qu'il n'était pas certain de la mériter.

Un autre bruit de sabots s'éleva. Le colonel Ivan interpella quelqu'un en russe. Un cavalier surgit, tenant six chevaux par la bride. Le colonel aboya un ordre et quatre Russes montèrent en selle à sa suite ainsi que Robert le Renard.

Deux Écossais se frayèrent tant bien que mal un chemin et vinrent se placer de part et d'autre de Fend-le-Vent. Ils écartèrent doucement les gens afin que Jonnie pût passer.

A la seconde où il croyait pouvoir se dégager, un petit garçon en kilt s'approcha à grands coups d'épaule et jeta une bride autour de l'encolure de Fend-le-Vent. Sa petite voix aiguë domina le tumulte :

- Je suis Bittie MacLeod. Dunneldeen m'a dit que je pouvais venir pour être votre page, Sir Jonnie !

L'accent écossais était à tailler au couteau, mais sa confiance et sa détermination n'incitaient pas à la rebuffade et le jeune Bittie entraîna Fend-le-Vent vers le camp.

Jonnie n'eut pas le cœur d'émettre la moindre protestation, même si Fend-le-Vent, depuis toujours, répondait à la plus légère pression du talon.

Derrière lui, cinq Russes suivaient. Ils avaient des carabines d'assaut en bandoulière et portaient des lances (avec un fanion) dont la hampe était calée sur leurs étriers. Un llanero vint se joindre à eux au grand galop. Une escouade de soldats suédois surgit du camp et présenta les armes. Des travailleurs apparurent à leur tour. Un gros avion de transport se posa sur l'aire d'atterrissage et trente Tibétains en pèlerinage vinrent grossir les rangs de la foule. Deux plates-formes volantes arrivèrent dans un grondement de moteurs pour débarquer une quarantaine de visiteurs venus de la ville. Une autre plate-forme se posa en rugissant, venant de l'Académie.

Jonnie, dont la monture suivait au petit pas le jeune Bittie MacLeod, parcourut du regard la foule joyeuse. Tous lui adressaient des signes amicaux et criaient des vivats à son approche. Jamais il n'avait vu un tel rassemblement depuis celui d'Écosse. Ils devaient être trois cents, peut-être plus !

Des mains blanches, des mains noires aux paumes roses, des mains jaunes ! Des robes orange, des blousons bleus, des vestes grises. Des cheveux blonds, des cheveux bruns, des cheveux noirs crépus. Et toutes les langues de la Terre unies pour un seul nom : « Jonnie ! Jonnie ! »

Il leva un regard plein d'appréhension vers le ciel d'un bleu intense. Un instant, son attention fut éveillée par un drone... Mais ce n'était qu'un drone de reconnaissance. Ils étaient désormais nombreux à patrouiller dans le ciel, aux aguets d'un envahisseur éventuel.

La rumeur de la foule était devenue un grondement continu. Une femme surgit, lui glissa entre les mains un bouquet de fleurs sauvages tout en lui criant : « C'est pour Chrissie ! »

Il hocha la tête pour la remercier. Ne sachant quoi faire du bouquet, il le glissa dans sa ceinture.

Tous les habitants de la Terre, dont les espoirs s'étaient réveillés, pouvaient se dresser à nouveau et vivre libres.

Plus que jamais Jonnie se sentait coupable. Dans toute cette foule, personne ne savait qu'il avait peut-être échoué. Non seulement il n'appréciait pas cette fiévreuse adulation, mais il avait la certitude de ne pas la mériter. Pas à ce point.

Robert le Renard amena sa monture à sa hauteur et il eut conscience de son trouble. Mais il ne voulait pas que ce premier jour de sortie soit un fiasco.

- Fais-leur quelques signes, mon gars. Lève la main gauche et hoche la tête...

Jonnie s'exécuta et la foule éclata en ovations.

Ils avaient escaladé la colline en direction des anciens quartiers chinkos. La morgue était toujours là. Ainsi que le dôme derrière lequel Terl avait résidé et où, si souvent, Jonnie s'était posté la nuit pour surveiller le camp.

C'est alors qu'il découvrit Terl dans sa cage. Un Terl qui sautait et gambadait, un collier autour du cou. Jonnie se sentit gagné par un vague malaise et il demanda au jeune page de le conduire jusqu'à sa cage.

4

Il avait tout le temps. Il était important qu'il voie les frères Chamco, mais quelques minutes de plus ou de moins ne feraient aucune différence. Il valait mieux qu'il essaie de découvrir d'abord ce que Terl mijotait.

Le public affluait, de plus en plus dense. Les élèves de l'Académie, lorsqu'ils avaient appris que Jonnie était en visite au camp, avaient immédiatement demandé quelques heures de permission, et le maître d'école, qui de toute façon n'aurait pu s'y opposer, les avait laissés sortir bien volontiers. Ils s'étaient mêlés à la foule. D'autres visiteurs étaient arrivés, en provenance de New Denver. Toute activité avait cessé et les machines, dans les ateliers du sous-sol, avaient été désertées. Dans les derniers rangs, on remarquait même certains membres du Conseil, au nombre desquels Brown Staffor, chef du continent américain. La foule était à présent de plus de six cents personnes et la rumeur était devenue assourdissante.

En apercevant Jonnie qui approchait de la cage, Terl se mit à cabrioler plus frénétiquement encore.

Jonnie avait pu constater que le site n'avait pas été trop endommagé ni même modifié par les combats. Le geyser d'eau avait laissé des rigoles profondes dans le plateau, un ou deux barreaux de la cage avaient été éraflés par des balles, mais la cage elle-même était plus propre à la suite du passage des torrents d'eau. Levant les yeux vers la boîte de connexion fixée au poteau, il vit qu'elle était toujours là : les barreaux étaient sous tension selon le même principe et l'électricité arrivait par les mêmes câbles. On avait mis en place une barrière de mine, remarqua Jonnie, afin que les gens ne puissent pas toucher les barreaux accidentellement. Oui, c'était bien la même cage, à cette différence près que des touffes d'herbes avaient poussé alentour.

A présent, il se désintéressait de la foule en liesse. Il se souvenait. Combien de mois avait-il passés là-dedans, à observer l'extérieur ? Et combien de nuits dehors, à guetter ce qui se passait à l'intérieur ? Bien des périodes de cauchemar lui revenaient à présent.

Il fallait qu'il interroge Terl. Mais il se refusait à essayer de lui parler à travers les barreaux comme autrefois. Avec la rumeur de la foule, il n'y parviendrait pas au volume normal de la voix et il n'avait pas l'intention de hurler. Il repéra une sentinelle non loin de là et lui fit signe. Mais ce fut le commandant du camp qui s'approcha de lui.

Aux couleurs de son kilt, Jonnie reconnut l'homme pour être un Argyll. Il se pencha vers lui pour mieux se faire entendre :

- Voudriez-vous faire couper le courant et demander à un garde d'ouvrir la porte de la cage ?

- Comment ? s'exclama le commandant, surpris.

Jonnie pensa qu'il l'avait mal compris et répéta sa demande. Puis il prit conscience qu'il se heurtait à un refus. Il y avait toujours eu de petites frictions entre les Argylls et les Fearghus, et parfois cela avait dégénéré en conflit ouvert. Il se souvint que c'était sa visite en Écosse qui avait interrompu les dernières hostilités entre les deux clans. Il n'avait pas l'intention de discuter avec cet homme. Et il ne désirait pas non plus dialoguer avec Terl en hurlant.

Robert le Renard regarda alternativement Terl, dans sa cage, l'Argyll, puis la foule et la boîte de connexion sur le poteau. Il voulut arrêter Jonnie, mais ce dernier avait déjà sauté de cheval. Le colonel Ivan, précipitamment, écarta ceux qui s'étaient rapprochés et mit le knobkerrie dans la main de Jonnie.

Jonnie clopina jusqu'au levier de l'interrupteur et l'abaissa. Il fut obligé de prendre appui de l'épaule droite sur le poteau pour avoir la main libre. A la seconde où la barre conductrice s'ouvrit, il y eut une étincelle. Lorsque la foule vit qu'il se dirigeait vers la cage, elle s'écarta et devint tout à coup silencieuse et calme. C'était comme une onde d'apaisement qui se développait à partir de Jonnie à chaque pas qu'il faisait.

Durant tout ce remue-ménage, la sentinelle n'avait pas bougé. Les clés de la cage étaient à sa ceinture et Jonnie les prit.

Il y eut quelques murmures d'excitation, puis, à nouveau, un silence tendu s'établit.

Terl profita de cette circonstance pour pousser un grondement féroce.

Le commandant du camp voulut se précipiter en avant, mais le colonel Ivan s'inclina sur l'encolure de son cheval et le retint de son énorme main. Il ne voulait personne dans la ligne de tir. Les cosaques se déployèrent brusquement. Les culasses claquèrent. Quatre carabines d'assaut étaient pointées sur Terl. Plusieurs Écossais coururent jusqu'aux toits des anciens quartiers chinkos et une nouvelle série de claquements de culasses succéda au bruit de leur course.

La foule s'écarta en hâte des barrières.

Jonnie se retourna. Il avait entendu le bruit des culasses et il parla d'un ton calme, car le silence régnait à présent, et l'on n'entendait plus que les rugissements de Terl.

- Une balle pourrait ricocher sur ces barreaux et atteindre quelqu'un dans la foule. Levez ces fusils, s'il vous plaît.

Il dégagea l'éclateur de son holster, puis, obéissant à une arrière-pensée, il vérifia qu'il était réglé sur « Paralysie - Pas de Flammes ». Mais il avait la conviction qu'il ne courait aucun danger. Terl avait un collier et il était enchaîné. Certes, il n'était pas prudent de s'approcher jusqu'à être à sa portée, mais, à en juger par son comportement actuel, le Psychlo ne se livrerait qu'à une singerie quelconque.

La serrure de la porte joua plus facilement qu'avant. Jonnie pensa que quelqu'un avait dû la graisser récemment. Il ouvrit. Il sentit que la foule retenait son souffle, mais cela ne détourna pas son attention.

Terl émit un grondement.

- Arrête de faire le clown, dit Jonnie.

Terl obéit aussitôt et s'accroupit contre le mur du fond, avec une étincelle d'amusement mauvais dans le regard.

- Salut, animal.

Quelque part dans la foule, la voix furieuse du pasteur lança :

- Ce n'est pas un animal !

Jonnie ignorait que le pasteur parlait le psychlo.

- On dirait que quelqu'un ne t'a pas loupé... Voilà ce qui arrive quand on est stupide. Ça s'est passé comment, cervelle de rat ?

- Sois poli, Terl, veux-tu ? Qu'est-ce que tu fabriques dans cette cage ?

- Ah, cet accent chinko ! Jamais je ne ferai de toi une créature parfaitement éduquée et civilisée. Mais bon, si tu en appelles à ma courtoisie et étant donné que tu t'exprimes en chinko, pardonne l'intrusion de ce langage vulgaire dans tes très nobles os-tympans...

Il semblait qu'il dût continuer sa litanie sur le mode servile des Chinkos, mais il éclata d'un rire méchant.

- Réponds à mes questions, Terl !
- Eh bien, je...

Et il employa un mot psychlo que Jonnie n'avait jamais entendu.

Mais Jonnie n'était pas venu pour entendre ça. Il comptait bien découvrir ce que Terl avait mijoté et qui avait échappé aux autres. Il claudiqua autour de la cage en prenant soin de se tenir à l'écart de Terl et sans le quitter une seconde des yeux. Il examina les parois des murets, à la base des barreaux, puis le bassin. Terl semblait avoir enveloppé un certain nombre d'objets dans une bâche. D'un geste, Jonnie lui intima l'ordre de reculer et s'approcha du paquet. Il s'agenouilla et l'ouvrit.

Il trouva un vêtement à l'intérieur. En fait, ce n'était guère plus qu'une sorte de pagne. Terl en portait un similaire et était nu par ailleurs. Il y avait aussi une gamelle de kerbango tordue avec un trou, et pas de kerbango. Ainsi qu'un dictionnaire psychlo ! Pour quelle raison Terl, qui était très cultivé - en psychlo du moins - avait-il ce dictionnaire ?

Jonnie recula au-delà de l'extrémité de la chaîne, le dictionnaire sous le bras. Quel était donc le mot que Terl venait d'employer ? Ah ! « Repentir » : « Tristesse ou ressentiment que l'on éprouve envers soi-même pour ce que l'on a fait ou pas fait. Ce terme dérivé de la langue hockner est utilisé par certaines races étrangères. »

- Te repentir ? railla Jonnie. *Toi ?*

C'était à son tour de rire.

- Ne t'ai-je pas mis en cage ? Ne comprends-tu pas que cela peut procurer à quelqu'un un sentiment de...

Jonnie chercha ce dernier terme. « Culpabilité » : « Sentiment douloureux de reproche envers soi-même résultant de la conviction que l'on a d'avoir mal agi ou de façon immorale. Dérivé du chinko et très utile aux officiers politiques pour la dégradation des races soumises. Selon le professeur Halz, cette émotion existerait réellement chez certaines créatures étrangères. »

Jonnie referma le livre avec un claquement sec.

- Mais toi aussi, animal, tu as dû éprouver cela, dit Terl. Je me suis comporté comme un père avec toi et, jour après jour, tu as passé ton temps à ruiner mes plans d'avenir. En fait, je te soupçonne nettement de t'être servi de moi afin de pouvoir me trahir...

- Comme pour le camion qui a explosé ?
- Quel camion ?
- Le camion qui a livré l'or, insista Jonnie, patiemment.
- Oh, je croyais que tu faisais allusion à cette pelleteuse dans laquelle tu t'es retrouvé piégé, celle qui a explosé là-bas sur le plateau. Il faut dire que vous avez plutôt tendance à malmener le matériel, vous autres animaux ! (Terl soupira.) Et me voici victime de ta vengeance.

Cette fois, Jonnie ne se donna pas la peine de chercher le mot qu'il n'avait pas compris. Il savait qu'une fois encore ce serait un terme que les Psychlos n'utilisaient jamais.

- Je n'ai jamais ordonné qu'on te mette dans cette cage avec ce collier. C'est toi qui l'as voulu. J'aurais parfaitement le droit d'exiger qu'on te reconduise dans les dortoirs. Tu as l'air fin là-dedans, à gesticuler à moitié nu...

- Je ne pense pas que tu le feras, dit Terl d'un ton mauvais. Mais pourquoi es-tu venu ici aujourd'hui ?

Mieux valait ne pas trop parler avec Terl mais, d'un autre côté, quel autre moyen y avait-il d'obtenir quelques renseignements ?

- Je suis venu demander aux frères Chamco pour quelle raison ils ont pris du retard sur les réparations du système de transfert.

- Je m'en doutais, dit Terl.

Il avait pris un air indifférent. Il soupira encore une fois derrière son masque, très longuement, et se leva.

Un murmure de frayeur courut dans la foule. Le monstre dépassait Jonnie de plus d'un mètre. Ses griffes étaient impressionnantes et ses crocs acérés luisaient sous le masque.

- Animal, dit-il, en dépit de nos différends passés, je crois que je devrais te dire une chose. Dans peu de temps, tu viendras me demander mon aide. Et comme je suis... et... (encore deux mots inconnus de Jonnie qui ne tendit même pas la main vers le dictionnaire...) je serai sans doute assez stupide pour t'aider. Rappelle-toi cela, animal. Quand tu seras en difficulté, viens voir Terl. Après tout, n'avons-nous pas été compagnons de mine ?

Jonnie éclata de rire. Là, c'était vraiment trop ! Il jeta le dictionnaire dans la bâche, reprit son knobkerrie et, tournant le dos à Terl, il quitta la cage.

Dès qu'il eut franchi le seuil et refermé, Terl poussa un rugissement effroyable et se mit à danser sur place en se frappant le torse.

Jonnie lança les clés au garde et alla rétablir le courant. Il riait toujours en retournant vers Fend-le-Vent. La foule était toujours à l'écart, poussant des soupirs de soulagement.

Mais Brown Staffor le Boiteux s'était avancé entre Jonnie et sa monture. En le reconnaissant, Jonnie s'apprêta à le saluer. Puis il se figea. Jamais encore il n'avait lu autant de malveillance, de haine sur un visage humain.

- Je constate que nous sommes *deux* infirmes, à présent ! lança Staffor.

Puis, abruptement, tournant le dos à Jonnie, il s'éloigna en boitant, traînant son pied bot.

5

Certains de ceux qui étaient dans cette foule raconteraient plus tard à leurs arrière-petits-enfants qu'ils avaient été présents en personne quand Jonnie, *le seul et vrai Jonnie*, était entré dans la cage, ce qui leur vaudrait assurément respect et notoriété.

Jonnie était de nouveau sur Fend-le-Vent. Il le conduisit jusqu'au petit dôme atmosphérique où l'on avait logé les frères Chamco.

- Ce n'était pas une chose à faire, déclara Robert le Renard, qui chevauchait à côté de Jonnie. Il ne faut pas effrayer les gens comme ça.

Il avait été lui-même paralysé par l'inquiétude.

- Je ne suis pas venu pour voir les gens, mais les Chamco, et c'est ce que je m'apprête à faire.

- Il faut penser à ton image publique. Ils ont eu peur pour toi.

Robert le Renard se disait que c'était le premier jour de sortie de Jonnie et il avait voulu que ce soit une réussite, mais cette visite à Terl leur avait fait dresser les cheveux sur la tête.

- Tu es devenu un symbole, ajouta-t-il sur un ton plus doux.

Jonnie se tourna vers lui. Il aimait beaucoup Robert le Renard. Mais vraiment, lui, un symbole !...

- Je suis Jonnie Goodboy Tyler. Tout simplement. (Il eut brusquement un rire amical.) Je veux dire : *MacTyler !*

Les soucis de Sir Robert fondirent comme neige au soleil. Comment en vouloir à ce garçon ? En tout cas, il se réjouissait de voir que Jonnie semblait heureux.

La foule était beaucoup plus calme mais elle avait continué à les suivre. Le colonel Ivan avait surmonté sa frayeur et ses lanciers cosaques avaient repris leur formation. Bittie MacLeod, qui avait retrouvé ses esprits, guidait tant bien que mal Fend-le-Vent dans la direction indiquée par Jonnie. L'Argyll qui commandait le camp sortit furtivement une fiasque, but une lampée et la tendit à son second.

Jonnie observa le dôme dont ils s'approchaient. Les frères Chamco avaient fait du bon travail. Ils avaient récupéré un dôme dans une mine abandonnée et l'avaient scellé sur un cercle en béton. Le sas atmosphérique était un des plus perfectionnés qui fût : une porte à tambour rotatif qui maintenait l'air à l'extérieur et assurait la pression de l'atmosphère psychlo à l'intérieur. La pompe et le réservoir de gaz étaient indépendants. Le dôme était muni de stores qui étaient ouverts pour le moment en dépit de la chaleur du soleil. Les Psychlos ne faisaient pas grand cas des températures. C'était dans cet endroit que les Chamco s'étaient installés pour proposer des plans et des suggestions en échange d'un salaire garanti - qui leur était payé en espèces grâce à la découverte de Ker.

Jonnie les connaissait bien depuis son apprentissage à la mine. Les Chamco étaient des ingénieurs en conception et en planning de haut niveau, diplômés de toutes les grandes écoles de Psychlo et de la Compagnie. Les rapports mentionnaient qu'ils se montraient jusqu'alors très coopératifs et courtois - pour autant qu'un Psychlo pût se montrer courtois. Pour eux, la politesse était à sens unique.

Les Chamco étaient devant leurs grands bureaux capitonnés entourés de grandes tables à dessin. On avait installé un intercom de type standard afin de pouvoir converser avec eux sans avoir à franchir le sas. Mais Jonnie s'imaginait difficilement en train de discuter de complexes questions techniques par l'intercom.

Le colonel Ivan avait dû lire dans ses pensées. Il s'avança et lui demanda :

- Vous... entrer ?

Son anglais était limité et, éperdu, il chercha un coordinateur écossais qui parlait le russe.

Le coordinateur dit à Jonnie :

- Le colonel veut dire que ce dôme est en verre blindé, à l'épreuve des balles, et qu'il ne pourra pas vous couvrir.

- Jonnie, dit Robert le Renard avec désespoir, tu ne trouves pas que tu es resté suffisamment longtemps dehors pour un premier jour ?

- Mais je suis venu pour ça, dit Jonnie en descendant de cheval.

D'un geste réticent, le colonel lui tendit son knobkerrie et se lança dans une explication que le coordinateur traduisait sans perdre une seconde.

- Le colonel dit qu'il ne faut pas séjourner dans le sas. Une fois à l'intérieur, il faut vous diriger sur la droite. Sinon, ses hommes ne pourraient pas charger à l'intérieur.

Tandis qu'il s'avançait en clopinant vers le sas, Jonnie entendit les remarques qui fusaient dans la foule derrière lui :

- Mais il va également entrer là-dedans ? Est-il donc inconscient à ce point ?... Il ne sait pas que les Psychlos peuvent... Regardez-moi ces bêtes féroces !

Mais Jonnie n'appréciait pas qu'on lui dicte sa conduite. Ce n'était pas facile d'être un symbole ! Pour lui, ce concept était nouveau : il ne pourrait plus, désormais, se déplacer à son gré sans que ceux qui l'entouraient aient leur mot à dire.

Il devina que les frères Chamco devaient habituellement garder les stores de leur dôme baissés car, à l'intérieur, il le découvrait maintenant, les lumières brillaient encore. Il mit sur son visage le masque à oxygène qu'un pilote lui avait donné.

Il franchit le sas, non sans difficulté : ces dispositifs avaient été conçus pour les Psychlos, et ils étaient trop lourds, trop difficiles à manier.

Les Chamco avaient interrompu leur tâche. Ils l'attendaient, immobiles, les yeux fixés sur lui. Leur attitude n'était nullement hostile mais ils ne le saluèrent pas.

- Je suis venu me rendre compte de vos progrès dans les travaux de réparation du dispositif de transfert, annonça Jonnie, en prenant soin d'utiliser des inflexions psychlos particulièrement courtoises - dans la limite psychlo.

Les Chamco ne répondirent pas. Il lui sembla que le plus jeune avait l'air sur ses gardes...

- Si vous avez besoin de matériel ou de quoi que ce soit, reprit Jonnie, c'est avec joie que je vous ferai livrer tout ce que vous demanderez.

L'aîné prit la parole :

- Tout a été grillé. La console, tout... Irrémédiablement détruit...

- Oui, je comprends, dit Jonnie, en s'appuyant sur son bâton, à quelques centimètres du sas. Mais je suis persuadé que tous ces composants sont standards. Les dispositifs dont les appareils de transport sont équipés sont presque similaires...

- C'est très difficile, dit le plus jeune des Chamco.

Jonnie se demanda s'il avait réellement un regard bizarre ou bien si cela n'était dû qu'à sa nature de Psychlo.

- Nous devons reconstruire tout ça, dit-il. Nous ne saurons jamais ce qui a pu se passer sur Psychlo si nous ne le faisons pas.

- Cela prendra du temps, dit l'aîné.

Lui aussi, à bien réfléchir, avait un regard inhabituel. Mais il y avait toujours de drôles de petites étincelles dans les grands yeux d'ambre des Psychlos.

- Je me suis livré à quelques calculs, dit Jonnie. (Il jeta un bref regard sur l'alignement de manuels techniques. Tout à fait à droite, il reconnut l'ouvrage qu'il avait rageusement rejeté ce matin même.) Alors, vous pourriez peut-être m'expliquer...

Le plus jeune des Chamco bondit sur lui !

L'aîné s'arracha à son bureau et fonça droit sur Jonnie.

Ils grondaient férocement.

Jonnie bascula en arrière. Il lança son bâton en avant. Bien trop faiblement. Il n'était pas gaucher !

Il distingua confusément une patte énorme qui allait s'abattre sur lui.

Il réussit à s'agenouiller et à dégainer de la main gauche.

Des serres effleurèrent le côté gauche de son visage.

Il fit feu.

Sous l'effet du recul, il fut rejeté tout contre la porte et il essaya d'ouvrir le sas. Mais il semblait bloqué.

Il était sur le dos : une botte menaçait de lui briser le torse, et il tira une fois encore.

La botte disparut de son champ de vision.

Des pattes velues cherchaient sa gorge !

Les grondements étaient devenus des rugissements déments.

Jonnie, une fois encore, fit feu sur les pattes et sur les poitrails énormes des deux créatures. A chaque impact, elles reculaient.

Il vit enfin que les deux Chamco étaient au sol.

Le plus jeune était visiblement groggy. Mais, derrière lui, son aîné essayait d'ouvrir un tiroir. Il y parvint brusquement et y prit quelque chose.

Tout se passait trop rapidement. A cause du bureau, Jonnie ne parvenait pas à viser nettement et il roula sur le côté pour tirer.

Le plus grand des Chamco tenait un petit éclateur. Mais il ne visait pas Jonnie. Il portait le canon à sa tempe !

Il était sur le point de se suicider !

Le maelström hurlant avait cessé. Jonnie visa et fit sauter l'arme du poing du Psychlo. Elle n'explosa pas. Le Psychlo fut partiellement touché par la décharge et il s'effondra en arrière, inconscient.

« Bon sang ! » jura Jonnie. Ce que c'était que d'être privé à la fois de son bras et de sa main droite ! Sa canne était hors de portée et il fut obligé de s'appuyer contre le mur pour se redresser.

Il y avait une fumée dense dans la pièce, qui se rassemblait en tourbillons autour des évents de climatisation. Jonnie avait presque perdu l'ouïe dans les grondements, les hurlements et les détonations de son arme !

« Bien ! » se dit-il. Mais qu'est-ce que ça voulait dire ? Les deux Psychlos étaient étendus là-bas... Mais pourquoi l'avaient-ils attaqué ?

La porte atmosphérique pivota et le colonel Ivan surgit, accompagné d'une sentinelle.

- Ne tirez pas ! lança Jonnie. Il y a du gaz respiratoire psychlo tout autour de nous et si la moindre radiation fuit, nous serons tous réduits en miettes ! Essayez de nous trouver des fers !

- On n'a pas pu trouver de masques à air ! cria la sentinelle, hystérique, avant de recouvrer un peu de sang-froid pour aller en quête de fers.

Le colonel Ivan réajusta soigneusement son masque pour mieux voir les deux Psychlos allongés sur le sol. Ils semblaient totalement inconscients mais Jonnie continuait de pointer un éclateur sur eux.

Il agita son arme pour désigner les masques respiratoires des Psychlos, accrochés à un porte manteau. Le colonel s'en empara et les mit en place sur le visage des deux Chamco.

Puis Jonnie lui montra les commandes de circulation du gaz psychlo et le colonel abaissa la manette avant de s'attaquer au verrou d'arrivée d'air qu'il parvint enfin à ouvrir.

Les sentinelles se ruèrent aussitôt à l'intérieur du dôme, dans un grand bruit de chaînes et de fers, et les Chamco furent attachés en quelques gestes.

Jonnie clopina jusqu'au-dehors. Il s'aperçut alors seulement que la foule ne s'était pas dispersée et que les gens avaient pu observer tout ce qui s'était passé à travers la paroi du dôme. Il vit des doigts pointés sur son visage et s'aperçut qu'il saignait.

Tant bien que mal, il remonta à cheval.

Les gens bavardaient. Quant aux gardes, ils essayaient de faire leur devoir.

- Pourquoi a-t-il attaqué ces Psychlos ?
- Mais non, ce sont eux qui l'ont assailli !
- Pour quelle raison ?
- Regardez : on amène un élévateur. Écartez-vous !
- Moi, je dis que Jonnie a bien fait de tirer sur ces Psychlos.
- Est-ce que quelqu'un peut nous aider à charger les corps ?
- Pourquoi l'ont-ils laissé entrer ?
- Oui, mais ils l'ont attaqué !
- Moi, j'ai entendu dire que ces Psychlos...
- Mais non, j'ai bien vu ce qui s'est passé. Il était très correct avec eux et ils lui ont sauté dessus comme ça sans prévenir. Pour quelle raison ?

Jonnie n'avait pas de foulard ni de peau de daim pour étancher le sang qui commençait à couler sur sa chemise. Un mécano lui tendit un chiffon et il le pressa sur sa joue.

- On disait que ces Psychlos étaient soumis ! Alors, pourquoi l'ont-ils attaqué ?

Les rumeurs continuaient de parcourir la foule.

Jonnie se dit qu'il aurait bien aimé connaître l'explication. Qu'avait-il bien pu dire ? Il lui vint soudain une idée.

- Est-ce que quelqu'un a enregistré ça ? demanda-t-il. L'intercom a bien dû retransmettre notre conversation, non ?

Après tout, il le savait, quinze picto-enregistreurs au moins avaient dû tourner depuis qu'il était descendu d'avion. Un Argyll se précipita en agitant un disque.

- Est-ce que quelqu'un peut me faire une copie tout de suite ? demanda Jonnie. Je veux savoir ce qui a pu les inciter à se comporter ainsi.

- Bien sûr, monsieur, tout de suite !

Et avant même qu'il ait sauté de sa monture pour regagner l'avion, il avait une copie.

A la seconde où il montait à bord, Robert le Renard lui souffla :

- Fais-leur un signe !

Jonnie s'exécuta. Tous les visages étaient levés vers lui, certains très pâles, d'autres presque gris.

- En arrière ! lancèrent les gardes. Évacuez le terrain, s'il vous plaît !

A la base, ce même soir, peu après le dîner, le colonel Ivan envoya un coordinateur à Jonnie. Il avait un message :

- Il veut vous faire dire que vous vivez trop dangereusement.

Il avait sans doute autre chose à dire mais Jonnie l'interrompit :

- Dis-lui que peut-être, au fond, je suis un cosaque !

Les Russes s'esclaffèrent et se répétèrent cette réplique durant des jours et des jours.

Cette première sortie avait été plutôt agitée.

Mais il y eut des répercussions. Trois jours plus tard, Jonnie reçut un message écrit et confidentiel du Conseil. Sur l'instant, il n'y accorda guère d'attention, car il n'était pas d'humeur à se laisser facilement troubler.

Plus tard, il devait y repenser comme à un point décisif de son existence et il s'en voulut de n'avoir pas perçu alors la menace qu'il portait.

Voté à une infime majorité, le message était en fait très courtois, très correct et bref :

Par décision du Conseil, dans l'intérêt de sa sécurité personnelle et afin de prévenir tout incident, avec la conscience de la valeur qu'il représente pour l'État, il est décrété que Jonnie Goodboy Tyler ne se rendra plus désormais en visite dans le camp jusqu'à ce que la présente interdiction soit levée par une autorité légale.

La présente décision a fait l'objet d'un vote et est certifiée comme faisant acte.

Oscar Khamermann,
Chef de Tribu de la Colombie Britannique,
Secrétaire du Conseil.

Jonnie lut le message, haussa les épaules et le jeta à la corbeille.

DIX-SEPTIÈME PARTIE

1

Lorsqu'il revint du camp, Brown Staffor était malade de jalousie. Jalousie *légitime*.

Quel spectacle hideux et *vulgaire !*

Tous ces gens qui se pressaient et qui applaudissaient, qui étaient prêts à se vautrer pour embrasser les mocassins de Jonnie Tyler ! C'était plus qu'un homme équilibré comme Staffor le Boiteux n'en pouvait tolérer.

Il avait bien senti, récemment, que sa cote était en baisse. Et il s'était creusé la tête pour tenter de trouver divers moyens, même criminels, de corriger cette erreur grossière que faisait le peuple en vouant une telle adoration à Jonnie Tyler !

Depuis que Tyler était revenu au village l'an dernier, en se pavanant et en distribuant des cadeaux à la ronde - alors même qu'il ne pensait qu'à les déposséder de leurs terres et de leurs demeures -, Brown Staffor avait attendu son heure. Il lui avait néanmoins fallu quelque temps pour prendre conscience que Jonnie Tyler non seulement n'était pas mort mais qu'il avait apparemment accédé à un univers plus vaste et à une popularité plus grande encore.

Il bouillait de rage quand il se rappelait comment il avait été rejeté, méprisé et tourné en ridicule par Tyler depuis leur plus lointaine enfance. Il évitait de trop y penser, car il s'éveillait au cœur de la nuit et se tournait fiévreusement dans son lit sans parvenir à retrouver le sommeil, grinçant des dents. Le fait même de ne pouvoir citer ou ramener au grand jour les méfaits de Tyler ne faisait qu'accroître son ressentiment. Car tout cela devait bien avoir une base, sinon comment expliquer ce qu'il éprouvait à présent, lui, Brown Staffor ? C'était la preuve évidente.

Quand il avait appris que Tyler était estropié et sur le point de mourir, il avait éprouvé un immense soulagement. Et voilà qu'il le retrouvait bien vivant, boitant, certes, mais se donnant en spectacle avec tous ces Psychlos. De quoi avoir la nausée.

Ce n'était pas faute d'avoir essayé. Depuis que le vieux Jimson avait commencé à se plaindre de ses rhumatismes, Staffor lui avait appris les vertus de l'herbe loco pour toutes les formes de douleur et il lui en avait apporté une bonne provision. Cet acte profondément humanitaire s'expliquait par la surprise désagréable que Staffor avait éprouvée en s'apercevant que le vieux Jimson était prêt à soutenir les projets criminels de Tyler : détruire le village pour transporter sa population jusqu'à une montagne désolée où ils seraient tous condamnés à mourir de froid et de faim. A l'évidence, on ne pouvait se fier au vieux Jimson pour gouverner, accablé comme il l'était par la maladie et la souffrance. Heureusement, il gardait à présent le lit et ne s'éveillait que lorsque sa famille lui apportait quelques vivres. C'était un tel réconfort de voir que le vieil homme n'était plus terrassé par la douleur ni accablé par les affaires du village. Certes, c'était un réel fardeau à supporter seul, mais Brown Staffor était patient, courageux, sinon plein de zèle.

Lorsque les coordinateurs de la Fédération Mondiale pour l'Unification de la Race Humaine étaient arrivés, il les avait de prime abord considérés comme des gêneurs. Mais ils lui avaient montré certains livres.

Staffor, le vieux pasteur, avant de mâcher du loco nuit et jour, avait pris très au sérieux ses responsabilités envers le village et sa famille. Il avait cherché à initier Brown aux devoirs de l'Église et, dans cet espoir, il avait extrait d'une cachette secrète un livre dont les gens du village ignoraient tout et qui s'intitulait la Bible. En privé, il avait appris à lire au Boiteux. Mais le Boiteux n'avait jamais envisagé sérieusement de devenir pasteur et aspirait plutôt, en fait, à devenir maire du village. Un pasteur pouvait seulement persuader les gens, alors qu'un *maire*...

C'était de la logique pure et simple. D'un côté il y avait Tyler, qui paradait à cheval en lorgnant les filles, avec tous ces jeunes gens qui l'accompagnaient dans les aventures les plus insensées, et ces idiots du Conseil qui fermaient les yeux devant ses méfaits criminels. De l'autre, il y avait Brown Staffor - sage, tolérant, compréhensif et brillant - ignoré, rejeté et méprisé par tous. Le propre père de Tyler - si c'était bien son père - n'avait-il pas protesté lorsque Brown était né avec un pied bot et qu'on l'avait épargné ? Brown n'était pas certain que ce fût lui, mais en tout cas sa mère lui avait dit que certains membres du Conseil avaient refusé qu'on le laisse vivre et qu'elle avait dû se battre. Elle répétait cela plusieurs fois par semaine et Brown le Boiteux avait acquis la conviction que les Tyler avaient voulu l'assassiner !

Son ressentiment donc était tout à fait justifié et il devait prendre les mesures nécessaires non seulement pour se protéger lui, mais aussi pour protéger le village. En agissant autrement, il eût été irresponsable.

Les coordinateurs avaient été ravis de découvrir qu'il savait lire et ils lui avaient donné un texte sur le gouvernement et sur la procédure parlementaire intitulé *Les Règles de l'Ordre de Robert*. Il avait été stupéfait d'apprendre de leur bouche que, en tant que seul maire en place, il était de fait le chef de la tribu américaine. Apparemment, tous les habitants de l'Amérique (les coordinateurs lui avaient montré sur un globe où était l'Amérique) avaient été massacrés ou étaient morts de maladie. Sa tribu était la tribu principale du pays et, à cause de la proximité de la mine, elle représentait le groupe politique le plus influent.

Mais, essentiellement, qu'était-ce donc que ce Conseil ? Eh bien, il était constitué des chefs de toutes les tribus du monde. Ils se réunissaient ou envoyaient leurs représentants au sein d'une sorte de parlement, pour ainsi dire à sa porte !

Ils ajoutèrent que, bien sûr, lui Brown le Boiteux, devait se sentir plus particulièrement concerné vu que Jonnie, *leur* Jonnie, était issu de ce village. Mais il ne s'était pas seulement senti concerné, il était devenu obsédé !

Y avait-il d'autres peuplades en Amérique ? Oui, il en existait deux en Colombie Britannique et l'on en avait recensé quatre dans la Sierra Nevada - une chaîne de montagnes située plus à l'ouest - ainsi que quelques groupes d'Indiens. Non, ils ne venaient pas de l'Inde, mais on les appelait comme ça. Ils avaient survécu dans quelque montagne, plus au sud. Il fallait compter aussi diverses tribus d'Eskimos et d'Alaskans, mais, géographiquement, elles n'appartenaient pas à l'Amérique.

Brown Staffor avait fait des progrès. Puisque chaque membre du Conseil détenait une voix, il avait organisé la récupération des groupes de Colombie Britannique et de la Sierra Nevada (un acte purement humanitaire bien entendu) et les avait installés dans son village en tant que tribus. Ils détenaient à présent trois voix au Conseil. Brown s'intéressait maintenant aux Indiens dans l'espoir d'avoir un de leurs représentants, ce qui ferait quatre voix au Conseil.

Il espérait également faire des progrès dans d'autres directions. Lors des sessions du Conseil, il faisait des remarques sur Tyler, prononcées sur un ton à la fois neutre et sincère. Il rappelait volontiers que les gens du village avaient autrefois considéré Jonnie comme un jeune téméraire, étourdi et irresponsable, même si lui, Brown Staffor, s'était évertué à démentir cette impression. Comment Tyler enfant passait son temps à jouer, allant même jusqu'à refuser d'apporter de l'eau à sa famille, ce qui était le devoir de tous les enfants raisonnables et bien élevés. Il fit courir la rumeur que Tyler aurait eu connaissance de l'existence de la tombe depuis longtemps, et qu'il aurait gardé ce secret pour lui afin de pouvoir la visiter régulièrement et de dépouiller les respectables morts. Tyler, en fait, ajoutait Brown, avait essayé de nier, et le pasteur du village avait fait tout son possible pour le ramener dans le droit chemin. Il lui était même arrivé de confisquer certains des objets rapportés par Jonnie pour le punir. Finalement, Jonnie était parti pour de bon, laissant sa famille et tous les villageois dans la famine durant deux hivers. Quant au fait que Chrissie et Jonnie ne fussent pas mariés, le pasteur avait découvert certaines choses remontant à leur enfance et c'était lui qui avait interdit leur mariage. Non pas que Jonnie fît grand cas de l'autorité de ses aînés, les jeunes étant ce qu'ils sont...

La plupart des chefs les plus anciens, venus des coins les plus reculés du monde, ne savaient pas très précisément ce qui se passait et, après tout, le Chef Staffor n'avait-il pas été un compagnon proche de Jonnie Tyler ?

Deux jours auparavant, Brown le Boiteux avait eu une altercation avec un rustre ignare, chef de quelque tribu sibérienne, et il en avait retenu l'impression pénible qu'ils ne croyaient pas tous ce qu'il racontait. Ce qui l'avait mis d'humeur morose. N'avait-il pas réellement connu Jonnie Tyler, le seul, *le vrai* Jonnie Tyler ? Pour assister, après toutes ces années, à ce lamentable spectacle de rodomontades et d'orgueil. Quel paon vaniteux ! Pouah ! Brown en avait la nausée. Et voilà qu'il avait le culot de faire semblant de ne pouvoir marcher. Sans doute pour se moquer de Brown et de son pied bot.

Brown avait remarqué que le Psychlo en cage semblait entretenir des relations amicales avec Tyler. Il ignorait ce qu'ils pouvaient bien se dire, mais il était en tout cas évident qu'ils se connaissaient très bien. Pourtant, Brown avait senti qu'ils étaient quelque peu en froid.

Se raccrochant à ce mince espoir, Brown décida d'enquêter et, ce même soir, il retourna au camp. Les sentinelles, bien sûr, ne se risquèrent pas à interpeller un des plus importants membres du Conseil arborant un ruban aux couleurs de son illustre tribu, et Brown put tout à son aise observer le Psychlo à quelque distance de la cage. C'est ainsi qu'il fut le témoin d'un événement très curieux : un jeune élève-pilote suédois s'entretint avec le monstre à travers les barreaux durant un long moment.

La sentinelle répondit bien volontiers à la question de Brown : oui, le cadet rendait visite au Psychlo tous les soirs, après la fin des cours. Il perfectionnait son psychlo. Tous les pilotes devaient parler un psychlo impeccable et le monstre dans la cage était un *vrai* Psychlo. Ce qui était une chance car il n'en restait plus guère dans les environs. Non, la sentinelle ignorait de quoi ils parlaient vu qu'elle ne comprenait pas le psychlo, car elle faisait partie des commandos d'Argyll en détachement ici. Mais elle connaissait le nom du cadet : c'était Lars Thorenson.

- Je vous remercie bien, chef, de dire au Conseil que nous n'avons pas de cape et que nous en aurions bien besoin la nuit. Merci.

En usant de son influence, Brown Staffor découvrit bien vite dans les registres de l'Académie que Lars Thorenson appartenait à une tribu de Suède qui avait émigré en Écosse, qu'on l'avait choisi pour être aspirant coordinateur parce qu'il s'exprimait couramment en anglais et en suédois et qu'il avait le don des langues. Son père avait été un adepte du fascisme et il avait incité son fils à se servir de la Fédération pour répandre la parole fasciste, du fait que le fascisme avait été la religion d'État en Suède, que cette religion avait eu à sa tête une figure militaire célèbre du nom de Hitler et que le monde avait besoin du fascisme. La Fédération avait rejeté le jeune Thorenson, mais il avait posé à nouveau sa candidature et, vu la pénurie de personnel, il avait été engagé comme élève-pilote. Brown apprit aussi qu'il était atrocement médiocre dans les exercices d'acrobatie aérienne, qu'il se remettait à peine d'un atterrissage raté, qu'il avait été provisoirement suspendu et serait sans doute renvoyé dans sa ferme d'Écosse. Il était peut-être doué pour les langues, mais ça n'allait pas très bien dans sa tête.

Parfait ! Un membre du Conseil n'aurait aucune difficulté à faire annuler cette décision de renvoi.

Brown le Boiteux commença à s'intéresser très sérieusement à Lars Thorenson et, à travers lui, à ce monstre en cage.

Les choses s'annonçaient vraiment très bien. Il existait certains crimes qui devaient être punis, même si le criminel était un vieux compagnon !

2

Cette journée avait rendu Terl particulièrement optimiste.

Tout s'était passé conformément à ses prévisions. Quelqu'un, tôt ou tard, remettrait la téléportation en opération sur cette planète et il avait pu constater avec joie que l'animal lui-même s'y intéressait.

Terl était un vétéran de la sécurité. Il se considérait en fait comme le meilleur dans sa profession, et il connaissait tout de la téléportation. *Tout !*

Quand l'animal avait rendu visite aux Chamco dans leur dôme, Terl avait guetté avec délectation les détonations.

Quant à l'issue de l'affrontement, Terl était partagé. Il était certes heureux qu'il y ait eu combat et que les Chamco aient réagi ainsi qu'il l'avait prévu mais, dans le même temps, il était quelque peu déçu que l'animal n'eût été qu'égratigné au visage. C'était pour lui un véritable conflit émotionnel : l'animal était parvenu à abattre les Chamco *mais* il arrivait encore à se traîner en boitant et il était bel et bien vivant. Bon, après tout, on ne pouvait pas tout avoir.

Il dut attendre deux jours avant que la nouvelle soit confirmée : les Chamco s'étaient suicidés. Il apprit cela de la bouche de ce stupide cadet qui venait lui rendre visite chaque soir. Pour se perfectionner dans une langue, il fallait bien trouver des sujets de conversation et c'était comme ça que Terl se tenait au courant des dernières nouvelles.

- Vous savez, ces deux Psychlos qui travaillaient là-bas, dans le dôme, lui avait dit Lars ce soir-là. Eh bien, ils les avaient mis dans une cellule, dans les dortoirs, et cet après-midi, malgré toutes les précautions qui avaient été prises, ils ont réussi à se pendre avec leurs chaînes. A une poutre. Ils sont arrivés à briser leurs chaînes et à les nouer. Ils auraient pu tenter de s'enfuir, mais ils ont préféré se pendre.

- Ça alors ! s'exclama Terl, affectant la plus grande surprise. Pauvres gars ! Ils ont dû être gravement blessés par l'animal. J'ai pu voir ça d'ici. Il les a littéralement mitraillés. Quand un Psychlo sait qu'il ne s'en remettra pas, il se suicide, presque inévitablement.

Cette version était totalement à l'opposé de la vérité et Terl dut se retenir pour ne pas éclater de rire.

- Le sergent de la garde et la sentinelle vont passer en cour martiale, ajouta Lars. Ils vont certainement être renvoyés en Écosse. Ce sont des Argylls. Ils sont du Clan Argyll, je veux dire...

Terl fit claquer ses crocs avec sympathie en apprenant cette injustice flagrante et fit part de son opinion à Lars.

Lars admit en lui-même qu'effectivement les autorités pouvaient se montrer très injustes. Mais il n'osa rien dire.

- Il y a là quelqu'un que j'aimerais vous faire rencontrer. C'est une personne très importante. Un des dirigeants du Conseil. Je ne peux révéler son nom. Il attend là-bas, près du poteau, dans l'ombre. Vous pouvez le voir ?

Terl avait aperçu l'autre dès qu'il était arrivé. Il demanda :

- Où ça ? Qui ? Un dirigeant du Conseil ?

Et Lars - c'était un excellent exercice pour parfaire son psychlo - se lança dans une description précise du système politique en place. Et Terl lui dit que oui, très certainement, il voulait bien communiquer avec cet important fonctionnaire, et que ce serait bénéfique pour sa connaissance du psychlo que Lars soit leur intermédiaire.

Brown Staffor avait déclaré que les lumières placées autour de la cage lui blessaient la vue et qu'il avait eu la fièvre récemment. Aussi utilisèrent-ils deux radios de mine pour dialoguer, Lars faisant office d'interprète.

Terl fournit au politicien un nombre appréciable de données « précises ». Les Psychlos étaient en fait un peuple pacifique, qui s'intéressait avant tout au commerce et, dans le cas de ce monde, à l'exploitation minière. Un désastre s'était produit sur Terre un millier d'années auparavant et la Compagnie s'était alors installée. Non, il ignorait quelle avait été la nature de la catastrophe, sans doute quelque cataclysme naturel. La Compagnie, dans la mesure du possible, avait tenté de sauver les survivants mais les habitants s'étaient mépris sur les intentions des Psychlos et avaient fui à l'approche des équipes de secours et des missions de paix. La Compagnie avait une fonction commerciale avant tout, elle n'était nullement politique, et elle était relativement pauvre. Elle s'était rapidement trouvée dans l'incapacité d'assumer le fardeau financier que représentaient les secours aux humains. Les bénéfices fondaient et, finalement, l'opération de sauvetage avait été abandonnée.

Mais, oui, il pouvait dire que l'animal Tyler (c'était bien son nom ?) avait provoqué une crise. Irréfléchi ? Oui, à bien y songer, on pouvait admettre qu'il l'était. Et téméraire également. Ça, il le savait. Il avait tout fait pour être son ami et il se retrouvait en cage, lui, Terl, sans même être passé en jugement ! Mais, au fond, s'il était enfermé dans cette cage, c'était avant tout à cause de la culpabilité qu'il éprouvait, et de son désir sincère de repentir. Cet animal (comment s'appelait-il déjà ? Ah, oui ! Tyler. Il ignorait qu'il avait un nom). Cet animal, donc, était si sournois, hostile. Il suffisait de voir ce qu'il avait fait aux deux meilleurs amis de Terl deux jours auparavant pour comprendre. Ils avaient été si gravement blessés qu'ils n'avaient eu d'autre solution que le suicide.

Oui, les Psychlos étaient fondamentalement pacifiques. Bons, honnêtes avec leurs amis. Dignes de confiance. Personnellement, c'était pour lui une règle d'existence : ne jamais trahir la confiance d'autrui.

Comment ? Oui, c'était bien dommage que l'animal Tyler n'ait aucun des principes moraux d'un Psychlo. C'est vrai, on aurait dû lui apprendre l'honnêteté et la droiture quand il était jeune.

Non, les Psychlos n'avaient pas l'intention de contre-attaquer. Ils n'étaient pas une nation militariste, l'Intergalactique était une compagnie minière, qui n'avait pour but que de venir au terme de ses travaux d'extraction tout en restant en paix avec le reste de l'Univers. On se méprenait gravement sur les Psychlos.

Quand ils se furent séparés, Lars se sentit très satisfait de cette leçon exceptionnelle de psychlo. Quant à l'ombre cachée sous le poteau, elle semblait elle aussi toute prête à renouveler cette expérience. Terl, quant à lui, savourait pleinement sa joie et il enserra son torse entre ses énormes pattes avec une force telle qu'il faillit se briser quelques côtes.

Il réussirait à s'enfuir de ce monde, il en était certain. Ses plans marchaient à merveille ! Il tenait là une occasion inouïe ! Il aurait pu réussir autrement, mais tout devenait ainsi tellement plus facile. Non seulement il retournerait sur Psychlo pour récupérer son or, mais il ferait sauter cette abominable planète. Et il emmènerait un prisonnier en prime. Sur Psychlo, il y avait des cellules atmosphériques à oxygène où l'on pouvait interroger des captifs pendant des semaines. Des semaines de souffrance, bien entendu. Oui, il aurait un prisonnier. Non pas ce stupide cadet qui ne connaissait rien à rien, ni ce politicien fourbe et difforme qui était assez bête pour ne pas faire la différence entre des fables grotesques et des informations valables, encore moins cet animal Jonnie qui s'était révélé excessivement dangereux... sauf s'il n'avait pas le choix... Non, Terl devrait emmener quelqu'un qui soit au fait de tous les plans humains, de tous les préparatifs militaires... Mais qui ?...

Terl se pressait les côtes pour ne pas hurler de rire. Il n'avait nulle envie que la sentinelle vienne s'enquérir de son humeur. Il valait mieux qu'elle croie qu'il souffrait de maux de ventre.

C'était à crever de rire.

Ses professeurs ne s'étaient pas trompés. Il était certainement le meilleur officier qu'ils eussent jamais formé !

A un certain point, il ne put se retenir de pouffer, mais la relève avait eu lieu entre-temps et la nouvelle sentinelle pensa que le Psychlo était juste un petit peu plus fou que d'ordinaire. Rien n'avait été porté sur le registre de garde à

34

l'exception de l'habituelle visite du cadet qui perfectionnait son psychlo avec le monstre. La nouvelle sentinelle commença sa ronde. Mais l'homme éprouvait un bizarre pressentiment. Était-ce parce que cette nuit d'été était un peu plus froide ? Ou bien à cause de ce rire dément qui lui parvenait de la cage ?

3

- Nous allons en Afrique, dit Jonnie.

Le docteur MacKendrick, qui était occupé à ôter le plâtre du bras de Thor, releva la tête, quelque peu surpris.

A l'exception de Thor, tous les Écossais blessés avaient quitté l'hôpital souterrain. Il avait fallu recasser le bras de Thor pour le remettre en place, mais à présent il semblait en voie de guérison. Il ne restait donc plus qu'un patient : Jonnie. Le docteur Allen avait regagné l'Écosse et MacKendrick avait songé à l'imiter.

Quand il eut fini de casser le plâtre, MacKendrick demanda :

- *Nous ?*

- Oui. Vous êtes un ostéopathe mais également un spécialiste de la neurochirurgie. Je pense que c'est ainsi que cela s'appelle.

Le docteur se tourna vers le grand jeune homme appuyé sur sa canne. Il aimait beaucoup Jonnie. Un jeune docteur très compétent avait remplacé MacKendrick au pays. Il s'était dit que quelques jours de vacances seraient peut-être les bienvenus avant d'emporter ses instruments jusqu'à sa grotte d'Aberdeen. Mais en Afrique !...

Thor pliait et repliait son bras, l'air satisfait. MacKendrick entreprit de lui expliquer les exercices qu'il devrait faire pour empêcher ses muscles de s'atrophier. Le bras semblait avoir été parfaitement ressoudé, cette fois.

Jonnie fit signe à MacKendrick de le suivre dans la chambre d'hôpital qu'il avait transformée en bureau. Il y avait une vieille table recouverte de papiers, de livres et de photos.

- J'ai besoin de quelques Psychlos, certains morts, d'autres vivants.

Sur le seuil, Thor éclata de rire.

- Pour les morts, je ne pense pas qu'il y ait de difficulté. Il y en a un bon millier dans tout le camp.

- Navré, dit Jonnie, mais on les a jetés au fond d'un puits de mine de deux kilomètres et l'étayage est si peu solide qu'il serait trop dangereux d'y descendre. J'ai passé toute la semaine dernière à essayer de trouver des corps de Psychlos.

- Il y a les deux frères Chamco, remarqua MacKendrick.

- Ça non plus, ce n'est pas possible. Le Conseil, pour quelque raison que j'ignore, les a fait incinérer.

- Quel est exactement le problème ? demanda MacKendrick.

- Vous ne vous êtes jamais demandé pourquoi la Compagnie Minière Intergalactique rapatriait toujours les corps ? Ils ne souhaitent pas laisser traîner des cadavres.

- Le pasteur, intervint Thor, a fait l'autopsie de ceux que nous avons trouvés dans l'avion.

- Il ne cherchait pas la même chose que moi, dit Jonnie.

Le docteur MacKendrick sourit.

- Autopsier des corps de Psychlos... Jonnie, tu ne cesseras jamais de me surprendre.

Il faisait allusion à un incident qui s'était produit une semaine plus tôt, alors qu'il était occupé à recoudre la joue de Jonnie. L'aiguille était un peu émoussée et Jonnie, obéissant à un réflexe, avait levé la main *droite* pour lui agripper le poignet.

MacKendrick était contrarié par l'état de son bras et de sa jambe. Il craignait d'avoir occasionné quelque lésion en l'opérant. Mais ce mouvement soudain lui avait appris que le problème résidait dans la transmission d'influx nerveux et qu'il n'y avait pas dommage physique. Jonnie avait essayé de répéter volontairement le mouvement mais sans y parvenir.

- C'est un peu comme d'apprendre à faire bouger ses oreilles, avait-il dit. Il suffit de trouver les muscles qu'il faut contracter et comment le faire.

MacKendrick s'était donc demandé s'il devait demeurer auprès de Jonnie jusqu'à sa complète guérison.

- Ma foi, dit-il enfin, je pense que je pourrais t'accompagner. Mais pourquoi l'Afrique ?

Il était plus intéressé par le fait qu'il ne quitterait pas Jonnie, et qu'il pourrait s'occuper de son bras et de sa jambe, que par les autopsies de cadavres de Psychlos.

Avec un sourire, Jonnie fit signe à Thor de s'approcher.

- Là-bas, dit-il, il y a une mine psychlo encore intacte, et qui fonctionne.

- On l'aurait manquée ? s'exclama Thor, abasourdi.

- Ce n'est pas une véritable exploitation. Ce n'est qu'une branche de la mine principale qui se trouve tout près de ce qu'on appelait le Lac Victoria. Là. (Il désigna un point précis sur la carte.) A l'ouest, loin dans la jungle, il y avait, et il y a toujours, une mine de tungstène. Les Psychlos sont friands de tungstène. (Il décrivit un cercle tout autour de la région concernée.) Tout ça, c'est de la jungle. Sur les clichés, on ne voit que de très grands arbres touffus qui forment un véritable parapluie. Cette jungle doit être vieille de milliers d'années. Même les drones de reconnaissance n'arrivent pas à percer ces feuillages. Nous avons choisi nos objectifs par rapport aux cartes des drones. C'est vrai, nous avons raté cette mine. Je suis prêt à parier qu'ils sont tranquillement terrés là-bas à écouter ces messages bizarres sur la fréquence planétaire et qu'ils ne bougent pas d'un poil en attendant d'avoir leur chance.

Thor sourit.

- Quelle idée sinistre, Jonnie ! On va aller là-bas, les mitrailler et récupérer les corps...

- Je ne veux pas seulement des cadavres mais aussi des Psychlos bien vivants. Il y a toujours cinq ou six ingénieurs diplômés dans chaque site minier.

- Et qu'attends-tu de ces autopsies ? demanda MacKendrick.

- Je l'ignore, dit Jonnie. Vous allez prendre vos scalpels et venir avec moi.

- Tu ne me dis pas tout.

- En vérité, non. Je ne vous dis pas tout. Tout cela est secret. Nous allons dire simplement que nous faisons la tournée de quelques tribus. Et si tu viens, Thor, tu pourras effectivement en visiter quelques-unes en te faisant passer pour moi. Comme au bon vieux temps du filon.

- Effectivement, ça me paraît ultra-secret, commenta le docteur.
- Ça l'est absolument, confirma Jonnie.

Il n'appréciait guère la manière dont les choses se passaient avec le Conseil. Il n'était plus invité à y siéger et tant de lois avaient été récemment votées qu'il était difficile d'en tenir le compte.

- Et tu essaies de résoudre quoi ?... ajouta MacKendrick.
- Je veux savoir pourquoi les Chamco se sont suicidés.

« Et aussi pourquoi je n'arrive pas à démêler les mathématiques de la téléportation », ajouta Jonnie en pensée.

Depuis plus d'une semaine, il tournait en rond sans déboucher sur rien. Il ne savait pas exactement ce qu'il cherchait, mais ça devait se trouver quelque part.

- Alors, l'Afrique ? demanda-t-il.
- L'Afrique, fit Thor.
- Eh bien oui, l'Afrique, dit MacKendrick.

4

L'énorme avion de combat sillonnait le ciel, loin au-dessus de l'Atlantique. Ce type d'appareil avait été construit pour les commandos de « marines » de la Compagnie. Il y avait cinquante sièges prévus pour des Psychlos et assez d'espace pour des tonnes de matériel et d'armement. Jonnie, installé dans le siège de pilotage, n'avait pas la moindre difficulté à jouer sur les commandes avec sa seule main gauche. Il avait mis le cap droit sur l'objectif.

Malgré la taille de l'avion, ils avaient eu toutes les peines du monde à éviter la surcharge. L'opération devait demeurer secrète. Il n'était pas question de tolérer la moindre fuite. Mais l'attention avait très vite été attirée sur eux, par les amis et par leur activité.

Dunneldeen s'était présenté le premier avec cinq Écossais. Ils passaient par là, revenant tout juste de leur pays natal.

Il fut difficile de persuader le colonel Ivan - qui disposait de quatre-vingts vaillants cosaques de l'Armée Rouge - de laisser la moitié de ses hommes à la base.

Angus, à peine une heure avant le départ de l'héliport, avait entassé avec désinvolture une centaine de kilos d'outils à l'arrière avant de s'installer tranquillement, bien que personne ne l'eût invité. Un arsenal impressionnant d'explosifs et d'armes diverses était apparu comme par magie entre les mains de quatre Écossais arrivés sous la conduite de Dwight. Quant au docteur MacKendrick, il semblait bien qu'il eût décidé d'emporter avec lui tout ce qui pouvait avoir l'ombre d'une utilité possible.

Peu avant le décollage, il y avait eu un petit incident. Pattie, apparemment, avait trouvé le grand amour de sa vie en la personne de Bittie MacLeod et sa présence à bord leur aurait totalement échappé si Pattie n'était pas accourue en larmes pour l'embrasser. Quant à Chrissie, elle n'avait pas dit un mot. Elle était malheureuse et inquiète.

Brusquement, une vieille femme avait surgi, portant les bagages de Chrissie, et l'avait entraînée à sa suite. A ce qu'il semblait, Robert le Renard avait décidé de les faire conduire en Écosse parce que sa famille, expliqua-t-il, désirait faire la connaissance de Chrissie. Pattie fut donc obligée de suivre. Ils s'apprêtaient à verrouiller les portes lorsque Robert le Renard réapparut, vêtu de sa cape, sa claymore à la ceinture.

Comme ils franchissaient le littoral de ce qui avait été jadis les États-Unis, deux avions de combat se portèrent à leur rencontre. C'était Glencannon et trois de ses compagnons.

- Nous venons juste d'en finir avec nos corvées de navette, annonça Glen-cannon. Nous avons suffisamment de carburant et de munitions pour aller avec vous.

Ils avaient également à bord un coordinateur qui était un expert de l'Afrique et qui parlait le français.

Comme Sir Robert et Jonnie remontaient la grande travée centrale, venant de l'arrière de l'appareil, le vieil Écossais se pencha vers Jonnie et lui murmura qu'à son avis c'était loin d'être le raid le mieux préparé auquel il eût participé. Et où donc Jonnie les conduisait-il , à propos... ?

Le coordinateur était un jeune homme du nom de David Fawkes. Il avait été arraché de son lit par un Russe peu avant l'aube. Ses affaires avaient été entas-sées tant bien que mal dans un baluchon avec ses livres. Puis on l'avait propulsé jusqu'à l'avion. Il lui avait fallu quelque temps pour se remettre. Il était installé à côté du copilote, non loin de Jonnie, et, à présent, bavardait joyeusement.

- Nous avons une opération en cours dans ce secteur d'Afrique. Je crois qu'on l'appelle la Forêt de la Pluie. Alors, si tout cela est secret, il vaudrait mieux que vous vous teniez à l'écart de l'unité de la Fédération. Nous ignorions qu'il existait une exploitation minière au nord.

- Vous avez eu de la chance que les Psychlos ne vous aient pas exterminés, intervint Robert le Renard en se penchant par-dessus le siège du copilote.

- Vous savez, les coordinateurs ne constituent pas réellement une unité de combat. Nous ne procédons pas comme vous, d'habitude. C'est la première fois que nous avons besoin de toute cette... quincaillerie, comme vous dites, vous autres raiders.

- Tu veux dire que vous aviez l'intention de combattre les Psychlos ?

- Oh, non, non ! protesta hâtivement le jeune Fawkes. Les Brigantes. D'habi-tude, les populations des tribus sont tellement heureuses de nous voir que c'en est du délire, mais...

- C'est quoi, un Brigante ? demanda Robert le Renard, tout en se disant qu'il était vraiment lancé dans un raid particulièrement mal organisé et préparé.

Il ignorait même quel était leur objectif.

Il semblait que les Brigantes, ainsi qu'ils se nommaient eux-mêmes, consti-tuaient un groupe plutôt étrange. Un coordinateur avait été lâché dans une ville en ruine du secteur pour voir s'il ne s'y trouvait pas de survivants, et il avait bien failli être réduit en charpie par une grenade.

- Une grenade ? fit Robert. Mais les Psychlos ne se servent pas de grena-des !

Oui, bien sûr, la Fédération savait cela. Il s'était agi d'une grenade *à poudre*.

Qui dégageait des flammes et de la fumée. Le coordinateur avait été sur le point de se défendre avec un bâton tout en demandant des secours par radio quand un vieillard était sorti des ruines d'un bâtiment pour s'approcher de lui et lui présenter des excuses en français.

Le vieillard était très décrépit, à la dernière extrémité. Il avait été abandonné par les hommes de son escouade. A son âge, il n'était plus bon à rien. Il appartenait à ceux qui se donnaient le nom de Brigantes. Il avait cru que le coordinateur était un Psychlo dans un premier temps. Puis il avait constaté qu'il était humain et il s'était dit qu'il devait faire partie d'une équipe de relève envoyée par la banque.

- La quoi ? demandèrent simultanément Thor et Robert le Renard.

Apparemment, une légende circulait depuis un millier d'années (stupéfiant mais vrai !) selon laquelle les Brigantes seraient un jour secourus par quelqu'un.

Robert, qui aimait qu'on en vienne aux faits, demanda à nouveau :

- Mais c'est quoi exactement, un Brigante ?

- Eh bien, c'est justement ce qui rend aussi difficiles les contacts avec eux. En ce moment même, il y a trois coordinateurs là-bas. Ah oui... Ce qu'est un Brigante ?... Eh bien, il semble qu'à l'époque du désastre - si j'en crois ce vieil homme, et ce n'est pas confirmé - une importante banque internationale ait voulu renverser l'un de ces pays d'Afrique qui avaient obtenu leur indépendance et leur liberté de gens que l'on appelait des « colonialistes ». Après son indépendance, ce pays lui avait emprunté une grosse somme. Puis des militaires avaient pris le pouvoir et refusé de rembourser la banque ou quelque chose comme ça...

» Ce qui nous amène aux Brigantes... Cette banque internationale avait rassemblé un groupe de ce que l'on appelait des mercenaires, des soldats qui louaient leurs services. Une unité d'un millier d'hommes avait ainsi été formée. Ils devaient renverser le gouvernement en utilisant des gaz de combat, et tous ces mercenaires possédaient des masques comme les nôtres, à cette différence près qu'ils filtraient l'air extérieur... Oui, oui. J'en viens aux faits. On les surnommait aussi « soldats de fortune » dans l'ancien temps. Donc, ils étaient sur le point d'attaquer le gouvernement de ce nouveau pays et ils s'étaient installés dans quelques mines du désert - d'anciennes mines de sel - quand les Psychlos ont frappé. Et comme ils avaient ces masques...

- Le sel neutralise le gaz psychlo, dit Jonnie.

- Oui, ça doit être ça... Bref, ils étaient là, en Afrique, armés, prêts à frapper, et leur objectif a été liquidé. Mais pas par eux ! Ils constituaient un groupe hétéroclite : des Belges, des Français, des Sénégalais, des Anglais, des Américains... Il y avait toutes les nationalités dans le lot, tous ceux que la banque avait pu engager. Mais ils n'en formaient pas moins une unité militaire parfaitement entraînée. Ils n'avaient pas vraiment de nom et, à un moment ou à un autre, quelqu'un a commencé à les appeler « Brigantes ».

- Merci, enfin, pour ce précieux renseignement, railla Robert le Renard.

- Attendez, ce n'est pas tout. Les indigènes de la région avaient péri pour la plupart sous l'effet du gaz toxique, et l'unité décida de descendre vers le sud. Il semble qu'ils aient réussi à échapper à tous les drones de reconnaissance sous les arbres géants de la jungle. Plus tard, ils ont pris leurs femmes dans les villages, dans les missions, blanches ou noires, et ils ont continué leur marche vers le sud.

» Mais ce n'est pas tout. Vous savez pourquoi ils sont si difficiles à approcher ? Après deux siècles, ils ont conclu une sorte d'accord avec les Psychlos. Vous le saviez ? Eh bien, nous non plus. Et c'est ce qui les rend particulièrement farouches.

» Apparemment, ils avaient pour usage de capturer des humains pour les livrer aux Psychlos qui les tuaient ou les torturaient. Ils ne se sont jamais approchés des Psychlos qui d'ailleurs ne pouvaient rien faire dans ces régions marécageuses : eux et leurs tanks étaient trop lourds, et leurs avions ne pouvaient pas voler entre ces grands arbres. C'est à cause de tout cela que les Brigantes ont réussi à conclure cet accord. Les gens qu'ils capturaient étaient rassemblés à proximité du camp minier et les Psychlos sortaient pour en prendre livraison et...

- Les torturer, dit Jonnie. Ils adorent ça.

- En échange, les Psychlos, semble-t-il, laissaient des bricoles et des vêtements. Une espèce de troc, en somme. Mais ça se passait il y a des siècles. Finalement, les Brigantes n'ont plus trouvé personne à capturer. Mais les Psychlos n'ont jamais essayé de les pourchasser dans cette jungle.

- Ces Brigantes me paraissent des fous dangereux, dit Robert le Renard. Pas vraiment la clientèle idéale pour des coordinateurs qui se promènent sans armes.

- Oh, ne vous inquiétez pas. Nous sommes de très bons diplomates, vous savez. D'ailleurs l'ordre nous est venu du Conseil, il y a quelques jours à peine, d'entrer en contact avec eux et de les ramener. Nous faisons simplement notre travail.

» A vrai dire, ces Brigantes sont effectivement un peu bizarres. Ils limitent volontairement leur population à un millier de personnes. Ils laissent mourir les plus vieux dans un coin, ils ne fondent pas de foyer et traitent les femmes comme de vulgaires objets. Il semble que le taux de mortalité infantile soit particulièrement élevé. Et ils ont beaucoup de pertes vu qu'ils chassent l'éléphant à la grenade...

» Oui, oui... A la grenade... Ils savent comment fabriquer de la poudre noire rudimentaire. Vous savez : avec du charbon de bois, du salpêtre prélevé dans la fiente, et du soufre qu'ils trouvent dans les mines désaffectées. Ils mettent ce mélange dans un réceptacle d'argile qu'ils truffent de pierres. Ensuite, ils placent une mèche au centre, qu'ils allument avec un cigare. Pour que ce soit efficace, ils sont obligés de s'approcher très près d'un éléphant, ce qui explique le taux de pertes.

» Quant à cette histoire de « relève »... On suppose que leurs ancêtres avaient reçu de la banque la promesse qu'elle les tirerait d'affaire. Ils n'ont pas la moindre idée de ce qui se passe dans le monde extérieur. Évidemment, les coordinateurs qui sont sur place exploiteront cette légende pour les ramener.

- Et ils se trouvent près de l'exploitation minière ? demanda Robert le Renard.

- Au sud, tout à fait au sud, dit David Fawkes. Je me suis dit qu'il valait mieux que vous le sachiez. D'après ce que j'ai cru comprendre, votre objectif n'est qu'une branche de la mine principale, avec un contingent de Psychlos ordinaires.

- Des Psychlos « ordinaires » ! ricana Thor. Est-ce que tu as une arme ? Non ? Alors, il t'en faut une. Tiens, prends celle-là. Et surtout n'essaye pas de découvrir le passé tribal d'un Psychlo avant de tirer sur lui. Compris ?

David Fawkes prit le pistolet comme s'il avait été un serpent prêt à mordre.

Ils poursuivaient leur vol, droit sur l'Afrique.

5

Jonnie, trempé par la pluie battante, couvert de sueur sous l'effet de la chaleur, s'était allongé derrière le tronc d'un arbre. Il observait le camp psychlo avec des jumelles à infrarouge, mais sans grand résultat.

Depuis trois jours, sous la pluie, ils suivaient une ligne électrique qui était le seul signe de civilisation qu'ils eussent rencontré. Ils s'étaient posés sans problèmes près du barrage et avaient découvert qu'il était entièrement automatisé et à maintenance automatique. Les machines psychlos avaient été simplement ajoutées à l'ancienne installation humaine. Ils ne disposaient pas du moindre indice quant à la situation exacte de la mine psychlo, mais Jonnie connaissait bien ce type de ligne électrique : de gros câbles posés sur des pylônes de métal, eux-mêmes anciens, qui les conduiraient au but, inexorablement. « Inexorablement » semblait dans leur situation présente un terme qui convenait particulièrement.

Habituellement, autour des lignes électriques, la broussaille et les arbres étaient clairsemés, mais ce n'était pas le cas ici. Depuis des années innombrables, la ligne était enfouie, loin du ciel ouvert, sous le plafond dense et impénétrable de l'immense forêt.

Les anciennes cartes humaines désignaient cette région sous le nom de Haut-Zaïre et ce secteur particulier d'une nation depuis longtemps éteinte s'était appelé la Forêt de l'Ituri.

Les rayons du soleil équatorial n'atteignaient jamais le sol. Il y avait d'abord la couverture des lourds nuages, puis le dais végétal des arbres majestueux dont les branches s'interpénétraient à plus de trente mètres de hauteur. Des plantes grimpantes aux tiges énormes s'enroulaient comme des serpents avides autour des troncs. L'humus spongieux s'enfonçait en gargouillant à chaque pas.

Et la pluie tombait sans cesse ! En averse, ruisselant des lianes et des troncs, se déversant entre les moindres percées dans le feuillage. Ils avançaient sous des chutes d'eau tiède plus ou moins denses qui jamais ne se tarissaient.

Tout baignait dans une obscurité crépusculaire.

Et la faune se fondait dans la pénombre végétale, ce qui rendait leur périple d'autant plus dangereux.

Ils avaient entrevu des éléphants, des buffles et des gorilles. Un animal semblable à une girafe, une antilope ainsi que deux fauves s'étaient enfuis devant eux. Le feulement des léopards, les grondements des crocodiles, le babil des singes et les appels suraigus des paons, même atténués par les rideaux de pluie, suggéraient à Jonnie une vie aussi dense qu'hostile.

Les anciennes cartes des hommes lui avaient appris que la forêt mesurait quarante mille kilomètres carrés et que la civilisation humaine, même à son plus haut niveau, ne l'avait jamais complètement explorée. Pas étonnant qu'une mine leur eût échappé !

Quant à s'aventurer dans l'Ituri avec des vêtements de daim, des mocassins et une jambe invalide !...

La progression était d'autant plus difficile qu'il n'était pas question d'utiliser les avions et qu'il leur fallait se montrer aussi discrets que possible. Pour la même raison, ils n'osaient pas utiliser la radio. Et en larguant des filins depuis les avions, ils risquaient d'endommager les lignes électriques, à supposer qu'ils les atteignent. Quant aux rivières infestées de crocodiles, elles ne facilitaient pas les passages à gué.

Jonnie n'avait emmené avec lui qu'une unité réduite, une vingtaine d'hommes qui avançaient en ordre dispersé, prêts à demander un appui aérien ou une troupe de soutien à tout instant si cela s'avérait nécessaire.

Le camp semblait désert, mais les Psychlos ne se risquaient jamais à découvert. Il avait été édifié depuis si longtemps qu'il se trouvait maintenant sous la voûte exubérante des arbres. Jonnie se demanda quels méfaits avaient pu commettre les employés de la Compagnie pour être affectés à ce poste sinistre, perdu, humide.

Il essaya de relever des traces de passage de véhicules sur la gauche du camp. Il ne cherchait pas d'empreintes de pneus mais bien plutôt d'éventuels endroits où la végétation était écrasée et flétrie par les transports à flotteurs. Oui, il distinguait nettement une route, là-bas, qui allait vers l'est dans l'ombre de la jungle. Et des lumières. Plus loin, par-delà une percée dans la forêt, sans doute pour l'atterrissage des transporteurs. La route allait-elle jusque-là ? Non. Mais il y en avait une autre. Deux routes en tout. Une qui partait du camp pour traverser la jungle et une autre qui accédait au terrain.

- Je n'ai jamais vu un raid aussi mal préparé, grommela Robert le Renard.

Jonnie était d'accord, mais toute préparation supposait d'abord une reconnaissance. Et jamais il n'aurait imaginé que pareil terrain pût exister sur Terre !

Il réfléchissait : que voulaient-ils exactement ? Pas des Psychlos morts, mais au contraire des Psychlos bien vivants. Il ne faisait aucun doute qu'ils allaient devoir se battre et que plusieurs Psychlos seraient tués. Mais ils l'intéressaient bien plus vivants que morts.

Il portait la main à sa ceinture pour détacher sa mini-radio, lorsque la droite du camp se dessina dans ses jumelles à infrarouge. Il y avait un sentier nettement tracé et, tout au bout, ce qui semblait être l'épave d'un camion à plateforme, envahi en grande partie par la végétation. Difficile de le distinguer clairement dans la lumière crépusculaire qui régnait en plein midi. Et la pluie brouillait les détails, malgré l'infrarouge.

Il tendit ses jumelles à Robert le Renard.

- Qu'est-ce que vous voyez sur ce vieux camion ?

Robert le Renard se tortilla pour changer de position. Sa cape n'était plus qu'une serpillière.

- Quelque chose sous une bâche. Une bâche neuve... Un tonneau ? Deux tonneaux ?... Un paquet ?...

Tout à coup, Jonnie se souvint de l'histoire décousue de David Fawkes à propos des Brigantes. Le coordinateur était à quelques mètres derrière eux, recroquevillé sous la pluie. Jonnie revint vers lui en rampant.

- Qu'est-ce que tu nous as dit déjà à propos de ce troc avec les Psychlos ?

- Ah, oui... oui. Les Brigantes laissaient des gens et se retiraient. Alors, les Psychlos arrivaient et, en échange, ils déposaient des bricoles. C'est bien aux Brigantes que vous faites allusion, n'est-ce pas ?

- Je pense que je viens de découvrir ce qui reste d'un marché inachevé, dit Jonnie. (Il chuchota à l'adresse d'un Écossais.) Fais passer le mot au colonel Ivan !

Sous la tutelle de Bittie MacLeod, l'anglais du colonel s'améliorait avec une rapidité remarquable. Bittie considérait « que c'était une honte pour le grand homme de ne pas être capable de pratiquer une langue humaine ». Le colonel avait hérité d'un accent écossais épais, mais il faisait de moins en moins souvent appel au coordinateur qui parlait le russe. Lorsqu'ils s'étaient aperçus de la présence de ce dernier, après le décollage, Sir Robert en était venu à se demander s'ils n'allaient pas aussi découvrir une vieille femme ou, qui sait, un couple de Psychlos à bord.

De la main gauche, Jonnie dessina un cercle tout en chuchotant :

- Une reconnaissance sur la gauche. Tenez-vous sur vos gardes.

- Quelle est cette nouvelle manœuvre dans ce raid improvisé ? demanda Robert le Renard, de plus en plus trempé.

- Je n'aime pas perdre des hommes, répondit Jonnie. Comme disent les Anglais, « C'est de mauvais goût. » Des précautions avant tout.

- Est-ce que nous allons donner directement l'assaut ? Impossible d'avoir une couverture aérienne avec tous ces arbres. Je crois que je vois un refroidisseur à air destiné au régénérateur d'atmosphère, par là-bas. Je pense que je pourrais l'atteindre d'ici.

- Très bien, mais est-ce que nous avons des balles normales ?

- Aïe ! Mais n'empêche que c'est une opération improvisée !

Ils attendirent sous le morne ruissellement de la pluie. Quelque part sur leur gauche, un léopard rugit, un concert de cris de singes lui répondit et des oiseaux effrayés s'égaillèrent.

Il y eut un bruit sourd derrière eux, à cinq mètres de là. Ils gagnèrent l'endroit en rampant. Ivan était debout près d'un arbre. Sur le sol, à ses pieds, gisait un être humain à l'apparence étrange, inconscient.

Difficile de deviner sa nationalité ou sa race. Le vêtement en peaux de singes qu'il portait était taillé de telle façon qu'il ressemblait bizarrement à un uniforme. La sacoche qu'il portait s'était ouverte dans sa chute et une grenade en argile avait roulé sur le sol.

Ivan leur montrait la flèche qui s'était plantée dans son bidon. Il l'arracha et la tendit à Jonnie. Le coordinateur chuchota par-dessus son épaule :

- Une flèche empoisonnée. Regardez : la boule était là, sur la pointe.

Jonnie arracha le bidon des mains d'Ivan et le jeta, lui indiquant par signes qu'il ne fallait pas en boire le contenu.

Ivan se pencha, prit l'arc de l'homme et le tendit à Jonnie. Mais celui-ci s'était agenouillé et s'intéressait à la grenade. Il la prit en main et vit qu'elle était munie d'un détonateur dont il connaissait bien le type : un détonateur psychlo !

Ivan, dès qu'il eut de nouveau son attention, lui remit une radio de mine psychlo et montra l'homme.

- Il surveiller nous, dit-il. Il prévenir les autres.

Avec inquiétude, Jonnie réalisa brusquement qu'ils avaient un ennemi en face d'eux et sans doute un autre dans la forêt, derrière eux !

Il donna rapidement des ordres à Robert le Renard, afin que leur petite unité se place en double front.

Les Brigantes ! L'homme portait de larges bandoulières de cuir, croisées, dans lesquelles étaient rangées des flèches, la pointe engagée dans un gousset. Ses bottes de confection grossière étaient à bride. Elles rappelaient à Jonnie les bottes de « parachutiste » qu'ils avaient découvertes dans les magasins de la base. Les cheveux de l'homme étaient courts, en brosse. Son visage brutal était marqué de cicatrices.

Il bougea, se réveillant peu à peu du coup de crosse qui l'avait atteint par surprise. Le colonel Ivan posa un pied sur son cou afin de l'empêcher de se redresser.

Robert le Renard revint et confirma d'un signe de tête que les dispositions avaient été prises.

- Ils doivent nous suivre depuis des jours. C'est une radio psychlo !

- Oui, comme le détonateur de cette bombe. Je pense qu'il n'y a pas que ça et que...

A moins de vingt mètres, une bombe explosa dans une déflagration orange.

Une rafale de carabine éclata.

Puis plus rien. Des oiseaux s'envolèrent tandis que des singes sautaient d'arbre en arbre.

Jonnie retourna derrière le tronc abattu qui était leur poste d'observation. Toujours aucun mouvement dans le camp. Robert mit deux tireurs en position pour couvrir le camp.

- Voilà un raid bien préparé, dit-il. On est pris en sandwich.

- Commencez par l'arrière, dit Jonnie. Nettoyez-moi tout ça !

- Chargez ! beugla le colonel Ivan, et il ajouta quelque chose en russe.

Instantanément, des rafales de carabines crépitèrent.

Des grenades éclatèrent et de la fumée s'éleva sous la pluie.

Les hommes partirent à l'assaut en vagues successives. Jonnie pouvait entendre leurs pas précipités.

Un peu partout, des hurlements !

Des cris de guerre en russe et en écossais !

Un instant de calme. Puis un nouveau déchaînement de détonations.

Une autre accalmie. Le silence.

Puis une voix rauque, par-dessus le bruit de la pluie et les pépiements d'oiseaux.

- Nous nous rendons !

De l'anglais et non du français ? Le coordinateur semblait perplexe.

Il y eut un bruit de course précipitée : Robert le Renard venait de dépêcher plusieurs hommes à l'arrière pour prévenir un piège éventuel.

Jonnie arracha un fusil-éclateur à un Écossais et se coucha. « Faisceau aiguille. » « Pas de flammes »... Sauvagement, il ouvrit le feu sur l'habitacle du refroidisseur au cœur du système de régénération d'atmosphère. Le métal ancien s'effrita sous les impacts répétés, comme une peau desséchée.

Il y eut un claquement, suivi d'un sifflement. Jonnie tira encore.

Ils attendirent. Aucun Psychlo n'apparut à l'extérieur. A présent, l'air avait dû inonder tout l'intérieur. Mais il ne se produisait aucune réaction visible.

La pluie tombait toujours. Les oiseaux et les singes avaient fini par se calmer. La fumée qui s'élevait encore des grenades à poudre noire était âcre aux narines.

6

Jonnie observait le terrain d'atterrissage réservé aux transports de minerai, au bout de la petite route.

Il était désert.

L'Écossais qui portait le matériel radio accourut à son signe. La bâche qui le protégeait ruisselait d'eau. Jonnie vérifia le poste. Il marchait. Il se plaça sur la fréquence planétaire des pilotes et prit le micro.

- Vol de Nairobi. Prêt.

Pour n'importe qui, cela n'était qu'un simple appel de routine, mais ils étaient convenus d'un code avec les deux avions qui étaient restés près de la centrale hydro-électrique. « Nairobi » signifiait « Faites route sur notre balise » et « Prêt » signifiait « Ne tirez pas, mais soyez sur vos gardes. »

La voix de Dunneldeen lui répondit dans un craquement.

- Tous les passagers sont à bord.

Ce qui voulait dire qu'il avait bien reçu l'ordre et qu'ils avaient décollé.

Jonnie prit la petite radio de mine à sa ceinture et la régla sur « Signal permanent ». Les mineurs utilisaient ce système lorsqu'ils étaient coincés ou pris sous un éboulis. Pour les avions, ce serait l'équivalent d'une balise-radio. Du doigt, Jonnie désigna trois hommes.

Comme ils passaient devant lui, il tendit la radio de mine à l'un d'eux pour qu'il la pose sur un arbre, aux abords du terrain.

Les trois hommes foncèrent droit sur le terrain, portant bas leurs carabines d'assaut, se mettant tour à tour à couvert et se couvrant mutuellement. Quelque temps après, une silhouette, imprécise sous les rideaux de pluie, leva la main pour indiquer qu'il n'y avait rien à signaler. Ils couvriraient les avions lorsqu'ils atterriraient.

Jonnie lança l'éclateur sur son épaule et clopina à travers le camp, heureux de constater que sa canne s'enfonçait moins dans ce sol un peu plus ferme. Il entendit le bruit de pompes, plus loin au sud. C'était là-bas que les travaux d'extraction devaient être en cours. Il vit que les lignes qu'ils avaient longées pour arriver jusqu'ici faisaient un embranchement à mi-chemin du terrain et suivit ce nouveau câble.

Il découvrit une cabane basse, construite en pierres, entre les arbres. Elle était festonnée d'isolateurs et cernée de tuyauteries. Une unité de manufacture de munitions et de carburant ! Ah ! Elle était probablement destinée à utiliser l'excédent d'énergie en provenance de la station hydro-électrique.

Le sol alentour portait des traces de pas et de pneus récentes. La porte était entrebâillée et Jonnie la repoussa du bout de sa canne.

Quel fouillis ! D'ordinaire, les bonbonnes de carburant et de munitions étaient rangées en ordre parfait dans ce genre d'endroit. Sur le côté, dans des caissons, étaient entassés les différents minéraux qui entraient dans la composition du carburant et des munitions. Des signes d'activité récente étaient évidents : bonbonnes endommagées et inutilisables, minéraux répandus sur le sol. Jonnie savait qu'il fallait un temps considérable pour brasser les mélanges qui deviendraient du carburant et des munitions et pour remplir les bonbonnes. Est-ce qu'ils avaient travaillé ici d'arrache-pied durant des jours? Une semaine?

Jonnie rejoignit la route qui s'en allait vraisemblablement vers la mine principale. Du regard, il explorait les broussailles, de part et d'autre. Habituellement, son œil exercé lui aurait très vite appris ce qu'il voulait savoir, mais cette pluie incessante rendait tout plus difficile.

Il se pencha et examina quelques brindilles cassées. Certaines étaient inclinées vers le camp et elles avaient dû être cassées plusieurs jours auparavant. D'autres, encore très fraîches, perdaient de la sève. Elles indiquaient la direction de l'exploitation principale, près du lac que les anciennes cartes de l'homme désignaient sous le nom de Lac Victoria.

Un convoi était arrivé plusieurs jours - plusieurs semaines ? - auparavant et il n'y avait que quelques heures à peine qu'il était reparti. Un convoi important!

Il regarda au loin, s'attendant presque à voir apparaître des camions ou des tanks sur la route, venant vers le camp.

Tactiquement, leur situation était loin d'être idéale. Dans la forêt, derrière eux, il y avait une petite unité de Brigantes qui résistait encore, et quelque part, plus ou moins loin, il y en avait d'autres, un bon millier peut-être. Et tout au bout de cette route - il regarda les traces sur le sol - il y avait un nombre très important de véhicules psychlos. Des tanks? Des camions à plate-forme?

Il entendit le bruit du moteur des avions. Après le fracas de la récente escarmouche, cela n'avait plus d'importance. De toute façon, les conducteurs du convoi qui circulait sur cette route ne devaient entendre que le grondement des moteurs de leurs véhicules. Et le couvert des arbres qui faisait régner un crépuscule permanent interdisait de voir la route depuis le ciel, de même que le contraire.

Oui, tactiquement, c'était plutôt mauvais. Dans cette jungle inextricable, saturée d'eau, ils ne pourraient pas s'attaquer à un convoi, protégé sans doute par des tanks. Et leurs avions seraient inutiles.

Il regagna le terrain d'atterrissage. Le ciel! Un coin de ciel, pas très vaste, soit, mais suffisant pour laisser atterrir et décoller les transporteurs de minerai. Un ciel d'où tombait la pluie, mais qu'il n'avait pas vu depuis trois jours!

Les soldats s'étaient mis en position sous les arbres pour couvrir le terrain. La balise-radio avait été posée sous une énorme liane de cinquante centimètres de diamètre qui se lovait autour d'un arbre gigantesque. Ce terrain avait sans doute été plus grand autrefois, mais la jungle s'était considérablement resserrée.

Le gros appareil d'attaque décrivit une boucle pour se poser le premier, directement, tandis que l'avion de combat, plus petit, le couvrait en altitude comme il convenait. Il se posa à son tour, dans une flaque, soulevant une énorme gerbe d'eau. Le pilote apparut. C'était Dunneldeen. Heureux de revoir Jonnie, il se tenait sur le seuil en souriant.

Robert le Renard se précipita vers le terrain. La porte de flanc du gros appareil d'attaque s'ouvrit et l'officier qui commandait le reste de leur force leur adressa un regard interrogatif. Robert le Renard lui fit signe de demeurer sur son siège : il n'y avait pas urgence. Il monta dans le petit avion de combat aux côtés de Jonnie et de Dunneldeen.

Jonnie expliqua rapidement à Dunneldeen les événements récents.

- Il y a un convoi sur cette route, acheva-t-il. Il se dirige vers la mine principale. Je pense qu'ils sont venus ici faire le plein et qu'ils rentrent.

- Ah, fit Dunneldeen, voilà qui explique tout.

C'était bien dans sa manière : il n'avait pas attendu bien tranquillement leur appel. Après tout, il pouvait le capter aussi bien au barrage que très haut dans le ciel. Il avait donc laissé le gros appareil d'attaque au barrage, veillant à rester en liaison radio avec lui afin qu'on pût le rappeler, et il avait effectué des vols de surveillance au-dessus de la mine principale (située près d'un lac qui avait été jadis appelé Lac Albert) en suivant les voies de circulation normales. Sous le dais immense des arbres, il ne pouvait rien repérer, mais ses écrans de bord et ses instruments pouvaient percer les nuages et la pluie.

La mine principale, il s'en souvenait, avait été détruite au 92e jour par un des pilotes... MacArdle ? Oui, c'était bien MacArdle. Et il avait eu pas mal d'ennuis. Les Psychlos avaient tenté de sortir deux avions de combat et il les avait cloués au sol, bloquant du même coup la porte du hangar. Puis il avait réduit en miettes les lignes électriques et fait sauter d'énormes dépôts de carburant, de munitions et de gaz respiratoire.

Les Psychlos étaient parvenus à armer deux batteries antiaériennes et MacArdle avait dû les neutraliser. Si Sir Robert et Jonnie s'en souvenaient, c'était durant ce vol que le copilote avait été blessé. La mine s'était rudement défendue !

En tout cas, poursuivit Dunneldeen, en survolant le secteur à trente mille mètres d'altitude durant les trois derniers jours, il n'avait détecté aucun mouvement, *mais* - il leur montra les clichés qu'il avait pris à partir des écrans - ces singes avaient réussi à dégager la porte du hangar - là, exactement...

- Et regardez ici. Vous voyez ces ombres sous les arbres en lisière du terrain ?... Dix avions de combat prêts à décoller ! Personne n'est jamais revenu nettoyer cette exploitation, conclut-il. Et ces gorilles n'ont pas perdu de temps !

Jonnie se pencha sur les photos. L'une d'elles avait été prise alors que le soleil déclinait. Il examina attentivement le profil des avions à demi cachés par les arbres, puis regarda Dunneldeen.

- Oui, fit ce dernier. Ils correspondent à ta description de l'appareil qui était sur le drone bombardier. Des Mark 32, super-blindés, conçus pour les attaques en rase-mottes. Rayon d'action limité, mais ils peuvent emporter des réserves de carburant.

- Ces Psychlos ne se préparent pas à défendre la mine, dit Jonnie. Ils sont sans doute à court de gaz respiratoire. On leur a fait sauter leur dépôt de carburant... Vous voyez ces traces laissées par des grues ? Les Mark 32 ont été remorqués jusque-là parce qu'ils ne pouvaient pas voler. (Il désigna la cabane que l'on discernait entre les arbres.) Pendant des jours, ils ont travaillé comme des fous pour fabriquer du carburant et des munitions. Pour organiser le convoi, ils ont dû racler jusqu'à la dernière goutte de carburant. Et je suis bien certain qu'ils ont pris tout ce qu'il leur restait de gaz. A présent, ils sont sur le chemin du retour.

- La seule autre réserve importante de gaz respiratoire, dit Robert le Renard, se trouve au camp principal, en Amérique ! Et c'est sûrement leur objectif final !

- Avec ces dix Mark 32, ils pourraient bien inverser l'issue de cette guerre, dit sombrement Jonnie.

Il déploya une carte, l'eau s'égouttant de ses cheveux, et, du doigt, suivit le tracé de la route de sortie. Elle quittait la forêt, pour traverser une plaine et suivre un ravin à ciel ouvert. Elle allait droit sur le Lac Albert mais, au sortir du ravin, il semblait exister un terrain plat. A nouveau, il examinait certains des clichés pris par Dunneldeen.

- Nous allons au-devant d'une bataille, dit-il enfin. (Il mesura les distances sur la carte et se tourna vers Sir Robert.) Il leur faudra une journée et demie pour atteindre ce point. Il est à deux jours du camp principal, vu l'état de la route. Entre-temps, il va nous falloir neutraliser le gros des forces des Brigantes. Que l'on envoie le colonel Ivan, avec quatre raiders et un mortier à cet endroit. Dites-lui qu'il tienne la passe jusqu'à ce qu'on le relève. Et toi, Dunneldeen, surveille le convoi et empêche-le de passer. Et n'oublie pas que notre objectif est de ramener le maximum de Psychlos vivants.

- Notre objectif est à présent de stopper une contre-attaque sur la région de Denver, fit remarquer Sir Robert.

Thor était parti pour les Monts de la Lune, où il ferait une visite amicale en se présentant comme « Jonnie ». C'était un cavalier émérite et il leur offrirait un spectacle digne de Jonnie. Ensuite, il devait se rendre dans une autre tribu, plus au sud. Il n'était plus possible de le rappeler désormais, et révéler l'endroit où se trouvait réellement Jonnie risquait de ruiner leurs plans.

- Je suis désolé qu'il n'y ait qu'un seul avion de combat, dit Jonnie.

Dunneldeen eut un sourire ravi.

- Mais ce n'est que pour un seul combat, Jonnie mon ami.

Robert le Renard lança quelques ordres. Peu après, le colonel Ivan et quatre hommes apparurent sous la pluie, portant un bazooka, un mortier-éclateur et diverses armes. Ils avaient négligé de se faire traduire précisément les instructions par leur coordinateur et ils eurent un certain mal à tout embarquer à bord de l'avion.

Sir Robert expliqua au colonel ce qu'on attendait de lui. Celui-ci arborait un sourire radieux. Les embuscades qu'il avait montées dans les cols de l'Hindou Kouch avaient été bien plus compliquées. Le maréchal Jonnie et le général Robert n'avaient rien à craindre. Il tiendrait la passe. Des Psychlos *vivants* ? Ma foi, cela ne lui plaisait guère, mais ils pouvaient compter sur lui : la vaillante Armée Rouge serait à la hauteur.

L'avion décolla bientôt, montant droit vers le ciel. Rien que sept hommes, et un avion de combat pour clouer sur place un convoi de plusieurs dizaines de camions et de tanks psychlos ! A travers les rafales de pluie, Dunneldeen leur adressa un dernier signe de la main et l'avion disparut de leur vue.

7

On pouvait vraiment dire que les stocks de gaz respiratoire et de munitions avaient été pillés jusqu'à la dernière cartouche. L'herbe et les plantes avaient été piétinées pour de nombreuses années. Le dépôt de gaz avait couvert cent mètres carrés, et celui de carburant et de munitions, plus de deux cents. Il ne restait rien.

Angus ouvrit le verrou de la porte principale du camp et les troupes qui venaient de débarquer du transport se ruèrent à l'intérieur au pas de course, chaque homme couvrant celui qui le précédait.

L'endroit était vide. Il y avait là quatre niveaux de bureaux, de hangars et d'ateliers. Les pompes fonctionnaient. Toutes les lumières étaient allumées. Le désordre qui régnait révélait un départ hâtif.

Jonnie s'avança dans le couloir, à l'extérieur de l'aire de récréation. Tout était lugubre et moite. La moisissure était partout. L'eau qui s'égouttait des parois était absorbée par les pompes. Même pour un Psychlo, la vie devait être affreuse dans un tel lieu.

Des feuilles couvertes de messages radio étaient tombées en liasses d'une imprimante et Jonnie les parcourut. Le papier était humide. Les Psychlos, apparemment, avaient contrôlé toutes les fréquences, mais plus particulièrement celle réservée aux pilotes. On éprouvait une impression étrange en lisant : « Andy, est-ce que tu peux te charger de ces pèlerins de Calcutta ? » ou « S'il te plaît, MacCallister, apporte-moi une autre combinaison de vol et du carburant. » Les pilotes écossais s'exprimaient en psychlo mêlé d'anglais. Pour les employés de la Compagnie, tout cela avait dû sembler dément. Ils étaient restés terrés dans cette jungle perdue sans savoir ce qui se passait, mais ils avaient capté le moindre message...

Un Russe se précipita au-devant de Jonnie et lui tendit un masque respiratoire qu'il venait de trouver quelque part. La bouteille était encore en place et il semblait fonctionner. Jonnie en approcha le nez et une bouffée de gaz lui brûla les narines. Voyons, réfléchit-il... Il fallait douze heures à peu près pour épuiser une bonbonne. Et celle-ci était... à moitié vide ? Aux trois quarts ?... Il la secoua pour voir le niveau du gaz liquide. Il en conclut que les Psychlos étaient partis depuis huit ou neuf heures.

Il suivit le couloir en clopinant, la sueur ruisselant sur tout son corps. En dépit des pompes, l'air restait chaud et humide. Imprégné de l'habituelle puanteur des Psychlos... Pire encore, il s'y mêlait le relent de la moisissure. Tout en progressant, il captait des bribes de son venues des différents niveaux : les hommes poursuivaient leurs recherches. Jonnie avisa un téléphone dont le récepteur était décroché. Il le porta à son oreille et écouta un instant. L'appareil fonctionnait toujours. Il percevait même la rumeur des pompes qui tournaient dans les lointaines galeries de tungstène.

Cette exploitation n'était pas aussi vieille que la plupart des autres. Elle remplaçait sans doute une ancienne exploitation située dans un autre secteur de la jungle et à présent épuisée. Lorsque le nouveau gisement de tungstène avait été découvert, on avait probablement démonté la vieille exploitation pour la reconstruire ici. Les Psychlos étaient particulièrement avides de tungstène.

Dans le bureau du directeur, il vit que les écrans de surveillance étaient allumés. Ils montraient les vastes fours électriques dans lesquels le minerai était fondu. La vapeur fusait des serpentins. Les Psychlos devaient avoir considéré que les troubles qui agitaient la planète n'étaient que temporaires puisqu'ils n'avaient pas arrêté la mine.

Il descendit l'escalier qui accédait au hangar. Les marches psychlos étaient deux fois plus hautes que les marches des escaliers humains et il eut de la peine à les franchir avec sa jambe morte. Mais il allait mieux. Il avait réussi à se servir d'un éclateur, aujourd'hui. Son bras avait manqué de vivacité, mais il y avait une nette amélioration.

Dans le hangar régnait le même désordre que partout ailleurs. Mais il restait encore des véhicules.

Angus s'activait sous l'éclairage éblouissant, un gros crayon à la main, marquant d'une croix les véhicules qu'il jugeait irréparables. Deux petits tanks avaient ainsi été éliminés. Les quelques plates-formes volantes qui se trouvaient là avaient été jugées opérationnelles, de même que la moitié des véhicules à plate-forme.

Sur une porte, un panneau en psychlo annonçait : « Artillerie ». Jonnie entra. Des mortiers-éclateurs ! Avec une pile de munitions, en infraction avec tous les règlements de stockage des munitions. Parfait !

Il ressortit et prit Angus par le bras.

- Prends deux de ces gros camions à plate-forme. Je veux une plate-forme volante sur chacun, avec un mortier et des munitions. Qu'on entasse des bâches sur le devant : elles serviront de rempart de protection. Ensuite fais sortir le premier camion et place le deuxième à l'entrée du hangar, mais à l'intérieur.

Il vérifia qu'il y avait assez de carburant.

Il demanda à Sir Robert de lui trouver quatre hommes et un conducteur pour chaque camion et d'envoyer le premier, dès qu'il serait prêt, sur les traces du convoi.

- Quoi ! Un camion ! s'exclama Sir Robert.

- Ils pourront faire décoller la plate-forme à partir du camion et déclencher un tir de barrage avec le mortier. En abattant des arbres, ils pourront bloquer la route. Qu'ils suivent le convoi à distance. Si les Psychlos font demi-tour, qu'ils leur barrent la route.

- Et si ça ne marche pas et que les autres les poursuivent jusqu'ici ?

- L'autre camion, à l'intérieur, pourra faire une sortie afin d'assurer la défense. Mettez-y quatre hommes et un conducteur. Je le prendrai quand nous reviendrons d'une petite visite aux Brigantes !

- Alors, toi aussi tu vas te lancer à la poursuite du convoi ! dit Sir Robert. (Il ajouta d'un ton sarcastique :) Je crois sans le moindre doute que cette opération figurera parmi les mieux préparées et les plus savamment montées de toute l'histoire !

Et il s'éloigna en marmonnant à propos de plates-formes attaquant des tanks...

Un homme arriva en courant :

- Sir Jonnie, je pense que vous devriez descendre au troisième niveau !

Son visage était blafard.

Avec quelque difficulté, Jonnie descendit l'escalier le plus proche. Il n'était pas le moins du monde préparé au spectacle qui l'attendait.

La salle était vaste, et elle avait apparemment été utilisée pour les exercices de tir. Il y avait là plusieurs Russes. Ils examinaient quelque chose sur le sol avec des expressions de dégoût et de mépris plus ou moins accentuées. Le jeune Écossais qui avait accompagné Jonnie s'était arrêté et tendait le doigt sans un mot.

Au milieu d'un véritable lac de sang coagulé, Jonnie découvrit les restes de ce qui avait probablement été les corps de deux femmes âgées. Mais leur état ne permettait pas d'en être certain. Il y avait des mèches de cheveux gris, des lambeaux de peau brune, mêlés à des fragments de vêtements et des bouts d'ossements, répartis en deux tas distincts. A proximité, des cartouches d'éclateur vides révélaient l'histoire du massacre. Il y avait eu là plusieurs Psychlos. Coup par coup, centimètre par centimètre, en prenant soin de ne pas tuer tout de suite, ils avaient littéralement taillé les deux femmes en pièces.

Il n'était pas difficile d'imaginer quel enfer de hurlements, de détonations et de rires cet endroit avait dû être quelques heures à peine auparavant !...

On avait prévenu le docteur MacKendrick. Celui-ci arriva, évitant de marcher dans l'énorme mare de sang.

- Impossible de savoir quand cela s'est passé, dit-il. Ce qui reste des deux corps est trop froid. Disons quatre heures, d'après la coagulation. Quant aux victimes... Elles devaient avoir entre quarante et cinquante ans... Usées par le travail... Elles ont été découpées centimètre par centimètre ! (Il se redressa et se tourna vers Jonnie :) Pourquoi les Psychlos font-ils ça ?

- Par plaisir. Ils trouvent cela délicieux. La souffrance, l'agonie... C'est à peu près le seul moment où ils éprouvent de la joie...

Les traits du docteur se raidirent.

- Je crois que j'aurai moins de mal à autopsier des Psychlos !

L'un des Russes déplaçait un objet à l'aide d'un bâton qu'il avait trouvé.

- Attends ! lança Jonnie.

Il fit le tour de la mare de sang et ramassa ce que le Russe avait découvert.

Robert le Renard venait de surgir dans la salle et s'était figé sur place, paralysé par l'horreur.

Ce que tenait Jonnie était un tam-o'-shanter, un bonnet écossais !

Un tam-o'-shanter relativement neuf. Du genre que portaient les coordinateurs.

8

Sous la pluie battante, Jonnie contemplait la carcasse de l'antique plate-forme.

Trois humains y avaient été attachés deux ou trois jours, voire quelques heures auparavant. Deux femmes Brigantes et un jeune Écossais. Ils avaient attendu, impuissants, que les Psychlos surgissent pour s'emparer d'eux, sans la moindre chance de fuite, sans doute sous la menace des flèches empoisonnées et des grenades. Combien de Pygmées et de Bantous avaient été livrés de la même façon par les Brigantes ?

Les Psychlos avaient troqué leurs victimes contre les quelques objets qui étaient encore là. Les femmes avaient connu une mort atroce. Mais le sort de l'Écossais demeurait inconnu.

Du bout de sa lance, l'un des Russes s'était assuré que la plate-forme et les objets du troc n'étaient pas piégés. Jonnie connaissait les Psychlos : s'ils avaient pensé que ce dernier marché mettait définitivement un terme aux échanges avec les Brigantes, ils se seraient arrangés pour les faire sauter. Mais la plate-forme et les objets ne comportaient pas le moindre piège. Les Psychlos devaient donc considérer qu'ils seraient de retour dès que la planète aurait été reprise.

Jonnie examina les objets du troc. Dans des containers de métal scellés, il y avait une centaine de livres de soufre et de nitrate. Sous une bâche, il trouva un rouleau de cordon détonateur. Tout cela pouvait être utilisé pour fabriquer des grenades. Il suffisait d'y ajouter du charbon de bois. Dans un paquet plus réduit, il y avait une radio de mine ainsi que quelques piles de recharge. Tel était le prix de trois vies humaines.

Jonnie se détourna et s'approcha des Brigantes capturés qui étaient sous la garde d'un officier russe et de quelques hommes. Il y avait dix-sept survivants. Ils étaient assis par terre, les mains croisées derrière la tête, les yeux fixés sur le sol, n'osant bouger à cause du cercle des carabines d'assaut pointées sur eux. Plus loin, dans l'herbe épaisse, sept blessés gémissaient. Quant aux douze Brigantes abattus, ils avaient été entassés à l'écart.

L'un des prisonniers prit conscience d'une présence nouvelle et redressa la tête. C'était une brute au torse énorme. Ses dents avaient été cassées depuis bien longtemps. Son crâne aux cheveux rasés dominait un visage aux mâchoires épaisses, scrofuleux, marqué par d'innombrables cicatrices. Il portait une espèce de tenue militaire confectionnée en peaux de singe. Dans les deux cartouchières croisées sur sa poitrine, il y avait des flèches empoisonnées. Ses yeux étaient comme deux flaques de boue.

- Pourquoi vous nous avez tiré dessus ? demanda-t-il.

Mais ça sonnait comme : « quoi v's'avez t'ré d'sus ? »

De l'anglais à la limite du décryptable.

- Il me semble que c'est le contraire qui s'est passé, fit Jonnie. Qu'est-ce que vous faisiez ici ?

- Les conventions et les règlements de guerre vous autorisent uniquement à voir mon nom, mon grade et mon matricule.

C'était confus mais compréhensible.

- D'accord, dit Jonnie en s'appuyant sur sa canne. Alors ?

- Arf Moiphy, p'taine, 'mier c'mando d'forces d'occupation. Armée d'Haut-Zaïre... Est-ce qu'vous êtes l'unité d'relève ou les Nachions zunies ?...

Jonnie se tourna vers David Fawkes, le coordinateur, avec un haussement de sourcils perplexe.

- C'est leur légende, leur mythe : un jour, la banque internationale leur enverra une unité de relève. Quant aux Nations unies, je crois que c'était une organisation politique qui protégeait les petites nations et qui s'interposait en cas d'agression. Il est remarquable qu'un tel mythe ait pu subsister aussi longtemps...

- Où est votre force principale ? demanda Jonnie au prisonnier.

- J'dois répondre à rien. Juste nom-grade-matricule.

- Pourtant, si nous sommes cette unité de relève, il faut que nous sachions, non ?

- Si v's'étiez l'unité, vous l'sauriez. Mais elle est sûrement déjà là... Ou alors elle va pas tarder...

- Je pense que nous ferions mieux de parler à ton commandant, dit Jonnie.

- Le général Snith ? L'est au camp principal. Trop loin.

Jonnie, avec un haussement d'épaules, fit signe à l'officier russe. Les soldats épaulèrent leurs carabines.

- C't à un jour d'marche ! lança le capitaine brigante en essayant de montrer la direction avec ses mains liées, puis par des mouvements frénétiques du menton.

- Il y a combien de temps que vos prisonniers ont été mis sur cette plate-forme ?

- Plat'forme ? Quelle plat'forme ?

Jonnie, une fois encore, fit un geste à l'adresse de l'officier russe.

- Hier après-midi ! lança précipitamment le Brigante.

La réponse était importante, car la vie de l'Écossais capturé en dépendait. A supposer qu'il fût encore en vie. Jonnie réfléchit rapidement à ce qu'ils pouvaient faire. Ils avaient un commando de fortune aux trousses du convoi. Et ils avaient mis en place une embuscade, quelque part sur la route. Pas question d'avoir un appui de flanc dans ces bois : n'importe quel véhicule, et surtout un camion, avait toute chance de se retourner ou de s'enliser. Pas étonnant que les Psychlos aient passé des accords avec les Brigantes. Jonnie décida que le combat attendrait.

Il se tourna vers le coordinateur pour lui donner les ordres destinés à l'officier russe. Avec des gestes aussi vifs qu'habiles, les soldats entreprirent de déshabiller les Brigantes, tout en fouillant soigneusement leurs uniformes de peau pour leur ôter les couteaux et autres armes dissimulées dont ils firent ample récolte.

Ils s'apprêtaient à les ligoter lorsque le « p'taine Arf Moiphy » demanda :

- Permettez que j'm'occupe d'mes blessés ?

Jonnie le laissa aller.

Moiphy se redressa brusquement, s'empara d'un lourd bâton qui traînait là et, avant que quiconque ait pu l'arrêter, fracassa le crâne des sept blessés en quelques coups particulièrement bien placés.

Avec un sourire reconnaissant, il laissa tomber le bâton et tendit spontanément ses mains croisées à un soldat russe.

- 'Ci beaucoup, dit-il.

DIX-HUITIÈME PARTIE

1

Bittie MacLeod, portant un fusil-éclateur aussi grand que lui, emboîta le pas à Sir Jonnie quand il pénétra dans le campement des Brigantes.

Sir Jonnie avait tenté par deux fois de le renvoyer, mais le devoir d'un écuyer n'était-il pas de suivre son chevalier avec ses armes en tous lieux de danger ?

Et Bittie devait admettre que cet endroit-ci semblait particulièrement dangereux ! Il devait bien y avoir deux mille cinq cents ou trois mille de ces gens autour d'eux, dans cette clairière au cœur de la forêt.

Ils s'étaient posés en bordure de la clairière. Les prisonniers - Seigneur, qu'est-ce qu'ils avaient empuanti l'appareil ! - avaient été groupés dans un coin du grand avion d'attaque, à l'écart de leurs armes et, après l'atterrissage, ils étaient sortis les premiers. Ensuite, Sir Robert avait examiné les lieux et pris des dispositions de défense afin de couvrir une éventuelle retraite, comme tout Chef de Guerre qui se respecte.

Bittie avait profité de l'occasion pour convaincre Sir Jonnie de se changer. Ses vêtements étaient tellement trempés qu'il suffisait de les toucher du doigt pour que l'eau jaillisse. Les Russes n'étaient pas restés inactifs au barrage : en voyant cette pluie incessante, ils avaient taillé des capes dans des toiles de camouflage.

Certes, ça n'avait pas été facile de convaincre Sir Jonnie qu'il fallait prendre quelque nourriture et mettre des vêtements secs. Mais Bittie y était arrivé. Il avait ensuite passé une ceinture à boucle dorée autour de la chemise sèche et ceint les épaules de Sir Jonnie d'une cape maintenue par une broche ornée d'une étoile rouge. Puis il lui avait trouvé un casque avec une étoile blanche pour le protéger de la pluie. Tout bien considéré, Sir Jonnie avait une allure très présentable, même sous cette pluie battante.

Sur la clairière où se pressaient tous ces gens, de longs rideaux de pluie se déversaient. Jadis, on avait abattu des arbres en grand nombre avant de les brûler. Des souches noircies apparaissaient de toutes parts. Et les gens piétinaient sans vergogne les jeunes pousses.

Bittie, sous la pluie, regardait alentour. Les créatures qu'il découvrait ne correspondaient à rien de ce qu'il connaissait. Il avait pas mal lu à l'école - il aimait tout particulièrement les romans très anciens - mais jamais encore il n'avait vu un tel spectacle !

Nulle part il ne voyait d'hommes ou de femmes âgés. Il y avait quelques enfants, apparemment en très mauvaise santé : le ventre gonflé, sales, couverts de croûtes. Horribles ! Est-ce qu'il n'y avait vraiment personne pour les nourrir ou les laver ?

Les hommes devant qui ils passaient leur adressaient un salut curieux, un doigt levé. Leurs visages laids n'affichaient que le mépris. Il y avait là toutes les couleurs de peau et tous les mélanges possibles. Et tous ces visages étaient sales. Quant aux vêtements, ils étaient autant de parodies d'uniformes mal seyants.

Tout le monde semblait parler un anglais bizarre, avec un accent épais. En fait, ils semblaient tous s'exprimer avec de la purée de flocons d'avoine dans la bouche. Bittie savait parfaitement qu'il ne parlait pas un anglais très correct, à la différence de Sir Jonnie ou d'universitaires comme Sir Robert. Mais, au moins, lorsqu'il s'exprimait, n'importe qui pouvait le comprendre. Et il s'efforçait de faire des progrès, et d'améliorer aussi l'anglais du colonel Ivan. Mais tous ces gens, autour d'eux, ne semblaient pas se soucier le moins du monde des mots qui sortaient de leurs bouches puantes. Bittie faillit entrer en collision avec Sir Jonnie, qui venait de s'arrêter devant un homme d'âge moyen. Quelle était donc cette langue dans laquelle il parlait à l'homme ?... Ah, oui : le psychlo ! Jonnie venait de poser une question et l'homme hochait la tête tout en désignant l'ouest et en prononçant quelques paroles en psychlo. Bittie comprit immédiatement. Sir Jonnie n'avait interrogé l'homme que pour s'assurer qu'il parlait psychlo. Très habile !

Où se rendaient-ils à présent ? Ah oui. Vers cette grande tente avec une espèce de drapeau en peau de léopard qui flottait en haut d'un mât. Et Bittie comprit qu'ils avaient dû suivre les prisonniers qui se trouvaient encore sous bonne garde et que l'on conduisait probablement chez leur chef.

Tous ces gens étaient répugnants. Ils s'arrêtaient là où ils se trouvaient, en plein milieu du chemin, pour soulager leurs besoins. Affreux ! Et là-bas, un jeune homme venait d'empoigner une fille, l'avait entraînée avec lui sur l'herbe et ils... Oui !... Ils étaient en train de forniquer en public !

Bittie détourna la tête et essaya de purifier ses pensées. Mais son regard rencontra alors le spectacle d'un homme se livrant sur une enfant à des actes inqualifiables.

Il éprouva un début de nausée et se rapprocha de Sir Jonnie, marchant presque sur ses talons. Ces êtres étaient pires que des animaux. *Bien pires !*

Bittie suivit Sir Jonnie sous la tente. L'endroit empestait ! Il y avait là quelqu'un, assis sur un tronc d'arbre. Un homme affreusement gras et dont la peau avait le jaune de ce que le docteur MacKendrick appelait la malaria. Dans les replis de graisse, des bourrelets de crasse étaient visibles. Le personnage portait un drôle de chapeau qui devait être fait de cuir, avec une pointe sur le devant. Quelque chose était fixé dessus : une broche de femme ? Une pierre ? Ou bien un diamant ?...

Leur prisonnier, Arf, se tenait en face du gros homme. Tout en se frappant la poitrine du poing, Arf faisait son rapport. Quel nom donnait-il au gros homme ? Général Snith ? Mais « Snith » n'était-il pas un nom très répandu parmi les Psychlos ? Ou bien s'agissait-il de « Smith », le nom anglais très répandu, lui aussi ?... Difficile, terriblement difficile à dire avec cet accent épais. Quant au général, il mâchonnait le pilon de quelque gibier et ne paraissait pas particulièrement impressionné.

Il se décida enfin à s'exprimer :

- T'as pris les fournitures ? Le soufre ?...

- Et bien... non, dit Arf avec quelque hésitation, en essayant de s'expliquer à nouveau.

- T'as ramené les macchabées ? interrompit le général.

Les macchabées ? se demanda Bittie. Les macchabées ?... Ah ! les morts !

Le « p'taine » Arf parut quelque peu effrayé et recula.

Le général lui lança le pilon de gibier en pleine figure et hurla :

- Qu'est-ce qu'on va manger, alors ?

Manger ? Manger les macchabées ? Les morts ? Leurs propres morts ?...

C'est alors que le regard de Bittie se posa sur le « pilon » de gibier qui avait ricoché dans sa direction et qu'il s'aperçut que c'était un bras humain !

Il sortit précipitamment et courut derrière la tente pour rendre le contenu de son estomac.

Mais Sir Jonnie le retrouva l'instant d'après, mit un bras autour de ses épaules et lui essuya la bouche avec un bandana. Il appela un des cosaques pour raccompagner Bittie jusqu'à l'avion, mais Bittie refusa obstinément. La place d'un écuyer était au côté de son chevalier et il se pouvait bien que Jonnie ait besoin d'un éclateur au milieu de tous ces êtres atroces. Bittie continua donc de le suivre.

Sir Jonnie alla inspecter une tente qui était située à la lisière de la forêt et parut très intéressé par ce qu'il y trouva. Bittie risqua un œil à l'intérieur et vit une très vieille machine à instruire semblable à celles avec lesquelles les pilotes apprenaient le psychlo, mais bien plus usée. Pour Jonnie, cela semblait avoir une signification toute particulière.

Qu'est-ce qu'ils cherchaient, à présent ? La pluie tombait toujours, tous ces gens abominables s'agitaient autour d'eux et le fusil-éclateur était de plus en plus lourd. Ah oui ! Les coordinateurs !

Ils les découvrirent dans une autre tente. Deux jeunes Écossais. L'un d'eux n'était-il pas un certain MacCandless, d'Inverness ? Oui, Bittie croyait bien le reconnaître. Ils étaient assis côte à côte, complètement trempés. Leurs bonnets ressemblaient à des serpillières et ils étaient pâles comme la mort.

Sir Jonnie leur demanda comment ils avaient abouti ici et ils lui montrèrent un rouleau de câble : un avion les avait descendus.

Sir Jonnie leur dit alors qu'ils avaient tout intérêt à repartir avec eux, mais ils répondirent que non : ils avaient reçu l'ordre du Conseil de ramener tous ces gens en Amérique. Certes, les avions de transport étaient en retard, mais ils supposaient que le Conseil avait eu du mal à trouver assez de pilotes pour cette mission.

Après de longues palabres à propos de leur devoir et leur sécurité - les arguments des pilotes contre ceux de Sir Jonnie - il parvint enfin à les convaincre de se rendre au moins jusqu'à l'avion pour y recevoir du ravitaillement ainsi que quelques armes.

Ils réussirent à se frayer un passage à travers la foule jusqu'au périmètre de défense gardé par les soldats russes et montèrent à bord de l'avion.

Sir Robert était là. Il fit asseoir les deux coordinateurs écossais dans l'un des immenses sièges psychlos.

- N'étiez-vous pas trois ? demanda-t-il.

- Eh bien, oui, dit MacCandless. Il y avait Allison. Mais il est tombé dans une rivière il y a deux jours et il a été dévoré par une sorte de bête écailleuse...

- Vous avez vu cela de vos yeux ?

En fait, non, dirent-ils, ils n'avaient pas vraiment assisté à la scène. C'était le général qui leur avait raconté ce qui était arrivé. Et puis, il y avait tant de rivières et de fleuves et tant de bêtes à écailles que...

- Allison parlait-il le psychlo ? demanda à son tour Sir Jonnie.

- Il suivait une formation de pilote, répondit MacCandless. La Fédération a parfois besoin de ses propres pilotes. Donc je suppose qu'il parlait psychlo.

- Oui, confirma l'autre coordinateur. Il parlait assez bien le psychlo. On a interrompu sa formation pour cette mission. L'ordre de ramener ces gens est arrivé soudainement du Conseil et comme nous manquions de...

Sir Robert le coupa brusquement :

- Est-ce que vous vous souvenez de l'avoir entendu s'exprimer en psychlo avec ces canailles ?...

Ils réfléchirent un instant, dans la chaleur étouffante et dans le crépitement de la pluie sur la carlingue de l'avion.

- Aïe ! lança enfin MacCandless. Je l'ai entendu parler à l'un des officiers qui s'émerveillaient qu'il connaisse le psychlo. Ils ont bavardé ensemble un bon moment. Mais comme je ne parle pas le...

- C'est tout ce que nous voulions savoir, l'interrompit Sir Robert.

Il adressa à Jonnie un regard lourd de sens. Un interrogatoire ! Ils voulaient le soumettre à un interrogatoire !

Bittie vit que Sir Jonnie hochait la tête.

Puis il brandit brusquement quelque chose que Bittie ne lui avait jamais vu. Un tam-o'-shanter souillé de sang. Il le tendit aux deux coordinateurs.

Ils virent les initiales tissées. Oui, il s'agissait bien de celles d'Allison. Mais où donc Sir Robert avait-il trouvé ce bonnet ?

Sir Robert les assaisonna copieusement ! Il leur raconta, et Bittie fut effaré de l'apprendre, que les Brigantes avaient vendu Allison aux Psychlos ! Les Psychlos avaient sans doute voulu l'interroger. Et que Dieu vienne en aide à Allison désormais.

Vendu Allison ? Un être humain ? A ces monstres ? Bittie, pas plus que les deux coordinateurs, ne pouvait se faire à cette idée.

Puis la discussion s'échauffa.

Sir Robert signifia aux deux jeunes Écossais l'ordre de venir avec eux. Ils lui rétorquèrent que leur devoir était d'obéir aux ordres du Conseil : ils devaient rapatrier ces gens ! Sir Robert hurla qu'il était le Chef de Guerre pour toute l'Écosse et qu'il n'était pas question qu'ils restent ici. Ils tentèrent alors de s'échapper et Sir Jonnie et Sir Robert, en se servant de liens d'emballage que Bittie venait de trouver en hâte, les ligotèrent. Puis ils les posèrent sur la cargaison, tout au fond de l'avion.

Ils se retirèrent de leur périmètre de défense et décollèrent, et Bittie ne fut pas surpris d'entendre l'un des pilotes demander l'autorisation de mitrailler ces créatures. Sir Robert refusa : s'ils faisaient cela, elles iraient simplement se réfugier sous les arbres. De plus, ils n'étaient pas équipés pour ce genre de chose et ils avaient d'autres chats à fouetter. En tout cas, s'ils avaient réellement livré Allison, ils ne perdaient rien pour attendre. Les Écossais étaient dans tous leurs états.

Durant le vol de retour, Bittie continua de penser aux créatures de la clairière. Il se pencha vers Sir Jonnie et lui demanda :

- Sir Jonnie, comment se fait-il qu'ils soient si *sales* avec toute cette pluie ?

2

Le gros avion d'attaque se posa en pleine nuit près de la mine. L'endroit était toujours désert et la pluie tombait plus que jamais. Mais, sur les lieux de l'escarmouche, ils entendirent des cris d'animaux : ils se livraient bataille pour les cadavres. Aux rugissements et aux feulements des léopards furieux répondaient les aboiements et les ricanements sinistres d'autres prédateurs.

Derrière la porte du hangar, le camion chargé de la plate-forme volante et du mortier-éclateur était toujours en place. Rien n'indiquait que l'autre véhicule eût battu en retraite et ils pouvaient supposer qu'il suivait toujours le convoi.

Du regard, Jonnie explora le camp désert. Les lumières brillaient encore. Dans le lointain, la pulsation des pompes résonnait. A moins d'une intervention venue de l'extérieur, les machines continueraient sans doute à fonctionner durant des décennies.

L'imprimante de communication planétaire continuait de débiter son ruban de papier sur lequel étaient portés des messages venus de tous les points du monde. Jonnie y jeta un coup d'œil :

« MacIvor, est-ce que tu peux livrer un supplément de carburant à Moscou ? »

« Ici le contrôleur du trafic de Johannesburg. Y a-t-il des avions qui se dirigent vers nous ? Sinon, je ferme pour la nuit. »

« Isaac ! Écoute-moi, Isaac : est-ce qu'il restait encore des transports de minerai opérationnels dans l'exploitation de Grozny ? Pourrait-on les convertir en transports de personnel ? Fais-le-moi savoir avant demain matin. On est un peu à court de transporteurs actuellement. »

« Lundy, ton vol pour le Tibet est annulé. On a besoin de toi et de ton copilote ici pour nous aider à un transport. Accuse réception, mon gars. »

Pour la plupart, les messages avaient été formulés dans le jargon des pilotes psychlos.

Jonnie réalisa brusquement que tous ces appels pouvaient donner à un éventuel attaquant une idée assez précise des secteurs en activité. C'était presque un véritable catalogue de cibles pour les Mark 32.

Si le convoi réussissait à passer et que les Psychlos montaient une attaque générale, ils pouvaient très bien reconquérir la planète.

Et Jonnie s'interrogea : est-ce qu'il ne devait pas lancer immédiatement un appel général à partir de ce poste pour ordonner un silence radio de soixante-douze heures ? Mais non : le mal était déjà fait. Les mêmes messages devaient probablement se dévider de l'imprimante de la mine du Lac Victoria. Et s'il appelait, le convoi pourrait intercepter son message, ce qui donnerait l'alerte. Eh bien, il fallait que l'attaque du convoi réussisse, un point c'est tout.

Une fois encore, il s'avança dans les salles vides, ses pas résonnant de niveau en niveau. Il remarqua que les Psychlos avaient surtout emporté l'armement. Ils n'avaient laissé derrière eux aucun éclateur ou autres armes portatives qui risquaient de tomber aux mains des Brigantes. C'était pure chance qu'ils aient oublié les mortiers-éclateurs dans leur hâte.

On avait sorti le véhicule du hangar et il attendait à présent dans la cour obscure. Jonnie referma les portes : inutile de laisser entrer les serpents, les léopards ou les éléphants.

Il regagna l'avion et passa rapidement en revue les diverses phases de l'opération. Ils devraient voler à très basse altitude, presque au ras du sol, droit vers l'est, pour arriver derrière le point d'embuscade. Il ne fallait pas que l'appareil soit visible sur les écrans du convoi. Ensuite, ils devraient se déployer le long de cette crête - oui, là, parallèlement à la route - et, quand le convoi serait bien engagé dans le ravin, ils ouvriraient le feu sur le flanc. Et si les Psychlos rebroussaient chemin ? Eh bien, Jonnie serait en position avec un mortier sur plate-forme pour les empêcher de battre en retraite.

Quoi ? protesta Robert le Renard, incrédule. Un mortier contre des tanks ? Impossible. Le convoi leur échapperait, il battrait en retraite dans la forêt et jamais ils ne pourraient le débusquer. Oh... Jonnie voulait que l'avion redécolle pour l'appuyer et leur bloquer la route... Ma foi, ça c'était possible. C'était un avion de combat.

- Essayez de renverser tous ces tanks et ces camions sans qu'ils explosent, dit Jonnie. Pas de balles à radiations. Ne vous servez que de l'effet de choc. Réglez vos armes sur « Éclatement large », « Choc », « Pas de flammes ». Nous ne voulons pas les tuer. Dès qu'ils seront éparpillés au long du ravin, bloquez-leur la route à partir de l'embuscade. Moi, je serai sur leurs arrières. Les autres seront en position de flanc, sur la crête. Et l'avion les empêchera de décrocher et de rentrer à couvert dans la forêt. D'accord ?

- D'accord, d'accord, d'accord.

Un coordinateur essayait sans grand succès de suppléer à l'absence de son collègue russe, qui se trouvait avec Ivan. Il dit à Jonnie :

- Je m'assurerai que le coordinateur russe leur explique tout ça quand nous rejoindrons les autres... Oh ! Ne vous inquiétez pas, j'ai tout compris. Je pourrai leur répéter.

- N'oubliez pas qu'il existe une faible possibilité qu'Allison se trouve dans ce convoi. Alors, gardez l'œil bien ouvert et s'il s'enfuit pendant le combat, ne lui tirez pas dessus.

- D'accord, d'accord, d'accord...

Tout cela serait expliqué et répété aux Russes dès qu'ils auraient rejoint Ivan.

- Parfait, dit Robert le Renard. Tout marche comme sur des roulettes. Le gros de nos forces ne connaît rien des ordres parce que le traducteur est retenu ailleurs. Quelle préparation ! Quelle coordination ! Stupéfiant ! Je nous souhaite bonne chance. Nous en aurons sérieusement besoin.

- Mais nous sommes plus qu'eux, dit Jonnie.

- Quoi ? Ils sont plus de cent et nous sommes à peine cinquante !

- C'est bien ce que je voulais dire. Nous les surpassons... en ombres !

Ils éclatèrent de rire, et ceux des Russes qui connaissaient suffisamment l'anglais traduisirent le calembour à leurs camarades. L'atmosphère fut moins tendue. Toute cette pluie leur avait abattu le moral.

Jonnie s'apprêtait à gagner la plate-forme où l'attendaient le conducteur, quatre soldats russes et un Écossais, quand il remarqua une silhouette rapide. C'était Bittie MacLeod, entièrement équipé, prêt à l'accompagner.

Aïe !... Jonnie ne voulait pas que le jeune garçon le suive au combat. Pourtant, un problème se posait : la fierté de Bittie. Il réfléchit rapidement. C'était autrement plus difficile que la mise au point d'une stratégie d'attaque !

Le monde de Bittie était imprégné de rêves romanesques vieux de deux mille ans, tout pleins de dragons qui crachaient des flammes et de preux chevaliers volant au secours de gentes damoiselles. Il n'y avait évidemment rien de mal à cela. Bittie était un petit garçon adorable dont la plus haute ambition était de devenir un homme, comme Dunneldeen ou Jonnie. Et là non plus, il n'y avait pas grand-chose à redire. Mais ses rêves risquaient d'être quelque peu ternis par la réalité brutale du monde dans lequel ils se battaient, un monde où les dragons avaient bien changé. Si on ne le protégeait pas, il ne vivrait pas assez longtemps pour devenir un jour comme « Sir » Jonnie ou le « Prince » Dunneldeen. Mais il fallait cependant épargner sa fierté. Une fierté qui se lisait clairement dans son regard, tandis qu'il voyait Jonnie hésiter, chercher une excuse pour dire non, et fixait ses yeux bleus comme la glace.

D'un geste vif, Jonnie s'empara d'une radio posée sur un des sièges et la glissa entre les mains de Bittie. Puis il tapota celle qui était accrochée à sa ceinture, se pencha en avant et murmura à l'oreille du jeune garçon :

- J'ai besoin d'un contact fiable avec quelqu'un à bord de cet avion pour me dire si tout se passe bien quand le combat aura été engagé. Ne t'en sers pas avant que le premier coup de feu ait été tiré. Mais si quoi que ce soit accroche ensuite, tu me préviens aussitôt.

Et il porta l'index à ses lèvres.

Aussitôt, le visage de Bittie s'éclaira avec une vague expression de conspirateur et il acquiesça :

- Oui, oui, Sir Jonnie !

Et il disparut à l'intérieur de l'avion.

Jonnie retourna en clopinant vers le véhicule, sous les rideaux de pluie qui déferlaient dans la lumière des phares. Il s'assura que ses hommes étaient bien à bord, s'installa et adressa un signe au conducteur.

Le moteur gronda, dominant les rugissements des fauves dans la forêt, et le véhicule se mit en branle, avec la plate-forme volante et le mortier-éclateur.

Ils partaient affronter des tanks avec un camion.

3

Brown Staffor le Boiteux, assis dans son nouveau et somptueux bureau, contemplait, révolté, l'objet offensant posé devant lui.

Pourtant, les choses s'étaient bien passées, ces derniers temps. Le bâtiment du Conseil et son dôme - d'aucuns prétendaient qu'il s'agissait de l'ancien siège du gouvernement fédéral - avaient été en partie restaurés. Le dôme lui-même avait été peint en blanc. Les pièces avaient été refaites et l'on avait aménagé une véritable salle pour les réunions du Conseil - une salle idéale, avec un dais très élevé, une longue table et des fauteuils en bois. De vastes bureaux capitonnés, destinés aux ex-cadres psychlos, avaient été disposés dans les diverses pièces réservées aux Conseillers. Certes, ils étaient bien trop hauts, mais il suffisait d'une chaise d'homme posée sur une caisse pour corriger ce petit désagrément.

On avait ouvert un hôtel afin d'accueillir les dignitaires et les visiteurs de marque. Dans de vraies assiettes, on y servait une cuisine très acceptable préparée par un chef que l'on avait fait venir du Tibet.

Chaque nuit, dissimulé derrière un poteau proche de la cage, Staffor avait bénéficié d'un enseignement particulièrement précieux. Les informations qu'il avait reçues concernant l'art de gouverner étaient d'une valeur incalculable. Terl ne méritait pas de vivre dans une cage. Il s'était repenti et faisait de son mieux pour leur être utile. Les Psychlos étaient des incompris !

Et cet enseignement portait déjà ses fruits. Certes, sa mise en application prenait un peu de temps et exigeait une habileté politique considérable. Mais Terl avait voyagé à travers tous les univers, il avait été l'un des cadres les plus influents de l'Intergalactique Minière, et sa connaissance des divers systèmes de gouvernement et de politique transcendait tout ce que l'on connaissait ici sur Terre.

Par exemple, il y avait eu le problème des conseillers trop nombreux. Les chefs des diverses tribus du monde supportaient difficilement d'avoir à se réunir ici pour passer des heures interminables à débattre. Ils considéraient les affaires de leurs propres tribus comme autrement plus importantes. Et, à trente, ils étaient trop nombreux pour arriver à quoi que ce soit. C'était presque avec jubilation qu'ils avaient divisé le monde en cinq continents et élu un représentant pour chacun. Un Conseil disparate de trente membres avait ainsi été réduit à cinq personnes plus malléables. Et quand, par la suite, on leur avait expliqué que leurs devoirs de chef de tribu étaient plus essentiels que ces paperasseries du Conseil et que leurs patries respectives avaient besoin des hommes les plus compétents, ils avaient délégué avec enthousiasme leurs pouvoirs à de vagues cousins pour siéger à leur place.

Ces cinq conseillers étaient, bien entendu, encore quelque peu indociles et, en conséquence, ils allaient bientôt procéder à la nomination d'un comité exécutif réduit à deux membres. Encore quelques efforts et, grâce aux précieux enseignements que Terl lui avait prodigués, Brown Staffor représenterait à lui seul le Conseil, avec pouvoir d'agir en son nom. Il serait assisté par le seul Secrétaire Général qui, bien entendu, ne disposerait d'aucune voix et n'aurait qu'à apposer sa signature. Ainsi, tout deviendrait plus pratique.

Les Écossais avaient causé quelques tracas. Ils avaient protesté contre le rattachement de l'Écosse à l'Europe, mais on leur avait démontré que tel avait toujours été le cas. Ce qui faisait qu'ils étaient désormais représentés par un Allemand venu d'une tribu alpine. L'ancien Conseil avait officialisé tout cela par un vote à la majorité relative et, désormais, il n'y avait plus un seul de ces maudits Écossais pour s'en prendre à chaque mesure sensée proposée par Brown.

Les tribus étaient satisfaites. On leur avait remis des titres de propriété pour toutes leurs terres avec le droit absolu de les distribuer comme elles l'entendaient. Chacune d'elles était propriétaire des villes anciennes ainsi que de tous les biens qui pouvaient encore s'y trouver. Brown le Boiteux s'était ainsi bâti une solide popularité auprès des chefs des tribus - à l'exception, bien sûr, des Écossais qui, eux, n'étaient *jamais* contents. Ils avaient eu le toupet de faire remarquer que cette mesure conférait la propriété de tout l'ensemble du continent américain à Brown. Mais cette accusation était purement et simplement infirmée par le fait qu'il existait *quatre* tribus en Amérique : la Colombie Britannique, où l'on avait découvert deux personnes, la Sierra Nevada, avec quatre, un petit groupe d'Indiens au sud, et le village de Brown Staffor. Le fait que tous résidaient à présent dans le village de Brown était pure coïncidence !

Le choix de la capitale avait été une nouvelle victoire. Pour de vagues raisons, certaines tribus considéraient que cette capitale ne pouvait se trouver que sur leur territoire. Certaines autres considéraient qu'elle devrait changer régulièrement. Mais lorsque Brown Staffor avait mis l'accent sur le travail et les frais qu'entraînait l'entretien d'une capitale et qu'il avait ajouté que ce serait sa tribu *à lui* qui assumerait toutes les dépenses, uniquement par philanthropie et générosité, les discussions cessèrent aussitôt. Il fut décidé que la capitale du monde serait « Denver ». Mais il allait de soi que son nom, un jour ou l'autre, deviendrait « Staffor ».

Et voilà qu'il avait en face de lui cet objet écœurant ! Tout était la faute de l'ancien Conseil. Avant qu'il ne soit réduit à cinq membres, il avait voté la création d'une Banque Planétaire.

Puis il avait fait appel à un Écossais du nom de MacAdam qui avait déclaré que les crédits galactiques ne signifiaient plus rien à présent pour les habitants de la Terre. Pour les remplacer, il sollicitait l'octroi d'un privilège, pour lui et pour un Allemand résidant en Suisse, un Allemand qui possédait un impressionnant cheptel de vaches laitières et quelques fabriques de fromage. Ils se proposaient d'émettre de la monnaie pour chaque tribu à concurrence de la valeur des terres productives, contre un pourcentage minime en retour. Ce qui était une bonne idée puisque chaque tribu n'obtiendrait de la monnaie supplémentaire qu'à condition de développer la production de territoires nouveaux.

La monnaie fut donc endossée par les Territoires des Tribus du Monde et la banque prit le nom de Banque Planétaire de la Terre. Le privilège qui lui fut accordé était quasi illimité.

La monnaie avait été imprimée à une vitesse stupéfiante. Si l'Allemand était intervenu dans l'affaire, c'était parce qu'il avait un frère qui avait su préserver l'art ancien de graver des blocs de bois pour imprimer sur du papier. Dans les antiques ruines d'une ville qui s'était autrefois appelée Londres, ils avaient découvert des hangars emplis jusqu'au toit de papier-monnaie et, dans une autre ville, Zurich, des presses à main. En quelques jours, la monnaie avait été émise.

Les coupures ne portaient qu'une inscription : un Crédit Terrien. Mais la première émission n'avait pas marché. Les gens ne savaient pas quoi faire de ces billets. Ils avaient jusqu'alors troqué des chevaux ou autres marchandises et il était nécessaire de leur apprendre l'usage de l'argent. On avait donc procédé à une deuxième émission.

C'était un spécimen de cette deuxième émission qui se trouvait sur le bureau de Brown Staffor et qui lui causait tant de tourment. Pire encore, il sentait monter en lui un dégoût proche de la nausée. L'impression était bonne. On lisait sur la coupure « Banque Planétaire de la Terre ». Le chiffre « 1 » figurait aux quatre coins. « Un Crédit » était écrit dans les langues et caractères en usage dans les diverses tribus. De même que la mention « Monnaie légale pour toutes dettes, privées et publiques ». Il y avait aussi : « Échangeable pour la valeur d'un Crédit dans les Banques de Londres et de Zurich ainsi que dans les succursales de la Banque Planétaire de la Terre. » Et aussi : « Garanti par les Territoires des Tribus du Monde en vertu de leur production. » Ainsi que : « Par privilège du Conseil de la Terre. » Tout cela, ainsi que les signatures des deux directeurs de la banque. Jusque-là, rien à redire.

Mais, bien au centre, dans un grand ovale, il y avait un portrait de *Jonnie Goodboy Tyler* !

Ils avaient reproduit une photo prise par quelqu'un avec un picto-enregistreur. Tyler était en chemise de daim, tête nue, avec sur le visage une expression stupide que quelqu'un avait dû juger noble... Mais surtout, il avait un éclateur à la main.

Pis encore ! L'image était surmontée de son nom : « Jonnie Goodboy Tyler ».

Et le comble : sous l'image, on pouvait lire en sous-titre : « Vainqueur des Psychlos. »

Abominable. Répugnant.

Comment la banque avait-elle pu commettre une telle bévue ?

Moins d'un quart d'heure auparavant, Brown s'était entretenu par radio avec MacAdam pour savoir ce qui s'était passé. Celui-ci lui avait expliqué que la première émission n'avait pas remporté grand succès et qu'ils en avaient aussitôt entrepris une seconde. La plupart des gens ignoraient ce qu'était l'argent, mais ils connaissaient tous Jonnie Goodboy Tyler et, dans certaines régions, les billets n'étaient même pas utilisés comme monnaie mais collés sur les murs ou carrément encadrés. Mais oui, avait confirmé MacAdam, on en avait expédié des dizaines de milliers à toutes les tribus. Non, il était impossible de les récupérer sous peine de mettre en péril le crédit et la réputation de la banque.

Brown avait tenté de lui expliquer que ce billet était totalement contraire aux intentions du Conseil, que celui-ci n'avait pas accordé sa charte à la banque dans cette optique. Le Conseil, après la victoire, avait voté à l'unanimité une résolution comme quoi il ne devait plus y avoir aucune *guerre*. (Une résolution qui disait en gros : « Toute guerre entre tribus est désormais interdite. » Mais, bien évidemment, Brown Staffor avait veillé tout particulièrement à ce que le texte fût rédigé de façon à proscrire *tout* conflit, y compris un conflit interplanétaire.)

Or, avait-il expliqué avec toute la logique qu'il pouvait, ces billets étaient absolument en opposition avec cette résolution pacifiste. Parce qu'on y voyait ce... ce personnage brandissant une arme, que cela était une incitation à une guerre future contre les Psychlos et contre qui d'autre encore ?...

MacAdam avait exprimé ses regrets, de même que l'Allemand de Zurich, mais ils n'avaient pas vraiment semblé sincères. Ils avaient leur charte et, si le Conseil voulait ruiner son propre crédit, aucun fonds ne serait plus versé à l'Amérique, ce qui serait regrettable. Il convenait donc que la charte soit maintenue inchangée, et la banque agirait dans le sens qui lui paraissait le mieux adapté afin de poursuivre ses affaires. Il serait vraiment dommage que la Cour Mondiale, en passe d'être formée, dût, à sa première session, avoir à juger des poursuites engagées par un membre de la banque contre le Conseil pour manquement à la confiance et dépens.

Non, songea Brown, sombrement, ils n'avaient éprouvé aucun regret.

Il n'écouterait plus les avis du Conseil, pour les questions bancaires. Il irait quérir l'avis d'un expert, à sa place habituelle, dans l'ombre du poteau près de la cage. Mais il n'avait pas grand espoir, en vérité.

« Jonnie Goodboy Tyler. Vainqueur des Psychlos. » Brown le Boiteux cracha sur le billet.

Puis il le prit, et, avec des gestes frénétiques, il le déchira en petits morceaux qu'il jeta tout autour de lui. Après quoi, il les ramassa patiemment et, avec une expression déterminée et malveillante sur le visage, il les brûla.

Et il pulvérisa les cendres à grands coups de poing.

Pourtant, presque aussitôt, quelqu'un survint et lança, avec un sourire ravi :

- Vous avez vu le nouveau billet ?

Tout en lui en agitant un sous le nez !

Brown Staffor sortit en courant pour aller vomir.

Plus tard, quelque peu calmé, il décida que même s'ils étaient tous contre lui, il devait continuer à faire de son mieux pour le bien de la Terre. Et il *aurait* Tyler...

4

Le camion à plate-forme fonçait à travers la nuit pluvieuse, grondant et vibrant. Le système de propulsion de ces véhicules était prévu pour les maintenir à environ un mètre du sol. Mais, sur un terrain qui variait constamment, avec des dépressions de deux à trois mètres tous les un ou deux mètres et parfois moins, le camion faisait tout sauf flotter et, à chaque secousse, on avait l'impression d'avoir les os brisés.

Le dispositif était du type à téléportation et le véhicule réglait de lui-même sa distance par rapport au sol. Le résultat des multiples et incessantes corrections était un affreux mélange d'accélérations, de freinages, de grondements, de grincements et de sifflements qui attaquaient les nerfs et les tympans.

Aucun véhicule à roues n'aurait pu se risquer sur une pareille « route ». Seules des bêtes errantes pouvaient s'aventurer sur ce terrain parsemé de creux et de blocs de rocher. Les transports de minerai qui l'avaient sillonné des siècles durant avaient arraché la couche d'humus et la pluie avait pu ainsi pénétrer jusqu'au roc.

Jonnie luttait pour trouver le sommeil. Il était atrocement fatigué. Son bras gauche était douloureux, à force de s'appuyer sur sa canne. Sa paume était devenue calleuse. Ces quatre journées passées à patauger dans la forêt, à transpirer, à marcher appuyé sur une canne, et ces quatre nuits où il avait subi les attaques des insectes, il les payait durement. S'il voulait être en état de combattre et remporter la victoire, il avait tout intérêt à dormir un peu.

Le siège, bien entendu, était vaste, mais pas très rembourré. Et quand il n'y avait plus de cahots ou de secousses, un obstacle quelconque les obligeait à s'arrêter. Comme à présent.

Jonnie ouvrit les yeux et regarda à travers le pare-brise. Des dos d'éléphants ! Leurs queues dégoulinantes de pluie s'agitaient dans le faisceau des phares tandis qu'ils avançaient, lentement, tranquillement. Ils étaient habitués aux camions et la piste était à eux. Les véhicules psychlos étaient dépourvus de klaxon, mais ils possédaient une trompe, et le conducteur russe la faisait hurler pour inciter les éléphants à quitter la route. Il répétait constamment un mot qui sonnait comme « a-lék-on », et Jonnie devina qu'il ne voulait pas dire « éléphant ». Sur ce, il se rendormit, dans le tintamarre de la trompe de route et le barrissement des éléphants...

Quand il se réveilla à nouveau, c'était un léopard qui se trouvait en travers de leur chemin. Il venait de tuer une gazelle et avait décidé de festoyer sur la piste. Jonnie n'eut aucune peine à comprendre que les léopards avaient horreur qu'on les dérange pendant le repas. Les yeux verts et scintillants, de même que les crocs immenses, indiquaient à l'évidence que le fauve était prêt à s'en prendre à tous les camions du monde. Le conducteur se servait une fois encore de la trompe du véhicule. Mais il avait dû y avoir une relève et c'était un Écossais qui se trouvait à présent aux commandes. Il poussa le cri de guerre écossais et le léopard bondit immédiatement hors de la piste et disparut. Le camion redémarra et passa au-dessus de la gazelle morte.

En terrain plat, un véhicule à plate-forme pouvait atteindre cent cinquante kilomètres/heure. Ils avaient de la peine à présent à dépasser les quinze kilomètres/heure ! Pas étonnant que la liaison entre l'exploitation principale et la filiale minière prenne des jours et des jours ! Les petits abris surmontés d'un dôme qui jalonnaient la route tous les quatre ou cinq kilomètres en étaient la preuve évidente.

Jonnie avait décidé de s'arrêter au premier. C'était le lieu idéal pour une embuscade. Les Psychlos n'avaient sans doute laissé personne derrière eux, mais mieux valait savoir à quoi s'en tenir. Ils n'avaient finalement trouvé qu'une simple construction en dôme, assez grande pour accueillir quatre ou cinq Psychlos qui pouvaient s'y restaurer ou s'y reposer, ou encore y attendre une dépanneuse. L'endroit était vide : ce n'était qu'un abri contre la pluie et les fauves, rien de plus.

Il n'y avait aucun signe de l'autre camion à plate-forme et de son équipage. Donc il suivait toujours le convoi.

A l'approche du matin, Jonnie s'éveilla à nouveau. Le camion, encore une fois, était arrêté. Les phares étaient allumés. Et la pluie n'avait pas cessé. Le conducteur lui tapotait l'épaule en lui montrant la route, droit devant eux. Jonnie se redressa.

Quelqu'un avait taillé quelques lianes pour former une sorte de flèche sur la route. La netteté de la coupe indiquait que cela avait été fait avec une claymore ou peut-être une baïonnette. Les Psychlos auraient utilisé un éclateur. C'était donc un de leurs hommes qui avait laissé ce signe à leur intention.

La flèche était pointée sur une cabane-abri, au bord de la route.

Jonnie entendit cliqueter les armes dans le fond. Les hommes se préparaient à un éventuel débarquement. Il drapa sa cape sur ses épaules, vérifia que son arme était bien à sa ceinture, prit une lampe de mineur et sa canne.

En descendant du camion, il sentit la pluie ruisseler jusque dans son cou.

Ce qui différenciait cette cabane des autres, c'étaient de nombreuses traces de pas devant le seuil et le fait que la porte soit légèrement entrebâillée. Du bout de sa canne, Jonnie repoussa le battant. Il fut saisi par une odeur de sang humain !

Quelque chose bougea à l'intérieur. Il prit son arme. Mais ce n'était qu'un gros rat qui s'enfuit en courant.

L'Écossais avait suivi Jonnie, avec une carabine d'assaut, et deux Russes accouraient à leur tour.

Jonnie braqua le faisceau de sa lampe devant lui. Il vit quelque chose contre le mur du fond. Pendant un instant, il ne sut pas ce que c'était. Il s'avança et s'aperçut alors qu'il marchait dans du sang.

La lampe éclaira en plein la chose. Jonnie se rapprocha encore. Difficile d'identifier cet amas de chair déchiquetée. C'est alors qu'il vit un lambeau de vêtement. Un bout de... kilt !

C'était Allison.

L'Écossais et les deux Russes s'arrêtèrent net, pétrifiés.

Un examen plus attentif révéla à Jonnie que toutes les artères et les veines principales avaient été épargnées. Soigneusement, patiemment, les Psychlos, à coups de griffes, avaient lacéré la chair, lambeau après lambeau. Tout le corps avait été ainsi réduit en charpie.

L'agonie d'Allison avait dû se prolonger durant des heures.

Ils avaient épargné jusqu'au dernier instant la gorge et les mâchoires qui étaient encore identifiables. Un interrogatoire, dans le style psychlo !

Dans ce qui subsistait d'une main, il y avait quelque chose. L'un de ces outils pointus que les Psychlos avaient toujours dans leurs poches pour nettoyer les vis platinées des moteurs. A l'intérieur de la jambe, Jonnie vit que l'artère fémorale avait été ouverte.

Allison avait provoqué lui-même sa mort. Il avait dû prendre l'outil dans une poche et mettre fin à ses jours.

Auraient-ils eu la moindre chance de le sauver ? Non, certainement pas dans une telle forêt et sur cette route, songea tristement Jonnie. Les Psychlos avaient certainement commencé à le torturer au camp et ils avaient continué ici, craignant qu'il ne meure.

Et ils n'avaient rien dû apprendre d'utile concernant leur convoi. Allison n'avait même pas été au courant de l'expédition que Jonnie avait montée. Mais il se pouvait qu'il leur ait révélé le nombre et l'emplacement des bases qui appartenaient désormais aux humains. Il avait sans doute parlé car il y a des limites à l'endurance humaine.

Mais Jonnie vit que les dents s'étaient effritées à force d'être serrées et que les mâchoires semblaient soudées. Oui, il était possible qu'Allison n'ait pas parlé.

Mais à présent, cela importait peu. Le convoi était condamné. Jonnie en avait la certitude : il suffisait de voir le regard des Russes ; et la manière dont le jeune soldat écossais serrait sa claymore.

Après un instant, l'Écossais sortit et revint avec une bâche qu'il disposa délicatement sur les restes de ce qui avait été Allison. Il dit :

- On reviendra, mon gars ! Avec du sang sur nos lames, n'aie crainte !

Jonnie ressortit sous la pluie. Il prit brusquement conscience que les Brigantes avaient désormais une dette de sang avec l'Écosse.

Et les Psychlos ? A présent, il n'était plus vraiment certain de les vouloir vivants. Il dut se contrôler pour garder ses esprits.

5

Vers le milieu de la matinée, dans la pénombre de la jungle, ils firent la jonction avec l'autre camion à plate-forme. Ce fut le premier de toute la série d'ennuis qui leur tombèrent dessus toute la journée durant.

Dans l'obscurité, le premier véhicule avait atteint une rivière, un des multiples cours d'eau qui traversaient la forêt et qui allaient plus ou moins vers l'ouest. Ils s'étaient jusqu'alors dirigés vers le sud-est. Le conducteur, probablement trop fatigué, n'avait pas ralenti. Ces engins pouvaient flotter au-dessus de l'eau, puisque les senseurs réagissaient comme au contact du sol. Le dispositif de téléportation maintenait la masse du véhicule au-dessus de la surface. Mais le conducteur avait dû heurter la berge et son véhicule s'était trouvé déséquilibré en atteignant l'eau, et il était maintenant immobilisé, le nez dans la rivière, hors d'état.

L'équipage s'était réfugié sur la plate-forme volante. Elle avait été amenée à quelque distance de là, sous les arbres. Ils avaient mis le mortier en batterie pour se défendre contre une éventuelle attaque. En voyant Jonnie, ils manifestèrent leur joie. Les crocodiles s'étaient rassemblés sur la berge et un cercle menaçant de bêtes les entourait. Personne n'avait encore osé tirer, de crainte d'alerter le convoi.

Jonnie dégagea leur propre camion afin de ménager de la place pour l'autre plate-forme et le mortier et, avec cette double charge, ils traversèrent bientôt la rivière et continuèrent la poursuite.

Un peu plus loin, la route se fit plus praticable, sans doute à cause d'une différence de sol. Ils purent enfin prendre de la vitesse. Ils étaient encore à douze ou quinze heures de leur objectif, mais un convoi, surtout en terrain difficile, était plus lent qu'un véhicule isolé.

Au début de l'après-midi, ils avaient atteint une vitesse telle qu'ils ne prirent pas conscience que la végétation s'était éclaircie. Brusquement, la forêt cessa et ils se retrouvèrent dans une vaste savane.

Et, à cinq kilomètres devant eux, ils virent la queue du convoi !

En priant pour qu'on ne les ait pas aperçus, ils firent demi-tour et replongèrent sous le couvert.

Jonnie se dirigea vers l'est en suivant la lisière de la forêt, au-dessus d'un terrain particulièrement accidenté. Puis ils s'arrêtèrent.

Devant eux s'étendait la savane, couverte d'herbe et de sporadiques buissons. Çà et là, l'étendue claire était ponctuée de plantes pareilles à des cactus.

Jonnie monta sur le toit afin d'avoir une meilleure vue. Ah ! Le défilé où l'embuscade avait été mise en place était visible, à quelque distance devant la tête du convoi. Le premier tank allait s'y engager. La ravine semblait être une faille dans l'épaulement sud de la chaîne de montagnes.

Des montagnes ! A l'horizon nord-est, deux pics immenses culminaient au-dessus des nuages. Était-ce bien de la neige et de la glace qu'il distinguait ?

Mais il y avait quelque chose d'autre, quelque chose de bizarre. Jonnie comprit soudain. Il ne pleuvait plus ! Il y avait des nuages dans le ciel, l'air était humide et chaud, la lumière plutôt faible, mais il ne pleuvait plus !

Les Russes marmonnaient en observant le convoi. Le spectacle était impressionnant. Il y avait là plus de cinquante véhicules, pour la plupart des plates-formes chargées à craquer de munitions, de carburant et de gaz respiratoire. A cette distance, le convoi évoquait un gigantesque serpent noir. Jonnie compta trois... non, cinq tanks ! Celui qui allait en tête était du type « Cogneur » : « Cogne jusqu'à la Gloire. » Un blindé presque indestructible. Un tank isolé se trouvait au milieu du convoi, et les trois autres fermaient la marche. A présent que le camion était arrêté, ils percevaient le bruit du convoi. Même à cette distance, on aurait dit le grondement du tonnerre.

Si l'embuscade était en place, la danse commencerait dès que le convoi serait entièrement engagé dans le défilé, car le mortier dissimulé un peu plus loin lui bloquerait immédiatement la route.

Jonnie se tourna vers l'officier russe. L'homme parlait à peine l'anglais mais, en quelques gestes et avec une petite carte en relief qu'il dessina dans la boue, Jonnie réussit à lui faire comprendre ce qu'il attendait de lui. Le versant sud du défilé se terminait par un tertre. Le versant de droite était particulièrement abrupt et formait une véritable falaise. Si l'une des deux plates-formes volantes arrivait à prendre position derrière ce tertre, attendant que tous les véhicules soient dans le ravin, elle pourrait lancer des obus de mortier sur la falaise et déclencher un éboulement qui leur couperait toute retraite.

Le Russe avait compris. Avec ses hommes, il monta à bord de la plate-forme qui décolla bientôt et disparut sous les arbres.

Jonnie observait intensément le convoi qui s'enfonçait dans le défilé. Ils allaient livrer une « bataille réglée comme du papier à musique ». Il en avait lu la description dans des anciens livres-d'homme. Lorsque tout le convoi serait dans le défilé, les hommes en embuscade déclencheraient une avalanche qui lui fermerait le passage et, derrière, le mortier interdirait toute retraite. Les Psychlos se trouveraient avec une pente raide sur leur droite et une falaise à gauche. Il leur serait impossible de faire demi-tour. Il suffirait alors de les survoler, de leur donner l'ordre de se rendre, et tout serait fini. C'était enfantin. Mais, comme il ne devait pas tarder à le découvrir, les « batailles réglées comme du papier à musique » fonctionnent rarement comme prévu.

Ils attendirent que tous les véhicules soient engagés dans le piège. Ils entrevirent brièvement la plate-forme qui se mettait en position au point prévu. Parfait. A présent, ils n'avaient plus qu'à attendre que le dernier tank entre dans le défilé. Les premiers véhicules étaient déjà hors de vue.

Et soudain : BRAOUM ! Le mortier en embuscade venait d'ouvrir le feu. BRAOUM ! BRAOUM !

Alors que les trois derniers tanks n'étaient pas encore entrés dans le ravin !

Jonnie se rua vers la console de la plate-forme volante. Les quatre hommes se hissèrent derrière lui.

Ils décollèrent aussitôt. La plate-forme monta à toute allure dans les airs. Les doigts de Jonnie couraient sur le clavier rudimentaire. Il plafonna à trois cents mètres, cap au sud de la route, à proximité de la lisière de la forêt.

Maintenant, il voyait à nouveau les véhicules de tête. Une énorme avalanche de rochers s'abattait en grondant devant le tank « Cogneur ». Il aperçut quelques Russes qui se tenaient en réserve, à l'arrière de l'embuscade, et trois autres sur la crête, à droite du convoi, à des dizaines de mètres au-dessus des véhicules.

Le « Cogneur » tenta de se lancer à l'assaut de l'amas de rocs. Mais ses canons ne pouvaient pas porter suffisamment haut. Il recula, puis fonça droit sur l'entassement de rocs d'où s'élevait un véritable geyser de poussière. Le blindé leva son nez et ouvrit le feu.

Ses canons crachèrent sans répit. Il devait tirer des obus explosifs !

La plate-forme décrivit une courbe scintillante et descendit dans la zone où devait se trouver le poste de commandement de l'embuscade. Mais le mortier continuait ses tirs.

Et les trois derniers tanks faisaient marche arrière. Il n'y avait aucun moyen de couper la retraite au convoi !

Jonnie dirigea la plate-forme vers l'arrière et se plaça entre la queue du convoi et les bois. Les trois tanks manœuvraient déjà pour faire demi-tour. Dans cette savane, les avions auraient du mal à en venir à bout. Et puis, Jonnie vit qu'ils étaient eux aussi du type « Cogneur ». Pas question de les neutraliser avec un avion.

Le tank de tête chargeait de nouveau la barrière de rochers, sans doute pour tenter de redresser la portée de ses canons. Le deuxième tank, au milieu du convoi, avait ouvert le feu sur l'embuscade mais son tir ne portait pas assez haut et les obus n'atteignaient pas la crête.

- Fais tomber des arbres en travers de la route ! cria Jonnie à l'adresse de l'Écossais. Il faut bloquer ces trois tanks !

Celui-ci fit aussitôt pivoter le mortier. Les Russes, en déséquilibre sur la plate-forme qui ne cessait de s'incliner, entreprirent aussitôt de larguer des obus dans le museau camus de la pièce.

Un premier obus explosa auprès d'un arbre géant, non loin de la route qui s'enfonçait dans la forêt. Il bascula lentement.

D'autres suivirent. Les obus pleuvaient littéralement sur l'orée de la forêt et les arbres s'abattaient tour à tour dans de grandes colonnes de fumée et de poussière. Jonnie maintenait la visée en inclinant ou en redressant la plate-forme à chaque tir.

Les trois tanks virent leur chemin de retraite coupé. Leurs conducteurs savaient qu'il leur était maintenant impossible de gagner la forêt. Ils se séparèrent donc, fonçant vers la savane.

En même temps, ils ouvrirent le feu sur le plate-forme.

Jonnie esquiva. La plate-forme n'était pas prévue pour ce genre de combat. Elle ne possédait aucun blindage. Ce n'était réellement qu'un disque plat sur lequel il n'y avait presque rien pour se maintenir.

Dunneldeen surgit en piqué avec l'avion de combat. Il avait dû attendre, invisible, à plus de mille mètres d'altitude.

Des gerbes de flammes et de terre jaillirent autour des trois tanks « Cogneur ».

Soudain, le convoi se remit à avancer dans le défilé. Les conducteurs des trois tanks pensèrent probablement que la marche reprenait et ils firent brusquement faire demi-tour à leurs engins pour rattraper la queue du convoi, ne pensant qu'à leur mission de protection. Ils se lancèrent dans le défilé, mais durent bientôt s'arrêter. Ils tentèrent de tirer sur le point d'embuscade, mais ils ne purent braquer leurs canons suffisamment haut pour toucher la crête.

La seconde plate-forme ouvrit le feu.

Des obus de mortiers explosèrent dans la falaise, derrière le dernier tank. Des nuages de rocs et de terre jaillirent. Une avalanche de pierres dévala la pente en grondant et vint bloquer l'entrée du défilé.

Le premier « Cogneur » tenta à nouveau de charger droit sur l'éboulis de rocs qui paralysait le convoi. A la seconde même où son avant se relevait, un obus de mortier l'atteignit en dessous.

Il fut projeté en l'air, bascula en arrière et se retrouva sens dessus dessous au milieu de la route, réduit à l'impuissance.

Jonnie inspira profondément. Il était sur le point de donner l'ordre à Dunneldeen de prendre un porte-voix pour demander à l'ennemi de se rendre et portait la main à sa radio, quand le sort de la bataille changea.

6

La débâcle !

Sur sa radio, par-dessus les discussions frénétiques des Psychlos du convoi, il entendit nettement la voix de Bittie, suraiguë :

- Sir Jonnie, il n'y a personne qui parle le russe ici ! Personne pour leur dire ce qu'il faut faire maintenant !

- Qu'est-ce qui s'est passé ? aboya Jonnie.

- Sir Jonnie, le tank a anéanti le poste de commandement ! Le colonel Ivan, Sir Robert et les coordinateurs ne répondent plus ! J'étais sous un tas de bâches. Je vous aurais prévenu plus tôt mais (un gémissement) je n'arrivais pas à trouver ma radio !

Puis il y eut un grésillement de statique et des interpellations confuses en psychlo sur la même fréquence.

Jonnie lança la plate-forme volante vers le nord du défilé et s'abrita derrière.

En dessous, dans le défilé, le convoi était cloué sur place, dans l'impossibilité de faire demi-tour, pris au piège. Mais il était impossible de tirer dessus : avec un tel chargement de munitions, de gaz et de carburant, tout cela sauterait à deux mille mètres dans les airs.

Il n'y avait que les trois soldats russes en position sur la crête qui tiraient quelques rares coups de feu. Les Psychlos avaient dû penser que personne ne tenait la crête.

Les ordres se succédaient en rafales dans la radio.

Et soudain, les Psychlos sautèrent de leurs véhicules, brandissant des fusils-éclateurs, le visage couvert d'un masque respiratoire. Ils s'alignèrent au bas de la pente.

D'autres ordres grésillèrent dans la radio.

Les énormes créatures s'avancèrent sur la pente abrupte. Elles voulaient apparemment atteindre la crête, ce qui représentait une escalade à pic de plus de quatre cents mètres. Les Psychlos partaient à l'assaut !

Mais la situation n'était pas vraiment désastreuse. Pas pour le moment, du moins. Dunneldeen était toujours dans les airs. Tout ce qu'il avait à faire, c'était d'attendre que les Psychlos soient à mi-pente pour plonger sur eux et les mitrailler.

La voix aiguë de Bittie se fit entendre à nouveau :

- Les Russes ne comprennent pas ! Ils courent vers la crête !

Jonnie fit prendre un peu plus d'altitude à la plate-forme pour observer ce qui se passait. Bittie, de toute évidence, ne comprenait pas ce qui se passait. Il n'y avait rien de mal à ce que les Russes viennent renforcer le sommet du ravin, flanc gauche. En fait, c'était vital.

Mais oui, le groupe de réserve d'environ trente hommes se ruait vers la crête, escaladant le versant opposé. Leurs carabines d'assaut étaient déjà armées. De l'autre côté de la crête, les Psychlos avaient escaladé une centaine de mètres et il leur restait encore plus de trois cents mètres de pente abrupte à parcourir.

Dans quelques instants, lorsqu'ils seraient suffisamment éloignés de leurs véhicules, Dunneldeen effectuerait un passage et les assommerait tous, avec ses mitrailleuses réglées sur « Choc ».

La voix de Bittie, à nouveau :

- Les Russes sont déchaînés ! C'est à cause du colonel Ivan ! Ils le croient mort ! Ils n'écoutent rien !

Jonnie lança la plate-forme et alla se poser derrière les Russes. Il bondit à terre et se mit à courir vers la crête. Les Russes venaient de se mettre en position, et plusieurs avaient ouvert le feu sur les Psychlos, en contrebas.

- Arrêtez ! lança-t-il. L'avion va tous les descendre !

Mais il n'y en eut pas un pour se tourner dans sa direction. Il chercha frénétiquement un officier et en vit enfin un. Mais l'homme était en train de hurler des imprécations aux Psychlos tout en déchargeant un pistolet sur eux. Puis il se tourna brusquement vers ses hommes et rugit un ordre. Tous se redressèrent. Seigneur ! Ils étaient sur le point de charger !

Avant que Dunneldeen ait pu effectuer son passage, la pente grouillait de Russes qui chargeaient en hurlant ! Furieux, déchaînés ! Ils ne s'arrêtaient que pour tirer, et repartaient aussitôt.

Deux rideaux de feu se croisaient sur la pente !

Les détonations et les traits de feu des carabines d'assaut répondaient aux grondements des éclateurs. Les Psychlos tentaient d'endiguer cette véritable avalanche de férocité qui s'abattait sur eux.

Dunneldeen, dans l'impossibilité de tirer - il risquait de tuer des soldats russes - attendait, désespéré, dans les airs. Alors qu'il lui aurait suffi d'un passage pour neutraliser tous les Psychlos.

Les Russes, maintenant un feu nourri, enfoncèrent les lignes psychlos !

Les Psychlos survivants tentèrent de regagner leurs véhicules. Mais les Russes étaient déjà sur eux !

Les massives créatures s'effondrèrent de toutes parts sur la pente. Quelques groupes tentèrent de résister. En vain. Les crépitements des carabines d'assaut étaient comme un rideau sonore. Le dernier Psychlo faillit parvenir jusqu'à un camion. Mais, à l'ultime fraction de seconde, un soldat russe s'agenouilla, visa, et le trancha en deux.

Une ovation s'éleva du groupe de Russes.

Le calme revint soudain sur la pente.

Jonnie contempla le carnage.

Plus de cent Psychlos morts. Trois soldats russes tués.

Des lambeaux de fumée s'élevaient doucement des vêtements qui brûlaient encore.

C'était un vrai désastre ! Leur objectif avait été de *capturer* des Psychlos !

Jonnie dévala la pente. Il se porta vers l'officier russe qui, l'arme à la main, se tenait prêt à abattre tous les Psychlos qui bougeaient encore.

- Essayez d'en trouver de vivants ! lui cria-t-il. N'achevez pas les blessés. Trouvez-moi des vivants !

Le Russe tourna vers lui un regard dans lequel on pouvait encore lire l'éclat du meurtre. Puis, s'apercevant qu'il avait affaire à Jonnie, il parut se détendre quelque peu. Il chercha ses mots pour répondre en anglais :

- Aux Psychlos, ça montrer ! Ils ont tué colonel !

Jonnie parvint finalement à lui faire comprendre qu'il voulait des Psychlos vivants. L'officier ne sembla pas trouver cela très raisonnable, pas plus que ses hommes. Mais ils se mirent tous à chercher parmi les corps pour essayer de trouver des Psychlos qui respiraient encore. Ils se penchaient sur chaque masque respiratoire et observaient la valve.

Ils repérèrent quatre blessés qui vivaient encore. Ils ne parvinrent pas à déplacer les corps de cinq cents kilos et les allongèrent tant bien que mal.

MacKendrick apparut, trébuchant et glissant sur la pente. Il regarda brièvement les quatre blessés et secoua la tête :

- Peut-être... Je ne connais pas grand-chose à l'anatomie psychlo, mais je pense que je peux au moins arrêter cette hémorragie de sang vert.

Jonnie remarqua que l'un des blessés portait une tunique différente des autres. Un ingénieur ?

- Faites ce que vous pouvez ! lança-t-il à MacKendrick avant de se porter vers le point d'embuscade.

Debout au sommet d'un rocher, Bittie lui adressait des signes. Puis il sauta et disparut hors de sa vue.

En atteignant le sommet, Jonnie examina les lieux. Ils avaient choisi un creux entre les rochers pour y établir le poste de commandement. Ce n'était plus qu'un amas de ruines à présent. Un des tirs du tank « Cogneur » avait atteint le rocher juste au-dessus d'eux. Tout l'équipement avait été détruit. La radio était en miettes.

Bittie était agenouillé auprès de Sir Robert et lui soulevait la tête. Le vétéran reprenait conscience, clignant des paupières.

Ils avaient tous été choqués. Jonnie vit que le sang coulait de leurs nez et de leurs oreilles. Il s'approcha. Il y avait sans doute quelques doigts cassés et pas mal de contusions. Mais rien de vraiment sérieux.

Il prit un bandana qu'il humecta avec l'eau d'un bidon et se pencha sur les hommes évanouis. Il y avait là, en plus de Sir Robert, le colonel Ivan, deux coordinateurs et un opérateur radio écossais.

Un instant après, il escalada un roc et observa le défilé. Le convoi était intact. Il n'y avait eu aucune explosion, ce qui signifiait que les Russes avaient dû utiliser des balles non radioactives. Malheureusement, ce n'était pas du matériel que Jonnie voulait récupérer, mais des Psychlos vivants.

Avec Angus, trois soldats ouvraient le tank de tête, non sans peine puisqu'il était toujours retourné, ses écoutilles bloquées. Angus réussit finalement à ouvrir une fenêtre de visée à l'aide d'un chalumeau. Les Russes regardèrent à l'intérieur. Jonnie mit ses mains en coupe et cria :

- Il n'y a personne de vivant ?

Angus se retourna, l'aperçut, regarda à son tour à l'intérieur et secoua la tête.

- Non, ils ont tous été écrasés ou asphyxiés !

Sir Robert s'approcha de Jonnie, le visage blafard, tremblant encore un peu sous l'effet du choc. Jonnie le dévisagea.

Sir Robert voulut dire quelque chose, mais Jonnie le précéda :

- Le raid le mieux préparé de l'histoire !

7

Il leur fallut trois jours de travail intensif pour nettoyer les dégâts et occuper l'exploitation minière du Lac Victoria.

La route d'acheminement du minerai allait d'abord vers le sud, contournait les montagnes, avant de revenir vers le nord, jusqu'à la mine elle-même.

Lorsque le ciel était dégagé, au nord-ouest, les Monts de la Lune leur apparaissaient clairement dessinés. C'était une immense chaîne où se dressaient quelque sept sommets de plus de quatre mille mètres. Ils étaient couronnés de neige et de glace, ici, sous l'équateur, dans cette chaleur et cette humidité. On apercevait même des glaciers. Les grands pics pointaient parfois entre les brumes. Ils étaient alors d'une blancheur aveuglante.

Jadis, cette chaîne montagneuse avait été la frontière naturelle entre deux ou trois États. A l'époque de l'invasion psychlo, peut-être même avant, les cols avaient été truffés de mines nucléaires tactiques. Inutile de dire que les Psychlos ne s'étaient jamais risqués dans ces monts si dangereusement proches de la mine. Il existait plusieurs tribus de faible importance dans les Monts de la Lune, à peau brune ou noire. On y trouvait même quelques Blancs. La plupart du temps, ils étaient affamés, malgré les forêts et les savanes grouillantes de gibier qui s'étendaient plus bas. Ils auraient pu à présent gagner sans danger les plaines, mais la tradition persistait, qui leur interdisait de s'aventurer à proximité de la mine.

Un vieux barrage, que les cartes indiquaient comme étant le barrage d'Owens Falls, fournissait l'électricité nécessaire à la mine, en quantité telle que les Psychlos laissaient briller les lumières nuit et jour.

Le site était important, avec pas moins de sept niveaux souterrains et de nombreuses ramifications qui exploitaient les filons de cobalt et de tungstène. Il regorgeait d'équipements et de machines. Mais MacArdle, lors de son premier raid, avait fait sauter les entrepôts et les fabriques de munitions et de carburant.

Les quatre Psychlos blessés se trouvaient dans une section isolée du dortoir où l'on avait installé une arrivée de gaz respiratoire. MacKendrick n'entretenait que peu d'espoir maïs il continuait à s'occuper activement d'eux.

Quant au problème posé par les cadavres psychlos, il avait été résolu. Il n'y avait pas de morgue ici et, sous ce climat équatorial, ils n'avaient eu que le temps de prendre quelques élévateurs et des transports de minerai et de déposer les corps des Psychlos au-dessus des nuages, à des altitudes prises par la glace et la neige, sur une montagne qui, selon les cartes, s'était autrefois appelée

Elgon. Il y avait là-bas, désormais, quatre-vingt-dix-sept cadavres d'au moins cinq cents kilos chacun qui reposaient dans le froid des hauteurs.

- Nous n'avons peut-être pas de diplômes de croque-mort, déclara Dunneldeen quand ils eurent fini, mais nous ne sommes pas mal pour ce qui est de mettre en terre des Psychlos ! (Puis son regard, depuis les hauteurs vertigineuses où ils se trouvaient, se porta sur les plaines, tout en bas, et il ajouta :) Mettre en terre ou en l'air ?

Devant cette pauvre plaisanterie, les Écossais restèrent de marbre.

Ils avaient dégagé la route avec des pelleteuses, redressé le tank de tête à l'aide d'une grue, puis conduit les véhicules jusqu'à la mine. En infraction avec tous les règlements de la Compagnie, ils avaient stocké le carburant, les munitions et le gaz respiratoire au sous-sol, à l'abri d'une éventuelle attaque.

Thor était revenu afin de les aider. Il leur dit que les éclairs du combat avaient été aperçus par de nombreuses personnes dans les tribus. Lorsqu'on avait appris que les derniers Psychlos avaient été éliminés, il avait été décidé que ce jour s'appellerait désormais la « Victoire de Tyler ». Thor avait pris son avion et amené une expédition de chasse dans la savane, et ils étaient revenus avec du gibier. On avait beaucoup festoyé et dansé.

- Quelquefois, Jonnie, c'est vraiment gratifiant de passer pour toi ! Mais il a fallu que je disparaisse pendant la bataille. On ne peut pas être à deux endroits à la fois.

Thor avait repéré le convoi qui sortait de la forêt et, discrètement, il s'était mis en position à soixante-dix mille mètres, prêt à intervenir en cas de besoin. Il avait un enregistrement complet de la bataille sur picto-disques et il fut surpris que personne ne demande à les voir.

Épuisés, mais heureux de ne plus être sous la pluie, ils étaient assis en cercle dans les vastes fauteuils pschlos de la salle de récréation. Jonnie consulta brièvement les messages que déversait l'imprimante. Rien d'inhabituel. Il laissa retomber le long ruban de papier.

- Nous ferions mieux de nous mettre au travail, dit-il.

Au travail ? Mais qu'est-ce qu'ils avaient donc fait d'autre ? Robert le Renard secoua la tête. Angus regarda ses mains, blessées à force de manier les lourdes torches à souder et d'ouvrir les verrous psychlos démesurés. Dunneldeen, quant à lui, demeura immobile, songeur, pensant à tous ces aller-retour qu'ils avaient faits pour emporter les cadavres des Psychlos jusqu'aux neiges des sommets. Un coordinateur traduisit à l'intention du colonel Ivan ce que venait de dire Jonnie. Le colonel regarda sa main bandée et fronça les sourcils. Ses hommes n'avaient-ils pas réussi à descendre tous les Psychlos en vue, puis conduit les camions à bon port avant de nettoyer la mine et de faire bien d'autres choses encore ?

- Eh bien, déclara Jonnie, ça me déplaît d'avoir à vous le dire, mais nous ne sommes pas là pour faire tout cela. (D'accord, mais quoi alors ?...) Nous sommes là, poursuivit Jonnie, afin de découvrir pour quelle raison les frères Chamco se sont suicidés.

Au diable les Chamco ! Ce n'était que des Psychlos et ils avaient tenté de l'assassiner...

Jonnie se lança alors dans un long discours. Il ne s'interrompit que pour permettre au coordinateur de traduire ses paroles à l'intention des Russes.

Il expliqua qu'ils ignoraient toujours si Psychlo était encore une planète opérationnelle. Il leur parla des billets de la Banque Galactique et de toutes les races qui y étaient mentionnées. Il se souvint alors qu'il avait une coupure sur lui et la fit circuler.

Ils comprirent ce qu'il voulait leur faire comprendre. La Terre était totalement exposée à une contre-attaque. Si Psychlo existait encore en tant que planète, elle utiliserait à nouveau les drones à gaz contre la race humaine. Et, parmi les autres races, il y en avait probablement certaines qui avaient les moyens de rallier rapidement la Terre. Si elles découvraient qu'il n'existait plus de défense psychlo, elles pouvaient ravager la planète si l'envie leur en prenait.

La seule façon de savoir ce qu'il en était réellement était de reconstruire le dispositif de téléportation et de le refaire fonctionner.

Mais les Psychlos qui avaient été désignés pour ce projet l'avaient attaqué dès qu'il les avait interrogés sur le sujet.

Ils comprirent. Ça et aussi le fait qu'il n'y avait aucun autre groupe sur cette planète qui cherchait à résoudre ces problèmes et à assurer la défense de la Terre.

- C'est donc à nous qu'incombe cette tâche, conclut Jonnie. (Ils acquiescèrent.) Donc, Angus, je veux que tu montes cette machine que tu avais utilisée sur moi pour détecter cet éclat d'acier. Nous allons nous en servir pour examiner l'intérieur de la tête des Psychlos ! Si nous trouvons quelque chose et si nous parvenons à opérer un des Psychlos encore vivants, nous disposerons de quelqu'un susceptible de reconstruire le dispositif de téléportation. Et ce sera gagné ! Nous pourrons lancer des picto-enregistreurs et savoir ce qui se passe sur Psychlo et dans ces autres civilisations. Pour l'instant, nous nageons dans le brouillard. Nous ne savons rien. Il faut que nous sachions, sinon notre planète est fichue.

- Nous avons tous leurs textes, tous leurs traités de mathématiques sur la téléportation, intervint Angus. Je les ai vus, mon vieux ! Je les ai eus en main !

- Mais tu n'as pas réussi à les comprendre. Pendant des semaines, j'ai essayé de les débrouiller. Je ne suis pas mathématicien, mais il y a quelque chose qui ne va pas dans leur maths. Elles ne tiennent pas debout ! Donc, nous avons absolument besoin d'un Psychlo qui ne se suicide pas quand on l'interroge sur le sujet !

- Dis-moi, Jonnie, fit le docteur MacKendrick, je ne vois pas comment nous pourrions trouver la preuve de quoi que ce soit dans la tête des Psychlos. On ne peut pas lire les pensées avec des rayons X !

- Pendant que j'étais immobilisé à essayer de retrouver l'usage de ma main et de mon bras, j'ai pris connaissance d'un grand nombre de livres-d'homme concernant le cerveau. Savez-vous ce que j'y ai trouvé ?

Non, ils ne le savaient pas.

- Il y a longtemps, lorsque les hommes disposaient d'hôpitaux, d'ingénieurs et de chirurgiens, il y a douze cents ans environ, ils avaient commencé une expérience qui consistait à implanter des capsules électriques dans le crâne de bébés pour réguler leur comportement. Il suffisait d'appuyer sur un bouton pour les faire rire ou pleurer, ou encore pour qu'ils aient faim.

- Quelle expérience répugnante ! dit Robert le Renard.

- Ces gens pensaient qu'il serait possible de contrôler l'ensemble d'une population en plaçant une capsule électrique dans chaque tête.

Le coordinateur traduisait à l'intention du colonel Ivan. Celui-ci dit qu'il existait un mythe à ce propos en Russie - que l'on aurait tenté de contrôler l'ensemble de la population de cette manière et que cela n'avait plu à personne.

- J'ignore s'ils ont réussi, reprit Jonnie. Mais ça m'a fourni un indice dans cette affaire des Chamco. Pour quelle raison deux renégats qui coopéraient avec nous, qui avaient de bon cœur signé des contrats intéressants, m'attaqueraient-ils brusquement parce que je viens de prononcer certaines paroles ? J'ai repassé les disques qui ont été enregistrés. J'étais en train d'insister pour qu'ils reconstruisent le dispositif de transfert par téléportation, et ça les a mis dans tous leurs états. Et puis, lorsque je leur ai dit : « Si vous voulez m'expliquer... », ils sont devenus fous furieux tous les deux et ils m'ont attaqué.

- Peut-être qu'ils ne voulaient pas livrer cette information, suggéra Robert le Renard. Ils...

- Ils se sont suicidés deux jours après, le coupa Jonnie. Ensuite, j'ai demandé à Ker s'il avait déjà entendu parler de Psychlos qui se seraient suicidés. Il m'a dit que oui, qu'il avait vu un ingénieur le faire sur une des planètes où il avait été en poste. Ils employaient une race étrangère pour la main-d'œuvre, sur cette planète. Une nuit, un ingénieur psychlo qui avait trop bu avait tué un des étrangers et, deux jours après, il s'était suicidé. C'est le seul cas dont Ker ait entendu parler. Et puis, ajouta Jonnie en appuyant sur chaque mot, ils renvoient tous les corps sur Psychlo. Cela veut dire qu'il existe quelque chose qu'ils ne souhaitent pas voir découvrir.

Des murmures s'élevèrent de toutes parts. Chacun se mit à réfléchir.

- Mon idée, dit enfin Jonnie, c'est que l'on place quelque chose dans la tête des bébés psychlos afin de protéger la technologie de la race !

MacKendrick et Angus étaient soudain passionnés.

- C'est donc à ça que nous avons travaillé, conclut Robert le Renard.

Angus gagna l'avion pour monter l'appareil à rayons X. MacKendrick fit préparer des tables dans la section dortoir. Quant à Dunneldeen et Thor, ils partirent pour les montagnes afin d'y récupérer deux cadavres. Dunneldeen déclara que Thor et lui seraient désormais surnommés « les deux macabres ».

Bientôt, ils sauraient si Jonnie se trompait ou non. En tout cas, la planète était totalement ouverte à une contre-attaque psychlo.

Robert le Renard sortit pour faire mettre en place une batterie antiaérienne. Les hommes devraient rester en état d'alerte permanente, vingt-quatre heures sur vingt-quatre, et les pilotes devraient être prêts à décoller à tout moment. Ainsi, à moins de cinquante, avec quatre ou cinq pilotes au plus et une batterie antiaérienne qui n'avait pas réussi à abattre l'unique appareil qui avait bombardé la mine, ils avaient la prétention de défendre l'ensemble de la planète ? Ridicule ! Mais tout fut exécuté. Du moins cela servirait-il de défense locale.

8

- Qui êtes-vous ? demanda Terl.

Il n'avait aucun mal à voir la silhouette, dans l'ombre du poteau. La nuit était claire, illuminée par la lune, à tel point que l'on voyait briller les pics enneigés des Rocheuses.

C'était à la requête du Conseiller en chef Staffor que Lars Thorenson avait conduit le nouveau venu jusqu'à la cage. Lars avait été définitivement expulsé de l'entraînement de pilotage après avoir tenté une « manœuvre de combat » tellement impossible qu'il s'était écrasé, détruisant son appareil et se fracturant le cou par la même occasion. Le Conseil l'avait nommé « assistant interprète ». Le plâtre qu'il portait au cou ne l'empêchait pas de parler. On lui avait demandé d'accompagner le nouveau venu jusqu'à la cage, de couper l'électricité, de laisser deux radios de mine et de se retirer. Lars était très pointilleux à propos de ses fonctions. Il avait accepté ce poste à condition de pouvoir propager le fascisme parmi les tribus. Il ne manquait jamais une occasion de le faire, et son père et lui étaient aux anges. Quant au nouveau venu, il avait empuanti tout le véhicule ! Tout à coup, Lars se souvint qu'il devait également dire au cadet de garde d'aller faire un tour ailleurs et il se précipita vers lui.

En regardant son visiteur, Terl espérait que le dégoût qu'il ressentait ne percerait pas dans sa voix ni dans son regard, sous le masque. Il connaissait tout de Snith, général des Brigantes. En tant que responsable de la sécurité, de la guerre et de la politique sur cette planète, il était particulièrement bien renseigné sur cette bande. Comme tous ses prédécesseurs, il avait dû accepter l'existence de ce groupe d'humains qui vivaient hors d'atteinte et même hors de vue dans une forêt pluvieuse et qui avaient développé des rapports symbiotiques avec les Psychlos. Les Brigantes avaient liquidé toutes les autres races et livré des centaines de milliers de Bantous et de Pygmées à la mine locale. C'était la seule distraction du coin : on pouvait occasionnellement y acheter une créature humaine pour la torturer. Non seulement Terl connaissait tout des Brigantes, mais c'était lui qui avait personnellement orchestré leur transport jusqu'en Amérique.

Terl avait réussi à convaincre Staffor qu'il avait besoin d'un corps de troupe fiable et Staffor avait abondé dans son sens avec véhémence : on ne pouvait pas faire confiance à ces Écossais, ils étaient bien trop rusés et traîtres. Et l'on ne pouvait pas plus compter sur tous ces cadets, avec leur maudite admiration pour Tyler, tellement injustifiée.

Les Brigantes étaient là, à présent, mais Staffor semblait avoir quelques problèmes dans ses négociations avec eux et Terl avait suggéré qu'on lui envoie le chef.

- Qui êtes-vous ? demanda à nouveau Terl dans la radio.

Est-ce que cette créature parlait réellement le psychlo, ainsi que cela le lui avait été rapporté ?...

Oui, c'étaient bien des mots psychlos qu'il entendait, mais la chose s'exprimait comme si elle avait la bouche pleine de nourriture.

- C'est plutôt à vous de dire qui vous êtes ! rétorqua le général Snith.

- Je suis Terl, chef de la sécurité sur cette planète.
- Alors qu'est-ce que vous faites dans une cage ?
- Ceci est un poste d'observation pour tenir les humains à l'écart.
- Ah, fit Snith, comme s'il comprenait.

(Qui donc ce Psychlo prétendait-il abuser ?)

- Je crois savoir, reprit Terl, que vous avez quelque difficulté à parvenir à un accord.

(Pauvre crétin ! Je t'ai sorti de ta jungle et tu n'es même pas capable de mesurer mon pouvoir !)

- Ce sont les arriérés de paie, dit Snith.

Pour lui, c'était une chose naturelle que de dialoguer avec un Psychlo par radio. Il n'avait jamais fait autrement. Peut-être qu'on n'essayait pas de l'arnaquer après tout. Ce Psychlo connaissait l'usage.

- Les arriérés de paie ? demanda Terl.

Il comprenait que l'on puisse s'inquiéter à ce propos, mais il pensait que les Brigantes ne s'intéressaient qu'au troc : des humains contre des explosifs.

- On a été engagés par la Banque Internationale, dit Snith. (Il connaissait bien ses légendes et ses droits, et il était très doué pour le négoce. Très doué en vérité.) Cent dollars par jour et par homme. Et on n'a pas été payés.

- Pour combien d'hommes ? Combien de temps ?

- En gros, mille hommes, pendant environ mille ans.

Le don qu'avait Terl pour le calcul mental lui apprit que cela faisait 36 500 dollars par an et par homme, soit 36 500 000 par an pour tous les hommes, ce qui représentait au total 36 500 000 000. Mais il se livra à un test :

- Ça alors ! s'exclama-t-il sur un ton stupéfait. Cela fait plus d'un million !

Snith approuva avec gravité :

- Exactement ! Ils ne sont pas d'accord !

Haha ! Ce Psychlo s'était rendu compte qu'il était coincé. Il arriverait peut-être à s'entendre avec lui, après tout.

Terl tenait sa réponse. Cet abruti ne connaissait même pas l'arithmétique élémentaire !

- Vous aviez été engagés, me dites-vous, par la Banque Internationale, pour vous emparer de Kisangani dans le Haut-Zaïre ainsi que de Kinshasa. Vous deviez renverser le gouvernement et attendre que des représentants de la banque arrivent et entament les négociations pour le règlement des prêts. Est-ce exact ?

Snith n'avait rien dit de tel, du moins pas de façon aussi détaillée. Les légendes, à ce propos, étaient un peu vagues. Il réalisa abruptement qu'il parlait à quelqu'un qui était au courant de tout.

Terl était toujours au courant de tout. Il ne s'était même pas donné la peine de réétudier les éléments qu'il possédait. Cette vieille plaisanterie de chef de la sécurité avait cours depuis plus d'un millier d'années sur cette planète. Tous les détails de l'histoire leur avaient été fournis autrefois par un mercenaire qui avait été capturé et interrogé durant plusieurs jours. Terl se souvenait avoir lu avec ravissement tous les détails de l'interrogatoire. Il poursuivit, implacablement :

- Mais vos ancêtres ont uniquement pris Kisangani. Ils n'ont pas réussi à s'emparer de Kinshasa.

Snith le savait plus ou moins, mais il avait espéré qu'il n'en serait pas fait mention durant l'entretien. Ses ancêtres avaient été brutalement interrompus par l'invasion des Psychlos. Snith se demanda ce qui allait suivre.

- Voyez-vous, dit Terl, cette Banque Internationale a été reprise. (Il espérait que cet abruti avalerait ce flot de mensonges éhontés...) La Banque Galactique, dont le siège se trouve dans le Système de Gredides, l'a rachetée...

- Le Système de Gredides ? béa Snith.

- Mais oui... insista Terl. Gredides... Dans l'Univers Huit.

Cela, au moins, était vrai. C'était effectivement là que se trouvait la Banque Galactique. Il fallait toujours injecter un peu de vérité dans les mensonges, pour mieux les faire passer.

- Ah bon, fit Snith, totalement perdu.

Il devait se méfier. Ce Psychlo allait l'arnaquer. Et ce ne serait pas la première fois. Snith était sur ses gardes.

- Et, mentit Terl, vous serez heureux d'apprendre qu'elle a repris toutes les obligations de la Banque Internationale, y compris les vôtres.

Snith faillit tomber à la renverse devant ce retournement.

- Donc, en tant qu'agent de la Banque Galactique (si seulement c'était vrai ! se dit Terl), je suis habilité à vous payer tout ce qui vous est dû. Mais vos ancêtres n'ont accompli que la moitié de leur travail et vous ne recevrez donc que la moitié du salaire. Ce qui devrait faire cinq cents mille dollars. (Il se demandait ce que pouvait bien être un « dollar ».) Je suis certain que cette proposition est acceptable.

Snith s'arracha brutalement au brouillard. Il n'avait rien espéré ! Rien !

- Oui, dit-il avec conviction. Je crois que je peux persuader mes hommes d'accepter ça.

Waouh ! Ça ferait dix dollars par homme et le reste pour lui ! Une fortune !

- Maintenant, y a-t-il d'autres problèmes ? Le logement ? Ils vous ont trouvé un logement ?

Snith dit que oui, on leur avait donné tout un « faux bourg » de la ville, là-bas : quatre hectares d'immeubles et de vieilles maisons à la périphérie. En mauvais état, certes, mais de vrais palaces.

- Vous devriez aussi insister pour avoir des uniformes, dit Terl en détaillant cette créature repoussante avec ses peaux de singe, ses bandoulières de flèches empoisonnées et son chapeau pointu en cuir décoré d'un diamant.

Et il ajouta :

- Vous devriez aussi vous laver, peigner votre pelage et avoir l'air plus militaire !

Snith laissa éclater sa colère. On le critiquait grossièrement ! Lui, qui avait une tenue impeccable, de même que les hommes de son unité. Vingt commandos de cinquante hommes chacun, disciplinés et entraînés au énième degré !

Puis il se calma un peu : il n'y avait plus que trente-cinq hommes par commando, ces jours-ci, à cause des problèmes de nourriture, et il espérait que personne ne s'en apercevrait.

- Et la nourriture ? demanda Terl.

Snith fut stupéfait. Est-ce que ce Psychlo lisait dans son esprit ?

- La nourriture est mauvaise ! Il y a beaucoup de corps de gens morts dans ces maisons, mais ils sont vieux et tout secs. On ne peut pas les manger. Dans notre contrat futur, il devra y avoir une clause pour une nourriture meilleure !

Terl se rappela avec quelque retard que ces Brigantes avaient la réputation d'être cannibales, ce qui, au fil des siècles, avait réduit leur commerce avec l'exploitation minière.

D'un ton sévère, il dit :

- Il ne saurait être question d'une telle clause !

Tout son plan s'effondrerait si on chassait ces créatures. Lorsqu'il avait monté l'opération du filon, il était tombé sur certaines informations, dans des livres chinkos, qui disaient que ces animaux humains, curieusement, s'opposaient au cannibalisme. D'ailleurs, durant un temps, il avait songé à utiliser les Brigantes pour exploiter l'or, mais ils avaient vécu trop loin, et puis ils auraient pu protester contre le manque de nourriture, étant donné la rareté des humains dans cette région.

- Pendant la durée du contrat, ajouta Terl, vous devrez vous contenter de bovins pour votre alimentation.

- Ça a un drôle de goût, dit le chef brigante. (Il était prêt à concéder ce point. Après tout, sa brigade avait été obligée de manger énormément de buffle, d'éléphant et de singe. Mais il ne fallait pas se montrer trop conciliant. Mieux valait être dur en affaires !) D'accord, mais si la paie est bonne !

Terl l'assura qu'il avait l'intention de regagner Psychlo très prochainement, qu'il recueillerait personnellement les fonds auprès de la Banque Galactique avant de revenir. Entre-temps, ils seraient tous engagés au titre de sentinelles et de force militaire au service du camp et du Conseil.

- Vous allez ramener ce qui nous est dû ? demanda Snith. Le demi-million ?

- Oui, vous avez ma parole.

- La parole d'un Psychlo ? Je vous accompagnerai avec six de mes hommes pour veiller à ce que vous la teniez.

Terl n'était pas certain que le gouvernement impérial souhaite les interroger - le gouvernement impérial préférerait sûrement avoir affaire à un humain haut placé, disposant de renseignements importants - mais il accepta. Qui se souciait de ce qui pourrait arriver à Snith une fois que le plan de Terl aurait réussi ?

- Bien sûr. Vous êtes les bienvenus, dit-il en souriant. A condition, évidemment, que vous m'aidiez de votre mieux jusqu'à notre départ. Rien d'autre ?

- Oh, si !

Snith prit quelque chose dans son « uniforme » et s'approcha prudemment de la cage. Il posa la chose entre les barreaux momentanément désactivés, et se recula aussitôt, ainsi qu'il convenait.

Terl tira sur sa chaîne et ramassa l'objet.

- Ils veulent nous payer avec ce machin, dit Snith. C'est imprimé d'un seul côté et je me dis, moi, que ça pourrait bien être un faux !

Terl approcha la chose de la lumière. Qu'était-ce donc ? Il n'arrivait pas à déchiffrer les caractères.

- Je doute que vous puissiez lire ça ! dit le Psychlo d'un ton de défi.

- Oh, mais si je peux ! (Ce n'était pas vrai, mais quelqu'un lui avait traduit l'inscription.) Ça dit que ça vaut un crédit et que c'est la monnaie légale pour toute créance. Et, autour du dessin, il y a : « Jonnie Goodboy Tyler. Vainqueur des Psychlos. »

En fait, c'était ça qui le troublait le plus : que les Psychlos aient été vaincus.

Terl réfléchit rapidement et s'exclama :

- Oui, c'est *bel et bien* un faux ! Et un mensonge !

- C'est ce que je me disais.

Oui, on essayait toujours de vous tromper. Ses ancêtres en avaient su quelque chose. Il faut tromper avant qu'on vous trompe, disaient-ils à propos de toute négociation.

- Je vais vous dire ce que je vais faire, déclara Terl dans la radio. Étant donné que vous savez pour qui vous travaillez réellement, vous allez accepter cela sans rien dire. Quand nous serons à la Banque Galactique, je vous rembourserai en espèces sonnantes et trébuchantes.

C'était honnête. Maintenant, Snith savait pour qui il travaillait. C'était très raisonnable, tout à fait logique. Il était payé par un groupe mais il travaillait pour un autre. Ce Psychlo était réglo, après tout.

- Ça me va, dit-il. A propos, je connais cet homme, dans le dessin.

Terl regarda d'un peu plus près. Il voyait mal dans cette pénombre. Du diable si on n'aurait pas dit son animal ! Il essaya de se rappeler s'il avait déjà entendu prononcer son nom. Oui, il se souvenait vaguement de ces sons étranges. Oui, c'était bien ce maudit animal !

- Ce type a déboulé et liquidé tout un commando à moi, dit Snith. Il n'y a pas très longtemps. Il a attaqué sans même faire un salut et il les a tous nettoyés. Ensuite, il a volé tous les cadavres et un plein camion de marchandises.

- Où ça ?

- Mais dans la forêt, évidemment !

Pour une nouvelle, c'était une nouvelle ! Son service de renseignements lui avait pourtant dit que la créature dans l'image, sur le billet, volait autour du monde pour rendre visite à des tribus ! C'était peut-être comme ça qu'il les visitait ! Probablement. Terl savait qu'il ne s'y serait pas pris autrement lui-même. En tout cas, Staffor serait heureux d'apprendre ça, vraiment très heureux ! L'animal n'était pas où il croyait, et il s'en prenait à de paisibles tribus. Staffor était un élève très doué en politique. Il allait désormais devenir tout aussi doué en art militaire. A sa façon niaise et stupide, la seule qui fût possible.

Mais tout d'abord, il fallait expédier l'affaire en cours. Terl reposa le billet de banque sur le bord de la cage, entre deux barreaux, et Snith vint le récupérer.

- Nous nous sommes donc mis d'accord sur les termes du contrat et vous pourrez le négocier, dit Terl. Installez-vous tranquillement. Dans quelques semaines, ou même avant, vous accomplirez la tâche qui vous attend ici. D'accord ?

- Parfait, l'assura Snith.

- Et, en guise de prime, je convaincrai certaines parties haut placées de vous autoriser à tuer l'animal qui vous a causé du tort.

Ça, c'était très bon. Très, très bon. Snith se fit raccompagner jusqu'à l'ancienne cité par le dévoué Lars, qui supporta sa puanteur car il put répandre le credo légitime du fascisme et de ce grand chef militaire, Hitler.

9

La salle du sous-sol, dans la mine du Lac Victoria, était glacée. Angus avait disposé le long des murs des bobines de refroidissement prélevées sur des moteurs d'engins lourds et l'humidité de l'air s'y condensait avant de couler en flaques sombres sur le sol.

La machine d'analyse de minéraux et de métaux bourdonnait doucement. Son écran projetait une sinistre lueur verte aux alentours. Cinq visages à l'expression tendue étaient tournés vers lui, ceux du docteur MacKendrick, d'Angus, de Sir Robert, de Dunneldeen et de Jonnie.

La tête énorme et affreuse d'un Psychlo, large de plus de cinquante centimètres, reposait sur le plateau de la machine. Elle était essentiellement constituée d'os et ressemblait beaucoup à une tête humaine, avec laquelle on aurait pu la confondre sous une faible clarté. Mais là où un humain avait des cheveux, des sourcils, un nez, des lèvres et des oreilles, un Psychlo possédait des os dont la forme reproduisait plus ou moins les traits humains. Et l'espacement et la distribution étaient tout à fait similaires. Le résultat évoquait une caricature de tête humaine car, tant qu'on ne les avait pas touchés, ces os faisaient immanquablement penser à des sourcils ou à des lèvres. Mais, sous les doigts, ils étaient durs, rigides.

La machine d'analyse n'avait pas pénétré à l'intérieur du crâne. Non seulement la face était constituée d'os mais aussi toute la moitié supérieure du crâne. Ainsi que le pasteur l'avait découvert lors de ses autopsies inexpertes, le cerveau était situé à l'arrière et très bas. S'il n'avait rien découvert dans aucun cerveau, c'était parce qu'il ne les avait pas ouverts.

- De l'os ! fit Angus. Presque aussi dur à pénétrer que du métal !

Jonnie avait pu vérifier cela par les effets négligeables qu'avait eu son coup de bâton-à-tuer sur la nuque de Terl, à la morgue, naguère.

Angus entreprit de rectifier l'intensité de pénétration. Les caractères psychlos sur la machine représentaient les différents métaux et minerais. Il augmenta l'intensité de cinq degrés.

- Attends ! lança MacKendrick. Reviens en arrière d'un degré ! Je crois que j'ai vu quelque chose !

Angus réduisit l'intensité de pénétration de un, puis de deux degrés. La machine était maintenant réglée sur « Calcaire ».

Il y avait une légère différence de densité sur l'écran, une forme minuscule. Angus tourna le bouton « Profondeur du faisceau » et fit le point. Les os internes du crâne, ainsi que les fissures, devinrent nets sur l'écran. Dix yeux attentifs regardaient intensément.

Angus tourna un autre bouton, ce qui déclencha un deuxième faisceau qui explora l'objet selon différents angles.

- Attends ! fit MacKendrick, à nouveau. Amène le faisceau à environ cinq centimètres derrière la cavité buccale. Là ! Refais le point... Ça y est !

Il y avait quelque chose. C'était très net. Quelque chose de noir et de dur qui ne laissait pas pénétrer les ondes à ce degré d'intensité. Angus tendit la main vers l'enregistreur de la machine et les images s'enregistrèrent sur le ruban de papier.

- Ils ont vraiment quelque chose dans le crâne ! fit Robert le Renard.

- Pas si vite ! dit MacKendrick. Pas de conclusions hâtives. Ça pourrait aussi bien être un fragment de métal, le vestige d'une ancienne blessure causée par une explosion minière.

- Nan, nan, nan ! insista Robert. C'est trop évident !

Jonnie prit les feuilles d'enregistrement. Le tracé de l'analyse métallurgique était porté sur le côté. Il avait laissé dehors le livre traitant des codes d'analyse des métaux que les Psychlos utilisaient pour étudier les informations transmises par les drones d'exploration. Il faisait de plus en plus froid et humide dans la salle et l'air était malodorant. Ce travail était vraiment désagréable, pour aussi vital qu'il fût. Il profita de l'occasion pour sortir et aller consulter le livre.

Page après page, il compara le tracé qu'ils avaient obtenu avec les différentes illustrations. Cela prit du temps. Il n'était nullement un expert en la matière. Il n'arrivait pas à trouver. Puis il eut une idée et il se mit à établir des comparaisons par rapport à *deux* tracés du livre.

Les ingénieurs psychlos qui se livraient à ce genre d'analyse auraient sans doute pu lui dire ce qu'il cherchait sans avoir recours au livre. Jonnie maudissait en cet instant l'accès de fureur des Russes qui, croyant venger leur colonel, avaient massacré les Psychlos. Les quatre survivants, sous bonne garde dans le dortoir, étaient dans un état lamentable. Deux d'entre eux étaient des mineurs ordinaires, l'un avait sans doute été un cadre à en juger par ses vêtements et ses papiers, et le dernier était ingénieur. MacKendrick doutait qu'ils s'en sortent. Il avait extrait les balles et avait recousu leurs plaies, mais ils étaient encore inconscients, du moins à ce qu'il semblait. Enchaînés sur leurs lits, dans la chambre où l'on avait fait venir le gaz respiratoire, ils respiraient à peine. Jamais Jonnie n'avait vu le moindre manuel de secourisme à l'usage des Psychlos et il doutait qu'il en existât un. La Compagnie exigeait le rapatriement de tous les corps mais ne se préoccupait nullement qu'on les maintienne en vie - fait qui confirmait que la seule raison du rapatriement des cadavres psychlos était de les soustraire à un examen par des yeux étrangers. Ce n'était pas par sentiment. Dans les camps miniers, il n'y avait jamais eu d'hôpital, alors que les accidents étaient particulièrement fréquents.

Tiens ! L'un des tracés du livre correspondait presque : du cuivre ! Maintenant, s'il pouvait trouver à quoi correspondait l'autre partie de son tracé... Ah, voilà ! De l'étain ! Il superposa les deux. Ils semblaient se juxtaposer encore mieux. Cuivre et étain ? Pas tout à fait. Une minuscule partie de son tracé ne correspondait pas. Il chercha. Et il trouva : le plomb !

Du cuivre en grande proportion, de l'étain, et un peu de plomb ! Jonnie superposa les courbes de son tracé et de celui du livre. A présent, elles correspondaient.

Un autre livre de codes, particulièrement épais, avait pour titre *Analyse des minerais composites relevés par les drones*. Il l'avait mis de côté parce que plus de dix mille articles y étaient référencés. Mais, à présent qu'il avait effectué l'analyse, il serait plus facile de le consulter. Il ouvrit les pages à « Dépôts de cuivre » avant de passer au sous-chapitre « Dépôts d'étain », puis de glisser à « Dépôts de plomb ». Il trouva son tracé. S'il calculait « pour onze » (car les Psychlos se servaient du nombre entier onze), cela représentait cinq unités de cuivre, quatre d'étain et deux de plomb.

Il alla plus loin, consulta un livre-d'homme et trouva que cette combinaison-

correspondait au « bronze ». Apparemment, il s'agissait d'un alliage qui durait des siècles. Il était même question d'un « Age de Bronze » qui avait produit des outils principalement faits de « bronze ». Très bien. Mais il semblait bizarre qu'une race aussi avancée technologiquement que celle des Psychlos ait pu utiliser du bronze à l'intérieur d'un crâne. En fait, c'était plutôt amusant.

Il regagna la salle avec ce qu'il avait découvert et vit que MacKendrick, à l'aide d'un marteau et d'un instrument pareil à un burin, avait réussi à ouvrir la tête du Psychlo. Jonnie se félicita de n'avoir pas été là pour assister au spectacle.

- Nous avons exploré tout le reste du crâne à l'aide de la machine, lui dit Angus. C'est le seul objet étranger que nous ayons pu détecter.

- J'ai regardé dans ses poches, ajouta Robert le Renard. C'était un mineur de la classe inférieure. Ses papiers d'identité nous ont appris qu'il s'appelait Cla, qu'il avait quarante et un ans de service et trois femmes sur Psychlo.

- La Compagnie lui versait des allocations ? demanda Dunneldeen.

- Non, fit Robert le Renard, en lui montrant les papiers froissés. Il est indiqué ici que la Compagnie lui règle également les salaires que ses femmes ont gagnés dans une « maison » de la Compagnie, quoi que ça puisse être.

- Les maris psychlos font de l'élevage, plaisanta Dunneldeen. Un bon point pour leur moralité.

- Ce n'est pas le moment de rire, fit Jonnie. L'objet qui est dans sa tête est fait d'un alliage appelé « bronze ». Il n'est pas magnétique, malheureusement. Il va falloir le sortir manuellement. Impossible de l'extraire avec un aimant.

Le docteur MacKendrick avait maintenant mis le cerveau à nu. Avec l'adresse d'un chirurgien, il écartait des choses qui ressemblaient à des cordes.

L'objet était là !

C'était comme deux demi-cercles mis dos à dos, chacun fixé à une corde séparée.

- Je crois que ce sont des nerfs, dit MacKendrick. Nous le saurons bientôt.

Délicatement, il détacha les objets des cordes. Il essuya le sang vert et les posa sur la table.

- Ne touchez rien, les prévint-il. Il y a des autopsies qui peuvent être mortelles.

Jonnie examina la chose. Elle était d'un jaune terne. Elle ne mesurait pas plus d'un centimètre dans sa plus grande largeur.

Angus la prit à l'aide d'une pince pour la placer sur le plateau de l'analyseur.

- Ce n'est pas creux, déclara-t-il. C'est un morceau de métal solide.

MacKendrick avait une petite boîte munie de circuits, de cosses et d'une petite cartouche de carburant destinée à produire de l'électricité. Avant d'établir les connexions avec ses mains gantées, il porta son attention sur la nature de ces cordes qu'ils avaient trouvées à l'intérieur de la tête. C'était bien un cerveau, mais il n'avait pas grand-chose à voir avec un cerveau humain.

Il découpa l'extrémité d'une des cordes ainsi qu'une fine lamelle de peau sur la patte du cadavre et alla jusqu'à un vieux microscope qu'ils avaient bricolé. Il plaça un échantillon sur une lame et glissa le tout sous le tube de visée.

Aussitôt, il émit un sifflement de surprise.

- Les Psychlos ne sont pas constitués de cellules. J'ignore quel peut être leur métabolisme, mais, en tout cas, je ne distingue pas de structure cellulaire... Viral ! Oui. C'est viral ! (Il se tourna vers Jonnie.) Tu vois : malgré leur taille, il semble qu'ils soient faits d'un amas de virus ! (Il surprit le regard oblique de

Jonnie et ajouta :) C'est d'un intérêt purement académique. Mais cela veut dire, pourtant, que leurs corps sont plus compacts et sans doute bien plus denses que le nôtre. Bon, ça ne t'intéresse probablement pas. Eh bien, mettons-nous au travail sur ces cordes...

Il fixa une cosse à l'extrémité d'une corde cervicale et l'autre à la terre et mesura sur un cadran l'indice de résistance de la corde au passage du flux électrique. Cela fait, il fit passer le courant dans la corde.

Tous sentirent leurs cheveux se dresser sur leur tête.

Le cadavre psychlo avait bougé le pied gauche.

- Bien, fit MacKendrick. Des nerfs. L'état de rigidité cadavérique n'existe pas chez eux et les membres restent flexibles. Je viens de découvrir le nerf qui commande la marche.

Il fixa une petite étiquette sur le nerf. Il avait également mis une touche de teinture à l'extrémité de chacun des deux nerfs qui avaient été rattachés à l'objet de bronze. Mais, pour l'instant, il s'en désintéressait.

Sous les yeux horrifiés des autres, il poursuivit sa besogne, identifiant tour à tour chaque nerf, fixant des étiquettes, tandis que le cadavre du Psychlo bougeait les griffes, serrait les mâchoires, agitait une oreille, tirait la langue, obéissant aux impulsions électriques.

MacKendrick prit conscience de leur réaction.

- Ça n'est vraiment pas nouveau. Ces impulsions électriques reproduisent à peu près les ordres émis par le cerveau. Des scientifiques humains ont fait cette expérience il y a environ treize cents ans. Ils crurent avoir découvert le secret de toute pensée et ils en firent un culte appelé « psychologie ». Depuis longtemps oublié. Ce n'était pas le secret de la pensée qu'ils avaient découvert, mais seulement celui des mécanismes du corps. Ils avaient commencé avec des grenouilles... Je ne fais que dresser le relevé des circuits de communication du corps, c'est tout.

Mais tout cela était tellement *bizarre*. Tout au fond de chacun, des superstitions s'éveillaient devant le spectacle de ce corps qui se remettait en mouvement, respirait, et dont le cœur eut même quelques battements.

Les gants de MacKendrick étaient gluants de sang vert, mais il poursuivait son travail avec une habileté due à une longue pratique professionnelle. Jusqu'au moment où plus de cinquante étiquettes furent fixées aux cordes nerveuses.

- Et maintenant, la réponse ! dit-il soudain.

Et il envoya une impulsion électrique dans les deux nerfs qui avaient été rattachés à l'objet de bronze.

La besogne n'était pas facile. La pièce était froide et le cadavre du Psychlo dégageait une odeur fétide encore moins supportable qu'à l'état de vie.

MacKendrick se redressa enfin, visiblement fatigué.

- Je suis désolé, mais je ne pense pas que ce morceau de métal puisse inciter l'un de ces monstres à se suicider. En revanche, je peux deviner presque avec certitude à quoi il sert.

Il montra les étiquettes.

- Pour autant que je sache, le goût et les impulsions sexuelles circuleraient à partir de celui-là. L'émotion et l'action dépendent de celui-ci. Cette chose de métal a été mise en place alors qu'il était encore un nourrisson. Remarquez ces vieilles cicatrices à peine visibles sur ce côté du crâne. A cet âge, les os doivent être encore tendres et la guérison aura été rapide.

- Et quel rôle joue ce morceau de métal ? demanda Angus.

- A mon sens, il doit mettre en court-circuit le plaisir et l'action. Ils font peut-être ça pour qu'un Psychlo n'éprouve du bonheur que lorsqu'il travaille. Mais... je ne puis en être certain. Il faudrait que je dissèque d'autres nerfs... En fait, je crois que cet objet a pour effet de donner du plaisir aux Psychlos quand ils commettent un acte cruel.

Et soudain, Jonnie se souvint d'une expression de Terl. Il l'avait entendu murmurer, alors qu'il faisait quelque chose de cruel : « Délicieux ! »

- Dans cette tentative pour les rendre plus travailleurs, reprit MacKendrick, je pense que leurs anciens spécialistes des métaux sont allés un peu loin et qu'ils ont créé une race de véritables monstres.

Tous furent d'accord avec lui.

- Mais ça ne les obligerait pas à se suicider pour protéger des secrets technologiques ! s'écria Robert le Renard. Nous avons un autre cadavre. Selon ses papiers, il était codirecteur de la mine et était payé deux fois plus que celui que vous avez autopsié. Installez-le sur la table, mon vieux.

MacKendrick prit une autre table. Il voulait faire un enregistrement de l'opération qu'il venait de terminer.

Ils posèrent la tête colossale du deuxième cadavre sur la machine. Cette fois-ci, ils n'eurent pas à chercher les réglages. Et ils plongèrent leur regard dans les profondeurs du cerveau mort de ce Psychlo qui s'était appelé Blo.

Et Jonnie, que cette besogne avait déprimé et écœuré, retrouva brusquement le sourire.

Car il y avait *deux* morceaux de métal dans cette nouvelle tête !

Le ruban d'enregistrement se dévida en cliquetant de la machine, et Jonnie le prit et sortit aussitôt pour se plonger une nouvelle fois dans le livre des codes et d'analyse.

Et il trouva très vite. C'était clair et net : de l'argent !

Quand il fut de retour, MacKendrick, qui avait maintenant de la pratique, avait déjà mis le cerveau à nu. Il mit de nouveau des points de teinture sur l'extrémité de chaque nerf avant de retirer l'objet d'argent.

Il mesurait environ un centimètre et demi de long. Il n'y avait pas d'oxygène dans le sang psychlo et le métal était resté parfaitement brillant. La forme était cylindrique et les protubérances, aux deux extrémités, étaient isolées de l'argent.

Angus posa l'objet sur la machine et découvrit aussitôt qu'il était creux.

Jonnie l'aida à ajuster plus finement les réglages. A l'intérieur du cylindre, il y avait une espèce de filament.

Ils soupçonnaient maintenant qu'ils trouveraient la même chose dans les corps des autres cadres et, lorsque MacKendrick eut stérilisé le cylindre, Jonnie le coupa en deux très délicatement.

L'intérieur ressemblait à un composant, de ceux qu'on trouve dans un boîtier de télécommande, mais ce n'était pas une radio.

- Je n'ai pas identifié ces nerfs, dit MacKendrick, parce que je suis incapable de dire, pour le moment, à quoi ils correspondent. Mais je vais travailler là-dessus.

- Est-ce que ça pourrait être un vibrateur accordé sur la longueur d'onde de la pensée ? suggéra Jonnie.

- Un appareil à mesurer les différences ? dit Angus. Comme par exemple les différences d'ondes mentales d'une autre race ?

Jonnie était décidé à les laisser résoudre ce mystère, mais il avait la certitude quasi absolue que la chose devait, dans certaines circonstances, émettre une impulsion. Et que cette impulsion pouvait inciter un Psychlo à attaquer et à se suicider.

– Il y a un problème, dit MacKendrick. Cet objet a été implanté après la naissance. Sortir ça de la tête d'un Psychlo *adulte* et *vivant,* à travers tous ces os, représente un travail dont je ne garantis pas le succès. (Quand il lut la déception sur leurs visages, il ajouta :) Mais j'essaierai, j'essaierai...

Pourtant, au fond de lui, il ne pensait pas que ce fût possible. Il n'avait que quatre Psychlos vivants – et il semblait bien qu'ils agonisaient.

DIX-NEUVIÈME PARTIE

1

Brown le Boiteux présidait le Conseil et il était d'humeur sombre.

Ils étaient tous là, rassemblés devant l'estrade de la salle du capitole, et ils le harcelaient, ils le querellaient. Ils s'en prenaient à lui, *lui,* le Conseiller en chef de la planète. Ils s'opposaient à ses mesures.

Ce type noir venu d'Afrique ! Cette créature jaunâtre arrivée d'Asie ! Ce crétin bronzé qui avait débarqué d'Amérique du Sud ! Et cette brute à face de ruminant originaire d'Europe ! Tous, tous !... Pouah ! POUAH !

Est-ce qu'ils étaient incapables de comprendre qu'il faisait de son mieux pour l'humanité ? Est-ce que lui, Brown Staffor, ne représentait pas *cinq* tribus depuis l'arrivée des Brigantes ?... Et n'était-il pas Doyen Maire d'Amérique ?

Ils argumentaient sur les contrats des Brigantes et leur coût. Un comble ! La planète avait besoin d'une force de défense. Et les clauses qu'il avait établies avec tant de peine - et sur lesquelles il avait passé des heures et des heures avec le général Snith - ces clauses étaient absolument nécessaires.

Le Doyen Maire d'Afrique contestait le salaire. Il disait que cent crédits par Brigante et par jour étaient une somme excessive, qu'un membre du Conseil ne touchait que cinq crédits par jour, et qu'en dépensant l'argent de cette manière il se dévaloriserait ! Ils chicanaient et discutaillaient sur des points futiles, insignifiants !

Brown avait progressé de façon satisfaisante. Il était parvenu à réduire le Conseil à cinq membres, mais, apparemment, cela faisait encore quatre de trop !

Il se creusait la cervelle pour tenter de résoudre ce dilemme.

Lorsque Lars l'avait emmené jusqu'au faubourg des Brigantes, ce même jour, il est vrai qu'il avait été plutôt choqué par les agissements des femmes brigantes. En pleine rue, et sans le moindre vêtement. Mais le général Snith, pendant l'entrevue, avait déclaré qu'elles ne faisaient que s'amuser.

Sur le chemin du retour, Lars avait parlé de ce leader militaire des âges passés, magnifique, absolument magnifique, du nom de... Hideur ?... Non... Hitler ? Oui, c'était ça : Hitler. Qui avait été le champion de la pureté raciale et de la droiture morale. La pureté raciale ne paraissait guère intéressante aux yeux de Brown Staffor, mais la « droiture morale » avait retenu son attention. Car son père s'en était toujours fait le champion.

Tandis qu'il écoutait les récriminations et les argumentations interminables des Conseillers, il lui revint à l'esprit une conversation - purement sociale - qu'il avait eue avec cette créature si amicale : Terl. Ils avaient parlé de *moyens de pression.* Si l'on disposait de moyens de pression, on pouvait parvenir à ce que l'on désirait. Un principe philosophique sensé. Brown avait adhéré à cette idée. Il espérait sincèrement que Terl le considérait comme un élève capable, car il était très heureux d'avoir son aide et son amitié.

Mais une chose était certaine : il n'avait pas le moindre moyen de pression sur le Conseil ! Il essayait d'échafauder quelque manœuvre pour se désigner lui-même, avec un secrétaire, comme seule autorité sur la Terre. Mais il ne trouvait rien et il passa en revue certaines choses que Terl lui avait dites : des conseils réalistes, solides. Il lui avait parlé entre autres des avantages qu'il y avait à voter une loi, puis à arrêter aussitôt ceux qui la violaient, ou à utiliser cette violation comme moyen de pression. Oui, c'était ça plus ou moins.

La solution lui vint en un éclair.

Il tapa sur la table pour réclamer le silence.

- Nous allons ajourner le vote pour le contrat des Brigantes, déclara-t-il de son ton le plus autoritaire.

Ils se calmèrent et l'Asiatique se drapa dans sa tunique avec une attitude de... de défi ? Eh bien, il ne perdait rien pour attendre !

- Je réclame une autre mesure, reprit Brown Staffor. Elle concerne la moralité.

Et il se lança dans un long discours sur la morale, qui était l'épine dorsale de toute société : les fonctionnaires devaient être aussi honnêtes que sincères et leur conduite irréprochable. Sous aucun prétexte, ils ne devaient prêter le flanc au scandale.

Cela passa plutôt bien. Tous étaient des honnêtes hommes et, même s'ils obéissaient à des codes moraux différents, ils étaient d'accord pour que les fonctionnaires respectent la morale.

A l'unanimité ils votèrent donc la proposition de Brown : toute conduite scandaleuse de la part d'un fonctionnaire serait sanctionnée par une mise à pied. Ils se sentaient investis de leur intégrité.

Ils avaient au moins réussi à voter une résolution. On déclara l'ajournement de la séance.

De retour dans son bureau, Brown Staffor discuta avec Lars à propos de « caméras-boutons ». Lars avait quelques connaissances sur le sujet et il pensait que Terl pourrait lui révéler où en trouver dans le camp.

Et le lendemain matin, lorsque tous les fonctionnaires eurent quitté leur chambre d'hôtel, Lars, au nom de la décence morale, mit en place diverses caméras-boutons dans des recoins secrets et les relia toutes à des picto-enregistreurs automatiques. Dans la soirée, Brown Staffor eut un entretien confidentiel avec le général Snith. Il en résulta que douze des plus jolies femmes brigantes furent engagées par le directeur de l'hôtel qui était à court de main-d'œuvre. Oui, acquiesça-t-il, d'aussi adorables créatures devaient être en contact direct avec les pensionnaires afin de rendre leur séjour plus agréable.

Le lendemain, Terl exprima sa satisfaction : il considérait que les mesures prises par Brown étaient justifiées et il lui dit qu'il était fier qu'il les ait conçues lui-même.

Flatté et heureux, Brown regagna son bureau et travailla jusque tard dans la nuit à mettre au point les diverses étapes de ses plans. Au nombre des plus importants, il y avait les charges à accumuler contre Jonnie Goodboy Tyler dès que Brown aurait les mains libres. La liste était déjà très longue et le châtiment tardait depuis trop longtemps.

2

C'était une nuit sans lune. On avait éteint les lumières dans le secteur de la cage et la sentinelle avait reçu l'ordre de se trouver ailleurs.

Brown le Boiteux était assis sur le sol. Terl se tenait accroupi près des barreaux. Et Lars Thorenson était entre eux, allumant parfois une lampe minuscule pour consulter son dictionnaire.

Ils parlaient à voix très basse. Ils ne devaient pas courir le moindre risque d'être entendus. C'était ce soir que tout allait se jouer !

Les griffes de Terl se contractaient et d'infimes impulsions d'énergie les parcouraient. Cette conférence était d'une telle importance et son issue tellement vitale pour ses plans qu'il en avait du mal à respirer. Pourtant, il devait affecter l'indifférence, il devait demeurer désintéressé et serviable (un mot nouveau qu'il avait appris). Il devait étouffer ses impulsions conflictuelles, par exemple éviter de passer la patte à travers les barreaux (qu'il avait désactivés à l'insu de tous en se servant du boîtier de télécommande caché sous les pierres).

Le plaisir qu'il aurait à déchirer ces créatures de ses griffes était absolument, inexorablement subordonné à ce qu'il voulait entreprendre ce soir. Il se concentra de toutes ses forces sur la tâche présente.

En chuchotant, Brown Staffor expliquait qu'il avait mis à jour un scandale flagrant au sein du Conseil. Il avait pris à part chacun des Doyens Maires pour leur montrer certains enregistrements et ils avaient admis que leur conduite était une violation absolue de leurs propres lois. Chacun s'était ainsi vu se livrant à des perversités récemment introduites par les femmes brigantes, parfois avec quatre à la fois. Honteux, ils avaient reconnu que cela risquait de jeter le déshonneur sur le gouvernement. (Lars avait eu quelque difficulté à trouver le mot « honte » dans le dictionnaire. Il l'avait déniché dans la section « archaïsmes », comme étant un ancien terme hockner, dont l'usage était abandonné.)

Une résolution avait désigné Brown Staffor comme Conseiller Exécutif, et nommé un Secrétaire (qui, à force d'entraînement, parvenait à présent à signer son nom, mais qui, par ailleurs, ne savait ni lire ni écrire). Désormais, tout le pouvoir du Conseil était entre les mains de Brown Staffor, en tant que Doyen Maire de la Planète et Conseiller le plus compétent et méritant. Les autres avaient plié bagage et regagné leurs tribus. La parole de Brown, à présent, faisait office de *loi* sur l'ensemble de la planète.

Terl s'était attendu à lire une certaine joie chez l'humain. C'est ce qu'il aurait lui-même ressenti en de telles circonstances. Il murmura des paroles d'approbation et de félicitations pour avoir agi « en vrai homme d'État ». Mais Staffor ne se dérida pas pour autant.

- Puis-je vous être utile en quoi que ce soit d'autre ? chuchota Terl.

Brown prit une profonde inspiration. C'était presque un soupir de désespoir. Il avait dressé une liste de charges criminelles contre Tyler.

- Parfait, fit Terl. Vous avez maintenant tout pouvoir pour vous occuper de lui. Ces charges sont-elles graves ?

- Oh, oui, chuchota Brown, retrouvant le sourire. Il s'est opposé au déplacement d'une tribu ordonné par le Conseil, il a capturé des coordinateurs, assassiné plusieurs membres de la tribu, volé leurs biens et violé leurs droits légaux.

- A mon sens, mumura Terl, c'est très, très grave.

- Il y a plus. Il a dressé une embuscade devant un convoi psychlo, massacré tout le monde sans pitié et dérobé tous les véhicules.

- Vous avez la preuve de tout cela ?

- Des témoins de la tribu sont ici présents. Et des picto-enregistrements de l'embuscade sont projetés chaque soir à l'Académie, là-bas, dans les collines. Lars en a tiré des copies.

- A mon avis, tout cela est plus que suffisant pour réclamer justice, déclara Terl.

Lars dut clarifier le mot « justice » dans le dictionnaire.

- Autre chose, reprit Brown Staffor. Lorsqu'il nous a remis les deux milliards de crédits galactiques trouvés au camp, il manquait trois cents crédits. C'est du vol, de la trahison.

Terl eut le souffle coupé. Non pas à cause de l'argent qui manquait. Mais à cause des deux milliards de crédits galactiques. Comparés à cela, les cercueils qui, il l'espérait, se trouvaient dans le cimetière de Psychlo, n'étaient que de la menue monnaie, de l'argent de poche.

Il avait besoin de quelques minutes pour digérer cela, et il dit à Lars qu'il lui fallait une nouvelle cartouche de gaz pour son masque. Lars lui en apporta une, sans se rendre compte que l'électricité avait été rétablie dans les barreaux. Terl dut précipitamment appuyer sur la touche de télécommande pour l'empêcher de s'électrocuter.

Tout en faisant l'échange des cartouches, Terl réfléchissait à toute allure. Un coup du vieux Numph ? Oui, sans doute. Ce vieil idiot n'avait pas été aussi gâteux qu'il paraissait, après tout ! Il avait monté d'autres escroqueries pendant quelque... trente années ? Oui, trente années, probablement. Deux milliards de crédits ! Terl décida aussitôt de modifier ses plans. Il savait très exactement ce qu'il allait faire. Ces deux milliards allaient disparaître dans trois ou quatre cercueils scellés, marqués « mort par radiations ». Ainsi, ils ne seraient jamais ouverts et ils seraient directement acheminés au cimetière, avec les autres. Ce plan était infaillible. Un panorama entièrement neuf s'ouvrait devant lui. Il ne pouvait pas échouer. Et ses profits allaient devenir énormes. En un éclair, il révisa tous ses plans. Ils étaient maintenant plus sûrs, plus pratiques, moins désespérés.

La conférence reprit dans l'obscurité de la nuit.

- Mais quel est donc votre problème, en ce cas ? murmura Terl.

Mais il connaissait très exactement la réponse. Cet imbécile n'arrivait pas à mettre la main sur l'animal Tyler !

Une fois encore, Brown Staffor prit un air accablé.

- Avoir des charges suffisantes, c'est une chose. Mais c'en est une autre que d'attraper Tyler.

- Hmmm, fit Terl, essayant de paraître songeur et compatissant (un autre mot nouveau). Voyons voir. Mmm, oui... Le principe consiste à *l'attirer* ici. (Simple et rudimentaire pour un chef de la sécurité.) Il est inutile de partir à sa recherche, car il est insaisissable, ou trop bien protégé. Donc, ce qu'il convient de faire, c'est l'attirer ici sous un prétexte quelconque, sans protection, et lui tomber dessus.

Brown se redressa, retrouvant brusquement l'espoir. Quelle idée brillante !

- La dernière fois qu'il s'est manifesté ici, reprit Terl à voix basse et maîtrisant un tremblement de rage, c'était à l'occasion d'un tir de transfert. S'il y en avait un autre en préparation et s'il l'apprenait, il serait ici en un rien de temps. Et vous pourriez frapper.

Brown comprenait parfaitement.

- Mais, il y a un autre problème. Il utilise les biens de la Compagnie. Ses avions, son matériel. Si vous étiez *propriétaire* de tout ça, vous pourriez le coincer pour vol manifeste.

Brown était dans le brouillard. Lars dut traduire à nouveau, puis donner quelques explications. Brown n'arrivait toujours pas à saisir.

- Et, poursuivit Terl, très calme, il se sert aussi de la *planète*. J'ignore si vous le savez, mais la Compagnie Minière Intergalactique a payé des billions de crédits pour cette planète. Elle est la propriété légale de la Compagnie !

Lars dut se plonger dans les deux dictionnaires de psychlo et d'anglais ancien pour déterminer la valeur d'un billion et il dut l'écrire en chiffres à l'intention de Brown. Finalement, celui-ci parvint à comprendre que cela représentait une énorme somme d'argent.

- Mais cette planète est pratiquement épuisée, ajouta Terl. Elle n'a presque plus de minerai.

C'était un mensonge éhonté mais les autres ne pouvaient pas le savoir. Une planète n'était « épuisée » que lorsqu'on avait traversé toute la croûte jusqu'au noyau en fusion.

- A l'heure actuelle, elle ne vaut plus que quelques milliards de crédits...

En fait, elle en valait quarante billions. Fichtre, il faudrait qu'il efface toutes les traces de cette affaire. Mais son plan était *génial !*

- En tant qu'agent résident et représentant de la Compagnie, chuchota Terl, j'ai tout pouvoir de disposer légalement de sa propriété. (Quel mensonge ! Oui, il devrait vraiment effacer toutes les traces...) Vous le saviez, bien sûr. En tout cas, l'animal Tyler le savait, lui, et c'est pour cette raison qu'il m'a laissé en vie.

- Oh ! s'exclama Brown Staffor. Ça m'avait intrigué, justement ! Il est tellement assoiffé de sang que je n'arrivais pas à comprendre comment il avait pu vous épargner alors que, le même jour, il avait assassiné les frères Chamco.

- Eh bien, maintenant, vous connaissez son secret. Il tentait de négocier avec moi le rachat de la filiale terrienne de l'Intergalactique Minière *et de la planète.* C'est pour cela qu'il s'estime en droit d'utiliser le matériel de la Compagnie et de se pavaner tout autour du globe. Évidemment, je l'ai envoyé sur les roses, car je connais son mauvais caractère (ce dernier mot était encore une découverte récente de Terl).

Brown sentit soudain se refermer sur lui le « piège » que Tyler lui avait tendu. Durant un instant, il crut que le sol sur lequel il était assis allait s'ouvrir et l'engloutir.

- Et il sait où sont ces deux milliards ? demanda Terl.

- Oui, murmura Brown d'une voix tendue.

Grands dieux, comme il avait été aveugle ! Tyler allait acheter la Compagnie et toute la planète, et que deviendrait-il, lui, Brown Staffor ?

Terl avait la situation en main.

- Je n'ai pas voulu vendre. Pas à cet animal Tyler. Je pensais plutôt à vous.

Brown, soulagé, émit un sifflement. Puis il regarda à droite, à gauche, par-dessus son épaule, et se pencha en avant, impatienté par le délai de traduction.

- Vous me vendriez la Compagnie et la planète ? Je veux dire : vous nous les vendriez ?

Terl réfléchit avant de répondre :

- Le tout vaut beaucoup plus de deux milliards, mais si je suis réglé en liquide et si on me verse une petite commission, oui, je veux bien.

Récemment, Brown avait étudié de nombreux traités d'économie. Il savait comment conduire un marché.

- Avec un acte de vente en bonne et due forme ?

- Oh, mais bien sûr. Il sera légal dès qu'il sera signé. Mais il devra cependant être enregistré sur Psychlo. C'est une formalité nécessaire.

Par tous les diables ! S'il tentait de faire enregistrer une chose pareille, si même ils venaient à en entendre parler, ils le vaporiseraient très, très lentement !

Il dit que sa nouvelle cartouche de gaz était épuisée pour gagner une fois encore un peu de temps. La Compagnie ne vendait jamais une planète. Lorsqu'elle était abandonnée, on se servait d'une arme et on la pulvérisait. Et Terl avait d'ores et déjà décidé de détruire ce monde. Il avait tout prévu. Il se maîtrisa. Il pouvait bien signer n'importe quel acte de vente : il serait réduit en fumée lorsqu'il ferait sauter cette planète. Bien. Il faudrait peut-être encore deux ans à la Compagnie pour contre-attaquer. Ce qui lui laissait amplement le temps. Oui, il pouvait très bien signer un faux acte de vente.

Le conclave secret reprit.

- Pour que j'accepte cette concession, il faudra que vous fassiez ce qui suit : Un, remettre en état mon ancien bureau. Deux, me laisser travailler librement afin que je puisse effectuer les calculs pour la construction d'une nouvelle console de transfert. Trois, me fournir tout le matériel requis. Et, quatre, me procurer une protection adéquate pour le tir de téléportation.

Brown était un peu dubitatif.

- Mais il faudra que je remette les deux milliards aux bureaux de la Compagnie, sur Psychlo, dit Terl. Je ne suis pas un voleur.

Brown réalisa le bien-fondé de ces paroles.

- Et il faudra que je fasse enregistrer la vente de la planète et de la filiale terrienne de la Compagnie pour que tout cela soit légal. Je ne voudrais pas que vous vous retrouviez en possession d'un acte invalide. Je tiens à vous traiter avec équité (encore un mot qu'il avait découvert : « équité »).

Oui, reconnut Brown Staffor, on se rendait bien compte que Terl faisait tout pour s'amender, pour être honnête et loyal. Mais Brown restait un rien soupçonneux.

- Si vous possédez un acte de vente, toutes les exploitations minières et tout le matériel sont à vous, de même que la planète, et Tyler n'aura plus le droit de voler où bon lui semble.

Brown Staffor se redressa. Il commençait à retrouver un peu d'enthousiasme.

- Il faudra également, poursuivit Terl, que vous fassiez savoir par divers moyens que vous vous apprêtez à effectuer un transfert à destination de Psychlo. *Et dès qu'il apprendra ça, il accourra et vous l'aurez !*

Ce dernier argument fut décisif !

Brown faillit se précipiter sur les barreaux pour serrer la patte de Terl, mais Lars le retint in extremis en lui rappelant qu'ils étaient électrifiés. Brown se contrôla à grand-peine. Il avait envie de danser.

- Je fais établir l'acte ! dit-il, élevant brusquement la voix. Je m'en occupe !

Toutes vos conditions sont acceptées. Nous ferons exactement ce que vous dites !

Il s'élança dans la mauvaise direction pour rejoindre le véhicule et Lars dut le rattraper et le mettre lui-même à bord. Une lueur de folie brillait dans le regard de Brown Staffor.

- A présent, dit-il, nous allons veiller à ce que justice soit faite.

Il ne cessa de répéter cela jusqu'à ce qu'ils rejoignent Denver.

Seul dans sa cage, Terl n'arrivait pas à croire à sa chance. Il était partagé entre le rire et les convulsions.

Il avait réussi ! Et bientôt il serait - il était déjà ! - l'un des plus riches Psychlos de tout l'Univers !

A lui le pouvoir et le succès ! Il avait réussi ! Mais, plus que jamais, il devrait veiller à ce que cette maudite planète soit réduite en cendres. Dès qu'il la quitterait.

3

Du haut du promontoire qui dominait le lac, Jonnie lançait des cailloux. Le lac était immense et s'étendait jusqu'à l'horizon nuageux. En fait, c'était une véritable mer intérieure. Une tempête se préparait, ce qui n'était pas inhabituel sur une étendue d'eau aussi vaste.

Le promontoire se dressait à plus de soixante mètres au-dessus du lac. L'érosion, ou quelque éruption des lointains volcans qui perçaient les nuages au nord-est, avait laissé sur le sol des cailloux gros comme un poing d'homme. Ils ne semblaient être là que pour être jetés dans l'eau.

Jonnie avait pris l'habitude de courir quelques kilomètres chaque jour, depuis la mine jusqu'au lac. On était sous l'équateur, l'atmosphère était chaude et moite, mais l'exercice lui faisait du bien. Il ne redoutait pas les animaux féroces qui pouvaient rôder alentour. Il était constamment armé et les bêtes n'attaquaient que lorsqu'elles étaient dérangées. La piste que Jonnie empruntait quotidiennement était encore vaguement tracée. Les Psychlos avaient dû la parcourir régulièrement. Peut-être pour venir nager dans le lac, car elle traversait le promontoire avant de redescendre vers une plage, sur l'autre versant. Mais non : les Psychlos n'aimaient pas nager. Pour faire du bateau, peut-être ?...

Jonnie avait lu quelque part que cette région, autour du lac, avait été autrefois l'une des plus peuplées du continent. Plusieurs millions d'humains y avaient vécu. Apparemment, les Psychlos avaient dû en finir avec eux depuis très, très longtemps, car on ne voyait même pas trace de champs, de cabanes et encore moins de gens. Rien.

Il se demandait pourquoi les Psychlos avaient surtout chassé les humains. Selon le docteur MacKendrick, il s'agissait probablement d'une histoire de vibration du système nerveux sympathique. Les animaux ne souffraient pas assez vivement, sans doute, pour ajouter au plaisir qu'éprouvaient les monstres. Ou peut-être était-ce simplement dû à la similitude que présentait le système nerveux de l'homme, ainsi que son corps, vertical comme le leur et muni de deux bras et deux jambes. Les gaz incapacitants utilisés par les Psychlos visaient surtout les créatures intelligentes et ils étaient bien moins efficaces sur les animaux à quatre pattes ou les reptiles. Il en était question dans un texte psychlo. On y disait que les effets du gaz étaient concentrés sur « les systèmes nerveux centraux les plus évolués ». Mais, quelles qu'aient été leurs raisons, les Psychlos de la mine n'avaient guère causé de ravages dans le gibier. Et les animaux, en sentant l'odeur de Jonnie, ne s'enfuyaient pas. C'était parce qu'il était loin de sentir comme un Psychlo.

La tempête menaçait. Jonnie porta son regard dans la direction de la mine lointaine pour voir si on se préparait, là-bas, à se mettre à l'abri des éléments.

Minuscule à l'horizon, un véhicule à trois roues venait de quitter la mine et approchait. On venait lui rendre visite ? Ou bien était-ce seulement quelqu'un qui avait décidé de faire un tour ?

Jonnie se remit à lancer des cailloux. La situation actuelle était plutôt sombre. L'un des Psychlos était mort et les trois autres s'accrochaient comme ils pouvaient à l'existence. Ils avaient découvert qu'un tiers des cadavres psychlos avaient le cylindre d'argent dans la tête. Le docteur MacKendrick se livrait à des expériences sur les corps pour essayer de trouver le moyen d'ôter les capsules sans tuer un Psychlo vivant, pour le cas où il resterait un survivant sur les trois derniers. Car il y en avait deux avec un objet en argent dans le crâne. Ils se sentiraient peut-être même soulagés d'être débarrassés de cette horrible chose !

Mais Jonnie n'appréciait guère ce travail sur des cadavres et il s'efforça d'orienter son esprit vers des pensées plus gaies.

Pendant la bataille, il avait piloté la plate-forme volante avec ses *deux* mains ! Il ne s'en était souvenu que la semaine suivante. MacKendrick lui avait expliqué qu'un autre secteur de son cerveau avait dû prendre en charge les fonctions perdues. Selon lui, ces fonctions cérébrales et nerveuses « perdues » avaient été rétablies sous l'effet de la tension du combat. Mais Jonnie n'arrivait pas à accepter ça.

Il avait une théorie : c'était *lui* qui manipulait ses nerfs. Et cela marchait ! Il avait commencé en ordonnant tout simplement à son bras et à sa jambe de fonctionner de nouveau. Il s'était amélioré jour après jour. Et maintenant, il arrivait à trotter. Sans canne. Et à *lancer* des cailloux. Il était un chasseur émérite et le fait d'être dans l'incapacité de jeter un bâton-à-tuer suscitait en lui un sentiment d'impuissance. Et voilà qu'il lançait des cailloux.

Il effectua un nouveau jet. Le caillou décrivit une longue courbe dans les airs vers le bas du promontoire et toucha la surface du lac dans un petit geyser blanc. Le « ploc ! » sonore lui parvint la seconde d'après.

Il se vota des félicitations. Plutôt bien !

Le nuage de tempête grossissait dans le ciel, de plus en plus sombre, évoluant du gris au noir, de plus en plus laid. Jonnie se tourna dans la direction de la mine et s'aperçut que le trois-roues n'était plus qu'à quelques mètres de distance. Il s'arrêta bientôt non loin de lui.

Pendant un moment, Jonnie ne reconnut pas le conducteur, et il s'approcha de lui, l'interrogeant du regard. C'est alors qu'il vit qu'il s'agissait de son troisième « duplicata », celui qu'on surnommait Stormalong, de son vrai nom Stam Stavenger. Il était membre du groupe norvégien qui avait émigré de Norvège en Écosse dans le passé et dont les familles et les lignées avaient été préservées au fil des âges, mais non les coutumes. A présent, ils se comportaient comme des Écossais et ressemblaient à des Écossais.

Il était de la taille de Jonnie, de sa corpulence, et il avait les mêmes yeux. Mais ses cheveux étaient un peu plus foncés et sa peau bien plus bronzée. Depuis l'époque du filon, il ne s'était plus trop préoccupé de maintenir la ressemblance et avait taillé ras sa barbe.

Stormalong était demeuré à l'Académie. C'était un pilote émérite et il enseignait les techniques du vol aux cadets en y prenant un grand plaisir. Il s'était trouvé un vieux blouson de pilote, une écharpe blanche et une paire de lunettes, le tout datant d'un âge depuis longtemps oublié, et il aimait se promener ainsi accoutré. Cela lui donnait fière allure. Les deux hommes se donnèrent de grandes claques amicales dans le dos en souriant.

- Ils m'ont dit que je te trouverais ici en train de lancer des cailloux aux crocos, dit Stormalong. Comment va ce bras ?

- Tu as dû admirer mon dernier tir, dit Jonnie. Je n'aurais peut-être pas abattu un éléphant, mais ça vient.

Il entraîna Stormalong jusqu'à un large rocher plat qui surplombait le lac et ils s'assirent. La tempête approchait rapidement mais il leur serait facile de regagner le camp à temps.

Stormalong n'était pas bavard d'ordinaire mais, ce jour-là, il apportait une foule de nouvelles. Il lui avait fallu fouiller partout, comme un vrai limier, pour découvrir où se trouvait Jonnie. En Amérique, tout le monde l'ignorait, alors il avait volé jusqu'en Écosse pour essayer de retrouver sa trace.

Chrissie l'embrassait, lui dit-il. Il avait déjà dit la même chose à Bittie de la part de Pattie. Le chef du clan Fearghus lui envoyait ses salutations respectueuses. *Respectueuses* et non amicales, s'il vous plaît ! Sa tante Ellen l'embrassait très fort. Elle avait épousé le pasteur et vivait en Écosse.

C'étaient les deux coordinateurs - qui étaient retournés en Écosse - qui l'avaient mis sur la piste de Jonnie. Ceux qui avaient été chargés de ramener une tribu... les Brigades... Non, les Brigantes. Ces fripouilles étaient à Denver, à présent. Des gens affreux. Il en avait rencontré quelques-uns. En tout cas, le corps d'Allison avait été ramené pour être inhumé dans sa terre natale et la colère grondait en Écosse depuis qu'on avait appris son meurtre.

Mais ce n'était pas pour cela que Stormalong était venu voir Jonnie. En vérité, il s'était passé quelque chose d'incroyable durant son vol.

- Tu te souviens que tu nous avais parlé d'une possibilité d'invasion de la Terre ? Eh bien, ça va peut-être se produire...

Il s'était envolé pour l'Écosse en passant par-dessus le Cercle Polaire, avec un avion de combat du modèle ordinaire. Il avait volé très vite et, alors qu'il atteignait l'extrémité nord de l'Écosse, il avait eu sur son écran le plus énorme des engins qu'il eût jamais vus. Durant un instant, il avait cru qu'il fonçait droit dessus et qu'ils allaient entrer en collision. Il l'avait en visuel en plein sur son écran, et il le voyait également nettement à travers son pare-brise. Et bang ! Il était entré droit dedans. Mais il n'était plus là. Il n'y avait rien.

- Rien ? fit Jonnie.

Oui, c'était exactement ça. Il était entré en collision avec un objet qui n'existait pas. En plein milieu du ciel. Immense, comme s'il tenait tout le ciel. Mais il n'existait pas. Il avait d'ailleurs amené les clichés enregistrés par son écran. Ils étaient dans son sac.

Jonnie les examina. Il vit une sphère entourée d'un anneau. Cela ne ressemblait à aucun appareil connu. Et c'était absolument *énorme*. Dans un coin, les îles Orkney étaient visibles. Apparemment, l'engin allait du centre de l'Écosse aux Orkney. Sur le cliché suivant, il occupait toute la surface, enveloppant littéralement l'avion. Sur le troisième, il avait disparu.

- Ce vaisseau n'existait pas, répéta Stormalong.

Jonnie se souvint soudain de certaines théories-d'homme.

- La lumière, dit-il. Cette chose devait aller plus vite que la lumière. Elle a laissé son image derrière elle. Ce n'est qu'une supposition, mais j'ai lu quelque part qu'on pensait que si des choses se déplaçaient plus vite que la lumière, elles paraîtraient aussi vastes que l'Univers tout entier. J'ai trouvé ça dans des textes sur la physique nucléaire. Je n'en ai pas compris le dixième.

- Ma foi, ça se pourrait bien, dit Stormalong. Parce que la vieille femme a dit que l'appareil n'était pas aussi gros que cela !

La vieille femme ?

En fait, ça s'était passé comme ça. Quand il s'était remis de sa frayeur, Stormalong avait repassé toutes les images prises par les écrans, depuis le début. En fait, l'engin avait été en train de quitter l'Écosse, mais Stormalong ne l'avait pas détecté. C'était toujours pareil : au terme d'un long vol, on est un peu abruti, moins vigilant. Et puis il avait peu dormi, depuis quelque temps, avec tous ces cadets qui avaient tant de mal à décrocher leur diplôme, mais dont on avait désespérément besoin vu la demande en pilotes.

Son enregistrement lui avait montré que la trajectoire de l'appareil partait d'une ferme, à l'ouest de Kinlochbervie. Sur la côte nord-ouest. Un coin perdu... Il avait diminué sa vitesse et survolé l'endroit, pensant qu'il avait peut-être été attaqué ou mitraillé.

Mais il n'avait remarqué qu'une zone brûlée dans les rochers, alors qu'il se posait. Pas de trace de dégâts ou de combat à proximité de la maison perdue parmi la rocaille.

Une vieille femme en était sortie. Elle était tout excitée par ces deux visiteurs qui lui arrivaient du ciel en un jour alors que, d'ordinaire, elle ne voyait personne pendant des mois. Elle avait invité Stormalong à s'asseoir, lui avait offert du thé aux herbes et lui avait montré son nouveau canif, tout brillant.

- Un canif ? s'étonna Jonnie.

Ce Norvégien-Écossais, d'ordinaire si laconique, mettait bien du temps à arriver au vif du sujet.

Oui, un canif. Comme ceux qu'ils avaient vus dans les ruines des anciennes villes. Ils étaient pliables. Mais celui de la vieille femme était le plus brillant qu'il eût jamais vu. Oui, oui, il arrivait aux faits.

Donc, à en croire la vieille femme, elle était là à peigner son chien qui souvent attrapait des tiques, quand elle faillit s'évanouir de surprise. Derrière elle, se tenait un petit homme gris ! Et juste derrière le petit homme, il y avait une sphère grise avec un anneau, à l'endroit où d'ordinaire elle attachait la vache. Elle avait failli mourir de peur. Parce qu'il n'avait pas fait le moindre bruit. Elle avait juste senti comme un souffle de vent.

Alors, elle avait demandé au petit homme gris s'il voulait un peu de thé aux herbes, comme elle l'avait demandé à Stormalong. Mais lui, bien sûr, n'avait même pas eu la politesse d'arriver dans un grondement de moteur et de se présenter.

Pourtant le petit homme gris avait été très aimable. Il était un peu plus petit que la moyenne des hommes. Sa peau était grise, de même que son costume. Seul détail étrange : il portait une boîte qui pendait sur sa poitrine, attachée à une courroie. Il parlait dans la boîte et la boîte, à son tour, se mettait à parler en anglais. La voix du petit homme était posée, avec différentes inflexions, alors que la boîte gardait un ton monotone.

- C'est un vocodeur, dit Jonnie. Un appareil de traduction portatif. J'en ai lu la description dans un texte psychlo, mais les Psychlos ne s'en servent pas.

Ah bon... Mais pour en revenir à cette histoire, le petit homme gris avait ensuite demandé à la vieille femme si elle avait des journaux. Non, bien sûr, puisqu'elle n'en avait jamais vu. Peu de gens, d'ailleurs, avaient vu un journal dans leur existence. Il lui avait alors demandé si elle avait des livres d'histoire. Elle avait été navrée de lui répondre qu'elle savait qu'il en existait, mais qu'elle n'en avait jamais eu un seul.

Apparemment, il avait cru qu'elle ne comprenait pas, et il s'était mis à gesticuler pour lui expliquer qu'il voulait du papier imprimé.

Elle avait alors eu une idée pour lui venir en aide. Il semblait que quelqu'un lui avait acheté de la laine et, en paiement, lui avait remis de la monnaie en nouveaux crédits. Elle avait expliqué au petit homme gris ce que c'était.

- Quels crédits ? demanda Jonnie.

- Oh, tu ne les as pas vus ? (Stormalong fouilla dans ses poches.) Ils nous paient avec ça, maintenant.

Il tendait à Jonnie une coupure d'un crédit de la Banque Planétaire, et Jonnie lui accorda un regard distrait. Puis son attention fut attirée par l'illustration au centre. C'était une image de lui ! Tenant un pistolet. Il ne trouvait pas le portrait très ressemblant et se sentait également un peu gêné.

Bref, poursuivit Stormalong, la vieille femme avait accepté les billets à cause de ce portrait de Jonnie. Elle en avait mis un sur le mur. Et elle l'avait vendu au petit homme gris contre le canif parce qu'elle en avait encore d'autres.

- Elle ne l'a pas payé très cher, ce canif, remarqua Jonnie, s'il est aussi bien que tu le dis.

Oui, dit Stormalong, c'était un aspect de la question qui ne lui était pas apparu. Le petit homme gris, quoi qu'il en soit, avait fini son thé, puis il avait placé soigneusement le billet entre deux plaques de métal avant de le ranger dans une poche. Puis il avait remercié la vieille femme, était retourné jusqu'à son vaisseau et avait adressé la parole à quelqu'un qui se trouvait à l'intérieur avant de monter à bord. Il avait crié à la vieille femme de ne pas trop s'approcher et de fermer la porte. Ensuite, il y avait eu un grand jet de flammes et l'engin s'était élevé dans les airs. Tout à coup, il était devenu aussi grand que le ciel et il avait disparu. Oui, ainsi que l'avait supposé Jonnie, c'était probablement un phénomène dû à la lumière. Mais l'engin ne volait pas comme les avions psychlos et il ne se téléportait pas non plus. Et il ne pouvait pas appartenir aux Psychlos, puisque la créature était un *petit* homme gris.

Jonnie était silencieux. Pouvait-il s'agir d'une *autre* race étrangère qui s'intéressait à la Terre à présent qu'elle n'était plus occupée par les Psychlos ?

Son regard se porta sur le lac. Il était songeur. Là-bas, la tempête continuait de grossir dans le ciel.

De toute façon, acheva Stormalong, il n'était pas vraiment venu pour ça. Il fouilla dans une sacoche plate où il rangeait ses cartes.

- J'ai une lettre de Ker. Il m'a demandé de te la remettre en main propre. Je lui suis redevable de quelques services, et il a dit que si tu ne la recevais pas à temps, tout le puits risquait de s'effondrer. La voilà.

4

Jonnie regarda l'enveloppe. Le papier était celui dont ils se servaient pour emballer les boucliers anti-chaleur. Il y avait une inscription : « ARCHI-SECRET ». Il leva l'enveloppe dans la lumière qui déclinait à l'approche de la tempête. Il ne détecta aucun explosif à l'intérieur. Il l'ouvrit. Oui, c'était bien l'écriture de Ker. Les boucles et les crochets maladroits étaient difficiles à déchiffrer mais correspondaient bien à l'idée que Ker avait de l'alphabet psychlo.

Jonnie déploya la feuille et lut :

ARCHI-SECRET

A qui tu sais.

Comme tu le sais, les lettres personnelles sont interdites par les règlements de la Compagnie et, si l'on me surprenait en train d'en écrire une et de l'expédier, cela me coûterait trois mois de paie. Ah, ah, ah ! Mais tu m'as dit avant de partir que je devais t'écrire au cas où une certaine chose se produirait et confier cette lettre à un pilote dont tu serais certain qu'il te l'apporte rapidement.

Alors, pas de noms : sécurité, sécurité. Mais la chose va se produire, aussi je t'écris même si la Compagnie me retient trois mois de paie. Tu remarqueras que j'ai déguisé mon écriture. Hier, cet abruti de pilote raté de Lars, celui qui se prenait pour le plus grand pilote du monde - grâce aux conseils de qui tu sais - et qui s'est cassé son cou de crétin et a été nommé assistant de qui tu sais (pas de noms) ; ce Lars, donc, est venu demander à tous les Psychlos de se dépêcher d'installer les pompes à gaz respiratoire et les ventilateurs dans l'ancien bureau de qui tu sais. Aucun d'eux n'a voulu coopérer, comme je le pensais et toi aussi. Ils croient, et moi aussi, qu'ils vont se retrouver sous les ordres de qui tu sais, celui qui a tué le vieux qui tu sais. Un autre, qui a été tué après, avait vendu la mèche et il leur avait tout dit avant le transfert bisannuel. Comme il a disparu juste avant le transfert, ils le croient. Donc, ils refusent de faire quoi que ce soit pour qui tu sais ni d'avoir quoi que ce soit à faire avec ses anciens quartiers, car tous les Psychlos sont certains que qui tu sais va tous les tuer. De toute façon, les circulateurs de gaz et les pompes de ce secteur, nous le savons, ont été réduits en miettes, et il faudra les réparer avant de pouvoir travailler sans masque. Donc, ce crétin imbécile qui est le plus grand pilote de combat à ne jamais avoir combattu, qui s'est cassé le cou et que personne n'a jamais réussi à entraîner, est venu me voir moi et je lui ai dit que, oui, je pouvais remettre en état les bureaux de qui tu sais, mais que j'aurais besoin d'un certain matériel, peut-être même qu'il faudrait le prendre dans les autres mines vu que les pompes à gaz sont fichues. Il a dit alors que c'était un ordre du Conseil et qu'il allait faire le nécessaire pour que j'aie ce qu'il me faut. J'ai donc fait des plans pour une réparation très compliquée qui exige tout un tas de matériel et je fais traîner les choses autant que je le peux. Ils disent que qui tu sais, au Conseil, a déclaré que c'était urgent et secret et qu'ils seront sur moi pour veiller à ce que ce soit fait et que je toucherai un supplément de paie. Ah, ah, ah ! Alors je fais traîner les choses et je crois que tu ferais mieux de venir ici, car je leur ai dit qu'il me faudrait des assistants. Mais viens incognito parce que tout cela a un rapport avec qui tu sais et qui tu sais est comme du gaz empoisonné dans une galerie de mine. Donc, maintenant tu sais, et je me suis presque usé la patte à écrire tout ça et les oreilles à m'entendre dire que ce projet était super-urgent, mais je vais continuer à faire traîner autant que je le pourrai et à demander des pièces qui ne sont pas nécessaires pour ce circulateur de gaz qui a été cassé et qui l'est encore plus maintenant. Ah, ah, ah ! Cette lettre pourrait bien me coûter trois mois de paie. Ah, ah, ah ! Et tu me les devras donc si jamais je me fais prendre. Ah, ah !

Tu sais qui.

Addition : Déchire cette lettre pour qu'elle ne me coûte pas trois mois de paie ou la toison de mon cou. Ah, ah, ah !

Jonnie relut la lettre et, ainsi qu'il lui était demandé, il la déchira en menus morceaux.

- Quand est-ce qu'on t'a remis ça ? demanda-t-il à Stormalong.
- Hier matin. Il a fallu que je retrouve ta trace.

Le regard de Jonnie se porta sur l'étendue du lac. Le nuage de tempête culminait, parcouru de tourbillons noirs. Il était presque sur eux, à présent.

Jonnie entraîna Stormalong jusqu'au trois-roues et démarra. Sans un mot, il piqua à travers la savane, droit sur la mine.

Il y eut un grondement de tonnerre et les premières lanières de pluie fouettèrent l'air.

Jonnie savait qu'il devait partir pour l'Amérique. Immédiatement !

5

- C'est un piège ! s'exclama Robert le Renard.

Jonnie, dès son retour, avait expliqué rapidement ce que Ker lui avait écrit. Il avait donné des ordres pour que l'avion de Stormalong soit vérifié, nettoyé et ravitaillé dans l'heure. Le copilote qui avait accompagné Stormalong se tenait devant lui, à côté d'Angus. Jonnie compara les deux hommes.

- Est-ce que tu peux vraiment te fier à Ker ? demanda Sir Robert.

Jonnie ne répondit pas. Il jugea avec satisfaction qu'Angus pouvait très bien passer pour le copilote s'il fonçait un peu sa barbe avec du brou de noix et changeait de vêtements.

- Réponds-moi ! Je n'arrive pas à croire que tu as la tête d'aplomb !

Robert était tellement agité qu'il ne cessait d'aller de long en large dans la grande salle du sous-sol où Jonnie s'était installé.

- Il faut que je parte. Vite. Tout de suite !
- Non ! protesta Dunneldeen.
- Non ! fit Robert, en écho.

Il y eut un bref échange de paroles entre le colonel Ivan et le coordinateur qui traduisait. Et Ivan cria à son tour :

- *Niet !*

Jonnie demanda à Angus d'échanger sa tenue avec celle du copilote de Stormalong.

- Angus, lui dit-il, tu n'es pas obligé de venir. Tu as dit « oui » trop hâtivement.
- Je viens. Je dirai mes prières, je rédigerai mon testament, mais je viens avec toi, Jonnie.

Jonnie entraîna Stormalong jusqu'à un grand miroir psychlo et se plaça à côté de lui. Le soleil tropical lui avait donné un teint bronzé et la différence de peau n'était pas tellement perceptible entre eux deux. La barbe de Stormalong était nettement plus foncée que celle de Jonnie, mais il suffirait, ici encore, d'une petite touche de brou de noix. Il y avait également cette cicatrice au visage qui était guérie, désormais. On ne pouvait rien y faire, et Jonnie ne pouvait qu'espérer que les gens croiraient que Stormalong avait été victime d'un accident. Si ! Il y avait une solution : mettre un pansement. Ah ! Il y avait aussi la coupe carrée de la barbe. Cela faisait une différence importante. Jonnie prit la trousse qui ne quittait jamais Angus et y trouva une paire de cisailles particulièrement bien affûtées. Il entreprit de tailler sa barbe dans le même style que celle de Stormalong. Cela fait, ils échangèrent leurs vêtements, puis passèrent un peu de brou de noix dans les poils de la barbe de Jonnie... Très bien. Il se contempla dans le miroir. Ah oui... Le pansement. Il le mit en place. Et maintenant ?... Parfait. Il pourrait aisément se faire passer pour Stormalong. Il ajouta les lunettes de pilote, l'écharpe blanche et le vieux blouson de cuir. Oui, c'était parfait. Si on ne l'examinait pas de trop près et si on ne remarquait pas la légère différence d'accent. L'accent... Il demanda à Stormalong de prononcer quelques paroles, puis parla à son tour. Il n'y avait pas la moindre trace d'accent roulant écossais chez Stormalong. L'effet de l'université ? Une certaine douceur dans la prononciation... Il fit un essai. Oui : il arrivait presque à s'exprimer comme Stormalong.

Tous les autres étaient très excités. Le colonel Ivan faisait craquer nerveusement les articulations de ses mains énormes. Bittie MacLeod, à cet instant, passa la tête dans l'entrebâillement de la porte. Puis il s'avança avec un regard suppliant.

- Non, dit Jonnie. Tu ne peux pas venir avec moi, Bittie.

Cette fois, il n'était plus question de dignité. La mission pouvait être mortelle. Il prit un ton plus doux pour ajouter :

- Veille bien sur le colonel Ivan.

Bittie déglutit et fit un pas en arrière.

Angus était prêt et il se précipita à l'extérieur. On entendit le claquement des cartouches de fuel que l'on mettait en place puis, immédiatement après, le sifflement d'une perceuse s'éleva du hangar où l'on préparait l'avion.

Jonnie fit un signe au colonel Ivan qui s'approcha en compagnie du coordinateur.

- Colonel, dit Jonnie, faites fermer la base souterraine américaine. Toutes les portes. Il faut désormais que nous seuls puissions entrer. Faites la même chose pour le dépôt des armes nucléaires tactiques, à cinquante kilomètres au nord.

Fermez-le *hermétiquement*. Que toutes les carabines d'assaut qui ne sont pas utilisées par les Écossais soient mises sous séquestre. C'est bien compris ?

Le colonel disposait déjà d'un groupe d'hommes sur place. Il dit qu'il avait parfaitement saisi.

Jonnie, ensuite, fit signe à Sir Robert et Dunneldeen de l'accompagner. Ils lui emboîtèrent le pas tandis qu'il se dirigeait vers le bureau de l'intendance. En quelques phrases brèves, il leur dit très exactement ce qu'ils devaient faire s'il venait à mourir. Ils étaient très inquiets pour lui mais conservèrent une sérénité apparente. Son plan était très risqué et laissait place à beaucoup d'imprévus. Ils dirent qu'ils avaient compris ce qu'il voulait et qu'ils feraient tout ce qu'il attendait d'eux.

- Dunneldeen, conclut Jonnie, je veux que tu te rendes à l'Académie d'Amérique dans les vingt-quatre heures qui viennent. Tu seras censé venir d'Écosse pour prendre en charge la formation des élèves-pilotes de Stormalong qui, si tout va comme prévu, sera occupé à « autre chose »...

Dunneldeen, pour une fois, se contenta de hocher la tête.

La vieille femme qui était venue de la tribu des Monts de la Lune - avec toute sa famille - et qui s'occupait de l'intendance avait dû percevoir certaines des rumeurs qui circulaient. Elle avait préparé des provisions pour deux, des gourdes d'eau douce ainsi qu'un énorme sandwich au pain de mil et à la viande de buffle. Elle resta plantée devant Jonnie jusqu'à ce qu'il se décide à mordre dedans.

Sir Robert prit les provisions et Dunneldeen les gourdes. Puis ils sortirent tous les trois et passèrent devant l'ancien bureau des opérations psychlos. Des bruits de perceuse et des coups de marteau leur parvenaient de l'avion : Angus travaillait aux ultimes préparatifs pour que l'appareil fût opérationnel. Jonnie alla jusqu'à la radio, prit quelques mètres du papier de l'imprimante et parcourut rapidement les derniers messages du trafic aérien : peut-être certains pilotes avaient-ils mentionné quelque phénomène inhabituel...

Oui ! Il y avait une... deux observations concernant l'engin qui occupait tout le ciel. Des observations qui concordaient avec le récit de Stormalong. Et, dans les deux cas, on parlait du petit homme gris. En Inde et en Amérique du Sud.

- Le petit homme gris voyage beaucoup, murmura Jonnie pour lui-même.

Dunneldeen et Sir Robert, ne comprenant pas de quoi il parlait, se penchèrent sur l'imprimante.

- Stormalong vous expliquera tout, dit Jonnie.

Aucun doute. Une autre civilisation de l'espace s'intéressait de très près à la Terre. Mais, apparemment, le petit homme gris n'était pas hostile. En tout cas, pas pour le moment.

- Cette base, dit Jonnie, ainsi que toute base où vous vous rendrez, devra être constamment sur le qui-vive et prête à se défendre en cas d'attaque.

Le sifflement ainsi que les coups de marteau avaient cessé et ils se dirigèrent vers l'avion. On était en train de le remorquer vers le seuil du hangar.

Stormalong était là, en compagnie de son copilote.

- Vous restez tous les deux ici, annonça Jonnie. Et toi (il pointa l'index sur la poitrine de Stormalong), tu seras moi. Tu feras le même parcours tous les jours, avec mes vêtements, et tu iras lancer des cailloux dans le lac. Quant à toi... (il se tourna vers le copilote, un Écossais qu'ils appelaient Darf), tu seras Angus !

- Mais j's'rai incapable de faire le boulot de c'diable d'Angus ! geignit Darf.

- Tu t'en tireras !

Un Russe accourut de l'extérieur : tout était prêt et il n'y avait aucun drone en vue. Pas plus dans le ciel que sur les écrans. Il avait assimilé récemment l'anglais et le parlait avec un accent écossais du terroir très prononcé.

Jonnie et Angus montèrent à bord de l'avion. Sir Robert et Dunneldeen leur lancèrent l'eau et les provisions. Puis ils attendirent, les yeux rivés sur Jonnie. Ils essayaient en vain de trouver quelque chose à dire.

Bittie se tenait à quelques pas en arrière. Il agita timidement la main.

Jonnie referma la porte. Angus leva le pouce et Jonnie fit signe à l'équipe de remorquage de les sortir du hangar avant d'appuyer des deux poings sur les volumineux boutons de démarrage. Il regarda au-dehors. Personne n'agitait la main. Ses doigts pianotèrent les boutons de la console.

Stormalong eut le souffle coupé : il savait que Jonnie était un pilote sans égal, mais jamais il n'avait vu un appareil de combat prendre l'air aussi rapidement, à un angle pareil, pour passer presque aussitôt en hypersonique. L'explosion du mur du son se répercuta en écho jusqu'aux pics immenses des montagnes d'Afrique. Ou bien était-ce le grondement de l'orage qui accompagnait l'avion qui montait dans le ciel ?

La seconde d'après, le tonnerre gronda et un éclair zébra les nuages.

Les hommes étaient demeurés immobiles sur le seuil du hangar, les yeux fixés sur le secteur du ciel où l'avion venait de disparaître, au milieu des nuages en effervescence. Leur Jonnie était en route pour l'Amérique. Et cela ne leur plaisait guère. Pas du tout, même.

6

Il faisait nuit quand ils se posèrent à proximité de la vieille Académie. Ils étaient passés tout près du Pôle Nord, devançant le soleil, et ils arrivaient alors que l'aube ne pointait pas encore.

Quelques rares lumières brillaient. Personne n'avait éclairé le terrain, car ce n'était pas le terrain habituellement utilisé pour les atterrissages, et ils avaient dû effectuer leur approche en se fiant uniquement aux écrans et aux instruments de bord.

Le cadet officier de service dormait profondément et ils durent le réveiller pour se faire enregistrer.

- Stormalong Stam Stavenger, pilote, dit Jonnie, et Darf MacNulty, copilote, de retour d'Europe. Avion de combat d'entraînement 86290567918. Pas d'ennuis à signaler, pas de commentaires.

Le cadet de service coucha tout ça par écrit, mais ne prit pas la peine de les faire contresigner.

Jonnie ignorait où Stormalong et Darf avaient été logés. En fait, il avait totalement oublié de le leur demander. Stormalong avait probablement une chambre dans les quartiers des enseignants. Quant à Darf... Il réfléchit. « Darf » portait le lourd ballot de vivres et la trousse à outils. Après tout, Stormalong était l'as des as ici.

Brusquement, Jonnie prit le ballot et la trousse et les poussa vers le cadet.

- S'il te plaît, emporte ça jusqu'à ma chambre.

Le cadet lui décocha un regard perplexe. Stormalong, ici, se chargeait lui-même de ses affaires, d'ordinaire.

- On vole depuis des jours sans dormir, ajouta Jonnie en simulant un léger étourdissement.

Le cadet, avec un haussement d'épaules, prit le ballot et la trousse et Jonnie lui emboîta le pas.

Ils se retrouvèrent dans une chambre isolée. C'était bien celle de Stormalong. Il y avait une tapisserie norvégienne au mur. Stormalong s'était confortablement installé.

Le cadet déposa son fardeau sur la table. Il s'apprêta à se retirer. Mais Angus, bien qu'il eût installé cette base à l'origine et la connût par cœur, ne pouvait savoir où Darf était logé. Jonnie prit en hâte une moitié des provisions qu'il ajouta à la trousse à outils et remit le tout entre les bras du cadet.

- Aide Darf à gagner sa chambre, lui dit-il.

Le cadet fut sur le point de protester.

- Il s'est fait mal au bras en jouant aux quilles, ajouta Jonnie.

- On dirait bien que vous vous êtes vous-même blessé au visage, monsieur, remarqua le cadet. Le fait de perdre du sommeil l'agaçait. Néanmoins, il s'exécuta.

C'est un bon début, songea Jonnie. En ce moment même, Sir Robert devait parler de la nécessité de bien préparer les raids. Un raid, devait-il répéter pour la énième fois, ça se *prépare*. Celui-ci, pour aussi dangereux qu'il fût, ne leur avait pas coûté beaucoup de temps en préparation, c'était le moins que l'on puisse dire.

Le cadet et Angus ne réapparaissant pas, il supposa que la supercherie avait réussi. Il se dévêtit et s'installa sur la couchette de Stormalong. Il s'efforça de trouver le sommeil. Il en avait besoin.

Il lui sembla que quelques secondes à peine s'étaient écoulées, quand il sentit une main lui secouer l'épaule. Il s'assit brusquement, plongeant en même temps la main sous la couverture pour saisir son éclateur. Il vit un visage masqué. Un masque respiratoire. La « main » qui venait de l'éveiller était une patte.

- Tu as remis ma lettre ? demanda Ker.

Il faisait grand jour. Les rayons du soleil matinal filtraient par les carreaux de verre dépoli de la fenêtre.

Ker recula avec un regard intrigué. Puis le petit Psychlo retourna à pas de loup jusqu'à la porte pour s'assurer qu'elle était bien close, examina la pièce pour vérifier qu'il ne s'y trouvait pas quelque système de surveillance et retourna auprès du lit dont Jonnie était en train de s'extraire.

Il éclata de rire !

- Est-ce que ça se voit autant que ça ? demanda Jonnie, quelque peu contrarié, en écartant les cheveux de ses yeux.

- Oui. A moins de ne pas être très physionomiste, dit Ker. Mais pour quelqu'un qui a autant transpiré que moi à tes côtés dans tous ces engins et dans tous ces puits... il est impossible de ne pas te reconnaître, Jonnie !

De sa patte, il frappa la paume de Jonnie.

- Bienvenue dans le trou, Jonnie... Je veux dire Stormalong ! Que vole le minerai, que roulent les chariots !

Jonnie ne put réprimer un sourire : Ker était toujours le même clown. Et, d'une certaine façon, il l'aimait bien.

Ker s'approcha tout près de lui et chuchota :

- Tu sais que tu pourrais te faire tuer dans le coin ? En tout cas, c'est le bruit qui court dans les chambrées. Je veux dire : les chambrées haut placées... Et moi aussi, ils me tueraient, s'ils découvraient qu'on est ensemble. Prudence avant tout. Tu n'as pas de casier judiciaire ? Non ? Eh bien, ça ne sera plus le cas quand ils en auront fini avec toi. C'est une bonne chose que tu sois entre les mains d'un vrai criminel : moi ! Qui t'a accompagné ? Qui est « Darf » ?

- Angus MacTavish, dit Jonnie.

- Hoho ! C'est la deuxième meilleure nouvelle de la journée, après celle de ton arrivée ! Angus s'y entend avec les écrous et les rivets. Qu'est-ce qu'on fait en premier ?

- En premier, je m'habille et je prends mon breakfast ici. Je n'ai pas envie de me montrer dans le réfectoire. Stormalong a été le professeur de la plupart de ces cadets.

- C'est vrai, et moi je me suis occupé de former des conducteurs d'engins. Tu sais, Jonnie, j'ai fait du bon travail ici.

Tandis que Jonnie s'habillait, le petit Psychlo continuait son bavardage :

- Cette Académie, Jonnie, c'est le meilleur endroit que j'aie connu. Tous ces cadets... Je leur raconte comment je t'ai appris toutes ces choses et tout ce que tu as fait. Tu peux pas savoir comme ça leur plaît. Bien sûr, c'est surtout des mensonges, mais comme ça, ils essaient toujours de faire mieux. Et ils savent bien que c'est des mensonges. Personne ne peut ramasser trente-neuf tonnes de minerai à l'heure avec une pelleteuse. Mais tu me comprends sûrement, car tu me connais. J'adore ce boulot. Tu sais, c'est vraiment la première fois que je suis heureux d'être un nain. Je ne suis pas plus grand qu'eux, et je leur ai fait croire - là, Jonnie, ça va te tuer, à moins que quelqu'un le fasse avant - j'ai réussi à leur faire croire que je suis *à demi humain !*

Il s'était installé sur la couchette qui s'affaissait quelque peu sous ses trois cent cinquante kilos. Il se mit à hurler de rire et faillit basculer en arrière.

- C'est pas splendide, ça, Jonnie ? Moi, à demi humain ! Tu vois ça ? Je leur ai dit que ma mère était une femelle psychlo qui avait violé un Suédois !

Encore une fois, et malgré l'importance de sa mission, Jonnie ne put s'empêcher de sourire. Il avait fini d'enfiler les vêtements de Stormalong.

Ker retrouva son sérieux. Il demeura un instant pensif.

- Tu sais, Jonnie, reprit-il avec un soupir si profond que la valve de son masque tressauta. Je crois que c'est la première fois de ma vie que j'ai des amis.

Jonnie grignota en hâte quelques bouchées qu'il fit glisser avec de l'eau.

- La première chose à faire, dit-il, c'est d'aller voir le commandant de l'Académie pour lui dire que tu veux que Stormalong et Darf soient immédiatement désignés pour ton projet spécial. Je suis certain qu'en haut lieu, on t'a donné plein pouvoir.

- Oh, mais je dispose de l'autorité nécessaire, dit Ker. Plein d'autorité. Jusqu'aux oreilles. Là-haut, ils sont sur moi constamment pour que je finisse ce régénérateur de gaz, mais je leur ai dit qu'il me faut certaines pièces détachées qui se trouvent à la mine de Cornouailles, ainsi que des assistants.

- Parfait. Dis-leur aussi que Dunneldeen sera là dans un ou deux jours afin de remplacer Stormalong pour l'entraînement des cadets. Que tu as arrangé ça pour que les cours ne soient pas perturbés. Ensuite, amène un véhicule de sol en face du bâtiment, fais-y monter Darf, reviens ici, frappe à ma porte, et nous partons.

- Vu, vu, vu ! fit Ker en disparaissant de son pas pesant.

Jonnie vérifia son éclateur avant de le glisser sous son blouson de pilote. Avant une ou deux heures, il saurait si Ker était loyal. Jusque-là...

7

Ils gagnèrent le véhicule sans encombre, hormis quelques plaisanteries que lancèrent les cadets sur leur passage, en faisant allusion au pansement de Jonnie :

- Alors, Stormy, on a cassé du bois ?
- On bousille le matériel, Stormalong ? Ou bien est-ce que c'était cette donzelle d'Inverness ? Ou son papa ?

Il y avait un volumineux paquet à l'intérieur, qui rendait exigus les sièges psychlos eux-mêmes. Ker lança le véhicule à travers la plaine avec la pratique due à des dizaines de milliers d'heures de pilotage devant la console. Jonnie avait oublié son habileté à la conduite des machines et des véhicules de sol. Elle était supérieure encore à celle de Terl.

- Je leur ai dit, expliqua Ker, que c'était vous deux qui étiez partis chercher les éléments de l'habitacle que la mine de Cornouailles devait nous fournir. On m'a vu en train de les débarquer de votre avion.

- Rien de tel que l'expérience d'un criminel, plaisanta Jonnie.

Ker fut piqué au vif et il accéléra à plus de deux cent cinquante kilomètres/heure. Sur cette plaine accidentée ?... Les rochers et les buissons se mirent à défiler à une folle allure de part et d'autre et Angus ferma les yeux.

- Et j'ai aussi deux masques à air et des bouteilles, dit Ker. On prétendra qu'il y a une fuite de gaz respiratoire dans les conduites. Rien de grave pour moi, mais dangereux pour vous. Mettez les masques.

Ils décidèrent de les mettre quand ils seraient à proximité du camp. Les masques chinkos, bien que taillés aux mesures des humains, n'étaient pas très confortables.

Jonnie était indifférent à la vitesse. Il s'abandonna un instant à la beauté de cette splendide journée. Les plaines étaient légèrement brunies et la neige, en cette saison, avait diminué au sommet des pics. C'était *son* pays. Il était las de la chaleur et de la pluie. Oui, c'était si bon d'être *chez soi*.

Il fut arraché à sa rêverie quand le véhicule freina violemment en soulevant un nuage de poussière, sur le plateau, près de la cage. Ker se pencha au-dehors et cria en direction de la cage :

- C'est arrivé ! Je ne pense pas que ce soit la bonne pièce, mais on verra bien !

Terl ! C'était Terl ! Il se cramponnait aux barreaux de ses deux pattes. L'électricité avait été coupée.

- Magne-toi le train ! cria-t-il. J'en ai assez de griller au soleil. Encore combien de jours, abruti ?

- Deux ou trois, pas plus ! répondit Ker en hurlant.

Puis il exécuta un demi-tour risqué, le véhicule fit un bond de deux mètres et fonça vers l'autre côté du camp, puis franchit les portes du garage.

Ils descendirent une rampe avant de se garer dans un secteur désert.

- Maintenant, annonça Ker, nous filons tout droit jusqu'à son bureau !

- Pas encore, fit Jonnie, main sur l'éclateur, sous son blouson. Tu te souviens de ce vieux réduit où ils avaient enfermé Terl ?

- Oui, fit Ker, intrigué.

- Est-ce qu'il y a toujours l'arrivée de gaz respiratoire ?

- Je le pense, oui.

- Alors, passe d'abord par l'entrepôt d'électronique, prends une machine d'analyse minérale et fonce ensuite vers ce réduit.

Tout soudain, Ker semblait mal à l'aise.

- Je croyais que nous allions travailler dans son bureau.

- C'est exact. Mais, auparavant, nous avons un autre petit travail à accomplir. Ne t'inquiète pas. La dernière chose au monde que je voudrais, c'est te faire du mal. Du calme. Fais ce que je t'ai dit.

Ker fit faire demi-tour à leur engin et le lança dans le labyrinthe des rampes, obéissant à l'ordre de Jonnie.

Depuis la bataille, les lieux n'avaient guère été nettoyés, mais il y restait encore des centaines d'avions, des milliers de véhicules et d'engins de mine, des dizaines d'ateliers prévus pour toutes les réparations possibles, et des centaines d'entrepôts. L'essentiel et le bric-à-brac accumulés durant dix siècles d'exploitation minière. Jonnie évalua le tout du regard : tout cela représentait une fabuleuse richesse pour la planète et pourrait être utilisé pour la reconstruction. Et il y avait autant de matériel et de machines dans les magasins de chacune des exploitations minières de la Terre. Toutes ces choses devaient être préservées et entretenues, car elles étaient irremplaçables. En effet, les ateliers qui les avaient conçues étaient à des univers de distance. Mais, quel que fût leur nombre, elles finiraient par s'user. Raison de plus pour rallier la communauté des systèmes stellaires. Jonnie doutait que la plus grande part de cet équipement ait été fabriquée sur Psychlo : les Psychlos exploitaient les mondes et les races et ils leur avaient même emprunté leur technologie et leur langage. La téléportation semblait être la clé de leur pouvoir. Eh bien, il en percerait le secret.

Ils s'arrêtèrent devant le réduit et Angus y entra avec l'analyseur de minéraux. Jonnie se débattit un instant avec le circulateur de gaz respiratoire. Puis ils vérifièrent tous deux leurs masques et fermèrent la porte avant de demander à Ker d'ôter le sien.

Ker, quoique inquiet, eut la présence d'esprit de placer des chiffons noirs sur le hublot de la porte.

Jonnie et Angus se mirent aussitôt au travail. Ils persuadèrent Ker de placer la tête sur le plateau d'analyse. Il s'exécuta tout en roulant ses grands yeux d'ambre, avec l'air de se demander s'ils n'étaient pas devenus un peu fous. Il se souvint que l'on s'était servi de la même machine pour Jonnie et il leur dit qu'il n'avait jamais été blessé à la tête.

Angus était devenu un expert dans le réglage de ce genre de machine. Il manipula rapidement les boutons de mise au point et de profondeur de balayage. A force d'être penché, Ker éprouva un début de torticolis. Il s'en plaignit et ils le firent taire. Ils lui prirent la tête et la tournèrent selon différents angles. Ils transpirèrent ainsi durant trente-cinq minutes avant de le libérer.

Pendant un moment, Ker se livra à des exercices pour redresser sa colonne vertébrale tout en se massant le cou.

Jonnie le regarda et demanda :

- Ker, parle-nous de ta naissance.

Ker se dit que Jonnie était réellement devenu un peu fou pour poser une telle question. Il ouvrait la bouche pour répondre quand son regard se porta vers la porte. Il sortit alors un petit appareil de sa poche et le fixa près du hublot. Il y avait une petite sphère lumineuse sur l'objet. Ainsi, ils pourraient savoir si quelqu'un se trouvait à l'extérieur. Angus vérifia l'intercom, puis le coupa.

- Eh bien, commença Ker, mes parents étaient riches...

- Allons, Ker ! s'exclama Jonnie. Nous voulons la vérité, juste la vérité, et pas un conte de fées !

Ker prit une attitude vaguement offensée et poussa un soupir de martyr. Puis il exhiba une petite flasque de kerbango et en prit une lampée. Il en avait rudement besoin. Il s'appuya ensuite contre la paroi et recommença.

- Je suis né sur Psychlo, et mes parents étaient riches. Mon père se nommait Ka. Ma famille était particulièrement fière. Sa première femelle lui donna en naissance une portée complète. D'ordinaire, une portée, chez les Psychlos, est de quatre petits, cinq parfois. Mais nous avons été six à naître en même temps. Et, comme ça se passe souvent dans ces cas, il y a un nabot. Parce que les organes de la femelle ne sont pas assez grands, ou quelque chose comme ça...

» Quoi qu'il en soit, le sixième et le nabot c'était moi. Comme ils ne voulaient pas que la disgrâce retombe sur la famille, ils m'ont jeté à la poubelle. C'est ce que l'on fait d'habitude.

» Un esclave de la famille, pour des raisons personnelles, m'a recueilli et m'a emmené avec lui. Il appartenait à une organisation révolutionnaire clandestine. Sous la ville impériale, il existe des kilomètres de galeries de mines abandonnées. Les esclaves s'y réfugient et personne ne peut les retrouver. C'est donc là que j'ai atterri. C'est peut-être pour ça que je me sens chez moi quand je travaille à la mine. Les esclaves étaient de la race des Balfans, des êtres à la peau bleue. Bref, des gens faciles à identifier. Mais ils respirent le même gaz que nous et ils n'ont pas besoin de masque, ce qui fait qu'ils se promènent dans les rues comme n'importe qui. Peut-être que ceux qui m'ont recueilli se disaient qu'un Psychlo leur serait utile pour placer des bombes ou je ne sais quoi... En tout cas, ils m'ont pris avec eux, ils m'ont élevé et ils m'ont appris à voler pour eux. J'étais si petit que je pouvais me glisser n'importe où.

» Quand j'ai eu huit ans, ce qui est très très jeune pour un Psychlo, un agent du Bureau Impérial d'Enquêtes du nom de Jayed a réussi à infiltrer dans ce groupe ce qu'on appelle des « agents provocateurs », lesquels ont incité le groupe à commettre des crimes très graves afin de le faire arrêter. Et quelque temps après, les Fédéraux ont nettoyé les bas-fonds...

» Toujours à cause de ma taille, je me suis échappé par un ancien puits d'aération. Je me souviens que j'ai eu faim, après, et que j'ai erré un temps dans les rues. Un jour, je me suis introduit dans un vaisseau de ravitaillement par une petite fenêtre. Tellement petite qu'elle n'avait pas de barreaux parce que aucun Psychlo de taille normale n'aurait pu s'y glisser. C'est comme ça que j'ai déclenché un système d'alarme. Ça m'a incité, plus tard, à me méfier de ce genre de truc et à tout apprendre sur les engins de détection.

Ker s'interrompit pour téter un peu de kerbango. En vérité, il appréciait pleinement cette pause : quand on portait un masque respiratoire, il était toujours difficile de profiter de son kerbango, vu qu'il était impossible de cracher les résidus granuleux. C'était même plus qu'une pause : c'était un moment de soulagement. Car jamais encore il n'avait raconté son histoire.

- Quoi qu'il en soit, continua-t-il, j'ai été jugé et condamné à porter la marque des trois barres des renégats et à un siècle de travaux forcés dans les mines impériales. Je n'avais que huit ans et j'étais déjà au bagne, avec les criminels les plus endurcis.

» Comme j'étais trop petit pour pouvoir porter les fers et les chaînes, ils m'ont laissé les pieds libres, et c'est pour cette raison que je n'ai aucune marque aux chevilles. Je ne cours aucun risque quand j'enlève mes bottes.

» J'avais le pied levé, pour ainsi dire (ah, ah ! ah !) et les plus vieux se sont donc servis de moi pour faire circuler des messages entre les cellules et entre les gangs. J'ai été très vite éduqué dans l'art du crime sous tous ses aspects.

» J'avais environ quinze ans quand une épidémie de peste a frappé. De nombreux gardes sont morts et, sans fers, j'ai réussi à m'enfuir.

» Le crime n'avait plus aucun secret pour moi. Et je n'avais que quinze ans. J'étais très jeune pour un Psychlo. Avec ma taille je pouvais m'introduire par les fenêtres et par les ouvertures qui n'avaient pas de barreaux. Ça m'a permis de mettre pas mal d'argent de côté.

» J'ai pu acheter de faux papiers, j'ai soudoyé un employé de l'Intergalactique Minière, et on m'a affecté tout naturellement aux équipes de galeries à cause de ma taille.

» J'ai servi dans de nombreux systèmes pour la Compagnie et je m'en suis plutôt bien tiré durant ces derniers vingt-cinq ans. Je n'ai que quarante et un ans et l'espoir de vie d'un Psychlo est d'à peu près cent quatre-vingt-dix années. Donc, il me reste en gros cent quarante-neuf ans à vivre. Le problème, c'est comment les employer.

- Merci, dit Jonnie. Mais de quel moyen de pression Terl dispose-t-il sur toi ?

- Ce singe ? Il n'en a plus aucun. Il en avait, mais c'est fini, grâce au diable !

- Est-ce que tu as appris les maths ?

Ker éclata de rire.

- Oh, non ! Je suis absolument nul. Je suis ingénieur, mais je n'ai appris que sur le tas... par l'expérience. Je n'ai reçu aucune éducation, si ce n'est le crime, évidemment...

- Ker, est-ce que tu aimes la cruauté ?

Le petit Psychlo courba la tête. Dans la faible lueur de la machine, il avait pris une expression honteuse.

- Depuis que je suis honnête, ce qui est nouveau pour moi, il faut bien l'avouer, je dois faire semblant d'aimer la cruauté, de prendre du plaisir à faire du mal aux autres. Sinon, les autres Psychlos me considéreraient comme anormal ! Mais... non, je dois dire que ça ne me plaît pas. Je suis navré d'avoir à l'avouer. (Il se reprit.) Mais, dis-moi, Jonnie, qu'est-ce que tout ça signifie ?

Angus et Jonnie échangèrent un regard. Ker n'avait aucun objet dans son cerveau. Pas le moindre !

Mais Jonnie n'avait pas l'intention de laisser échapper des informations essentielles. Ker n'était sans doute pas au courant de l'existence de ces objets, de même que la plupart des Psychlos.

- Ta structure crânienne, dit-il enfin, est totalement différente de celle des autres Psychlos. Tu es absolument différent, en fait.

Ker sursauta.

- C'est vrai, ça ? Eh bien... oui, souvent, je me suis senti différent. (Il devint songeur, soudain.) Les Psychlos ne m'aiment pas. Et, en vérité, moi non plus, je ne les aime pas. Je suis heureux de connaître enfin la raison à cela.

Jonnie et Angus étaient soulagés. Ils avaient voulu savoir si Ker les attaquerait et se suiciderait quand il comprendrait qu'ils cherchaient la réponse au problème de la téléportation.

Ils finissaient de rassembler leur matériel quand l'appareil placé sur la porte émit un éclair : il y avait quelqu'un à l'extérieur.

8

Ker mit son masque. Sur la pointe des pattes, il alla jusqu'à l'analyseur et le prit d'une seule main. Puis il s'avança vers la porte et l'ouvrit brusquement, comme s'il sortait.

Une vague de gaz psychlo se déversa à l'extérieur.

Lars était sur le seuil, en train de fixer un appareil d'écoute à la porte. Il ne portait pas de masque.

Il reçut l'invisible bouffée de gaz en pleine figure.

Il avait dû inspirer au même instant car il se dressa sur la pointe des pieds, comme si on l'étranglait.

Il suffoquait. Il tituba en arrière, luttant pour retrouver de l'air. Son visage devint bleu. Dans quelques secondes, il allait être pris de convulsions.

Jonnie et Angus le prirent chacun par un bras et l'entraînèrent un peu plus loin. Angus se mit à l'éventer avec une plaque de métal ramassée sur le sol.

Peu à peu, Lars revint à lui et sa peau perdit sa coloration bleuâtre. Mais la première phrase qu'il prononça, et sur un ton de colère, fut :

– Qu'est-ce que vous faisiez ici ?

– Du calme, mon vieux. Du calme ! fit Angus d'un ton apaisant. Voilà qu'on te sauve la vie et tout ce que tu trouves à dire c'est des choses pas gentilles... Tss, tss, tss !...

Lars fixait Jonnie avec une expression bizarre et Jonnie s'éloigna pour rejoindre Ker, qui était occupé à charger à grand fracas l'habitacle dans le véhicule comme s'il venait de le sortir du réduit.

– Tout va bien, dit-il. Pas de craquelures ni de défauts. Il ne nous reste plus qu'à vérifier les dimensions.

Ils démarrèrent et abandonnèrent Lars sur place, avec toujours cette même expression bizarre dans le regard.

– Pourquoi me regarde-t-il comme ça ? demanda Jonnie.

– Tu ferais mieux d'être prudent. Il est fou. C'est l'espion du Conseil, et il met le nez partout. Il s'est mis dans la tête que quelqu'un du nom de Hitter ou Hideur a été le plus grand chef militaire de toute votre histoire, et si tu restes avec lui plus de dix secondes, tu es certain d'en entendre parler. C'est une espèce de culte. Je n'ai rien contre la religion, mais il y a des tas de choses qui ne vont pas dans ce qu'il raconte, *lui*. Terl lui a bourré le crâne mais, de toute façon, il n'y avait pas grand-chose dedans... Ah, ah, ah !

- Mais pourquoi est-ce *moi* qu'il a regardé si bizarrement ? insista Jonnie.

- Il est d'un naturel soupçonneux... Tu sais, je me sens bien mieux depuis que je parle avec vous autres ! Je suis heureux d'être différent.

Ils stoppèrent à l'avant-dernier niveau, un étage au-dessous du bureau de Terl. Ils déchargèrent l'habitacle et escaladèrent la rampe d'accès.

A la seconde où ils allaient entrer, Angus les arrêta.

- Pourquoi Terl ne peut-il installer cet endroit lui-même ?

Ker se mit à rire

- Quand Jonnie est parti du camp, il a fait courir le bruit que le bureau de Terl était piégé de long en large. Mais il n'y a pas que ça... (Il leva la patte pour montrer la porte.) Si les Psychlos installés dans le dortoir du sous-sol étaient autorisés à travailler ici, ils tueraient tout le monde. En tout cas, Terl est convaincu qu'ils le tueraient. Il sait qu'ils le haïssent.

- Attends, dit Jonnie. Cela veut dire que Terl va s'arranger pour les faire tuer avant de s'installer ici. (Il posa la main sur le verrou.) Est-ce que tu as fouillé cette pièce et débusqué les pièges et les mouchards ?

- Ah, ah ! En attendant ta venue, Jonnie, j'ai littéralement mis la pièce sens dessus dessous !

Ils entrèrent et posèrent l'habitacle. Le bureau était un véritable chaos. Les câbles avaient été arrachés, le vieux régénérateur de gaz avait été réduit en miettes sur le sol, les papiers étaient éparpillés et les tables et les chaises étaient renversées pêle-mêle.

Jonnie explora les lieux. Il découvrit très vite que toute la partie inférieure de la paroi, à la gauche du bureau de Terl, comportait une rangée de larges compartiments fermés à clé.

- Tu as regardé à l'intérieur ? demanda-t-il à Ker.

- Je n'ai pas les clés. Un chef de la sécurité est un féru de sécurité...

Jonnie demanda à Angus d'aller chercher une sentinelle. Dans cette partie du camp, c'étaient les cadets qui montaient la garde. Lorsque la sentinelle arriva, Ker - obéissant aux instructions que Jonnie venait de lui chuchoter - lui demanda d'aller chercher Chirk, en ajoutant que c'était un ordre du Conseil.

Ils étaient occupés à tout remettre en ordre, papiers, câbles et meubles, quand trois cadets se présentèrent accompagnés de Chirk.

Elle n'avait plus rien de l'élégante secrétaire de jadis. Elle avait un collier autour du cou d'où pendaient trois chaînes. Son pelage était hirsute, elle n'avait pas de poudre sur le nez, ni la moindre trace de vernis sur ses griffes. Elle ne portait qu'un vague vêtement jeté sur ses épaules.

- Où sont les clés ? demanda abruptement Ker, comme il en avait reçu l'ordre.

Des clés ! Tout le monde réclamait des clés ! Chirk ponctuait ses protestations de claquements de mâchoires, de grincements de crocs et de sifflements. Est-ce que ça ne suffisait pas que Terl les ait tous fourrés dans le pétrin, qu'il ait cherché à souiller sa réputation auprès de la Compagnie en déclarant qu'elle désobéissait aux ordres, qu'elle se soit retrouvée enchaînée ?... Pour s'entendre demander maintenant où étaient *les clés ?* Le jour où avait éclaté cette bataille provoquée par Terl, tout le monde avait cherché des clés, des clés, des clés !... Les devoirs qu'elle avait auprès de la Compagnie...

Jonnie chuchota quelque chose au creux de l'oreille de Ker, qui lui répondit à voix basse :

- Tu veux provoquer une émeute ?

Mais Jonnie insista et, finalement Ker dit à Chirk :

- Tais-toi ! Ce n'est pas parce que Terl avait l'intention de tous vous tuer, qu'il faut nous en rendre responsables !

Le femelle psycho s'immobilisa. Derrière la visière de son masque, elle roulait des yeux effarés. Et la valve de gaz se mit à vibrer plus vite.

Une fois encore, Jonnie se pencha vers Ker, et le petit Psychlo reprit :

- Peut-être que tu t'en fiches, mais quand il s'installera ici et qu'il aura tout pouvoir sur le camp, il te passera un sacré savon en découvrant que les clés sont introuvables !

Au milieu de son corps, les muscles qui correspondaient à l'emplacement de son cœur se mirent à tressauter et à se convulser. Pendant une demi-minute, la valve de son masque demeura inerte. Puis la femelle psychlo respira de nouveau.

- Il va revenir ici ? demanda-t-elle, sur un ton si bas qu'ils eurent de la peine à l'entendre à travers le masque.

- A ton avis, pourquoi nous réparons tout ça ? demanda Ker. (Et il ajouta d'un ton menaçant :) Où sont les clés pour tous ces placards dans le mur ?

Elle secoua la tête.

- Jamais il ne les a confiées à personne. Peut-être qu'elles ont disparu !

N'y avait-il pas eu un sanglot dans sa voix ? se demanda Jonnie.

- Reconduisez-la, dit Ker d'un ton bourru en s'adressant aux gardes.

Ils s'exécutèrent.

- Qu'est-ce qui se passe ici ? demanda Lars, en surgissant sur le seuil.

- Nous essayons de trouver les panneaux d'accès aux circuits ! lança Ker. Tout est grillé !

Il y avait des fioles de gaz respiratoire dispersées un peu partout. Jonnie, discrètement, en ouvrit une qui se trouvait juste derrière lui. Angus et lui, de même que Ker, portaient un masque.

Ker fouilla dans sa poche et en sortit une poignée d'objets non identifiables qu'il montra à Lars.

- Ce travail est dangereux ! Je veux une prime supplémentaire ! J'ai trouvé ça dans le premier boîtier à circuits !

Lars s'approcha et regarda. Il vit des balles crantées qui ressemblaient à des projectiles radioactifs mais n'en étaient pas. Il y avait aussi un détonateur à retardement pareil à ceux que l'on utilisait dans les petits trous de mine. Mais le plus remarquable était un gros morceau de plastic.

- Quelqu'un s'est introduit dans ce bureau ! cria Ker. J'exige désormais que la porte soit *verrouillée*. Je veux que personne n'entre ou ne sorte d'ici hormis nous ! Et j'exige aussi que tu disparaisses. A des kilomètres d'ici. Sinon tu vas te faire tuer et la faute retombera sur moi. Je te connais !

Sous l'effet du gaz psychlo qui s'échappait de la fiole débouchée, Lars s'était remis à tousser.

- Tu vois ? poursuivit Ker. Tous ces conduits sont encore pleins de gaz respiratoire et ils fuient !

Sans cesser de tousser, Lars battait en retraite vers le hall. Il brandit les objets que Ker venait de lui mettre entre les mains et demanda :

- Est-ce que... est-ce que c'est dangereux, ces trucs ?

- Balance-les sur tes supérieurs et tu auras la réponse ! Si je te revois traîner dans le coin, je leur dirai que tu ralentis le travail en donnant des ordres pour qu'on se tourne les pouces. Fiche-moi le camp, disparais, reste à l'écart. Si je te revois ici, vous n'aurez plus qu'à vous trouver un autre expert. Pigé ? Je démissionnerai !

Lars regarda encore une fois Jonnie de façon bizarre mais, au même instant, des grondements coléreux montèrent du dortoir, à trois étages en dessous, et il s'éclipsa en courant.

- Tu as vraiment trouvé ces objets ici ? demanda Angus à Ker.

- Bien sûr que non. Bon, on va verrouiller, installer des barres sur les portes et se mettre au travail. Pour l'instant, le camp est vraiment le dernier endroit où Terl souhaiterait se retrouver. Il n'y remettra les pieds que lorsque nous en aurons fini avec le bureau et lorsqu'il aura fait liquider tous les autres Psychlos.

Le petit Psychlo prêta l'oreille aux rugissements et aux glapissements qui venaient d'en bas.

- Jonnie, tu as bel et bien créé une émeute. Terl doit les entendre, de sa cage. Chirk leur a tout raconté !

Jonnie verrouilla les portes et mit les barres en place. Puis il fit signe à Angus de s'attaquer aux compartiments des murs. Angus sortit des pics et des burins de son sac et se mit au travail.

Les affaires sérieuses venaient de commencer !

VINGTIÈME PARTIE

1

Leur problème était de placer des mouchards dans le plus d'endroits possible, tout en évitant absolument que ces mouchards ne soient découverts par celui qui, bien que fou à lier, était l'un des chefs de la sécurité les plus vigilants jamais sortis des écoles de la Compagnie.

S'ils s'y prenaient bien, ils disposeraient bientôt de l'enregistrement intégral des mathématiques et de la technologie de la téléportation. Ils sauraient ce qui s'était produit sur Psychlo, car ils pourraient téléporter des picto-enregistreurs. Et ils pourraient aussi localiser les autres races et connaître leurs intentions. Ils pourraient être en communication avec les étoiles et les galaxies et défendre la Terre.

Terl devrait mettre au point et construire toute une console de transfert à partir de rien, car celle qui s'était trouvée à proximité de la vieille plate-forme n'était plus qu'une ruine calcinée.

Ils auraient besoin d'engins qui liraient par-dessus son épaule tous les livres qu'il ouvrirait, tous les calculs qu'il ferait. Ils allaient devoir préparer l'atelier de son bureau et l'équiper de manière à pouvoir enregistrer ses moindres gestes, chaque résistance qu'il utiliserait, chaque fil qu'il connecterait.

Il ne faisait pas de doute qu'il explorerait les lieux avec une sonde tous les jours avant de se mettre au travail, et probablement après. Il serait plus méticuleux que jamais dans sa chasse aux mouchards.

Si Terl avait le moindre soupçon qu'on l'espionnait pour percer à jour la technologie de la téléportation, il ne commencerait rien. Et s'il pensait qu'une race étrangère avait réussi à apprendre ses secrets, il se suiciderait. Car il ne faisait pas de doute qu'il avait dans le crâne l'objet qu'ils avaient trouvé chez les Psychlos morts.

Avant qu'ils ne quittent l'Afrique, le docteur MacKendrick s'était montré très pessimiste quant à la possibilité d'ôter ce genre d'objet de tous ces os sans tuer le patient. Il y avait une faible chance. Mais on ne pouvait compter avec.

Angus avait récemment commencé à comprendre pourquoi Jonnie avait gardé Terl en vie, pourquoi ils n'avaient pas mis fin au chaos politique actuel avec leurs avions de combat. La situation était très délicate. Leurs chances bien minces. Il fallait que leur plan marche. Mais il y avait tant de risques ! Angus ne doutait pas le moins du monde que Jonnie fût prêt à donner sa vie. Il prenait des risques énormes, mais l'enjeu était immense : la technologie de la téléportation des Psychlos, ni plus ni moins. L'existence de la Terre en dépendait.

Jonnie, pensait Angus, était un homme solide. Lui-même n'aurait jamais été capable d'autant de patience et de persévérance, d'autant d'objectivité ; tôt ou tard, il se serait laissé aller à des considérations personnelles.

Angus abandonna un bref instant les serrures des compartiments muraux et regarda Jonnie. Il ne pouvait s'empêcher d'éprouver de l'admiration en songeant à ce qu'il était en train de faire. Terl ou Lars et consorts le tueraient sur-le-champ s'ils le trouvaient ici ou venaient à apprendre ce qu'il préparait. Robert le Renard avait protesté en disant que c'était pure folie, que c'était un risque désespéré et gratuit. Mais Angus n'était pas de cet avis. Il était en présence d'une forme de courage que jamais encore il n'avait rencontrée.

Angus finit par ouvrir les placards muraux. Il y avait à l'intérieur tout le fatras de documents et d'archives dont un chef de la sécurité pouvait avoir besoin et qu'il considérait comme vital.

Jonnie espérait découvrir des notes ultrasecrètes concernant la téléportation ou les mathématiques étranges qui s'y rapportaient. Il ne trouva rien de plus que des rapports sur des tests ordinaires. Mais il mit la main sur un document intéressant.

C'était un relevé de tous les dépôts de minéraux de la Terre. La Compagnie elle-même n'avait pas fait de relevé systématique depuis des siècles, mais Terl, lui, l'avait fait.

Jonnie sourit. Il existait *seize* filons d'or presque aussi importants que celui auquel ils s'étaient attaqués ! Dans les Andes et l'Himalaya. Ils étaient plutôt loin et leur exploitation aurait sans doute attiré l'attention. Et... oui : tous ces autres filons étaient associés à de l'uranium.

Les relevés des ressources minérales de la planète étaient particulièrement volumineux. Durant des siècles, les chefs de la sécurité qui s'étaient succédé avaient consigné dans leurs livres les découvertes des drones, que l'on utilisait pour la surveillance mais qui étaient essentiellement des engins de détection de minerai.

La Compagnie, avec ses méthodes d'exploitation « à mi-noyau », creusait presque jusqu'au noyau liquide, à l'extrême fond de la croûte, sans jamais la traverser. Elle se contentait d'exploiter à fond les mines qu'elle avait ouvertes, sachant très bien qu'il lui restait encore des siècles de richesses intactes et exploitables.

Terl avait tout simplement détourné les dossiers de la Compagnie pour son usage propre.

Des métaux, des minerais ! La planète était encore riche de ressources.

Jonnie fit un enregistrement rapide de chaque page. Il n'était pas venu pour cela, mais c'était réconfortant d'apprendre que la Terre n'était pas minéralement ruinée. Car ils auraient besoin de ce qui restait.

Angus venait de découvrir ce qu'ils cherchaient depuis le début : la sonde antimouchard de Terl. C'était une boîte rectangulaire munie d'une courte antenne à l'extrémité de laquelle se trouvait une coupelle. L'appareil était muni de voyants lumineux, de bourdonneurs et de touches de marche/arrêt.

Jonnie avait été assidu dans ses études d'électronique. Il savait que les ondes que cet appareil pouvait détecter ne traversaient pas le plomb ni ses alliages. D'ordinaire, ce facteur n'aurait pas eu la moindre importance puisqu'il n'existait pas de mouchards capables d'émettre au travers du plomb. Donc, à quoi bon détecter des mouchards optiques ou acoustiques revêtus de plomb, puisque, de toute manière, ils ne rempliraient pas leur fonction ?...

La première chose à faire était de trafiquer les commandes de la sonde.

Jonnie se rendit au magasin d'électronique et y trouva très vite ce dont il avait besoin. Quand il revint, Ker avait exploré tout le secteur sans découvrir un seul mouchard.

Ils décidèrent de l'endroit où Terl devrait être installé pour travailler : dans l'ex-bureau de réception de Chirk. Il était suffisamment vaste et la console passerait sans encombre par la porte. Tandis que Jonnie, à son bureau, travaillait sur la sonde, ses deux compagnons construisaient un établi à partir d'une plaque de métal. Ils le soudèrent au sol et blindèrent les soudures de telle façon que ce serait un travail de titan de le déplacer. Ils se procurèrent même un tabouret qu'ils mirent devant. Ils regardèrent le résultat d'ensemble. Oui, c'était très bien conçu. Jonnie s'installa à l'établi pour y poursuivre son travail.

Il avait bien avancé. En se servant de boutons de micro-émetteurs utilisés normalement pour les télécommandes, il avait asservi toutes les commandes de la sonde. Quand on la déclenchait, elle envoyait une impulsion à partir du relais. Tous les relais qu'il avait mis en place n'étaient visibles qu'au microscope. Il les avait fixés par simple pulvérisation moléculaire. La phase la plus difficile de l'installation, en fait, était de réussir à les maintenir à l'endroit désiré à l'instant de la pulvérisation. Mais, à l'œil nu, ils étaient absolument imperceptibles.

En utilisant un voyant témoin placé à distance, il déclencha chaque commande tour à tour et le voyant réagit fidèlement.

La phase suivante était plus difficile puisqu'il s'agissait d'adapter des diaphragmes à iris prélevés sur les écrans des avions. Ces dispositifs minuscules s'ouvraient ou se fermaient automatiquement en fonction de la lumière reçue.

Ils commencèrent par démonter ces objets délicats avant de les vaporiser d'une fine couche de plomb et de les remonter de telle manière qu'ils continuent de fonctionner et de diaphragmer. Angus, pour ce genre de besogne, était le meilleur.

Puis ils mirent en place des anneaux de contraction autour des iris plombés et installèrent des micro-boutons pour les déclencher.

Lorsqu'ils en eurent construit une quinzaine, ils firent un essai poussé et minutieux. Quand on activait la sonde, l'iris se fermait instantanément. Quand on l'éteignait, il s'ouvrait à nouveau.

Autrement dit, les iris plombés se fermeraient dès que la sonde entrerait en fonction, mettant en place un écran de molécules de plomb sur tous les mouchards et les rendant momentanément « aveugles » et « sourds », mais également indétectables. Ils ne reprendraient leur fonction qu'à l'extinction de la sonde.

Jusque-là, tout allait bien. Ils se lancèrent ensuite dans une exploration systématique des magasins. Lorsque Lars surgit, ils lui déclarèrent qu'ils étaient en quête d'« amortisseurs de mandrin ». Ils ramassèrent jusqu'au moindre mouchard et jusqu'au moindre composant nécessaire à la fabrication des sondes de détection. Ils mirent le tout dans une boîte qu'ils allèrent déposer dans leur véhicule. Cette boîte, ils allaient l'envoyer loin, très loin. Hors du pays.

Ils disposaient donc à présent d'une sonde qui ne sonderait pas tout en donnant l'impression de fonctionner parfaitement et de quinze iris qu'ils pouvaient fixer à des mouchards.

Lars réapparut en remarquant qu'ils étaient vraiment très silencieux, et ils lui dirent d'aller se faire voir. Ker apporta aussitôt un disque sur lequel étaient enregistrés des coups de marteau et des bruits de perceuse, et ils le passèrent.

Ensuite, ils effacèrent toute trace de leur travail et dissimulèrent la sonde trafiquée et les iris.

Ils prirent conscience tout à coup que la journée avait été longue. Ils n'avaient même pas mangé. Ils avaient encore beaucoup à faire, ils en convinrent, mais, pour aujourd'hui, c'était assez.

Jonnie et Angus n'avaient nullement envie de défier le sort en affrontant de trop nombreux cadets à l'Académie, et ils décidèrent d'aller dormir dans l'ancien appartement de Char. Ker allait retourner à l'Académie, leur rapporter de quoi manger ainsi que des vêtements de travail. Dunneldeen était sans doute arrivé et Jonnie avait un message pour lui à propos des Psychlos. Il le tapa sur la machine de Chirk :

Tout va bien. Dans trois jours, organiser transport des trente-trois P. de la prison du camp, soi-disant à destination des Cornouailles. Ensuite faire un rapport comme quoi l'appareil s'est abîmé en mer. Remettre les P. au docteur. Pas avant trois jours. Aucun ennui à redouter avec eux. Ils ne se feront pas prier pour partir. Mange ce message.

Ker promit de remettre le message et partit.

Jonnie et Angus allèrent s'allonger, pour se détendre un peu. Jusque-là, tout se passait bien. Ils avaient encore beaucoup à faire.

2

Jonnie se sentait un peu perdu dans le lit de quatre mètres de long de Char en même temps qu'un peu nerveux dans ce bâtiment vide où le moindre bruit était renvoyé par l'écho. Il attendait le retour de Ker. Il se faisait tard et il se demandait ce qui avait bien pu retenir le petit Psychlo. Pour tuer le temps, il lisait.

Char, en pliant bagage, avait laissé diverses choses qu'il n'avait pas tenu à remporter sur Psychlo. En particulier, une *Histoire de Psychlo* destinée aux enfants, qu'il avait peut-être conservée depuis sa période scolaire, car on lisait sur la page de garde, d'une écriture maladroite : « Ce livre est à Char. Si vous l'avez volé, rendez-le-lui ! » Et, en dessous : « Sinon, je vous égorge ! » Une chose était certaine en tout cas : Char n'égorgerait plus personne maintenant ; il était mort. Terl avait su y veiller, il y avait déjà pas mal de temps de cela.

Ker avait fait allusion à des mines en sous-sol, et Jonnie fut vaguement intéressé en lisant que toute la Cité Impériale et ses environs n'étaient qu'un vaste labyrinthe de puits et de galeries abandonnés. Plus de trois cent mille ans auparavant, Psychlo avait épuisé les exploitations de surface et développé les techniques de profondeur. Certains puits atteignaient cent trente kilomètres de fond et s'approchaient parfois à moins d'un kilomètre du noyau en fusion. Il devait régner une température infernale dans ces mines ! Elles n'étaient exploitables que par des machines, pas par des êtres vivants. Le labyrinthe était tellement étendu que certains des bâtiments en surface s'affaissaient de temps à autre.

Jonnie lisait le chapitre intitulé « La Première Guerre Interplanétaire pour mettre un terme à la pénurie minéralogique » lorsque Ker réapparut.

Il affichait un air grave, nettement perceptible même à travers son masque.

- Dunneldeen a été arrêté, déclara-t-il.

Dunneldeen, raconta-t-il, était arrivé avec un avion de combat au crépuscule et avait demandé le gîte et le couvert. Mais, quand il était sorti du réfectoire, deux hommes vêtus de peaux de singe et portant des cartouchières croisées sur la poitrine avaient surgi de l'ombre et lui avaient déclaré qu'il était en état d'arrestation. Une escouade complète d'individus similaires attendait non loin de là.

Dunneldeen avait été conduit jusqu'au capitole à bord d'un véhicule conduit par Lars. Le capitole était ce grand bâtiment au toit peint, dans la ville en ruine. Dunneldeen avait été poussé dans la « salle du tribunal » et le Doyen Maire de la Planète avait commencé à lui donner lecture des nombreux crimes qui lui étaient reprochés, tels que d'avoir interrompu l'application des projets du Conseil, d'avoir déclenché une guerre... Puis il l'avait regardé et avait dit : « Mais vous n'êtes pas Tyler ! » Il avait fait alors appeler le capitaine des gardes ; tous deux avaient eu une prise de bec. Puis le Doyen Maire avait fait promettre à Dunneldeen de ne rien dire qui pût déclencher une guerre avec l'Écosse avant de le relâcher.

Dunneldeen avait regagné l'Académie en confisquant le véhicule de Lars et il allait parfaitement bien. Ker avait dû patienter avant de lui remettre le message et Dunneldeen, en réponse, lui avait demandé de mettre Jonnie en garde.

- Ce qui signifie, conclut Ker, qu'ils t'attendaient et qu'ils vont te chercher partout. Il faut que nous soyons très prudents, que nous travaillions très vite et que nous te fassions partir d'ici dès que nous le pourrons.

Jonnie et Angus se restaurèrent avec ce que Ker leur avait apporté, puis prirent quatre heures de sommeil. Ker s'installa dans son ancienne chambre et garda son masque pour dormir car il n'y avait aucune arrivée de gaz respiratoire dans le bâtiment.

Ils se remirent à la tâche avant l'aube, à toute allure. Ker avait mis en place un autre disque de bruits de travaux, coups de marteaux, vrilles et autres. Mais cela ne correspondait pas du tout à ce qu'ils faisaient.

A présent, ils devaient installer les « yeux » et les émetteurs d'images de telle façon qu'ils ne soient ni visibles ni détectables.

Ils commencèrent par le dôme de verre au plomb et ils y forèrent des « trous de balles » - à des emplacements qu'ils avaient très exactement prévus - en tenant compte du problème des stores qui, une fois baissés, risquaient de tout couvrir. Le haut du dôme était plus sombre que les flancs, et les détecteurs (les « lecteurs », comme les appelait Ker) devraient être placés très haut.

Quant aux « trous de balles », eux aussi devraient être maquillés, c'est-à-dire qu'il allait falloir leur ajouter des fissures tout autour, comme si des projectiles étaient vraiment venus frapper le dôme de l'extérieur. Pour faire bonne mesure, ils en ménagèrent dans les autres dômes sans effectuer la moindre réparation, de façon que la condition semble générale et non limitée aux quartiers de Terl.

Ils glissèrent ensuite les lecteurs et les émetteurs dans chaque trou prévu. Puis remplirent les trous de « tampon-bulle » à transparence polarisée. Puis ils en passèrent également, mais de façon grossière, sur les « fissures ».

Chaque lecteur avait un iris et se trouvait placé dans un petit écrin de plomb. Le résultat d'ensemble évoquait le travail d'ouvriers négligents qui avaient comblé à la va-vite les trous dans le dôme. Chaque lecteur était dirigé sur un point différent de chacune des deux pièces de travail.

- Il ne touchera pas à ça ! ricana Ker. Il aura trop peur de faire rentrer de l'air !

Au début de l'après-midi, ils eurent fini d'installer tous les lecteurs du dôme. Ils se livrèrent à un essai avec les récepteurs et la sonde. Tous devinrent aveugles et indécelables dès que la sonde se mit en marche. Ils restituèrent à nouveau l'image de tout ce qui se trouvait dans leur rayon de perception dès que la sonde fut arrêtée.

Ils firent une brève pause pour déjeuner et en profitèrent pour arrêter le disque de bruits qui leur avait écorché les oreilles durant toute la matinée. Brusquement, ils entendirent un fracas épouvantable. Cela venait du dehors.

Ker gagna la porte et leva la barre. Lars reçut une bouffée de gaz respiratoire et recula. Il demanda à Ker de sortir car il avait à lui parler d'urgence.

- Tu interromps nos travaux ! remarqua Ker, mais il sortit dans le couloir.

- Tu t'es fichu de moi ! lança Lars, vibrant de rage. Tu m'as donné toutes ces saletés pleines de poussière radioactive ! A cause de toi, je me suis fait assaisonner ! Quand j'ai montré les objets à Terl ce matin, ça a commencé à exploser près de son masque respiratoire ! Tu savais que ça arriverait ! Il a failli me mordre !

- Ça va, ça va, ça va ! On va tout nettoyer avant de faire entrer le gaz !

- Mais ces balles étaient radioactives !

- Rien à craindre ! Elles ont pénétré par le dôme. On va toutes les retrouver. T'excite pas comme ça !

- Tout ça, c'est pour me causer du tort ! se plaignit Lars.

- En tout cas, reste à l'écart. Parce que ça pourrit les os des humains, tu sais.

Lars ne savait pas. Il battit en retraite et disparut.

Lorsque Ker revint et qu'il eut refermé, Angus demanda :

- C'étaient vraiment des balles radioactives ?

Ker éclata de rire et se mit à enfourner de la nourriture derrière son masque. Jonnie était émerveillé. Ker était sans doute le seul Psychlo qu'il ait vu avaler du kerbango en gardant son masque, et voilà qu'il réussissait à manger sans l'ôter, tout en parlant.

- C'est du crépitant, dit Ker sans cesser de rire. Un composé qui lance des étincelles bleues dès qu'il est exposé au soleil. J'en ai saupoudré un peu sur les balles. C'est inoffensif. Un jouet d'enfant. (Il rit encore plus fort, puis soupira.) Il fallait bien trouver une explication pour ces trous de balles dans le dôme, donc, nous devions « retrouver » des balles. Mais ce Terl... il est tellement malin qu'il lui arrive d'être absolument idiot !

Jonnie et Angus rirent à leur tour. Ils imaginaient très bien Terl voyant jaillir des étincelles des « découvertes » que Ker avait confiées à Lars, sous l'effet du soleil. Terl était convaincu que le monde entier en voulait à son existence et il avait dû littéralement se jeter au fond de la cage ! Il avait sans doute cru que l'uranium s'infiltrait par la valve de son masque.

Ils s'attaquèrent aux conduits de gaz et les bruits de marteaux et de perceuses furent bien réels cette fois-ci. L'astuce consistait à insérer des lecteurs à iris dans les arrivées et les sorties tout autour de la pièce sans qu'ils soient visibles, tout en étant placés de façon à donner une image précise des lieux depuis l'intérieur du conduit. Ces conduits eux-mêmes nécessitèrent un travail tout particulier. Ker, en dépit de sa petite taille, était capable de plier des feuilles de métal entre ses pattes comme du vulgaire papier.

Il les fixa l'une après l'autre autour des extrémités des conduits, aux sorties et aux arrivées, de telle façon qu'ils aient l'air délabrés. Si on les touchait, on avait l'impression qu'ils allaient se casser mais, en vérité, tout avait été soudé et blindé.

Ils mirent les lecteurs en place, vérifièrent que les iris réagissaient, fixèrent les conduits et lancèrent les pompes de circulation. Le soir était tombé, mais ils ne ralentirent pas leur besogne. Il était près d'une heure du matin quand ils eurent achevé d'installer un système de circulation d'atmosphère qui fonctionnerait correctement.

Ils avaient le sentiment de ne pas être dans les temps. Aussi, ils décidèrent de travailler toute la nuit. Maintenant, le problème était de centraliser les émissions de tous les lecteurs et de les transmettre jusqu'à l'Académie, à des kilomètres de distance.

Aucun des lecteurs ne pouvait être activé ni ses signaux reçus à plus de quelques centaines de mètres. Tous avaient des fréquences différentes, ce qui impliquait un système d'alimentation volumineux.

Jonnie se remit au travail sur la sonde et mit en place une télécommande qui activerait ou couperait le boîtier d'alimentation multi-canaux. C'était la partie la plus facile. Il ne fallait pas que des ondes radio se baladent partout lorsque la sonde serait en action.

Le plus difficile allait être de retransmettre les signaux jusqu'à l'Académie. Pour cela, ils se servirent des ondes terrestres. Les ondes terrestres diffèrent des ondes aériennes en ceci qu'elles ne peuvent être transmises que par le sol. L'« antenne » est alors une tige enfoncée dans la terre, pour la réception comme pour l'émission. La longueur d'onde serait différente et ils ne courraient donc aucun danger de détection extérieure. Mais les Psychlos, sur Terre, ne se servaient pratiquement pas des ondes terrestres et ils durent fabriquer fébrilement les composants nécessaires en reconvertissant des éléments de radios normales.

C'était l'automne, et il faisait encore nuit quand Angus et Ker se glissèrent jusqu'à l'Académie pour y installer les récepteurs et les enregistreurs : une unité dans les toilettes, une autre dans une cabine téléphonique désaffectée, et la troisième sous une dalle disjointe, devant l'autel de la chapelle.

Pendant ce temps, Jonnie était occupé à enterrer le bloc d'alimentation à l'extérieur du dôme. Il avait une explication toute prête : « Vérification des câbles électriques. » Mais il n'en eut pas besoin. Le monde entier semblait encore endormi. Il mit assez de cartouches de carburant pour six mois de fonctionnement ou plus, enveloppa le tout dans un emballage étanche, le déposa au fond du trou qu'il avait creusé, enfonça l'antenne de sol et remit la terre et les touffes d'herbe en place. Personne ne se rendrait compte que l'on avait creusé ici. Jonnie avait retrouvé les gestes anciens du chasseur qui posait des pièges invisibles.

De retour à l'intérieur, il vérifia tout encore une fois. Chacun des iris fonctionnait parfaitement. Les lecteurs étaient alimentés et se mettaient en marche ou s'éteignaient au rythme de l'alimentation. Il les laissa marcher pour qu'Angus et Ker aient un signal à l'Académie et puissent tester leurs enregistreurs.

Ensuite, il s'activa à remettre les bureaux et la table à dessin en place. Il les fixa au sol au moyen de soudures blindées dont aucun couteau moléculaire ne pourrait venir à bout !

A huit heures, Angus et Ker firent irruption, comme s'ils commençaient leur journée. Ils verrouillèrent la porte avec un large sourire.

- Ça marche ! lança Angus. On t'a vu travailler et on a même pu lire le numéro de série de ta lampe à souder. On a eu les quinze lecteurs sur l'écran ! (Il tendit la main.) Et voilà les disques !

Ils firent passer l'enregistrement. Tous les chiffres étaient lisibles. On voyait même le grain des différents matériaux !

Ils poussèrent un soupir de soulagement.

Puis Angus, prenant Jonnie par l'épaule, lui montra la porte :

- Jusqu'à maintenant, nous avions besoin de tes idées et de tes talents, Jonnie. Mais, désormais, il ne reste plus qu'à installer le dispositif bidon pour tromper Terl. Chaque minute que tu passes ici est une minute de trop !

Ker était occupé à poser la sonde exactement à la place qu'elle avait occupée et à refermer le placard, en le remettant dans l'état où ils l'avaient trouvé.

- Quand j'ai accepté ce travail et que j'ai soupçonné que tu viendrais, dit-il, j'ai fait le plein d'un avion. C'est celui qui se trouve juste en face de la porte du hangar. Son numéro de série se termine par 93. Il t'attend. Ce n'est pas nous qu'ils veulent, Jonnie, c'est toi !

- Il nous faudra à peine trois quarts d'heure, une heure pour monter le reste, dit Angus. Pars. C'est un ordre de Sir Robert : nous devions te faire quitter les lieux dès que ta présence n'était plus nécessaire.

Ker, à présent, avait reverrouillé le placard et avait introduit une barre dans l'interstice de la porte. Il pesa dessus pour donner l'impression que quelqu'un avait tenté sans succès de forcer le placard.

- Au revoir ! lança-t-il d'un ton insistant.

Oui, c'était vrai, se dit Jonnie. Ils pouvaient terminer sans son aide et ils ne couraient aucun danger. Mais il fallait être sûr que le travail était fini. Il attendrait dans l'avion.

- Descendez m'avertir quand tout sera fini, dit-il.

- Fiche-moi le camp d'ici ! tonna Angus.

Jonnie leur adressa un salut et sortit. Ils fermèrent la porte au verrou derrière lui. Il suivit le couloir jusqu'à la chambre de Char pour prendre ses affaires. Il était exactement 8 h 23 du matin.

Il était déjà trop tard.

3

Vers cinq heures ce matin-là, Brown le Boiteux sut qu'il avait trouvé Tyler.

Depuis des jours maintenant, il ne dormait plus, il ne parvenait même plus à s'asseoir tranquillement ni à manger. Il avait oublié toutes les autres affaires d'État, tous les devoirs qui, d'ordinaire, occupaient tout son temps. Vingt-quatre heures par jour ou presque, avec une étincelle de détermination farouche dans le regard, il s'était concentré sur le piège qu'il avait monté et qui devait se refermer. Il fallait que le crime soit puni ! Un malfaiteur *devait* être traduit en justice. L'intégrité et la sécurité du gouvernement devaient prévaloir. Tous les textes qu'il avait lus sur l'art de gouverner, tous les conseils qu'il avait entendus lui prouvaient une seule et même chose : *il devait s'emparer de Tyler !*

Il avait commencé à entrevoir la victoire à 3 heures du matin, lorsqu'il avait extrait de la machine un cliché pris par un drone. Il avait quelques ennuis avec ces machines. Depuis que l'on avait amené ces enregistreurs au capitol, leur complexité hermétique n'avait cessé de l'irriter et il lui arrivait fréquemment de leur donner des coups quand elles ne crachaient pas les nouvelles qu'il voulait. Il avait le sentiment d'être un martyr à force de faire tout ce travail sans la moindre assistance. Mais il avait tenu à jeter un coup d'œil aux derniers enregistrements des drones qui survolaient l'Écosse. Le pilote qui s'occupait à la fois du contrôle des drones et des machines enregistreuses n'était pas de service à cette heure. C'était insupportable !

Il vit Tyler ! Dansant comme un fou, à la façon des Highlanders, devant un feu, avec une bonne douzaine d'autres. Malgré l'absence de son, il imaginait d'ici la plainte hystérique des cornemuses. Une douleur aiguë lui traversa les tympans. Oui, c'était bien lui, avec sa chemise de chasse et tout... Tyler.

Il eut quelque mal à régler la machine. Il n'avait jamais su reconnaître un chiffre psychlo d'un autre. Mais, quand il y parvint enfin, il obtint un agrandissement.

Ce n'était pas Tyler ! Il réalisa alors qu'il n'était pas logique. Tyler ne pouvait se trouver là-bas en train de danser frénétiquement en agitant les bras. La dernière fois qu'il l'avait vu au camp, Tyler se déplaçait péniblement à l'aide d'une canne et avait perdu l'usage de son bras droit.

Mais, à 4 h 48 du matin, un autre drone, qui survolait la région du Lac Victoria, cracha une autre image où l'on voyait un homme, debout près du lac, qui jetait des cailloux dans l'eau. Un homme en chemise de chasse, avec les mêmes cheveux, la même barbe. Tyler ! Mais ce ne pouvait être lui, parce qu'il se servait de son bras droit sans problème et qu'il n'avait aucune difficulté à marcher.

Il venait à peine de jeter le cliché que Lars Thorenson fit irruption dans la pièce, lui apportant vraisemblablement des nouvelles. Brown le vitupéra proprement. Que faisaient ces deux Tyler surpris par deux drones différents, dans un si court laps de temps, en des points aussi éloignés sur la surface de la Terre ?

- Mais c'est ce que j'essaie de vous dire ! clama Lars. Il y a trois Écossais qui ressemblent à Tyler. Mais il ne s'agit pas de ça. Vous savez ce que Terl nous a dit de surveiller tout particulièrement ? Les marques sur le cou de Tyler, laissées par le collier qu'il a si longtemps porté. Je n'arrivais pas à comprendre pour quelle raison Stormalong portait son écharpe blanche aussi haut sur le cou. Il ne l'a jamais fait auparavant. Et, il y a cinq minutes, je me suis réveillé brusquement et j'ai tout compris en un éclair ! C'était pour cacher ces cicatrices ! Tyler est dans le camp en ce moment même, et il se cache sous l'identité de Stam Stavenger ! Stormalong !

En s'appuyant sur un raisonnement erroné, ils étaient parvenus à des conclusions justes.

Brown Staffor entra immédiatement en action. Lars n'avait pas cessé de lui parler de ce grand héros militaire, Hitler, et de ses campagnes exemplaires. Et Terl lui avait donné le sens de la prévoyance. Brown s'était donc préparé pour ce moment tant attendu.

Deux jours auparavant, il avait conclu le contrat avec le général Snith. Cent crédits par jour et par homme, cela représentait une somme importante à payer, mais Snith la valait bien.

Deux commandos avaient été acheminés en camion jusqu'au village, en haut de la grande prairie. Il n'y eut pas de réunion des villageois. Ils furent chassés sans que l'on prête l'oreille à leurs protestations et relogés en hâte dans ce village lointain, sur l'autre versant de la montagne, que Tyler avait choisi pour eux. Les cinq plus jeunes, qui auraient pu avoir quelque chose à dire, se trouvaient à l'Université. Trois d'entre eux suivaient les cours de conduite de machines et apprenaient comment dégager les cols en hiver avec des pelleteuses. Les deux autres étaient élèves-pilotes. Quant aux enfants et aux vieux, pour ce qu'ils avaient à dire !... Ils s'étaient plaints que tous leurs préparatifs pour la venue de l'hiver étaient ruinés. Seule concession dictée par la politique : on leur avait expliqué qu'on les déplaçait afin de pouvoir effectuer la récupération des anciennes mines tactiques qui avaient été enterrées dans la région il y avait longtemps. Ces mines, en fait, avaient leur rôle à jouer dans l'habile stratégie que Brown avait concoctée.

La demeure de Tyler avait été truffée de pièges tels que grenades et capsules explosives. Les experts-artificiers brigantes avaient assuré à Brown qu'il suffirait à Tyler d'entrouvrir la porte pour être réduit en charpie.

L'histoire qu'ils raconteraient était que Tyler était venu en dépit de tous les avertissements à propos des anciennes mines et qu'il y en avait une qui avait sauté. De cette manière, Brown n'aurait à redouter ni blâmes ni protestations. Quant à savoir s'il s'agissait d'une idée de Terl ou de lui-même, il n'avait que quelques souvenirs nébuleux. Peu importait : politiquement, c'était très brillant. L'État et la nation devaient être libérés du fléau, de l'archi-criminel Tyler, et cela sans que l'édifice politique en souffre. Brown avait lu quelque part que la fin justifie les moyens et cette politique lui semblait particulièrement saine. Quand il y songeait, il réalisait qu'il était en passe de devenir un homme d'État du niveau des personnalités les plus marquantes de l'histoire ancienne de l'homme.

A 6 heures du matin, il donna l'ordre au général Snith de commencer à changer la garde du camp. Les cadets seraient désormais déchargés de cette fonction. On prétexterait qu'ils n'aimaient pas cette corvée, que cela interrompait leurs études et que l'État disposait désormais de sa propre armée sur place. Les Brigantes devraient monter la garde à partir de 8 heures.

Un appel rapide avait confirmé que les deux qui se trouvaient en compagnie de « Stormalong » étaient partis quelque temps auparavant pour l'Académie, et cela avait été porté sur le registre par l'officier de service.

On avait fourni des mitraillettes Thompson au commando des Brigantes. Apparemment, il n'y avait plus de carabines d'assaut disponibles, mais les Thompson feraient l'affaire pour cette mission.

Lars avait reçu ses instructions. On lui avait confié deux hommes armés de mitraillettes. Il devrait se rendre au camp, attendre jusqu'à ce que « Stormalong » se montre et, avec un minimum de perturbations, le mettre aux arrêts. Il devrait éviter tout combat avec Tyler et l'amener ici, au tribunal. Quand Tyler aurait été officiellement inculpé, Brown lui dirait qu'il serait traduit devant la Cour Mondiale qui serait formée avant deux semaines, puis on le conduirait jusqu'à l'ancien village. « Maison d'arrêt » et « jugement d'instance » étaient deux termes dont Brown Staffor avait lu la signification précise. Il informerait donc Tyler qu'il était déféré en maison d'arrêt. Ensuite, Lars le conduirait dans la prairie. Il ne fallait pas courir le moindre risque d'alerter les cadets ou certains des Russes qui se trouvaient dans la vieille tombe.

Lars avait dit :

- Je pense que je devrais m'emparer de lui pendant qu'il se trouve encore dans le bureau de Terl.

Mais Brown avait refusé.

- Non. Terl m'a assuré qu'il peut parer à tout méfait auquel Tyler pourrait se livrer dans son bureau. Il est probablement resté en arrière pour se livrer à quelque acte criminel après que les autres eurent fini. Il faut le surprendre seul. Les deux autres pourraient l'aider. Nous en avons après le seul criminel Tyler. Il faut qu'il soit conduit jusqu'ici en douceur, inculpé, et emmené jusqu'à la prairie. Soyez poli. Accédez à toute requête normale de sa part. Du doigté. Pas de violence. Et n'endommagez rien dans le bureau. C'est une requête personnelle de Terl.

Tout cela avait semblé un peu trouble et désordonné à Lars, mais il avait quand même saisi les points essentiels. Il prit ses deux Brigantes, s'assura qu'ils avaient bien leurs mitraillettes, se procura un véhicule blindé et partit.

Brown Staffor dit au général Snith :

- Gardez vos mercenaires hors de vue dans le camp, mais tenez-vous prêt pour des troubles possibles ce matin. Dites à vos hommes de ne tirer que s'ils sont attaqués.

Le général Snith dit qu'il avait compris. Ses hommes étaient bien décidés à mériter leur solde.

Brown Staffor avait retrouvé le modèle de robe que les juges portaient dans l'ancien temps et s'en était fait faire une pour l'occasion. Il l'enfila, boitilla jusqu'à la fenêtre, regarda plusieurs fois au-dehors, puis se contempla dans un vieux miroir craquelé.

Le moment était venu de faire payer pour toute une vie d'offenses et d'abus !

4

Jonnie fit deux pas à l'intérieur de la chambre de Char.

Le canon d'une mitraillette s'enfonça dans son flanc gauche !

Un Brigante se dressa de derrière un fauteuil, brandissant lui aussi une Thompson dirigée droit sur lui.

Lars, caché derrière le lit, se dressa à son tour et braqua un pistolet sur Jonnie.

- Nous ne sommes pas venus pour vous tuer, annonça-t-il.

Il avait repensé aux instructions qu'il avait reçues et y avait ajouté quelques fioritures de son cru. D'après ce qu'il avait entendu dire, il avait devant lui un dangereux criminel particulièrement sournois, avec lequel on pouvait s'attendre à tout. Pour exécuter l'essentiel de ses ordres, il allait être nécessaire de se montrer très intelligent, aussi intelligent qu'Hitler l'aurait été.

- Faites exactement ce qu'on vous dit et il ne vous sera fait aucun mal. Cette procédure est absolument légale. Vous êtes en état d'arrestation par ordre du Conseil et ces hommes appartiennent aux troupes du Conseil.

Jonnie, en entrant dans la chambre, avait été occupé à ôter son masque, sinon il aurait senti la puanteur des Brigantes et de leurs vêtements mal tannés.

Une heure. Angus et Ker avaient demandé une heure pour mettre l'ultime touche vitale à la préparation du bureau. Si ces créatures allaient maintenant au bureau, elles risquaient de les arrêter eux aussi. Il décida de gagner une heure pour Angus et Ker.

Il prit conscience que Lars et les deux Brigantes devaient être là depuis pas mal de temps. Ker, lorsque Jonnie lui avait demandé des vêtements de travail, avait empaqueté toutes les affaires de Stormalong. Le ballot, parfaitement ficelé, avait été posé près du lit. A présent, il était ouvert et il avait été dûment fouillé. Les sacs de vivres d'Afrique et de l'Académie avaient été pillés. Les affaires d'Angus avaient été en nombre réduit et il avait gardé sa trousse à outils avec lui. Impossible, donc, de deviner que le ballot contenait les affaires de deux hommes.

Le Brigante qui se trouvait derrière lui jeta un coup d'œil à son camarade pour s'assurer qu'il le couvrait toujours, et, d'un geste vif, arracha l'éclateur de la ceinture de Jonnie.

Jonnie haussa les épaules. Il fallait gagner du temps !

- Et vous comptez m'emmener quelque part ? demanda-t-il.

- Vous devez comparaître ce matin devant le Conseil pour être inculpé, déclara Lars.

Jonnie, négligemment, referma la porte derrière lui, afin de masquer le couloir au regard des autres. Angus et Ker ne passeraient pas par ici en se rendant au hangar, mais ils feraient peut-être un peu de bruit. Pire encore ! Ils risquaient d'abandonner ce qu'ils faisaient pour venir s'occuper de cette bande de malfrats !

- Je n'ai rien mangé depuis hier, dit Jonnie. Ça vous dérange si je grignote quelque chose auparavant ?

Lars recula jusqu'au mur. Le Brigante qui était placé derrière Jonnie fit de même, celui qui se trouvait près du fauteuil se déplaça et Jonnie put prendre les gourdes d'eau et les vivres. Il s'assit tranquillement et but. Puis il prit quelques bananes.

Les Brigantes n'avaient plus vu de bananes depuis leur départ d'Afrique et les regardèrent avec de grands yeux. Jonnie leur en proposa et ils étaient sur le point d'accepter quand Lars aboya une réprimande, et ils se remirent instantanément en position.

Jonnie, après avoir dégusté une banane, prit un morceau de pain de mil et se confectionna un sandwich au bœuf. Il sélectionna longuement, mais très exactement, les tranches de viande qui convenaient. A son poignet, la grosse montre psychlo égrenait les minutes et les secondes. Il l'avait réglée sur soixante minutes pile.

- Quelles sont les charges retenues contre moi ? demanda-t-il.

Lars eut un mince sourire. On cherchait à lui arracher des informations confidentielles qui ne concernaient que le Conseil.

- Les personnes habilitées vous le feront savoir en temps voulu.

Jonnie finit son sandwich et prit quelques baies qu'il grignota lentement. Il restait encore quarante-neuf minutes à sa montre.

Il fouilla consciencieusement parmi les vivres éparpillés et trouva quelques morceaux de canne à sucre ramenés d'Afrique. Il les pela soigneusement, mordit dedans et se mit à mâchonner tout en buvant à sa gourde de temps à autre.

Puis il prit brusquement conscience qu'ils étaient tous absolument silencieux. Angus et Ker pouvaient surgir d'une seconde à l'autre pour s'assurer qu'il était vraiment parti. Angus, bien sûr, supposerait que Jonnie avait emmené ses affaires jusqu'à l'avion, mais il y avait quand même un risque de les voir surgir et de se faire arrêter ou tuer. Il devait très vite trouver un moyen de faire parler ce Lars afin qu'ils entendent une voix étrangère dans la pièce, si jamais ils venaient par ici.

Encore quarante-deux minutes.

- Vous avez mis mes vêtements sens dessus dessous, dit Jonnie. Il va falloir que je refasse mon ballot.

Mais Lars avait son attention sur tout autre chose. Il avait eu l'intention de vérifier l'identité de son prisonnier mais, dans sa hâte, il avait oublié. Il fallait qu'il s'assure de l'existence de ces cicatrices laissées par le collier. C'était le moment de se montrer très adroit. Cela exigeait une véritable manœuvre militaire. Il ne voulait pas que ce Tyler s'empare d'un Brigante et se serve de lui comme d'un bouclier. Mais, pour l'instant, le col du blouson de travail de Tyler montait haut sur son cou.

- Loin de moi l'idée de vous offenser, déclara Lars. Mais vous êtes en tenue de travail et je pense que vous préféreriez sans doute comparaître sous votre meilleure apparence devant l'auguste assemblée du Conseil. Vous pouvez donc changer de vêtements si vous le désirez. Nous avons prélevé toutes vos armes ainsi que vos couteaux. Aussi, faites, si vous le voulez...

Jonnie avait eu un sourire sarcastique en entendant les mots « auguste assemblée ». Quels termes pompeux ! Mais il répondit :

- Ma foi, oui. Vu les circonstances, je suppose que ce serait préférable.

Il sépara soigneusement ses vêtements dispersés et en fit des piles distinctes, tout en faisant le plus de bruit possible. Il fallait absolument que Lars continue de parler. Il restait trente-neuf minutes.

Ker avait réellement apporté l'ensemble des affaires de Stormalong. Il replia le tout soigneusement, puis prit les vêtements qu'il avait choisis et les examina d'un air indécis, comme s'il se demandait lesquels il devait porter. Il dit : « Je me demande si ça ira ? ». « Qu'est-ce que vous pensez de ça ? ». « Comment s'habille-t-on, d'ordinaire, quand on comparaît devant le Conseil ? ». Ce qui, inévitablement, obligea Lars à lui donner des suggestions. Le Conseil, expliqua-t-il, était très strict, très pointilleux et très soucieux de respectabilité. Son pouvoir était immense et les citoyens devaient en avoir conscience. Encore vingt-huit minutes.

Jonnie découvrit soudain que Stormalong, qui avait toujours été très élégant et très voyant dans sa façon de se vêtir, avait encore la tenue qui lui avait été donnée jadis, au temps du filon d'or, afin qu'il ressemble à Jonnie. Chrissie, lorsqu'elle était dans la cage, avait confectionné plusieurs tenues à l'incitation de Jonnie, et il les avait données à Dunneldeen, Thor, et Stormalong pour améliorer la ressemblance. Il y avait là la chemise de chasse en peau de daim, la ceinture et le pantalon... Et même les mocassins. Encore vingt-trois minutes !

Il ôta son blouson : il voulait se rafraîchir un peu avant de se changer.

Lars se pencha d'un air attentif. Terl lui avait dit que tout le talent d'un chef de la sécurité dépendait de son habileté à découvrir les marques corporelles pour toute identification. Il avait raison, et ô combien ! Car là, sur le cou, il distinguait très bien les cicatrices du collier. Il tenait son homme ! Il fut submergé par une grande joie intérieure. Il jubilait littéralement.

- Maintenant, dépêchez-vous, Tyler ! dit-il. Je sais à présent que c'est vous. Les cicatrices !

Ainsi donc, songea Jonnie, c'était ça qu'il cherchait.

- Les autres sont partis il y a des heures, n'est-ce pas ? ajouta Lars.

- Oui, c'est exact, oui, fit Jonnie.

Il réalisa que les autres avaient dû être portés sur le registre d'entrée quand ils s'étaient rendus à l'Académie pour installer les enregistreurs, mais qu'on n'avait pas remarqué qu'ils étaient repartis. Très bien ! Il restait encore vingt minutes à gagner.

- Et vous êtes resté en arrière pour placer quelques petits pièges à vous, n'est-ce pas ? reprit Lars. Eh bien, n'ayez crainte, on les trouvera plus tard. La mascarade est finie, Tyler. Habillez-vous.

Lars était particulièrement content de ce petit discours. Il l'avait conçu lui-même.

Jonnie prit un bout de peau qu'il humecta avant de s'éponger, au grand ébahissement des Brigantes. Jamais encore ils n'avaient vu quelqu'un se laver.

- Comment m'avez-vous retrouvé ? demanda Jonnie.

- Je crains, dit Lars, que ceci ne soit un secret d'État.

- Ah bon, fit Jonnie. (Plus que dix-sept minutes !) C'est quelque chose que vous avez appris en lisant Hitter ou Hideur ?... Je ne sais plus quel est son nom au juste...

Il se souvenait que Ker lui avait dit que Lars idolâtrait ce personnage.

- *Hitler* ! lança Lars d'un ton irrité.

- Ah, oui, Hitler. Ça ne sonne pas du tout comme un nom psychlo. Généralement, ils n'ont pas deux syllabes. Mais ça arrive, évidemment...

- Hitler n'était pas un Psychlo ! C'était un *homme* ! C'est le plus grand chef militaire et le plus grand saint que l'humanité ait jamais connu !

- Cela doit remonter à pas mal de temps, dit Jonnie.

Encore quinze minutes et dix-sept secondes ! Ils avaient en tout cas achevé leurs trois quarts d'heure prévus. Mais si jamais il leur fallait une heure...

Eh bien oui, convint Lars, cela datait d'un passé lointain. Comment il avait eu connaissance d'Hitler ? Sa famille était originaire de Suède et très cultivée. En fait, son père était ministre du Culte. Il avait certains livres anciens que l'Église avait conservés et qui avaient été imprimés par le « Ministère de la Propagande de Guerre Allemand » dans un suédois très pur, et il y avait puisé nombre d'idées. Il semblait que, pour être vraiment religieux, il convenait d'être aryen, et il n'y avait pas plus aryens que les Suédois. La plupart des membres de la tribu avaient l'impudence colossale de se moquer de croyances aussi sacrées mais, en Suède, ç'avait été la religion d'État.

- J'aurais aimé entendre parler de lui plus tôt, dit Jonnie. (Plus que douze minutes et sept secondes !) C'était vraiment un grand chef ?

Absolument. C'était indéniable. Hitler avait conquis le monde entier et imposé la pureté raciale. Il fallait absolument lire ces livres. Ils étaient merveilleux. Oh, Jonnie ne connaissait pas le suédois ? Eh bien, il pouvait lui en lire certains. Des passages intéressants ? Bien sûr. Mais il faudrait des semaines pour tout lire. Par exemple, il y avait un livre entre autres, *Mein Kampf,* qui définissait la destinée de la race. Parce qu'il existait des hommes ordinaires et des surhommes. Pour être un surhomme, il fallait étudier le credo religieux du fascisme.

- Est-ce qu'ils croyaient en Dieu ? demanda Jonnie.

(Plus que sept minutes douze secondes.) Il s'habilla, passant soigneusement les lacets dans les œillets.

Bien entendu ! Le nom véritable de Dieu était Führer, et Hitler avait pris sa place sur Terre pour en faire un monde de paix et de bonne volonté. Bien sûr, avant lui, il y avait eu Napoléon, et César, et Alexandre le Grand, et Attila. Mais tous ces hommes n'avaient pas été des saints. Il fallait connaître l'Histoire pour faire la différence. Même s'il avait été un grand chef, Napoléon, sur de nombreux points, ne pouvait être comparé à Hitler. Même s'il avait conquis la Russie, il n'avait pas montré la même finesse que lorsque Hitler avait conquis la Russie. Mais tout cela datait d'il y a très longtemps. Depuis, l'homme avait beaucoup souffert, bien que ce ne fût pas par la faute d'Hitler. Donc, il était évident que, si les hommes voulaient se redresser et retrouver leur grandeur, ils devaient suivre le credo du fascisme. Qui sait ? Un nouvel Hitler pourrait bien apparaître un jour pour apporter la paix et la bonne volonté sur terre. C'est drôle, ajouta Lars, mais, quand sa mère regardait les anciennes photos, elle lui disait souvent que lui, Lars, ressemblait assez à...

Dans le lointain s'éleva le bruit d'un moteur qui démarrait. Un véhicule montait en grondant la rampe de sortie. Impossible de s'y méprendre : c'était ce fou de Ker qui pilotait ! Angus et lui avaient fini. Ils étaient partis.

Jonnie acheva de s'habiller, refit le ballot, sans oublier le blouson de pilote, l'écharpe blanche et les lunettes de Stormalong.

- Vous veillerez à ce que cela soit remis à Stormalong, dit-il.

Mais Lars ne répondit pas, et Jonnie décida d'emporter le ballot avec lui.

Ils avaient réussi !

Il ne savait pas encore comment il se tirerait d'affaire. Il était intrigué par le fait que ses compagnons soient partis avec le véhicule alors que l'avion de combat attendait encore.

Mais, pour l'heure, il était soulagé de les savoir au loin.

- Allons-y, dit-il.

5

Pour sortir, ils empruntèrent une autre porte du rez-de-chaussée qui, ordinairement, était verrouillée. Du regard, Jonnie chercha un cadet qui pourrait éventuellement aller rendre son ballot à Stormalong mais il n'y en avait aucun à proximité.

Lars devina ce qu'il avait à l'esprit et lui dit :

- Je veillerai à ce que ce soit remis à l'Académie.

Lars ne voulait pas que Jonnie soit trop au fait des dispositions qu'il avait prises pour leur éviter d'être vus par quiconque. Si jamais les cadets ou les Russes les repéraient par accident, il se retrouverait avec une bataille sur les bras. De plus, une force redoutable de Russes venait d'arriver à la base souterraine dans les montagnes.

Un orage arrivait de l'autre côté des montagnes. Des nuages noirs striés d'éclairs montaient autour du Grand Pic, dans le lointain. Le vent était devenu plus fort et l'herbe brune et haute se courbait sous son souffle. Quelques feuilles mortes voletaient çà et là. Le plateau était à plus de quinze cents mètres d'altitude et l'air d'automne était mordant.

Jonnie éprouva une émotion étrange, comme un pressentiment. Il avait quitté l'Afrique pendant une tempête et voici qu'une autre se préparait. Il lança le ballot à l'arrière du véhicule et monta. Les vitres étaient opacifiées. Ils démarrèrent en direction du capitol. Les mitraillettes restèrent braquées sur lui.

Lars était un mauvais conducteur et Jonnie comprenait maintenant pourquoi il s'était cassé le cou et portait ce plâtre. Il le méprisait. Il avait rencontré de nombreux Suédois : tous de braves gens. Les quelques mots échangés avec Lars lui avaient fait comprendre qu'eux aussi le méprisaient.

L'autre essayait d'engager à nouveau la conversation à propos de l'ancien chef militaire, mais trop c'était trop.

- Tais-toi ! lança Jonnie depuis le siège arrière. Tu n'es qu'un traître qui a tourné sa veste. Je n'arrive pas à comprendre comment tu fais pour te supporter. Alors, ferme-la !

Ce n'était guère diplomate, mais il ne pouvait supporter plus longtemps d'écouter ces inepties.

Lars obtempéra mais son regard s'était rétréci. Il prit brusquement plaisir à se dire que ce criminel serait mort dans quelques heures.

Le véhicule pénétra dans le capitol par une entrée dérobée que nul n'utilisait jamais. Les lieux étaient déserts. Et, dans les couloirs, ils ne virent personne. Lars avait pris ses précautions.

Jonnie fut poussé au-delà d'une porte. Dans l'ombre, des Brigantes étaient là, qui pointaient leurs armes sur lui. Il en vit deux autres dans les coins opposés de la salle, le doigt sur la détente de leurs Thompson.

Brown Staffor le Boiteux était assis derrière un haut bureau placé sur une estrade. Il portait une robe noire. De part et d'autre de son buste, il y avait des livres de droit anciens. Son visage avait une couleur malsaine. Et son regard était trop brillant. Il ressemblait à un vautour sur le point de s'abattre sur un cadavre. Il était seul, seul en face de Tyler dans cette salle vide, avec les gardes brigantes pour unique compagnie !

Tyler ! C'était bien lui ! Il avait reconnu l'homme à l'instant où il avait franchi le seuil. On ne pouvait se méprendre en voyant son expression. Cette expression qu'il avait détestée depuis le temps où ils étaient enfants. Il avait toujours haï cette démarche pleine d'assurance, ce visage aux traits égaux, ces yeux bleu clair. Il abominait tout ce que Tyler était et que lui, Brown, ne serait jamais. Mais, désormais, qui avait le pouvoir ? Lui, Brown Staffor ! Combien de fois n'avait-il rêvé de ce moment !

- Tyler ? lança-t-il. Avancez-vous face au banc de la Cour ! Répondez à ma question : votre nom est-il bien Jonnie Goodboy Tyler ?

Brown avait enclenché un enregistreur car tous les actes du procès devaient être conduits de façon juste et légale.

Jonnie vint se placer d'un air las à la barre.

- Que signifie cette farce, Brown ? Tu sais parfaitement comment je m'appelle.

- Silence ! cria Brown en espérant que sa voix était assez profonde et résonnante. Le détenu devra répondre avec exactitude et courtoisie sous peine d'être inculpé d'outrage à la Cour !

- Je ne vois aucune Cour, remarqua Jonnie. Que fais-tu dans cette tenue ridicule ?

- Tyler, j'ajoute aux chefs d'inculpation celui d'outrage à la Cour.

- Ajoute ce que tu veux, fit Jonnie d'un ton indifférent.

- Vous ne traiterez pas cela avec autant de légèreté quand je vous aurai donné lecture des inculpations retenues contre vous ! Pour le moment, cela n'est qu'une audition. Dans une semaine ou deux, une Cour Mondiale sera constituée et le jugement sera alors prononcé. Mais, en tant que traître et criminel, vous avez le droit d'entendre les charges retenues contre vous afin d'organiser votre défense !

» Et à présent, oyez, oyez ! Vous êtes inculpé de meurtre au premier degré sur la personne des frères Chamco, employés loyaux de l'État, par vous traîtreusement assaillis avec l'intention de donner la mort et décédés plus tard de leur propre main à la suite de la souffrance occasionnée par leurs blessures.

» Rapt au premier degré, ledit Tyler ayant assailli et traîtreusement retenu la personne de deux coordinateurs dans l'exercice légal de leur fonction d'agents du Conseil.

» Meurtre et agression caractérisée à l'encontre d'une paisible et pacifique tribu appelée Brigantes et anéantissement de la moitié d'un commando.

» Massacre d'un convoi de pacifiques commerçants se rendant à leur travail, cruellement et sauvagement assassinés jusqu'au dernier homme.

- Des Psychlos, fit Jonnie. Des Psychlos qui se préparaient à attaquer cette capitale.

- Rayé des minutes ! s'exclama Brown Staffor. (Pour sûr, il devrait effacer cela du disque.)

» Vous n'êtes pas jugé. Vous n'entendez que les charges retenues contre vous par des citoyens méritants et honnêtes de cette planète. Gardez le silence et prêtez l'oreille !

» La Cour relève (il espérait que chaque formulation était correcte et légale : il s'était éreinté à assimiler ce langage dans les livres anciens) que de nombreuses autres charges pourraient être relevées contre vous mais ne l'ont point encore été à cette heure.

- Telles que ? demanda Jonnie, indifférent aux clowneries de Brown.

- Quand vous vous êtes saisi du panneau de télécommande du dénommé Terl et que vous avez lancé le drone contre les hommes de la Terre, il a été également établi que vous avez ensuite fait feu sur ledit Terl alors qu'il s'apprêtait à essayer d'abattre le drone. Cependant, il existe des témoins, sans nul doute parjures, auxquels vous aurez arraché de faux témoignages, pour dire autrement, et ces charges n'ont pas été encore prononcées jusqu'à présent, quoique, bien sûr, elles puissent être relevées contre vous à une date ultérieure.

- Alors c'est tout ce que tu as trouvé, dit Jonnie, ironique. Tu as oublié que je vole aussi le lait des bébés. Je suis surpris !

- Vous ne serez plus aussi arrogant quand vous aurez entendu ce qui suit, le menaça Brown. Je suis un juge impartial et vous êtes devant une Cour légale et impartiale. Dans l'intervalle de temps qui précède votre jugement, il vous est interdit d'utiliser plus longtemps mes... Je veux dire : les biens du Conseil tels que véhicules, avions, maisons, équipement et outils.

Brown le tenait ! D'un geste vif comme l'éclair, il saisit l'acte de vente de la branche terrienne de la Compagnie Minière Intergalactique et le tendit à Tyler.

Tyler le prit et lut :

« Pour une somme de deux milliards de crédits, le nommé Terl, représentant dûment autorisé de la partie de la première part qui sera ci-après dénommée partie de la première part, concède par la présente tous les terrains, mines, exploitations, gisements, installations, avions, outils, machinerie, véhicules, tanks, etc., au Conseil de la Terre, qui est le gouvernement légal et dûment élu de ladite planète, pour en jouir en toute propriété à dater de ce jour. »

C'était signé *Terl* mais Jonnie, qui connaissait la signature de Terl, s'aperçut qu'il s'était servi de la patte gauche. Il s'apprêta à glisser le document dans sa besace.

- Non, non ! s'écria Brown. C'est l'original !

Il fouilla fébrilement dans les papiers sur son bureau et produisit une copie qu'il échangea contre l'original. Jonnie mit la copie de l'acte dans sa besace.

- Et il n'y a pas que cela, continua Brown Staffor. Toute cette planète était la propriété de l'Intergalactique et j'ai également un acte pour ça !

Il s'apprêta, une fois encore, à tendre l'original, se ravisa, trouva une copie et la donna à Jonnie.

Jonnie y jeta un coup d'œil. Terl avait bel et bien vendu leur propre planète à ces imbéciles !

- Ces actes sont valides, reprit Brown d'un ton pompeux. C'est-à-dire qu'ils le seront dès qu'ils auront été enregistrés.

- Où ça ?

- Sur Psychlo, bien sûr. En dépit des tracasseries qu'il risque de subir, Terl, par pure bonté de cœur, ira lui-même porter ces actes et les fera enregistrer.

- Quand ?

- Dès qu'il aura pu reconstruire l'appareillage que vous avez traîtreusement et criminellement détruit, Tyler !

- Et il emporte l'argent avec lui ?

- Bien entendu ! Il doit le restituer à la Compagnie. C'est un honnête homme !

- Psychlo, rectifia Jonnie.

- Oui, Psychlo.

Et, aussitôt, il se reprocha vertement de s'être laissé écarter du ton légal de la procédure.

- En conclusion, reprit-il, lisant, comme exposé nonobstant, en accord avec les droits légaux et tribaux dudit Jonnie Goodboy Tyler, il sera mis aux arrêts à son propre domicile dans la prairie et, par la présente, devra rester audit domicile et audit lieu jusqu'à ce qu'il soit traduit devant une Cour Mondiale qui sera légalement constituée sous l'autorité du Conseil, ledit Conseil étant dûment élu et investi de la pleine autorité de l'absolu gouvernement de la Terre. Ah même ! (Brown s'était dit que cette dernière touche religieuse ne pouvait qu'ajouter du style et il se redressa fièrement derrière son banc.) Ainsi donc, à moins que le prisonnier n'ait quelque ultime requête...

Jonnie avait réfléchi intensément et rapidement. Jamais auparavant, il n'avait accordé trop d'attention à Brown le Boiteux. Tant de fausseté, de malveillance et de méchanceté le surprenaient un peu. Dans le hangar du camp, il y avait un avion de combat avec un plein de carburant.

- Oui, fit-il, j'ai une requête à présenter. Si je dois regagner la prairie, je voudrais auparavant récupérer mes chevaux.

- Ces montures et votre maison sont désormais vos seuls biens, et il convient donc que vous puissiez en jouir. Par courtoisie et avec le sentiment du respect dû aux droits du prisonnier, et peut-être par affection paternelle pour lui au titre de Maire, je lui accorde droit à sa requête pour autant qu'il se rende directement de ce lieu au village sur la prairie et dans sa propre maison !

Jonnie lui accorda un regard méprisant et quitta la salle.

Brown, les yeux trop brillants, le regarda s'éloigner. Pour Tyler, c'était la fin ! Il laissa échapper un soupir vibrant. Quel soulagement ! Depuis combien de temps avait-il cherché cela ? Vingt années. Non, ce n'était pas une vengeance. Il n'avait pas le choix. Son devoir l'exigeait ! Tous les peuples de la Terre étaient désormais entre ses mains. Ils étaient à lui, Brown Staffor. Pour eux, il ferait de son mieux, tout comme il faisait maintenant. Malgré ce que cela lui coûtait.

6

L'incident qui devait être appelé plus tard « Le Meurtre de Bittie MacLeod » et qui conduirait la planète à la guerre, coûtant la vie de nombreux hommes avant de devenir par la suite le sujet de maintes ballades, romances et légendes, commença à midi ce même jour quand Bittie eut l'infortune de repérer Jonnie aux alentours du capitol de Denver.

Lorsque le commandant du contingent russe d'Afrique avait reçu l'ordre de fermer la base souterraine américaine, il avait été évident pour les Russes qu'ils ne résideraient plus en Amérique, et Jonnie non plus, ce qui avait soulevé le problème des chevaux. Les chevaux étaient une richesse pour les Russes. Ils avaient rassemblé un petit troupeau à eux en Amérique et ils n'avaient pas l'intention de l'abandonner.

Bittie MacLeod se considérait comme personnellement responsable des chevaux de Jonnie. Il informa le colonel Ivan en termes péremptoires qu'il devait les accompagner afin de ramener les chevaux de Jonnie. Il repoussa toutes les objections qui furent soulevées : il était en compagnie des Russes, donc en sécurité ; les chevaux le connaissaient ; Fend-le-Vent, Danseuse, Vieux Cochon et Blodgett seraient effrayés par un long voyage en avion s'ils n'avaient pas auprès d'eux quelqu'un en qui ils avaient confiance et qui saurait les calmer. Après des heures de palabre, le colonel Ivan avait fini par céder.

Peu avant l'aube de ce jour, les Russes avaient consciencieusement fermé la base américaine en même temps que l'entrepôt des missiles nucléaires. Si quiconque à présent tentait de pénétrer à l'intérieur sans avoir les clés ou sans savoir par où entrer, il serait réduit en miettes. Les avions étaient prêts pour le retour, déjà chargés de tout ce qu'il fallait emporter. Le jour ne pointait pas encore quand ils avaient quitté la base avec un petit convoi de véhicules et de camions pour accomplir leur dernier travail : récupérer les chevaux dans les plaines.

La piste qui s'éloignait de la base traversait les anciennes ruines de Denver et rares étaient les Russes qui étaient venus ici. Et puis, récemment, ils avaient commencé à être payés. Ils allaient retourner chez eux, ils avaient des sœurs, des épouses, des fiancées, des amis, des mères.

Quelques petites boutiques s'étaient ouvertes ces derniers temps à Denver. Leurs propriétaires venaient d'autres régions et leur clientèle était composée des habitants des quatre coins du monde venus en pèlerinage sur les lieux de l'exploitation minière. On y trouvait des marchandises récupérées dans les décombres des anciennes cités et réparées, et même de nouveaux produits proposés par les tribus indigènes. Avant tout des vêtements, des chaussures, des ustensiles de cuisine, des bijoux et des souvenirs. Mais les magasins étaient encore peu nombreux et dispersés.

Les Russes décidèrent que, puisqu'il leur restait encore de longues heures avant le départ, qui devait avoir lieu en fin d'après-midi du terrain de l'Académie, et qu'ils n'appréciaient guère l'idée d'avoir à attendre assis dans l'herbe, ils pouvaient prendre un peu de temps pour faire quelques emplettes à Denver.

Ils avaient garé leurs véhicules près du capitol parce qu'il y avait un vaste espace disponible et que son dôme était un repère visible de loin pour retrouver leur chemin. Puis ils s'étaient dispersés, chacun allant où bon lui semblait.

Bittie avait son propre garde du corps, un Russe costaud du nom de Dmitri Tomlov, qui était aussi l'un de ses grands copains. Le colonel Ivan lui avait donné l'ordre de toujours rester à proximité de Bittie, d'être constamment vigilant et de ne pas se séparer de sa carabine d'assaut et de sa sacoche à munitions où qu'il se rende. Donc, tout semblait parfait.

Bittie et son garde du corps avaient découvert une petite boutique de bijoux et de bibelots récemment ouverte par un couple de Suisses et leur fils. Le père, un vieil homme, avait découvert et réparé une antique machine à graver. Il excellait également à réparer les mécaniques sur lesquelles il parvenait à mettre la main dans les anciens entrepôts, ce qui n'arrivait pas souvent car les Psychlos avaient tout pillé dans leur quête avide de métal.

Dans l'arrière-boutique, le fils se remettait du combat qu'il avait mené pour défendre le magasin familial contre les pillages des Brigantes. Apparemment, les Brigantes s'étaient répandus en ville, clamant qu'ils étaient la « police ». Ils étaient armés de bâtons et chaque fois qu'un objet leur plaisait, ils l'empochaient. Ainsi les habitants quittaient-ils la ville les uns après les autres. Ceux qui s'étaient plaints au Conseil s'étaient vu répondre que, oui, les Brigantes constituaient « la police », que le maintien de l'ordre et de la loi était d'importance vitale et que résister à la police constituait un délit. Nul ne savait exactement ce que le mot « police » signifiait, mais chacun avait compris que ce ne pouvait être que mauvais. Le vieux Suisse avait donc décidé de s'en aller et la plupart des articles qu'il vendait étaient proposés à très bas prix.

La femme s'occupait de Dmitri. Il avait de nombreux parents, mais son premier achat fut pour Bittie : il choisit une courte cravache à manche d'argent. A la seule idée de frapper un cheval, Bittie aurait été bouleversé, mais c'était une très jolie cravache, longue d'un peu plus de cinquante centimètres, à peu près comme un arc de Brigante, quoique personne ne parût remarquer ce détail sur le moment.

Les prix avaient beau être très modiques, Bittie vivait des instants difficiles : pour Pattie, il voulait quelque chose de spécial. Il se disait qu'il ne tarderait pas à la revoir et il cherchait de tous côtés, aidé par le vieux Suisse. Et puis, il n'avait pas beaucoup d'argent sur lui : il ne touchait que deux crédits par semaine alors qu'un soldat gagnait un crédit par jour. De plus, cela ne faisait pas longtemps qu'ils touchaient leur paye et Bittie n'avait que quatre crédits en poche alors que les articles les plus tentants en valaient au moins dix. Le problème de Bittie était encore compliqué du fait que les Suisses n'avaient aucune maîtrise de l'anglais et qu'ils parlaient en fait un mélange de français et d'allemand. Et son ami russe n'était d'aucune utilité : il ne parlait pratiquement pas un mot d'anglais et personne ne connaissait le russe ici, Bittie y compris. Mais ils arrivaient à se débrouiller avec des gestes, avec des signes tracés sur du papier d'emballage, en haussant les sourcils ou en pointant l'index.

Enfin, Bittie trouva ce qu'il voulait ! Un médaillon plaqué or en forme de cœur. Une rose d'un rouge très vif le décorait. Il l'ouvrit. Il vit qu'on pouvait y mettre une photo, que la mince charnière avait été habilement réparée et qu'une chaînette étroite y était fixée. Il y avait aussi assez de place à l'envers pour y graver quelque chose. En comptant un crédit supplémentaire pour la gravure, cela faisait six crédits. C'était le cadeau idéal. Mais six crédits ! Il n'en avait que quatre.

Le vieux Suisse soldait son affaire et, en lisant le désappointement sur le visage de Bittie, il baissa le prix et lui donna le médaillon en y ajoutant une boîte toute gravée et repolie.

Quand on lui tendit une carte pour qu'il y inscrive ce que le vieux Suisse graverait à l'envers du médaillon, Bittie se trouva devant un problème plus difficile. Que devait-il écrire ? Jonnie et les autres lui avaient dit que Pattie et lui étaient bien trop jeunes pour se marier et c'était vrai. Donc, il ne pouvait pas faire graver « A ma future épouse », parce que cela ferait sourire les gens et qu'il n'y avait vraiment pas de quoi sourire. Il ne voulait pas non plus écrire tout simplement « Pour Pattie, avec amour, Bittie », comme le lui suggérait le Suisse. Quant au Russe, il ne lui était d'aucun secours. C'est alors qu'il trouva ! « A Pattie, ma jolie damoiselle, Bittie. » Le vieux Suisse lui fit remarquer que c'était trop long pour tenir sur l'envers du médaillon. Et il fut obligé de revenir à « Pour Pattie, ma future épouse ». Le vieux Suisse compta les lettres et déclara que ça irait. Bittie n'était pas vraiment satisfait et se disait que les gens allaient rire, mais il ne trouva pas mieux et le vieux Suisse se mit à sa machine à graver.

Tout cela prenait du temps et Bittie était de plus en plus nerveux. Il risquait de manquer les Russes et, après tout, les chevaux de Jonnie étaient son travail en tant qu'écuyer. C'était pour cela qu'il était venu en Amérique. Il sautait d'un pied sur l'autre, répétant sans cesse qu'il fallait faire vite. Le vieux Suisse eut enfin fini, plaça le médaillon dans la boîte avant de l'envelopper dans une feuille de vieux papier. Le Russe trouva finalement les choses qu'il voulait. Ils payèrent leurs emplettes et retournèrent précipitamment vers les camions.

La journée était froide. Il avait gelé dans la nuit et les feuilles mortes volaient dans le vent. Un orage grondait au-dessus des montagnes et tout semblait inciter Bittie à se hâter.

Mais, lorsqu'ils furent de retour aux camions, la position du soleil qui filtrait entre les nuages leur indiqua qu'il n'était que midi. Et aucun Russe n'était encore de retour.

Le Russe s'installa derrière le volant de leur véhicule et se mit en devoir d'examiner les cadeaux qu'il avait achetés. Bittie, qui disparaissait presque dans le vaste siège psychlo, remonta la vitre pour se protéger du vent glacé et des feuilles mortes et guetta le retour des Russes, les yeux au ras du capot, tout en jouant nerveusement avec sa nouvelle cravache.

D'où il se trouvait, il pouvait voir une entrée dérobée du capitol. Un véhicule de fonction attendait là-bas. Ses vitres étaient opaques.

Et tout à coup, il aperçut Sir Jonnie ! C'était lui, dans sa tenue de daim. Impossible de se méprendre. Il venait de sortir du capitol. Une porte du véhicule fut ouverte de l'intérieur et il monta à bord.

Bittie se débattit pour abaisser la vitre et appeler. Il ne réussit à l'ouvrir qu'à demi.

C'est alors qu'il vit quelqu'un d'autre sortir du capitol. Quelqu'un qui était vêtu comme un cadet et qui portait un plâtre au cou. Cette deuxième personne s'arrêta et se retourna vers l'escalier du capitol, comme pour répondre à une question.

Bittie entendit le cadet crier :

- Il va simplement jusqu'au camp en premier pour prendre ses chevaux !

Puis il monta à son tour dans le véhicule qui démarra.

Bittie était bouleversé ! Il n'avait pas pu appeler Sir Jonnie. Les chevaux ! C'était pour cela que Bittie était ici, pour cela qu'il était venu en Amérique !

Il se tourna vers son garde du corps et essaya de lui demander de démarrer pour suivre l'autre véhicule. Mais sa pratique du russe n'était pas à la mesure et ses gestes et ses mimiques n'aboutirent à rien. Non, le Russe ne semblait pas décidé à suivre le véhicule qui s'éloignait. Il était là pour attendre le reste du contingent.

Mais Bittie réussit à le faire sortir du véhicule et, en courant, ils partirent à la recherche des autres. Des minutes passèrent sans qu'ils rencontrent un seul Russe. La ville en ruine était trop vaste, trop envahie par les décombres.

Soudain, ils repérèrent un Russe. Il déambulait en solitaire au long d'un parc, grignotant quelques noix qu'il avait achetées. Il se nommait Amir. C'était un garçon gentil mais qui avait la réputation d'avoir l'esprit plutôt lent.

Bittie essaya de lui expliquer la situation par gestes, en ajoutant un mot de russe qu'il connaissait - « *Skahryehyee !* » -, qui signifiait « Dépêchons ! », pour lui faire comprendre qu'il devait essayer de retrouver les autres et leur demander de venir immédiatement.

L'homme ne parut pas comprendre. Mais les gestes fébriles de Bittie finirent par convaincre Dmitri qu'il fallait suivre le véhicule. Ils retournèrent donc au camion et le Russe démarra. Ils quittèrent la ville à toute allure, pour rattraper le véhicule dans lequel Bittie avait vu monter Jonnie.

7

Lars Thorenson avait pris toutes les précautions possibles. Si aucune arme, aucun garde n'était visible et que Tyler était à tout moment *discrètement* tenu en respect, il n'y aurait aucune alerte et les frères de ce traître, abusés par lui, ne se précipiteraient pas à sa rescousse.

Lars avait laissé des gardes dans le véhicule, il avait interdit aux Brigantes de se montrer dans les rues ou les couloirs et il avait fait passer le mot au commando qui se trouvait en poste au camp de rester invisible, mais de se tenir prêt, et de n'ouvrir le feu qu'en cas d'attaque.

Il avait préparé une petite surprise au camp pour ce Tyler, mais tout se passerait parfaitement et en douceur. Il se disait qu'Hitler lui-même aurait approuvé le talent militaire dont il faisait preuve. Ils iraient récupérer les chevaux, franchiraient ensuite le col jusqu'à la prairie, ordonneraient à Tyler d'entrer dans sa maison, et le tour serait joué. Ce serait la fin de ce fléau et de cette menace pour la stabilité de l'État. Une fois pour toutes, et sans que le Conseil puisse être tenu pour responsable.

Le jour était devenu gris. Le soleil se cachait de plus en plus souvent et le vent était violent, poussant des nuages d'herbe sèche et de poussière devant l'orage.

Lars conduisait lentement et mal, et les rafales de vent qui cinglaient le véhicule le déportaient de sa route déjà incertaine.

Jonnie soupesait ses chances. Il ne pensait pas que les autres avaient l'intention de le laisser en vie, en dépit de leurs assurances apaisantes. En quel point du plâtre devait-il frapper pour finir de briser le cou de ce traître ? Et jusqu'à quel point ces deux Brigantes étaient-ils familiarisés avec leur mitraillette Thompson ?

C'était une arme redoutable mais qui avait été considérée comme périmée depuis un siècle quand l'attaque psychlo avait eu lieu. Les projectiles qu'elle tirait étaient trop lourds pour une arme de poing, et le canon avait tendance à sauter violemment en l'air, ce qui obligeait à maintenir l'arme fermement vers le bas. Les armes de ces Brigantes n'étaient pas équipées de « compensateurs de poussée » qui utilisaient une partie des gaz à la bouche du canon pour aider à freiner le tressaut de l'arme. Elles étaient munies de chargeurs circulaires à soixante cartouches dont les ressorts étaient souvent détendus et bloquaient la chambre. Il y avait toujours un certain pourcentage des antiques munitions qui ne partaient pas et il fallait apprendre à réarmer rapidement pour maintenir le tir automatique. Jonnie savait tout cela car il avait vidé un grand nombre de chargeurs durant les exercices, à l'époque où Angus avait découvert les armes, conservées au long des âges dans un vieux camion, protégées par la graisse, avec leurs munitions dans des emballages étanches. Les Brigantes savaient-ils tout cela ? Ils avaient probablement tiré quelques chargeurs, utilisant sans doute des projectiles à poudre pour la première fois de leur existence. Un stratagème improbable lui était venu à l'esprit, qu'il avait aussitôt écarté : leur parler de l'arme, s'en faire prêter une pour expliquer un point de détail et leur faire sauter leur vilaine tête.

S'il ne trouvait pas une solution, cela risquait fort d'être sa dernière balade. Il le lisait dans l'attitude de Lars. Et dans les regards que les Brigantes lui adressaient. Ils étaient très, très confiants.

Dans le lointain, droit devant eux, le camp apparut. Dans les plaines alentour, du bétail paissait et Lars évita de peu un petit troupeau de bisons, puis un arbuste, faillit basculer dans une ravine, fit tressauter le véhicule sur des petits rochers que n'importe quel autre conducteur aurait aisément évités. Il stoppa finalement le véhicule à plus de trente mètres de la pente qui accédait au plateau, où se trouvait la cage.

Jonnie s'était attendu à ce qu'ils s'arrêtent un peu plus près du camp. Puis il comprit : de part et d'autre, si l'on exceptait quelques gros rochers, le terrain était nu et tout homme qui tenterait de s'échapper serait abattu.

Il aperçut trois de ses chevaux, qui tournaient la tête au vent. Où était donc Danseuse ? Il la découvrit un peu plus loin, sur le plateau. Elle semblait porter une bride, ce qui n'avait rien de vraiment inhabituel. Mais elle faisait face au vent. Qu'est-ce que ça signifiait ? Ah ! La bride était coincée entre des rochers.

Immédiatement derrière la jument, il y avait un gros bloc et, plus loin, dans le camp même, il existait de nombreux endroits où un homme pouvait se mettre à couvert, ainsi qu'ils l'avaient appris pendant la bataille qui avait eu lieu ici jadis. Jonnie examina le camp à travers le pare-brise. Qu'est-ce que cela voulait dire ? Était-ce une embuscade, un piège ? Normalement, il aurait dû y avoir des cadets en sentinelle, or il n'y avait pas une âme en vue.

C'était le moment que Lars avait choisi pour sa petite surprise. Il avait lu cela dans les œuvres de Hitler - ou bien était-ce Terl ?... « Si vous voulez qu'ils demeurent passifs, brisez leur espoir. Puis achevez-les en leur donnant un faux espoir ! » Une maxime militaire extrêmement sage.

Nonchalamment appuyé contre la console, Lars déclara :

- Vous savez, cet avion de combat, celui dont le numéro de série se terminait par 93 et qui était garé juste à l'intérieur du hangar, derrière la porte, avec le plein de carburant ?... Je suis sûr que vous voyez ce que je veux dire. Eh bien, il n'est plus là. On a pompé le carburant et il a été remis en place à l'intérieur du hangar ce matin même.

C'était donc pour cette raison, se dit Jonnie, qu'Angus et Ker ne s'étaient pas arrêtés en partant. Ils n'avaient pas vu l'avion de combat et avaient cru qu'il avait déjà décollé. Ce qui expliquait pourquoi nul n'avait cherché à le retrouver. De toute façon, il n'avait pas attendu d'aide. Et c'était aussi bien qu'ils ne soient pas tombés nez à nez avec ces Brigantes crispés et leurs mitraillettes.

Le traître le laissa digérer la surprise et reprit :

- Nous ne ramènerons pas les montures jusqu'à la prairie à dos de cheval. Je vais aller jusqu'au garage prendre un camion à ridelle et nous y ferons monter les chevaux. Je me laisserai peut-être même convaincre de vous laisser conduire jusqu'à la montagne...

Il n'en avait nullement l'intention, mais, comme faux espoir, c'était particulièrement bien trouvé. Magistral, en vérité ! Hitler - ou bien Terl - n'aurait pu que l'approuver.

- A présent, vous pouvez descendre et commencer à rassembler les chevaux. Les deux Brigantes vous auront à l'œil !

Lars fut le premier à descendre et s'éloigna en courant vers le garage.

Jonnie fut poussé au-dehors à la pointe des canons des Thompson. Il s'immobilisa sur la gauche du véhicule, encadré par les deux Brigantes qui gardaient le doigt sur la détente. Il promena son regard sur le camp apparemment désert. Était-ce le lieu de l'assassinat ?

8

Par-dessus le mugissement du vent, Jonnie entendit le ronflement d'un moteur. Il regarda vers le nord. Un camion vide approchait à une vitesse considérable. Les occupants de la cabine n'étaient pas visibles dans cette lumière. Au-delà, jusqu'à l'horizon, la plaine était déserte, sans autre véhicule.

C'est alors qu'il entendit un autre bruit de moteur. Un avion ? Il le repéra à l'est. Il approchait lentement, juste au-dessous des nuages. Ce n'était qu'un drone à vitesse réduite, qui continuait de prendre ses millions de clichés.

Bien. Il n'avait donc aucun secours à attendre de ces deux directions. Il ne dépendait que de lui seul. Le camion, qui était maintenant tout près, était probablement un des leurs et faisait partie du piège.

Jonnie se tourna vers le camp. Il avait le sentiment que des yeux le guettaient et que le danger était là.

Les deux Brigantes se tenaient de part et d'autre de lui, environ à un pas en arrière. Ils semblaient avoir fixé leur attention sur ce nouveau camion qui arrivait. La masse du véhicule dissimulait les armes qu'ils tenaient aux occupants du camion.

Celui-ci passa en grondant devant eux et s'engagea sur la pente, en direction de Danseuse. Puis fit brusquement halte, soulevant un nuage de poussière à la seconde où son champ de suspension fut coupé.

Quelqu'un sauta du haut de la cabine, à deux mètres cinquante au-dessus du sol, et se mit à courir vers la jument.

Jonnie ne pouvait en croire ses yeux.

C'était Bittie MacLeod ! Il tenait quelque chose dans la main. Une cravache ? Un stick ?

- Bittie ! cria Jonnie, au comble de l'angoisse.

Le vent ramena jusqu'à lui la voix du petit garçon.

- Je rassemble les chevaux, Sir Jonnie. C'est à *moi* de le faire !

Il continuait d'escalader la colline en courant.

- Reviens ! cria Jonnie.

Mais son appel fut noyé par le ronflement du drone qui passait et par le grondement du tonnerre sur les montagnes.

Le Russe avait eu bien du mal à maintenir le niveau du camion. Il s'était posé de guingois sur un rocher. Il réussit enfin à ouvrir sa portière et cria à Bittie :

- *Bitushka ! Astanovka !* (Halte !) (Mais le drone et le vent couvrirent sa voix.) *Vazvratnay !* (Reviens !)

Le garçon continuait. Il avait presque rejoint Danseuse et s'apprêtait à libérer la bride.

- Dieu du ciel, Bittie, reviens ! hurla Jonnie.

Mais il était trop tard.

Un Brigante se dressa soudain de derrière un rocher, un peu au-delà de la jument. Il leva sa mitraillette et tira une rafale dans le ventre du jeune garçon qui courait toujours.

Bittie fut projeté en arrière, le corps soulevé du sol par l'impact des balles. Puis il retomba.

Le Russe se rua en avant, essayant de décrocher la carabine d'assaut de son dos.

Deux autres Brigantes apparurent en deux points différents. Trois Thompson crépitèrent en même temps et le Russe fut déchiqueté.

Jonnie devint fou de rage !

Les deux gardes brigantes n'eurent pas le temps de dire ouf. Jonnie fut derrière eux en un seul pas et fit cogner leurs deux têtes comme des coquilles d'œuf.

Il s'empara de l'arme du premier à l'instant où il tombait, lui enfonça le crâne d'un coup de talon, fit pivoter le canon de la mitraillette et tira une rafale sur l'autre à moins d'un mètre de distance.

Puis il mit un genou à terre tout en faisant tourner la Thompson sur sa hanche et cribla de balles deux autres Brigantes qui venaient de surgir.

Il se retourna pour abattre celui qui avait tué Bittie, mais il ne le vit nulle part.

Une porte s'ouvrit dans le camp et cinq nouveaux Brigantes surgirent et tirèrent une volée de plomb dans sa direction.

La Thompson de Jonnie s'était enrayée. Impossible de la réarmer. Il la jeta et prit l'autre.

Totalement insouciant des projectiles qui mordaient dans la terre tout autour de lui, il se mit à courir, courbé en deux, tout en faisant feu, fonçant droit sur le Russe abattu.

Il s'agenouilla auprès du cadavre, braqua à nouveau la Thompson sur les cinq Brigantes et les arrosa d'une rafale. Ils s'effondrèrent et leurs corps tressautèrent à l'instant où Jonnie lâcha une deuxième rafale.

Puis Jonnie s'empara de la carabine du Russe et l'arma.

Ce qu'il voulait, c'était le Brigante qui avait tué Bittie.

Sur sa gauche, derrière lui, huit autres mercenaires qui s'étaient dissimulés dans la ravine surgirent brusquement.

Jonnie se retourna en un éclair. Et il attendit, prêt, que le dernier soit sorti de la ravine.

Les Brigantes avaient ouvert le feu.

Jonnie épaula sa carabine et visa soigneusement. Il abattit celui qui venait en queue, afin que les autres ne le voient pas tomber, puis déclencha un tir de barrage en partant du dernier, remontant jusqu'à l'homme de tête.

Ils tombèrent l'un après l'autre et les corps jonchèrent bientôt le sol.

En bas, au garage, Lars entendit le bruit de la fusillade. Il s'élança en courant vers le plateau. Puis il perçut l'aboiement plus sec de la carabine d'assaut et, aussitôt, il sut que Jonnie n'était pas mort. Aucun des Brigantes n'avait de carabine d'assaut. La précision de cette arme à mi-chemin entre le pistolet et le fusil était supérieure à celle d'une Thompson. Il le savait très bien. Il avait tout fait pour s'en procurer une. En vain. Il se figea sur place.

Il entendit une autre rafale de carabine. Le staccato plus lourd des mitraillettes avait diminué. Lars décida de changer de stratégie. Une stratégie plus saine pour lui.

Il recula lentement à l'intérieur du garage, puis se mit à courir. Il découvrit un vieux véhicule accidenté et rampa sous l'amas de plaques tordues qui avaient été arrachées de la carrosserie. Une fois encore, le martèlement de la carabine se fit entendre dans le lointain. Lars rampa un peu plus avant avec des sanglots de terreur.

Jonnie se porta sur le côté en courant, pour essayer d'apercevoir l'autre face du rocher, espérant toujours abattre le mercenaire qui avait tué Bittie.

Un groupe de Brigantes arrivait en courant de l'autre côté du camp, tirant des rafales de mitraillettes.

Jonnie prit appui sur un rocher, y posa le canon de sa carabine et les cribla de balles.

Dans sa cage, Terl s'était allongé contre le sol, sous le parapet dans lequel étaient plantés les barreaux, pour échapper aux balles. Il se redressa avec prudence. C'était l'animal qui tirait ! Il se plaqua à nouveau contre le sol. Il supposait que l'animal, d'un instant à l'autre le prendrait pour cible et commencerait à le canarder. C'est ce que lui, Terl, aurait fait. Il se demanda s'il avait une chance d'atteindre la charge d'explosif dissimulée dans le sol. Auquel cas, il pourrait confectionner une grenade. Mais il lui faudrait alors s'exposer, et il abandonna aussitôt cette idée. Il resta allongé, haletant sous l'effet de la peur.

Jonnie, mû par une volonté implacable de tuer, courait entre les arbres et les rochers pour essayer de retrouver le Brigante qui avait abattu Bittie.

Le vent soufflait plus fort et le grondement du tonnerre se faisait entendre au milieu des détonations. Le drone était presque au-dessus de la tête de Jonnie, à présent.

Mais où était donc passé ce Brigante ?

Deux mercenaires apparurent brusquement sur le seuil d'une porte et ouvrirent le feu avec leur Thompson. Une balle effleura le cou de Jonnie.

Il les transforma en boules de chair hachée. A court de munitions, il prit un chargeur dans son sac. Le singe qu'il voulait tuer avait dû se réfugier derrière une carcasse de tracteur. Jonnie se mit à tirer quelques rafales en ricochet, puis se précipita en avant, gardant le doigt sur la détente.

Oui, l'autre était bien là !

Il s'enfuyait ! Jonnie s'arrêta et le mit en joue. Le Brigante se retourna au même instant et se mit à tirer.

Jonnie, d'une rafale, le coupa en deux.

Le ronronnement du drone diminuait et le tonnerre s'était calmé. Tout était étrangement paisible, hormis la plainte du vent.

Jonnie, une fois encore, rechargea sa carabine. Puis il parcourut rapidement le terrain en examinant brièvement les morts éparpillés.

Un mercenaire rampait non loin de là, pour tenter de récupérer sa Thompson, et Jonnie l'acheva d'une courte rafale.

Il s'immobilisa. Il ne décelait plus le moindre mouvement hostile, n'entendait plus aucun son inquiétant à proximité.

Durant la fusillade, Danseuse était parvenue à se libérer et elle s'était enfuie vers le bas de la pente.

Jonnie plaça la carabine dans le creux de son bras. Sa fureur meurtrière s'estompa.

Il descendit la pente vers le corps de Bittie.

9

Le jeune garçon gisait la tête en arrière. Sous lui, la terre était imbibée de sang.

Jonnie l'avait tenu pour mort. Il ne pouvait imaginer que ce jeune corps ait pu survivre à toutes ces balles qui l'avaient transpercé.

Il était bouleversé. Il s'agenouilla auprès de l'enfant déchiqueté, s'inclina et glissa une main sous sa tête pour la soulever doucement.

Un léger souffle de vie animait encore Bittie ! Ses yeux s'ouvrirent en tremblant. Ils étaient glauques mais, pourtant, il vit Jonnie et le reconnut. Ses lèvres bougèrent. Un murmure franchit ses lèvres. Et Jonnie se pencha pour l'entendre.

- Je... je n'ai pas été un très bon écuyer... N'est-ce pas... Sir Jonnie...

Des larmes jaillirent des yeux du petit garçon.

Jonnie tressaillit, incrédule. L'enfant croyait qu'il avait manqué à son devoir !

Il essaya de trouver quelque chose à dire, lutta pour émettre un son. Mais il n'y parvint pas. Il voulait dire à Bittie : « Non, non, non ! Tu as été un très grand écuyer. Tu viens de me sauver la vie ! » Mais il ne pouvait pas parler.

La souffrance affluait dans le corps de l'enfant, à présent que se dissipait l'effet du choc.

Bittie avait levé la main pour agripper le poignet de Jonnie. Ses doigts se crispèrent soudain dans un ultime spasme d'agonie. Son corps se tordit et sa tête retomba sur le côté.

Il était mort. Son cœur ne battait plus. Il ne respirait plus. Son pouls s'était éteint.

Jonnie demeura longtemps immobile. Il pleurait. Il avait été incapable de prononcer un mot, de dire à Bittie à quel point il se trompait. Non, il n'avait pas été un mauvais écuyer ! Jamais. Pas Bittie !

Un long moment s'écoula, puis Jonnie prit le corps de Bittie entre ses bras et descendit jusqu'au bas de la pente. Il le déposa avec d'infinies précautions sur le siège du véhicule et rebroussa chemin pour aller récupérer le cadavre du Russe qu'il ramena à son tour.

Fend-le-Vent l'avait aperçu et il venait maintenant vers lui avec les autres chevaux, ayant oublié sa frayeur.

Jonnie prit le corps de l'enfant sur ses genoux, démarra et conduisit très lentement en direction de l'Académie. Les chevaux le suivirent et le petit cortège s'engagea dans la plaine.

Il lui fallut longtemps pour atteindre sa destination. Jonnie se retrouva enfin près de la tranchée où, il y avait si longtemps, soixante-sept cadets avaient livré la dernière bataille. Il demeura longtemps immobile avec le corps de Bittie contre lui.

Une sentinelle les avait vus approcher. Bientôt d'autres cadets surgirent des bâtiments. La nouvelle se répandit et d'autres encore accoururent. Le maître d'école se montra à l'une des fenêtres supérieures, vit la foule qui se rassemblait, et courut la rejoindre. Dunneldeen, puis Angus et Ker firent leur apparition au premier rang.

Jonnie sortit du véhicule, portant l'enfant mort. Il voulait leur parler, à tous, mais aucun mot ne lui vint.

Plusieurs camions surgirent tout à coup et des Russes en débarquèrent qui se joignirent à l'assemblée.

Quelques cadets se précipitèrent vers l'armurerie et en revinrent avec des carabines et des chargeurs pendus à leurs épaules qu'ils entreprirent de distribuer aux hommes. Leurs regards étaient fixés sur le camp.

Un murmure de colère s'élevait de la foule et allait s'amplifiant.

Des cadets coururent vers leurs chambres et en revinrent avec leurs armes personnelles, bouclant en hâte leurs ceinturons tout en garnissant leurs chargeurs.

Le tonnerre se répercutait en échos dans les montagnes et jusque dans la plaine, tandis que le vent, froid et mordant, venait cingler la foule.

Un camion de Russes qui était passé par le camp fit halte dans un jet de poussière. Ils se mirent à gesticuler et à crier en désignant le camp pour essayer de rapporter ce qu'ils avaient vu, mais personne ne les comprit.

Un petit véhicule de sol arriva de la direction de Denver dans une grande giclée de mottes de terre. L'officier-pilote qui était responsable des drones sauta à terre et fendit la foule, portant un accordéon de clichés qui claquait dans le vent. Il tenta d'expliquer à grands cris que tout avait été enregistré lors du survol d'un drone et de montrer à la foule ce qui s'était passé. Il avait saisi les disques et les clichés et il était venu sans perdre un instant.

Un coordinateur réussit enfin à se faire entendre. Il venait de comprendre ce que les Russes avaient vu au camp.

- Tous les Brigantes, là-bas, sont morts ! Tout un commando !

- Et Terl, le Psychlo, est-il encore vivant ? demanda quelqu'un.

Un rugissement de fureur monta de la foule. Certains se précipitèrent en avant pour essayer de découvrir Terl sur les photos.

- Il est encore en vie ! cria le coordinateur des Russes.

La foule devint houleuse et quelques personnes grimpèrent dans les camions russes. Les Russes avaient été rassemblés en ligne par un de leurs officiers et ils vérifiaient leurs armes.

Le colonel Ivan, qui s'était avancé au côté de Jonnie, fixait du regard, avec une expression de culpabilité, les traits de l'enfant mort.

- Le Psychlo doit mourir ! fit-il.

Jonnie avait enfin réussi à se ressaisir. Sans poser le corps de Bittie, il grimpa sur un véhicule, promena son regard sur la foule, et tous se turent pour l'écouter.

- Non, commença-t-il. Non, il ne faut rien faire maintenant. Dans les systèmes stellaires de cet univers, tout autour de nous, un danger bien plus redoutable que les Brigantes nous guette. La bataille que nous livrons est dangereuse. Et plus importante. Nous avons commis une faute et le résultat est la mort de ce garçon innocent. J'ai tué son assassin. Cette faute, nous ne pouvons la corriger. Mais nous devons continuer dans la voie que nous nous sommes tracée.

» Dans cette tranchée, soixante-sept cadets sont morts en combattant, durant la dernière bataille, lors de l'invasion des Psychlos, il y a un millier d'années. Lorsque je l'ai visitée pour la première fois, j'ai ressenti mon premier espoir. Pour moi, ce n'est pas le fait que ces cadets aient perdu, qui compte, mais qu'ils se soient battus envers et contre tout espoir. Ils ne sont pas morts en vain. Nous sommes là. Et nous nous battons à nouveau. Vous et vos camarades pilotes, vous avez à nouveau le contrôle du ciel de la Terre.

» A chacun de vous, j'adresserai une requête dans les temps qui vont venir. Est-ce que vous honorerez ces requêtes ?

Ils lui adressèrent un commun regard. Croyait-il donc vraiment qu'ils ne le feraient pas ? De toutes les gorges monta un grondement unanime d'assentiment et il fallut plusieurs minutes pour que le calme revienne.

- Je vais partir à présent, reprit Jonnie. Je conduis cet enfant en Écosse. Pour qu'il y soit inhumé par les siens.

Il redescendit.

Le pilote du transporteur de minerai qui avait attendu jusque-là que les Russes embarquent désignait son appareil au coordinateur. On fit monter les chevaux de Jonnie à bord. Le ballot de Stormalong fut ensuite transféré du véhicule à l'avion et les Russes emmenèrent le corps de Dmitri Tomlov qui devait regagner sa patrie.

Jonnie, toujours chargé de la dépouille de Bittie, s'installa dans le cockpit.

Avant qu'on rabatte la portière, il contempla longuement la foule et dit, lentement et clairement :

- Le temps de la vengeance n'est pas encore venu. (Et il répéta, d'une voix sombre :) *Pas encore !*

Ils acquiescèrent. Ils comprenaient. Ce n'était que partie remise.

L'énorme appareil décolla et effectua un large virage dans le ciel gris, décoloré par l'orage. Puis il disparut bientôt à l'horizon.

10

Une crise bien plus sérieuse les attendait en Écosse, qui menaçait d'anéantir tous les plans de Jonnie.

L'avion descendit dans les sombres tourbillons de brume de l'automne, guidé depuis le sol par quelques pilotes. Les Écossais avaient entrepris la reconstruction de Castle Rock à Edinburgh. Ils avaient tout nettoyé et commencé à restaurer ce qui subsistait des anciens bâtiments qui, deux mille ans auparavant, avaient été le siège du nationalisme écossais. La forteresse portait à nouveau son ancien nom gaélique, *Dunedin*, « le fort sur la colline d'Edin ».

Jonnie se posa dans un parc, juste sous le Rocher, en face des ruines de l'ancienne National Gallery d'Écosse.

Des hordes de gens s'étaient précipités pour l'accueillir et les serviteurs avaient été rudement bousculés en tentant d'écarter la foule pour ménager une aire d'atterrisage à l'avion.

Malheureusement, les photos de la bataille du camp, prises par le drone, étaient déjà parvenues aux enregistreurs de Cornouailles et avaient été expédiées en Écosse par avion bien avant l'arrivée de Jonnie. Les Écossais exploitaient au maximum les moyens de transport confisqués aux Psychlos. Quand les apprentis-conducteurs écossais étaient revenus avec leur diplôme en poche, les véhicules à plate-forme étaient devenus des bus de transport public.

La mère de Bittie était là, ainsi que toute sa famille, et il leur confia le corps de l'enfant afin qu'on l'habille et qu'on le prépare pour les funérailles. Les tambours battaient en cadence lente et lugubre, les cornemuses faisaient entendre les notes plaintives d'un lamento. Des femmes pleuraient tandis que les hommes, cognant leurs poings l'un contre l'autre, pensaient déjà à la nécessité d'une guerre.

Il faisait presque nuit. Une garde d'honneur composée de Highlanders portant le kilt s'avança vers Jonnie et l'officier informa courtoisement Jonnie qu'il était là afin de l'escorter à travers la foule jusqu'à la réunion des chefs. Ils n'avaient pas encore achevé la restauration du parlement, et les chefs, accourus en hâte des collines, s'étaient réunis dans un parc proche, devant les ruines de l'Académie Royale d'Écosse.

Jonnie s'avança entre les plaintes douloureuses des cornemuses. Le parc était illuminé par un énorme brasier que l'on avait allumé au centre et l'éclat des flammes faisait scintiller les épées et les boucles des ceinturons des chefs de clan et de leurs suites. Une seule pensée, un seul vœu dominait cette assemblée : LA GUERRE !

Avec quelque retard, Robert le Renard, qui revenait juste d'Afrique, se précipita au côté de Jonnie. La garde d'honneur les précédait, leur ouvrant le chemin. Ils étaient déjà au milieu des rangs les plus extérieurs de l'assemblée, se dirigeant vers de grands rochers plats qui avaient été choisis pour faire office de tribune. Le chef du clan Fearghus vint à leur avance pour escorter Jonnie jusqu'à la tribune.

– Est-ce que tu veux la guerre ? murmura Robert à l'oreille de Jonnie. Moi, ça m'étonnerait ! Tous tes plans s'écrouleraient !

– Non, non, c'est ce qui pourrait nous arriver de pire. Si la guerre est évitée, il nous reste encore une chance.

– Alors pourquoi ne t'es-tu pas changé avant cette réunion ? Tu savais bien qu'elle allait avoir lieu !

Jonnie n'avait pas pensé à sa tenue. Il baissa les yeux. L'épaule de sa veste de daim était souillée du sang qui s'était écoulé de la blessure superficielle qu'il avait au cou. Il était depuis longtemps coagulé, mais tout le devant de sa chemise et de son pantalon était noir du sang de Bittie.

A cet instant précis, le chef des Campbell s'adressait aux autres chefs :

– ...et moi je dis que cette dette de sang ne saurait être réglée que par la guerre !

De féroces grondements d'assentiment lui répondirent.

– La guerre ! La guerre !

Les haches lançaient des éclairs dans les flammes vacillantes. Les épées sifflèrent en quittant les fourreaux, et ce fut comme une déclaration guerrière et sans merci.

Jonnie monta sur la tribune de pierre. Il leva la main pour réclamer le silence. Les voix se turent, et il n'y eut plus que les craquements du feu et la tension électrique qui régnait sur l'assemblée.

– Nous ne voulons pas la guerre, déclara Jonnie.

Ce n'était pas la chose à dire. Une clameur de protestation s'éleva aussitôt et déferla sur lui.

– Le sang même qui est sur ses vêtements appelle la guerre ! cria le chef des Argyll.

- Le meurtrier de l'enfant est mort ! dit Jonnie.

- Et Allison ? cria le chef des Cameron. Ce crime abominable n'a pas été vengé ! Le chef des Brigantes, celui-là même qui l'a perpétré, est encore en vie ! Ce sont là des dettes de sang !

Jonnie prit conscience qu'ils étaient déchaînés, hors d'eux. Ils demandaient des pilotes et des appareils. Ils ne pensaient qu'à une chose : l'anéantissement absolu de la force des Brigantes. Immédiatement ! Il comprit qu'ils avaient décidé tout cela bien avant son arrivée. Son lourd avion de transport avait été bien trop lent. Mais il savait une chose : en cas de guerre, tous leurs efforts n'auraient servi à rien. S'ils effaçaient la région de Denver de la carte de l'Amérique, ils mettraient du même coup un terme à tous ses plans !

Il chercha autour de lui le visage familier de Robert le Renard, mais il ne rencontra que les expressions de fureur des chefs et de leurs gens. Il ne pouvait se risquer à leur dévoiler maintenant, en public, les plans qu'il avait conçus. Lars lui avait prouvé qu'il pouvait exister des traîtres parmi eux.

Il tenta de leur expliquer que la planète encourait une menace plus grave encore, qu'ils ignoraient ce qui était arrivé sur Psychlo, qu'il existait d'autres races parmi les étoiles, mais ils ne perçurent pas une seule de ses paroles dans le tumulte.

Finalement, le chef du clan Fearghus, grand et majestueux, bondit au côté de Jonnie et lança à la foule :

- Laissez parler le MacTyler !

Ils s'apaisèrent, mais ils étaient toujours aussi tendus et déterminés.

Jonnie était épuisé. Il n'avait pas dormi depuis des jours. Il fit appel à ses dernières ressources d'énergie et parla d'une voix forte, avec un ton confiant :

- Je peux vous promettre une guerre TRIOMPHALE ! Si vous me laissez vous guider, si chacun de vous contribue avec son temps, avec ses hommes, à une entreprise audacieuse, si vous acceptez de dresser des plans avec moi et de travailler à une préparation qui durera plusieurs mois, nous aurons notre guerre, nous aurons notre revanche et nous obtiendrons peut-être une victoire définitive !

Ils l'entendirent. Et, au bout d'un instant, quand ils eurent compris, ils poussèrent un formidable hourra pour exprimer leur soutien. Les haches se levèrent plus haut encore et les claymores lancèrent des éclairs dans la lueur du foyer, tandis que les cornemuses éclataient en accords martiaux. Toutes les bouches hurlèrent des vivats à l'adresse de Jonnie. Il quitta la tribune, précédé par Robert le Renard. Des mains vigoureuses s'abattirent affectueusement sur son dos. De tous côtés on cherchait à l'agripper, à le serrer. Les hommes se ruaient au-devant de lui, levant leurs épées pour le saluer. Quelque part, quelqu'un entonna un refrain : « MacTyler ! MacTyler ! »

Les tambours et les cornemuses soutenaient le tumulte qui allait grandissant.

- On compte sur toi, dit gentiment Robert le Renard en conduisant Jonnie jusqu'à une vieille demeure où l'attendaient un bain, des vêtements frais et un bon lit. (Mais il ajouta :) J'espère seulement que nous pourrons tenir cette promesse !

Le lendemain, ils inhumèrent Bittie MacLeod dans une crypte de la vieille cathédrale Saint-Giles. Le cortège funéraire était long de plus de deux kilomètres.

Jonnie avait déclaré au chef du clan Fearghus :

- Il est mort écuyer. Nous devons l'enterrer comme un chevalier.

Fearghus fit recouvrir le corps d'un manteau et, au titre de Roi d'Écosse - et, désormais, de l'ensemble des Îles Britanniques -, il éleva Bittie au rang de chevalier d'un délicat attouchement de son épée.

Un sculpteur avait travaillé toute la nuit pour confectionner un sarcophage de pierre, qui était à présent prêt.

Le pasteur lut l'oraison funèbre et Bittie fut conduit au repos accompagné par les plaintes des cornemuses.

Sur la plaque, sous les nouvelles armoiries qui avaient été données à Bittie, on avait gravé :

SIR BITTIE
UN CHEVALIER VRAI

Ils savaient tous que cela lui aurait plu.

Pattie, dont les traits s'étaient figés depuis qu'elle avait appris la nouvelle, reçut à l'issue de la cérémonie le petit paquet que l'on avait retrouvé sur Bittie. C'était le médaillon. Elle eut quelque peine à lire ce qui était gravé au dos : « A Pattie, ma future épouse. »

Brusquement, les larmes jaillirent de ses yeux. Elle s'effondra en sanglotant sur le sarcophage.

Mais Bittie n'était pas vaiment parti. Il venait de devenir une légende. Si les générations futures survivaient, elles en feraient un chant et une histoire. A la mémoire de Sir Bittie dont on disait qu'il avait sauvé la vie de Jonnie.

VINGT ET UNIÈME PARTIE

1

L'astronef Aknar II était en orbite à 650 kilomètres au-dessus de la Terre.

Le petit homme gris était assis dans un petit bureau gris, à bord du vaisseau.

Il observait de petits instruments gris.

Il avait partiellement achevé une analyse critique, mais il n'en était pas le moins du monde satisfait.

Il y avait un flacon de pilules sur son bureau, des pilules pour la digestion. Son travail avait ses inconvénients. Le fait de boire toutes les boissons qu'on lui offrait, y compris le thé aux herbes, avait perturbé son estomac.

Le petit homme gris était profondément troublé. Les problèmes qu'il affrontait à son niveau n'étaient jamais faciles à résoudre et ils exigeaient des jugements pondérés. Durant sa longue vie, il avait affronté de nombreuses situations, dont une grande part avait comporté des éléments menaçants et dangereux. Mais jamais - il effectua un calcul rapide sur le calculateur à tambour - durant ces trois cent treize mille dernières années, lui ou ses prédécesseurs n'avaient été confronté à un potentiel aussi catastrophique.

Il soupira et avala une autre pilule. Ce dernier lot d'informations transmis par son secrétaire particulier contenait des éléments qui défiaient les dissections et assemblages mathématiques les plus habiles. Il y avait, dans tout cela, des facteurs explosifs qui pouvaient déchaîner le désastre.

Pour commencer, un orage avait gravement interféré avec la clarté de la première transmission. Un émetteur audio-visio à infrarayon, pour aussi précise que fût la visée, n'était après tout qu'un appareil électronique soumis aux interférences. Et il s'en était produit une. Le petit homme gris ne se considérait pas comme un technicien, et ce n'était pas son rôle. Mais les techniciens qui étaient à bord du vaisseau n'avaient pas réussi eux non plus à rendre la transmission plus claire. Et, pour ajouter à ses ennuis, il y avait ce délai qui retardait toutes les communications avec les labos compétents. Il se trouvait à deux mois et demi de voyage de toute assistance technique.

Avec des gestes las, et pour la septième fois, il repassa le premier enregistrement au moyen de la machine de lecture.

Il vit à nouveau le camp, la vieille mine principale des Psychlos sur la planète. Derrière des rochers, il y avait quelques hommes armés qui se tenaient cachés. Le véhicule arrivait, et le premier homme en descendait et se dirigeait vers le camp. Puis trois autres hommes descendaient ensuite, deux d'entre eux tenant des armes braquées sur le troisième.

Il avait déjà essayé plusieurs fois d'améliorer l'image de ce troisième homme, mais l'interférence provoquée par les éclairs d'orage était trop forte. Une fois encore, il sortit un des billets de « un crédit » qu'il était parvenu à se procurer et examina l'image. Mais il ne pouvait être certain que c'était bien le même homme. Et il était inutile d'appeler un technicien comme il l'avait déjà fait.

L'image revint un instant après, grâce au décodage optique. Le deuxième véhicule arrivait. Un camion. Un petit personnage en descendait d'un bond, brandissant une espèce d'arme. Il courait en avant comme pour attaquer. Mais cela ne ressemblait pas vraiment à une attaque. L'homme derrière le rocher avait dû croire que c'en était une. Puis suivait la fusillade...

Il suivit la bataille. Oui, ce devait être le même homme que sur le billet. La transmission était d'une parfaite médiocrité! Alors que tout était tellement clair, d'ordinaire.

Ensuite, la voiture que suivaient les chevaux, l'homme montant sur la voiture, s'adressant à la foule en portant le petit corps...

C'était *ici,* précisément, que l'image aurait dû être claire!

Quant au son, il était tellement interrompu par les éclairs qu'il ne percevait que des bribes. L'image montrait des armes que l'on brandissait. Mais sans en user. L'homme debout sur le véhicule plaidait-il pour qu'il n'y ait pas de guerre?...

Mais qui donc avait été ce petit personnage pour provoquer tout cela? Le prince d'un souverain régnant?

Heureusement, la transmission en infrarayons qui était parvenue de l'île-pays était de meilleure qualité et le son net et clair. On promettait une guerre!

Mais pourquoi? Et contre qui?

C'était le même homme. Le vaisseau avec lequel il était venu avait été suivi avec précision tandis qu'il contournait le pôle de la planète.

Mais, cependant, on ne pouvait avoir l'absolue certitude que c'était l'homme qui figurait sur le billet. La clarté du feu se situait tout en bas du spectre des infrarayons.

Le petit homme gris soupira de nouveau. Non, il n'était sûr de rien. En tout cas, pas suffisamment pour émettre une analyse critique vitale.

Il s'apprêtait à prendre une autre pilule lorsqu'un voyant se mit à clignoter : on l'appelait depuis la passerelle. Quand un vaisseau était en orbite, il n'y avait pas grand-chose à faire et le signal d'alerte s'allumait rarement. Le petit homme gris appuya sur un bouton, un écran s'alluma et l'image apparut. Puis il regarda à travers le hublot.

Hé oui! Il s'y était plus ou moins attendu. Un astronef de guerre! Il était en train de se mettre en orbite à proximité. Sa coque lisse brillait sur le fond noir du ciel. Tous ces vaisseaux de guerre avaient toujours une apparence inutilement menaçante. Voyons... Celui-ci arborait un losange barré. L'emblème des Tolneps. Il s'était demandé quand ils arriveraient.

Il fit tourner rapidement l'indicateur éclairé placé sur son bureau. Tolnep... Croiseurs de combat tolneps... Est-ce que celui-ci avait un pont en forme de losange?... Oui... Classe Vulcor... Caractéristiques... Oui! Elles y étaient : « Jauge officielle : deux mille tonnes. Propulsion solaire. Batterie centrale de 64 canons-éclateurs Maxun... » Toutes ces caractéristiques étaient tellement ennuyeuses! Elles n'en finissaient pas. Qui pouvait bien s'intéresser au nombre exact de cloisons à l'épreuve des éclateurs?... « Personnel : cinq cent vingt-quatre marines tolneps, soixante-trois membres d'équipage... (Seigneur! Est-ce que les employés aux ordinateurs comprendraient un jour quels étaient vraiment les renseignements importants dont on pouvait avoir besoin ?)... sous le commandement d'un semi-capitaine ayant toute autorité autonome concernant les tactiques locales mais aucune autorité pour toute décision stratégique ! »

C'était *ça* que cherchait le petit homme gris.

Le communicateur spatial local émit un bourdonnement. Le petit homme gris alluma un visécran et le visage rude d'un Tolnep coiffé d'un petit casque à visière apparut. Il portait l'insigne de semi-capitaine sur son casque et le petit homme gris sut qu'il s'adressait au commandant du vaisseau. Il appuya sur une touche afin que son propre visage fût visible sur l'écran du Tolnep.

- Bon espace à vous, Votre Excellence, dit le Tolnep. Je suis Rogodeter Snowl.

Il s'exprimait en psychlo, un langage presque universel. Il chaussa des lunettes aux verres épais afin de mieux voir le petit homme gris.

- Mes salutations, semi-capitaine, dit le petit homme gris. Pouvons-nous vous être de quelque utilité ?

- Eh bien oui, Votre Excellence. Vous nous obligeriez fort en nous communiquant toute information vitale concernant cette planète.

Le petit homme gris eut un soupir.

- Je crains fort, semi-capitaine, que tout ce dont je pourrais vous faire part n'ait pas encore abouti à une analyse critique. Ce serait incomplet. Nous serions enchantés de pouvoir vous aider, mais nous redoutons de vous donner des conseils erronés.

- Ah... Ma foi, ça ne prendra pas longtemps pour organiser les choses, dit le Tolnep. Le voyage a été long et mon équipage est encore en sommeil profond. Mais ça ne sera pas un problème de débarquer un groupe en quelques heures afin de rassembler des données préliminaires.

Le petit homme gris avait craint d'entendre de telles paroles.

- Loin de moi l'idée, semi-capitaine, de m'opposer à vos projets, mais je pense que ce serait tout à fait inopportun.

- Vraiment ? Mais il suffirait d'un raid éclair pour capturer quelques-uns de ces êtres. Un interrogatoire rondement mené, et nous obtiendrons tout ce que nous désirons savoir.

- Semi-capitaine, il est de mon devoir de vous dire que je ne pense pas que ce serait fructueux. Depuis quelque temps maintenant, je rassemble des informations et je dispose ici de tout ce que vous pourriez trouver par ailleurs. Je puis tout vous transmettre, si vous le désirez.

- J'apprécie cette attention, Votre Excellence. Mais pourquoi ne ferions-nous pas un petit raid éclair ? Je crois détecter chez vous certaines réserves.

- Eh bien, en fait, vous détectez effectivement certaines réserves et cela prouve la sensibilité de votre perception. Il se pourrait qu'il soit important que vous vous teniez à l'écart et que vous attendiez.

- Vous pensez que ce sont eux ? demanda Snowl.

- Mon cher ami, dit le petit homme gris, il y a plus de trois cents planètes suspectes, si je ne m'abuse.

- Trois cent deux, je crois. C'est du moins le dernier chiffre si l'on en croit la rumeur...

- Je ne peux vous affirmer que c'est bien ce monde-ci, dit le petit homme gris, et je ne peux vous fournir de preuves évidentes par comparaison avec d'autres planètes et d'autres systèmes puisque, bien sûr, je ne suis responsable que de ce seul secteur, au même titre que vous. Pourtant, malgré la minceur des preuves, je crois personnellement que ce *pourrait* être ce monde-ci.

- Oh, je vois ! C'est très prometteur !

- Nous ne sommes nullement en position pour nous prononcer à l'heure qu'il est. Mais il est à craindre qu'en effectuant un raid vous dérangiez ce qui apparaît comme une situation politique particulièrement critique sur ce monde, et ce en notre défaveur.

- Donc, vous nous conseilleriez d'attendre, fit le Tolnep.

- Eh bien, oui. Je vais vous expédier toutes les informations que j'ai pu collecter et je pense que vous parviendrez à la même conclusion.

- Cela rend notre situation très difficile. Pas de raid, pas de butin. Mais, d'un autre côté, il y a cette histoire de stratégie...

- Oui, certes, et nous devons nous abstenir de tout mouvement tactique susceptible de la déséquilibrer...

- Ah ! fit le Tolnep, avant d'ajouter : Mais combien de temps croyez-vous que nous devrons attendre ? Des jours, des mois, des années ?

- Des mois, à mon avis.

Le Tolnep émit un soupir. Puis il parut se rasséréner et sourit. Leurs sourires avaient toujours quelque chose d'effrayant, car les crocs des Tolneps étaient venimeux.

- D'accord, Votre Excellence, c'est très courtois de votre part de nous proposer les informations que vous avez rassemblées et je serai très heureux d'en prendre connaissance. A propos, pouvons-nous vous proposer protection et escorte ? J'ai toutes raisons de penser qu'un vaisseau hockner pourrait se présenter et vous savez qu'ils sont redoutables.

- Je vous remercie sincèrement, semi-capitaine, dit le petit homme gris d'un ton las, mais, ainsi que vous le savez, pour notre part, nous n'avons pas le moindre différend avec les Hockners.

- Non, certes non... Vous n'avez besoin d'aucune fourniture ou de quoi que ce soit ?

- Non, merci, pas pour le moment. Plus tard peut-être. Croyez bien que nous apprécions toujours votre courtoisie.

- Nous sommes déjà vos débiteurs, dit le Tolnep en riant. (Et il ajouta avant de couper la communication :) Venez donc prendre le thé quand vous voudrez.

A la seule pensée d'absorber du thé le petit homme gris eut l'estomac tout retourné. Il prit une autre pilule. Tout bien considéré, le problème qu'il avait sur les bras était le plus difficile qu'il eût jamais affronté.

La pilule contre les maux d'estomac était sur le point de faire effet quand il réalisa brusquement que les Bolbods, les Hawvins et bien d'autres encore n'allaient pas tarder à se manifester. Il espérait qu'ils ne se battraient pas. Dans la situation où il se trouvait, il fallait des mois pour expédier les rapports sur sa planète et d'autres mois encore pour recevoir des réponses. Il se sentait vraiment livré à lui-même.

Il regarda à nouveau au-dehors le monstre scintillant de tous ses canons dans la clarté fulgurante du soleil. Les Tolneps étaient des créatures dures. Mais ils n'étaient pas vraiment pires que les Bolbods ou les Hockners.

Il abaissa le regard vers la planète. Était-ce vraiment celle-là ? Si tel était le cas, ce serait un soulagement, en un sens. Mais il n'osait imaginer le déchaînement de violence que cela risquait d'entraîner !

Il soupira profondément.

2

Terl ronronnait. Aujourd'hui, il allait s'installer dans son bureau !

Il y avait eu quelques moments pénibles. Ce matin même, il avait envoyé Lars s'assurer qu'il n'y avait aucun piège - mieux valait que ce fût Lars qui saute plutôt que lui.

Une grande effervescence avait régné dans le camp. Le général Snith était arrivé et il avait réquisitionné tous les corps des hommes du commando massacré, puis il avait eu une altercation avec quelques-uns de ses officiers, à propos des rations du mess. Il avait eu satisfaction sur tous les points. Il y avait vingt-huit cadavres, et dix-huit commandos en exercice. Il avait trouvé une solution magistrale : chaque commando aurait droit à un corps, deux seraient attribués au mess des officiers, six seraient réservés aux femmes et aux enfants, et deux à sa propre table. Tout avait été ainsi réglé.

Le treizième commando avait nettoyé les lieux du carnage, puis il avait été relevé par le cinquième commando. Tout cela avec une efficacité et une discipline toutes militaires. Les hommes s'étaient montrés particulièrement polis avec Terl, ce qui prouvait qu'ils savaient qui était le chef.

Mais à peine les choses s'étaient-elles arrangées que Lars était accouru en hurlant pour prévenir Terl que le bureau était piégé. Pire encore, il n'avait pas la moindre notion de la façon dont on désamorçait une bombe. Terl savait une chose : il avait tout intérêt à ne pas laisser les Brigantes en liberté dans son bureau. Tout risquait de sauter, et, en tout cas, d'empester. C'était à lui de s'occuper de ce piège.

Il avait été placé dans le trou du bureau, à hauteur des genoux. Terl savait qu'une bombe pouvait en cacher une autre et c'est avec précaution qu'il désamorça le piège.

Quand il eut fini, à l'instant où il s'apprêtait à jeter la bombe, il s'aperçut que des poils étaient collés dessus. Ils étaient gris. Ils venaient du poignet d'un Psychlo ! La toison de Ker était orange. De plus, en enfonçant l'explosif plastique, l'auteur du forfait s'était cassé une griffe qui était bien trop longue pour avoir appartenu à Ker.

Quand il avait appris que son bureau avait été piégé, Terl avait pensé que ce ne pouvait qu'être le fait de l'animal. S'il en croyait ce qu'il avait appris, l'animal était resté seul après le départ des deux autres. C'était sans doute lui qui avait mis la bombe en place.

Le fait que l'animal ne fût pas venu pour le tuer après qu'il eut liquidé le commando avait troublé Terl. C'était la deuxième ou troisième fois que l'animal avait une chance de le tuer et n'en profitait pas. Étrange. Contre nature. Et il avait donc conclu que l'animal, ayant installé ce piège, avait considéré que tout était déjà réglé.

Mais ces poils et ce bout de griffe changeaient tout. Une fois encore, l'animal ne l'avait pas tué. Il n'avait même pas tenté de le faire. Ce comportement était très anormal. Terl parvint pourtant à une conclusion. Terl avait si souvent malmené l'animal qu'il avait peur de lui. Oui, bien sûr ! Ce ne pouvait être que ça !

Terl fut rasséréné. Puis il prit conscience brusquement que c'étaient les Psychlos des dortoirs du bas qui avaient dû se glisser dans son bureau et qui avaient installé la bombe.

Il demanda aussitôt leur exécution. De toute façon, il ne tenait pas à les voir traîner dans le coin. Mais Lars était revenu pour lui apprendre que, ce matin même, les trente-trois Psychlos avaient été expédiés au-delà des mers sous la surveillance des cadets. Les documents de réquisition pour le kerbango, le goofoo, le gaz respiratoire, etc., étaient là pour le prouver. Terl oublia aussitôt sa frayeur et entreprit de rassembler divers objets tels que fioles de gaz et dictionnaires. Puis il quitta pour toujours la cage et regagna son bureau.

Quel soulagement c'était que de se retrouver à l'abri du soleil et de l'air de cette maudite planète !

Il verrouilla la porte, brancha la circulation de gaz et, bientôt, il put ôter son masque. Quel plaisir que de pouvoir se promener sans masque !

Du regard, il fit le tour de la pièce. On avait fait disparaître certains objets. Il n'y avait plus d'enregistreurs de drone. Qui en aurait encore besoin ? Plus de radio. A quoi bon ? Et tous les intercoms étaient morts. Quelle importance ?

Tout était prêt pour qu'il se mette au travail. Il remarqua que la position d'une table n'était pas correcte, voulut la déplacer et s'aperçut alors qu'elle était soudée au sol. La soudure était même blindée ! Oh, oh ! Quelqu'un voulait absolument que cette table reste dans cette position ! C'était donc pour ça que l'animal était resté. La pièce était pleine de mouchards !

On n'avait pas emporté ses vêtements. Bientôt, il pourrait s'habiller et redevenir civilisé mais, pour l'instant, il voulait ses bottes vertes. Oui, elles étaient là. On ne les avait pas touchées. Elles étaient couvertes de poussière. Il retourna la botte droite et en fit pivoter le talon. Les clés des placards tombèrent sur le sol.

Il regagna le bureau principal. Ah, ah ! Ils avaient tenté de forcer les placards. Une porte était légèrement tordue et il releva les marques d'une barre de fer. Mais Terl savait qu'il était impossible de forcer les placards. Il les ouvrit tous. Tout était bien en place comme avant ! De mieux en mieux.

Il prit le détecteur de mouchards, l'examina, puis l'alluma. Immédiatement, il émit un bourdonnement ! Les voyants clignotèrent ! Du diable ! l'endroit était *truffé* de mouchards !

Toute une heure durant, Terl ne fit rien d'autre qu'ôter des mouchards : micro-microphones, caméras-boutons, sondeurs. Tout cela bien dissimulé et placé pour couvrir les principaux emplacements de travail.

Trente et un. Il les avait tous placés sur son bureau. Il les recompta. Oui, il y en avait trente et un. L'animal n'avait pas chômé ! Mais qu'est-ce qu'il pouvait être stupide ! Terl paria qu'il ne restait plus un seul détecteur dans le camp.

Finalement, il enfila une tunique. Quelqu'un avait entassé toute une caisse de gamelles de kerbango contre un mur et il loucha un instant dessus. Il allait se servir quand il lui vint une pensée : « Allez, une dernière vérification ! » Il promena le détecteur tout autour de lui et l'appareil siffla !

Durant un quart d'heure, il chercha, encore et encore. Et trouva. C'était un micro et il l'avait sur lui. C'était le dernier bouton de sa tunique, celui du haut.

Trente-deux.

Il inspecta ses autres vêtements. Rien.

Il se dit alors qu'il ferait mieux d'examiner les canalisations. Le détecteur n'avait rien relevé, mais qui sait ? Mais lorsqu'il voulut monter sur un fauteuil et assurer son équilibre en se maintenant au châssis d'une canalisation, il s'aperçut qu'il était branlant. Aïe ! Il risquait de faire entrer de l'air dans la pièce. Quel travail de sagouin ! Mais qu'est-ce qu'on pouvait attendre d'autre ?

Il explora une fois encore les lieux. En découvrant l'étagère des composants, il s'arrêta et ne put se retenir de rire. L'assortiment était complet et chacune des boîtes de composants avait une grande étiquette. L'une des caméras-boutons qu'il avait découverte cachée dans une fixation d'éclairage avait été braquée droit dessus. L'animal était vraiment stupide !

Terl réalisa brusquement qu'il devait y avoir quelque part une unité d'alimentation pour tous ces mouchards et le relais de transmission.

Il mit un masque et alla chercher Lars. Ensemble, ils patrouillèrent dans les couloirs, étage par étage. Et ils trouvèrent ! Une unité d'alimentation complète, avec tous les raccords installés, dans un réduit contenant du matériel anti-incendie. Terl la prit et la déconnecta. Ce type d'appareil pouvait fonctionner pendant six mois.

Et les enregistreurs ? L'unité devait assurer le relais pour des enregistreurs. Ils devaient être à quelques dizaines de mètres de là. Terl alla prendre une radio de mine, reconnecta l'unité d'alimentation et, en peu de temps, découvrit un enregistreur. Il avait été caché derrière la porte du garage. N'importe qui pouvait passer par là et changer les disques sans être remarqué. Stupide animal !

Il éteignit la chose et l'emporta. A quoi bon se soucier des autres ? Ils étaient aveugles désormais, maintenant qu'il n'y avait plus de mouchards.

Exultant, il regagna son bureau, s'enferma consciencieusement, puis effectua une dernière vérification avec le détecteur. Un silence merveilleux. Pas la moindre lumière sur le voyant. Il était enfin seul. Dans l'intimité. Merveilleux.

Il mit un pantalon et chaussa ses bottes. Puis il ouvrit une gamelle de kerbango et s'installa dans son fauteuil pour jouir de l'instant.

En route pour la richesse et le pouvoir ! Et, cette fois, il allait monter un piège d'une telle efficacité que l'animal tomberait droit dedans s'il s'en approchait.

Au bout d'une heure, il se dit qu'il ferait tout aussi bien de se mettre au travail.

Mais mieux valait faire les choses dans l'ordre. Il avait intérêt à calculer d'abord combien de temps il lui faudrait pour mener ce travail à bien. Ensuite, il entreprendrait la construction de cette arme si redoutable et mortelle que la Compagnie ne l'utilisait jamais, sauf lorsque la destruction d'une planète s'imposait de toute urgence. Lorsqu'il aurait quitté cette planète, il n'en resterait plus qu'une petite tache dans le ciel.

Il se leva, alla jusqu'aux placards et ouvrit un double fond.

3

Depuis son retour en Afrique, Jonnie avait du mal à trouver le sommeil. Dans la chambre du sous-sol où il s'était installé, il se tournait et se retournait sans cesse dans l'immense lit psychlo. Les nuits étaient chaudes et humides et il passait sans arrêt en revue les événements du passé récent, ruminant sur ce qu'il aurait dû faire, sur les erreurs commises. La vie d'un jeune garçon semblait un prix trop élevé pour ces informations qu'ils voulaient.

Sir Robert n'était pas là. Il était resté en Écosse afin d'organiser un périmètre de défense antiaérienne à Edinburgh. Et MacKendrick non plus. Il avait fait un voyage au pays pour superviser l'installation de son hôpital souterrain dans de nouveaux quartiers mieux adaptés et pour voir comment se débrouillait son assistant. Quant au colonel Ivan, il était en Russie.

Stormalong avait été retenu ici car on craignait quelque vengeance dirigée contre lui pour avoir prêté son identité ainsi que ses vêtements lors de la récente mission. Le Norvégien, en constatant qu'il n'avait rien à faire, avait décidé de tuer le temps en dressant l'inventaire de la « quincaillerie volante », un terme qu'il avait pêché on ne savait où, ou qu'il avait forgé lui-même pour désigner les avions.

Grâce à Stormalong, Jonnie avait commencé à deviner le véritable caractère de la base africaine. Elle n'expédiait que très peu de minerai en vrac, puisque le tungstène était raffiné sur place, et, par conséquent, elle n'avait disposé d'aucun transporteur minéralier, ce qui expliquait que le gaz respiratoire et le carburant avaient dû être convoyés par voie de terre depuis la mine de la Forêt d'Ituri. Mais la base centrale d'Afrique était équipée d'un grand nombre d'avions de types variés, ce qui avait amené Stormalong à conclure qu'elle avait eu également une fonction défensive. Selon quelques vieux manuels psychlos qu'ils avaient découverts, il semblait qu'en cas d'attaque sur la mine de la région de Denver, la base africaine avait pour mission de déclencher une contre-attaque surprise. C'était très exactement ce à quoi étaient occupés les Psychlos lorsqu'ils avaient été anéantis.

Stormalong fut très intrigué en découvrant plusieurs types de quincaillerie volante qu'il n'avait jamais encore rencontrés auparavant et qui ne figuraient dans aucun manuel psychlo. Mais ce n'étaient pas des appareils de combat. Il s'agissait de machines à fonction mixte qui avaient été amenées pour un travail spécifique. Ce travail accompli - ce qui était assez typique de la politique de la Compagnie - elles avaient été tout simplement rangées dans le fond du hangar, où on les avait oubliées. Les rapatrier sur Psychlo aurait sans doute été trop coûteux et trop compliqué.

D'après les registres de vol qui étaient encore lisibles, elles avaient été utilisées pour « l'extraction » d'une formidable quantité de matériaux qui avaient été découverts en orbite autour de la planète. C'était très inhabituel pour Psychlo de se lancer dans ce genre d'opération. Mais quelques-uns des métaux dont étaient formés ces objets en orbite étaient d'une valeur inestimable en raison de leur rareté, et la Compagnie avait donc rompu avec ses usages en envoyant ces machines spéciales.

156

N'importe quel appareil de combat, à condition d'être dûment étanchéisé, pouvait aller jusqu'à la Lune et en revenir sans la moindre difficulté puisque ses moteurs à téléportation ne dépendaient absolument pas de l'air pour voler. Mais ces avions n'avaient pas été prévus pour le moindre travail d'extraction minière en plein espace. Il était impossible de charger ou de décharger quoi que ce fût d'un appareil de combat pendant qu'il naviguait dans le vide. Donc, dans une usine sur Psychlo, ou sur quelque autre planète contrôlée par les Psychlos, des avions d'attaque lourds et blindés avaient été reconvertis. Pourvus de verrous atmosphériques et de grappins télécommandés, ils pouvaient se porter à proximité d'objets flottant dans l'espace, les attraper et les rapporter. Ils trouvèrent entre les grappins de ces machines, des fragments de ces objets, des bouts de plaques, par exemple. L'une d'elles portait la mention « NASA ». Stormalong se plongea dans les listes planétaires sans parvenir à trouver de quoi il avait pu s'agir. Il avait alors conclu que ç'avait dû être quelque chose de local.

Jonnie avait examiné ces vieilles reliques avec quelque indifférence. Les joints des portes étaient détériorés. Mais on ne pouvait exiger d'un joint qu'il dure plus de onze cents années en restant étanche. Les gonds des portes avaient trop de jeu pour fonctionner normalement. Il y avait de nombreuses toiles d'araignées à l'intérieur et il était visible que les araignées, depuis des générations, s'étaient nourries d'une certaine variété d'insecte qui, elle, avait dévoré les revêtements. Le tout était dans un état abominable. En revanche, Jonnie s'était montré beaucoup plus intéressé par un autre type d'appareil muni d'un canon-éclateur.

Mais Stormalong, qui avait à sa disposition quelques mécaniciens particulièrement bien formés et vacants, trois pilotes et tous les ateliers qu'il voulait, avait remis en état ces antiquités. Il avait même fait peindre des torches flamboyantes sur le nez de chaque appareil. Parce que, selon lui, c'était un symbole de liberté. Jonnie avait dû admettre que Stormalong avait beaucoup de talent artistique, mais il espérait tout au fond de lui que ce genre de symbole n'annonçait pas que la machine terminerait en flammes.

Stormalong, ne constatant pas chez Jonnie l'enthousiasme qu'il avait espéré de sa part, avait demandé d'un air suffisant :

- Tu vois autre chose qui puisse décoller pour aller visiter ces objets qui sont en orbite six cent cinquante kilomètres plus haut ?...

Quatre objets se déplaçaient dans le ciel depuis quelques jours. Il y en avait eu un seul, tout d'abord, puis deux, trois, et enfin quatre.

- Les visiter ! répéta Jonnie, abasourdi. Mais cette chose n'a même plus de canons !

- On les a remis en place. Et tous les écrans et les instruments fonctionnent à nouveau. On a trouvé des pièces détachées.

- Il vaudrait mieux d'abord tester cet engin. Avec un équipement de jet dorsal à portée de la main !

- C'est ce que j'ai fait, dit Stormalong. Pas plus tard qu'hier. Les boutons de la console sont peut-être un peu vieillots mais tout ça vole parfaitement !

- Bon. Mais je t'interdis de voler jusqu'à ces objets !

- Oh, mais je ne l'ai pas fait... Je me suis contenté de prendre des photos...

Il les présenta à Jonnie. L'une montrait un engin immense avec un pont en forme de losange et un nombre important de bouches d'éclateurs. Sur l'autre on voyait un cylindre avec une passerelle de contrôle à l'avant. La troisième révélait une étoile à cinq pointes avec une sorte de canon à chaque pointe. Sur la quatrième, il y avait une sphère entourée d'un anneau.

- Eh ! s'exclama Jonnie. Mais ça correspond à la description du vaisseau du petit homme gris ! Celui que tu as heurté sans le heurter !

- Exactement ! dit Stormalong. On nous surveille !

Jonnie savait qu'ils étaient observés. Aucun ennemi n'avait le monopole pour ça. Ils avaient transféré le contrôle des drones en Cornouailles, modifié les parcours tout en conservant certaines orbites fixes. Douze drones survolaient le globe à faible altitude et passaient au-dessus de l'exploitation minière d'Amérique à quelques heures d'intervalle. Ils enregistraient également des images des objets en orbite. Mais pas aussi facilement, car les drones avaient été conçus essentiellement pour l'exploration du sol. Non, un ennemi potentiel ne jouissait d'aucun monopole. Quant aux défenses terrestres, elles étaient également en état d'alerte. Mais le système de défense était minimal et Jonnie le savait parfaitement.

Cette nuit-là, Jonnie ne put trouver le sommeil. Dunneldeen aurait dû leur apporter depuis un certain temps déjà les premiers enregistrements des activités de Terl, et Jonnie ignorait même encore s'ils avaient réussi à enregistrer quoi que ce soit. Toute communication radio concernant leur projet était interdite. Il était dans le noir absolu.

A la fin, il n'y tint plus. Il se leva pour arpenter nerveusement sa chambre, puis sortit. Il faisait chaud et lourd. Près du lac, un lion rugissait, et le ciel était obscurci par des nuages. Brusquement, il eut envie de respirer de l'air frais et de contempler les étoiles.

Quelques avions de combat étaient parés à décoller en cas d'alerte. Mais ils faisaient partie du dispositif de défense. L'antique relique que Stormalong avait réparée était à proximité, luisant d'un éclat terne et vert dans les lumières du camp. Obéissant à une impulsion, à un désir profond de chasser ses sombres réflexions, Jonnie alla voir l'officier de service, lui expliqua où il allait et prit une tenue de vol et un masque.

Les commandes étaient effectivement un peu démodées. Les boutons d'équilibrage étaient plus grands et situés à des emplacements différents. Les détentes des canons avaient été déplacées afin de ménager de la place pour les commandes des grappins. Mais quelle importance ? Jonnie boucla ses fusées dorsales, s'installa, ferma soigneusement les hublots et lança la vieille épave vers le ciel.

Il creva la couche de nuages et se retrouva sous la clarté des étoiles. Voler lui apportait toujours une sensation enivrante. Elle revenait à chaque fois, depuis ce jour enchanté où il avait quitté pour la première fois le sol. Le ciel noir, les étoiles brillantes, une demi-lune, et les pics enneigés des montagnes qui se dressaient au-dessus des nuages. Jonnie sentit refluer une partie de sa tension.

Il savourait cet instant. L'air était beaucoup plus frais. Mû par l'habitude, il observa les écrans. Quelques bips ! Il regarda au-dehors pour une vérification visuelle. Normalement, les quatre objets en orbite devaient être là. Non, il y en avait *cinq* ! Un objet nouveau s'approchait des quatre premiers, qui se détachaient sur le ciel, plus brillants que les étoiles, avec un éclat fixe. A six cent cinquante kilomètres d'altitude environ.

La dernière chose qu'il avait l'intention de faire, c'était de monter leur « rendre visite ». Ces vaisseaux étaient inconnus, et celui qu'il pilotait n'avait pas été vraiment éprouvé. De plus, il ne disposait d'aucune couverture. Et à supposer que la vieille relique fût capable de rallier la Lune et de revenir, il n'avait pas besoin de nouveaux incidents en ce moment. Certainement pas, merci.

Mais il pouvait peut-être en profiter pour prendre des clichés de meilleure qualité. Ceux de Stormalong, pris à la lumière du jour, étaient brouillés par les ultraviolets. Jonnie lança son appareil vers le haut, plafonna à trois cents kilomètres, préoccupé avant tout de préparer les enregistreurs de bord.

Mais que se passait-il ? Le cinquième vaisseau venait d'émettre un flash. Oui. Un autre ? Est-ce qu'ils lui tiraient dessus ?

Prêt à battre en retraite, il vit l'un des quatre vaisseaux lâcher une décharge intense de flashes. Une flaque de lumière entoura le cinquième vaisseau. Mais oui ! C'était ça ! Le nouveau venu avait ouvert le feu sur un des autres appareils qui venait de riposter !

Rapidement, Jonnie pianota sur les antiques commandes et se rapprocha jusqu'à n'être plus qu'à deux cent cinquante kilomètres des vaisseaux. Il était tellement absorbé par les enregistreurs qu'il n'eut pas conscience qu'il fonçait droit sur les étrangers à une vitesse hypersonique.

Stupéfiant ! Le cinquième vaisseau et son adversaire réglaient vraiment leurs comptes ! A chaque coup d'éclateur, le ciel était strié de lambeaux bleu-vert et rouges. Et des taches orange marquaient chaque impact !

Brutalement, il réalisa qu'ils étaient terriblement grands sur ses écrans. Un indicateur de distance tournait à toute allure. Il indiquait moins de cent cinquante kilomètres.

A l'instant où il allait inverser les commandes, le combat prit fin brusquement.

Jonnie lança sa vieille épave vers le bas à pleine vitesse et s'éloigna. Cette guerre ne le concernait pas. Et il ignorait si ses canons fonctionnaient.

Il ralentit sa course à cent cinquante kilomètres de la surface de la Terre et se remit en vol horizontal lorsqu'il n'en fut plus séparé que par une cinquantaine de kilomètres.

Il observa à nouveau les vaisseaux étrangers. Ils ne tiraient plus. Ils semblaient immobiles. Le cinquième s'était apparemment rapproché des autres.

Il secoua la tête. Ce n'était vraiment pas le moment de se livrer à des actes fous, irréfléchis. Il venait presque de faire exactement ce qu'il avait interdit à Stormy : rendre visite aux vaisseaux.

La vieille carcasse de son appareil s'était échauffée sous l'effet de la friction de l'atmosphère. Mais elle avait été construite pour supporter ça. Il avait eu envie de respirer un peu d'air frais et voilà que le pont était chaud sous ses pieds. Si vraiment il avait voulu grimper jusque là-haut en toute sécurité, il aurait mieux fait de prendre un avion de combat ordinaire, en vérifiant au préalable l'état des joints et de l'armement. Sir Robert n'aurait pas été fier de lui !

Un autre bip sur un des écrans ! Tout en bas, à environ trente mille mètres d'altitude. Était-ce un appareil en provenance d'Écosse ? Ou d'Amérique via le Pôle ?

Au diable l'air frais ! Il piqua vers le sol pour intercepter le nouveau venu et l'identifier. Il bascula la touche de l'émetteur local et, au même instant, une voix se fit entendre :

- Ne tirez pas ! je jure d'épouser votre fille !

C'était Dunneldeen.

Jonnie éclata de rire. C'était la première fois qu'il riait depuis son retour d'Amérique.

Il fit faire demi-tour à sa relique et se lança aux trousses de l'Écossais qui filait vers la mine.

4

Dans sa petite cabine grise, le petit homme gris soupira d'un air patient. Ou plutôt impatient. Sa digestion ne s'était vraiment pas améliorée. Et maintenant, voilà qu'était survenu cet incident...

Les choses étaient déjà assez pénibles comme ça sans que les militaires se mettent à se battre entre eux. Mais il s'agissait d'un problème militaire, et non pas politique ou économique, encore moins stratégique, et il n'avait pas eu à intervenir. Il était un simple observateur.

Quatre visages différents apparaissaient maintenant sur les écrans dont il disposait. Si cela continuait, il devrait demander à son secrétaire de prélever d'autres écrans dans les réserves et de les installer sur une étagère. Son bureau commençait à être passablement encombré.

Le semi-capitaine tolnep était furieux et il ne cessait de régler ses lunettes avec des gestes agités.

- Ça m'est égal que vous ayez été surpris de me trouver ici. Nous ne sommes pas en guerre, que je sache !

Le visage du Hawvin avait cette coloration violette que prenaient les Hawvins lorsqu'on les provoquait. Il avait enfoncé son casque carré sur son crâne ovale au point de courber son antenne auriculaire. Il avait entrouvert les lèvres, découvrant ses gencives acérées, sans dents, et semblait avoir envie de mordre.

- Comment auriez-vous pu savoir qui est en guerre et qui ne l'est pas ? Vous êtes à au moins cinq mois de toutes les bases !

Le super-lieutenant hockner qui commandait le vaisseau en étoile était quelque peu hautain avec ses trop nombreux galons dorés et son monocle. Et son visage long, dépourvu de nez, affichait ce qui passait pour du dédain chez ses congénères du système de Duraleb.

Le Bolbod, quant à lui, était tout simplement d'une laideur innommable. Il était plus grand qu'un Psychlo mais sans forme précise. On se demandait toujours comment ils faisaient pour manipuler quoi que ce soit : leurs « mains » étaient le plus souvent recourbées à l'état de poing. Le col du sweater arrivait presque à la hauteur de la visière de l'immense casquette. Les Bolbods considéraient généralement que les insignes étaient contraires à leur dignité, mais le petit homme gris savait qu'il avait affaire au Chef-de-Bande Pourdon, et que c'était lui qui commandait le vaisseau cylindrique. Et que ce dernier devait considérer tous les autres comme les représentants de civilisations dégénérées.

- Bon, je pose la question ! lança le Tolnep. Est-ce que nos races sont actuellement en guerre, oui ou non ?

Le Hawvin déclara :

- Je n'ai aucune information quant au fait qu'elles soient ou non en guerre ! Ce qui ne signifie pas qu'elles ne le sont pas. Ce ne serait pas la première fois qu'un vaisseau hawvin arrivant pacifiquement sur une station serait traîtreusement mitraillé par un Tolnep !

- Votre Excellence ! s'écria soudain le Tolnep, prenant à témoin le petit homme gris, avez-vous quelque information à propos d'une guerre entre les Tolneps et les Hawvins ?

C'était là un problème militaire mais qui pouvait devenir un problème politique.

- Le vaisseau-courrier qui m'a été envoyé ici n'en a pas fait mention, répondit-il d'un ton las.

Peut-être qu'un des membres de l'équipage avait des pilules pour la digestion d'une autre marque ? se dit-il. Non, probablement pas. Depuis quelque temps, on ne trouvait plus que du mélogaster. Si seulement les autres cessaient de se chamailler.

- Vous voyez bien ! siffla le semi-capitaine tolnep. Il n'y a pas de guerre. Pourtant, vous avez endommagé ma coque en m'attaquant sans prévenir et...

- J'ai vraiment endommagé votre coque ? demanda le Hawvin, brusquement très intéressé.

- Ça suffit, intervint le super-lieutenant hockner. Assez. Vous vous écartez tous de notre sujet, qui est cet étrange intercepteur. Si vous voulez vous retirer, tous les deux, et continuer à vous colleter, ça vous regarde. Mais la question est : quel était cet intercepteur et à qui appartient-il ?

Le Bolbod eut un reniflement impatient.

- Il ne peut être que psychlo.

- Je le sais, vieille branche, dit le Hockner en ajustant son monocle, mais j'ai vérifié et il ne figure dans aucune liste d'engins militaires psychlos.

Il leva un guide d'identification à hauteur de l'écran : *Appareils de Guerre Psychlos en Usage*. Le texte était bien sûr en psychlo. Tous s'exprimaient en psychlo, car ils ne connaissaient pas les langues des autres races.

- L'intercepteur ne figure nulle part là-dedans, insista le Hockner.

Le Hawvin fut heureux de parler d'autre chose que de son attaque contre le Tolnep, quoiqu'il ait été pour le moins surpris de découvrir un vaisseau tolnep ici.

- Je n'ai jamais rien vu de semblable, dit-il.

Le Bolbod se montra plus pratique :

- Pourquoi a-t-il viré de bord dès que vous avez cessé le feu ?

Ils réfléchirent un instant à cette question. Puis, le Hockner réajusta encore une fois son monocle et dit :

- Je crois que je sais ! Il a supposé que notre attention était distraite et que dans cette... (il renifla avec dédain) « bataille », certains d'entre nous seraient détruits, ce qui lui aurait permis de balayer les survivants endommagés.

Ils discutèrent là-dessus. Le petit homme gris écouta poliment leurs théories militaires. Cela ne le concernait en aucune façon. Ils aboutirent finalement à la conclusion que c'était bien ce qui s'était passé. L'intercepteur avait été prêt à tirer profit de la « bataille » et à attaquer ceux qui resteraient quand ils auraient subi des avaries.

- Je pense qu'ils sont très habiles, dit le Hockner. Ils ont probablement d'autres intercepteurs qui attendent, prêts à intervenir.

- J'aurais pu ne faire qu'une bouchée de celui-là, dit le Hawvin.

- Et moi je l'aurais assommé d'un coup de poing, dit le Bolbod. S'ils étaient si forts que ça, ils seraient déjà venus nous écraser il y a longtemps. Je ne pense pas que ce sont des Psychlos et je n'ai encore jamais entendu parler d'une race qui ait cette torche comme insigne. Je prétends qu'ils sont très faibles. Je me demande pourquoi nous ne descendons pas pour aller les anéantir. Formons une force combinée !

Cette idée de force combinée était sans précédent. Les trois autres avaient toujours considéré les Bolbods comme plutôt stupides, bien que forts, et ils échangèrent d'un écran à l'autre des regards où perçait le respect.

- Aucun de nous n'a jamais vraiment réussi à faire le moindre mal aux Psychlos, dit le Hockner. Mais il semble bien que ce ne sont pas des Psychlos. Bizarre vaisseau, bizarre insigne. Donc, il est possible que, en tant que force combinée, il ne nous faille qu'un après-midi pour...

- Pour les anéantir et partager le butin, acheva le Tolnep.

Là, ils empiétaient sur la politique et le petit homme gris déclara :

- Et si ce sont eux ?

C'était en fait pour cela qu'ils étaient ici. Ils ruminèrent. Ils aboutirent enfin à une conclusion unanime : ils opéreraient en tant que force combinée, et tout nouveau venu serait invité à se joindre à eux. Ils attendraient le retour du vaisseau-courrier que le petit homme gris avait envoyé, quitte à patienter des mois. Si le vaisseau-courrier leur apprenait que ceux qu'ils cherchaient avaient été découverts ailleurs, leur « force combinée » s'abattrait sur la planète, écraserait tout, et le butin serait divisé en parts égales afin qu'ils soient dédommagés du temps perdu. Ils ne discutèrent pas du système qu'ils utiliseraient pour le partage, car chacun avait sa propre idée sur ce qui se passerait le moment venu. Le plan fut donc adopté.

- Mais si quelque chose se produit entre-temps qui nous apporte la preuve que ce sont *eux* ? demanda le petit homme gris.

Violence, violence ! Tous ces militaires n'avaient en tête que la violence et la mort.

Eh bien, convinrent-ils, c'était plus ou moins politique, et ils improviseraient si besoin était. Mais, de toute manière, s'il était prouvé que c'était bien *eux*, il faudrait sans doute les neutraliser et ils appliqueraient le même plan.

C'était bien la première fois que le petit homme gris voyait des commandants de vaisseaux appartenant à des camps traditionnellement hostiles, se mettre fermement d'accord sur un sujet. Mais on vivait une époque bizarre.

Quand les écrans se furent éteints, le petit homme gris tendit la main vers le flacon de mélogaster pour prendre une autre pilule, se ravisa, et la remit dans le flacon.

Il se dit qu'il ferait mieux de descendre rendre visite à cette vieille femme. Elle avait peut-être un *antidote* du thé aux herbes.

5

Leurs deux têtes étaient penchées l'une vers l'autre dans la clarté verte et glauque des écrans. Ils se trouvaient au niveau le plus bas de la mine africaine, dans un petit entrepôt transformé, isolé au plomb, et Jonnie avait pour la première fois sous les yeux le résultat de leur travail.

Cela représentait dix jours d'enregistrement sur disque, ce qui faisait une pile importante. Dunneldeen lui avait expliqué qu'il n'avait pu venir plus tôt : il y avait de nombreux pilotes qui passaient leur brevet et qui avaient besoin de leurs dernières heures de vol. De plus, cela aurait paru suspect de quitter l'Amérique durant cette période de travail intense. Il avait amené avec lui quatorze nouveaux pilotes. Jonnie et Stormalong pourraient les incorporer à l'unité de combat après une période d'entraînement. C'étaient des Suédois et des Allemands, tous de braves garçons.

Ker était désormais occupé à temps plein à la formation des conducteurs d'engins depuis que les tribus exigeaient des pelleteuses, ainsi que des camionnettes à plate-forme qui serviraient de transports publics. Brown Staffor s'était mis à vendre aux tribus le matériel et l'équipement de leurs propres mines et il fallait donc former des conducteurs. Les transporteurs de minerai livraient sans cesse des machines sur tout le globe et il fallait bien, là aussi, des pilotes. Quant à Angus, il était revenu avec Dunneldeen parce qu'il ne supportait pas de ne pouvoir abattre Lars Thorenson à vue.

Et il y avait aussi cette histoire de *page un*.

Jonnie passa rapidement les premiers moments de la réinstallation de Terl. Il était facile de voir que cette heure cruciale, après son départ, avait été payante. Ker et Angus avaient mis en place trente-deux faux mouchards, ainsi que des faux enregistreurs et une fausse unité d'alimentation. Et Terl, aussi vrai que nature, absolument persuadé de les avoir découverts, les entassait sur son bureau. Quand Jonnie vit qu'il utilisait une radio de mine pour détecter les liaisons entre l'unité d'alimentation et les enregistreurs, il fut un instant inquiet, avant de prendre brusquement conscience que l'alimentation principale était assurée par une émission à la terre.

Un double fond dans les placards ! Il ne s'en était pas douté une seconde. Ils lui avaient simplement paru blindés.

Et puis ce livre, immense, épais, que Terl sortait... Il mesurait à peu près un mètre sur soixante centimètres, il faisait bien vingt centimètres d'épaisseur mais le papier des feuilles était le plus mince qu'il eût jamais vu. Il y avait des milliers de pages !

Chacune d'elles était divisée en une quarantaine de colonnes verticales. A gauche, dans la colonne la plus large, figuraient le nom du système et, en dessous, les noms des planètes de ce système. Puis, de gauche à droite, de colonne en colonne, on trouvait toutes les caractéristiques du système, telles que sa vitesse de déplacement, sa direction, sa force de rotation, sa précession, sa nature et la masse de son ou de ses soleils.

Et, dans les colonnes correspondant à chaque planète figuraient la masse de ces planètes, leur période de rotation, la composition de leur atmosphère, leur température de surface, les races qui y vivaient, les coordonnées des agglomérations, l'estimation des richesses minérales ainsi que leur valeur en crédits galactiques et la situation exacte des exploitations minières s'il en existait.

Tous les trajets et toutes les directions étaient calculés à partir du centre-zéro de l'univers local et de coordonnées tridimensionnelles, au moyen de l'inévitable système numérique psychlo basé sur onze, avec multiples et sous-multiples.

Chaque jour, Terl s'était installé devant son bureau et il avait tourné les pages, l'une après l'autre, en soulignant certaines colonnes d'un trait de griffe. Il avait ainsi parcouru le volume entier et il ne leur manquait aucune page !

- Sauf la première ! dit Dunneldeen. Je n'arrive pas à comprendre plusieurs de ces symboles. Ils sont tellement abrégés et les chiffres si petits. C'est en repassant le tout que nous nous sommes aperçus que nous n'avions pas la *première page*. Nous nous sommes dit qu'il devait s'agir de la liste des symboles clés et que Terl la connaissait tellement bien qu'il n'avait pas besoin de la consulter. Mais regarde le dernier disque...

Jonnie était quelque peu ébahi. Jamais il ne s'était douté qu'il pouvait exister autant de systèmes stellaires habités, ni certes autant de planètes. En fait, il y en avait des milliers de milliers. Rien que pour les compter, il faudrait un ou deux mois ! Il n'y avait pas moins de seize univers ! Et il ne s'agissait que de ceux où les Psychlos s'étaient installés. Il avait sans doute fallu plusieurs millénaires pour accumuler autant de connaissances. Il examina attentivement l'écriture. Il aurait pu jurer que c'était du chinko. Il releva la tête un instant et dit :

- Je ne comprends pas certains de ces symboles.

- C'est bien ce que j'essaie de te dire. Notre retard s'explique comme ça en partie. Je ne voulais pas que tu te plonges là-dedans sans avoir la clé de tous les symboles. Il fallait absolument attendre. Mais regarde le dernier disque...

Jonnie obtempéra. Terl avait laissé tomber l'énorme volume et, par accident, le souffle du ventilateur avait soulevé la couverture et révélé la première page ! Avec tous les symboles et leur explication.

- Nous avons la position et les coordonnées de tir de transfert pour seize univers ! s'exclama Jonnie.

Puis il se calma et ajouta :

- Je me demande ce qu'il cherchait...

Terl avait rejeté le livre avec un geste de dépit. Jonnie fit avancer un peu le disque. Le son, d'ailleurs peu utile, traduisait une série de jurons psychlos particulièrement colorés.

Durant deux jours, Terl était resté devant une feuille de papier vierge, sans écrire le moindre signe. Et soudain, il écrivit un chiffre avec une telle frénésie qu'il faillit casser son stylo.

Jonnie reprit un des disques précédents et repéra d'un œil plus critique la colonne que Terl suivait de l'extrémité d'une griffe. Le symbole inscrit au-dessus de la colonne indiquait qu'il s'agissait des « Périodes de tir de transfert vers Psychlo ». Jonnie comprit. Terl essayait de trouver une date libre afin de ne pas courir le risque d'une collision avec un éventuel transfert d'une autre planète. Il se rappelait avoir appris, durant sa période de formation de conducteur d'engins, que les Psychlos ne modifiaient ces tables qu'au bout de plusieurs décennies. A en juger par le nombre de mondes qui expédiaient ou réceptionnaient, la plate-forme de Psychlo devait fonctionner nuit et jour en permanence. Il avait aussi cru comprendre que deux plates-formes ne pouvaient fonctionner simultanément sur une planète car cela provoquait des interférences. Pour qu'il n'y ait pas de risques, la deuxième plate-forme de transfert aurait dû être éloignée de cent mille kilomètres environ, mais comme le diamètre de Psychlo n'excédait pas cinquante mille kilomètres, la planète ne comptait qu'une seule et unique plate-forme.

Donc, si Terl ne voulait pas courir le risque d'une collision avec un arrivage ou une expédition de minerai, de métal raffiné ou de matériel militaire, il devait choisir avec le plus grand soin une période libre.

Un transfert de minerai ou de machines se faisait rapidement mais il fallait plus longtemps pour un transfert de personnel, autrement celui-ci risquait d'être durement secoué. Terl ne voulait prendre aucun risque.

Ce qu'il avait écrit avec autant de répugnance, manquant de casser son stylo, était : « 92e jour » !

Il avait été contraint de sélectionner une date qui se situait à cinq mois de là. La quantité de kerbango qu'il ingurgita ensuite prouvait à l'évidence qu'il était accablé à la seule idée d'avoir à passer tout ce temps sur cette « maudite planète », terme fidèlement enregistré par le capteur sonore.

Il avait dû se résoudre à choisir le prochain tir bisannuel de la Terre. Finalement, le lendemain, il sembla s'y être résigné.

Jonnie avait espéré que les disques suivants montreraient les circuits et les premiers calculs de la console de transfert, et il fut intrigué en ne les découvrant pas.

Terl s'était rendu à un nouveau placard et venait d'en ouvrir *le fond !* En se servant de ses deux pattes, il en sortit un paquet qui semblait être assez lourd.

Il ouvrit l'emballage, puis prit une paire de pinces énormes, capables de soulever un gros rocher. Il régla l'écart entre les deux mâchoires à six millimètres et se pencha sur le paquet.

Tout d'abord, l'image ne montra pas ce qu'il soulevait. L'objet qu'il avait sorti tomba sur le sol. Terl poussa un juron retentissant.

Il abaissa les pinces et souleva un objet gris qui avait à peu près le diamètre d'un petit pois. Jonnie observa le sol et, un bref instant, il vit qu'à l'endroit où s'était trouvé le petit objet, le sol était profondément enfoncé.

Terl était parvenu à récupérer l'objet avec ses pinces, ce qui n'était pas un mince travail. Il le déposa sur le côté de la table. Jonnie se livra à une rapide évaluation mentale. Il connaissait à peu près la force de Terl. Si l'on ne tenait pas compte des grosses pinces, ce petit pois de métal, à l'estimé, devait peser environ trente-cinq kilos.

Jonnie se mit au travail. Il appela Angus et lui demanda de préparer l'analyseur de minerai afin que les tracés enregistrés sur le disque puissent être transférés et agrandis. Puis il se plongea dans les livres de tracés et chercha pendant trois heures. Il ne trouva rien ! Les Psychlos n'avaient pas enregistré le tracé du matériau de la bille ou d'un de ses composants dans leurs livres de code. Ils avaient affaire à un métal que les Psychlos possédaient mais qu'ils n'avaient pas recensé.

Par rapport à son poids, à son volume et aux tables périodiques, Jonnie essaya de déterminer son numéro atomique.

Les tables terrestres n'étaient d'aucune valeur. Cette chose devait être bien plus bas.

Il parcourut les tableaux périodiques psychlos, si différents des anciens tableaux terrestres. Il y avait un nombre important d'éléments dont le numéro atomique pouvait correspondre à celui qu'il cherchait. Mais comme ils n'avaient pas le nom du métal... Jonnie prit soudain conscience qu'il ne se trouvait peut-être pas plus sur le tableau psychlo que dans les livres d'analyse.

- J'aimerais bien comprendre un peu, dit-il.

- Mais mon gars, fit Dunneldeen, pour moi tu es un vrai génie. Moi, ça fait deux heures que je nage !

- Ce sont des numéros atomiques. Un atome est censé être constitué d'un noyau avec des particules d'énergie. Certaines ont une charge positive, d'autres n'en ont aucune. Le nombre des particules à charge positive est ce qu'ils appellent le « numéro atomique », et ces particules, plus celles qui n'ont aucune charge, constituent le « poids atomique ». Et il y a aussi autour du noyau des particules à charge négative qui tournent autour du noyau en « nuages » ou en « cercles », mais ce n'en sont pas vraiment. Il s'agirait plutôt d'enveloppes. En tout cas, ce sont le noyau et les particules à charge négative qui te donnent les différents éléments. En simplifiant à l'extrême, un tableau périodique, c'est ça.

» Mais l'homme ancien, ici, sur la Terre, avait fondé ses tableaux sur l'oxygène et le carbone, je pense, parce qu'ils étaient d'une importance vitale pour lui. Le corps humain est un moteur qui fonctionne au carbone et à l'oxygène. Mais les Psychlos ont un métabolisme différent et consomment des éléments différents pour leur apport énergétique. Le tableau périodique des Psychlos est donc différent. Et puis les Psychlos ont eu affaire à bien plus d'univers que l'homme, à des métaux et à des gaz dont les anciens savants de la Terre n'avaient jamais entendu parler.

» Les anciens habitants de la Terre avaient également omis de considérer les *distances* entre le noyau et les différents cercles, et entre les cercles eux-mêmes, comme une variable. Ils n'avaient pas compris que si l'espacement entre le noyau et un cercle de particules changeait, tout était changé. Tu comprends ?

- Mon gars, jusque-là je nageais, mais là, je crois que je vais couler !

- Console-toi, tu n'es pas tout seul, dit Jonnie. Je n'arrête pas de me noyer avec cette histoire. L'important, vois-tu, c'est de savoir ce qu'il mijote, *lui* ! Ce petit pois n'est *pas* un élément de console de transfert !

Ils regardèrent les autres disques. Terl traitait le métal comme les humains traitent le papier : comme une matière facile à manipuler.

Il avait bousculé Lars pour qu'il lui procure une feuille d'alliage au béryl. Lorsque Lars revint pour annoncer à Terl qu'il n'avait pu en trouver nulle part, ils faillirent avoir les oreilles écorchées. Terl dit à Lars que ce... de truc était ce qu'ils utilisaient pour le revêtement des véhicules. Il n'avait qu'à foncer jusqu'à ces... de garages. Dans les réserves de ce... de Zzt, il trouverait une de ces... de feuilles !

Lars fut bientôt de retour, au pas de course. On l'entendait nettement haleter sur le disque. Il avait une feuille d'alliage au béryl qui vibra avec un bruit sonore. Terl le jeta à la porte à coups de pied et verrouilla derrière lui.

Ils analysèrent rapidement l'alliage et Dunneldeen lui-même identifia aussitôt le tracé. Il y avait du béryl, du cuivre et du nickel. Le métal n'avait même pas été poli.

Le disque leur montra ensuite Terl occupé à découper expertement la feuille avec des cisailles avant de replier les bords, puis de les souder par fusion moléculaire, obtenant ainsi une boîte. Il confectionna ensuite un couvercle qui s'adaptait parfaitement et y adapta une petite poignée qui permettait de le soulever. Ensuite, il découpa un orifice au fond de la boîte et fabriqua une plaque avec des trous de vis destinée à couvrir l'orifice. Il s'était mis à rire et il était facile de deviner que cet objet devait être une machine infernale.

La boîte, une fois achevée, était très belle. Il la polit, la dora, puis la vernit. Telle quelle, elle ressemblait à un coffret à bijoux. Elle était hexagonale et chacun de ses côtés et de ses angles avait été mesuré au centième de millimètre près. Une véritable œuvre d'art. Le couvercle s'enlevait facilement et la plaque destinée à recouvrir le trou s'adaptait parfaitement. Terl ne l'avait pas vissée. Jonnie estima que la boîte devait faire environ trente centimètres de largeur sur douze de hauteur.

Le lendemain, Terl entreprit de fabriquer les divers éléments qui seraient placés à l'intérieur de la boîte. Il confectionna six tiges agrémentées d'une charnière, puis il les mit en place dans la boîte et vérifia si elles fonctionnaient correctement. Chacune des tiges avait auparavant été fixée à chacun des six coins de la boîte, puis vissée sur l'intérieur du couvercle. Lorsqu'on soulevait le couvercle, ces tiges poussaient des douilles, vides pour le moment, vers le centre de la boîte. Terl s'assura plusieurs fois du bon fonctionnement du mécanisme et se mit à rire de plus belle. Chaque fois qu'il soulevait le couvercle, les six tiges poussaient leur douille respective vers le centre.

Ensuite il appela Lars et l'envoya chercher différents éléments. Il s'agissait d'éléments très courants : fer, silicium, sodium, magnésium, soufre et phosphore.

Qu'est-ce que Terl pouvait bien avoir en tête ?

Jonnie consulta rapidement quelques livres. Le soufre, le magnésium, le sodium et le phosphore avaient un caractère commun : d'une manière ou d'une autre, ils entraient tous dans la composition d'explosifs. Connaissant Terl, ce fut la première chose que Jonnie vérifia. Mais il ne pensait pas que, dans cette combinaison, ils pouvaient exploser. Juste avant, sur le film, il les avait vus ensemble sur une table, et il ne s'était rien passé. Le fer et le silicium ? Il semblait bien qu'ils fussent très communs dans la composition du noyau et de l'écorce de la Terre.

Il regarda les images suivantes avec une certaine appréhension. Et si Terl confectionnait quelque chose et le cachait dehors sans qu'ils puissent le trouver ? Que manigançait donc ce démon ? Ah, Terl avait peut-être mélangé les six éléments, mais l'étrange minéral de la taille d'un petit pois avait disparu. Jonnie revint en arrière sur le disque.

Terl avait pris le mystérieux métal si lourd, l'avait mesuré, puis emballé, avant de le remettre dans le faux placard. Et il y avait un petit creux à l'endroit où il avait posé la bille !

Il confectionna un panier renforcé destiné à recevoir le pois de métal, mais il n'y plaça pas la bille puisqu'elle se trouvait dans le placard. Puis il prit les six éléments et plaça chacun d'eux dans les douilles.

Lorsqu'on ouvrait le couvercle, les tiges poussaient les douilles vers le centre. Les six éléments entraient alors en contact entre eux et avec le pois.

Depuis leur première bataille, Jonnie connaissait bien les éléments et les radiations. Il savait qu'il suffisait de *stimuler* les atomes pour déclencher une réaction en chaîne.

Mais Terl ne travaillait pas avec l'uranium et la radioactivité. Il ne le pouvait pas, avec l'effet d'hyperstimulation que les radiations avaient sur le gaz respiratoire !

Donc, ce petit pois devait être situé plus haut encore dans l'échelle de la stimulation.

Il suffisait de connaître Terl pour se douter que cet engin aurait un effet abominable. Jonnie avait la certitude que lorsque cette bille de matière hyperlourde se trouverait au centre, que l'on ouvrirait le couvercle, que les tiges se rapprocheraient et que les éléments viendraient au contact l'un de l'autre, quelque chose d'épouvantable se produirait.

Terl enferma la superbe boîte dans un placard, remit tout en ordre et ouvrit un traité de mathématiques intitulé *Équations de Force* qui n'avait aucun rapport avec la téléportation ! Qu'est-ce qu'il préparait donc ?

C'était, pour l'heure, tout ce que les disques avaient enregistré.

Il était midi. Ils avaient travaillé sans répit, sans manger ni dormir.

- Maintenant, dit Dunneldeen, je sais qui a conçu Satan. Un certain Terl.

6

Étant donné que Terl s'occupait de choses qui n'avaient rien à voir avec la téléportation, qui restait la clé de tout ce dilemme, Jonnie décida de porter son attention sur d'autres problèmes.

Il n'avait pas perdu tout espoir de percer à jour la technologie psychlo en obtenant la réintégration et la coopération des Psychlos survivants. S'il parvenait à extraire les deux morceaux de métal de la tête d'un ingénieur psychlo, il pourrait peut-être résoudre certains mystères, ce qui leur permettrait de mieux contrôler l'avenir de cette planète.

Le docteur MacKendrick était de retour. Un ou deux hommes de la base africaine présentaient quelques symptômes de ce que le docteur appelait la « malaria », une maladie véhiculée par les moustiques. MacKendrick avait fait venir de l'« écorce de chinchona » d'Amérique du Sud. Puis il avait demandé qu'on assèche toutes les flaques d'eau de la base et qu'on place des filets sur les évents de climatisation. Il semblait avoir la situation bien en main, à présent.

Mais les trois patients psychlos placés sous sa responsabilité, dont deux étaient des ingénieurs, n'étaient pas aussi faciles à soigner que la malaria. Ils ne se remettaient pas. En fait, ils étaient au seuil de la mort.

Les trente-trois Psychlos survivants du camp d'Amérique arrivèrent en Afrique sans incident et ils furent logés dans des quartiers spécialement aménagés. Un rapport avait été envoyé à Denver, disant qu'ils avaient été « perdus en mer lors d'un accident d'avion ».

Le docteur n'entretenait guère d'espoir.

- J'ai essayé tout ce qui me venait à l'esprit, déclara-t-il un soir à Jonnie, alors qu'ils se trouvaient ensemble dans le service de chirurgie, au sous-sol de la base. On ne peut pas traverser cette structure crânienne complexe et atteindre les objets sans provoquer de graves lésions. Tous les cadavres psychlos sur lesquels j'ai travaillé font apparaître que des joints osseux essentiels risquent d'être endommagés et des nerfs vitaux sectionnés. Ces choses ont été mises en place dans un crâne de nouveau-né et, en quelques mois, le crâne s'est durci au point qu'il est impossible de les extraire. Je vais continuer à travailler sur d'autres corps, mais je n'ai pas vraiment d'espoir.

En quittant le docteur, Jonnie essaya d'imaginer une solution à ce problème. Il avait le sentiment, depuis quelque temps, d'avoir de plus en plus de problèmes et de moins en moins de solutions. S'il ne résolvait pas rapidement quelques-uns de ces problèmes, la race humaine risquait bel et bien d'être à tout jamais effacée de la face du monde.

Quelqu'un cria son nom alors qu'il passait devant l'une des portes des nouveaux quartiers psychlos. Il s'arrêta et s'approcha du hublot et de l'intercom de la porte.

C'était Chirk !

Il n'avait jamais rien eu contre Chirk. C'était une créature pas très futée qui passait son temps à se fourvoyer mais, lors de leurs rencontres, jamais ils ne s'étaient querellés.

- Jonnie, dit Chirk, je voulais seulement te remercier pour nous avoir sauvés.

Il se dit que quelqu'un avait dû informer les Psychlos, sans doute Dunneldeen.

- Quand je pense au plan que cet abominable Terl avait monté pour nous tuer tous, j'en ai des crépitements dans la toison ! J'ai toujours pensé que tu étais gentil, Jonnie. Tu le sais bien. Et maintenant j'apprends que c'est toi qui nous a sauvé la vie.

- Ce n'est rien, dit Jonnie. Est-ce que je peux faire quelque chose pour toi ?

Il se dit qu'elle avait vraiment une apparence pitoyable. Elle ne portait plus ses vêtements ; elle était seulement enveloppée dans une pièce de tissu. Et sa fourrure était tout emmêlée.

- Non, fit-elle, non, je voulais juste te remercier.

Jonnie s'éloigna. Il avait parcouru la moitié du couloir quand il fut frappé par l'étrangeté de ce qui venait de se passer. Un Psychlo éprouvant de la reconnaissance ? Exprimant son appréciation ? Et sans rien réclamer ? Impossible ! Certes, il n'avait jamais eu trop à faire avec les femelles psychlos. Elles n'étaient pas nombreuses au sein de la Compagnie. Mais jamais encore il n'avait rencontré un Psychlo reconnaissant ! Jamais !

Il agit rapidement. Dix minutes après, un analyseur de minéraux était en place et ils explorèrent la tête de Chirk. Il leur suffit de vingt minutes de recherches pour avoir une réponse.

Chirk n'avait aucun élément en bronze dans son crâne. Ils découvrirent, par contre, une capsule d'argent dont la forme et la taille étaient différentes.

Il y avait ici douze femelles psychlos venues du camp d'Amérique. Ce ne fut pas une mince affaire que de les faire venir et de les soumettre à l'analyseur. Ils procédèrent à un examen groupé pour vérifier qu'aucune des femelles n'avait d'objet de bronze dans le crâne et y découvrirent le même élément en argent qu'ils avaient trouvé dans le cerveau de Chirk.

MacKendrick, emmitouflé dans des fourrures, décolla pour « la morgue dans les nuages » avec deux pilotes. Ils travaillèrent quelque temps dans le vent glacé et découvrirent trois cadavres de femelles.

Dans la soirée, MacKendrick présenta à Jonnie et à Angus la capsule d'un modèle différent qu'il venait d'extraire d'un cadavre.

Un examen minutieux leur montra que le filament interne était d'un type moins complexe, mais ce fut la seule certitude qu'ils purent obtenir.

- Je ne pense pas qu'il soit plus facile d'extraire cet objet d'un cerveau femelle, commenta MacKendrick. La structure du crâne des femelles est encore plus complexe que celle des mâles. Tout ce que je peux dire, c'est qu'il émet probablement un message d'un type différent lorsqu'il est activé.

Ce fut tout ce qu'ils purent découvrir.

Néanmoins, le facteur cruauté de l'élément bronze était absent chez les femelles et, le lendemain matin, Jonnie eut un nouvel entretien avec Chirk.

- Est-ce que ça te plairait d'avoir un travail ? lui demanda Jonnie.

Elle répondit que ce serait merveilleux. Cela montrait bien à quel point Jonnie était gentil. Parce que, désormais, elle ne pourrait plus retourner sur Psychlo. Terl avait totalement ruiné sa réputation et son dossier était truffé de points noirs de désobéissance. Jamais la Compagnie ne la réemploierait. Si Jonnie promettait de ne pas la renvoyer sur Psychlo et de lui payer le salaire habituel de deux cents crédits galactiques par mois, oui, elle accepterait bien un emploi, parce qu'elle devenait folle à force de ne rien faire et de ne pas pouvoir se maquiller.

Ils avaient récupéré des crédits galactiques dans les bureaux de la Compagnie, aussi bien que dans les portefeuilles des Psychlos morts ou les tiroirs-caisses de la cantine et ils disposaient de plusieurs millions. La proposition de Chirk était donc réalisable et le marché fut conclu.

Nantie d'un masque respiratoire et d'une sentinelle pour l'escorter, Chirk fut libérée, se procura sur l'heure quelques métrages de tissu, se fit accompagner jusqu'au lac et, ignorant les crocodiles, prit un bain. Ensuite, elle demanda l'autorisation d'accéder à la salle d'échantillonnage des minéraux. Elle y prit un peu de gypse blanc qu'elle mit dans un mortier et pulvérisa finement. Elle versa la poudre ainsi obtenue dans un sac à échantillon. Puis elle déposa un peu de cuivre dans une cornue, ajouta de l'acide, fit bouillir la solution, passa le résidu à l'eau et y ajouta un peu de graisse à moteur fluide. Elle versa le produit dans un bidon. Puis elle se procura de la peinture à tracteur dans un entrepôt, la fit bouillir jusqu'à obtenir un mauve éclatant, ajouta de la teinture à l'étain ainsi qu'un solvant à l'odeur piquante et emplit une bouteille.

Ensuite, elle se rendit à la boutique du tailleur et se mit à découper et à retailler des pièces de tissu d'uniforme. Elle fit de même avec un métrage de revêtement de siège qu'elle tailla pour s'en faire une paire de bottes à soufflet. Puis elle demanda à être raccompagnée jusqu'à sa chambre.

Peu après, il en ressortit la femelle la plus chic que l'on ait jamais vue dans une rue de Psychlo. Certes, le masque respiratoire dissimulait le maquillage du visage, mais c'était si bon pour le moral que d'être maquillée ! Si l'on regardait attentivement à travers la visière, on découvrait des os-lèvres d'un vert lumineux, un nez d'un blanc éclatant, et des os-paupières cernés de vert et de blanc. Quant à ses serres, elles étaient d'un mauve flamboyant. Sa tenue blanche était surmontée d'un col doré éclatant auquel répondaient une ceinture marquée d'or et des bottes dorées à semelle mauve.

Chirk demanda alors qu'on l'autorise à entrer dans une autre salle où étaient détenues des femelles de sa race et, très vite, le commandant de la base fut submergé par des demandes de contrat d'emploi : deux cents crédits galactiques par mois *et des vêtements !*

Jonnie accepta cette aide à laquelle il ne s'était pas attendu. C'était révélateur. Mais il ne savait pas encore que les choses iraient bientôt de travers.

Chirk sortit pour se procurer de la boue. Dans ce secteur, il y avait de la boue en abondance, mais elle désirait une variété bien particulière. Elle s'éloigna en compagnie d'Angus, bavardant et papotant. Elle avait emporté une visionneuse de plus de cent kilos qu'elle tenait avec désinvolture sous son bras, comme s'il s'agissait d'un simple sac à main. Jonnie les observait tandis qu'ils faisaient le tour d'un marais. Angus avait l'air d'un nain à côté de la masse de quatre cents kilos de la créature. Deux sentinelles les suivaient pour parer à d'éventuelles attaques d'animaux sauvages.

Jonnie se porta à leur rencontre. Chirk explorait la boue. Elle plongeait régulièrement son écope devant elle, jetait une pelletée de boue sur la plaque de la visionneuse, secouait la tête et continuait d'avancer. Apparemment, elle ne trouvait pas ce qu'elle voulait.

Jonnie remarqua que le comportement des animaux était bizarre. Lorsqu'il sortait, le gibier l'ignorait. Mais Chirk ? Où qu'il regardât, il ne voyait pas le moindre signe de présence animale. Pas un éléphant en vue, pas un lion, pas un daim, rien ! Il se dit que ce devait être l'effet de l'odeur des Psychlos. Jadis, les animaux avaient fui à l'approche de l'homme mais, au fil des siècles, ils avaient su transférer leur instinct de survie et ils prenaient garde de laisser plusieurs kilomètres entre les Psychlos et eux. Pourtant, dans cette région, de même que dans beaucoup d'autres, on n'avait pas chassé.

– Oh, les mâles psychlos ne font pas de grandes expéditions de chasse, lui dit Chirk sans se détourner de son écope et de sa visionneuse. Ces pauvres idiots se contentent de lever un animal, de le traquer, et ensuite ils se mettent en cercle tout autour et ils passent trois jours à le tuer petit à petit. C'est pourquoi ils ont rarement trois jours de congé consécutifs. Pas dans cette Compagnie, en tout cas. Les mâles sont tous des idiots...

Jonnie ne lui révéla pas ce qui les rendait « idiots ».

Quelque temps après, elle trouva la boue qu'elle cherchait. Elle en emplit un seau à minerai et regagna le camp sans difficulté, malgré les cent kilos de la visionneuse et sa récolte de deux cents kilos de boue.

Elle transvasa la boue dans des bouteilles en verre, y ajouta du goo-foo liquide, retira le dépôt de boue et présenta les bouteilles à MacKendrick qui les contempla, perplexe.

– Mettez ça dans les blessures, stupide créature, lui dit Chirk. Comment pouvez-vous espérer les guérir si vous n'avez pas de contre-virus ? N'importe quel enfant sait cela !...

MacKendrick comprit soudain. Tous les traitements qu'il avait essayés visaient au contrôle bactériel, alors que la structure de base de ces êtres était de type viral. Dans les trois jours qui suivirent, ses patients psychlos furent en voie de guérison, leurs blessures qui s'étaient infectées commencèrent à cicatriser et, très vite, il fut évident que tous trois ne tarderaient pas à être complètement guéris.

Chirk décida de s'occuper de la bibliothèque. Le désordre qui y régnait la choqua et, deux jours durant, elle ne fit rien d'autre que de rassembler des ouvrages psychlos en piles énormes. D'autres femelles vinrent lui prêter mainforte et se mirent à nettoyer également de vastes secteurs des anciens quartiers psychlos.

Un jour, alors que Jonnie travaillait dans l'ancienne salle des opérations psychlo, Chirk se présenta et l'interpella :

– Ta bibliothèque est dans un état lamentable. Selon les règlements de la Compagnie, il y a des listes complètes des ouvrages dans chaque exploitation. Ce formulaire est la preuve que le responsable de cette bibliothèque s'est montré négligent et mériterait un point noir dans son dossier. Mais à présent je travaille pour toi et je dois attirer ton attention sur le formulaire 2 345 980-A. Si tu expédies cette commande à Psychlo, tu la recevras par le prochain transfert. C'est absolument nécessaire. Une bibliothèque incomplète !...

Il se pouvait que Chirk ne fût pas tout à fait au courant de la situation de la Compagnie, mais elle avait bel et bien rempli le formulaire.

Jonnie avait ignoré jusqu'à l'existence de ce formulaire. Il avait sous les yeux un livre mentionné comme manquant : *Tableaux d'Identification des Vaisseaux de Guerre des Races Hostiles*. Et un autre : *Les Potentiels en Troupes de Combat et en Armements des Races Étrangères*.

Chirk retourna au travail, classant méthodiquement les livres sur les rayons. Quelques minutes plus tard, sur l'ordre de Jonnie, trente hommes, y compris deux pilotes, fouillaient le camp de fond en comble, mettant tout sens dessus dessous. Avec les deux livres manquants, on pourrait identifier les « visiteurs » d'en haut et on pourrait probablement trouver des moyens de défense contre eux !

Sir Robert était revenu d'Écosse le matin même et ce fut lui qui eut la bonne intuition :

- Jonnie, ici, ils ne savaient pas par qui ils étaient attaqués. Ceux qui commandaient ont dû se jeter sur ces livres. Est-ce que tu as fouillé les cadavres ?

Oui, c'était là qu'ils se trouvaient ! Dans un sac qui était encore accroché à l'épaule d'un des responsables de la mine, là-haut dans la neige.

Moins de trois heures plus tard, après avoir comparé les photos des livres et les clichés pris par Stormalong, Jonnie savait qu'ils avaient affaire à des Tolneps, des Hockners, des Bolbods et des Hawvins. Il savait aussi maintenant à quoi ils ressemblaient et quel était leur potentiel : redoutable. Mais le vaisseau globulaire avec son anneau n'était mentionné nulle part, non plus qu'une race de petits hommes gris.

Le lendemain, un incident malencontreux se produisit avec Chirk. Elle avait fait merveille. Mais Jonnie, lui, fit une erreur.

Elle avait installé ses quatre cents kilos devant un bureau, dans la bibliothèque, et elle était occupée à dresser des listes. Jonnie, lui, consultait une feuille de chiffres.

C'était les distances par rapport à la Terre de différentes bases hostiles parmi les plus proches, ainsi que les vitesses des vaisseaux étrangers. Chaque race avait son type de propulsion. La plupart des vaisseaux fonctionnaient grâce à l'énergie provenant des soleils, mais de façon différente. Jonnie essayait de déterminer à combien de mois de navigation de leurs bases étaient ces vaisseaux. Les listes des planètes habitées consultées par Terl avaient été reproduites en feuillets. Il était évident qu'elles ne comportaient pas l'ensemble des systèmes mais uniquement ceux qui présentaient un intérêt pour les Psychlos.

Jonnie avait été stupéfait en découvrant dans d'autres textes qu'il existait quatre cents milliards de soleils dans cette seule galaxie et que cet univers contenait plus de cent milliards de galaxies. Et il avait *seize* univers différents à explorer.

Il était plus facile d'estimer mentalement les bases possibles des races hostiles. La distance entre la Terre et le centre de cette galaxie était d'environ trente mille années-lumière. Une année-lumière équivalait à peu près à dix billions de kilomètres. Tous les vaisseaux ennemis, d'une façon ou d'une autre, étaient capables de dépasser la vitesse de la lumière, mais cela n'empêchait pas qu'il était nécessaire de calculer dans quelle marge ils la dépassaient par rapport à telle ou telle base.

Ce qui représentait une arithmétique psychlo passablement ardue. Et Jonnie ne se sentait pas la patience de calculer cela à la main. Étourdiment, il demanda à Chirk :

- Est-ce que tu pourrais m'aider à additionner tous ces chiffres ?

Elle leva les yeux et le regarda fixement sans répondre pendant une minute, puis elle dit :

- Je ne sais pas comment faire.

Jonnie sourit.

- Ce n'est que de l'arithmétique. Regarde, je vais te montrer...

Les yeux de Chirk devinrent vitreux. Elle s'effondra en avant sur le bureau.

Elle ne réagissait plus. Elle était totalement inconsciente. Il fallut faire venir un élévateur pour l'emporter jusqu'à sa chambre où on la mit au lit.

Trois jours après, MacKendrick vint voir Jonnie :

- Elle est dans le coma. Elle en sortira peut-être dans quelque temps. On dirait qu'elle a subi un choc particulièrement violent.

Jonnie se sentait coupable. Mais il avait désormais une vague idée du rôle des capsules d'argent implantées dans le crâne des femelles. Sous aucun prétexte, elles ne devaient apprendre les mathématiques pschlos !

Ainsi donc, la clé de tout l'empire psychlo devait se trouver dans les mathématiques. Sorti de leur arithmétique, Jonnie était incapable de démêler leurs équations. Il semblait bien qu'il eût abouti à une impasse.

7

Ils venaient d'achever l'installation d'un radiotélescope lorsque le courrier arriva.

Angus, le visage rougi par le soleil du lac autant que par le vent et la neige du Mont Elgon, était particulièrement fier de lui. Les pilotes allemands et suédois, heureux d'avoir quelque chose à faire en dehors de l'entraînement sous la férule de l'infatigable Stormalong, avaient aidé à installer les grandes coupelles du réflecteur ainsi que les relais entre les pics et la mine.

A présent qu'ils disposaient des fréquences, déclara Angus, ils ne tarderaient guère à capter ce que se disaient tous ces singes, là-haut ! Il les aurait même sur ses écrans !

Jonnie perçut le bruit lointain du moteur de l'avion qui approchait, au-dessus des nuages. Il remercia Angus et les pilotes et leur dit qu'ils avaient fait du bon travail et que, oui, désormais, ils en sauraient peut-être plus sur les intentions de leurs visiteurs.

C'était Glencannon qui assurait désormais le transport des précieux disques depuis l'Amérique. Il en adressait des copies au docteur MacDermott pour qu'il les enterre dans une crypte souterraine très profonde, tandis que Jonnie, en Afrique, gardait les originaux.

Glencannon apportait quantité de nouvelles. Pattie avait été très malade durant des semaines, mais Chrissie veillait sur elle et ils avaient bon espoir. Chrissie l'embrassait. Elle avait trouvé une vieille maison adorable tout près de Castle Rock et les épouses des chefs l'aidaient à chercher de vrais meubles dans les anciennes ruines. Quand Jonnie reviendrait-il ?

Castle Rock était à présent tellement entouré de canons-éclateurs antiaériens que les pilotes qui le survolaient étaient nerveux.

Dunneldeen ? Oh, il passait son temps à donner le baptême de l'air aux nouvelles recrues, mais elles n'étaient plus aussi nombreuses à présent. C'étaient surtout des conducteurs de machines que l'on formait. Ker était en forme. Il faisait parvenir à Jonnie quelques échantillons de nouveaux masques respiratoires qu'il avait confectionnés et qui tenaient mieux sur le visage. Il lui demandait de ne pas le livrer aux autorités pour avoir dérobé le matériel de la Compagnie, ah, ah, ah !... Il y avait aussi quelques lettres personnelles de Sir Robert. Mais, avant tout, il y avait le plus important. Les disques.

Il descendit au sous-sol et passa les disques. Il disposait à présent d'une installation complète. En observant les femelles psychlos, sans leur laisser cependant utiliser des appareils essentiels, ils avaient peu à peu appris à se servir des diverses machines de bureau qu'ils avaient jusque-là ignorées. Ils pouvaient désormais faire des copies des disques et obtenir des agrandissements de telle ou telle portion d'image avec une finesse de détails qu'ils n'auraient jamais crue possible auparavant. Ils avaient des meubles-classeurs pour y ranger leurs dossiers, et, depuis quelque temps, ils savaient mieux faire « parler » les disques.

Terl ! Assis à son bureau, il continuait à se perdre dans des équations de force. Incompréhensible. Ces équations n'étaient pas équilibrées, elles n'avaient aucun sens. Et il en emplissait page après page ! Tout cela n'avait toujours rien à voir avec la téléportation.

Jonnie faillit bien passer à côté. Brusquement, il revint en arrière. Les images montraient Terl se levant, allant jusqu'au placard et ouvrant *un autre* double fond. Il sortit une grande feuille de papier, si grande qu'il faudrait les images de trois scanners pour obtenir une image complète. Le papier était très ancien, plissé, près de tomber en miettes, tacheté de brun et terni.

Terl déploya la feuille, la contempla un instant, puis secoua la tête. Il posa une griffe sur le côté nord du grand barrage situé au sud-ouest de la mine d'Amérique, avant de hocher la tête.

Ensuite, il froissa la feuille et la jeta dans la lacéreuse à papier. Puis il nota des mesures de distance et de voltage avant de revenir à ses équations. Il s'y absorba deux jours durant. C'était tout ce qu'il y avait sur les disques.

Après une heure de montage sur trois canaux de scanners, Jonnie réussit à obtenir l'image complète de la feuille et en fit tirer une demi-douzaine de copies.

La carte était intitulée : « Dispositifs de défense de la planète numéro 203 534 ». Jonnie savait que c'était par ce nombre que les Psychlos désignaient la Terre. Tout y était indiqué : la moindre mine, le plus petit barrage, chaque batterie d'artillerie et chaque... Chaque quoi ?... Un petit symbole soulignait les barrages et les lignes électriques qui les reliaient aux mines principales et secondaires. Jonnie n'avait pas la moindre idée de sa signification.

Mais il fit une découverte inespérée dont jamais, jamais il n'aurait osé rêver. Là, sous ses yeux, très clairement indiquée, il y avait une plate-forme de transfert !

Il compara les sites relevés par les Psychlos avec une carte-d'homme de l'ancien temps. Cette seconde plate-forme se trouvait près d'un barrage autrefois appelé Kariba, dans une région qui avait porté le nom de Rhodésie, puis de Zimbabwe.

La plate-forme portait la mention « Point de réception de l'armement de défense en cas d'urgence ». A l'évidence, si la mine principale était neutralisée, Psychlo restait en mesure d'envoyer une nouvelle force d'intervention, ou bien le commandement planétaire avait la possibilité d'appeler des troupes en renfort ou d'informer le Bureau Central.

L'espoir renaissait, mais encore timidement vu l'âge de la carte et ce qu'en avait fait Terl. Jonnie fit préparer un avion d'attaque à bord duquel s'entassèrent à la hâte des Écossais, sous la direction de Robert le Renard.

A l'instant où l'on allait refermer la porte, MacKendrick surgit avec une trousse de secours. Jonnie décolla et fonça vers le sud.

Leur objectif se trouvait à moins de deux mille kilomètres de là et, trente-cinq minutes plus tard, ils repéraient le grand barrage et les bâtiments de l'énorme installation. Un peu plus loin au sud-est, ils découvrirent les Chutes Victoria, qui étaient parmi les plus grandes de la planète. Quel pays étonnant !

Le secteur avait porté la mention « défenses lourdes » sur la carte de Terl et Jonnie fit une approche prudente de cette mine dont ils avaient jusqu'alors ignoré l'existence.

Ils aperçurent bientôt le camp un peu plus loin à l'est. Une section de combat débarqua avec des carabines d'assaut et des munitions radioactives et s'avança prudemment vers le camp. Une demi-heure plus tard, ils reçurent un premier rapport sur la radio. L'officier qui commandait la section leur dit que les lieux étaient déserts et guère différents de ce qu'ils avaient trouvé dans la Forêt d'Ituri, plus au nord.

Sur la carte, la plate-forme ne se situait pas sur le site minier, mais près du grand barrage. Lorsqu'ils eurent réembarqué la section de combat, Jonnie se mit à explorer systématiquement le secteur.

Des arbres, des arbres, encore et toujours des arbres... Ils survolaient un plateau élevé qui n'avait rien d'une plaine ouverte. Sur leur passage, les troupeaux d'éléphants avaient ravagé des secteurs entiers de forêt.

Il y avait peu de clairières et tout semblait recouvert par les fourrés. Une multitude de petites collines émergeaient du paysage.

Au passage de l'avion, les éléphants et les buffles levaient la tête. Jonnie croisait et recroisait sans cesse, sillonnant toute la région. Il se rendait compte une fois de plus que c'était une chose de consulter une carte et tout à fait une autre que de se trouver sur le terrain.

De temps à autre, il passait les commandes à Stormalong, installé dans le siège de copilote, et se penchait sur la carte tandis que l'appareil continuait sa course au ras de la cime des arbres. Jonnie prit un compas, réussit enfin à mesurer la distance qui séparait la plate-forme du bord du barrage et reprit les commandes. Volant à l'allure d'un cheval au pas, il réussit finalement à se placer juste au-dessus de leur objectif. Stormalong lança une balise fumigène pour marquer l'endroit, provoquant la fuite de deux éléphants gigantesques.

Il y avait une dépression dans le sol, en forme de bol, dont les rebords dominaient le fond de plus de cinquante mètres. Cela évoquait un cratère, sans doute creusé par l'explosion d'une bombe. Il mesurait près de trois cents mètres de diamètre.

Il était à tel point envahi par la végétation qu'il était impossible de voir ce qui pouvait s'y trouver. Mais, tandis que la fumée montait en spirale de la balise qu'ils avaient larguée, la vérité frappa Jonnie.

Depuis des siècles, probablement, les différents officiers de la sécurité, sur cette planète, ne s'étaient plus préoccupés d'entretenir le système complexe de défense qui avait été jadis mis en place. Pas étonnant que Terl eût rejeté la carte. Jonnie avait l'air tellement déçu que Sir Robert essaya de lui faire retrouver son optimisme.

- Impossible de savoir ce qu'il en est avant d'avoir jeté un coup d'œil, lui dit-il.

Mais, après tant de siècles, la nature avait sans nul doute repris ses droits.

Jonnie posa l'appareil sur le rebord le plus haut. Ils sortirent. Certains des hommes, avec leur carabine, les protégeaient contre d'éventuels animaux sauvages, tandis que d'autres taillaient un chemin à coups de hache.

- Faites bien attention par ici, les prévint le docteur MacKendrick. On y trouve un insecte appelé mouche tsé-tsé qui donne la maladie du sommeil. Et dans l'eau, il y a un ver qui se fixe dans le système sanguin. Je n'ai pas beaucoup de ressources en médicaments. Portez des filets de protection et tenez-vous éloignés de l'eau.

- Formidable, grommela Jonnie. Il ne nous manquait plus que ça.

Ils se frayèrent un chemin vers le centre du cratère. Ils passèrent trois fois devant un des poteaux de la plate-forme avant de le remarquer. Ils se dispersèrent alors et en localisèrent deux autres très vite. Le quatrième fut facile à trouver.

Jonnie s'empara d'une pelle et attaqua l'humus. Il espérait que la maxime de la Compagnie « Ne récupérez jamais rien » se révélerait vraie. Il creusa dans la couche de feuilles mortes et d'humus. Cinquante centimètres plus bas, il atteignit la plate-forme.

Les fers des haches tintaient tandis qu'ils abattaient les arbres et dégageaient les buissons. Ils ne tardèrent pas à découvrir la base de béton du dôme du tir, et, finalement, le dôme lui-même à quelque distance de là. Il avait basculé. Mais la console n'était pas là !

Ils réussirent à extraire les câblages. Ils grattèrent la croûte de terre qui les recouvrait et constatèrent qu'ils étaient encore isolés. Typique de la technologie psychlo !

Jonnie était frappé par l'absence de lignes électriques. Normalement, ils auraient dû trouver celles qui venaient du barrage. Elles figuraient sur la carte de Terl, accompagnées de ce vieux gribouillis qu'il n'avait pu identifier.

La lumière déclinait et ils auraient pourtant continué si MacKendrick ne leur avait ordonné de remonter à la surface. Ils passèrent la nuit à écouter la cacophonie de la jungle en effervescence, les rugissements des lions et les barrissements des éléphants. Le plateau était situé à une certaine altitude et l'air était très frais.

Le matin venu, ils entreprirent de creuser une tranchée en croix et mirent à jour le câble électrique en prenant toutes les précautions pour ne pas l'endommager. Il leur suffit ensuite de répéter l'opération pour trouver l'autre câble souterrain qui partait vers la mine.

Ils découvrirent en parallèle un autre câble qu'ils ne parvinrent pas à identifier.

Ils se démenèrent dans les broussailles pour gagner l'énorme barrage. C'était une masse monstrueuse. Il semblait intact et les déversoirs fonctionnaient encore. Certaines traces indiquaient que les Psychlos s'étaient récemment posés à proximité et qu'ils avaient pénétré dans la centrale.

Jamais auparavant, Jonnie ne s'était trouvé à l'intérieur d'un barrage. On y sentait vibrer l'énergie à l'état brut. Dans le bruit de tonnerre de l'eau et le sifflement suraigu des générateurs, il était impossible de se faire entendre.

Comme toujours, les Psychlos avaient tout reconstruit à leur manière. L'installation était très, très ancienne, et certains éléments d'origine, conçus par l'homme, qui avaient été jetés de côté par les Psychlos, étaient plus anciens encore.

Angus trouva le tableau de distribution et les leviers de connexion dans une salle de contrôle isolée. C'était une structure imposante. Seuls deux leviers étaient propres et ils n'eurent même pas besoin de découvrir une petite touffe de poils coincée dans l'un d'eux pour savoir que les Psychlos étaient venus dans les lieux pour ouvrir ou fermer l'alimentation.

Mais à quoi servaient donc tous les autres leviers ? Ils prirent quelques sacs en toile et essayèrent de nettoyer le panneau sans provoquer de courts-circuits. Ils découvrirent des inscriptions gravées en psychlo. D'abord : « Force-Phase Un », « Force-Phase Deux », « Force-Phase Trois ». Puis : « Transfert Un », « Transfert Deux », « Transfert Trois ».

Avec précaution, Jonnie frotta autour des inscriptions, veillant à ne pas toucher les électrodes.

- A chaque inscription correspond une couleur.

Il voulut dire cela à Angus, mais il était impossible d'échanger une parole dans cet endroit et ils ressortirent.

Jonnie s'adressa alors à Sir Robert et à Angus.

- Terl travaille sur des équations de force. Je crois qu'il veut quelque chose qui se trouve sur le côté nord du barrage américain. Ces signes sur la carte doivent avoir un rapport avec la force.

Il demanda à Angus de retourner dans la chambre de contrôle, mit plusieurs Écossais en faction sur le tracé de la ligne électrique souterraine correspondant aux symboles sur la carte, et leur ordonna de rester en contact radio.

- Ferme le levier Force-Phase Un ! ordonna-t-il à Angus par radio.

L'effet fut plus spectaculaire et radical qu'ils ne s'y étaient attendus.

Ce fut comme s'ils venaient d'ouvrir les portes de l'enfer !

Tout au long de la ligne marquée sur la carte et autour du cratère, les arbres jaillirent du sol, éclatèrent en fragments avant de retomber.

Tout comme si une bombe venait d'exploser.

Durant toute une minute, une pluie de fragments de troncs, de feuilles et de branches s'abattit sur eux.

Sir Robert s'était déjà élancé pour savoir ce qui était arrivé aux hommes en faction. Avaient-ils tous été tués ? Leurs radios étaient devenues silencieuses !

Il leur fallut une heure pour dégager les Écossais. Un homme était inconscient, mais les autres ne souffraient que de contusions et de coupures légères. Ils étaient six à avoir été atteints.

MacKendrick les rassembla, évalua l'état de leurs blessures et entreprit de les panser après avoir mis de l'antiseptique sur les plaies. Jonnie, revenant du barrage, eut l'impression de retrouver une infirmerie militaire après une bataille. L'homme qui avait été choqué commençait à retrouver ses esprits. Il avait été littéralement soufflé dans les airs. Jonnie leur présenta à tous ses excuses.

L'Écossais qui avait été choqué lui dit en souriant :

- Ce n'est pas une petite chose comme ça qui viendra à bout d'un Écossais ! Qu'est-ce qui s'est passé ?

Oui. Telle était bien la question : qu'est-ce qui s'était passé ?

- Est-ce que j'ai fait une erreur ? demanda la voix d'Angus dans la radio.

Pour les Écossais, tout ça n'avait été qu'une bonne plaisanterie, aussi Jonnie répondit-il :

- Non. Bien au contraire ! Abaisse le levier encore une fois !

Ils étaient hors de la zone dangereuse, à présent.

Quelques-uns des arbres fracassés furent agités par une secousse, puis s'immobilisèrent. Prudemment, Jonnie s'avança vers le cratère. Mais il ne put aller plus loin. Impossible de quitter le barrage !

Il essaya encore une fois d'avancer sans y parvenir. Il était incapable de traverser l'air qui se trouvait devant lui !

Il prit un caillou et le lança devant lui. Le caillou rebondit ! Il en lança un autre, plus fort, avec le même résultat.

Il demanda à Angus de remonter le levier. La barrière n'existait plus ! Angus remit le contact. Elle était à nouveau là !

Durant les deux heures qui suivirent, en ouvrant et fermant alternativement la première et la seconde rangée de connexions, en jetant des cailloux, ils purent déterminer que le barrage était protégé par un écran de force. Quant au cratère, il était lui aussi entièrement entouré et couvert par un écran !

Les Écossais tirèrent sur l'écran invisible et les projectiles ricochèrent.

Lorsque la Phase Deux était activée, l'air scintillait faiblement, et Angus leur annonça que les cadrans indiquaient que le débit d'électricité avait diminué. En Phase Trois, une étrange odeur d'électricité devenait perceptible et les aiguilles des cadrans tombaient presque à zéro.

Tout avait été prévu pour la défense. Une plate-forme de transfert en train de fonctionner dans le cratère était inattaquable. Aussi bien par le sol que par les airs. Et le barrage était lui aussi inattaquable.

La quantité d'énergie brute nécessaire pour activer l'écran représentait une part importante de la production totale en électricité du formidable barrage, et Jonnie eut l'intuition que les Psychlos passaient en Phase Deux ou en Phase Trois pour repousser les attaques les plus violentes, et que pour les transferts, qui eux aussi nécessitaient un apport important d'énergie, ils revenaient en Phase Un.

Jonnie fit piéger tous les accès au cas où leurs visiteurs du ciel se risqueraient à explorer les lieux. Et, au début de l'après-midi, ils prirent le chemin du retour.

Une étincelle d'espoir. Ce n'était pas grand-chose, mais c'était cependant une étincelle. C'est ce que Jonnie déclara à Sir Robert tandis qu'ils regagnaient la base africaine.

Il voulait qu'il assume la responsabilité du secteur africain à partir de maintenant. Lui, Jonnie, avait d'autres choses à faire ailleurs. Il résuma la situation actuelle au Chef de Guerre : ils étaient sous la menace d'une éventuelle contre-attaque de Psychlo. Les visiteurs en orbite attendaient quelque chose. Il ignorait quoi, mais il avait la certitude qu'ils finiraient par frapper. Les événements politiques en Amérique constituaient une moindre menace et, pour le moment, ils ne devaient pas s'en préoccuper. La solution à leurs ennuis était de contrôler la téléportation, du moins de posséder une console en état de marche. Une fois cela acquis, ils pourraient agir à une bien plus grande échelle. Mais il semblait bien que ce fût le secret le mieux gardé des Psychlos et ils n'avaient qu'un faible espoir de le percer.

Le principal problème, dit Jonnie, était de protéger ce qui restait de l'humanité. Les hommes n'étaient plus guère nombreux. Une attaque de grande envergure de la part des visiteurs ou encore une contre-attaque menée depuis Psychlo pourrait annihiler ce qui restait du genre humain. Dès qu'ils se seraient posés, il partirait pour la Russie afin de s'occuper de ce problème.

Il conclut en demandant à Sir Robert s'il était prêt à prendre certaines mesures de protection locale qu'il énuméra.

Robert le Renard lui dit qu'il en serait honoré et qu'il agirait dans ce sens. Ce serait chose facile. A propos, est-ce que Jonnie se souciait de ce qui pouvait advenir aux visiteurs qui se risqueraient dans les parages ?

Non, lui dit Jonnie. Et Robert le Renard sourit.

VINGT-DEUXIÈME PARTIE

1

Sur l'écran, l'image du perceur bolbod était particulièrement nette. Il était cylindrique, reproduction miniature du vaisseau de guerre qui l'avait largué. Il s'apprêtait à se poser à proximité du barrage.

Le petit homme gris, assis dans son bureau gris, observait la scène avec un intérêt mineur, de façon plutôt détachée.

Il était très heureux d'avoir demandé à son officier de communications d'installer une étagère avec des écrans supplémentaires. Un vaisseau de guerre jambitchow les avait rejoints, commandé par un officier couvert d'écailles dorées scintillantes, avec des yeux à la place de la bouche. On l'avait informé de la situation et on lui avait dit qu'on ne savait pas encore s'il s'agissait du fameux monde recherché. Il avait accepté de faire partie de la force combinée et le vaisseau jambitchow était maintenant en orbite avec les autres. Comme tous, installé devant son écran, le Jambitchow observait le déroulement de cette « percée », comme disaient les Bolbods. Sur cinq des écrans, il y avait un visage tendu, au regard attentif. Sur le sixième, apparaissait une image générale de la « percée ».

Depuis ces derniers jours, le petit homme gris se sentait bien mieux. Ç'avait été une excellente idée que de redescendre à nouveau pour aller rendre visite à cette vieille femme. Elle était persuadée que ce n'était pas son thé qui lui avait causé cette indigestion. N'aurait-il pas plutôt bu quelque breuvage étrange dans quelque contrée païenne ? Bon, aucune importance ; il fallait qu'il boive du « babeurre ».

Il avait accepté et bu du babeurre. C'était frais, avec un goût agréable et, peu après, son indigestion s'était considérablement calmée. Mais la vieille femme n'en était pas restée là. Dans un passé lointain, un de ses cousins avait envoyé certaines plantes à ses aïeux et elles fleurissaient toujours sur la colline, près de la source. On appelait cela de la « menthe » et elle était allée en cueillir, faisant un large détour pour éviter l'astronef du petit homme gris. Les feuilles vertes dégageaient un parfum agréable et il en avait mâché quelques-unes. A son grand étonnement, son état s'était encore amélioré ! Alors la vieille femme lui avait mis toute une brassée de feuilles dans une poche.

Il avait voulu la payer, mais la vieille femme lui avait dit qu'il n'en était pas question, que c'était normal entre voisins. Il avait pourtant insisté et elle avait dit finalement que, eh bien, ma foi, il y avait une colonie suédoise sur le littoral avec laquelle elle n'avait jamais pu communiquer. Il avait cette chose autour du cou, dans laquelle il parlait. Elle marchait en anglais et elle pourrait peut-être marcher aussi en suédois, non ? C'est avec joie qu'il la lui avait offerte. Il en avait plusieurs. Assis sur le banc, près du seuil, il avait changé les micro-plaques sous l'œil intéressé du chien et de la vache. Ç'avait été un après-midi très agréable.

Le perceur bolbod s'était posé à grand fracas sur le chemin envahi par les herbes, près du barrage. L'équipage avait apporté un équipement de démolition.

- Je croyais que ce n'était qu'une sonde, dit le Hawwin. Est-ce que nous ne nous étions pas mis d'accord pour qu'ils se contentent de découvrir ce que ces gens ont fait sur le barrage ?

Ils avaient observé les singeries des terrestres, les avaient vus faire sauter tout un bouquet d'arbres, et leur curiosité s'était brusquement réveillée. Ils n'avaient pas enregistré d'élévation de la température et rien n'avait brûlé.

- Si on se sert d'un équipement de démolition, l'affaire risque de devenir politique...

- Je suis le commandant de mon équipage, gronda le Bolbod sur l'écran.

C'était bien ça le problème des forces combinées : tout le monde essayait de gouverner le vaisseau de l'autre ! Mais c'était le Bolbod qui avait eu l'idée de cette force combinée et il ne pouvait pas dire grand-chose de plus.

Il y avait trois soldats à bord du petit vaisseau-perceur. Celui qui marchait en tête était chargé de l'équipement de démolition. Les deux autres le suivaient à quelque distance.

Les visages, sur les écrans, étaient attentifs. C'était le premier débarquement qu'ils effectuaient à la surface depuis leur arrivée. Le petit homme gris avait essayé de s'y opposer, mais il s'agissait d'une question purement militaire. Ils savaient tous qu'il était nécessaire de tester les défenses de l'ennemi.

Le Bolbod qui allait en tête n'était plus qu'à une vingtaine de mètres de la porte de la centrale. Le puissant grondement du déversoir leur était retransmis par l'infrarayon. Ce barrage était colossal.

Brusquement, il y eut un éclair !

Une boule de feu jaillit dans le ciel.

Sur l'écran, l'image vacilla sous l'effet du choc.

Le premier Bolbod avait disparu, réduit en miettes. Tout comme son équipement de démolition. Quant à ses deux compagnons, qui s'étaient trouvés à bonne distance derrière lui, ils gisaient à terre, inconscients.

- Aha ! fit le super-lieutenant hockner, comme s'il s'était attendu à cela depuis le premier instant.

Mais son « aha » n'était pas pour l'explosion. Un avion d'attaque venait de se poser soudain près de l'endroit où s'était produite l'explosion. L'instant d'avant, il n'avait pas été visible sur les écrans. Un petit groupe en jaillit.

Des Suédois, se dit le petit homme gris, à en juger par leurs cheveux blonds. Ils étaient conduits par un jeune officier à la barbe noire, vêtu d'un kilt, qui brandissait un éclateur et une claymore.

Une rampe fut abaissée de la carlingue et un engin de levage descendit au sol.

Les Suédois avaient apporté des chaînes et ils étaient occupés à ligoter les deux Bolbods évanouis. D'en bas, des ordres leur parvenaient faiblement par l'infrarayon, presque étouffés par le rugissement du déversoir.

L'officier écossais essayait de trouver des lambeaux du Bolbod déchiqueté, ramassant çà et là des fragments d'uniforme ensanglantés. Il parut faire une découverte intéressante qu'il plaça dans un sac avant de faire signe au conducteur de l'engin. Les corps énormes des deux Bolbods furent chargés à bord de l'avion. Puis l'engin de levage redescendit et récupéra le petit vaisseau-perceur.

L'avion redécolla aussitôt et prit la route du nord. Le groupe de terrestres entra dans la centrale et disparut hors de vue.

Il était difficile de déchiffrer les diverses expressions des visages sur les écrans. Tous essayaient d'évaluer cette nouvelle situation.

Ils n'eurent guère le temps de réfléchir car la deuxième sonde était en route. Ils projetèrent les faisceaux à infrarouge sur la crête neigeuse du Mont Elgon, qui brillait loin au-dessus des nuages.

Ils avaient été contrariés de découvrir qu'un vieil appareillage, qui devait être un radiotélescope, avait été monté là-bas. Il semblait suivre leurs vaisseaux en orbite.

Un vaisseau-éclaireur hockner, avec cinq Hockners à bord, avait reçu pour mission de le détruire. A présent, il approchait de son objectif. Il n'était pas doté d'artillerie, mais l'équipage avait des armes lourdes. Les créatures sans nez, excessivement décorées, étaient nettement visibles sous la coupole de l'appareil. Celui-ci n'était qu'une sorte de traîneau amélioré, propulsé par fusées. Les vents semblaient particulièrement violents et l'engin avait quelque mal à se poser sur un épaulement glacé du pic. Sous lui, le précipice s'enfonçait entre les nuages. Des rafales de neige, poussées par le vent furieux, s'envolaient du pic. Le détestable radiotélescope se trouvait droit devant les Hockners, à distance raisonnable du bord. Au-delà, hors de vue de l'appareil, il y avait un glacier qui allait vers le bas.

Sur les écrans, les expressions étaient devenues différentes. L'engin mettait tellement de temps à se poser que l'intérêt se relâchait au fur et à mesure de ses tentatives.

Le semi-capitaine tolnep s'était lancé dans divers calculs concernant le prix des esclaves. Il connaissait une planète dont l'atmosphère était composée d'air et qui donnerait un millier de crédits pour n'importe quel esclave ramené vivant. Il estimait disposer ici d'un potentiel de trente mille esclaves, ce qui faisait quinze mille livrés vivants, environ. Et ça représentait une quinzaine de millions de crédits galactiques. En comptant sa part de dix-neuf pour cent, représentant sa prime, il pouvait compter sur deux millions huit cent cinquante mille crédits. Il avait cinquante-deux mille huit cent soixante crédits à rembourser, pour une dette de jeu (ce qui expliquait qu'il était heureux de partir en mission prolongée...). Le tout lui laisserait deux millions sept cent quatre-vingt-dix-sept mille cent crédits. De quoi prendre sa retraite !

Le Hawvin, lui, songeait à toutes les pièces d'argent et de cuivre qui devaient se trouver dans les ruines des anciennes banques. Les Psychlos n'accordaient aucune valeur à ces métaux mais il connaissait un marché pour les négocier.

Le Bolbod avait pensé à toutes les machines psychlos qui devaient se trouver là en bas. Mais, depuis qu'il avait assisté à la capture du perceur, il avait surtout envie de percer des trous dans ces terrestres !

Le commandant jambitchow, pour sa part, se demandait comment il allait subtiliser aux autres les esclaves, les machines et le métal...

Finalement, l'engin hockner parvint à se poser et l'attention de tous revint sur lui.

Les cinq membres d'équipage sortirent, engoncés dans leurs tenues spatiales hyperchics, décrochant avec des gestes maladroits les fusils-éclateurs passés autour de leurs épaules.

Soudain, la voix de l'officier hockner qui supervisait les atterrissages depuis le vaisseau en orbite se fit entendre dans les radios du commando de sabotage et leur revint par l'infrarayon.

- Alerte ! Alerte ! Avion de combat !

Effectivement, il y avait bel et bien un avion de combat en vue, à une altitude de soixante mille mètres. Mais il se trouvait là depuis une heure, sans faire la moindre manœuvre particulière. Et il était toujours là. Les cinq Hockners débarqués levaient la tête vers ce point minuscule dans le ciel, à peine discernable.

- Non, non ! aboya l'officier de contrôle. Il vient du glacier ! Juste derrière vous !

C'est à cet instant seulement que tous les yeux le virent. En fait, ils ne voyaient qu'une ligne sur le glacier : la partie supérieure, le reste étant masqué par la saillie qui dominait le télescope. L'avion avait remonté le glacier en restant au ras de la pente ! Lorsqu'il s'arrêta, il se trouvait à cent mètres derrière le télescope et nul ne pouvait voir si quelqu'un en débarquait. Mais le glacier était en pente raide ! L'avion devait demeurer sur place grâce à des moteurs surpuissants !

Les cinq Hockners étaient en alerte, à présent, mais ils n'avaient encore aperçu personne et demeuraient accroupis, leurs fusils-éclateurs prêts. Puis, tout à coup, ils s'élancèrent en avant.

Une salve de fusils-éclateurs crépita, venant de derrière le télescope.

Un Hockner, près du bord, fut atteint et projeté dans le vide. Il tomba en tourbillonnant à travers les nuages.

Le traîneau hockner, touché, bascula en arrière, oscilla et glissa dans le vide.

Les quatre Hockners survivants chargèrent à travers la neige et le vent, sans cesser de tirer.

Les coups de feu, assourdissants, étaient fidèlement retransmis par l'infrarayon. Une éruption de gouttes vertes d'énergie semblait jaillir de tout le secteur situé autour du télescope.

Un Hockner s'effondra. Puis deux. Puis trois ! Le quatrième parvint presque à atteindre le télescope avant de rouler dans la neige.

Il n'y eut plus que le sifflement du vent sur le pic.

Plusieurs terrestres firent leur apparition, surgissant de derrière le radiotélescope. Ils se ruèrent en avant, leurs tenues rouge et blanc de haute altitude se détachant comme des taches de sang sur la neige. Ils retournèrent les corps des Hockners et prirent leurs armes. L'un d'eux se pencha par-dessus le bord pour essayer d'apercevoir le cinquième Hockner et l'appareil d'assaut, mais il ne vit que la surface des nuages, loin en bas.

Les terrestres chargèrent les corps des Hockners sur un traîneau. Tant bien que mal, trébuchant et glissant sur le glacier, ils parvinrent à hisser le traîneau à bord de l'avion en utilisant des filins de sécurité.

Puis l'un d'eux rebroussa chemin, vérifia l'état du radiotélescope, redescendit en glissant, se rattrapa à la porte de l'appareil et grimpa à bord.

L'avion décolla et disparut dans la couche de nuages. L'infrarayon le suivit jusqu'à la mine.

- Voilà la preuve, déclara le semi-capitaine tolnep. C'est ce que je pensais depuis le début.

Il parut ignorer les commentaires des autres qui lui rappelaient qu'il avait été à l'origine de ces expéditions au sol.

- C'étaient des appâts, poursuivit-il. Il est évident qu'hier, au barrage, ils ont déclenché cette inoffensive éruption d'arbres afin de nous intriguer. Ils nous ont attendus et ils ont réussi à capturer deux Bolbods. Ainsi que je le soupçonnais, le radiotélescope est factice. Il ne fonctionne pas. Ça fait des siècles qu'on n'utilise plus ce genre d'appareil. Pour la réception des émissions les plus faibles, l'infrarayon suffit largement. Ils l'ont placé là pour nous intriguer et attirer un de nos vaisseaux. Si l'on excepte le Hockner qui a été assez maladroit pour tomber dans le vide, il n'y a aucune victime. Les éclateurs étaient réglés sur « Paralyseur ». Ils ont donc réussi à prendre quatre Hockners au piège.

- Est-il bien prudent de parler aussi ouvertement ? demanda le commandant jambitchow tout en caressant ses écailles polies. Ils pourraient nous avoir sur écoute.

- Absurde ! fit le Tolnep. Nos détecteurs n'ont pas montré la moindre trace d'infrarayon et nous communiquons sur la fréquence locale. Je vous dis que personne ne se sert de radiotélescopes depuis... Depuis la Guerre du Soleil Hambon ! Ils sont trop gros, trop encombrants. Celui-là est factice. Vous avez remarqué la ruse de cet officier qui est revenu en arrière pour le « régler » ? Ils espèrent que nous ferons une deuxième tentative.

- Je ne crois pas, dit le Hawvin. Ils ont maintenant deux Bolbods et quatre Hockners à interroger selon leur bon plaisir. Connaissant les méthodes d'interrogatoire pschlos, je ne voudrais pas être à la place des prisonniers !

- Ce ne sont pas des Psychlos ! dit le super-lieutenant hockner qui ne voulait pas montrer qu'il était épouvanté par le sort qui attendait les membres de son équipage.

- Mais si, insista le Bolbod. Vous avez bien vu ce Psychlo qui était en compagnie des terrestres, l'autre jour, près du lac. Les Psychlos soumettent les autres races. Ils l'ont déjà fait auparavant. Je vote pour que nous déclenchions une attaque massive afin de détruire leurs installations, dès maintenant ! Avant qu'ils aient achevé leurs préparatifs.

A cet instant précis, ils furent surpris par l'apparition d'une image brumeuse sur leurs écrans. Celle d'un visage humain barbu, aux cheveux bruns grisonnants, aux yeux bleus. L'être semblait porter une vieille cape.

- Si vous passez sur la fréquence planétaire, dit le nouveau venu en psychlo, j'aimerais discuter avec vous de la restitution de vos soldats. Les deux Bolbods sont secoués mais pas blessés. Quant aux quatre Hockners, ils ont été simplement paralysés, quoique l'un d'eux ait un bras cassé.

Ils s'exécutèrent, passèrent sur la bande planétaire, mais pour exprimer un *non !* formel et unanime.

Le semi-capitaine tolnep parvint à dominer le brouhaha pour ajouter :

- Pour que vous capturiez aussi l'équipe de récupération ? Ça, non, jamais !

- Nous pouvons les mettre sur la pente - près du cône de ce volcan noir. Ils seront bien en vue et il n'y aura aucun de nos appareils dans les airs. (Le ton du terrestre était convaincant.) Disons que c'est une trêve. Votre vaisseau de récupération ne sera pas attaqué et personne ne tirera dessus.

- Mais vous n'avez pas pu les interroger aussi vite ! s'exclama le Jambitchow. Donc, ils sont morts !

- Ils se portent très bien, dit le terrestre. Vous êtes certains de ne pas vouloir les récupérer ?

- Non ! clamèrent-ils tous d'une seule voix.

- Très bien. (Le terrestre eut un haussement d'épaules.) Alors dites-nous au moins ce qu'ils mangent.

Le Tolnep eut un signe à l'adresse des autres : qu'ils le laissent parler.

- Oui, bien sûr, dit-il en souriant, d'un ton mielleux. Nous allons préparer un colis de ravitaillement et nous l'enverrons.

Ils quittèrent alors la fréquence planétaire.

- Je vous l'avais dit, fit le Tolnep. Tous ces incidents n'étaient qu'un piège. Deux d'entre vous ont déjà tout gâché. Alors, laissez-moi m'occuper de ça.

Peu de temps après, un colis muni de fusées fut largué par le sas du vaisseau tolnep. Le tir fut extrêmement précis et le parachute se déploya sous la couche de nuages. Il poursuivit sa descente et toucha le sol non loin de la berge du lac.

Un véhicule venait de quitter le camp et se dirigeait rapidement sur lui. Sur les écrans, les visages étaient souriants. Les Psychlos ou autres qui étaient là en bas allaient avoir une surprise !

Soudain, le super-lieutenant hockner, qui s'était mis à feuilleter rapidement un catalogue d'identification, s'exclama :

- Oui, c'est ça ! Un « Cogneur ». « Cogne jusqu'à la gloire » ! Totalement blindé !

Le tank fit halte non loin du colis, le canon de sa tourelle s'abaissa, et il tira à faible charge. La bombe qui se trouvait à l'intérieur du colis explosa dans un geyser de flammes. Le tank tira une seconde fois sur les débris. Puis quelqu'un sortit de l'engin et vint ramasser les fragments encore brûlants

- On leur a même offert des fragments de bombe pour qu'ils les analysent ! hurla le Hawvin.

Ils tinrent en hâte une conférence. Le petit homme gris les écouta. Parfois, songeait-il, l'esprit militaire peut se montrer tout à fait remarquable. Ils décidèrent que tout ce que faisaient les terrestres n'était que pièges, que la stratégie de ces êtres était de réduire l'envahisseur pièce par pièce avant de le pulvériser, qu'il valait mieux attendre le courrier annoncé incessamment par le petit homme gris. Ils sauraient alors si c'était bien ce monde-là. Entre-temps, ils devraient se limiter à des reconnaissances de sécurité, dans des régions ni défendues ni gardées. Puis, lorsqu'ils *sauraient,* d'une manière ou d'une autre, s'ils avaient vraiment trouvé *le* monde qu'ils cherchaient, ils pourraient attaquer en masse avec tous leurs vaisseaux et nettoyer la place.

Tous les commandants tombèrent d'accord, à l'exception du Tolnep. Il était toujours furieux à cause de la bombe.

- Je devrais descendre immédiatement, siffla-t-il, et les mordre tous à mort !

- Nous trouvons cette idée excellente, gloussa le Hockner, en ajustant son monocle.

- Oui, pourquoi ne le faites-vous pas ! approuvèrent les autres, avant d'ajouter : Nous sommes certains que c'est ce qu'il faut faire !

Le Tolnep réalisa qu'ils seraient trop heureux de se débarrasser ainsi de lui. Il décida de se rallier à eux pour le moment. Plus tard, on verrait bien.

2

Jonnie était parti visiter des bases, mais il se retrouva visitant des gens.

Le voyage avait été plutôt agréable. Un pilote fraîchement promu avait voulu s'installer aux commandes. Jonnie avait été amusé à l'idée qu'on puisse vouloir le piloter : il ne s'était pas cassé le bras, après tout ! Une escorte de trois avions de combat Mark 32, à grand rayon d'action, prévus pour emporter chacun une escouade de marines psychlos, prit l'air immédiatement derrière lui pour ne plus le quitter. Il avait mis le cap sur le nord-est, survolant en premier lieu l'Afrique, puis la Mer Rouge, le Moyen-Orient, avant de pénétrer en Russie. Il plafonnait tranquillement à soixante mille mètres, cherchant la configuration exacte de rivières et de lacs que le colonel Ivan avait un jour tracée dans le sable, avec son doigt. Il s'était attendu à rencontrer de la neige mais, bien que l'on fût à la fin de l'automne, il n'en voyait que sur les plus hauts pics ainsi qu'en direction de l'est. Il trouva bientôt les points de repère qu'il cherchait ainsi que l'espace aménagé pour qu'il puisse se poser et découvrit un véritable océan de gens ! Le colonel Ivan, en compagnie d'une douzaine de lanciers à cheval, essayait de contenir la foule pour permettre à Jonnie de se poser. Il devait y avoir là plus de cinq cents personnes.

Il ouvrit la porte et le bruit faillit le renverser. Ils s'égosillaient en vivats ! Jonnie ne pouvait saisir ce qu'ils criaient dans le déferlement de sons, pas plus qu'il ne parvenait à distinguer un visage d'un autre.

Le colonel Ivan descendit de cheval à l'instant où Jonnie sortait de l'avion. Il avait l'air un peu trop roide et solennel, se dit Jonnie, peut-être parce qu'il pensait que Jonnie lui tenait rigueur de la mort de Bittie. Il portait un brassard noir en signe de deuil. Jonnie lui mit un bras autour des épaules et le colonel fut aussitôt rasséréné.

On avait amené à Jonnie une monture, un étalon à la robe dorée. Il sauta sur la selle en peau de mouton et la foule lança de nouveaux hourras. Jonnie ne connaissait qu'un mot de Russe : « *Zdrastvuitye* », ce qui signifie : « Bonjour, comment allez-vous ? » Il le cria très fort et la foule applaudit à nouveau.

Il promena son regard tout autour de lui. Ils étaient tout près des montagnes. En fait, ils se trouvaient au pied d'un massif particulièrement élevé... Quatre mille mètres ? Il y avait de la neige sur les sommets. L'ancienne base russe devait être à proximité. Jonnie avait pensé qu'ils s'y rendraient directement et qu'il pourrait rapidement procéder à ses observations et à ses estimations. Mais non : ils semblaient tous avoir d'autres projets. Il voyait des tentes en peaux et en feutre, et il percevait l'odeur de la fumée des feux. Il prit soudain conscience que tous avaient revêtu leurs plus beaux habits. C'était jour férié ! Et, à en juger par la façon dont ils se pressaient autour de lui, c'était lui qu'on fêtait. Il se demanda un instant si Thor était venu en visite ici. En ce cas, nombreux devaient être ceux qui pensaient qu'il les connaissait déjà. Ma foi, il devrait compter sur l'unique mot qu'il connaissait en russe.

Les cavaliers du colonel lui ouvraient la route. Chaque fois que Jonnie levait la main et hochait la tête, de nouveaux vivats éclataient. Toutes ces couleurs, tous ces visages ! Il reconnaissait les tonalités et les accents du russe, mais il distinguait aussi des « Bravo ! » et des « Bueno ! », ainsi que des « Viva ! ». Oui, il devait y avoir des Illaneros parmi eux. Plusieurs, même. Il aperçut un chapeau de cuir noir, plat, ainsi que de vastes couvre-chefs en paille.

La senteur des viandes grillées et des feux flottait dans l'air. Ainsi que les accents d'un orchestre composé apparemment de balalaïkas, de guitares espagnoles, de flûtes des Andes et de tambours mongols.

Le colonel conduisit Jonnie jusqu'à une tente en peau qui avait été dressée à son intention. Avec un geste définitif, Jonnie lança encore une fois son unique mot de russe - qui n'était plus guère de circonstance - et entra.

Un coordinateur les avait accompagnés et Jonnie lui demanda s'il était maintenant possible qu'ils se rendent à la base.

Le colonel fut abasourdi. *Niet, niet !* Ils auraient bien le temps après. Il fallait d'abord penser au peuple ! La plupart de ces gens n'avaient encore jamais rencontré Jonnie, ne l'avaient jamais vu.

Jonnie l'assura qu'il ne faisait que cela, penser au peuple ! Afin de le protéger d'une possible agression.

De toute façon, remarqua le colonel, il y avait toujours du danger partout. En revanche, ce n'était pas tous les jours que l'on pouvait rencontrer Jonnie. *Vyehrnah ?* (Pas vrai ?)

Jonnie fut heureux de se débarrasser de sa lourde tenue de vol car il faisait moins froid ici qu'il ne s'y était attendu. Le colonel avait apporté son ballot mais il le jeta de côté. Il avait fait confectionner une tenue de daim blanc cassé - pas vraiment comme celle des billets d'un crédit - avec des boucles sur les côtés de la poitrine pour loger les cartouches. Les filles du village avaient bien travaillé.

Il y avait aussi ces mocassins qui devraient aller à Jonnie, à moins qu'il ne préfère ces bottes militaires et ces pantalons bouffants rouges. Ce casque doré ? Oh, ce n'était pas vraiment de l'or... C'était un casque russe léger, en aluminium blindé, rien de moins. Quelqu'un l'avait emporté un jour jusqu'à l'ancienne mine de Grozny pour le plaquer au béryllium. Il ne portait pas le moindre ornement ni la plus petite étoile, mais la jugulaire et les oreillettes confortables avec des perles étaient l'œuvre des tribus sibériennes. N'était-ce pas splendide ? De plus, le docteur MacKendrick avait dit à Jonnie de se montrer prudent avec toutes ses fractures crâniennes. Il fallait qu'il porte ce casque ! Jonnie protesta : il n'entendrait rien quand il aurait serré la jugulaire. Non, il fallait qu'il le porte, insista le colonel.

Jonnie se débarbouilla rapidement, s'habilla et déclara au colonel qu'il était un tortionnaire. Le colonel hocha la tête et dit qu'il était pire encore.

La situation se présentait ainsi : son plan original de confier cette base à des Américains avait été voté par l'ancien Conseil - avant que les choses tournent mal. Ils avaient recruté quelques Sud-Américains et les avaient expédiés jusqu'ici. Mais, dans l'Arctique, il existait une tribu formée des descendants d'anciens prisonniers politiques qui avaient été détenus en Sibérie. Elle mourait de faim et elle était descendue au grand complet, avec les chiens et tout. Les Sibériens étaient ceux qui portaient des peaux d'ours blanc. Et puis, il y avait aussi une petite tribu qui avait été découverte dans le Caucase et qui avait réussi à survivre. Bref, la base se composait principalement de Russes. Mais il y avait un Américain parmi eux. Oui ! Jonnie voulait le voir ? Il attendait dehors.

L'Américain fut introduit, accompagné d'une jeune fille. Il regarda Jonnie en souriant. Ce garçon était de son village ! C'était Tom Smiley Townsen. Ils furent heureux de se retrouver. Tom Smiley était un grand gaillard, presque de la taille de Jonnie, et d'un an seulement son cadet. Il lui apprit qu'il avait obtenu son diplôme de conducteur de machines. Il avait entendu dire qu'ils avaient besoin de conducteurs ici et il avait pris aussitôt un avion. Il travaillait ici depuis plus d'un mois sur les balayeuses de la mine, tout en formant d'autres conducteurs et en réparant les engins en panne.

Et cette jeune fille était sa fiancée, Margarita.

- *Margarita, permiteme presentarte al Gran Señor Jonnie.*

Elle était très jolie, timide et subjuguée. Jonnie s'inclina devant elle ainsi qu'il avait vu Sir Robert le faire. Et elle s'inclina à son tour.

Tom Smiley déclara à Jonnie qu'ils allaient se marier dans quelques semaines. Jonnie leur souhaita d'avoir de nombreux enfants et Margarita rougit lorsque Tom lui traduisit ce que Jonnie venait de dire, avant d'acquiescer avec enthousiasme.

Pour la première fois, Jonnie apprit que le village avait été déplacé. Tom Smiley, de par sa formation, aurait pu maintenir les cols ouverts durant l'hiver avec une pelleteuse, évitant ainsi la famine aux habitants. Mais, à présent, dans leur nouveau village, ils avaient moins de neige. Il s'agissait du village recommandé par Jonnie. Brown Staffor avait envoyé des troupes pour les forcer à évacuer. Ils avaient même dû laisser leurs biens derrière eux, mais Tom pensait que les autres gars devaient les avoir récupérés : il y avait deux autres conducteurs de machines et deux pilotes.

Le colonel les poussa à l'extérieur tout en offrant à Jonnie une petite gorgée de « la meilleure vodka jamais distillée ». Jonnie crut que son crâne allait exploser. Radical contre la fatigue du vol, en tout cas ! Ça devait avoir été fabriqué avec des dents d'ours ! Exact, dit le colonel. Comment Jonnie avait-il donc deviné la formule ?

En passant devant Jonnie, les gens souriaient. Tous vaquaient à leur travail en attendant la fête et les danses.

Deux pilotes allemands venus de la base africaine étaient assis devant un feu, buvant quelque chose. Le troisième avait pris l'air et patrouillait le ciel. L'appareil était très haut et le ronronnement des moteurs leur parvenait faiblement. Jonnie leur dit en psychlo de se détendre et de prendre du bon temps et ils lui répondirent par un regard respectueux. Jonnie savait qu'ils avaient reçu des ordres bien différents : deux d'entre eux devaient toujours être en état d'alerte et dormir dans leurs avions avec la radio branchée. Le troisième appareil devait garder l'air en permanence. Jonnie prit alors conscience que cette atmosphère de festivités et de bonne humeur était en train d'émousser sa perception de la réalité : ils étaient en guerre avec des forces colossales.

Le colonel le conduisit jusqu'à un petit tertre et, d'un large geste de la main, lui montra l'étendue de la contrée et son opulence. Il y avait là du coton sauvage, suffisamment pour vêtir des milliers de personnes, de même que du blé et de l'avoine, des troupeaux de moutons et de vaches - de quoi nourrir des centaines de milliers de bouches dans les temps à venir. Ces ruines qu'il distinguait là-bas étaient celles d'une ancienne cité industrielle. Certes, la plupart des machines ne fonctionnaient pas, mais Tom Smiley pensait pouvoir faire fonctionner quelques métiers à tisser - ce qui amena Jonnie à se demander si, avec Tom Smiley, ils n'avaient pas trouvé un autre Angus.

Jonnie savait-il qu'il y avait une tombe, là-bas, au sud-est, où était enterré l'empereur du monde ? Un Mongol du nom de Timur-i-Leng. Près de deux mille années auparavant il avait régné sur le monde entier. C'était un fait historique. Le colonel devait absolument emmener Jonnie là-bas pour qu'il voie la tombe. C'était écrit dessus.

Jonnie en avait assez d'entendre parler de tous ces Napoléons et de tous ces Hitlers. S'il n'y avait pas eu ces vermines assoiffées de domination, l'humanité aurait peut-être pu acquérir une avance culturelle suffisante pour repousser l'invasion psychlo. Il avait entendu certaines théories qui disaient que la guerre était nécessaire pour créer la technologie et, pour lui, cela ressemblait à une maxime psychlo. Mais il ne dit rien de tel au colonel Ivan. Il se contenta d'admirer le somptueux panorama.

La base ? Le colonel répondit aussitôt à sa question. La base était dans cette direction, pas très loin d'où ils étaient. Demain, promit-il, il lui en ferait faire le tour.

Comme ils redescendaient, un grand Écossais à l'air jovial, accompagné de deux hommes, se porta à leur rencontre. C'était Sir Andrew MacNulty, Président de la Fédération et chef de tous les coordinateurs. Il avait entendu dire que Jonnie était là et venait d'arriver. Il était chaleureux, avec un rire franc, et ses nombreux coordinateurs lui vouaient une grande admiration. Jonnie fut très heureux de le rencontrer car la tâche qu'il avait à accomplir ici impliquait le déplacement de certaines tribus. Il complimenta Sir Andrew sur le magnifique travail que faisaient les coordinateurs et Sir Andrew, en retour, le remercia pour avoir sauvé la vie de deux de ses hommes en Afrique. Jonnie sut qu'il pourrait compter sur cet homme. Parfait.

Au crépuscule, la fête commença, et la grande constellation carrée traversa le ciel et se coucha bien avant qu'elle prenne fin. Ce ne fut que musique et danses, danses encore. Danses d'Espagne. Danse du Chasseur d'Ours de Sibérie. Danses sauvages et bondissantes du Caucase. Dans la lueur des feux et les rires. Bonne chère et boisson. Tout le monde semblait vouloir trinquer avec Jonnie. Il n'avait jamais trop bu et, le lendemain matin, il se retrouva avec la tête plutôt lourde quand le colonel, en pleine forme, vint le chercher.

Ils prirent un rapide petit déjeuner et se mirent en route avec une foule considérable pour l'ancienne base de défense. Le colonel expliqua à Jonnie que tous avaient travaillé là-bas et qu'ils voulaient s'assurer que ce qu'il verrait lui plairait, et qu'ils étaient tout disposés à modifier ce qui ne lui conviendrait pas. Ils avaient abandonné leurs tenues de fête et étaient prêts à se remettre au travail.

On pénétrait dans l'ancienne base par un tunnel masqué par des frondaisons. Il était très profond. Il avait été construit pour résister à un bombardement nucléaire et prévu pour être un poste de commandement. La structure en avait été renforcée à cause des fréquents séismes. Il y manquait le fini et le poli que l'on trouvait à l'intérieur de la base d'Amérique, mais l'ensemble était encore plus immense.

L'intérieur était éclairé à l'aide de lampes de mine psychlos. Les morts innombrables avaient été inhumés en grande cérémonie, puis la base avait été nettoyée par des balayeuses mécaniques venues de Grozny. Tom Smiley avait remis en état les canalisations d'eau. Le colonel dit à Jonnie qu'il n'avait pas eu l'intention, au départ, d'atteler à ce point ses hommes à la tâche car cette base était américaine, mais comme ils avaient l'expérience de ce genre de travail, ils s'y étaient finalement lancés à corps perdu.

Il y avait des magasins en grand nombre. Les uniformes n'étaient pas aussi parfaitement emballés et étanchéisés que dans les magasins américains mais la plupart des stocks étaient utilisables. Et la qualité était sans doute supérieure. Et regardez, il y avait des « lance-flammes » qui fonctionnaient encore !

On avait découvert des centaines de milliers de carabines d'assaut appelées AK 47, en parfait état, et des munitions de calibre modifié avaient été conçues pour cet armement, avec ou sans radiations. Jonnie se vit offrir une carabine qui avait été chromée à Grozny, ainsi que cinq mille balles avec leurs chargeurs.

Le Premier ministre russe, apparemment, n'était jamais venu ici, mais son poste de commandement était intact malgré les siècles. Jonnie pensait que le grand portrait qu'il voyait au mur le représentait, mais on lui dit que non. C'était celui d'un tsar du temps passé du nom de Lénine. Peut-être un contemporain de Timur-i-Leng, mais nul n'en était certain. Visiblement, ce portrait avait été celui d'un homme respecté et ils l'avaient donc laissé au mur.

De passage en passage, niveau après niveau, les Russes escortèrent Jonnie dans l'immense base, s'arrêtant à intervalles réguliers pour lui montrer telle ou telle chose, souriant à ses commentaires appréciateurs.

Jonnie se montra tout particulièrement satisfait en découvrant les hangars souterrains. Il y avait là de quoi loger des milliers d'avions. Exactement ce qu'il leur fallait. De la place. Des abris. Tout ce qu'il avait espéré trouver. Ils s'étaient servis de pelleteuses pour rejeter au-dehors les restes de vieux appareils qu'ils appelaient « migs ». Jonnie ne connaissait pas l'alphabet russe, mais ils étaient nombreux à pouvoir le déchiffrer. Ils lui montrèrent les plaques qu'ils avaient récupérées avant de se débarrasser des débris. « Mig », en russe, cela signifiait « avion », lui dirent-ils.

Les hangars disposaient de leurs propres entrées. Tout à fait ce que Jonnie avait souhaité !

On lui montra ensuite les manuels de tactique nucléaire. Tous étaient rédigés en russe, mais un honorable vieillard originaire de l'Hindu Kouch assura à Jonnie qu'il était parfaitement capable de les déchiffrer.

Il y avait au nord un stock abondant d'armes nucléaires, mais ils ne les visiteraient pas tant qu'ils n'auraient pas déchiffré tous les manuels les concernant. Il existait aussi un certain nombre de « silos » avec des fusées à poudre, mais ils savaient que la poudre était dangereuse à manipuler. Tout s'était détérioré mais les miettes de « poudre » éclataient lorsqu'on les frappait violemment à coups de marteau. Pas très utile !

On montra également à Jonnie une mine de charbon à proximité. La roche noire brûlait très bien et ils disposaient là d'une source de carburant et de chauffage.

Ils avaient dressé des plans. Il fallait extraire une quantité importante de cette roche noire. Il fallait aussi moissonner le blé sauvage. Jonnie approuva : ces plans étaient superbes et ils avaient fait un travail admirable. Il était très, très satisfait. Il serra des centaines de mains.

Ce ne fut que peu après l'aube, le lendemain, qu'il put s'envoler pour le Tibet. Il avait prévu initialement une visite de deux heures et il était resté deux jours. Il était encore éberlué d'avoir vu tout ce dont les gens étaient capables, lorsque l'appareil de l'État ne s'immisçait pas dans leurs vies.

Il portait le nouveau casque offert par le colonel, qui avait veillé tout particulièrement à ce qu'il le mît. Et à ce qu'il boucle soigneusement sa jugulaire ! Peu lui importait que Jonnie n'entendît plus rien. Le bruit des moteurs était redoutable pour les oreilles et, à haute altitude, elles étaient menacées par le gel. A ces mots, Jonnie n'avait pu qu'éclater de rire, mais il avait néanmoins coiffé le casque.

3

En tant que joueur averti, bien que pas toujours chanceux, le semi-capitaine Rogodeter Snowl, du Corps d'Élite de la Marine Spatiale Tolnep, considérait qu'il savait reconnaître avec certitude les choses, même si sa vue devenait particulièrement mauvaise depuis quelque temps.

Une semaine auparavant, il avait détecté une bande radio planétaire dont les autres membres de la force combinée semblaient ignorer l'existence. Et il n'avait pas l'intention de leur en faire part. Elle était apparemment appelée « Canal de la Fédération » et émettait des bulletins d'informations, des ordres et des rapports destinés à des créatures répondant au nom de « coordinateurs ». Il y était question de *tribus*. Pour lui, officier de marine dont les ressources financières dépendaient principalement de l'esclavage, tout ce qui avait trait à ces peuplades qui vivaient là en bas était d'un immense intérêt. Les Tolneps excellaient dans ce genre de marché, qu'ils affectionnaient particulièrement et pour lequel ils étaient très bien équipés.

Il avait dit aux autres vaisseaux qu'il fallait absolument monter la garde de l'autre côté de la planète, et il s'était séparé d'eux pour se mettre en orbite hors de leur vue.

Deux jours auparavant, il avait été stupéfait par la négligence dans la sécurité dont ces esclaves potentiels, là en bas, faisaient preuve. Ils s'exprimaient dans une langue appelée « l'anglais », dont il possédait les circuits de vocodeur depuis des âges. Ils se préparaient à la visite d'un notable.

Il était trop tard pour tenter quoi que ce soit pendant la visite de ce notable, dans une plaine du Nord, mais pas trop tard pour tout observer. Le semi-capitaine Snowl avait découvert avec surprise qu'il s'agissait de l'homme que l'on voyait sur les coupures d'un crédit. Et le casque doré qu'il portait rendait l'identification encore plus facile.

Le réseau radio de la Fédération était encombré par des bavardages relatifs à la visite suivante qu'il devait effectuer. Le notable devait se rendre dans une ancienne cité des montagnes appelée Lhassa. Les coordinateurs étaient censés rassembler plusieurs tribus en ce lieu pour une grande réception, et faire ceci et cela. Le semi-capitaine, muni de ces renseignements, n'eut aucun mal à localiser l'endroit. Une observation minutieuse des grandes montagnes qui se trouvaient dans cette région montra à Snowl que des foules d'êtres convergeaient vers une cité. Le site était enceint de pics élevés et se trouvait à haute altitude. Lhassa ! Il avait trouvé Lhassa !

Le semi-capitaine Snowl fit des plans aussi rapides qu'habiles. Sans en informer les autres, il devait s'emparer de ce notable, l'interroger avec tout l'art dont seuls les Tolneps - et peut-être les Psychlos - étaient capables, en tirer de précieuses informations et, ensuite, avec ce qui resterait du notable, négocier une reddition planétaire. Et pas question de partager avec les autres... Il ferait le ramassage de la population, paierait ses dettes de jeu et prendrait sa retraite. Il disposait de l'occasion, de suffisamment d'espace et de temps. Il fallait immédiatement passer aux actes !

Snowl traversa la passerelle en forme de diamant de son vaisseau, consulta la liste des officiers de quart et y trouva le nom du double-enseigne Slitheter Pliss, auquel il devait encore deux mille vingt et un crédits perdus au jeu. Si l'opération échouait, voilà une dette que le semi-capitaine Snowl n'aurait pas à honorer. Mais il était impossible qu'elle échoue. Elle était trop bien montée.

Il convoqua le double-enseigne Pliss sur la passerelle, lui dit exactement ce qu'il voulait, donna l'ordre de sortir deux marines de leur sommeil prolongé, accorda son autorisation pour le lancement d'une petite chaloupe d'attaque et surpervisa les derniers préparatifs de l'enlèvement.

C'était une belle et claire journée, et Jonnie passa les commandes à son copilote allemand. Il était émerveillé par le panorama des montagnes qui défilaient sous eux. Il n'avait encore jamais vu l'Himalaya. Impressionnant! Certains sommets atteignaient plus de sept mille mètres et quelques-uns huit mille. Neige et glaciers, tourbillons de vent, vallées encaissées, rivières gelées : ces montagnes étaient très spectaculaires. Et le massif était immense.

Ils volaient à haute altitude selon un cap sud-est. Ils se maintenaient juste au-dessous de la vitesse sonique, car ils avaient une certaine avance par rapport à l'heure d'arrivée prévue. Les oreillettes du casque étouffaient le bruit profond des moteurs bien plus efficacement que les casques ordinaires et Jonnie trouvait cela très reposant. C'était étrange de voyager sans rien entendre. Le colonel avait sans doute raison : le bruit était néfaste pour les oreilles.

Le copilote venait de repérer sur leur droite un pic qui culminait. Ils étaient sur la bonne route. Jonnie se détendit. Quelle visite ç'avait été! Au bout d'un moment, il s'intéressa à la carabine d'assaut qu'on lui avait offerte. Ils l'avaient mise sous ses pieds. Une carabine chromée! Il se demanda si le fût du canon avait été également chromé. En ce cas, ce serait dangereux de tirer avec. Il réussit à démonter l'arme et examina le canon. Non, ils ne l'avaient pas chromé. Parfait. Il remonta la carabine et fit jouer plusieurs fois la culasse. Puis il prit un chargeur, le mit en place, et fit fonctionner la culasse sans appuyer sur la détente. L'arme fonctionnait à merveille. Il vérifia les autres chargeurs. Tout était parfait. Il testa l'équilibre de l'arme en prenant une visée sur un pic. Il lui fallut quelque temps pour s'habituer au viseur et il répéta plusieurs fois l'exercice.

Il n'entendit pas le copilote qui essayait de lui dire qu'ils ne tarderaient pas à se poser et fut donc surpris en découvrant soudain Lhassa juste au-dessous d'eux. Ils arrivaient droit sur la cité.

L'endroit avait dû être formidablement impressionnant jadis. Les ruines d'un palais colossal dévalaient la pente d'une montagne rouge. En fait, le palais était plus grand que la montagne elle-même. Juste au-dessous s'étendait un espace particulièrement vaste. Des ruines nombreuses entouraient ce qui avait dû autrefois être un parc. La cité tout entière était inscrite dans une cuvette naturelle cernée par les montagnes.

Oui, et un petit groupe de gens les attendaient à l'extrémité du parc. Certains étaient en robe jaune, d'autres vêtus de fourrures. Ils disposaient de suffisamment d'espace pour se poser, aussi Jonnie laissa les commandes au copilote. Ils survolèrent un amas de décombres - ce qui restait d'un grand bâtiment - et l'appareil toucha le sol. Le palais colossal se dressait sur leur droite. Le groupe d'accueil se trouvait à une centaine de mètres devant eux. Plus loin, au-delà, à deux cents mètres, s'érigeait une ancienne ruine.

Jonnie déboucla sa ceinture de sécurité et entrouvrit la porte de l'avion.

Il y avait peut-être deux cents personnes ou plus à les attendre. Elles se tenaient immobiles, sans faire mine de se précipiter à leur rencontre. Sans pousser la moindre ovation. Bof, songea Jonnie, on ne pouvait pas être populaire partout.

La courroie de la AK 47 s'était prise dans la console. Il la libéra en soulevant l'arme, repoussa un peu plus le battant de la porte et sauta à terre. D'ordinaire, l'usage était que le copilote prenne la place du pilote et Jonnie leva la tête. L'Allemand n'avait pas bougé. Il regardait fixement droit devant lui.

Jonnie se tourna à nouveau vers la foule. Personne n'avait fait un pas en avant. Personne n'avait esquissé le moindre mouvement. Bizarre ! Ils étaient à une centaine de mètres de lui, au bout du parc. Il pouvait identifier trois coordinateurs. Ils semblaient littéralement vissés sur place.

Ils donnaient l'impression d'être sous la menace d'une arme.

Son instinct d'homme des montagnes incita Jonnie à se retourner pour regarder au-delà de l'avion, en direction des ruines.

Trois silhouettes se précipitaient dans sa direction, brandissant des fusils-éclateurs.

Leur peau était grise. Ils avaient à peu près la taille d'un homme et portaient de grands masques faciaux.

Des Tolneps !

Ils approchaient à toute allure. Ils ne devaient pas être à plus de soixante-quinze mètres.

Jonnie porta la main à sa ceinture pour prendre son pistolet et réalisa qu'il tenait la AK 47. Il s'accroupit, arma la carabine et arrosa les silhouettes.

Les Tolneps s'arrêtèrent, surpris. Puis reprirent leur progression, courbés en deux.

Les projectiles de la AK 47 ne les avaient pas arrêtés.

Que savait-il sur les Tolneps ? Il avait lu le manuel psychlo quelques jours seulement auparavant. Leurs yeux ! Ils étaient à demi aveugles et ils étaient incapables de voir sans leurs masques spéciaux.

Il régla sa carabine sur « Coup par coup ».

Les Tolneps couraient en file indienne. Le plus proche était à moins de cinquante mètres, le plus loin à soixante.

Jonnie mit un genou à terre. Il visa soigneusement. Il tira droit sur la visière du Tolnep le plus éloigné, puis passa à l'autre. Il tira à nouveau, et fit éclater son masque.

Il n'avait pas été assez rapide.

Le premier arrivait déjà sur lui.

Avec ses crocs empoisonnés !

Le masque ! Il n'avait plus le temps de tirer.

Il bondit en avant et abattit la crosse de sa carabine sur la visière du Tolnep.

Il appuya le coup d'un revers du canon.

Le Tolnep ne tomba pas, mais se mit à tituber.

Pas question de le laisser s'approcher.

Jonnie se rejeta en arrière, jeta la carabine dans sa main gauche et saisit son éclateur.

Il fit feu plusieurs fois à bout portant et, sous les impacts, le Tolnep fut projeté au sol.

Jonnie s'avança sans cesser de tirer. Le pistolet-éclateur clouait littéralement le Tolnep au sol. Des geysers de poussière obscurcissaient la vue.

Jonnie n'avait pas réglé son arme sur « Flamme ». Mais la force brute des chocs répétés assomma le Tolnep. La visière de son masque était fracassée. Les yeux étranges de l'être étaient maintenant vitreux et ils avaient chaviré. Pas de doute, le Tolnep était évanoui.

Où étaient les autres ? L'un d'eux courait en direction du grand palais en ruine, apparemment incapable de s'orienter. L'autre battait en retraite vers un bâtiment effondré. Jonnie aperçut quelque chose : le museau scintillant d'un petit engin à demi dissimulé dans un renfoncement des décombres.

Oui, celui-là essayait de regagner son vaisseau !

Jonnie bondit dans le cockpit de l'avion, saisit un fusil-éclateur sur un râtelier et jeta sa AK 47 à l'intérieur.

Il sauta à nouveau au sol, s'agenouilla, prit son équilibre et tira un coup sur le Tolnep qui courait vers son engin. Sans effet !

Il passa de « Flamme » à « Maximum ». Le Tolnep avait atteint les ruines, il était presque arrivé à son vaisseau.

Jonnie visa et pressa la détente de son arme.

Le Tolnep éclata dans un pilier de feu !

Jonnie passa à l'autre, visa et tira. Il y eut un éclair à l'arrivée du coup, puis une boule de feu à la seconde où le fusil du Tolnep explosa.

Jonnie observa le vaisseau. Il n'y avait personne à l'intérieur, apparemment. Il se pencha sur le Tolnep effondré à ses pieds. Il portait un insigne. C'était sans doute un officier.

Jonnie alla prendre un filin de sécurité à bord de l'avion, ficela solidement le Tolnep, multipliant les boucles et les nœuds, et fixa l'extrémité du filin dans son dos. Le Tolnep n'avait été armé que d'un pistolet. Les coups d'éclateur de Jonnie l'avaient détruit mais il n'en prit pas moins la précaution de le jeter au loin. Puis il éloigna le corps de l'appareil. Seigneur, qu'est-ce qu'il était lourd ! Jonnie tapota la « chair » de l'être. C'était comme du fer. Son apparence était presque humaine, mais sa densité était telle qu'il n'était pas étonnant que les projectiles de la AK 47 n'aient eu aucun effet sur lui. Ils avaient simplement ricoché.

Jonnie sentit qu'il avait maintenant la situation bien en main. Tout s'était produit trop vite pour que les trois avions d'escorte puissent intervenir et ils étaient toujours là-haut, volant en cercle. Jonnie supposa qu'ils s'étaient trouvés trop loin derrière pour avoir pu observer la charge des Tolneps.

Il regarda autour de lui et vit avec surprise que la foule était toujours immobile, à une centaine de mètres de l'avion. Personne ne s'était avancé, personne n'avait fait le moindre geste. Jonnie se tourna vers l'avion. Le copilote allemand était toujours immobile, le regard fixe.

Jonnie monta à bord et alluma la radio.

- Ne descendez pas ! lança-t-il à l'adresse des pilotes d'escorte.

Le vaisseau, là-bas. Est-ce qu'il allait prendre feu, exploser, ou quoi ?...

Jonnie prit le fusil-éclateur et se porta vers le vaisseau en effectuant un large détour.

Ils l'avaient vraiment très bien dissimulé. Ils avaient utilisé un profond renfoncement dans les décombres et y avaient littéralement encastré l'appareil pour qu'il ne soit pas visible des airs.

Jonnie s'en approcha avec prudence. Un canon-éclateur était monté sur le nez du vaisseau. Celui-ci était d'un argent à l'éclat vif. Il avait la forme d'un diamant, avec une coupole, basculée pour l'instant, qui faisait office de sas en se rabattant. L'espace intérieur était prévu pour trois passagers et un emplacement avait été laissé à l'arrière pour le transport du matériel.

Jonnie, du bout du canon de son fusil, poussa la coque de l'appareil. Le vaisseau se balança, sans exploser. Il était d'une légèreté surprenante pour transporter des créatures aussi pesantes.

Jonnie s'appuya de la main sur la coque pour monter à bord et sentit vibrer le vaisseau. Quelque part, quelque chose fonctionnait.

Il consulta le tableau de commandes. Plusieurs voyants étaient illuminés et clignotaient. Les commandes étaient d'aspect totalement bizarre. Il ne voyait pas à quel alphabet pouvaient appartenir les caractères qu'il avait sous les yeux. Il ignorait à quel type d'énergie il avait affaire. Dans le manuel psychlo, il était question d'« énergie solaire », mais c'était plutôt vague.

Mieux valait ne toucher à aucun contrôle. L'engin risquait de décoller.

Il jeta un regard en direction de la foule immobile, à trois cents mètres de là. Ils étaient toujours cloués sur place. Et, pendant un instant, lui aussi se crut cloué sur place. Mais ce n'était peut-être qu'un effet de la bataille qu'il venait de livrer.

Oui, quelque chose fonctionnait, quelque part dans le vaisseau ! De la main, Jonnie repéra la vibration. Ce qu'il avait cru être un simple canon était bien plus que cela. Il y avait *deux* canons superposés. Et le canon supérieur émettait une lueur à la « gueule ».

La léthargie qu'il éprouvait s'accentuait.

Mais il devait bien exister quelque part une source d'énergie pour faire fonctionner ça. Un câble ? Il en découvrit un, très épais, sous le tableau de commandes. Il était relié à un accumulateur.

Il y avait un rouleau de filin à l'arrière de l'appareil. Jonnie le prit et attacha une extrémité au câble, juste au-dessus de la connexion avec l'accumulateur. Puis il prit du recul, tendit ses muscles, et tira violemment.

Le câble fut arraché de l'accumulateur.

Il y eut un jaillissement flamboyant d'étincelles.

Trois choses se produisirent aussitôt. L'engin cessa de vibrer. La léthargie que Jonnie avait éprouvée disparut. Et tous ceux qui attendaient là-bas s'effondrèrent sur le sol et y restèrent.

Jonnie attacha le câble à bonne distance de l'accumulateur et s'élança en direction de la foule inerte.

Il passa devant l'avion à l'instant précis où le copilote s'extrayait tant bien que mal de l'appareil. Il cria quelque chose que Jonnie ne put comprendre.

En atteignant le groupe de gens effondrés, Jonnie aperçut un coordinateur qui se redressait péniblement sur les genoux. Tout autour de lui, d'autres se réveillaient et s'asseyaient, l'air abasourdi. Le sol était jonché de drapeaux, d'instruments et de tout ce qui avait été prévu pour la cérémonie de bienvenue.

Jonnie vit bouger les lèvres de l'Écossais et il se dit que le coordinateur devait avoir perdu l'usage de la voix. Il n'entendait pas un seul mot.

En se retournant, il vit qu'un des appareils d'escorte venait de se poser. Il ne l'avait pas entendu arriver.

Soudain, il prit conscience que c'était à cause du casque d'Ivan. Il déboucla en toute hâte la jugulaire et ôta les épaisses oreillettes qui l'empêchaient d'entendre.

- ... comment êtes-vous venu ici ? disait le coordinateur.

- En avion, rétorqua Jonnie, d'un ton plutôt vif. C'est mon appareil, là-bas !

- Il y a une créature sur le sol ! (Le coordinateur désignait le Tolnep ligoté.) Comment est-elle arrivée là ?

Durant un instant, Jonnie fut quelque peu exaspéré. Après cet assaut et toutes ces fusillades... Brusquement, il comprit qu'aucun de ces gens n'avait eu conscience de ce qui venait de se passer.

Ils étaient embarrassés et abasourdis. Les trois chefs de tribu s'approchaient de lui, bouleversés, en s'inclinant. Ils avaient « perdu la face ». Ils avaient préparé une réception de choix - voyez tous ces drapeaux, ces instruments, ces présents - et il s'était déjà posé. Qu'il veuille bien les excuser...

Le coordinateur tentait de répondre aux questions de Jonnie. Non, ils n'avaient rien constaté de bizarre. Ils s'étaient rassemblés ici peu après le lever du soleil pour attendre son arrivée, mais il était là et tous leurs plans étaient ruinés, maintenant. Et il devait bien être neuf heures du matin et... Quoi ? Il était deux heures de l'après-midi ? Non, c'était impossible. Faites voir votre montre !

Ils voulurent commencer la réception sur-le-champ, bien que pas tout à fait remis du choc. Jonnie demanda au coordinateur d'attendre encore un moment et il se rendit à la radio.

Sur la fréquence locale, il ordonna aux pilotes des deux appareils d'escorte qui avaient gardé l'air de guetter tout vaisseau en orbite. Puis il passa sur la fréquence planétaire, sachant pertinemment qu'il pouvait être entendu par leurs visiteurs. Il entra en liaison avec Sir Robert, en Afrique.

- Les petits oiseaux ont essayé de chanter ici, déclara Jonnie.

Ils n'avaient pas de code et il se dit qu'ils devraient en établir un. Mais ces quelques paroles furent comprises.

- Tout va bien maintenant, reprit-il, mais notre ami Ivan va avoir besoin d'un nouveau plafond au-dessus de son nouveau trou. Compris ?

Robert le Renard avait compris. Jonnie demandait une couverture aérienne pour la base russe et son ordre serait immédiatement exécuté.

- Il faut que notre orchestre joue *la Lamentation de Swenson,* ajouta Jonnie.

Il n'existait aucune lamentation de cornemuse écossaise qui portât ce titre. Silence radio sur la fréquence planétaire, s'il vous plaît. Si les visiteurs étaient au courant de sa présence ici, ils devaient capter les conversations.

- Je jouerai peut-être une note ou deux, mais autrement ce sera *la Lamentation de Swenson.*

Il coupa la radio. La situation était plus dangereuse qu'il ne l'avait cru.

Pour tous les habitants de cette planète.

Il avait été le seul à être « sourd ». Le seul en mesure d'agir. Donc, ce canon qui se terminait en forme de cloche avait dû émettre un son à haute fréquence qui engendrait une paralysie totale. C'était donc ainsi que les Tolneps s'y prenaient pour leur trafic d'esclaves...

4

Le pilote d'escorte qui venait juste d'atterrir ne comprenait pas ce qui s'était passé et essayait d'expliquer cela au coordinateur qui ne parlait pas l'allemand. Jonnie lui demanda s'il avait enregistré ce qui s'était passé et le pilote lui confirma qu'il l'avait fait. Jonnie entreprit alors de leur expliquer, en anglais à l'intention du coordinateur et en psychlo à l'intention du pilote, qu'il s'agissait d'un dispositif monté sur l'avant du vaisseau de patrouille caché là-bas. Ils avaient tout intérêt à rassembler le comité de bienvenue pour le conduire dans une des salles de ces bâtiments en ruine afin de passer les disques d'enregistrement. Ainsi, ils n'iraient pas s'imaginer qu'il y avait des démons partout. Il fallait les rassurer. La cérémonie de bienvenue aurait lieu plus tard.

Bientôt, la foule emboîta le pas au coordinateur tandis que Jonnie retournait auprès du Tolnep.

La créature avait repris conscience. Sans la visière du casque, le regard paraissait aveugle. Les yeux des Tolneps percevaient la lumière dans une bande lumineuse différente et avaient besoin de filtres correcteurs. Jonnie promena les yeux autour de la créature et repéra la visière à demi fracassée. Prenant garde à se tenir à bonne distance des crocs de la créature, il remit la visière en place sur ses yeux. Le Tolnep tenta de le mordre. Jonnie s'accroupit et déclara :

- Nous allons à présent entendre votre récit, la triste histoire de votre jeunesse, par quel concours de circonstances vous avez été amené au crime et de quelle manière cet enchaînement fatal vous a conduit à cette fin pitoyable.

- Vous vous moquez de moi ! gronda le Tolnep.

- Ah ! Nous parlons le psychlo. Très bien. Poursuivez votre histoire.

- Je ne vous dirai rien !

Jonnie regarda tout autour de lui. Si l'on tombait du haut de ce gigantesque palais qui dominait la vallée, ça faisait une sacrée chute. Il repéra soigneusement un point précis et le désigna.

- On va vous monter jusque là-haut et vous laisser tomber. Vous voyez cet endroit, juste au bout de ce grand pignon ?

Le Tolnep rit.

- Je ne m'égratignerai même pas !

Pendant un moment, Jonnie demeura songeur.

- Écoutez, nous ne sommes pas réellement vos ennemis. Donc, je vais rétablir les connexions de votre vaisseau, y placer un dispositif de téléguidage que j'ai ici et vous renvoyer vers le vaisseau de guerre Vulcor.

Le Tolnep resta silencieux. Attentivement silencieux.

- Bien, il faut que je m'occupe de ce système de téléguidage, acheva Jonnie en se redressant comme pour retourner à son appareil.

- Attendez ! Vous n'allez pas faire ça, n'est-ce pas ? Je veux dire : me réexpédier à mon vaisseau ?

- Mais bien sûr que si. C'est la chose la plus civilisée à faire en la circonstance.

Le Tolnep se mit à hurler :

- Pourritures de Psychlos ! Vous feriez n'importe quoi, hein ? Il n'y a pas de limite à votre ignoble sadisme !

- Comment ? Mais qu'est-ce qu'ils pourraient bien vous faire ?

- Ils me jetteront dans l'espace et vous le savez parfaitement ! Et ensuite je grillerai dans l'atmosphère !

- Mais pourquoi ne voudraient-ils plus de vous ?

- N'essayez pas de jouer avec moi ! brailla le Tolnep. Vous me prenez pour un idiot ? Et eux aussi ? J'ai remarqué que vous n'aviez pas parlé de cette poudre de virus que vous alliez répandre sur moi afin que je contamine l'équipage. Monstre ! Vous voulez que je crache mes poumons jusque là-haut pour souffrir ensuite l'agonie en brûlant jusqu'au sol à cause de la friction de l'air ! Allez au diable !

Jonnie haussa les épaules.

- C'est pourtant la chose la plus civilisée à faire en la circonstance, conclut-il en faisant mine de se diriger vers l'avion.

- Attendez ! Attendez ! Qu'est-ce que vous voulez savoir ?

Ainsi, Jonnie apprit tout des démêlés du double-enseigne Slitheter Pliss ici présent et de son semi-capitaine Rogodeter Snowl, et à quel point c'était stupide de ne pas laisser gagner un officier supérieur lorsqu'on jouait avec lui. Jonnie entendit bien d'autres choses encore, pas toutes pertinentes, puis le double-enseigne lui dit :

- Bien sûr, Snowl n'a rien dit à l'équipage, parce qu'il veut garder toute la prime pour lui, mais on murmure que la récompense pour *le* trouver est de cent millions de crédits.

- Pour trouver *qui* ? demanda Jonnie.

Mais le double-enseigne Slitheter Pliss n'en savait pas plus. Il expliqua simplement qu'ils attendaient afin d'être certains, mais que, de toute façon, la force combinée allait lancer une attaque en masse. Les commandants des vaisseaux pariaient sur leurs écrans pour le partage du butin et Rogodeter Snowl avait d'ores et déjà gagné la population de la planète, pensait le double-enseigne, quoique Snowl mentît souvent et que nul ne pût avoir la moindre certitude à cet égard. Mais une chose était sûre : ils auraient besoin d'un vaisseau de transport et il leur faudrait peut-être retourner chez eux pour cela. Chez eux ? Le Terrien n'avait-il donc pas remarqué une étoile très brillante – en fait une double étoile ? Elle devait être particulièrement brillante vue de ce monde. La constellation qui se trouvait juste au-dessus ressemblait à une boîte carrée sous cet angle du ciel. Eh bien, c'était chez eux. La neuvième planète des anneaux. Les Tolneps n'habitaient qu'une seule planète et pillaient les autres. Pour les esclaves.

Ça semblait être tout pour l'heure, aussi Jonnie dit-il au double-enseigne qu'il ne le réexpédierait pas vers son vaisseau. Pas tout de suite, en tout cas.

Jonnie avait lu quelque part que, si un Tolnep mordait, il fallait six jours pour qu'il développe une nouvelle réserve de venin. Il alla donc prendre un chiffon et une bouteille à échantillon dans l'avion et demanda au Tolnep de mordre plusieurs fois dans le chiffon. Pliss s'exécuta avec résignation. Jonnie mit le chiffon dans la bouteille et la reboucha avec soin. MacKendrick avait fabriqué des sérums contre les morsures de serpents et il pourrait peut-être faire quelque chose pour celles des Tolneps.

Un nouvel appareil d'escorte venait de se poser. Il y avait un copilote à bord. Il existait une mine au pied de la montagne, à présent démantelée, et elle avait sans doute des transporteurs de minerai. L'avion avait d'amples réserves de carburant, aussi Jonnie envoya-t-il l'équipage avec mission de ramener un transporteur. C'était pour y mettre le Tolnep et le vaisseau de patrouille, et les ramener en Afrique. Il demanda aussi aux deux hommes de voir quelles pouvaient être les ressources de la mine en transports de passagers.

Il leva les yeux vers le ciel. Il ne discernait rien en orbite : on était au milieu de l'après-midi et la lumière s'ajoutait aux six cent cinquante kilomètres d'altitude pour tout rendre invisible. Quelle journée ç'avait été !

Le coordinateur et le copilote allemand avaient montré à la foule les enregistrements pris du ciel, puis l'avaient conduite jusqu'à l'engin étranger pour donner une explication du rôle du canon. Les gens se retiraient, à présent, et se dirigeaient vers Jonnie, qui se tenait près de l'avion. Finalement, ils furent à portée de voix.

Brusquement, comme s'ils obéissaient à un signal, ils se mirent tous à genoux et inclinèrent la tête jusqu'au sol. Ils restèrent dans cette position.

Jonnie se dit qu'il avait vu beaucoup trop de gens s'effondrer pour une seule journée.

- Que se passe-t-il donc à présent ? demanda-t-il au coordinateur.

- Ils sont profondément honteux. Ils avaient préparé une grande cérémonie de bienvenue pour vous et tout est allé de travers. Mais il y a plus. Ils ont acquis un grand respect pour vous. Ils l'avaient auparavant, mais maintenant...

- Dis-leur de se relever ! lança Jonnie, avec une certaine impatience.

Il ne cherchait pas l'adulation.

- Vous leur avez sauvé la vie, et peut-être plus encore.

- Absurde ! J'ai seulement eu la chance de porter un casque avec des oreillettes, c'est tout. Maintenant, dis-leur de se relever !

Le pilote allemand succéda au coordinateur. Apparemment, c'était la journée des manifestations d'embarras. L'Allemand expliqua encore une fois qu'il n'avait pas osé ouvrir le feu avec le Mark 32 : les canons auraient pu abattre le palais qui se serait écroulé sur Jonnie et sur la foule. On était dans une cuvette et le souffle de l'explosion... Jonnie secoua la tête et lui fit signe de se retirer.

Le coordinateur lui présenta les chefs. Il y avait un petit homme au faciès rieur de Mongol, coiffé d'un chapeau de fourrure. Il s'avança le premier et Jonnie lui serra la main. Le coordinateur dit qu'il s'agissait du Chef Norgay, qui commandait les derniers survivants des Sherpas. C'étaient des montagnards fameux qui avaient conduit les caravanes de sel à travers l'Himalaya, du Népal en Inde. Ils avaient été autrefois très nombreux, plus de quatre-vingt mille peut-être, mais ils n'étaient plus guère que cent ou deux cents à présent. Ils avaient trouvé refuge dans des endroits inaccessibles. Ils n'avaient que peu de ressources. Même s'ils étaient bons chasseurs, le gibier était par trop rare en altitude.

Vint ensuite le Chef-Moine Ananda. L'homme portait une robe jaune-orangé. Il était de haute taille, avec un visage serein. C'était un Tibétain qui venait d'un monastère aménagé dans les grottes. Tous les Tibétains qui vivaient encore dans cette contrée le considéraient comme leur chef. Jonnie devait comprendre : avant même l'invasion psychlo, les Chinois avaient chassé les Tibétains de leur pays et ils avaient dû fuir vers d'autres régions. Les Chinois avaient interdit le bouddhisme - Ananda était bouddhiste - mais les grottes étaient particulièrement difficiles d'accès. Elles se trouvaient tout en haut d'un ravin situé près d'un pic, et les Psychlos n'étaient jamais parvenus à les en déloger. Les Tibétains souffraient de la famine. Il ne leur avait pas été possible de gagner des pays plats afin de les cultiver et, durant le dernier été, ils avaient même manqué de semences.

Le troisième était le Chef Chong-won, responsable de tous les Chinois survivants. Jonnie savait-il qu'il y avait eu jadis six ou huit cents millions de Chinois ? Imaginez ça ! Il existait une autre tribu dans la Chine du Nord qui avait réussi à trouver refuge dans une ancienne base de défense située dans les montagnes. La base ? Les Chinois ne l'avaient jamais achevée. Ce n'était pas grand-chose. Ils étaient cent, peut-être deux cents à habiter en Chine du Nord. Mais lui, le Chef Chong-won, était à la tête de trois cent cinquante âmes. Ils étaient dans une vallée qui avait probablement été minée et les Psychlos ne s'en étaient jamais approchés. Mais la nourriture y était rare. A une telle altitude, peu de choses poussaient. Il faisait terriblement froid. Non, dit le coordinateur, ils communiquaient sans difficulté avec les Chinois. Une grande quantité de textes avaient été conservés dans les universités et les Chinois étaient particulièrement lettrés : ils s'exprimaient en mandarin, un ancien langage.

Jonnie voulut leur serrer la main. Ils s'inclinèrent devant lui ! Alors, ils s'inclina à son tour, ce qui plut immensément aux Chinois.

- A propos de langages, intervint le coordinateur, ils vous ont préparé un petit spectacle. Ils sont tous là. Est-ce que vous voulez le voir maintenant ?

Jonnie regarda le ciel, mal à l'aise. Un avion d'escorte tournait au-dessus d'eux, en une surveillance incessante. Lui-même n'était guère éloigné de son appareil. Il y envoya l'Allemand. Il devrait être paré à décoller. Oui, dit-il enfin, il serait heureux de voir le spectacle. Il éprouvait un sentiment de tristesse : les drapeaux étaient éparpillés sur le sol, les instruments en désordre dans l'herbe.

Quatre-vingts personnes environ en robe jaune-orangé étaient assises en rangs bien alignés. Elles appartenaient au peuple du Chef-Moine Ananda. En s'approchant, Jonnie vit que leurs âges s'échelonnaient de huit à cinquante ans. Tous avaient le crâne rasé. Il y avait des garçons, des filles, des hommes et des femmes. Ils s'efforçaient de prendre une attitude solennelle, les jambes croisées sous eux, mais on lisait dans leur regard une lueur d'espièglerie. Un vieux moine se tenait devant eux avec un long rouleau de papier.

- Au printemps dernier, dit le coordinateur, nous avons eu des problèmes. Personne, absolument personne ne pouvait parler à ces gens. Pas plus en Inde qu'à Ceylan - il s'agit d'une île - nous n'avons pu trouver la moindre trace de la langue tibétaine ou de celle-là. Nous avons vraiment cherché. Mais nous avons résolu le problème. Écoutez !

Il fit signe au vieux moine.

Le bouddhiste lut une première ligne sur le parchemin. D'une seule voix, le groupe se mit à chanter. Mais il ne répétait pas ce qui venait d'être dit.

C'était du psychlo !

Le vieux moine lut une autre ligne.

Le groupe chantonna la version psychlo.

Jonnie était incrédule. Le groupe continua ainsi à chanter à l'unisson.

- Il lit dans une langue que l'on appelait autrefois le «pali», chuchota le coordinateur. C'est la langue originelle dans laquelle furent écrits les canons du bouddhisme. On ne sait pourquoi, le monastère possédait une bibliothèque énorme de toutes les paroles et doctrines de Gautama Siddharta Bouddha, l'homme qui a été à l'origine de cette religion il y a trois mille six cents ans. Ils ne parlent que ce langage. Mais il est éteint. Nous nous sommes donc procuré une...

- ... machine d'éducation chinko, compléta Jonnie. Et ils ont appris le psychlo en partant de zéro !

- Et ils l'ont traduit en pali ! La mine psychlo qui se trouve là-bas est aux trois quarts en ruine, mais il y avait un dictionnaire et plusieurs autres livres qui se trouvaient dans un coffre ignifuge, ce qui leur a permis de faire des progrès très rapides. Et à présent nous pouvons converser avec eux.

Le chantonnement se poursuivait. Ces gens parlaient avec l'accent chinko. Tout comme Jonnie et les pilotes.

- Vous aimez, Seigneur Jonnie ? demanda le Chef-Moine Ananda en psychlo. Et ils le parlent aussi bien qu'ils le chantent !

Jonnie applaudit à grand bruit et ils lui répondirent par des vivats. Il savait ce qu'il allait leur proposer.

- Est-ce qu'ils sont tous là ? demanda-t-il.

Non, il y en avait encore quarante autres, mais le chemin était long depuis le monastère. Il fallait des cordes, beaucoup d'agilité à l'escalade et le secours des Sherpas.

Jonnie trouvait merveilleuse l'idée de transposer en psychlo les paroles de paix d'un maître religieux, surtout que ce genre de discours et de sentiments n'avaient pas cours sur Psychlo.

Certains des musiciens avaient récupéré leurs instruments, trompes longues ou courtes et tambours, et s'étaient mis à en jouer. Quelques femmes avaient allumé des feux et réchauffaient les maigres rations de vivres.

Les pilotes revinrent de la mine avec un transporteur de minerai. Jonnie trouva de la main-d'œuvre à foison et ils réussirent à embarquer le vaisseau patrouilleur tolnep dans le gros avion. Puis ils y installèrent l'officier tolnep, qu'ils ligotèrent solidement.

- Il y a plein d'engins aériens là-bas, dit le copilote à Jonnie. Les Écossais qui ont bombardé la mine ont dû déclencher une explosion à l'intérieur du camp. Le gaz respiratoire a sans doute explosé. Il y a des débris de dômes sur plus de cinq cents mètres. Mais ils n'ont pas pris la peine de détruire les dépôts de carburant et de munitions. Les hangars se trouvent à un niveau inférieur. Il y a quatre-vingts ou quatre-vingt-dix avions de combat à l'intérieur. Certains ont été légèrement brûlés mais ils ont encore l'air en état de voler. Il y a aussi beaucoup de machines et des tanks. Et même cinquante de ces transporteurs de minerai, Dieu seul sait pourquoi. Ainsi que tout un tas de magasins et d'ateliers. On dirait qu'ils expédiaient un gros tonnage de bauxite. Pas trace de Psychlos vivants.

Jonnie prit une décision. Il se rendit à son avion et lança un appel radio sur la fréquence planétaire. Il contacta Dunneldeen, à la base américaine.

Il lui revint une plaisanterie familière de Dunneldeen : « Tu ne savais pas que j'avais quinze filles. Elles sont à marier de toute urgence. »

- Compris, dit simplement Dunneldeen.

Et il coupa aussitôt la communication.

Jonnie savait qu'il disposerait de quinze pilotes - même s'ils n'étaient pas diplômés - dans les dix ou douze heures qui suivraient. Dunneldeen savait où il était.

La cérémonie de réception se déroulait normalement à présent. Les gens s'étaient remis du choc. On servait un repas. Des visages souriants se levaient à son passage. On s'inclinait.

Deux avions d'escorte patrouillaient le ciel. Jonnie était prêt à prendre l'air avec le troisième appareil.

Le soir était venu et ils avaient rassemblé suffisamment de bois pour faire un feu. Tout ennemi éventuel qui viendrait du ciel se matérialiserait d'abord sur les écrans des deux avions.

Il y eut des discours. Ces gens étaient mille fois reconnaissants envers Jonnie et il était leur hôte. Puis ce fut au tour de Jonnie de prendre la parole.

Il avait à ses côtés un coordinateur qui parlait le chinois et un moine qui connaissait le langage des Sherpas. Jonnie dut s'exprimer en anglais à l'intention du coordinateur et en psychlo pour le moine. Et le moine dut traduire en sherpa ou en tibétain, ce qui lui prit un bon moment. Jonnie attendit patiemment.

Après quelques paroles aimables en réponse à leurs discours, Jonnie alla droit au but :

- Je ne peux pas vous laisser ici, dit-il en leur montrant le ciel. Et vous ne pouvez abandonner ceux qui sont restés dans vos demeures.

Tous furent d'accord avec lui !

Jonnie observa tous ces visages tournés vers lui dans la clarté du brasier.

- Il fait froid dans ces montagnes, ajouta-t-il. (Pour cela également, ils étaient d'accord, et plus particulièrement les Chinois.) Et il semble qu'il n'y ait guère de nourriture. (Oh, comme il avait raison. Le Seigneur Jonnie savait comprendre et il n'ignorait pas à quel point étaient maigres leurs enfants.) Il existe des moyens par lesquels vous pourriez nous aider. Des moyens pour aider à vaincre les Psychlos, peut-être pour toujours, s'ils reviennent. Des moyens pour nous aider à vaincre ces étrangers qui sont dans notre ciel.

Le silence était tel qu'on aurait entendu tomber un flocon de neige. Jonnie pensa qu'ils ne l'avaient pas compris. Il ouvrit la bouche pour répéter ce qu'il venait de dire. Et cette assemblée si docile devint totalement indisciplinée. Brusquement, ils oublièrent leurs manières. Tous se ruèrent sur lui et le pressèrent à tel point qu'il fut obligé de se lever.

Une seule question revenait, posée avec enthousiasme en trois langues différentes :

- Comment ? Comment pouvons-nous vous aider ?

Ce peuple vaincu, ces survivants déguenillés et affamés de nations autrefois puissantes n'avaient pu imaginer, même en rêve, qu'ils pouvaient encore avoir quelque valeur. Qu'ils pouvaient aider. Avoir un rôle dans l'existence, au lieu de se cacher et souffrir de la faim. Aider. C'était là une pensée qui bouleversait leur esprit.

Les coordinateurs et les chefs réussirent tant bien que mal à leur faire regagner leurs places autour du feu mais ils refusèrent de s'asseoir. Ils étaient bien trop excités.

Lorsque Jonnie reprit la parole, ce fut dans un silence nouveau. Il prit brusquement conscience que son audience pouvait être plus grande que prévu. Est-ce que les visiteurs du ciel les captaient ? Probablement. Il eut un rapide entretien, à voix étouffée, avec un doyen coordinateur. Oui, chuchota l'autre en réponse à une question, il existait un vaste hall sous le palais. Il avait été nettoyé.

Jonnie s'adressa alors au Chef-Moine Ananda. Avec une lueur d'excitation dans les yeux, les bouddhistes gagnèrent le hall. Jonnie prit une lampe de mine dans l'avion. Il referma la porte du hall. C'était là une atmosphère qu'ils aimaient.

Il leur parla avec calme. Ils savaient parler le psychlo, et aussi le pali, une langue morte. Ainsi qu'un langage appelé le tibétain. Oui ! soufflèrent-ils tous en réponse. Jonnie leur assura qu'il veillerait personnellement à ce que leur bibliothèque soit transportée par avion jusqu'en lieu sûr. On leur octroierait une section importante de la base russe pour qu'ils s'y installent avec leur temple. Mais craignaient-ils l'altitude ? Ils rirent en entendant cela : c'était une question bien stupide à poser à des montagnards. Voyaient-ils un inconvénient à se retrouver dispersés sur toute la surface du globe et à vivre au sein d'autres tribus ? Non, non, dirent-ils. C'était parfait. Ce n'était pas parce qu'ils vivaient dans un monastère qu'ils étaient pour autant retirés du monde. S'ils séjournaient dans des grottes, c'était à cause du danger.

Jonnie leur expliqua ce qu'était un communicateur. Si des gens leur donnaient un message en psychlo, ils pourraient le diffuser par radio en pali, et les bouddhistes, à l'autre bout, pourraient retraduire en psychlo. Et jamais les ennemis d'en haut ne comprendraient. Ils dirent que c'était une idée splendide. Un réseau mondial s'exprimant en pali. Oui, oui, oui !

Mais une pensée leur vint qui doucha leur enthousiasme. Il se pouvait qu'un d'entre eux fût capturé et contraint à révéler les faux messages. Eh bien, dit Jonnie, si jamais cela arrivait, ils les enverraient en tibétain. Ce secret devrait rester entre eux. Ce travail présentait un danger.

Peut-être, mais la vie était faite de dangers. Ils acceptèrent, tous autant qu'ils étaient : hommes, femmes, enfants, et également au nom de ceux qui étaient restés au foyer ! Jonnie essaya de leur dire que leur salaire serait d'un crédit par jour, ce qui était une paye honnête dans la plupart des tribus, mais il n'en eut pas le temps. Ils étaient prêts à partir, un point c'est tout. Ils savaient qu'ils étaient détenteurs d'un secret et ils ne diraient rien à personne. Ils marchèrent même sur la pointe des pieds en quittant le hall.

Les Sherpas leur succédèrent. Il fallait des gens pour chasser. Il y avait aussi certaines montagnes à escalader ailleurs. En Russie, il existait de vastes plaines foisonnantes de moutons et de bovins. Il fallait faire sécher et fumer des tonnes de viande. Accepteraient-ils de se rendre en Russie pour aider à remplir la base de tous les stocks de provisions nécessaires ? Comment ? De la nourriture ? Eux qui mouraient de faim ? Oui, bien entendu, ils étaient prêts à chasser et à approvisionner la base.

Ce fut ensuite le Chef Chong-won qui se présenta avec les siens. Pour eux, garder un secret était comme de respirer. Jonnie commença à leur expliquer qu'il existait un endroit où il ne faisait pas vraiment bon vivre, où il y avait une mouche qui donnait une maladie, mais on pouvait en venir à bout avec des précautions et en utilisant des moustiquaires. Il y avait aussi dans ce pays des animaux sauvages, mais ils seraient encadrés par des gardes armés et ils pourraient apprendre à tirer. Des insectes ? Des bêtes ? Peu leur importait ! Où était ce pays ? Qu'attendait-il d'eux ? Ils étaient prêts à partir sur l'heure. Était-ce loin à pied ?

Jonnie leur dit qu'ils allaient partir en avion. Mais il y avait autre chose. Ce pays était haut, à mille cinq cents mètres à peu près, mais il y faisait chaud.

Chaud ? Un pays où il faisait chaud ? Merveilleux ! Absolument merveilleux ! La chaleur ne pouvait pas leur faire de mal.

Jonnie leur demanda alors s'ils étaient capables de construire des choses. Avec fierté, ils lui répondirent qu'ils n'avaient jamais cessé d'étudier. Certains d'entre eux étaient ingénieurs. Ils pouvaient construire n'importe quoi.

Maintenant, chuchota Jonnie, il allait leur livrer un secret. Il disposait d'un endroit, tout près d'un énorme barrage électrique, qui avait besoin d'être aménagé et nettoyé. Il fallait creuser dans les collines et faire des bunkers. Ils auraient de l'assistance technique. Ils disposeraient même de machines et de conducteurs et ils pourraient eux-mêmes apprendre...

Mais ils avaient déjà huit d'entre eux qui apprenaient en ce moment même à conduire les machines en Amérique ! Pourquoi perdre leur temps en bavardages ? Où était ce pays ?

Jonnie réussit à leur dire qu'ils gagneraient un crédit par homme et par jour, plus une prime lorsque tout serait achevé. Ensuite, ils pourraient avoir des terres.

Le Chef Chong-won demanda aux siens s'ils étaient d'accord. Ils lui dirent qu'il ne faisait que les retarder. Bien sûr qu'ils étaient d'accord !

Jonnie retourna à la cérémonie d'accueil. Mais ce n'était plus une fête de bienvenue désormais. De petits groupes s'étaient formés au sein desquels on conversait en chuchotant dans des langues inintelligibles, les têtes penchées les unes vers les autres. Jonnie, alors, leur souhaita à tous une bonne nuit et ils se retournèrent vers lui, s'inclinèrent, et il s'inclina à son tour.

Jonnie se dirigeait vers son avion pour y passer la nuit lorsque, par acquit de conscience, il s'arrêta près du transporteur où se trouvait le Tolnep. Il eut envie d'appeler le semi-capitaine Rogodeter Snowl pour lui dire ce qu'il pensait de lui. Mais il ne le fit pas. Mieux valait laisser mariner un peu le semi-capitaine. La bataille serait pour plus tard.

5

De retour en Écosse, Jonnie retarda aussi longtemps qu'il le put une réunion avec les chefs. Il attendait de nouveaux disques et des progrès d'Amérique. Mais Glencannon n'était pas arrivé.

Finalement, Robert le Renard, qui était venu d'Afrique pour la réunion, avertit Jonnie que les chefs s'impatientaient et Jonnie l'accompagna donc.

La maison que Chrissie avait trouvée était située tout près de Castle Rock, et ils n'eurent pas à marcher beaucoup. En chemin, ils ne parlèrent pas, regardant fréquemment le ciel nuageux.

Deux gardes armés d'une lochaber et d'un fusil-éclateur les précédèrent au long d'un passage souterrain. Les chefs avaient découvert ce qui subsistait des anciens magasins à poudre ainsi que les abris antiaériens des guerres passées et ils avaient décidé de surseoir à la reconstruction du parlement pour se consacrer à la restauration des grottes profondes. Des lampes de mine placées dans des niches éclairaient les lieux, projetant les ombres des différents drapeaux des clans sur la voûte du plafond.

Tous les chefs étaient là. Depuis des heures. Mais à l'entrée de Jonnie, ils se pressèrent autour de lui pour lui serrer la main et lui tapoter le dos. Ce fut le chef du clan Fearghus qui déclara enfin le meeting ouvert.

Robert le Renard leur passa plusieurs enregistrements sur disques de ce qu'avait intercepté le radiotélescope. Entre autres détails, les chefs furent surpris par la dissemblance des visages des membres de la force combinée. Ils furent aussi très intéressés par un jeu auquel ces créatures jouaient par l'intermédiaire de leurs écrans. L'un des prisonniers de Robert lui avait dit qu'il s'agissait du jeu de « klepp ». Chaque joueur disposait d'un plateau à six côtés et de six ensembles de pièces. Lorsqu'un joueur déplaçait une pièce, les autres répétaient le mouvement sur leurs plateaux. Les pièces représentaient de petits astronefs, des tanks, des soldats et des marines. Toutes se déplaçaient de façon différente, maintenues magnétiquement sur le plateau qui comptait six cent seize cases hexagonales. Ce n'était pas tant le jeu qui intéressa les chefs mais le fait que les enjeux étaient des éléments provenant du pillage de leur monde. Les chefs se regardèrent en silence.

Puis Robert leur parla des infrarayons et leur expliqua qu'il était peu prudent de discuter à l'air libre. Il en avait obtenu la description complète par l'un des prisonniers hockners. Si l'on parlait à l'air libre, il fallait mettre en marche un « générateur d'interférences » dont ils ne disposaient pas.

Les chefs essayèrent de faire passer une motion pour interdire que l'on parle en plein air ou que l'on discute de choses dont les gens risquaient de parler au-dehors. On proposa aussi le lancement d'une campagne dont le slogan serait « L'ennemi a les oreilles longues. » Mais le chef des Argylls prit la parole et les informa qu'ils ne pouvaient légiférer au nom de toutes les tribus car ils ne représentaient pas le gouvernement desdites tribus. Que celui-ci était installé en Amérique, même s'ils devaient un jour lui déclarer la guerre. Ce qu'ils proposaient était une usurpation des pouvoirs de l'État.

C'était l'argument dont Jonnie avait besoin. Il se leva pour rappeler à chacun que c'étaient *eux* qui avaient pris les premières mesures gouvernementales, dans les Highlands, près du lac et dans la prairie, et qu'ils constituaient le corps législatif originel. Ils devaient préserver le semblant d'un gouvernement en Amérique et non pas agir comme si ce gouvernement n'existait pas, car cela signifierait l'échec de tous leurs plans. Cependant, il fallait agir afin de protéger les habitants de ce monde. Le corps législatif ici présent contrôlait la « Fédération Mondiale pour l'Unification de la Race Humaine ». Jonnie avait la certitude que la Fédération écouterait leurs ordres et ignorerait ceux venus d'Amérique. Dorénavant, leurs instructions seraient appelées « Ordres de la Fédération » et leur application serait internationale.

- Oyez ! Oyez ! lança Sir Andrew MacNulty, chef de la Fédération.

Dunneldeen, poursuivit Jonnie, était prince en titre d'Écosse. On l'avait baptisé ainsi d'après le nom du Rocher où ils se trouvaient en ce moment, Dunedin. Il était responsable des pilotes ou tout au moins pouvait les contrôler et...

- C'est Dunneldeen et *toi* qui contrôlez les pilotes, rectifia le Chef des Campbell.

Jonnie rétorqua que c'était le corps législatif ici présent qui contrôlait les pilotes. Et le Chef de Guerre d'Écosse contrôlait toutes les troupes actives à l'exception des Brigantes. Donc, en vérité, c'était bien ce corps législatif qui avait tout pouvoir sur le monde. S'ils acceptaient le bien-fondé de cet argument, ils devaient tout d'abord procéder au vote de résolutions confidentielles à cet effet et prendre ensuite toute disposition qu'ils jugeraient nécessaire.

Ils discutèrent un moment et adoptèrent les résolutions suivantes : Sir Andrew MacNulty devrait faire part de leurs souhaits aux diverses tribus ; Sir Robert serait chargé de l'exécution de leurs directives dans le secteur militaire ; et vu la situation particulière ainsi créée, les ordres émanant d'Amérique seraient ignorés, mais sans que cela puisse engendrer le moindre soupçon. Le gouvernement d'Amérique avait soutenu des ennemis de l'Écosse, des adversaires qui avaient une dette de sang envers les Écossais. Mais cette situation d'urgence requérait des actions d'urgence.

C'était là tout ce qu'avait souhaité Jonnie.

Sir Robert se leva à son tour pour souligner à quel point les survivants de cette planète étaient dispersés. Il mit en avant le principe d'un regroupement de la population sur un nombre minimum de places fortes qui pourraient être défendues. Il avait un plan pour cela.

Ils exigèrent alors un résumé de la situation telle que la voyait MacTyler. Étant donné que MacTyler appartenait à chacun des clans, qu'il en était membre, et pour d'autres raisons innombrables, son estimation serait fort appréciée.

Jonnie avait secrètement espéré recevoir d'autres nouvelles d'Amérique avant de répondre à une telle question. Tant de choses dépendaient de ce que faisait Terl. Et cela faisait longtemps qu'ils n'en avaient aucune nouvelle. Jonnie, par ailleurs, n'avait pas l'intention de livrer à cette assemblée les informations dont il avait besoin, car il ne tenait pas à courir le risque de fuites éventuelles. Mais le rôle de ce gouvernement était important.

Il se leva donc à nouveau pour leur dire que (a) ils ne savaient pas encore avec certitude ce qui s'était passé sur Psychlo et que le danger d'une contre-attaque existait toujours. (b) Les visiteurs représentaient une grave menace. Il ne savait pas pourquoi ils attendaient, ce qui était inquiétant, mais cela leur permettait de gagner du temps. Il fallait travailler vite pour être prêts. (c) Leur premier souci était la préservation des populations de la Terre. Non seulement elles représentaient une race en danger, mais elles risquaient brusquement de disparaître à tout jamais.

Ils remercièrent Jonnie et passèrent au plan de Sir Robert. Ils étaient très graves.

Il y avait certains facteurs à considérer.

Ils appelèrent le docteur Allen, qui travaillait au projet de déplacements tribaux de la Fédération. Son opinion était qu'il serait dangereux de mélanger les tribus et de trop les rapprocher, étant donné que leur immunité aux diverses maladies pouvait avoir diminué. Les tribus étaient depuis longtemps séparées les unes des autres et des épidémies de fièvre thyphoïde, de petite vérole et autres fléaux pouvaient éclater. Il avait plusieurs assistants et il avait volé de par le monde en intervenant dans la mesure du possible. Il avait lu tous les livres-d'homme disponibles sur la vaccination, l'inoculation, la prophylaxie et la lutte contre les insectes. Lui et ses assistants avaient préparé des sérums. Il avait besoin de deux mesures : la première était l'isolement obligatoire de toute personne présentant des symptômes de maladie, la seconde était l'inoculation et la vaccination obligatoires. Les coordinateurs et les chefs de tribus s'étaient montrés remarquablement coopératifs, mais il désirait que son programme fût rendu officiel.

Les chefs le votèrent comme une Directive de la Fédération avec leur approbation et Sir Andrew MacNulty fut chargé de sa publication et de son application.

On fit entrer ensuite MacAdam, de la Banque Planétaire. Il avait demandé audience aux chefs pour trois raisons. De petite taille, le cheveu gris, l'air digne, MacAdam se montra à la fois très courtois et précis. Il avait apporté un dossier et disposa divers documents sur la table.

Pour commencer, ce gouvernement américain jetait l'argent par les fenêtres et provoquait une inflation locale qui risquait de se propager à d'autres secteurs. Les Brigantes étaient payés cent crédits par jour et par homme. On estimait qu'ils étaient à peu près sept cent soixante, ce qui faisait soixante-seize mille crédits par jour. C'était presque le double du budget *annuel* de la plupart des autres tribus. Les Brigantes n'avaient pas la moindre considération pour l'argent et le semaient dans les rues. Il n'y avait plus grand-chose à acheter en Amérique et aucune production pour absorber les fonds. MacAdam n'était pas venu sans solution : il avait besoin d'une autorisation quelconque afin d'imprimer une monnaie américaine spéciale qui pourrait ultérieurement être dévaluée par rapport aux liquidités du reste de la planète. Il avait toute raison de croire que le gouvernement de Denver accepterait cette nouvelle monnaie si la coupure ne représentait plus l'effigie de Tyler mais celle de Brown Staffor. Avec en sous-titre : « Brown Staffor, Doyen Maire de la Planète Terre ». Selon Mac-Adam, le fait que le billet ne porte plus l'effigie de Tyler ne ferait que précipiter sa dévaluation. Qu'en pensaient-ils ?

Tyler sourit. Les chefs rirent et donnèrent leur bénédiction à MacAdam.

Mais il voulait autre chose encore. Une seconde charte, presque similaire à la première, mais émise par cette assemblée-ci. Il n'avait pas l'intention de la rendre publique, mais il désirait l'avoir dans son coffre-fort.

La charte fut lue et approuvée.

Ensuite, MacAdam contesta les discussions préliminaires qu'il avait eues en privé avec Sir Robert concernant le transfert de sa banque de Zurich au Luxembourg. C'était peu pratique et difficile. Cela impliquait également le déménagement des presses et l'obligation de trouver de nouveaux locaux pour le personnel.

Les chefs se tournèrent vers Sir Robert. Il leur dit qu'il existait au Luxembourg une mine dans laquelle les Psychlos avaient stocké leurs réserves planétaires de fer. Tout près, se dressait une forteresse des âges anciens. En fait, Luxembourg signifiait « petite forteresse ». Ce pays avait été autrefois, durant deux mille ans, un véritable carrefour de la banque et du commerce. Cette mesure ne serait que temporaire. Luxembourg était défendable, au contraire de Zurich.

Les chefs dirent alors à MacAdam qu'il ferait mieux de déménager.

Il accepta avec résignation. Mais il avait un autre problème : celui des dépenses pour les préparatifs de guerre. Certaines sommes engagées n'étaient pas couvertes par le budget tribal ni garanties par les terres des tribus. Il proposait une solution qui était d'accorder des prêts avec une contrepartie.

Jonnie demanda à prendre la parole. Il dit qu'il connaissait quelques gisements de minéraux (sans préciser comment il le savait) qui pourraient être exploités quand les choses seraient redevenues calmes. Ils étaient très importants. Tous savaient qu'il avait précédemment travaillé dans la mine. Ils pouvaient donc le croire sur parole. Ces gisements pouvaient constituer une garantie si les chefs et non les tribus en étaient déclarés propriétaires.

MacAdam leur demanda alors s'ils savaient que Brown Staffor revendiquait la propriété de toute la planète ? Les chefs lui dirent qu'ils étaient au courant. Et également qu'il prétendait détenir toute la branche terrestre de l'Intergalactique Minière.

Le chef du clan Fearghus déclara que, valides ou non, une part de ces actes de vente leur revenait et qu'ils déposeraient ces gisements de minerai en garantie pour les dépenses de guerre.

MacAdam affichait un sourire serein. Il savait de quel côté soufflait le vent. Il acceptait cela. Il ne trahirait pas leur confiance.

Les chefs adoptèrent une résolution à cet effet et accordèrent à Sir Robert le droit de puiser à discrétion dans ce compte ouvert, dans cette « cagnotte de guerre ».

Bien plus tard, ils se séparèrent gravement.

Des écuyers escortèrent Jonnie jusqu'à sa demeure.

Chrissie était levée et l'attendait. Elle lui servit du thé et ce qu'elle appelait des « crumpets » (*).

Jonnie était installé dans le salon, les jambes confortablement étendues, sa chemise délacée, les pieds dans des mocassins douillets. Les événements d'Amérique le tracassaient, mais il se força à concentrer son attention sur des choses domestiques.

Chrissie lui dit que le pasteur et Tante Ellen viendraient déjeuner le lendemain et elle espérait qu'il serait là. Tante Ellen se plaisait tellement en Écosse : ses joues s'étaient remplies et elle ne toussait plus comme avant. En fait, elle paraissait beaucoup plus jeune.

Jonnie lui dit que c'était également le cas pour elle. Chrissie était bien jolie avec ses longs cheveux soyeux couleur de maïs ramenés en un chignon épais. Ses yeux étaient plus noirs et plus brillants. La longue robe qu'elle portait soulignait encore mieux sa silhouette que ses habituels vêtements de daim. Les marques du collier étaient presque effacées. Chrissie rougit devant tant de compliments.

Pattie allait mieux. Elle était devenue affreusement maigre. Elle était encore alitée à cause de la fièvre, qui avait diminué mais l'avait laissée très affaiblie. Jonnie ferait bien de lui rendre visite demain matin. Ce qui inquiétait Chrissie, c'est que Pattie ne semblait plus avoir d'intérêt pour rien. Peut-être Jonnie pourrait-il lui raconter une histoire pour la distraire.

Il lui demanda si la maison avait un sous-sol et elle répondit que oui, un sous-sol solide et très profond. Jonnie lui dit alors qu'elle avait trouvé de bien beaux meubles. Si les choses tournaient mal, elle devrait mettre les plus belles pièces à l'abri en bas. Il fallait aussi qu'elle pense à un abri sûr dans Castle Rock. Chrissie dit qu'elle avait songé à tout cela et qu'il ne devait pas se faire du souci pour elle. Après tout, elle avait eu son lot d'aventures et d'expériences. Est-ce qu'il voulait encore un peu de thé ? Et un autre crumpet ?

Jonnie trouvait tout cela bien agréable. Cette vieille demeure était adorable, tellement différente des ruines effondrées du vieux village. S'ils arrivaient à vaincre et si sa chance persistait, un jour, peut-être, ce moment de plaisir tranquille dans le salon deviendrait quotidien et il pourrait deviser paisiblement avec Chrissie ou des amis.

A cet instant, on frappa le gong de la porte et Chrissie alla ouvrir.

Avec un cri de joie, Jonnie se précipita pour accueillir Glencannon.

(*) Petit pain légèrement sucré. (N.d.T.)

VINGT-TROISIÈME PARTIE

1

Maudit Terl !

Tout d'abord, Jonnie avait cru qu'il était en possession des données sur les positions précises des poteaux. Il n'avait pas le matériel de visionnement nécessaire dans sa maison d'Écosse et il n'avait jeté qu'un coup d'œil superficiel aux enregistrements, ainsi qu'à une boîte expédiée par Ker et qui semblait ne contenir qu'un bout de câble. Il restait encore des mois avant le 92ᵉ Jour et il avait été heureux de rester à déjeuner pour revoir Tante Ellen et le pasteur. Et d'essayer de rendre sa bonne humeur à Pattie.

Il était reparti plein d'entrain pour la mine d'Afrique. Il s'était levé ce matin-là, bien décidé à s'atteler à la tâche. Et voilà qu'il était confronté à un nouveau problème !

Glencannon avait dit que le retard était la faute de Terl, qui passait la plus grande part de son temps à l'extérieur, à mesurer. Apparemment, Terl n'aimait guère rester dehors très longtemps. Glencannon avait laissé entendre qu'un peu d'air avait été injecté dans les cartouches de gaz, à l'époque où le bureau avait été préparé, afin de décourager Terl de trop rôder alentour.

Glencannon lui avait dit également qu'ils avaient oublié quelque chose dans leur plan original : ils n'avaient pas de picto-enregistreur pour observer ce qui se passait autour de la plate-forme elle-même. Mais ils venaient d'en monter un dans un arbre et les Brigantes ne s'en étaient pas aperçus. Désormais, ils ne dépendraient plus des drones.

En regardant les enregistrements, Jonnie s'aperçut à quel point Terl s'était montré méticuleux pour mesurer les distances entre les poteaux. C'est tout juste s'il ne s'était pas servi d'un micromètre. Mais il n'avait pas mesuré les positions exactes pour le tir de téléportation !

Tout était là, le diagramme complet avec le plan et les dimensions exactes : la plate-forme de transfert, la nouvelle position de la console *plus* une ligne sinueuse.

Jonnie savait à présent pourquoi Terl avait passé tant de jours sur des équations de force. Il avait calculé jusqu'à quel point on pouvait rapprocher cette ligne sinueuse de la plate-forme de tir sans perturber la téléportation ! C'était là, sur le plan définitif : sept pieds huit onzièmes. Soit 2,327 m. Tout autour de la plate-forme de tir et de la nouvelle console.

La boîte envoyée par Ker contenait une petite note, sans doute écrite de sa patte gauche.

A Qui tu sais.

Voilà un bout de câble qui a été tranché par accident. Ah ! Ah ! Ils m'ont donné l'ordre de déterrer le câble qui se trouve près de ce barrage au sud-ouest, car on ne s'en sert plus. Au cas où tu ne le saurais pas, ça s'appelle un « câble de blindage atmosphérique ionisant ». Je ne t'ai pas joint le numéro des pièces détachées parce que je ne pense pas que tu en commanderas à Psychlo. Ah ! Ah ! Ah ! A propos, il en coûte une amende de trois mois de salaire pour avoir détourné du matériel appartenant à la Compagnie. Donc si je suis pris, tu me devras trois mois de salaire de plus. A ce rythme-là, tu vas être ruiné. Ah ! Ah !

Qui tu sais

Addition : Pour creuser, ils me paient une fortune. Tu auras ta part quand on échangera nos boîtes de rations. Ah ! Ah ! Ah !

Jonnie examina le câble. Il était exactement identique à celui qu'ils avaient trouvé auprès du barrage de Kariba. Mais, cette fois-ci, il en étudia attentivement les composantes. Il fallait poser le câble avec le côté droit dirigé vers le haut et l'orienter dans la direction où l'on voulait activer l'écran. Il était blindé et Jonnie n'avait pas la moindre idée de la manière dont Ker s'y était pris pour le couper.

Le principe de fonctionnement semblait assez évident. La couche isolante du fond agissait comme un réflecteur. Le principal vecteur de courant passait juste au-dessus. Puis, encore au-dessus, on trouvait un autre câble, puis un autre, et ainsi de suite. En tout, il y avait là quinze câbles, chacun amplifiant apparemment la charge de celui qui se trouvait immédiatement en dessous. A l'extrémité devait se trouver une boîte où ils étaient reliés ensemble, ce qui renforçait encore l'amplification. La charge, ainsi extraordinairement multipliée, devait entrer en résonance avec les champs magnétiques du noyau et des particules orbitales des atomes de l'air. Frappées, les molécules d'air se réalignaient d'elles-mêmes en cohésion moléculaire. Le résultat final était un rideau invisible appelé « câble de blindage atmosphérique ionisant ». Ils en avaient fait l'expérience à Kariba. Aucune balle ne pouvait le transpercer.

Ce n'était pas un « écran de force ». Les écrans étaient utilisés dans l'espace et les Hawvins s'en servaient pour leurs plus importants vaisseaux de guerre. C'était de l'air blindé.

Et Terl était sur le point d'ériger cette barrière à sept pieds et huit onzièmes tout autour de la plate-forme et de la console ?

Le plan initial de Jonnie avait été de laisser Terl construire la console et la nouvelle plate-forme de tir de transfert, puis de s'emparer du tout.

Mais tout devenait différent.

Comment franchir ce rideau impénétrable ?

Maudit Terl !

D'un air morne, Jonnie fit quelques copies du plan de la plate-forme de tir. Il prit la carte des ex-défenses de la Compagnie Minière Intergalactique et marqua l'endroit où Ker déterrait le câble destiné à la nouvelle plate-forme.

La carte était tellement ancienne et froissée qu'il n'avait pas vraiment remarqué jusque-là que toutes les mines avaient ces mêmes câbles autour de chaque barrage et le long des lignes d'alimentation en énergie. Il constata que la mine d'Afrique était dotée d'une deuxième ligne souterraine de transmission et que le site qui avait été appelé autrefois le barrage d'Owens Falls était protégé de la même façon. Il appela Angus et lui demanda d'aller effectuer une vérification sur place. Si le câble existait encore, Angus devrait supprimer les arbres qui le recouvraient à l'aide d'une pelleteuse et, si le tableau de contrôle du barrage était encore en état de fonctionner, il devrait passer en transmission souterraine. Il faudrait ensuite montrer aux sentinelles comment ériger et annuler le « mur », afin qu'il soit possible d'entrer et de sortir du barrage ou de la mine.

Jonnie, préoccupé par ce nouveau problème, erra dans le camp. Il s'aperçut que Sir Robert venait d'arriver et il lui montra la vieille carte. Toutes les mines avaient le câble. Ils allaient probablement devoir s'en servir.

Il continua de déambuler dans le camp, inquiet.

La téléportation ! Le secret des Psychlos ! Grâce à lui, ils avaient pu contrôler les univers. Sans lui, il ne voyait pas comment il parviendrait à défendre leur monde.

Il alla rendre visite à MacKendrick. Oui, tous les Psychlos blessés étaient rétablis à présent. Si l'on exceptait Chirk, qui était toujours dans le coma. Non, il n'avait pas encore trouvé le moyen d'extraire ces choses qui se trouvaient dans le crâne des Psychlos. En dérangeant la structure osseuse, il risquait de tuer les monstres. Oui, il avait parfaitement conscience que s'ils tentaient d'interroger les Psychlos sur des sujets techniques, ils risquaient d'attaquer les humains et de se suicider. Les femelles, elles, sombreraient dans le coma, à l'instar de Chirk.

Ce qui préoccupait avant tout MacKendrick, c'était le régime alimentaire des prisonniers. Dans leurs divers manuels, les Psychlos n'accordaient guère de valeur à ce genre d'information, ce qui était dans leur style. Les prisonniers savaient évidemment ce qu'ils mangeaient, mais ils ignoraient le nom de leurs aliments sur cette planète. Si le problème n'était pas bientôt résolu, eh bien, il n'y aurait plus de prisonniers.

Jonnie savait-il qu'ils avaient maintenant trois prisonniers jambitchows ? Depuis la nuit dernière. Apparemment, un nouveau commando d'exploration avait été envoyé pour espionner le regain d'activité à Kariba. L'officier écossais qui commandait la défense là-bas, dès qu'il avait entendu dire qu'un petit engin avait été détecté quittant le croiseur jambitchow en orbite, avait employé une stratégie conçue par les Chinois et appelée « le filet à tigre ». Un mannequin déguisé en Chinois avait été placé loin du camp, sur le bord d'un étang. Les Jambitchows avaient piqué droit sur lui pour le capturer et ils avaient été pris sous un immense filet jeté du haut des arbres. C'étaient des brutes à l'apparence redoutable.

MacKendrick désirait savoir si Jonnie avait la moindre idée de ce qu'ils mangeaient. Non ? Ma foi, la vieille femme des Montagnes de la Lune les aidait à résoudre ce problème et ils arriveraient peut-être à trouver.

Jonnie reprit sa promenade. Maudit Terl ! Il y avait trop de risques maintenant ! Il fallait qu'il se débrouille pour obtenir ces informations par une autre source.

Il lui était déjà venu à l'idée de disséquer un moteur à téléportation pour tenter d'y trouver la trace d'une solution. Bien sûr, un moteur n'était pas une console de transfert, mais il fonctionnait sur le principe du changement de situation spatio-temporelle. Tout comme la console.

Il disposait d'un moteur et d'une console : ceux du tank renversé pendant la bataille du col. Il avait été remisé dans l'atelier de réparation du garage. Peut-être que s'il les décortiquait... L'espoir était mince, car il avait déjà examiné ce genre d'appareil. Mais il enfila néanmoins une tenue de travail et se rendit à l'atelier.

Le tank « Cogneur » était toujours là, marqué de cicatrices, avec plusieurs plaques de blindage en moins. Jonnie grimpa à bord, vérifia le niveau du carburant et lança le moteur en réglant les coordonnées spatiales sur « Sur place ». Le moteur démarra ! On ne pouvait ôter ça aux Psychlos : ce qu'ils fabriquaient était increvable !

Il coupa le moteur et prit une clé pour ôter les vis du haut de la console. Il les desserra toutes d'un demi-tour.

Il fut dérangé par une sentinelle qui apparut sur le seuil et qui lui tendit des oreillettes en lui demandant de les mettre. Jonnie se leva et regarda au-dehors par le viseur de la tourelle pour voir ce qui se passait.

C'étaient Stormalong et le Tolnep, le double-enseigne Slitheter Pliss, escortés par des gardes.

- Que se passe-t-il ? demanda Jonnie.

Ils ne l'entendirent pas. Ils avaient tous coiffé des oreillettes. C'est alors que Jonnie vit que le patrouilleur tolnep avait été remorqué dans l'atelier et il devina la suite. Stormalong voulait probablement savoir selon quel principe il volait afin d'apprendre à ses pilotes. Et Angus désirait sans doute connaître les cycles de vibration du rayon paralysant.

Slitheter Pliss semblait très coopératif. A l'évidence, il ne se considérait plus comme un Tolnep. En apercevant Jonnie, il siffla un salut amical.

S'ils étaient disposés à laisser le Tolnep approcher du vibrateur mortel, ils ne voulaient pas courir le risque de le voir retourner l'arme contre eux et de les paralyser pour s'échapper. Jonnie savait qu'il ne tenterait rien, car il n'avait plus d'endroit où aller. Mais il coiffa néanmoins les oreillettes, au cas où.

Le Tolnep parut quelque peu agacé en s'apercevant que les terminaux de l'accumulateur avaient été tordus. Ils comprirent ses mimiques et lui donnèrent des outils pour qu'il les redresse et raccroche le câble d'alimentation. Aussitôt, l'engin se mit à ronronner et il coupa le contact. Avec de nouveaux gestes, il désigna les différentes commandes à Stormalong et lui montra à quoi elles correspondaient. Stormalong parut trouver cela très élémentaire. Il acquiesça et fit signe aux gardes d'emmener le Tolnep.

Dès que Pliss fut à quelque distance de l'appareil, Jonnie ôta avec précaution ses oreillettes et redescendit de la tourelle pour reprendre sa tâche.

Le Tolnep causa une frayeur aux gardes en s'arrêtant brusquement pour ouvrir la porte d'accès du tank et il s'en fallut de peu qu'ils ne tirent. Mais Jonnie leur fit signe de rester en arrière. Si jamais le Tolnep essayait de le mordre, il lui enfoncerait sa clé entre les dents.

- Vous n'êtes pas sous la domination des Psychlos, hein ? demanda Pliss, sur le seuil.

Jonnie n'avait pas la moindre intention de confier des informations à un fuyard potentiel, même s'il n'y avait guère de chance qu'il parvienne un jour à s'échapper. Voyant qu'il ne répondait pas, le Tolnep dit :

- Qu'est-ce que vous essayez de faire avec le moteur de ce tank ?

Jonnie se contenta de le fixer un moment, puis il réalisa que, en tant qu'officier tolnep, l'autre devait connaître ce genre de machine.

- Vous savez comment ça fonctionne ?

- Oh non, bon sang ! Et je ne connais personne dans tous les univers qui l'ait jamais su ! s'exclama Pliss. Nous n'avons jamais effectué de raid sur cette planète, mais nous avons attaqué pas mal d'autres bases psychlos. Si j'en crois les rapports, nous avons ramené des milliers de ces engins sur notre planète pour que les experts les examinent. (Il eut un sourire passablement effrayant.) Je parie ma paie du mois prochain, que je ne toucherai d'ailleurs jamais, que vous cherchez la même chose que tout le monde.

Jonnie prit une attitude plus conciliante. Il n'en écarta pas pour autant la possibilité d'un coup fourré.

- Nous avons récupéré leurs manuels, dit le Tolnep, et même leurs traités de mathématiques. Nous avons même eu une console de transfert en état de marche. Intacte. Le rapport dit qu'elle a fonctionné une fois et que dès qu'on a essayé de voir comment elle était faite, pouf ! Plus de console ! Les meilleurs officiers ont interrogé des ingénieurs psychlos. Ils n'en ont rien tiré. Je veux dire rien d'utile, parce qu'ils vous sautent dessus et se tuent. J'ai lu quelque part que ça se passe comme ça depuis trois cent deux mille ans !

Le Tolnep changea de sujet :

- Vous avez un endroit où vous analysez les échantillons de métal, par ici ? J'ai faim et je pourrai peut-être trouver quelque chose.

Jonnie dit aux gardes de l'y conduire.

- Alors bonne chance, ajouta le Tolnep avec un sifflement sarcastique comme les gardes l'entraînaient.

Le Tolnep lui avait peut-être raconté tout ça par pure malveillance, songea Jonnie, mais cela paraissait peu probable.

Il avait perdu le fil des opérations, aussi recommença-t-il au début. Il mit les boutons de la console sur « Sur place » et abaissa le contact pour lancer le moteur du tank.

Il ne se passa rien.

Il vérifia les connexions. Tout était normal.

Il essaya de se rappeler si le Tolnep avait touché quoi que ce fût. Mais non.

Il fit un nouvel essai. Sans succès.

Que lui avait donc dit Ker, une fois, à propos des consoles ? Ils étaient sur une pelleteuse. On avait rabattu la coupole puisque Jonnie n'avait pas besoin de gaz respiratoire. Une giclée de boue était tombée sur la console et, immédiatement après, la pelleteuse avait refusé de se remettre en route. Et... Oui, Ker avait dit de la laisser là et qu'il appellerait un ingénieur pour qu'il s'en occupe. Un ingénieur, pas un mécano ! Et c'était bien un ingénieur qui avait déconnecté la console avant de l'emporter jusqu'à un atelier souterrain à l'aide d'une petite grue mobile.

C'était surtout la grue qui avait intéressé Jonnie, à l'époque. Les grues étaient munies de plaques magnétiques disposées en cercle et séparées par des ressorts. Elles n'avaient pas de moteur et les bras se déplaçaient lorsqu'on activait les aimants. Jonnie regretta de ne pas avoir observé comment ils avaient extrait la console.

Où en était-il avant l'arrivée du Tolnep ? Voyons voir... Il avait desserré les vis de la plaque supérieure. De temps en temps, les Psychlos se servaient de vis. La plupart du temps, cependant, ils soudaient les métaux avec une lame à cohésion moléculaire.

Il ôta toutes les vis et souleva la plaque. A l'endroit où s'enfonçaient les vis, il y avait une matière noire. Dessous se trouvaient tous les composants complexes de la console.

Les vis. Elles devaient servir à établir une connexion avec quelque chose, en plus de leur rôle de maintien du couvercle. Mais Jonnie ne découvrit aucune trace de contact. Ces vis semblaient n'être que des vis. Mais le fait de les avoir manipulées avait mis la console en panne, c'était certain.

Il les remit en place. Puis il examina une autre console et découvrit selon quel angle les vis devaient être placées. Il régla les vis de la console du « Cogneur » selon le même angle.

Mais il ne redémarra pas.

Pas de doute, c'étaient les vis. Lorsque cette pelleteuse était tombée en panne, c'était peut-être parce qu'une goutte de boue avait touché une vis.

Pour la cinquième fois, Jonnie répéta les mêmes gestes avec l'espoir d'aligner les vis.

Mais c'était peine perdue. Le moteur du tank « Cogneur » était mort.

Finalement, il laissa tomber.

Il gagna le lac et se mit à lancer des cailloux sur les crocodiles. A la longue, il eut honte de lui-même. Pourquoi taquiner ces bêtes ? Comparées à Terl, elles étaient plutôt sympathiques.

Un véhicule à trois roues surgit. Sir Robert faisait dire à Jonnie qu'il n'était pas très prudent de se promener en terrain découvert sans couverture aérienne. Les visiteurs risquaient d'envoyer quelqu'un au sol.

- Ça te dirait de descendre un Psychlo ? demanda Jonnie au messager quelque peu surpris.

Maudit Terl ! Maudits Psychlos !

Et c'était une bien piètre consolation de savoir que des milliers d'autres races en étaient au même point depuis trois cent deux mille années.

Il fallait absolument qu'il concocte un plan, qu'il trouve quelque chose, même si c'était dangereux, voire désespéré, sinon cette planète était fichue !

2

L'hiver était venu sur Denver.

Mais le vent froid et les tourmentes de neige ne pouvaient atténuer la satisfaction de Brown Staffor.

Le nouveau billet de banque était arrivé.

Il en avait un paquet sur le bureau devant lui et il avait disposé quatre coupures sous ses yeux. Ces billets étaient vraiment splendides ! Ils étaient jaune vif, imprimés d'un côté. Et là, bien au milieu, dans un ovale, il y avait Brown Staffor !

Ils avaient eu tellement de mal à obtenir ce cliché ! Brown avait pris d'innombrables postures, comme ceci, comme cela... Et des dizaines d'expressions, le front plissé, les sourcils froncés... Mais rien ne semblait convenir.

Lars Thorenson avait dû finalement l'aider. Il lui avait fait comprendre que ce qui n'allait pas, c'était la barbe. Brown portait une barbe et une moustache noires. La moustache allait très bien, mais ce n'était pas le cas de la barbe. Elle était trop mince et clairsemée. Il fallait donc que Brown rase cette barbe et taille sa moustache en une petite touffe épaisse juste sous le nez. C'était exactement le genre de moustache que le grand héros militaire, Hitler, avait portée. Donc, ce ne pouvait qu'être une bonne idée.

Puis s'était posé le problème du costume. Personne ne semblait trouver quoi que ce soit de convenable. Le général Snith était alors venu à leur secours. Ses hommes lui avaient signalé la découverte d'un ancien cimetière où il y avait des cercueils étanches. On en avait aussitôt déterré quelques-uns pour essayer de trouver un cadavre convenablement vêtu. Mais, après plus de mille ans, le tissu s'émiettait. Le seul résultat avait été une maladie qui avait affecté les Brigantes quelque temps après. Deux d'entre eux étaient morts et un docteur avait déclaré que c'était un « empoisonnement par formaldéhyde », quoi que cela puisse être.

Quelqu'un avait finalement déniché un rouleau de tissu gris dans le sous-sol. L'étoffe était résistante. On avait trouvé également un patron de « livrée de chauffeur ». Quelques femmes brigantes s'étaient mises à la tâche et avaient cousu le vêtement. On y avait ajouté une vieille casquette à visière noire qui avait tenu le coup le temps de la pose.

Snith avait aussi apporté une poignée de gemmes qu'il avait découvertes quelque part. Selon Brown, ce ne pouvait être des rubis ou des diamants. C'était probablement du verre coloré. On les avait mises sur le revers gauche de sa veste afin qu'il apparaisse comme portant des « médailles ».

La pose finale fut déterminée par Lars qui avait le portrait d'un homme appelé « Napoléon » et qui avait été lui aussi un grand héros militaire des anciens hommes. Et c'est ainsi que Brown Staffor posa avec une main glissée sous le revers de sa veste.

MacAdam avait fait des difficultés. Il avait demandé à Brown si c'était vraiment le genre de portrait qu'il souhaitait et Brown s'était mis en colère. Après tous ces préparatifs pénibles. Bien sûr que c'était ce qu'il voulait !

Et le nouveau billet était là, maintenant, devant lui. C'était une coupure de cent crédits. MacAdam avait déclaré qu'il ne pouvait fabriquer qu'une valeur et que ce devait être cent crédits. Brown se dit que cela rendait cette coupure plus importante encore. Il y avait le nom de la banque dessus. Elle n'était imprimée qu'en anglais et non pas en divers langages tribaux. Et il était indiqué clairement, nettement « Cent crédits américains », ainsi que « Valable pour le paiement des dettes publiques et privées en Amérique ».

L'une des conditions posées par MacAdam avait été que toute la monnaie précédemment émise dans le pays soit collectée et échangée contre ces nouvelles coupures. C'était une opération difficile puisque l'ancienne monnaie avait été émise en billets de un crédit et que la nouvelle était de cent crédits américains. Mais le fait que tous les billets de Tyler allaient disparaître était si séduisant que Brown Staffor avait même payé de sa poche la différence que représentaient les billets de un crédit non récupérés.

Cette victoire avait rehaussé son moral qui, depuis quelque temps, était particulièrement bas.

Lorsque Tyler, plutôt que de rentrer chez lui et de tomber dans le piège, avait pris le large, Brown le Boiteux avait été tellement démoralisé qu'il avait bien failli annuler tout le projet Terl.

Mais Lars avait su lui parler. Il semblait avoir développé une haine singulière à l'égard de Tyler. (Il n'avait jamais dit que c'était parce qu'il se rongeait d'humiliation d'avoir dû se cacher sous un tas de ferraille et d'envie en voyant Tyler voler, mais Brown comprenait parfaitement ce sentiment qui était très naturel.)

Lars avait dit que s'ils continuaient et parvenaient vraiment à opérer un transfert, Tyler réapparaîtrait certainement.

Terl lui aussi avait parlé à Brown. Il lui avait dit que dès qu'ils effectueraient un lancement en direction de Psychlo, Tyler accourrait. Et il avait prévu à son intention des pièges que Tyler, cette fois, ne pourrait déjouer.

Ainsi Brown Staffor avait-il poursuivi le projet.

Mais il y avait d'autres choses qui ne se passaient pas de manière satisfaisante. Il n'avait plus guère de nouvelles des chefs des tribus, ces derniers temps. Lars lui avait expliqué que c'était normal - ils se fiaient à lui pour diriger les choses. Il ne venait plus de pèlerins à la mine. Cela aussi, c'était normal, selon Lars : on était en hiver.

Et puis, les gens disparaissaient. D'abord, il y avait eu le cuisinier de l'hôtel. Ensuite, quelques commerçants suisses. Puis d'autres, et d'autres encore, jusqu'à ce que l'hôtel soit déserté et qu'il ne reste plus un magasin ouvert en ville.

Les cordonniers s'étaient volatilisés. Les Allemands qui réparaient jusqu'alors les choses étaient introuvables. Les llaneros étaient partis avec les troupeaux en direction du sud - là où les pâtures étaient plus riches, disaient-ils - et eux aussi avaient disparu.

Brown s'en était entretenu avec Snith. Tout cela avait-il quelque chose à voir avec les Brigantes ? Terl lui-même avait soulevé la question. Mais Snith jura qu'il n'en était rien et que ses hommes et lui s'étaient bien conduits.

L'Académie était toujours là et fonctionnait. Il semblait y avoir un nombre important d'élèves-pilotes et d'opérateurs de machines en apprentissage. Mais ils ne quittaient pas l'Académie et tout ce que l'on pouvait voir de temps à autre, c'était un avion effectuant un exercice d'entraînement.

Toutes les radios et tous les téléprinters du bureau avaient disparu. Ils étaient tombés en panne et il avait fallu les emporter en réparation. Mais jamais ils n'étaient revenus. C'était sans importance : Brown Staffor, de toute façon, ne savait pas s'en servir et il ne faisait confiance à personne.

Pour son moral, cette coupure de monnaie faisait un monde de différence. Il décida qu'il ne s'en servirait pas pour payer les pilotes. Cela leur apprendrait.

Désormais, ce serait son portrait à *lui,* Brown Staffor, que les gens épingleraient sur les murs !

Mû par une impulsion soudaine, il décida qu'il ferait tout aussi bien de mettre un terme aux querelles politiques qui l'opposaient à sa propre tribu. Et de leur montrer à tous le nouveau billet, bien entendu. Il convoqua Lars et le général Snith et ils prirent place à bord d'un petit avion que Lars gardait toujours prêt sur le terrain. Ils décollèrent pour le nouveau village où Brown avait installé les siens.

Il tenait toujours entre ses doigts le billet de cent crédits qu'il examinait d'un air admiratif. La seule pensée de montrer bientôt le billet à ceux de son village lui réchauffait le cœur. Il ne faisait même pas attention à la façon catastrophique dont Lars pilotait.

Il évita de peu les pics enneigés de montagnes qui n'auraient même pas dû se trouver sur leur route et posa bientôt l'avion non loin de la vieille cité minière.

Elle semblait absolument déserte.

Il n'y avait pas le moindre filet de fumée au-dessus des toits. Et pas d'odeur de feu.

Armé d'une Thompson, Snith fit une rapide reconnaissance. Tout était désert ! Le village était vide. Et il ne restait rien. Absolument rien.

Brown Staffor se mit à chercher, en quête d'un indice, traînant son pied bot dans la neige poudreuse, de maison en maison. Il trouva enfin un lieu où les habitants avaient dû se réunir. Il y avait des bouts de papier déchirés un peu partout. Et puis, sous une table, là où elle avait dû tomber sans qu'on la remarque, il trouva une lettre.

Elle était de Tom Smiley Townsen.

Brown la regarda et entra aussitôt dans une fureur totale. Non pas à cause de son contenu, mais à l'idée de l'impudence de ce Tom Smiley qui savait écrire. Quelle arrogance ! Puis il vit alors que la lettre, en réalité, n'avait pas été écrite à la main mais imprimée, et plutôt mal d'ailleurs. Et même la signature était imprimée. Il décida alors de se montrer tolérant et se mit à lire.

La lettre s'étendait en long et en large sur les beautés d'un certain endroit appelé Tashkent. De grandes montagnes, des plaines à l'infini couvertes de blé sauvage, des troupeaux de moutons. Et un hiver très doux. Et racontait comment Tom Smiley s'était marié avec ?... Une femme *latine* ! Répugnant ! La pureté de la race ne serait pas préservée.

Brown jeta la lettre. Ma foi, les gens étaient peut-être tous retournés à leur ancien village. Ils n'avaient jamais vraiment voulu déménager. Mais ce qui surprenait Brown, c'était que les Indiens, les gens de la Sierra Nevada et ce représentant de la Colombie Britannique ne soient pas restés, eux, puisque l'ancien village n'était rien pour eux : ils avaient dit qu'ils le trouvaient froid et que le risque de famine était trop grand quand venait l'hiver.

Ils redécollèrent donc à destination de l'ancien village. Lars eut du mal à se poser et faillit bien atterrir au centre des grands cercles d'uranium. Quand Brown eut réussi à détacher ses mains crispées du siège avant, il regarda autour de lui.

Là non plus, il n'y avait pas de fumée au-dessus des toits.

Il fouilla plusieurs demeures. Les gens avaient eu si peu de temps pour quitter le village après en avoir reçu l'ordre qu'ils avaient dû abandonner la plus grande partie de leurs biens sur place et Brown s'était attendu à les retrouver. Mais non. Toutes les maisons étaient vides. Et il n'y avait pas la moindre trace d'un pillage des Brigantes. Tout était vide et en ordre.

Avec un rien de crainte - parce qu'elle avait été piégée - il s'approcha de la vieille maison des Tyler. Elle était toujours là. Les pièges n'avaient pas dû exploser.

Et puis il vit que le toit avait comme une bosse. Il contourna la maison et vit que la porte avait sauté. Lars et Snith dégageaient quelque chose, dans la neige.

C'était les restes de deux Brigantes. Ce qui en avait subsisté avait été déchiqueté par les loups. A l'évidence, les deux Brigantes avaient déclenché les pièges, et il y avait de cela un certain temps.

Avec le canon de sa Thompson, le général Snith farfouilla dans les bouts de peau, les fragments d'os et les lambeaux de billets.

- Z'ont dû v'nir pour piller ! grommela-t-il. Quel gaspillage ! D'la si bonne viande !

Brown Staffor voulait être seul. En traînant la patte, il escalada la colline en haut de laquelle, jadis, ils enterraient les gens. Au sommet, il se retourna et promena son regard sur le village en ruine, abandonné, et qui le resterait désormais à jamais.

Quelque chose le tourmentait depuis quelques instants et il comprit tout à coup.

Il était chef de tribu, mais il n'avait plus de tribu.

De ses cinq tribus, il ne restait plus qu'une seule : les Brigantes ! Et ils n'étaient pas natifs d'Amérique !

Obscurément, il prit conscience qu'il valait mieux pour lui ne pas mentionner ce fait. Cela ruinerait sa position.

Quelque chose attira son regard. Un monument ? Un petit écriteau de pierre qui saillait du sol. Il en fit le tour et lut l'inscription :

TIMOTHY BRAVE TYLER

Un bon père

En respect de sa mémoire,
Son fils affectionné.
J.G.T.

Brown poussa un hurlement. Il donna des coups de pied contre le monument. Mais il était trop solidement planté et il ne réussit qu'à se faire mal. Immobile, il continua de pousser des cris qui éveillèrent des échos dans toute la vallée.

Puis il se tut. Tout cela, c'était la faute de Jonnie Goodboy Tyler. Tout ce qui avait accablé Brown le Boiteux durant toute son existence était la faute de Tyler !

Mais Tyler finirait bien par revenir, non ? Terl avait dressé des plans et ils seraient peut-être efficaces. Mais Brown, cette fois-ci, ne laisserait rien au hasard.

Si jamais Tyler touchait de nouveau à cette plate-forme de transfert, il était un homme mort.

Brown Staffor redescendit vers l'avion. Il dit à Lars et Snith (ils ne devaient surtout pas deviner ce qu'il avait en tête) :

- Pour notre protection mutuelle, je pense que vous devriez m'apprendre à me servir d'une mitraillette Thompson.

Ils convinrent que ce serait sage.

Terl avait répété bien des fois qu'il fallait absolument éviter de faire usage d'une arme pendant un transfert. Mais quelle importance ? Deux armes. Il se servirait de deux armes... Durant tout le voyage de retour vers Denver, il rumina son plan.

3

Le petit homme gris, assis, observait le manège bizarre d'un engin terrestre, à plusieurs kilomètres au-dessus de son orbite.

La force combinée avait appris depuis plus d'un mois qu'il fallait laisser ce genre d'appareil tranquille. Le semi-capitaine Rogodeter Snowl, déjà en disgrâce pour avoir monté en secret une opération d'enlèvement avec intention de garder pour lui seul le butin potentiel, avait lancé son croiseur Vulcor, en faisant feu de tous ses canons, sur un vaisseau qui se comportait exactement comme celui-ci. L'étrange appareil avait esquivé avec précision et l'on rapportait qu'une série de claquements avaient résonné contre la coque du Vulcor.

Snowl avait stoppé son croiseur, intrigué par ces bruits. Il avait envoyé plusieurs hommes d'équipage, arrimés à des filins, pour inspecter l'extérieur de la coque. Ils avaient découvert avec horreur qu'une vingtaine de mines magnétiques y étaient solidement fixées.

L'engin terrestre, apparemment, avait miné l'orbite sur laquelle il se déplaçait.

Ensuite, Snowl avait été plutôt perplexe en s'apercevant que les mines n'explosaient pas. Elles étaient munies de détonateurs à pression atmosphérique. Ce qui signifiait que s'il faisait descendre le croiseur Vulcor à moins de trente mille mètres de la surface planétaire, la pression de l'air ferait sauter les mines.

En hâte, chacun des commandants avait fait examiner son propre bâtiment pour vérifier qu'il n'avait pas récolté de mines. Ce n'était pas le cas, mais cela n'en signifiait pas moins que tout vaisseau terrestre pourchassé larguait un nuage de mines dans son sillage. Très agaçant ! Ils avaient donc décidé de le laisser tranquille.

Le vaisseau avait une large porte et de nombreuses grues. Le petit homme gris n'était pas plus expert en matière de mine qu'en matière de guerre, mais il lui parut évident que l'équipage de ce vaisseau collectait des débris spatiaux. Il n'utilisait pas les grues et il en déduisit qu'un gros électro-aimant devait se trouver au-delà de la porte.

Le vaisseau procédait toujours de la même façon. Il détectait un objet sur ses écrans (un certain nombre de fragments dérivaient en orbite depuis qu'une grande comète avait pénétré à l'intérieur du système et ils venaient frapper occasionnellement les écrans antiméorites des vaisseaux), puis il se lançait à sa poursuite. La plupart des objets se déplaçaient à près de trente kilomètres/seconde. Le vaisseau terrestre piquait brusquement sur le côté et les aimants, derrière la porte, attiraient l'objet à l'intérieur.

C'était plutôt intéressant, se dit le petit homme gris. Cela évoquait un oiseau-mouche, qu'il avait observé une fois, piquant droit sur des insectes, s'arrêtant en plein vol au-dessus d'une fleur, avant de filer comme l'éclair. En tout cas, cela lui occupait l'esprit, et il en avait bien besoin.

Il n'y avait encore aucune nouvelle. Il n'y en aurait sans doute pas avant deux ou trois mois. Aucun courrier n'était arrivé, ce qui semblait signifier qu'ils n'avaient pas trouvé le monde. Ils vivaient une période très troublée.

Il souffrait à nouveau d'indigestion. Trois semaines auparavant, il était descendu jusqu'au sol pour revoir la vieille femme car il était à court de feuilles de menthe. Elle avait été heureuse de le revoir, de même que le chien. Elle avait utilisé le vocodeur pour entamer un commerce avec les Suédois. Elle leur avait vendu de l'avoine et du beurre et elle était couverte d'argent. Il n'avait qu'à voir : six crédits ! De quoi acheter un arpent de terre ou une autre vache ! Et elle avait occupé ses soirées. Le froid était arrivé et elle s'était dit qu'il devait faire encore bien plus froid là-haut dans le ciel, aussi lui avait-elle tricoté un joli sweater gris.

Le petit homme gris portait le sweater. Il le trouvait doux et chaud. En le caressant, il éprouva un peu de tristesse.

Il avait dit à tous ces militaires qu'il serait politiquement maladroit de tenter de lancer une opération sur les Highlands d'Écosse et il avait cru qu'ils l'avaient écouté. Mais, une semaine auparavant, il était redescendu pour se ravitailler en menthe et il n'avait pas trouvé la vieille femme. La maison était fermée. Le chien n'était plus là. De même que la vache. Il n'y avait aucune trace de violence mais, avec les militaires, on ne savait jamais. Ils pouvaient se montrer très sournois et malins parfois. Le petit homme gris avait trouvé quelques brins de menthe sous la neige, mais il avait été très troublé. Une chose comme le sentiment lui était totalement étrangère. Mais, néanmoins, il avait été perturbé.

Ces militaires ! Ils étaient tellement obsédés par l'idée de détruire cette planète qu'ils supportaient difficilement d'avoir à attendre l'arrivée du courrier.

Et ils étaient d'une telle bêtise ! Ils avaient remarqué que chaque avion et chaque bâtiment au sol semblait avoir une petite créature en robe jaune orangé. Ils n'arrivaient plus à comprendre les messages émis par les radios de la planète. Ils avaient essayé plusieurs machines à langage. En vain. Ils avaient eu recours à tous les codes en usage et aux appareils décrypteurs, mais rien n'y faisait. Tous ces messages semblaient commencer et finir par « Om mani padme om ». C'était comme une sorte de litanie.

Cet endroit en Afrique du Sud, près du grand barrage, où les terrestres les avaient attirés dans un piège, capturant deux commandos, avait été débarrassé de toute sa végétation. On y avait ensuite érigé une structure qui ressemblait à une pagode. Plusieurs, en fait. Ils en trouvèrent la référence dans de vieux textes. Il s'agissait de « temples religieux ». Les militaires en avaient donc déduit que la planète connaissait un nouveau déséquilibre politique. Des fanatiques religieux avaient pris le pouvoir. Les religions étaient particulièrement dangereuses en ceci qu'elles excitaient les populations. Un gouvernement doté de raison, de même que son armée, se devait de les éliminer. Mais la politique et la religion n'étaient pas leur principal sujet de préoccupation pour l'instant et ils attendraient.

Le petit homme gris reporta son attention sur la force combinée. Le nombre des bâtiments était maintenant passé à treize. Des nouveaux venus. D'autres races. Ils avaient apporté des informations selon lesquelles la prime offerte au vaisseau ou aux vaisseaux qui découvriraient *le* monde était passée à cent millions de crédits. Leur désir d'effectuer un raid au sol pour trouver des preuves était maintenant plus fort que leur soif de pillage.

Le semi-capitaine Rogodeter Snowl était particulièrement irrité par cette planète. En fait, elle l'obsédait. Mais son expérience de militaire lui disait que le reste de la force le dépassait en nombre et qu'il ne pourrait vaincre seul. Il était donc parti pour sa planète quelques semaines auparavant afin d'aller chercher des renforts. Les orbites n'allaient pas tarder à être saturées. Le petit homme gris s'était entendu demander par le commandant de son vaisseau s'il accepterait qu'ils s'écartent un peu des autres. L'endroit allait devenir invivable lorsque les militaires auraient enfin fait leur « découverte » et qu'il faudrait partager la prime. Sans oublier le pillage de la planète. Le petit homme gris avait donné son accord.

Il revint à sa contemplation indolente de l'engin terrestre. Il semblait maintenant avoir achevé sa mission et fait le plein. Lentement, il replongeait dans l'atmosphère de la planète, en direction de la base d'Afrique.

4

Jonnie observa l'arrivée du récolteur orbital de Stormalong. Une sentinelle coupa le bouclier atmosphérique afin que le vaisseau puisse entrer, avant de rétablir très vite le courant. Cette manœuvre s'accompagnait toujours d'un léger grésillement mais, ensuite, le silence s'établissait à nouveau. Si l'on exceptait les insectes et certains oiseaux les plus malchanceux qui y laissaient une antenne ou une plume, le rideau restait invisible. Il avait fallu prévenir impérativement tous les pilotes et mettre au point un code complexe de signaux de garde pour éviter d'éventuelles catastrophes.

Stormalong amena le vieux vaisseau auprès d'un pulvérisateur à métaux. Les Psychlos se servaient d'un système qui « attendrissait » d'abord le métal en en brisant la cohésion moléculaire avant de le passer entre des rouleaux blindés qui le déchiraient, puis l'écrasaient. Le produit était une poudre si fine que, si l'on en jetait une poignée en l'air, elle flottait longtemps en suspens, comme de la poussière. Les Psychlos avaient besoin de ce conditionnement pour une partie de la fabrication de leur carburant et de leurs munitions.

En utilisant les grues du vaisseau, le copilote entreprit de décharger la « récolte » dans le pulvérisateur. Stormalong sauta à terre et s'approcha.

- Cinquante-cinq tonnes, cette fois, dit-il d'un ton satisfait. Il y en a des tas là-haut, coincés en orbite. Tu crois qu'il va nous en falloir plus ?

Jonnie n'en était pas certain. Il s'était occupé d'autres problèmes récemment. Ils descendirent ensemble jusqu'au camp pour vérifier.

L'un des communicateurs bouddhistes apparut à leur approche. Ils avaient une façon particulière de se déplacer qui intriguait toujours Jonnie. Ils glissaient leur main droite dans leur manche gauche, leur main gauche dans leur manche droite, et marchaient à petits pas, leurs pieds effleurant le sol. Leurs épaules ne bougeaient pas. On avait l'impression qu'ils flottaient ou qu'ils glissaient. Jusqu'à la veille de ce jour, ils avaient été nombreux à conserver leur vêtement orange. Avec leur tenue de couleur vive et leur crâne chauve, ils étaient facilement repérables depuis le ciel. Ivan avait expédié un énorme colis d'uniformes et de vêtements : il avait fait travailler les couturières sur des tissus récemment fabriqués sur les nouveaux métiers construits au Luxembourg. Les uniformes étaient verts, avec un casque en aluminium blindé, vert également. Jonnie se fit la réflexion que toutes leurs armées seraient bientôt habillées ainsi. Le communicateur bouddhiste qui venait vers eux portait déjà cet uniforme. Il s'inclina, ainsi qu'ils le faisaient toujours, et tendit un paquet à Jonnie. Il était navré. Un courrier énorme était arrivé et la distribution avait pris du retard. Jonnie s'inclina en réponse. C'était contagieux.

Accompagné de Stormalong, il traversa le camp à la recherche d'Angus tout en ouvrant le paquet. Il avait été envoyé par Ivan. Un casque. Vert, comme tous les autres, avec des oreillettes mobiles. Il y avait aussi une lettre (écrite par quelque coordinateur sous la dictée d'Ivan) :

Cher Maréchal Jonnie,

Les gens de votre village sont arrivés. Ils sont très heureux et nous aussi. Le docteur Allen a sauvé le vieux Jimson de cette herbe qu'il mangeait et on dirait bien qu'il va vivre. Tous vous disent bonjour et comment allez-vous ? Tom Smiley de même. Vos chevaux ont été expédiés ici et ils apprennent maintenant à parler le russe. Mais ils vont très bien quand même. Je me suis occupé de Blodgett et elle court très bien à présent. Il faut toujours s'occuper des chevaux. La bibliothèque bouddhiste a été installée tout en bas et elle est parfaitement à l'abri. A propos du casque, j'aimerais pouvoir vous dire qu'un ange est venu me visiter la nuit avant votre départ et qu'il m'a dit que vous deviez le porter. Votre lettre de remerciement m'a beaucoup gêné. Je n'ai pas essayé de vous sauver la vie, mais je suis prêt à le faire à tout moment. Je ne puis donc accepter votre reconnaissance. Il n'y a pas eu d'ange. Tout ce que je savais, c'est que dans ces hautes montagnes, on risque de se geler le (barré) les oreilles. Ce nouveau casque est moins voyant. Je n'ai même pas mis d'étoile dessus. Transmettez mes amitiés à Chrissie quand vous lui écrirez. J'espère que quelqu'un s'occupe de vos vêtements.

Votre camarade,
Ivan
(Colonel commandant la base russe
dans l'attente de l'arrivée de quelques Américains.)

C'était un très beau casque. Jonnie le coiffa. Il lui allait parfaitement bien. Il remarqua quelques petites traces à la surface du métal qui n'avaient pas été polies. Ivan avait dû tirer plusieurs balles pour être sûr que le casque était efficace.

Il y avait aussi un lot de munitions pour les AK 47. Jonnie avait demandé que l'on perce un trou dans les ogives et qu'on les remplisse de poudre de thermite, ce qui rendrait les projectiles efficaces contre les Tolneps. Les rapports lui avaient confirmé que cela marchait et qu'on modifiait les munitions selon ses instructions.

Stormalong et Jonnie venaient d'arriver dans le secteur de « lavage de poudre de météorites ». Là, quatre femelles psychlos travaillaient d'arrache-pied, immergeant des bacs de poudre métallique dans de grands bassins de mercure. Elles portaient des gants et des vêtements spéciaux pour se protéger de l'empoisonnement.

Si Stormalong s'était lancé dans ce travail d'exploitation en orbite, c'était surtout parce que cela constituait un excellent entraînement pour ses pilotes. Mais Jonnie le soupçonnait aussi d'avoir voulu ainsi assouvir sa soif d'acrobaties aériennes. Ce qu'ils récoltaient était assez bizarre : des météorites et autres fragments qui avaient été pris en orbite ou bien au périhélie et qui, avant de fondre dans l'atmosphère, étaient souvent cristallins et d'aspect étrange. Jonnie avait été sur le point de mettre un terme à cette opération. Inutile de poursuivre, puisqu'ils avaient réussi à effrayer leurs visiteurs de l'espace avec les mines magnétiques. Mais Angus, qui mettait toujours son nez partout, avait remarqué dans un arrivage récent des éléments dont la structure chimique était inaccoutumée.

Depuis quelque temps, une comète venue de l'espace extérieur flamboyait dans le ciel. Angus fit remarquer à Jonnie qu'on y trouvait des traces infimes de cet élément inconnu que Terl avait placé au centre de sa boîte. Il le lui montra sur l'analyseur : oui, l'élément était bien là ! Sous forme de traces microscopiques. Si, comme d'habitude, la météorite avait brûlé en traversant l'atmosphère, l'élément aurait sans doute disparu sous l'effet de la chaleur. Mais il était bel et bien présent dans ces fragments « vierges ».

Durant toute une journée, Jonnie avait tourné en rond pour essayer de trouver un moyen d'extraire l'élément. Puis il s'était souvenu de quelle façon on « tamisait » l'or qui était plus lourd que la roche et la boue.

Les Psychlos utilisaient des tonnes de mercure dans certains processus de raffinage. Ils s'en servaient comme d'un tamis. Jonnie et Angus firent un test avec du fer, du nickel, du cuivre et d'autres éléments, dont ils disposaient sous forme de poudre. Ils étaient plus légers que le mercure et flottaient à la surface ou entraient en combinaison. Mais l'étrange élément, lui, tombait dans le fond avec un bruit sourd. Il était terriblement cohésif et dense et, pour l'isoler, il fallait des quantités extravagantes de poudre de métal.

Ils auraient pu monter des machines pour effectuer ce travail, mais les femelles psychlos avaient déclaré qu'elles n'auraient aucun mal à manier les lourds bacs à mercure.

A présent, elles souriaient à l'adresse de Jonnie, tout en travaillant joyeusement. Tout se passait bien avec elles aussi longtemps que l'on n'abordait pas les mathématiques par inadvertance. Auquel cas, le résultat était une femelle de moins. Comme cela s'était passé avec Chirk, puis une autre.

Elles dirent à Jonnie qu'Angus n'allait pas tarder. Quand il réapparut, Jonnie et Stormalong lui demandèrent s'il avait encore besoin de poudre. Il secoua la tête et fit signe à Jonnie.

Dans son atelier, Angus avait reproduit l'appareil de Terl, à un détail près : les éléments ne se rapprochaient pas quand on soulevait le couvercle ; c'était un piston à programmation qui faisait cela. On réglait l'heure et le piston, à la seconde voulue, abaissait les tiges.

Angus avait fabriqué six boîtes. Le petit pois qu'on plaçait au centre n'était sans doute pas d'une composition aussi pure que celui dont Terl disposait, mais ils étaient certains que c'était sans importance. Les poids variaient quelque peu mais ils tournaient tous aux alentours de soixante-quinze livres. Angus n'avait pas placé les billes de métal au centre des boîtes. Il les avait posées bien à l'écart, chacune d'elles creusant le sol sous son poids.

- Est-ce que tu ne penses pas que huit devraient suffire ? demanda Angus. A moins que tu ne veuilles faire sauter l'Univers. La livraison que tu viens d'amener devrait nous en fournir deux de plus.

- Mais il fait quoi, ce petit pois ? s'inquiéta Stormalong.

Jonnie secoua la tête.

- Nous ne le savons pas. Mais si Terl avait cette expression quand il a fabriqué sa boîte, tu peux être certain que c'est certainement l'arme la plus mortelle que les Psychlos possèdent. Assure-toi d'une chose, Angus : emballe le noyau séparément et que personne sur cette planète ne combine ces éléments ! Ensuite, expédie le tout à l'armurerie souterraine de Kariba.

Jonnie sortit. Il se sentait particulièrement content. Les événements heureux se succédaient. Les Chinois de Kariba avaient affirmé qu'ils avaient des ingénieurs et c'était exact, mais ces ingénieurs étaient spécialisés dans le bois, la pierre, les ponts. Ils avaient aussi quelques peintres. Cette petite cuvette et ses environs étaient devenus un endroit passablement étrange, mais esthétique. Les Chinois recouvraient l'intérieur des bunkers de carreaux qu'ils confectionnaient eux-mêmes et tout était propre et net. Ils avaient même créé leur propre village entre le câble de blindage atmosphérique et la rive du lac de retenue. A l'extérieur, les puits de défense antiaérienne étaient surmontés de petits toits en pagode contre la pluie.

Les choses progressaient rapidement en Amérique.

Jonnie était presque joyeux en cet instant. Ils avaient une chance. Elle était ténue mais elle existait.

Bien sûr, il y avait le problème des mathématiques. Depuis quelque temps, Terl ne faisait qu'explorer page après page des équations incompréhensibles. Il n'avait pas encore entrepris la construction de la console, mais il était évident qu'il était occupé à la concevoir en repartant de zéro. L'ancienne console avait brûlé. Il avait demandé qu'on lui en apporte le bâti. On lui avait amené d'innombrables bouts de ferraille, mais pas le bâti. Ce qui n'était pas étonnant puisque Jonnie avait récupéré la console, ou du moins ses restes noircis. Terl était donc obligé de tout construire, y compris le bâti.

Jonnie vit qu'on conduisait un groupe de Hockners dans une autre salle. Les prisonniers se battaient entre races comme des chats sauvages. Le plus grand des Hockners, qui n'était pas aussi affreux que ça en dépit de son absence de nez, était un officier de grade subalterne mais très éduqué. Il portait un vif intérêt aux véhicules garés aux alentours. Jonnie fit arrêter le groupe. Il avait quelques questions à poser.

Le grand Hockner observait les véhicules avec un sourire dédaigneux. Les hommes d'équipage hockners ne parlaient pas le psychlo, mais leurs officiers le maniaient assez bien. Il reconnut Jonnie et dit :

- Vous savez qu'aucune des carrosseries de ces engins n'a été construite sur Psychlo, n'est-ce pas ?

- Je l'ignorais, fit Jonnie.

Sans prêter garde à l'attitude méfiante des sentinelles, le Hockner s'approcha d'un véhicule de sol et examina l'un des pare-chocs.

- Là ! fit-il en désignant un point précis.

Jonnie se pencha pour regarder. Il vit des lettres qu'il avait déjà vues sur les billets de la Banque Galactique.

- Duraleb, dit le Hockner. C'est écrit : « Made in Duraleb ». Les Psychlos importent les carlingues de leurs avions, les bâtis de leurs machines et les carapaces de leurs tanks des autres systèmes. Les Psychlos fournissent uniquement les métaux, les moteurs et les consoles. Et il n'y a qu'eux seuls qui peuvent les utiliser, vu qu'ils possèdent le secret du moyen de propulsion. Évidemment, ces autres planètes fabriquent aussi d'autres choses pour d'autres peuples. Mais les appareils psychlos ne servent à rien si l'on n'a pas les consoles. C'est sur Psychlo qu'on les fabrique et uniquement sur Psychlo.

Jonnie remercia le Hockner. Ce dernier lui dit :

- Non, ne me remerciez pas, vieux frère. Si jamais vous venez à manquer de moteurs et de consoles, vous pourrez acheter toutes les carrosseries et tous les bâtis de l'Univers et vous ne serez pas plus avancés ! C'est comme ça que ces satanés Psychlos contrôlent tout ! Ils tiennent l'Univers à la gorge avec leur monopole. On ne peut rien faire contre eux. Les Hockners ont essayé. C'est perdu d'avance.

Jonnie savait que ces prisonniers, tout en se montrant coopératifs, avaient tendance à être sournois et malintentionnés, mais il avait entendu répéter cela tant de fois que cela n'avait plus aucun intérêt, et il changea de sujet :

- Est-ce qu'il vous est arrivé de mettre la main sur des traités de mathématiques psychlos ?

Le Hockner éclata de rire. C'était comme le hennissement d'un cheval.

- Mon cher ami, depuis trois cent deux mille années, les plus brillants cerveaux de l'Univers essayent de décrypter les mathématiques psychos. Impossible. Oh, ce n'est pas vraiment leur arithmétique qui pose un problème. On peut se familiariser avec un système reposant sur le onze. Je connais une race qui emploie vingt-trois chiffres différents. Non, le problème, c'est leurs stupides équations. Rien ne s'équilibre. Les traités de mathématiques ? N'importe qui peut se les procurer. Ils n'ont aucun sens ! De la crotte ! Absurde ! Crétin ! A présent, est-ce que vous pourriez demander à ce que l'on nous donne à manger, à moi et à mon équipage, comme vous l'avez fait pour les Tolneps ?

Jonnie leur dit d'aller voir MacKendrick.

Il gagna la salle de visionnement et examina une fois encore les amoncellements de feuilles de notes de Terl. Il ne se sentait plus aussi optimiste tout soudain.

Il disposait d'une bombe qu'il pouvait lancer sur Psycho si cela était nécessaire. Parfait ! Mais il n'avait aucun moyen de l'envoyer.

Les visiteurs étaient de plus en plus nombreux là-haut. Et Terl traînaillait.

Jonnie avait conçu un plan d'ultime recours pour s'emparer de la console avant qu'elle soit détruite. Mais, même s'il réussissait, elle ne fonctionnerait qu'une fois, si le Tolnep avait dit vrai.

Il parcourut à nouveau les équations de Terl. Elles n'étaient pas équilibrées. Elles ne participaient pas logiquement les unes des autres. Pourtant, le destin de cette planète tout entière dépendait de leur résolution.

Peut-être d'autres races avaient-elles débouché sur cette même impasse, ce même problème, avant eux. Et sans trouver de solution. Peut-être un autre être s'était-il, comme lui, penché sur ces notes et ces traités de mathématiques psychos, désespéré, inquiet, pour être finalement détruit par les Psychos, en dépit de son courage.

5

Terl avait des soupçons.

Cela tenait à toute une série de petits événements.

Premièrement, il y avait des problèmes avec l'argent, et les ennuis d'argent étaient une chose que Terl ne tolérerait *jamais*.

Ils avaient ses contrats et il avait supposé qu'il serait réglé dans les meilleurs délais. Mais non. Il semblait que les deux milliards de crédits galactiques eussent été mis en dépôt à la succursale de Denver de la Banque Planétaire de la Terre. Pis encore, il apparaissait que Brown Staffor empruntait d'importantes sommes à ladite banque. Très récemment, ç'avait été pour construire un château sur une colline. Il voulait le baptiser « Bergsdorfen » ou quelque chose comme ça.

Brown Staffor, afin d'obtenir les fonds, s'était porté garant avec les contrats de Terl.

Les directeurs de la Banque Planétaire, un certain MacAdam et son associé, un Allemand, s'étaient présentés au camp avec de nouveaux documents à faire signer à Terl. Sinon, disaient-ils, les crédits ne pourraient jamais être versés.

La dernière chose que Terl souhaitait, c'était de voir traîner des preuves légales. Mais il n'y avait rien à y faire. MacAdam lui déclara que les contrats n'avaient pas été correctement notariés et que personne n'avait certifié sa signature. A l'époque, Terl les avait signés de sa patte gauche, vu qu'il ne désirait laisser traîner aucune preuve. Il aurait toujours pu protester de son innocence en déclarant que les premiers contrats étaient des faux dont jamais il n'avait eu connaissance.

Mais ces deux banquiers avaient des contrats tout à fait nouveaux, imprimés, d'aspect bien plus légal. Ils attestaient que Terl était officier politique, officier de guerre, officier de la sécurité, et directeur par intérim de la Compagnie Minière Intergalactique. Ce qui était exact, localement.

Il était stipulé que la Compagnie n'avait pas de filiale sur Terre, qu'elle n'existait que comme un tout. Ainsi Terl avait dû signer en tant que représentant de l'ensemble du conseil d'administration de la Compagnie Minière Intergalactique, et le contrat vendait « la Compagnie de même que tous les intérêts notables que la Compagnie pouvait avoir à vendre, transmettre ou déléguer... » On pouvait comprendre ce contrat de deux façons. Soit l'Intergalactique vendait tout, partout ! Ainsi que toutes ses planètes. Soit elle vendait uniquement cette planète et cette filiale. Très vague.

Les griffes de Terl s'étaient contractées de peur. Si le Gouvernement Impérial de Psychlo apprenait cela, ils le tortureraient jusqu'à la mort pendant des jours et des jours. Jamais, en plus de trois cent mille ans, l'Intergalactique n'avait cédé la moindre part de la Compagnie ni de ses intérêts.

Ils avaient amené avec eux un notaire suisse et des témoins. Le contrat était rédigé en anglais, en allemand et en psychlo. Il y avait en tout quinze originaux à signer.

Et pas de signature, pas d'argent. Terl, dominant sa fureur et sa crainte, avait signé chacun des exemplaires, puis Brown Staffor à son tour avait signé en tant que « Gardien des Intérêts de Tout Gouvernement Légalement Constitué de la Terre, ledit contrat liant tous ses Successeurs », puis il avait paraphé de même un addendum transférant le contrat à la Banque Planétaire de la Terre pour « avoir, gestion, exécution ou cession en retour des sommes avancées ».

Horrifié, Terl vit ce document attesté, estampillé, couvert de sceaux rouges, de sceaux dorés, et cacheté à la cire. Tous les quinze exemplaires !

Mais ils lui donnèrent son argent. Ils lui déclarèrent que la filiale de Denver fermait, qu'ils ne pouvaient plus y conserver les fonds et que Terl devait les emporter sur l'heure. Il ne fit aucune objection à cela.

Les boîtes furent apportées sur un véhicule à plate-forme et déposées dans la chambre de Terl.

Ils lui remirent les exemplaires du contrat qui lui étaient destinés et il signa un récépissé, de même que pour l'argent. Ils repartirent tous et, dès qu'ils eurent franchi le seuil, le premier acte de Terl fut de déchirer et de réduire en cendres les contrats. Si jamais Psychlo entendait parler de ça !...

Il se sentit alors quelque peu rasséréné et caressa pendant un moment son argent avant de prendre conscience qu'il ne pouvait décemment aller se coucher au milieu de toutes ces boîtes.

Il appela les gardes pour qu'ils l'accompagnent jusqu'à la morgue où il trouva trois cercueils. Il lui sembla qu'il y en avait moins qu'à l'ordinaire.

Puis, il amena les cercueils dans sa chambre et y rangea l'argent en comptant soigneusement les liasses.

Il se faisait tard et il était encore loin d'avoir terminé, aussi jeta-t-il quelques couvertures sur l'un des cercueils et s'allongea dessus.

Le lendemain, il continua de ranger l'argent. Il n'avait jamais eu conscience de l'énorme volume que représentaient deux milliards de crédits. Il allait lui falloir un cercueil de plus.

Il appela donc à nouveau les gardes et retourna à la morgue. La veille, il avait remarqué un cercueil tout près du seuil. Il n'était plus là. Quelqu'un se livrait à une manœuvre avec les cercueils !

Il lui fallut peu de temps pour faire la lumière sur cette affaire. Sans son expérience et son talent de chef de la sécurité, il n'y serait jamais arrivé. Il en avait la certitude.

D'abord, il interrogea les gardes. Puis un certain cap'tain Arf Moiphy. Et il découvrit ainsi que les Brigantes, ces mercenaires « surentraînés, parfaitement fiables et dignes de confiance », se livraient à un trafic de cercueils avec les cadets.

Le commando de garde de nuit vendait des cercueils aux cadets contre du whisky. Le whisky était une boisson alcoolisée fabriquée en Écosse.

Terl reconstitua toute l'affaire. Tard le soir, un cadet, jamais le même, venait au camp avec un tonneau de whisky qu'il échangeait contre un cercueil. Le garde de faction ouvrait la morgue, sortait un cercueil et prenait le whisky.

Le cap'tain Moiphy se fit traiter de tous les noms lorsqu'il apprit à Terl que les cadets se servaient du plomb pour mouler des modèles réduits de soldats et d'astronefs. Moiphy en avait d'ailleurs plusieurs. Terl savait à quoi ils servaient. A un jeu appelé le klepp. Pire encore : les cadets *vendaient* les pièces de ce jeu qu'ils avaient confectionnées en refondant le plomb des cercueils. Les cercueils de la Compagnie !

Terl ordonna à Snith de mettre un terme à cela.

Trois jours plus tard, Terl demanda une escorte pour le conduire jusqu'à l'entrepôt de métal. Il avait besoin de plusieurs feuilles pour travailler. En passant devant le hangar, il constata qu'il était presque vide ! Il restait juste quelques transporteurs de minerai et une demi-douzaine d'avions de combat. Il se rendit aussitôt jusqu'au garage qu'il trouva presque vide également. Il ne vit guère qu'une douzaine de camions à plate-forme et quelques tanks « Cogneur ».

On avait tout volé !

Il alla trouver Lars et l'injuria copieusement.

Lars lui dit qu'il y avait eu des tas d'accidents et que les cadets remplaçaient les engins hors d'état en venant se servir dans le hangar.

Terl était sur le point de réduire Lars en charpie quand il prit conscience que le matériel de la Compagnie n'était plus sous sa responsabilité. Il laissa donc tomber.

Trois jours après, il eut une violente altercation avec Ker.

Quelque temps auparavant, on avait commencé à débarrasser les débris et les câbles fondus de l'ancien dispositif de transfert, et maintenant il ne restait plus rien. Terl voulait avoir la certitude que le bouclier atmosphérique serait à distance correcte des poteaux. Il sortit donc et découvrit que...

Ker employait les plus inexpérimentés, les plus maladroits des apprentis-conducteurs pour creuser la tranchée destinée au câble d'ionisation du blindage atmosphérique ! La tranchée était à demi creusée. Mais les élèves-conducteurs avaient creusé de tous les côtés !

Pis encore ! Le matériel était dispersé un peu partout. Des grues, des pelleteuses, tout le bataclan ! Ces stupides animaux avaient abandonné leurs engins là où ils avaient fini de creuser. Et les grues magnétiques avaient été laissées à l'endroit même où elles avaient servi à soulever quelque chose !

Quel monstrueux désordre !

Immobile au milieu de la plate-forme, harcelé par l'atroce clarté du soleil hivernal, rendu à moitié malade par le gaz respiratoire de mauvaise qualité, Terl avait été sur le point de réduire le petit Psychlo en lambeaux.

- C'est tout ce dont tu es capable ? gronda-t-il.

- Est-ce que j'y peux quelque chose si ces animaux cassent les machines ? hurla Ker en réponse.

- Tu es incapable de suivre un plan précis et clair ?

- Est-ce que j'y peux quelque chose si ces animaux sont incapables de suivre un plan précis et clair ?

Terl dut convenir en lui-même que Ker avait raison sur ce point. Rester là à tempêter et à crier ne les mènerait à rien.

- Écoute, dit-il, ton intérêt est que je retourne sain et sauf sur Psychlo.

- Vraiment ? demanda Ker.

Un moyen de pression, se dit Terl. Voilà ce qu'il lui fallait : un moyen de pression.

- Je vais te dire ce que je vais faire, fit-il. Je vais déposer dix mille crédits sur ton compte à la Banque Galactique. Il est déjà bien approvisionné, mais je vais y ajouter...

- Brown Staffor le Boiteux m'a payé cent mille crédits terrestres rien que pour creuser la tranchée de ce câble, pour toi. Ce n'était pas du travail facile et je considère que c'était plutôt mal payé !

Terl réfléchit rapidement.

- D'accord. Je vais te verser cent mille crédits galactiques pour m'aider à installer ce dispositif de transfert et pour m'assister.

- Je pourrais en avoir le double de Brown Staffor pour *ne pas le faire*.

- Vraiment ? dit Terl, soudain sur le qui-vive.

Il réfléchit à toute allure. Oui, ce Brown Staffor s'était montré bien furtif récemment, comme s'il voulait dissimuler quelque chose.

- Il n'y a qu'un seul individu qui l'intéresse ! Il se fiche pas mal que tu retournes sur Psychlo ou non !

- Mais ne sait-il pas que je dois enregistrer les actes de vente sur Psychlo ?

- Tout ce qu'il veut, c'est la peau d'un homme ! dit Ker.

- Écoute, je verse un demi-million de crédits sur ton compte si tu m'aides à retourner sur Psychlo.

Ker rumina. Puis il dit :

- Si tu me fournis de nouveaux papiers d'identité, si tu détruis mes dossiers *et* si tu verses sept cent cinquante mille crédits sur mon compte, je veillerai à ce que tout se passe bien.

Terl était sur le point de sceller cet accord, lorsque Ker ajouta :

- Il faut aussi que tu calmes ce Brown Staffor. Dis-moi comment tu comptes piéger cet homme afin que je rassure Staffor. Il a la haute main sur ces ouvriers. Ça et l'argent, et c'est marché conclu.

Terl le regarda. Il connaissait bien la cupidité de l'autre.

- D'accord. Je vais placer cinq cents Brigantes à l'extérieur de ce rideau atmosphérique. Ils seront armés de flèches empoisonnées. Les flèches ne provoqueront pas d'effet de percussion mais elles peuvent réduire cet animal en lambeaux si jamais il s'approche ! Souffle donc un mot de ça à Staffor et il coopérera avec toi. Alors, marché conclu ?

Ker sourit.

Terl rentra chez lui, heureux de pouvoir enfin ôter son masque. Il but un peu de kerbango pour se détendre les nerfs.

Il analysa cette situation bizarre. Oui, c'était bien Staffor qui risquait de nuire à l'ensemble de son plan. Terl se chargerait de l'animal : il n'avait pas dit à Ker qu'il avait également l'intention de mettre une escouade sur la plate-forme, sous les ordres de Snith, avec des flèches empoisonnées, ni qu'il avait une magnifique boîte de béryl à offrir à Staffor. Une boîte qui détruirait toutes les preuves : copies du contrat, tout...

Et Ker en même temps !

Pour piéger l'animal, il aurait un otage.

Mais son euphorie fut quelque peu entamée lorsque, trois nuits plus tard, il constata qu'il n'y avait plus aucun garde en vue. Il sortit et il les trouva tous écroulés autour de la morgue, ivres morts.

Il était évident que Snith s'était servi des dernières informations pour se procurer du whisky.

Tant pis, se dit Terl, le moment venu, il saurait obtenir la coopération de Snith.

Celui qu'il ne devait pas perdre de vue, c'était Staffor. Ses soupçons étaient fondés. C'était bel et bien Staffor qui complotait. Quel rat sournois ! Il allait sans doute tenter de récupérer l'argent.

Terl retrouva sa confiance : il les aurait tous.

Il entra, vérifia les cercueils où il avait placé l'argent, les scella, inscrivit « mort par radiations », afin que nul ne tente de les ouvrir sur Psychlo, et dessina pour finir sa marque privée, le « X », tout en bas.

Sur Psychlo, il serait un puissant nabab !

Il fit son lit sur les quatre cercueils, s'étendit et dormit d'un sommeil riche en rêves agréables, dans lesquels les puissants de l'Empire s'inclinaient en rencontrant le Grand Terl dans la rue. Et toutes les preuves, de même que cette maudite planète, avaient été totalement détruites.

6

Dans les profondeurs de la mine africaine, penché sur les écrans dans la demi-pénombre, Jonnie était en plein désarroi.

Le 92ᵉ Jour arrivait à toute allure, comme un tourbillon.

Tout d'abord, il avait espéré pouvoir construire une console séparée à partir des plans de Terl et l'installer à Kariba. Ce qui aurait rendu inutile une attaque désespérée en Amérique pour s'emparer de celle de Terl. Mais il semblait bien que cette dernière solution fût leur dernière et ultime chance. Il lui faudrait empêcher Terl d'utiliser sa drôle de bombe, mais pour cela il lui fallait prendre le risque presque insensé de le laisser agir jusqu'au 92ᵉ Jour, et d'attaquer la plate-forme et de s'emparer de la console au tout dernier instant.

Les autres nouvelles n'étaient pas meilleures. Les visiteurs avaient effectué deux raids en deux endroits différents et il y avait eu des pertes. Un avion minéralier, qui regagnait sa base à vide, avait été descendu par les Hawvins et le pilote et le copilote avaient péri. Une troupe de chasseurs de la base russe avait été mitraillée depuis le ciel et trois Sibériens et un Sherpa avaient été tués avant que la défense antiaérienne ne vienne à bout de l'agresseur.

Quant au plan de défense d'Edinburgh, il s'était révélé inefficace. Sir Robert avait voulu utiliser quelques kilomètres de câble atmosphérique pour en entourer Castle Rock. Les barrages hydro-électriques d'Écosse étaient anciens et ils n'étaient ni suffisamment solides, ni convertis à l'énergie psychlo. La mine de Cornouailles dépendait d'un barrage à énergie marémotrice à Bristol, dans le Canal de Bristol. Il fonctionnait parfaitement, grâce aux marées énormes du Canal, mais il n'était pas possible de poser un câble jusqu'à Edinburgh. Il aurait été de toute manière exposé à n'importe quelle attaque de l'ennemi. De plus, le transport de ce câble aurait été une entreprise colossale car il aurait fallu l'expédier par avion jusqu'en Écosse, section par section. Bref, pour assurer la protection d'Edinburgh, il n'existait rien d'autre que les canons antiaériens. Et les Écossais, ayant reconquis la ville, n'avaient pas l'intention de l'abandonner. C'était le centre le plus ancien du nationalisme écossais. Jonnie avait proposé de déplacer toute la population jusqu'en Cornouailles mais il n'avait pas été soutenu, et il est vrai que cela aurait représenté trop de monde. Jonnie savait qu'Edinburgh ne tarderait pas à être attaqué.

Terl poursuivait son travail, mais semblait procéder à l'envers. Il passait un temps considérable à mesurer les poteaux, à déployer des câblages extérieurs et à mettre en place les bornes de tir. Tout ce qu'il faisait était aussitôt reproduit à Kariba. Ils disposaient maintenant de tous les poteaux et de toutes les bornes, à la base africaine. Angus, à chaque fois qu'apparaissait une pièce nouvelle, se précipitait à Kariba pour installer son équivalent sur la seconde plate-forme.

Durant quelques jours, l'espoir était revenu. Terl avait accumulé une grande quantité de métal et avait construit le nouveau bâti de la console. Une chose massive et lourde de près d'un mètre d'arête. En Afrique, ils avaient bien sûr fait la même chose et le bâti, encore vide, attendait dans une pièce soigneusement verrouillée.

Mais, après ce débordement d'activité, Terl, durant ces derniers jours, s'était contenté de jouer avec des fusibles sans rien construire de nouveau.

Terl avait couvert des rames de feuillets de mathématiques. Ce qui était bien... pour qui pouvait comprendre.

A présent, il ne s'occupait que de fusibles. Jonnie s'était procuré les duplicata correspondants et essayait de comprendre à quoi travaillait Terl.

Il avait appris une chose : certains des composants de la console, qui semblaient différents, étaient factices. Ce n'étaient ni des résistors ni des capacitors. En fait, il ne s'agissait que de fusibles dont l'aspect avait été modifié.

Jonnie n'avait jamais entendu parler de l'opération à laquelle se livrait Terl. Celui-ci mettait en place des fusibles de « sous-charge ». Le circuit restait connecté tant que le courant passait. Dès qu'il s'interrompait, le fusible grillait. Cet étrange rupteur était fait d'un filament si ténu que Terl dut se servir d'un microscope pour le monter.

Ses activités semblaient se limiter à cela.

L'attention de Jonnie commençait à se relâcher quand il prit conscience que le filament qu'utilisait Terl ressemblait terriblement à ceux qu'ils avaient trouvés dans les capsules d'argent placées dans le crâne des Psychlos.

Il oublia aussitôt la crampe qu'il éprouvait dans le cou. Il sortit et trouva en un instant un des filaments prélevés sur les cadavres. Oui, c'était exactement le même !

Brusquement, cela fit un tout dans sa tête et il partit en courant à la recherche de MacKendrick. Le docteur travaillait justement sur un crâne de Psychlo qu'il avait nettoyé et blanchi. Il essayait de trouver un nouveau moyen de pénétrer les os avec ses instruments. Il le reposa sur la table devant lui, regarda ses orbites aveugles et se tourna vers Jonnie.

- Il n'y a rien de très mystérieux ! lança Jonnie en brandissant la capsule d'argent qu'il tenait. Ce n'est qu'un fusible ! Il ne vibre pas, il n'émet pas de signaux radio. Rien de tout ça ! Ce n'est qu'un *fusible !*

Il saisit quelques clichés de l'intérieur d'un crâne psychlo.

- Regardez ! Vous avez dit que les nerfs auxquels était rattachée cette capsule constituaient le principal canal d'impulsion de leur pensée. Très bien. Les mathématiques représentent la pensée logique ! L'approximation de la raison ! En admettant que les Psychlos possèdent une âme et s'en servent pour penser, ou même qu'ils n'en aient pas, l'action mentale a lieu dans tous les cas entre ces deux canaux. Aussi longtemps que les Psychlos pensent logiquement, il y a un écoulement constant de courant entre ces deux nerfs. Même lorsqu'ils dorment, il y en a un, probablement plus faible. A présent, survient un étranger. Les Psychlos savent que l'existence de leur race et de tout leur empire dépend du secret absolu qui protège leurs mathématiques. Instantanément, les Psychlos cessent d'y penser. Ou alors, il y a une surtension puis occlusion mentale. Clac ! Le fusible est grillé !

MacKendrick se montra très intéressé. Mais il fit remarquer :

- Ça n'explique pas le suicide.

- Eh bien, regardez cette photo et ensuite ce fusible. La capsule d'argent est tout à côté de cette pièce en bronze qui court-circuite l'action, la douleur et le plaisir. Regardez le filament du fusible ! Quand il casse, les extrémités retombent à l'intérieur de la capsule, ce qui provoque un court-circuit dans la pièce en bronze. Le Psychlo est alors soumis à une impulsion de meurtre instantanée ! Si le meurtre s'avère impossible, la capsule d'argent et l'élément de bronze induisent une *obsession permanente* de meurtre. Il *doit* tuer, n'importe qui, et il finit par se tuer lui-même !

MacKendrick réfléchit un instant et hocha la tête.

- Mais ça n'explique pas le cas des femelles.

Jonnie prit une des capsules trouvées dans le crâne des femelles et la regarda.

- C'est un type de fusible différent. Les mathématiques représentent la pensée logique, provoquant une concentration de courant. On leur enseigne probablement à ne pas apprendre les mathématiques aux femelles - cela fait partie de leur code moral. Et les femelles ont la réputation d'être illogiques. Quand elles commencent à penser en termes mathématiques ou essaient seulement, le courant connaît une surcharge et le fusible grille. Elles n'ont pas de pièce de bronze et elles tombent simplement dans le coma. Les pensées sont « déconnectées » et la communication avec le système nerveux est coupée.

Jonnie s'interrompit un instant et conclut :

- Mon explication n'est peut-être pas complète. Mais ce que je sais, c'est que nous avons affaire à des fusibles et à des courts-circuits. Et c'est ainsi qu'ils protègent leur empire !

- Et c'est aussi pour ça qu'ils sont aussi dingues, ajouta MacKendrick. Je suis convaincu que tu tiens la bonne explication et qu'il s'agit effectivement de fusibles.

Il se tourna vers le crâne psychlo posé sur la table. Il était énorme et massif. Les os et leurs sutures étaient complexes.

- Il n'y a qu'une chose qui cloche, ajouta MacKendrick.

Jonnie était tout excité d'être allé aussi loin. Il écouta le docteur.

- Nous ne savons pas plus qu'avant comment ôter ces machins de leur crâne, dit MacKendrick.

Jonnie posa les photos et les capsules à côté du crâne et quitta la pièce sans rien dire.

Quelle journée désespérante !

7

Jonnie fonçait vers le nord-ouest à bord du Mark 32.

L'alerte avait été déclenchée moins d'une demi-heure auparavant. Glencannon avait des ennuis.

C'était le 78ᵉ Jour. Il ne restait que quatorze jours avant le tir prévu par Terl. Sur les derniers disques que Jonnie avait visionnés, il n'avait pas encore commencé la construction du panneau de la console. Il avait pris du retard.

Et maintenant voilà que Glencannon, revenant avec une nouvelle fournée de disques, subissait une attaque !

A six cent cinquante kilomètres au-dessus de la Terre, les visiteurs étaient devenus plus nombreux. Le semi-capitaine Rogodeter Snowl était revenu et il avait ramené avec lui quatre lourds bâtiments de guerre. L'un d'eux, au moins, était un porte-avions. C'était sans doute à partir de lui qu'avait été lancée l'attaque contre Glencannon.

Jonnie n'avait aucun communicateur. Il était à l'extérieur quand l'alerte avait été déclenchée. Stormalong et deux autres pilotes avaient immédiatement décollé et Jonnie avait saisi un masque respiratoire et sauté dans un avion. Toutes les communications aériennes étaient en pali. Glencannon et Stormalong avaient des communicateurs avec eux et ils s'en servaient. Aussi Jonnie ne pouvait-il savoir ce qui se passait. De plus, la litanie des bouddhistes ne laissait jamais apparaître la moindre excitation, même durant un combat. Le ton de leurs voix ne lui apprit donc rien.

Il gagnait de l'altitude et élargit l'image des écrans. Stormalong et les deux autres appareils étaient droit devant lui. Mais il n'avait pas encore repéré Glencannon.

Il lança un sondeur vers le haut. Il y avait là trois de leurs visiteurs. Dans la clarté du soleil, ils n'étaient pas aussi nettement visibles qu'à la nuit, à cause des ultraviolets.

Était-ce le vaisseau de classe Vulcor ? Les deux qui l'accompagnaient étaient plus gros, plus massifs. Oui, c'était bien le Vulcor : le pont était en forme de diamant. Le semi-capitaine Rogodeter Snowl lui-même.

Les trois bâtiments ne semblaient pas vouloir descendre. Apparemment, c'était une manœuvre qui exigeait une certaine accumulation d'énergie solaire et ils réservaient leur puissance. Les deux nouveaux vaisseaux étaient à coup sûr des porte-avions.

Oui ! Une nouvelle force d'assaut venait d'être larguée de l'un d'eux.

Six appareils semblables à des aiguilles plongeaient vers le sol comme des flèches.

Clairement, en psychlo, Jonnie lança :

- Six autres frelons au-dessus de vous !

Ainsi, Stormalong serait prévenu.

Il détecta Glencannon. Son appareil filait à environ trente mille mètres d'altitude, droit sur la mine. Mais où était passée son escorte ? Elle aurait dû être là ! Elle n'était nulle part en vue !

Quatre aiguilles brillantes étaient lancées à la poursuite de Glencannon. Elles lâchaient de temps en temps un grand éclair ardent.

Stormalong passa à l'attaque !

En formation serrée, les trois avions plongèrent sur les Tolneps.

Une première explosion ! Puis une seconde : un nuage de flammes bleues. Et une troisième.

Un seul Tolnep surgit de la fumée.

Jonnie vira pour intercepter les six attaquants. Sur les viseurs, leur image se précisait rapidement.

Il centra la visée sur le nez du leader. Son pouce appuya frénétiquement sur la détente à l'instant même où il basculait à toute allure sur le côté, et le feu destructeur des canons balaya la formation tolnep.

Les explosions flamboyèrent sur l'écran.

Avec un bruit sourd, il heurta de l'aile un fragment d'avion tolnep.

Jonnie vira brutalement et vint se placer derrière les appareils rescapés. Il plaça la queue du dernier avion tolnep au centre de son viseur et appuya sur la détente du canon-éclateur. Mais sa manœuvre de placement avait été si violente qu'il fut déporté et manqua son objectif.

Quatre Tolneps filaient droit devant lui.

Il les dépassa et effectua un virage en épingle à cheveux pour revenir droit sur le leader. A l'instant où ils allaient entrer en collision, il tira et toucha les canons du Tolnep qui explosa sous son propre feu.

Encore trois Tolneps. Ils effectuèrent un looping et revinrent sur Jonnie, en formation dense, ouvrant le feu. Tout autour de l'avion de Jonnie, l'air fut déchiré par les tirs. Le Mark 32 encaissa une rafale en plein dans le pare-brise dont une moitié devint opaque.

Jonnie tirait sans répit. Un Tolnep ! Deux !

Le dernier essaya désespérément de se dégager, filant droit vers l'espace.

Jonnie équilibra son appareil. Puis il régla le tir sur « Flamme » et « Portée Maximale » avant de lancer ses projectiles qui jaillirent vers le haut comme autant d'aiguilles.

Le Tolnep éclata et devint une boule de feu.

Où était passé Glencannon ?

Là-bas! Il fonçait toujours en direction de la mine. Il l'avait presque atteinte.

Un Tolnep lui collait au train.

Mais Stormalong et les deux autres avions piquaient déjà sur l'ennemi.

Le garde de surveillance ouvrit le rideau atmosphérique et Glencannon plongea comme l'éclair à l'intérieur. Sauvé!

Une faucille de feu ardent s'abattit sur le Tolnep : Stormalong et son escorte venaient d'ouvrir le feu à la distance maximale de tir.

Le garde réactiva le rideau atmosphérique. Le Tolnep le percuta et passa au travers : l'air n'avait pas eu le temps de se réioniser suffisamment.

Le Tolnep explosa en une sphère de flammes dans la zone de décollage, manquant de peu l'appareil de Glencannon qui se posait au même instant.

Jonnie et Stormalong explorèrent le ciel du regard, en quête d'éventuels ennemis. Ils n'en virent pas trace. Dans le lointain, de minces colonnes de fumée s'élevaient, là où les appareils s'étaient désintégrés en s'écrasant.

Le garde ouvrit de nouveau le rideau atmosphérique. Une équipe de lutte contre l'incendie arrosait déjà la carcasse brûlante de l'avion tolnep. Jonnie se posa en même temps que Stormalong et ses coéquipiers.

Glencannon était figé sur son piège. Il pleurait. Son communicateur bouddhiste essayait de le calmer. Les mains du jeune Écossais étaient tremblantes. Il subissait une réaction d'absolue frustration.

- J'avais l'ordre de continuer, répétait sans cesse Glencannon.

Le communicateur fit signe aux autres de ne pas approcher, puis les rejoignit.

- L'Académie de pilotage a beaucoup à faire en Amérique, déclara-t-il à Jonnie et Stormalong. Elle s'occupe également de maintenir la couverture aérienne. Il n'y avait pas de pilotes d'escorte et cela nous a retardés pendant plusieurs jours. Finalement, Glencannon a décidé qu'il ne pouvait plus attendre. Un pilote suisse, un de ses amis, mais pilote très fraîchement promu, s'est porté volontaire. Les Tolneps nous ont attaqués peu après que nous eûmes franchi la côte d'Afrique du Nord. Nous étions trop loin de Cornouailles et du Luxembourg pour espérer de l'aide. Le Suisse a contre-attaqué. Il en a eu trois. Mais il avait besoin d'aide. Glencannon avait reçu des ordres stricts pour continuer sa route quoi qu'il advienne et il ne s'est pas arrêté. Il pense que s'il avait rebroussé chemin pour aider le Suisse, les Tolneps ne l'auraient pas eu. Le Suisse était seul, sans communicateur. Mais lui aussi a dit à Glencannon de continuer sans s'arrêter. Les Tolneps ont réduit l'appareil du Suisse en miettes. Il s'est éjecté et il a tenté de gagner le sol avec ses rétrofusées, mais ils l'ont mitraillé en plein ciel. Glencannon veut monter jusque là-haut pour attaquer les vaisseaux en orbite. Ils le détruiront. Aidez-moi.

Ils parvinrent à calmer Glencannon. Stormalong dit qu'il allait appeler Sir Robert pour que l'on renforce la sécurité sur la ligne de communication vitale. Sir Robert allait, dans quelques jours, déménager l'Académie d'Amérique pour l'installer dans la mine de Cornouailles, mais, entre-temps, il fallait prévoir une meilleure défense. Le transfert des multiples avions et de tout le matériel dans des lieux plus sûrs était maintenant achevé. Les tribus étaient regroupées. Stormalong ajouta qu'il assurerait désormais le transport des disques.

Glencannon leur tendit le paquet de disques.

Jonnie le regarda.

Il espérait qu'il valait le prix qui avait été payé.

8

Oui, il le valait !

Quelques minutes après que Jonnie eut ouvert le paquet et placé le premier disque sur la visionneuse, il prit conscience que, pour la première fois dans la longue et sadique histoire des Psychlos, un œil étranger se posait sur la construction d'une console de transfert par téléportation.

Terl, sans modèles ni plans, travaillait de mémoire. Pour aussi fou qu'il fût, il n'en avait pas moins gardé son talent d'artisan. Après tout, sa propre vie en dépendait.

Il avait déjà construit le bâti de la console. Sur le panneau supérieur, il avait mis en place des rangées de boutons, tous provenant des magasins. Il avait également pratiqué les évidements destinés aux vis qui maintiendraient le haut sur le bâti.

Fasciné, Jonnie le vit prendre une plaque d'un mètre carré de matière noire isolante, du type que l'on utilisait couramment pour les assemblages électroniques, et la placer entre le panneau supérieur et les côtés du bâti. A l'évidence, c'était ce tableau qui porterait les divers composants du circuit qu'il allait construire. Avec une précision scrupuleuse, il perça des trous dans la plaque afin qu'elle soit maintenue entre le panneau supérieur et le compartiment et assujettie par les mêmes vis.

Il fixa temporairement le tableau au compartiment, répandit une pincée de poudre et marqua ensuite, à l'aide d'une légère pression sur chacun des boutons, l'emplacement précis où ils devaient toucher le tableau. Puis il démonta à nouveau le tout et fit des marques plus nettes avec un crayon rouge aux endroits où la poudre avait été touchée. Il pratiqua alors des trous minuscules sur chacun de ces points et y enfonça un tampon de métal. Ce qui faisait que si l'on appuyait sur les boutons du panneau supérieur, ceux-ci venaient toucher les tampons de métal.

Terl retourna le tableau isolant. Les tampons étaient visibles sur le dessous. Il fit une marque pour identifier le dessus et le dessous, puis passa aux choses sérieuses.

Consultant à peine ses notes et ses formules, il commença à couvrir la face inférieure du tableau de différents composants électroniques : résistors, capacitors, amplificateurs minuscules, relais et interrupteurs. L'ensemble du dispositif semblait plutôt rudimentaire et démodé. Il semblait prévu pour que les tampons de métal soient touchés par les boutons.

Mais il y avait un détail bizarre. Terl plaçait divers fusibles en des endroits où, si l'on se servait du tableau, ils étaient sûrs de griller. En fait, à chaque tampon de métal disposé dans le tableau correspondait un fusible qui était destiné à le déconnecter du circuit que Terl construisait. Pour Jonnie, il était évident qu'il suffisait d'appuyer sur un bouton de la console supérieure pour faire sauter un fusible. Et il y en avait des dizaines.

Assez stupidement, ce mystérieux circuit que construisait Terl semblait prendre un sens. A l'exception des fusibles. Pourquoi mettre en place des fusibles dans un circuit électronique ?

Terl peaufina son travail. Il polit le circuit et y ajouta des codes-couleur. Il avait enfin terminé. Pour qui connaissait toutes les complexités d'un circuit électronique, c'était une merveille. En fait, ce circuit semblait assez logique : on appuyait sur un bouton du haut de la console et le courant allait à tel endroit, on appuyait sur un autre, et le courant allait à tel autre endroit.

Le tableau était achevé. Terl l'admira. Il s'accorda une pause et ingurgita un peu de kerbango.

Puis il fit une chose si étrange qu'elle en était presque inimaginable.

Avec de grands gestes, il brancha des câbles à une connexion électrique, puis les fixa aux bornes du très joli tableau qu'il venait de construire... *et fit sauter tous les fusibles !*

Ils éclatèrent avec de petits éclairs et des nuages de fumée.

Il venait de neutraliser l'ensemble du circuit.

Il se remit alors au travail. Il repoussa l'énorme pile d'équations et de formules, prit des instruments de mesure micrométriques, prépara un ensemble de règles et d'équerres, et tailla quelques crayons blancs jusqu'à ce qu'ils soient fins comme des aiguilles.

Il retourna le tableau du côté vierge, y inscrivit quelques points de référence et, durant les deux jours suivants, en consultant méticuleusement ses notes, *il dessina un circuit*. En dehors du fait qu'il était relié aux tampons de métal correspondant aux boutons de la console, ce *nouveau* circuit n'avait plus rien à voir avec celui que Terl avait si laborieusement construit sur l'autre face du tableau.

Il dessina les résistors, les amplificateurs, les capacitors et tous les autres composants électroniques. Le tout selon des lignes fines en boucles et en zigzags.

Terl consulta ses feuilles de notes et ses équations et, au moyen d'un crayon blanc, reporta ses mesures sur le tableau avec une précision extrême. C'était un processus long et compliqué et le circuit qui prit forme peu à peu était très complexe. Les boutons de la console, lorsqu'on appuierait dessus, l'activeraient une fois que les fils seraient en place.

Terl vint à bout de cette phase. Il revêtit ensuite tout son diagramme d'une couche très fine de pâte rougeâtre. On parvenait à distinguer le dessin du circuit au travers et l'on pouvait le retracer aisément à l'aide d'un crayon.

Terl prit alors un couteau moléculaire à lame fine. Une extrémité découpait le métal en séparant les molécules, l'autre le « cousait » en rétablissant la cohésion moléculaire.

Terl se servait de la lame pour « coudre » le métal. Il se mit à suivre le tracé du circuit. Au fur et à mesure qu'il progressait, il laissait un sillon dans la fine couche de pâte rougeâtre. Ainsi, il savait à tout moment où il en était.

Jonnie l'observait intensément. Puis, brusquement, il se précipita hors de la pièce, gagna en courant une des réserves et s'y procura une plaque isolante et un couteau moléculaire.

Il traça une marque en diagonale en travers de la plaque avec la lame à « coudre » le métal, mit en place deux pinces aux extrémités de la marque et brancha l'électricité.

Le courant passa !

En réalignant les molécules de la matière isolante, on obtenait un tracé conducteur, un « fil » !

Jonnie avait remarqué que les Psychlos, lorsqu'ils découpaient ces tableaux aux dimensions requises pour installer des coupe-circuits, se servaient toujours d'une scie. Il avait pensé alors que les couteaux moléculaires étaient inefficaces. Ce qui était vrai, en quelque sorte. Mais, lorsqu'on réorientait les molécules, la matière isolante conduisait l'électricité d'un contact à l'autre.

Jonnie, rêveur, retourna à l'observation des activités de Terl.

Il lui avait fallu deux jours pour tracer ce nouveau circuit. Il était enfin achevé.

Terl prit alors un chiffon, du solvant et nettoya l'ensemble.

Il ne restait à présent aucune trace visible. Mais ce tableau « isolant » recelait désormais le tracé total d'un circuit particulièrement complexe.

Les composants visibles sur le dessous étaient absolument factices. Ils n'étaient pas destinés à fonctionner. Jamais. N'importe qui, examinant l'un de ces tableaux, conclurait que les fusibles avaient grillé. Des savants de races innombrables avaient sans doute passé des centaines d'années à essayer de trouver quelque sens à ce faux circuit et à établir son rapport avec les maths psychlos.

Terl, à présent, se livrait à une opération sur le coin supérieur gauche du tableau. Malheureusement, il avait fait tomber un livre ouvert de telle façon que la couverture occultait en grande partie ce qu'il faisait. Cela semblait avoir quelque rapport avec l'installation d'un interrupteur. Un interrupteur qui serait placé sur le sommet du panneau. D'après ce que Jonnie put voir sur les disques, l'interrupteur devait probablement être changé de position à chaque utilisation du tableau. En haut pour un premier tir, en bas pour le suivant, en haut à nouveau et ainsi de suite. Il était trompeusement appelé « Atténuateur ». Le composant auquel il était relié était parfaitement visible.

Il suffisait de manœuvrer incorrectement l'interrupteur, et le composant envoyait une surcharge à travers l'ensemble du tableau et effaçait le circuit invisible.

Mais Jonnie ne distinguait pas dans quelle position l'interrupteur était monté pour le premier tir.

Terl, maintenant, remettait le panneau en place.

Et Jonnie découvrit que le fait de desserrer les vis d'assemblage neutralisait le tableau.

Terl prit un gros aimant et le passa autour du bâti. Puis, à l'endroit précis où une vis entrait dans le panneau isolant, il inséra un fusible.

Jonnie descendit s'en procurer un. C'était un « fusible magnétique ». Tant que le courant passait, il fonctionnait. Dès qu'il y avait interruption du flux magnétique, il grillait. Pour ôter le haut d'une console, il fallait donc établir un champ magnétique autour.

Lorsque la vis touchait le rebord supérieur de la console, celui-ci maintenait en permanence un courant ténu. Dès que la vis était desserrée, le courant était interrompu et le fusible grillait.

Bien plus : en grillant, le fusible activait l'un des composants placés immédiatement en dessous et effaçait le circuit invisible sur l'ensemble du tableau.

Bref, pour ôter le dessus du panneau, il suffisait de disposer un générateur de champ magnétique à proximité de la vis et le fusible ne grillait pas.

Un circuit invisible, deux pièges destinés à l'effacer, plus un circuit factice pour distraire l'attention.

Tel était le secret des Psychlos.

Gravement, Jonnie effectua un nombre important de copies du circuit de

Terl. Il suffisait de disposer d'une plaque isolante pour le tracé. Les tampons de métal servaient à activer le circuit invisible. Tout cela pourrait être reproduit.

A l'exception d'un interrupteur. Et c'est pour cela que Jonnie restait grave. Il ignorait comment la pièce était montée. Il ne savait pas quelle devait être sa position pour chaque phase de tir.

Il visionna une fois encore les disques.

Non, il ne pouvait rien en tirer.

Il spécula un moment sur la possibilité d'exécuter plusieurs tableaux pour essayer de trouver. Mais non, ça pouvait avoir des conséquences imprévues.

Il établit un dossier complet et un ensemble de notes conséquent.

A partir de tout ça, ils ne pourraient certes pas construire des moteurs à téléportation, mais ils seraient peut-être en mesure de les ouvrir enfin et de retracer le circuit. Peut-être. Mais sans cet interrupteur...

Jonnie savait qu'il leur faudrait s'emparer de cette console, pour voir comment Terl avait réglé l'interrupteur.

C'était un risque terrible à prendre, qui pourrait coûter bien des vies humaines.

Mais il savait qu'ils n'avaient pas le choix.

9

Calmement, consciencieusement, Jonnie laissa toutes les instructions possibles et imaginables, au cas où il lui adviendrait quelque chose, ce qui était plus que probable avec ce raid américain. Il expliqua avec précision à Angus les complexités de la console. Il rédigea à son intention un grand nombre de notes, afin qu'il fût en mesure de reproduire et d'utiliser une telle console. Puis il lui expliqua ce qu'il pourrait faire avec.

Angus protesta violemment contre le fait que Jonnie participe au raid. Celui-ci répliqua qu'il n'avait pas l'intention de risquer la vie de qui que ce fût, car ce qu'il avait à accomplir était trop hasardeux. Il aurait une force d'appui de trente Écossais, plus dix conducteurs et quinze pilotes. Angus voulut insister, mais en vain. Si Robert le Renard avait été présent, à eux deux ils seraient peut-être parvenus à convaincre Jonnie, mais Sir Robert était en Amérique, occupé à diriger le déménagement de l'Académie, aussi Angus abandonna-t-il de mauvais gré.

Un attaché militaire de Sir Robert était présent et Jonnie lui fit un rapide exposé sur la situation militaire : les visiteurs attendaient quelque chose, mais quoi, il n'en était pas certain. Peut-être voulaient-ils voir si le dispositif de transfert fonctionnerait. Une analyse de leurs conversations montrait qu'ils observaient le camp américain, attendant que quelque chose se passe : les visiteurs y avaient vu des Psychlos (sans doute Terl et Ker) et semblaient penser que la base américaine était peut-être encore aux mains des Psychlos, ou en tout cas qu'il s'y passait des événements de portée politique. Jonnie s'attendait à ce que le ciel leur tombe dessus immédiatement après le tir de transfert, et l'alerte devait être maintenue en permanence en vue du 92ᵉ Jour, qui approchait rapidement.

Jonnie fit venir un autre officier écossais et lui donna des instructions précises. Il fallait qu'une plate-forme factice de diversion soit construite en toute hâte dans le secteur de Singapour. Il y avait là une mine, au nord-ouest de l'ancienne ville-d'hommes abandonnée. Les Psychlos en avaient extrait de l'étain, du titane et du tungstène. L'énergie était d'origine hydro-électrique à cent pour cent, il y avait un blindage atmosphérique et un stock important de matériel et d'avions. Une poignée de Chinois, trois pilotes, un communicateur et un coordinateur, commandés par l'officier écossais, seraient chargés de bâtir la plate-forme et d'installer les poteaux. Jonnie leur confia l'ancienne console brûlée qu'ils repeignirent. Sous la protection du câble d'ionisation, ils devraient faire comme s'ils effectuaient un véritable transfert, avec des objets apparaissant et disparaissant. Lorsque les avions quitteraient la base américaine avec la véritable console, le plus gros de l'escorte serait dévié sur Singapour afin d'attirer les éventuels poursuivants. Depuis le début, la plate-forme de Kariba avait été dissimulée par des filets de camouflage et les conversations des visiteurs montraient qu'ils croyaient qu'il s'agissait d'un temple. Jonnie prévint l'officier que l'attaque serait très meurtrière sur le secteur de Singapour. Mais l'Écossais se contenta de sourire, rassembla ses hommes et le matériel et décolla.

Jonnie effectua une visite éclair à Kariba. Les Chinois avaient fait un travail magnifique. Un toit avait été installé sous l'écran, par-dessus la plate-forme, maintenu entièrement par des chevilles de bois. Des aiguilles et des pignons en saillie lui conféraient un aspect très esthétique. Tout autour, il y avait de nombreux dragons, moulés dans l'argile, sculptés dans le bois. A l'extrémité de chaque poutre, ils dardaient leurs gueules ardentes et lovaient leurs queues écailleuses. Dans le cône protégé, on avait aménagé des bunkers. Tous les intérieurs étaient dallés et ils disposaient même d'un petit hôpital. Le village se trouvait sur la rive du lac, abrité par le câble atmosphérique. L'ensemble était coloré et attrayant et évoquait plus un parc qu'une installation militaire.

Le docteur Allen s'était procuré le jus d'une plante dans l'ancienne région de Nairobi. Elle portait le nom de « pyrèthre ». C'était un produit très efficace pour détruire les insectes. En dépit des nombreux animaux qui vivaient dans la forêt et qui attiraient les mouches, personne n'avait encore été atteint par la maladie du sommeil.

Ce soir-là les habitants du village chantèrent en s'accompagnant avec de curieux instruments. Jonnie enregistra leur musique. Il leur demanda ensuite d'installer des haut-parleurs qui diffuseraient l'enregistrement dès que le secteur serait en état d'alerte, ce qui brouillerait l'écoute des visiteurs du ciel. En ajoutant à cela l'interférence créée par le câble de blindage, ils seraient dans l'incapacité de savoir ce qui se passait dans le secteur.

Lorsque Jonnie revint au camp africain, on était le 87ᵉ Jour. Il trouva Stormalong qui était arrivé avec de nouveaux disques. Ils lui révélèrent les codes de couleur des câbles et des fils des poteaux de la plate-forme. Il leur suffirait de démonter le câblage de la console américaine et de le reconnecter à Kariba. Jonnie donna le code à Angus.

Stormalong annonça que c'était son dernier aller-retour, aussi Jonnie lui résuma-t-il en détail la situation militaire. Il avait la conviction que les visiteurs attaqueraient en force dès que le tir de transfert aurait eu lieu en Amérique. Stormalong devait dès maintenant prendre le commandement de toutes les défenses aériennes de la planète. Jonnie refusa qu'il participe au raid. Dunneldeen assurerait la couverture aérienne et Thor ferait partie du raid. Jonnie regrettait l'absence de Robert le Renard qui se chargeait généralement des préparatifs et des briefings avant le combat.

Tout comme Angus, Stormalong s'opposait à ce que Jonnie participe au raid. Il lui dit que l'Amérique n'avait plus personne, que l'Académie était déserte. Jonnie ne disposerait que de sa seule force d'attaque. Il savait bien sûr que chacun des hommes avait été surentraîné, mais les Brigantes étaient très, très nombreux. A peine les Écossais avaient-ils retiré les enregistreurs placés en trois endroits de l'Académie, que les Brigantes s'étaient mis à tout piller systématiquement. Mais, ne disposant pas de l'appui de Sir Robert, Stormalong ne put dissuader Jonnie.

Alors que Jonnie montait vers le niveau supérieur du camp, il rencontra Ker.

Le petit Psychlo était tout sourire. Ils échangèrent une « poignée de pattes ». Il cherchait Jonnie : il voulait lui montrer un de ces billets idiots qu'ils imprimaient en Amérique et avec lesquels il avait été « payé ». Jonnie l'entraîna dans un bureau désert et secoua la tête en voyant la coupure de cent crédits avec le portrait de Brown Staffor le Boiteux.

- Ces machins ne valent rien ! dit Ker. Les Brigantes les jettent dans les rues !

Ker se réjouissait d'avoir quitté ce secteur. Il expliqua tout par le menu à Jonnie :

- Et il m'a offert sept cent cinquante mille crédits galactiques dont je ne verrai jamais la couleur. Je n'ai jamais vu un Psychlo aussi dérangé ! Complètement taré, pas comme nous autres les demi-humains !

Ker éclata de rire à cette boutade.

Il remit à Jonnie le plan définitif de la plate-forme de transfert et de ses alentours immédiats. Il n'y avait là rien de neuf. Ker avait creusé et fait exactement selon le plan. C'était le même que celui pour lequel la force d'assaut avait été entraînée et Ker assura à Jonnie que tout était bien en place.

Mais le petit Psychlo n'avait pas encore compris que Jonnie participerait lui-même au raid. Quand il l'apprit, il devint très grave.

- Ce Terl est un démon. Avec lui, on peut s'attendre à des surprises. Ça ne me plaît pas que tu y ailles, Jonnie.

Jonnie rétorqua qu'il devait y aller.

- Et si tu te retrouves en face d'une unité de combat psychlo envoyée par la Compagnie ? demanda Ker.

- Ça me paraît douteux. Et nous avons un cadeau pour Psychlo.

- Je l'espère. Je vais y laisser tous mes poils et ma tête si jamais ils reviennent. Le B.I.E. mettra des jours à me faire mourir !

- Je ne pense pas que tu aies de soucis à te faire, le rassura Jonnie. Mais reste à l'abri ici. Il y a pas mal de prisonniers ennemis, ainsi que les derniers Psychlos. Tu pourrais peut-être leur apprendre à jouer aux cartes !

Ker rit. Puis il demanda :

- Est-ce que celui que tu appelles Sir Robert est revenu ici ?

- Pourquoi ?

- Eh bien, on l'a perdu de vue au beau milieu du déménagement de l'Académie. Je voulais vérifier quelques petits points avec lui et je n'ai pas réussi à mettre la patte sur lui. Et Dunneldeen l'a cherché également. Il n'est pas à Edinburgh, ni au Luxembourg, ni en Russie. Je pensais qu'il devait être ici. Si je demande cela, c'est parce qu'il connaît toute la disposition de tes forces et même certains points de détail du raid.

Cette nouvelle inquiéta Jonnie. Il éluda la question de Ker en disant :

- Jamais ils ne réussiraient à le faire parler.
- Le B.I.E. peut faire parler n'importe qui.
- Pour autant qu'on sache, l'ennemi ne l'a pas capturé.

Mais, peu après, Jonnie se mit à poser lui-même des questions à propos de Sir Robert. On ne l'avait vu nulle part récemment. Quelques transporteurs avaient été abattus par l'ennemi, entre l'Amérique et l'Écosse. Sir Robert avait-il fait partie des passagers ?

Mais Sir Robert connaissait peu de détails du raid. Il n'y avait donc aucune raison de changer leur plan à la dernière minute.

Jonnie passa son dernier jour au Lac Victoria à mettre de l'ordre dans ses affaires personnelles. Il ne se faisait pas d'illusions : ce raid serait dangereux.

Il écrivit une lettre à l'intention de Chrissie. Il savait que le pasteur la lui lirait. Il laissa l'enveloppe bien en évidence sur son bureau : « Pour Chrissie, au cas où il m'arriverait quelque chose. »

Il avait entendu parler des testaments que l'on écrivait pour transmettre ses biens personnels. Il en commença un. Tout ce qu'il avait, c'était ses chevaux plus quelques objets et vêtements. Il ne lui venait rien d'autre à l'esprit. Puis il se dit que Chrissie avait peut-être mis la maison qu'elle habitait à Edinburgh à son nom. Aussi rédigea-t-il une clause pour que ce bien, et tout ce qu'il contenait revienne à Chrissie. Il se souvint ensuite des quelques livres qu'il avait et il les laissa à Pattie. Il eut beau chercher ensuite, il ne se rappela rien d'autre. Mais les gens penseraient peut-être que des cadeaux tels que la AK 47 chromée étaient son bien. Il n'y en avait sans doute pas beaucoup, mais on ne savait jamais. Aussi ajouta-t-il : « Et tout autre bien que l'on pourrait trouver en ma possession sera divisé à parts égales entre... » Il cita les noms des hommes qui avaient été les plus proches de lui. Il réfléchit un instant et ajouta celui de Ker.

Il avait également entendu dire qu'on devait signer ces choses et les faire attester, aussi s'acquitta-t-il de tout cela avant de glisser le testament dans une enveloppe qu'il plaça à côté de la lettre pour Chrissie.

Avec le sentiment d'avoir fait les choses correctement, il passa le reste de l'après-midi à vérifier son armement et son matériel, à s'assurer que sa tenue anti-radiations n'était pas trouée, que les réserves d'air de son masque étaient pleines et que sa demi-douzaine de bâtons-à-tuer étaient en bon état. Il mit dans sa besace des copies des derniers contrats de vente signés par Terl. Il vérifia le caisson qui contenait la bombe au béryl ainsi que le tranchant de la hachette avec laquelle il devrait couper les câbles de la console.

Il se sentait prêt et prit une bonne nuit de sommeil. En cette veille de raid, c'était vital. Il avait fait tout ce qui était en son pouvoir. A présent, leur sort était entre les mains des dieux. Ou bien de ce démon de Terl.

VINGT-QUATRIÈME PARTIE

1

Un vent froid se leva avec l'aube du 92ᵉ Jour sur le camp américain. Au milieu de la matinée, à quatre heures du tir, il se mit à neiger. Bien que l'année fût déjà assez avancée, la neige tombait dru, en gros flocons qui tourbillonnaient dans les rafales de vent.

Peu importait à Terl. Il jubilait. C'était son dernier jour sur Terre.

Jusque-là, tout s'était bien passé. Du lever du jour aux premiers flocons de neige, il avait été à l'extérieur, occupé à vérifier les câbles et les fils. C'était presque avec amour qu'il avait poli une ultime fois les bornes de connexion, ces points de contact qui transformaient l'espace et qui allaient le ramener sur sa planète.

Il avait bâti une histoire formidable. Il raconterait en arrivant qu'il y avait eu une mutinerie, que tout le monde avait été acheté par une race étrangère. Et comment lui, Terl, en se battant bravement, avait sauvé la technologie de la Compagnie, mais avait été contraint, hélas, d'utiliser la bombe absolue pour avoir la certitude que la Compagnie ne serait plus trahie. Sur Psychlo, on le croirait. Bien sûr, ils enverraient une caméra pour vérifier, mais elle n'enregistrerait que l'image d'une tache noire.

Puis il prendrait sa retraite en invoquant que tout cela avait été trop pour lui. Puis, par une belle nuit, il irait jusqu'au cimetière, il creuserait tranquillement et deviendrait plus riche de dix couvercles en or et de deux milliards de crédits. Il dévoilerait sa richesse peu à peu, en disant qu'il avait fait des bénéfices sur les marchés boursiers des divers univers.

C'était un plan parfait.

Il musardait depuis quelques minutes, se demandant quand l'escouade spéciale des Brigantes descendrait des montagnes. Il n'aimait pas trop rester à l'extérieur. Il abominait cette planète. Mais aujourd'hui, pourtant, le gaz de son masque respiratoire ne semblait pas le rendre malade et, après tout, c'était un grand jour.

Et voilà qu'ils arrivaient : les Brigantes de l'escouade spéciale. Comme il le leur avait ordonné, ils avaient apporté le colis avec eux. Il était long et ils lui avaient donné l'apparence d'un simple bagage. Juste avant le tir, Terl l'ouvrirait à une extrémité et l'un des gardes du corps de Snith y appliquerait un masque à oxygène. Et ceux qui verraient le colis réfléchiraient à deux fois avant de donner l'assaut à la plate-forme !

Terl dit à l'escouade de déposer le colis au milieu de la plate-forme et de se tenir prête.

A présent, il devait passer à la phase suivante. Terl regagna le camp, prit le petit engin de levage qu'il avait garé dans le couloir et, ainsi muni, retourna à son bureau.

Il se demanda s'il devait d'abord emporter les cercueils ou bien la console. Les cercueils craignaient moins les intempéries. Avec les Brigantes, personne ne se hasarderait à les voler. Et ils étaient trop lourds.

Son regard se posa sur le tapis de son bureau. Terl se figea. Il y avait une trace de poussière. Puis il se dit que c'était probablement lui-même qui l'avait faite. Son X était bien lisible sur chacun des cercueils.

En conducteur expert, il lui suffit de quatre voyages rapides pour aller déposer les cercueils sur la plate-forme. A chaque voyage, il répéta aux Brigantes de l'escouade de se tenir en état d'alerte et de ne pas quitter les cercueils des yeux.

Maintenant, c'était au tour de la console. Il la fit basculer sur une arête pour accéder au fond creux. Puis il prit dans un placard la bombe qu'il avait préparée et la fixa sous le fond. Mais il ne la régla pas encore. Juste avant le tir de transfert, il la réglerait sur dix minutes. Le transfert lui-même durerait trois minutes - il avait décidé d'y aller doucement - et l'effet de recul se produirait environ quarante secondes plus tard. Donc, six minutes et vingt secondes après le tir : Boum ! Plus de console !

Il souleva la console et alla la déposer sur la grande plate-forme de métal construite pour la supporter. Elle mesurait trois mètres sur deux mètres et se trouvait immédiatement à l'intérieur de la zone de blindage atmosphérique. Tout avait été parfaitement calculé. Les grandes barres qui commandaient le câble atmosphérique avaient depuis longtemps été reliées à un tableau de commandes surélevé. Terl ne s'était pas attendu à cette chute de neige, mais il avait fait placer un capot sur le tableau du câble. Cependant, il n'avait rien prévu pour protéger la console elle-même, aussi fut-il obligé de jeter une bâche dessus pour abriter les boutons de la neige.

Il mit la console en position. Ensuite il sortit l'engin de levage du secteur de téléportation et l'abandonna un peu plus loin. En plein air, sous les rafales de neige. Quelle importance ? Ces animaux avaient laissé des machines un peu partout : de grandes grues magnétiques, des pelleteuses, des excavatrices. Quelle pagaille !

Terl entreprit de connecter les câbles d'électricité des poteaux à la console. Ils étaient aussi épais que nombreux. Il n'avait pas envie de se prendre les pieds dedans en revenant de la console, lorsqu'il aurait composé les coordonnées de la plate-forme, aussi les attacha-t-il tous ensemble. Ce qui fit un énorme serpent de quinze centimètres de diamètre.

Il revérifia les codes de couleur. Oui, tout était correct.

Il s'assura du fonctionnement du câble atmosphérique en l'activant. Un paquet de neige fraîche s'envola en cercle. Parfait, ça fonctionnait. Il coupa le contact.

Il vérifia que le courant arrivait bien à la console. Oui.

Puis il regarda sa montre.

Il restait une bonne heure avant le tir. C'était le moment de s'envoyer une gorgée de kerbango.

Il alla inspecter son bureau. C'était la dernière fois qu'il le voyait. *La dernière fois.* Par tous les diables, que c'était bon !

Il ouvrit les placards et se mit à tout jeter dans la poubelle à recyclage. Puis il fit de même avec tout ce qui se trouvait dans les doubles fonds. Les chefs de la sécurité avaient des habitudes bien ancrées. Suivirent ensuite toutes les liasses de formules et de notes. Il s'aperçut alors que le recycleur ne fonctionnait pas. Mais oui, bien sûr, il avait dû faire sauter les fusibles en activant le câble de blindage atmosphérique. Quelle importance après tout ? Cette planète tout entière serait bientôt réduite en fumée.

Il se rendit alors à la penderie, y prit son uniforme et ses bottes et se changea en hâte. Il coiffa sa casquette de parade. Puis il se regarda dans le miroir. Excellent !

Il jeta divers objets et effets dans son sac de voyage avant de regarder une fois encore sa montre. Vingt minutes.

Par-delà le toit du camp, il vit que la neige tombait de plus en plus dru. Qui s'en souciait ?

Il chaussa un masque respiratoire avec des recharges pleines, prit la bombe absolue magnifiquement emballée - et si difficile à déballer - son nécessaire de voyage, et quitta définitivement son bureau.

Tout était prêt !

Les cinq cents Brigantes, abritant leurs arcs de la neige, semblaient souffrir du froid, même avec leurs manteaux de buffle. Ils s'étaient placés dans la formation ordonnée par Terl : en cercle, le dos au câble atmosphérique. Ils constituaient une muraille presque homogène.

Le Cap'tain Arf Moiphy semblait les commander tous. Terl s'adressa à lui d'un ton sévère :

- Vous et vos hommes avez bien compris que vous ne devez vous servir que de vos arcs, de vos flèches empoisonnées, de vos couteaux et de vos baïonnettes. Il n'est pas question d'éclateurs ou d'armes à poudre !

- On a compris tout ça ! lança le général Snith depuis la plate-forme.

Terl se retourna. Ah, très bien ! Le général Snith, accompagné d'une garde d'honneur de six Brigantes, tous avec des masques à air, se tenait sur la plate-forme. Ils étaient eux aussi armés d'arcs qu'ils protégeaient de la neige.

Terl regarda autour de lui. Il était difficile de distinguer clairement quelque chose avec tous ces flocons qui dansaient dans le vent. Il avait perçu un bruit de voix.

Qu'est-ce que ça pouvait bien être ? Nom d'une nébuleuse, toute la tribu des Brigantes s'était rassemblée près de la morgue pour assister au départ du général Snith ! Stupéfiant ! Toutes les femmes étaient engoncées dans d'épais manteaux pour affronter la neige, et les mercenaires qui n'étaient pas de service s'étaient joints à elles. Quelle clique répugnante ! C'était une bonne chose qu'il porte un masque, car leur odeur était atroce !

Puis il aperçut Brown Staffor et Lars Thorenson. Ils avaient rallié le plateau à bord d'un véhicule de sol. C'était justement les deux personnes qu'il voulait voir.

Il se porta à leur rencontre.

Au lieu de dire « Au revoir » ou « J'ai eu grand plaisir à vous connaître », Brown Staffor lança :

- Je ne vois pas Tyler !

Terl s'arrêta devant lui. Brown le Boiteux était drapé dans une espèce de fourrure d'apparence coûteuse. La neige s'accumulait sur ses cheveux et sur son col. Son regard semblait fiévreux, trop brillant.

- Oh, il va arriver, dit Terl. Il va arriver.

Il baissa les yeux sur les pieds du Boiteux. Il vit une mallette, plutôt grosse, longue d'un mètre. Ah ! Ah ! Terl se pencha et, avant que Brown ou Lars aient pu l'en empêcher, il s'empara de la mallette et, d'un coup de patte, brisa net les verrous.

Une mitraillette Thompson ! Ainsi, il avait eu raison de se méfier de cet animal ! Pendant un tir de transfert, un seul projectile de cette chose suffirait à faire sauter la plate-forme !

Terl prit l'arme par le canon et, avec ses pattes, la tordit en un demi-cercle. Puis il la jeta sur le côté.

- Ça, ce n'est pas bien, dit-il. Vous auriez pu tout faire sauter.

Brown Staffor ne parut pas troublé. Il avait toujours ce regard furtif.

Terl prit l'arme que Lars avait dans son ceinturon, ôta le chargeur et la lança à quinze mètres de là.

- On ne tire pas ! proféra-t-il en agitant une griffe menaçante devant leurs visages.

Il se demanda si Brown Staffor cachait autre chose. Il paraissait plutôt ébranlé, mais n'avait pas réagi pour les armes.

- Regardez, reprit Terl d'un ton enjôleur, j'ai un joli cadeau pour me faire pardonner.

Il tendit à Brown Staffor la bombe soigneusement emballée. Elle pesait près de quarante kilos et, en la prenant, le Boiteux faillit la lâcher. Terl, avec une certaine angoisse, la rattrapa in extremis. Il la rendit à Brown en s'efforçant de sourire.

- C'est un très beau cadeau, ajouta-t-il. Ouvrez-le quand je serai parti et vous y trouverez la réponse à vos rêves les plus fous. Comme ça, vous vous souviendrez de moi.

Il ne courait aucun danger en leur donnant la bombe maintenant : il leur faudrait une bonne heure pour la déballer. Et ensuite, ils soulèveraient le couvercle et... boum ! Plus de planète !

Terl tapota le crâne de Brown Staffor et jeta un coup d'œil à sa montre. Il avait largement le temps. Il se dirigea vers la plate-forme. Le Cap'tain Arf Moiphy fit mettre ses hommes au garde-à-vous comme il passait devant eux.

D'une démarche assurée, martiale, Terl s'avança vers la console.

Il se pencha et abaissa la barre de contact du câble de blindage atmosphérique. La neige s'envola sur toute sa longueur. Très bien ! Il était désormais à l'abri ! Une muraille infranchissable entourait la console et la plate-forme et, au-delà, il y avait un autre mur, vivant, d'hommes armés.

Il regarda sa montre. Oui, il lui restait encore du temps. Il alla jusqu'aux bagages et ajouta son nécessaire de voyage à la pile. Il remarqua que les Brigantes avaient amené une énorme cargaison de bouteilles d'air.

Le général Snith, en manteau de buffle militaire, le « diamant » agrafé à sa casquette, ses cartouchières chargées de flèches empoisonnées, le salua en se frappant la poitrine. Mais il demanda cependant :

- Pas de blagues, hein ? Vous allez bien faire le change de tout ça ?

Il montrait l'impressionnante pile de coupures. Toutes de Brown Staffor.

- Absolument, le rassura Terl. Les crédits vont là où ils sont dus ! De plus, vous m'avez en otage, non ?

Snith fut instantanément rassuré.

A propos d'otage... se dit Terl. Il se pencha sur le long colis apporté par les Brigantes et ouvrit le haut. Des yeux noirs, furibonds, le regardèrent. Il fit signe au Brigante de garde et l'homme, aussitôt, mit un masque à air sur le visage et glissa la bouteille de réserve sur la poitrine avant de la fixer. Il faillit être mordu !

Une nouvelle fois, Terl regarda l'heure. Le moment du tir approchait. Il se rendit à la console.

Il poussa vers le haut l'interrupteur du coin supérieur gauche de la console. Puis il appuya sur le levier de contact et les boutons de la console s'illuminèrent.

Assis, immobile, Terl compta les secondes. Puis il composa sur les touches les coordonnées depuis longtemps mémorisées. Il consulta à nouveau sa montre, puis appuya sur le bouton de déclenchement du tir.

Il souleva aussitôt la console et activa la bombe réglée sur dix minutes.

Les câbles se mirent à bourdonner tout doucement.

A la limite de son champ visuel, il vit un homme se dresser derrière le véhicule de Brown Staffor. Il portait une tenue anti-radiations. Terl regarda plus attentivement. On aurait dit l'animal. Oui, ce devait être l'animal.

Ha! Brown Staffor avait quand même réussi à avoir son Tyler, après tout! Terl alla se placer au centre de la plate-forme.

Le bourdonnement s'accentuait. Quelle joie de penser qu'il serait en sécurité sur Psychlo dans moins de trois minutes!

2

Brown Staffor avait bouillonné de fureur lorsque Terl avait découvert la mitraillette. Mais en voyant la façon dont il avait tordu le canon, il avait gardé son calme. Cet énorme monstre était vraiment *très* fort.

Il avait donc accepté impassiblement le cadeau. A en juger par le poids, ce devait être de l'or. Il n'avait pas le moindre scrupule à accepter de l'or en présent, même si cela ressemblait à de la corruption. Il l'avait mérité. Mais ce n'était pas réellement à cela que son esprit s'attachait. Il se demandait où était caché Tyler.

Il décida cependant qu'il attendrait que Terl soit bien en sûreté devant cette console.

Il vit le salut du cap'tain Moiphy. Il vit aussi les Brigantes entrer en action et mettre des flèches empoisonnées à leurs arcs. Il remarqua brusquement que Terl gardait quelqu'un enfermé dans cet énorme colis. Tyler? Non, impossible: Terl l'aurait prévenu. Mais peut-être était-ce Tyler, après tout. Peut-être Terl l'avait-il trahi! Mais non, impossible que ce soit Tyler. Mais alors qui? Après tout, pourquoi pas Tyler? Ils avaient mis un masque à air sur celui qui se trouvait là-dedans. Donc, ils avaient l'intention de l'emmener sur Psychlo!

Non, ce ne pouvait être Tyler.

Ou alors...

Lorsque la neige s'était envolée du sol, Brown avait été quelque peu inquiet. Mais il ne s'était rien passé d'autre, si ce n'est que Terl s'était dirigé vers ce grand colis.

Ah, Terl revenait enfin vers la console. Il avait dit à Brown que les câbles bourdonneraient.

Il attendait cet instant.

Il était difficile de bien voir dans toute cette neige. Toutes les choses étaient estompées par l'éclat de la lumière blanche et les tourbillons de flocons.

Il fallait donc qu'il écoute, qu'il tende l'oreille.

Il crut percevoir le début du bourdonnement. Mais il ne pouvait en être certain, à cause du sifflement du vent et des cris d'adieu que lançaient les Brigantes à l'adresse du général Snith. Brown se dit qu'il valait mieux attendre jusqu'à ce que Terl regagne le centre de la plate-forme avant de tenter la moindre action.

A l'arrière du véhicule, il y avait une autre mitraillette. Brown avait pensé à tout.

A l'instant où Terl serait au centre de la plate-forme, Brown plongerait dans le véhicule, prendrait la mitraillette, la chargerait, se précipiterait jusqu'à la plate-forme et arroserait tout. Oui, dans ce ballot, ce devait être Tyler !

Brown demeura donc immobile, avec le « cadeau » entre les bras, attendant que Terl s'éloigne de la console. Les hurlements des Brigantes et le sifflement du vent l'empêchaient d'entendre le bourdonnement. Le bourdonnement avait-il commencé ?

Il valait mieux attendre l'ultime instant. Terl, alors, serait dans l'impossibilité de se précipiter hors de la plate-forme pour tenter de l'arrêter.

Il n'entendit pas le bruit d'une course rapide derrière lui.

Brusquement, deux mains se tendirent pour se saisir du « cadeau » ! Il vit la visière d'un masque anti-radiations et, derrière cette visière, un masque respiratoire.

Puis une barbe blonde, à travers le double écran de verre au plomb.

Tyler l'attaquait !

- Cours ! cria l'homme au masque.

Il lui arracha le « cadeau » de Terl.

- Sauve-toi !

Puis l'homme fit demi-tour et, serrant le paquet, il courut vers les hangars. Très vite, sa silhouette devint indistincte dans la neige.

- Descends-le ! cria Brown à l'adresse de Lars.

Il pivota sur lui-même. Lars s'enfuyait ! Il était déjà à plus de trente mètres, à demi perdu dans les tourbillons de neige, courant de toutes ses jambes vers Denver.

Et puis, quelque chose s'imposa à l'esprit du Boiteux. Cette voix ! Il connaissait la voix de Tyler. Même à travers ces masques, ce ne pouvait être la voix de Tyler. De plus, il lui avait semblé reconnaître un accent suédois.

Mais Tyler devait être là. Quelque part.

Brown se rua vers le véhicule pour y prendre la seconde mitraillette. Il trouva la porte verrouillée.

Avec un gémissement de désespoir, il fit le tour du véhicule pour ouvrir l'autre porte. Il lui fallait cette mitraillette.

Brusquement, par-dessus les cris des Brigantes, il entendit la voix de Tyler. Elle venait de la plate-forme. Oui, c'était bien sa voix ! Il n'avait pas une seconde à perdre.

3

Dwight se redressa prudemment, immédiatement derrière le bord du ravin. Il portait une tenue de camouflage anti-radiations et, sous la visière de verre au plomb, un masque respiratoire.

Dès que Terl pénétra dans le secteur de la plate-forme, Dwight leva la radio tout contre sa visière et lança :

- Première alerte !

Dwight avait commandé les équipes qui avaient travaillé sur le filon et il savait manier les hommes. De plus, il avait la réputation de suivre strictement les ordres, sans jamais en dévier. C'est pour ces deux raisons qu'il avait été choisi pour diriger le raid.

Ils s'étaient glissés peu après minuit dans les cercueils de plomb enterrés à intervalles réguliers autour du périmètre de la plate-forme. Ils avaient été mis en place depuis longtemps par Ker et les cadets, de nuit, lors de l'installation du câble de blindage atmosphérique. Ils avaient été recouverts de terre et, à présent, ils étaient également couverts de neige.

Ils avaient pu s'y dissimuler sans difficulté. Les sentinelles brigantes, ivres de whisky comme elles l'étaient depuis deux mois, n'avaient rien vu.

Dwight était un peu superstitieux. Tout s'était passé trop bien. Jonnie était à l'intérieur du secteur protégé par le câble, dans un cercueil, au bord de la plate-forme de tir. Ils avaient calculé qu'il ne risquait pas d'être atteint par les tirs du dehors. Mais Dwight était figé d'appréhension à la seule pensée de savoir Jonnie là-bas, seul au milieu de ces bêtes sauvages. Il avait tenté de le persuader de laisser quelqu'un d'autre prendre sa place, mais Jonnie avait dit non, il ne laisserait personne d'autre courir ce risque. Il fallait que quelqu'un soit sur place pour déconnecter le blindage atmosphérique. Pour utiliser la télécommande afin d'actionner la grue qui déposerait un dôme de protection sur la console. La grue ne pourrait jamais accéder à la console et mettre le dôme blindé en place tant que le câble fonctionnerait. Jonnie avait aussi mentionné un interrupteur dont la position ne pourrait être déterminée qu'à l'instant du tir de transfert, un interrupteur dont la position risquait de changer automatiquement dès que le bourdonnement des câbles cesserait. Et il fallait que quelqu'un soit sur place pour sectionner les câblages de la console. Dwight avait demandé à envoyer trois hommes, mais Jonnie avait refusé : jamais ils ne tiendraient à quatre sous le dôme, avec la console.

Terl, à présent, s'était rendu jusqu'à la console. Dwight dit : « Deuxième alerte ! »

La troisième alerte serait donnée à l'instant précis où Terl appuierait sur le bouton de mise à feu. Et ils déclencheraient leur action quand il serait au centre de la plate-forme et que les câbles se seraient mis à bourdonner.

Dwight et son équipe ne disposaient que d'une minute et demie pour accomplir leur tâche. En Afrique, ils l'avaient répétée mille fois. Mais on ne pouvait jamais être certain.

Les tourbillons de neige rendaient la visibilité sporadique. Mais Dwight voyait ce qu'il avait à voir. Bonté divine, les Brigantes étaient vraiment nombreux ! Ils formaient une véritable muraille humaine sur le périmètre de la plate-forme, le dos collé au câble d'ionisation atmosphérique. Leurs lourds manteaux de buffle leur conféraient un aspect massif. Ils abritaient leurs arcs de la neige mais les flèches empoisonnées qui brillaient à leurs ceinturons étaient bien visibles.

Le docteur Allen leur avait donné de rapides explications à propos de ces flèches. L'effet du poison était lent mais mortel. Il provoquait une accélération de l'influx nerveux qui conduisait à la mort. Il avait mis au point un antidote et leur avait fait à chacun une petite injection, mais il avait ajouté que toute blessure n'en nécessiterait pas moins d'être immédiatement soignée. Ils avaient tous emporté une ampoule de sérum et Dwight espérait que celui-ci serait efficace en cas de besoin.

Il remarqua alors qu'il y avait sept Brigantes sur la plate-forme. Celui-là, là-bas, était-ce celui qu'ils appelaient le général Snith ? Plus six hommes ? Ils ne s'étaient pas attendus à ça. Snith devait être complètement cinglé pour accepter d'être transféré sur Psychlo. Mais Jonnie ! Il n'avait pas prévu cela dans ses plans. Était-il encore temps de faire quelque chose ? Mais les ordres de Dwight étaient très stricts. Il devait s'en tenir à sa tâche, rien d'autre.

Sur la plate-forme, il y avait autre chose, une forme ligotée. Qui était-ce ? Mon dieu, le plan de Jonnie ne marcherait pas ! Il serait effectivement dans la place, mais sans défense ! Dwight serra les dents. Ses ordres étaient stricts. Il devait s'y tenir. N'accomplir que sa tâche. Mais en pensant à Jonnie, il se sentait gagné par le désespoir.

Près de la morgue, la tribu des Brigantes se déchaînait en vivats et en cris. Ceux-là ne seraient pas dangereux. Dwight reporta son attention sur Terl. Le Psychlo appuya sur le bouton de mise à feu.

- Troisième alerte ! lança Dwight dans la radio de mine.

Les armes qu'ils allaient utiliser n'arrêteraient pas le transfert. Ils les avaient testées. Et ils disposaient aussi d'armes nucléaires au cas où des Psychlos surgiraient sur la plate-forme en provenance de Psychlo.

Terl s'avança vers le centre de la plate-forme. Il s'arrêta. Le bourdonnement avait commencé. Il dominait les cris et le vent. Dwight perçut la voix de Jonnie. C'était trop tôt !

Dwight accomplirait sa mission, quoi qu'il arrive.

- A l'attaque ! lança-t-il dans la radio.

Trente Écossais rejetèrent le couvercle de leur cercueil. Vingt-cinq d'entre eux braquèrent leur lance-flammes. Un vingt-sixième se tint prêt à se ruer vers la grue. Quatre restèrent derrière en réserve.

Feu ! Les vingt-cinq lance-flammes russes pointés sur les Brigantes crachèrent leur mortel torrent orange.

L'enfer liquide et grondant tailla dans la muraille vivante des Brigantes.

Un cri de guerre écossais retentit :

- Pour Allison !
- Pour Bittie !
- Et vive l'Écosse !

Dwight enfonça la touche de commande d'un haut-parleur dissimulé. Ils avaient enregistré le bruit d'un troupeau d'éléphants qui chargeaient en barrissant, un son qui répandrait la terreur parmi les mercenaires.

Les Brigantes s'avancèrent en tentant de bander leurs arcs, mais les flammes grillèrent les cordes. Les Brigantes sortirent alors leurs baïonnettes pour charger.

Les hurlements de la tribu s'ajoutaient au tumulte. Les hommes et les femmes se dispersèrent et se précipitèrent dans la plaine, trébuchant les uns sur les autres dans leur hâte.

Le lance-flammes d'un des Écossais venait de s'éteindre. Un groupe de Brigantes l'attaquait déjà à la baïonnette.

- Couvrez Andrew ! aboya Dwight.

De part et d'autre de l'homme attaqué, les Écossais élargirent leur champ de tir. Andrew sortit sa claymore. Il abattit l'officier brigante avant de s'effondrer à son tour.

Deux des hommes de réserve se lancèrent à l'assaut de la mêlée avec leurs grandes lochabers et massacrèrent les Brigantes qui s'acharnaient sur Andrew.

Dwight jeta un coup d'œil à sa montre : encore cinquante-huit secondes.

Les lance-flammes déversaient toujours leur ruisseau ardent sur les Brigantes dont les manteaux de buffle et les tenues en peau de singe devenaient autant de boules de feu. Ils tentèrent une nouvelle contre-attaque.

Dwight essaya de distinguer quelque chose au travers des flammes et de la neige. La grue. Elle aurait déjà dû être en marche !

Oui ! Le conducteur l'avait atteinte. L'un des hommes de réserve le couvrait avec son lance-flammes.

Le dôme qui devait recouvrir la console avait été enfoui dans le sol et le câble était déjà en place. Ce dôme avait été confectionné avec le blindage d'un tank et sa base avait été munie de patins d'avion qui le souderaient hermétiquement au métal de la plate-forme de la console.

Dwight vit le bras de la grue qui s'inclinait. Le conducteur le faisait se balancer violemment pour arracher le dôme au sol.

Il y parvint enfin.

Le dôme se souleva brusquement. Il oscilla et l'opérateur réussit à le stabiliser.

Des Brigantes se précipitèrent sur la grue et un Écossais de réserve les arrosa de flammes.

Posément, le conducteur de la grue déplaçait le dôme. Il ne pouvait aller au-delà de l'écran atmosphérique. Dwight le vit mettre la grue en télécommande. Jonnie avait le boîtier avec lui et le reste dépendrait de lui s'il parvenait à couper le courant qui alimentait le câble atmosphérique.

Dwight essaya de distinguer ce qui se passait sur la plate-forme. Mais la neige, la fumée et les arcs de flammes grondants l'empêchaient de voir clairement. Il savait que Jonnie avait besoin d'aide. En grinçant des dents, il poursuivit la tâche qui lui avait été assignée.

Çà et là, sur le périmètre, les lance-flammes s'éteignaient. Devaient-ils les recharger ? Non. Les Brigantes n'étaient plus que des piles de corps carbonisés. Une fumée noire et grasse s'élevait au-dessus de la neige.

Dwight consulta sa montre. Ils avaient encore du temps. Il devrait se replier à couvert dès que Jonnie aurait neutralisé le câble et que le dôme s'abaisserait sur la console. Les ordres étaient ensuite de se mettre à l'abri dans les cercueils.

Quelques Écossais nettoyaient le terrain avec leur lance-flammes. Deux des hommes de réserve, en toute hâte, installaient Andrew dans son cercueil. Ils glissèrent des pansements sous sa tenue anti-radiations.

Parmi les cadavres, un Brigante se dressa. Il brandissait une baïonnette et se rua à l'assaut. Un poignard l'arrêta dans sa course. En même temps, un lance-flammes cracha et le Brigante, changé en boule incandescente, roula sur le sol.

Le conducteur de la grue jaillit hors de son engin et courut vers l'abri de son cercueil.

- Dix secondes pour se replier ! lança Dwight dans la radio.

Soudain, le calme régna. On n'entendait plus que les craquements des flammes dans le souffle du vent. On ne discernait plus le moindre mouvement dans les rangs des Brigantes. De la fumée et des langues de feu couraient sur les cadavres noircis. Allison et Bittie avaient été vengés.

Là-bas dans la plaine, les fuyards de la tribu couraient toujours.

La fumée était dense. Dwight ne parvenait pas à voir ce qui se passait sur la plate-forme.

Il entendit des numéros dans la radio. Chaque numéro annonçait qu'un homme avait regagné l'abri de son cercueil et rabattu le couvercle sur lui. Dwight faisait le compte. Ils étaient tous là, sauf Andrew, mais il l'avait vu installé dans son cercueil. Dwight espérait que ce ne serait pas son cercueil pour de bon.

Il ne voyait toujours pas la plate-forme.

Il regarda la grue.

Les câbles bourdonnaient toujours. Tous les hommes, avait dit Jonnie, devraient être à l'abri au moment du recul.

Dwight, une fois encore, consulta sa montre. Le rideau blindé n'avait toujours pas été neutralisé. Et le bras de la grue n'avait pas bougé.

Dwight était à la torture. Que faire ? De toute façon, il ne pouvait pas pénétrer dans cette « cage », car le blindage atmosphérique était toujours en place. Il avait envie de désobéir aux ordres. Il savait que Jonnie était en danger parce que le rideau n'avait pas été coupé dans les délais prévus.

Mais on l'avait choisi parce qu'il obéirait aux ordres. L'instant était venu. Le bourdonnement s'était presque éteint. Dwight regagna son cercueil, s'installa et rabattit le couvercle sur lui.

4

Quand il avait entendu « Troisième alerte ! » dans sa radio de ceinture, Jonnie était sorti du cercueil enfoui près de la plate-forme, à l'intérieur du blindage atmosphérique. Il portait une tenue anti-radiations et un masque à air sous sa visière frontale. Sa besace était fixée à sa ceinture. Il était armé de trois bâtons à tuer, d'un poignard de jet et d'un lance-flammes, plus diverses autres choses afin de parer à toute éventualité.

Il ne s'était pas attendu à trouver des Brigantes sur la plate-forme. Le général Snith et six gardes ! Il ne lui était jamais venu à l'idée qu'un Brigante pouvait être suffisamment fou pour se laisser téléporter sur Psychlo. De l'argent ! Ils avaient des piles et des piles d'argent avec eux sur la plate-forme !

Ils avaient tous les yeux tournés vers Terl. Le Psychlo venait d'appuyer sur le bouton de mise à feu. Les Brigantes n'avaient pas encore remarqué que Jonnie était derrière eux, à moins de dix mètres.

Bon, aucune importance. Jonnie s'apprêta à allumer son lance-flammes.

Et puis, il discerna un mouvement. Il y avait quelque chose dans un long colis dont une extrémité avait été ouverte. Quelqu'un. Un otage qu'ils emmenaient avec eux sur Psychlo ? Des cheveux gris, un bout de cape...

Sir Robert !

Jonnie dut abandonner toute idée de se servir de son lance-flammes. Il tuerait Sir Robert du même coup !

D'une démarche confiante, Terl s'éloignait de la console en direction du centre de la plate-forme. Les câbles bourdonnaient. Il s'arrêta, pétrifié. L'instant d'avant, il avait vu l'animal *à l'extérieur.*

Là-bas. Près du véhicule.

Et voici qu'il était maintenant sous le rideau blindé !

Le câble avait-il été coupé ? Mais non, il discernait le scintillement du rideau à travers la neige ! Comment l'animal avait-il fait pour le franchir ?

Terl s'apprêtait à charger quand il vit l'animal lâcher l'arme à longue tige qu'il tenait et porter une main à la besace accrochée à sa ceinture.

Jonnie sortit les contrats signés par Terl. Il les lança vers le centre de la plate-forme. Les cachets rouges luisaient sous la neige qui tombait. Terl reconnut les contrats. C'étaient ceux qu'il avait signés !

Jonnie hurla, assez fort pour être entendu à travers ses deux masques et sa visière :

- Surtout n'oublie pas de les faire enregistrer sur Psychlo !

Terl fut cloué par l'horreur. Ces faux contrats étaient bien la dernière chose qu'il voulait voir se matérialiser sur Psychlo ! Il s'élança pour s'en emparer et entra en collision avec le général Snith à l'instant où celui-ci s'avançait pour donner des ordres à ses archers.

Jonnie se baissa et prit une bombe absolue au béryl. Il avait eu l'intention de la lancer simplement sur la plate-forme. Elle était enveloppée dans un cordon mais l'éclat doré du métal, la dimension et la forme hexagonale la rendaient aisément identifiable. Le cordon ne servait pas de détonateur. Le vrai détonateur était à l'intérieur, réglé sur huit minutes au moyen d'une minuterie fixée sur le dessus. On ne pouvait y accéder qu'en soulevant une plaque dans le fond, plaque qui avait été bloquée à dessein.

Jonnie prit le lance-flammes et alluma l'extrémité du cordon qui enveloppait la bombe. Deux flèches empoisonnées le frôlèrent en sifflant.

- Grenade ! cria-t-il.

Il lança les quarante kilos de la bombe droit sur Terl. Elle heurta le Psychlo de plein fouet, tomba et roula entre ses pieds.

En découvrant une grenade allumée, leur arme favorite, les Brigantes s'enfuirent.

A cet instant, on entendit barrir des éléphants au-dehors. En heurtant le rideau de blindage atmosphérique, les Brigantes furent projetés en arrière.

Terl regarda la bombe. Il cessa de penser aux contrats et son horreur se mua en pure terreur.

La bombe ! C'était la bombe. Mais elle avait un dispositif à retardement. Comment l'animal avait-il donc pu la prendre à Brown Staffor, la déballer et changer le détonateur, tout cela si rapidement ?

Mais Terl savait ce qu'il avait à faire. Il devait s'en débarrasser et le plus vite possible !

Il était sur le point de la lancer loin de la plate-forme quand les Brigantes refluèrent en désordre, repoussés par le blindage. Terl comprit que s'il lançait la bombe, elle rebondirait contre le rideau.

Les câbles bourdonnaient !

Terl sut qu'il allait devoir ôter la plaque d'accès et neutraliser la bombe, et sans perdre de temps ! Il voyait presque la mèche se consumer inéluctablement à l'intérieur de la bombe.

Il s'accroupit et planta ses griffes dans la plaque du fond. Elle était bloquée ! Il lutta pour l'arracher.

Jonnie se précipita et passa devant Terl. Il fallait qu'il parvienne jusqu'à Sir Robert et l'entraîne avec lui jusqu'à la console.

Un Brigante avait mis un genou à terre. Une flèche passa juste au-dessus de la tête de Jonnie.

Il arracha Sir Robert de son ballot. Il vit qu'il avait les pieds et les mains liés. Il criait quelque chose comme : « Laisse-moi ! Sauve-toi ! »

Au-delà du rideau, le vacarme était épouvantable. Les cris de guerre écossais se mêlaient aux barrissements des éléphants qui chargeaient.

Des flammes jaillissaient contre le blindage atmosphérique. La neige, même sur la plate-forme, fut changée en eau. La chaleur !

Terl s'acharnait toujours sur la plaque. Il n'avait pas de couteau moléculaire pour découper le métal. Il tentait de creuser un cercle avec ses griffes tout en hurlant de frustration, ce qui ne faisait qu'ajouter au tumulte.

Deux Brigantes attaquèrent Jonnie. Il lâcha Sir Robert, tira un bâton à tuer de sa ceinture et frappa deux fois. Les Brigantes s'effondrèrent.

Il réussit à traîner Sir Robert un peu plus loin. Dieu, que cette console était loin !

Un autre Brigante était sur lui. Jonnie lança son bâton. Il atteignit le mercenaire en plein front et sa tête partit en arrière selon un angle bizarre.

Snith hurlait quelque chose, le doigt pointé sur Jonnie.

Dehors, le fracas était assourdissant.

Un Brigante saisit Jonnie aux jambes. Jonnie prit son deuxième bâton à tuer et lui fracassa le crâne. Il entraîna Sir Robert, un peu plus loin encore. Ce diable d'Écossais était si lourd !

Snith essayait de faire tirer ses deux derniers gardes, mais les cordes de leurs arcs étaient trop mouillées. Ils empoignèrent alors des baïonnettes et se lancèrent à l'assaut.

Jonnie lança son bâton à tuer et un Brigante fut catapulté en arrière. L'autre arrivait. Jonnie prit son dernier bâton à sa ceinture, para le premier coup de baïonnette et abattit le bâton sur la tempe de son assaillant. Le bâton jaillit de ses doigts.

Il entraîna Sir Robert non loin de la console. Il tenta de le soulever pour le porter.

Durant un bref instant, il dut tourner le dos. Le général Snith en profita pour tirer une flèche empoisonnée de sa ceinture et attaquer.

L'impact fut très fort. Snith heurta Jonnie au niveau de la besace. Puis il leva la flèche empoisonnée et l'enfonça dans le haut du bras gauche de Jonnie, perçant sa tenue anti-radiations, pénétrant sa chair.

Jonnie tomba. Il roula sur lui-même tout en tirant son poignard. Il se redressa et plongea l'arme dans le cœur de Snith.

La douleur de sa blessure était quasi insoutenable. Il saisit la flèche par la hampe et l'arracha d'un seul coup. Mais il savait que le mal était fait. Le feu ardent qui se répandait dans la plaie était presque plus qu'il ne pouvait supporter.

Grinçant des dents, il lutta pour rassembler ses forces. On lui avait dit que l'effet du poison était lent. Il avait peut-être encore le temps de sauver Sir Robert et la console.

Il saisit le manche de son poignard et tenta de l'arracher du cœur de Snith. Mais il était coincé. Il regarda en direction de Terl.

Le Psychlo continuait de s'acharner en rugissant sur la plaque d'accès de la bombe. En se déchirant la pointe des griffes, il luttait toujours pour découper le métal en cercle et ôter le noyau.

Au-dehors, les choses s'étaient calmées. La voix de Dwight retentit dans la radio, à la ceinture de Jonnie :

- Dix secondes pour se replier !

Jonnie savait qu'il avait pris du retard.

Les câbles bourdonnaient toujours.

Il se concentra. Il avait un travail à accomplir. Il sentait son cœur s'accélérer.

Il passa un bras sous l'aisselle de Sir Robert et le traîna à travers la neige fondue. Il atteignit la console. Il savait qu'il y avait une bombe à l'intérieur et qu'il devrait la désamorcer rapidement. Mais il prit le temps de placer Sir Robert tout contre la console, de telle façon que le dôme, en s'abaissant, ne risque pas de l'amputer d'un bras ou d'une jambe.

Il examina la console. L'interrupteur était en position haute. Il faudrait qu'il soit en position basse lors du prochain tir. Il aurait aimé avoir le temps de dire cela à quelqu'un.

Il chercha sa boîte de télécommande. Il y avait du verre brisé dans sa besace. Il lui semblait que le feu envahissait son bras. Ce verre brisé, c'était l'ampoule de sérum ! Il n'avait plus de sérum !

La télécommande tremblait. Non, c'était sa main qui tremblait. Il tourna la commande afin de manœuvrer la grue. Non. Il devait d'abord annuler le rideau atmosphérique. Des bouffées d'obscurité traversaient son cerveau. Son cœur battait de plus en plus vite.

Le rideau blindé ! Il se traîna jusqu'à la barre de commande et l'abaissa. De retour auprès de la console, il leva les yeux vers le dôme. Il appuya sur la télécommande, mit en place le dôme exactement au-dessus d'eux afin qu'il descende sans difficulté. Il tourna à nouveau la commande pour l'abaisser. Il descendait, mais trop doucement. Les câbles devaient être gelés. Il n'y pouvait rien.

Il prit une hachette à sa ceinture. Il devait être prêt à couper les câbles dès que le bourdonnement cesserait.

Il perdait le fil du temps. Il entendait encore le bourdonnement des circuits.

Il regarda en direction de Terl. Le monstre semblait avoir enfin réussi à ouvrir la plaque d'accès. Il manipulait la bombe avec grande précaution pour extraire le lourd noyau de métal.

Tout à coup, Jonnie sut exactement ce que Terl allait faire. Il allait lui jeter le noyau. Il le traverserait de part en part. Comme une balle !

Et, brusquement, Jonnie vit autre chose.

Brown le Boiteux !

Il se ruait vers eux avec une mitraillette Thompson en main. Il venait de l'autre extrémité de la plate-forme. Il essayait de s'approcher à bonne distance pour ne pas risquer de manquer Jonnie.

Et le dôme n'était pas encore descendu.

Terl, à présent, tenait le noyau de la bombe dans sa patte. Il allait le lancer sur Jonnie.

Le tumulte avait cessé. Il n'y avait plus que la fumée, la neige qui tombait toujours et le craquement des câbles soutenant le dôme qui descendait lentement. Jonnie désigna Brown Staffor.

- Terl ! Il va tirer ! cria-t-il.

Terl fit volte-face et vit Brown. Il le vit lever la Thompson et viser. Il suffirait d'une seule balle pour tout faire sauter.

Terl lança le noyau. De toutes ses forces.

Brown Staffor le reçut en plein flanc. Il fut transpercé et sa colonne vertébrale fut fracassée. La Thompson tomba sur le sol avec un bruit mat.

Brown s'effondra, ses bras et ses jambes s'agitèrent spasmodiquement. Il hurla :

- Maudit sois-tu, Tyler ! Maudit sois-tu !

Puis il demeura immobile.

Les câbles bourdonnaient toujours.

Terl cria à l'adresse de Jonnie :

- C'est encore moi qui gagne, cervelle de rat !

Il savait qu'il valait mieux ne plus bouger à présent.

La tête de Jonnie résonnait et son cœur battait trop fort. Mais il pouvait encore parler. Et puis, il savait aussi qu'il devait clouer Terl là-bas, le distraire.

- Les cercueils sont remplis de sciure ! On les a tous changés dans ta chambre ce matin ! cria-t-il.

Terl se retourna pour regarder les cercueils.

- Et l'or n'est jamais arrivé sur Psychlo ! Les autres cercueils aussi, on les a changés !

Terl ouvrit la bouche pour rétorquer.

La cargaison, sur la plate-forme, se mit à scintiller. Les cercueils remplis de sciure également. Ainsi que les Brigantes. Et Terl. Puis tout disparut. La plate-forme était vide. Même la neige fondue n'était plus là.

Le bourdonnement cessa. Jonnie prit sa hachette et abattit le tranchant sur les câbles. Il ne les coupa pas net. Il frappa encore deux fois. Tous les câbles cédèrent.

Tout devenait plus noir encore. Mais non, c'était le dôme qui venait se mettre en place.

Les patins d'avion qu'ils avaient montés sur le fond entrèrent en contact avec le métal. Jonnie se dressa et, à l'intérieur du dôme, saisit le levier de verrouillage pour effectuer la soudure moléculaire avec l'embase de métal de la console.

Il faisait très sombre.

Il songea qu'il avait perdu le sens du temps et puis, une vague pensée : Terl avait peut-être prolongé le temps afin de le téléporter lui, Jonnie.

Il avait une petite lampe de mine dans sa besace. Il fit un effort intense pour tenter de la prendre. Tout son corps s'était mis à trembler comme sous l'effet d'une tension trop intense.

Une voix lui parlait. Celle de Sir Robert.

- Vite. Libère mes mains.

Jonnie tenait toujours la hachette. Il s'efforça de se concentrer sur les mains de Sir Robert. La lame était émoussée et la corde résistait.

Puis il se rappela avec un élan de terreur qu'il devait y avoir une bombe à retardement sous la console. Sir Robert allait être réduit en charpie. Il lâcha la hachette et plaça la main sur le côté de la console. Il poussa. C'était très lourd. Il ne disposait que d'un bras valide, mais il appuya contre le métal de son épaule douloureuse. Il réussit à soulever le fond.

Il explora le bord du bout des doigts. Un peu plus haut. Il sentit soudain la chose. Elle était collée à l'intérieur par du ruban adhésif. Il parvint à l'arracher et à la sortir. Il laissa retomber la console. Dans le noir, à tâtons, il réussit à extraire le détonateur.

Il sentit qu'il était au bord de l'inconscience. Son cœur battait de plus en plus vite.

Il avait une dernière chose à faire. L'interrupteur. La position de l'interrupteur.

Il eut l'impression que ses nerfs, trop tendus, le déchiraient en lanières.

- Sir Robert ! Dites-leur... dites-leur que l'interrupteur doit être placé en bas... en bas pour le prochain...

Il y eut un coup si violent à l'extérieur du dôme que toute la plate-forme fut ébranlée ! On aurait dit qu'une dizaine de séismes venaient de se déclencher en même temps. Que la planète avait éclaté.

Dans l'obscurité, Jonnie se roidit et sombra dans les ténèbres. Il n'entendait plus le tumulte du chaos au-dehors.

5

Une heure environ avant le transfert, le groupe de vaisseaux en orbite était apparu au-dessus de l'horizon et s'était placé de façon à pouvoir observer le camp américain.

Tôt dans la journée, un petit engin espion hawvin, qui était parti en reconnaissance, avait rapporté une certaine activité. Au milieu de la nuit, les infra-écrans avaient retransmis l'image d'un groupe pénétrant à l'intérieur du camp. Ce groupe avait disparu et les gardes, apparemment endormis, n'avaient rien remarqué.

Et maintenant, sur l'horizon, les sondeurs de la force en orbite captaient quelque chose d'inhabituel. Il semblait que le camp était plus peuplé qu'à l'ordinaire.

Une tempête de neige se déchaînait là en bas et les infrarayons étaient quelque peu brouillés.

Mais, pour l'heure, l'attention de la force combinée n'était pas encore fixée sur le camp. Elle le serait avant peu. Le réseau des écrans de réception était occupé par une interview.

Lorsque le semi-capitaine Rogodeter Snowl était retourné sur Tolnep pour y prendre des renforts, il avait contacté son oncle, le quart-amiral Snowleter. Rogodeter avait l'esprit de famille. Autant partager le butin entre parents. Le quart-amiral l'avait accompagné d'enthousiasme avec une flottille de cinq vaisseaux, le bâtiment le plus important étant le porte-avions de classe Terreur, le *Capture*. Il avait fallu pas mal de combines à Snowleter pour devenir quart-amiral, aussi n'était-il pas venu sans atouts pour cette expédition : il avait emmené un reporter.

Roof Arsebogger se considérait comme le reporter vedette du *Croc de Minuit* de Tolnep. Parmi les media d'information des autres systèmes, on enviait le *Croc,* qui était considéré comme le summum dans l'art de l'imprécision, de la corruption et de la falsification de nouvelles. Il publiait toujours exactement ce que le gouvernement voulait, tout en feignant d'afficher des opinions antigou-vernementales. Et Roof Arsebogger jouissait de la réputation du reporter le plus corrompu au sein d'une équipe plus qu'experte en corruption.

A bord du *Capture,* Arsebogger interviewait donc le semi-capitaine Rogode-ter Snowl. Ce n'était qu'un entretien préliminaire et, comme il ne se passait rien de particulier, les autres écoutaient. Leurs opinions différaient. Le quart-amiral n'était guère aimé. Les autres commandants contestaient les prétentions de Sno-wleter au titre de commandant en chef de la force combinée sous prétexte qu'il était leur doyen. Et le fait qu'il fût l'oncle de Rogodeter Snowl, qui était encore moins populaire, le rendait d'autant moins acceptable. Car tous détestaient Snowl.

- Maintenant, revenons à l'homme qui figure sur ce faux billet, disait Arse-bogger. Diriez-vous qu'il a été malhonnête ?
- Oh, pire, répliqua Snowl.
- Si je le qualifie de « pervers notoire », est-ce que cela le décrirait mieux ?
- Oh, pire.
- Bien, bien. Il faut absolument nous en tenir aux faits, dans cette interview, vous comprenez. Et « Il vole les bébés et boit leur sang », ça irait ?
- Parfait, parfait, dit Snowl. C'est exactement ça.
- Je crois que vous avez mentionné dans vos messages, poursuivit Arsebog-ger, qu'à plusieurs reprises vous aviez rencontré ce... quel est donc son nom ?... Ce profanateur du pouvoir établi... ce... Tyler ? Oui. Que vous l'aviez même affronté en combat singulier.

Les autres commandants les écoutaient et Rogodeter n'avait pas pensé que cela deviendrait public. Il avait oublié la soif de publicité de son oncle.

- Pas exactement, dit-il vivement. J'ai voulu dire que j'ai essayé plusieurs fois mais qu'il s'est toujours défilé.

La voix du quart-amiral Snowleter s'éleva dans le fond de la pièce, derrière Arsebogger :

- Mais il ne se défilera plus !
- Maintenant, Snowl, quelle est votre opinion ? Croyez-vous vraiment que nous ayons trouvé *le* monde tant recherché ?

Le petit homme gris regardait sur ses écrans. Il haïssait les reporters et tout particulièrement ce Roof Arsebogger : les crocs du personnage étaient gâtés, presque noirs, il avait des taches et des croûtes sur son visage, dues à quelque maladie, et on avait l'impression de sentir son odeur fétide de saleté sur l'écran.

Malheureusement ou heureusement, tout dépendait de la façon dont on considérait cela, le vaisseau-courrier était arrivé la veille. Il avait apporté de nombreuses informations et, en particulier, un renseignement sans appel : ils n'avaient pas trouvé *le* monde.

De plus, la prime avait été augmentée. Les cent millions de crédits originelle-ment offerts par la Confédération Mutuelle des Systèmes Hawvins avaient été doublés par l'Empire Égalitaire Bolbod. Le petit homme gris ne savait pas ce qui se passait dans les autres secteurs, encore moins dans les autres univers, mais il avait toutes les raisons de supposer que la même confusion démente se développait partout.

Les différents messages parvenus par le courrier, considérés dans leur ensemble, répétaient qu'ils vivaient des temps bizarres et troublés, qu'un problème semblable ne s'était jamais encore posé dans le passé de toutes les histoires connues. Il y avait aussi quelques allusions à la nécessité vitale de la présence du petit homme gris « là où il pourrait faire du travail positif » au lieu de passer son temps à tourner autour « de l'unique planète d'une étoile périphérique de douzième catégorie ». Bien sûr, il n'y avait là aucune critique directe. Juste quelques sous-entendus.

En fait, peu importait qu'il fût ici ou chez lui. A moins que quelque solution ne se présente d'elle-même, le chaos qui allait suivre serait tel que ni lui ni les autres n'auraient le moindre espoir de le juguler.

Le petit homme gris écoutait donc d'une oreille absente cette interview d'un militaire stupide par un reporter tout aussi stupide, quand le bourdonneur de la passerelle se fit entendre et que le visage de son officier de quart apparut sur l'écran.

- Votre Excellence, il se passe quelque chose dans le secteur de la ville capitale. Les infrarayons sont brouillés. Nous ne savons pas de quoi il s'agit. Nous n'obtenons pas d'image claire.

« L'interview » fut abruptement coupée. Les autres commandants semblaient avoir capté la même chose.

Le commandant hockner fut le premier à apparaître sur l'écran du petit homme gris.

- Votre Excellence, je crois savoir que vous nous avez dit qu'il s'agissait du siège du gouvernement central. Nous avons actuellement des images montrant des troupes nombreuses et nous enregistrons une chaleur excessive. A votre avis, est-ce politique ?

Le regard du petit homme gris se porta sur ses écrans.

Depuis quelque temps, l'image avait été mauvaise, à cause de cette tempête locale. Mais jamais à ce point. Impossible de discerner quoi que ce soit. Ils subissaient une espèce d'interférence qui leur interdisait toute réception.

Ah ! Et cette ligne brisée qui traversait l'écran ?

Un signal de téléportation.

En toute hâte, le petit homme gris formula une réponse :

- Je crois, dit-il d'un ton conservateur à l'intention du Hockner, que c'est probablement politique, dans une certaine mesure. Toutes les informations que je...

Les écrans faillirent imploser !

Il y eut un éclair formidable, puis plus rien.

Une sirène d'alerte retentit.

- Surcharge aux écrans ! Surcharge aux écrans !

Dieux tout-puissants, *jamais* cela ne se produisait, sauf dans des zones de combat intense.

Le petit homme gris se précipita vers le hublot. Il se dit que les commandants devaient être en train de faire de même.

Et il regarda en bas.

Sur ses haut-parleurs, des exclamations d'incrédulité lui parvinrent de tous les vaisseaux.

La tempête, là en bas, avait presque été soufflée.

Une gigantesque boule de feu montait dans le ciel. Elle gonflait, parcourue de spirales de fumée lourde et de flammes qui jaillissaient à des hauteurs impressionnantes.

Dans cette lueur aveuglante, le jour paraissait sombre.

Le monde semblait avoir été déchiré !

6

Sir Robert n'attendit pas que la terre cesse de gronder. Il ne s'était même pas posé la question de savoir ce que c'était. Il n'avait qu'une seule idée en tête : libérer ses mains et venir au secours de Jonnie.

Il avait vu la flèche le frapper. Et il avait vu Jonnie l'arracher. Il savait que le dard était empoisonné et il avait quelque idée des conséquences. Dès que le poison était dans le sang, il se répandait de plus en plus rapidement à chaque effort physique. Et Jonnie n'avait cessé de faire des mouvements violents.

La hachette n'avait pas complètement coupé son lien. Sir Robert banda tous ses tendons afin de faire sauter ce qui en restait. Sous le dôme, il faisait noir comme dans un four. Il ne savait même pas où Jonnie était tombé. Mais l'endroit était petit. Il fallait qu'il atteigne Jonnie ! Il le pouvait ! Même si, comme c'était probable, il était déjà trop tard.

Il arracha presque la peau de ses poignets. Et la corde céda enfin !

Avec une hâte fébrile, il chercha autour de lui, à tâtons, et trouva le bras de Jonnie, son bras blessé. Il referma alors sa grande main autour, juste en dessous de l'aisselle, et serra très fort pour faire un garrot et empêcher le sang de circuler.

La hachette avait dû tomber quelque part. Elle avait sans doute glissé à cause de l'énorme secousse. Avec un sourd gémissement d'impatience, Sir Robert promena sa main libre sur le sol. Autour de la console, autour de Jonnie. Et soudain ses doigts rencontrèrent le manche, dans un coin.

Il prit la hache par le haut et tenta de découper la manche de la tenue anti-radiations de Jonnie.

Avec une seule main, ce n'était pas une sinécure.

Et surtout dans l'obscurité totale.

Il essayait avant tout de ne pas blesser Jonnie.

Il fit un pli avec le tissu et entreprit de le scier. Le tranchant de la hachette avait été émoussé en sectionnant les câbles. Et le tissu plombé de la tenue était particulièrement résistant. Non, Sir Robert n'y arriverait pas. Pas avec une seule main.

Soudain, il se rappela que Jonnie avait toujours des lanières dans sa besace. Il la trouva sous lui, y glissa la main et rencontra des fragments de verre brisé qui lui blessèrent les doigts. Mais il n'y prit pas garde.

Il trouva une longue lanière et la sortit.

Il prit ensuite un fragment tordu de lampe qu'il plaça sous le bras de Jonnie, tout contre l'artère, et qu'il fixa solidement avec la lanière. Il serra autant qu'il lui était possible et fit un nœud.

Maintenant, il pouvait se mettre au travail.

Il découpa soigneusement la manche de la tenue de Jonnie juste au-dessous du garrot et mit le bras à nu. L'étoffe était souillée de sang et la peau gluante. Il était difficile de trouver la plaie, avec tout ce sang.

Mais il la trouva.

Serrant le tranchant du fer de la hachette entre ses doigts, il découpa un X dans la chair, au centre de la blessure.

Il arracha son masque à air et posa la bouche sur la plaie. Il se mit à aspirer autant de poison qu'il le pouvait.

Régulièrement, il s'interrompait et crachait. Le goût du sang était à la fois amer et acide. C'était le venin de la flèche.

Au bout d'un moment, il se dit que le sang était un peu plus propre. Il ignorait jusqu'à quelle profondeur la flèche avait pénétré et il n'avait aucun moyen de sonder la plaie.

Il palpa la chair du bras de façon à faire remonter un peu plus de poison jusque dans la plaie et y appliqua à nouveau sa bouche. Oui, il en restait. Le sang avait encore un goût amer. Il recommença l'opération. Oui, le sang était plus propre, à présent.

Il chercha une trousse de compresses dans la ceinture de Jonnie mais n'en trouva pas. Mais l'hémorragie avait diminué. Après tout, la flèche n'avait peut-être pas atteint de veine. Tant pis pour les compresses.

Il tâta le pouls de Jonnie à son autre poignet.

Par tous les démons ! Il allait plus vite qu'il ne pouvait compter !

Le corps de Jonnie était entièrement roidi. Et ses membres tremblaient.

Dans le noir, Sir Robert fouilla la besace de Jonnie. L'ampoule devait être là. Ce verre brisé devait être la lampe de mine. Il trouva finalement la moitié inférieure de l'ampoule.

Bien qu'il ne pût voir ce qu'il faisait et que ce fût plus un geste qu'autre chose, il entrouvrit les lèvres de la plaie de Jonnie et y versa ce qui pouvait subsister de sérum. Puis il massa la chair afin de faire pénétrer la moindre goutte de liquide plus profondément. Il lui sembla après un instant que le bras de Jonnie était visqueux, mais ce n'était probablement que son imagination.

Il prit son pouls. Il était encore plus rapide, si tant est que ce fût possible, et ses membres tremblaient encore plus.

Avait-il vraiment fait tout ce qui était en son pouvoir ? Il ne lui venait rien d'autre à l'esprit.

Dans cet espace clos, l'air devenait vicié et il remit son masque. Il vérifia le fonctionnement de celui de Jonnie, sous son masque anti-radiations. La valve bougeait à peine, mais sur un rythme rapide. Les instructions avaient prévu le remplacement de la réserve par une nouvelle bouteille juste avant la première alerte. Si Jonnie les avait suivies, il disposait encore de deux heures d'air.

Sir Robert s'assit. Il ôta les liens de ses chevilles avant de redresser Jonnie et d'appuyer sa tête contre son genou. Par tous les diables de l'enfer, il tremblait affreusement !

Il passa la situation en revue. Il n'avait pas participé aux derniers briefings. Il ignorait donc s'il lui manquait maintenant un élément qu'il aurait dû connaître.

Il maudit amèrement sa propre stupidité. Tout s'était passé à merveille dans le déménagement de l'Académie et, un soir, il était sorti seul, comme une brebis écervelée, et il avait gagné un tertre pour mieux contempler le camp. Juste comme ça, sans but véritable. Il voulait simplement revoir une dernière fois le terrain sur lequel, bientôt, on livrerait bataille. Et c'est alors que les Brigantes l'avaient capturé. Ils devaient le guetter depuis des jours.

Ils l'avaient ligoté et emporté jusqu'à une caverne. Là, ils l'avaient frappé et avaient tenté de le faire parler. Il avait le nez cassé et il lui restait encore du sang coagulé dans la gorge. Mais, en tant que vétéran, il en avait vu d'autres, et il n'avait rien dit. Il n'avait eu aucune idée du sort qui l'attendait jusqu'à ce qu'ils le conduisent au camp pour le mettre dans un ballot.

Il n'avait pas cru qu'ils le transféreraient sur Psychlo jusqu'au moment où ils lui avaient mis un masque à air. A cette pensée, même lui avait été glacé de peur. Il avait eu sous les yeux un excellent exemple des techniques d'interrogatoire des Psychlos : Allison.

Sir Robert s'était tenu prêt. Il savait que cette attaque devait avoir lieu, mais il ne voyait vraiment pas comment on pourrait le récupérer. En principe, un lance-flammes devait nettoyer toute la plate-forme.

Et voilà que ce satané garçon avait jeté son lance-flammes et attaqué ! Ç'avait été une folie désespérée.

Pour lui, Sir Robert, Jonnie avait tout risqué, y compris sa propre existence.

A nouveau, il palpa le pouls de Jonnie. Grands dieux ! Combien de temps un cœur pouvait-il battre aussi vite sans s'arrêter ?

Le silence qui régnait à l'extérieur finit par le mettre mal à l'aise. En principe, une équipe de secours avait été prévue dans le vieux camp, avec des véhicules à plate-forme, des avions, et la participation des docteurs Allen et MacKendrick. Tous avec des tenues anti-radiations et des masques à air.

Tout était si silencieux. Tiens ! Ne venait-il pas d'entendre un craquement très faible ?

Jonnie devait avoir une radio sur lui. Sir Robert palpa sa ceinture, puis chercha autour de lui, sur le sol.

Ça y est ! Il l'avait ! Il percevait un grésillement.

La radio fonctionnait mais il ne captait aucune voix. Est-ce qu'ils étaient donc tous morts là dehors ?

Il appuya sur le bouton d'émission.

- Allô ! Allô !

C'était risqué d'en dire plus. Qui pouvait savoir ce qui se trouvait dehors ? Silence.

- Allô ! Allô !

Puis Sir Robert se dit qu'il ferait bien de donner sa position. C'était dangereux, mais il ne pouvait faire autrement.

- Ici la console !

Ah ! Un bruit ! Le cliquetis d'un bouton d'émission ?

Puis il perçut une voix, pareille à un chuchotement lointain :

- C'est vous, Sir Robert ?

La voix de Thor ! Il faillit pleurer de soulagement.

- Thor ?

- Oui, Sir Robert.

- Thor, Jonnie est ici. Il a été atteint par une flèche empoisonnée. Il faut l'évacuer très vite !

La voix du docteur Allen :

- Sir, avez-vous une tenue anti-radiations ?

- Non, bon dieu ! Je n'en ai pas ! Et c'est le cadet de mes soucis ! Faites-moi sortir ce garçon !

- Sir, est-ce que sa tenue est intacte ?

Sir Robert réalisa qu'il avait déchiré une manche.

- Non.

- Je suis désolé, Sir, murmura le docteur dans la radio, mais si nous soulevions le dôme, ça vous tuerait tous les deux. Ayez un peu de patience. Nous essayons de trouver un moyen de vous sortir de là.

- Au diable la patience ! tempêta Sir Robert.

Il était hors de lui.

- Tirez ce gosse de là, nom de dieu !

Il n'y eut pas de réponse. Sir Robert s'apprêta à marteler l'intérieur du dôme de ses deux poings. Est-ce qu'ils ne comprenaient pas que Jonnie allait mourir ici ?

Puis une voix ténue, aiguë, chuchota :

- Sir Robert ?

C'était l'un des jeunes communicateurs bouddhistes. Le plus jeune sans doute. Ils l'avaient passé à un enfant !

Le Chef de Guerre était sur le point de tonitruer des insultes quand le jeune communicateur dit en psychlo :

- Sir Robert, ils font tout leur possible, chef très honoré. Il y a eu des gros problèmes. La situation n'est pas brillante.

- Où es-tu ? demanda Sir Robert, adoptant à son tour le psychlo.

- Juste à l'extérieur du dôme, chef honoré. Ma radio est à l'intérieur de mon masque à air, sous la visière de ma tenue anti-radiations. Excusez mon chuchotement. Nous ne voulons pas que les visiteurs d'en haut nous entendent. Ils ne peuvent pas capter cette fréquence. Pas sur la radio de mine.

- Et qu'est-ce qu'ils font ?

- Je ne le sais pas, Sir Robert. Les nuages de neige sont revenus. Mais j'aperçois un communicateur. Je vais lui demander. Je reviens.

Il y eut une longue interruption. Puis la voix pépiante se fit entendre à nouveau :

- Sir ? Le communicateur des pilotes m'a dit qu'ils s'étaient replacés sur orbite et qu'ils sont quelque part au-dessus de nous. Ils observent ce secteur. Mais nos avions de combat se tiennent prêts. Dunneldeen sillonne le ciel. Il désire savoir comment vont les choses. Comment va Sir Jonnie ?

Sir Robert sentit les membres tremblants, tout près de lui. Mais il savait que le moral était important quand on était dans le ciel. Il ne pouvait pas leur dire qu'il pensait que Jonnie était mourant. Et puis, Jonnie vivait encore.

- Dis-leur qu'ils ne doivent pas se faire de souci.

L'enfant s'absenta un moment, puis :

- Le communicateur des pilotes a passé le mot.

- Qu'est-ce qu'ils comptent faire pour nous sortir de là ? demanda Sir Robert.

C'était l'enfer que de rester là, assis dans le noir, à attendre. Le souffle de Jonnie était trop rapide, bien trop rapide !

- Sir Robert, la situation est très mauvaise ici. Très mauvaise. Si vous entendez des craquements, c'est à cause des lignes électriques. Elles sont en court-circuit et elles brûlent sur le sol en lançant des étincelles.

- Est-ce qu'il y a des victimes dans le commando d'attaque ?

- Nous ne le savons pas, Sir Robert. L'équipe de secours se sert de pelleteuses pour dégager les cercueils. Je me tiens près d'un trou, à l'endroit où il y avait la plate-forme. Ça fume. Est-ce que vous avez chaud ?

Sir Robert n'y avait pas fait attention jusqu'ici. Il réalisa, en touchant le dôme, qu'il était chaud. Il le dit au communicateur.

- On m'a demandé de vous dire de ne pas baisser le levier de fusion moléculaire sur les patins du dôme. C'est un miracle qu'ils aient tenu. Ne touchez pas au levier. Ils vont déplacer la plate-forme tout entière.

Une nouvelle voix se fit entendre dans la radio :

- Dwight ? Tu nous entends ? Dwight ?

La voix de l'enfant dit :

- Ils ont trouvé son cercueil, sous des décombres, juste à l'instant. Le ravin s'était effondré dessus. Ils ont pris un engin de levage dans les entrepôts et ils soulèvent le cercueil. Ils ouvrent le couvercle. Dwight a l'air étourdi mais il se redresse.

- Mais ils devraient s'occuper du dôme ! tempêta Sir Robert.

- Oh, mais il y a toute une équipe déjà au travail, chef honoré. On amène une petite grue des niveaux inférieurs. Et je vois un homme qui lance des crampons sur la grue principale. Elle a basculé sur le côté et il faut qu'ils la redressent.

Sir Robert commençait à se faire une idée de la situation au-dehors.

- Nous étions au seizième niveau, reprit la petite voix du communicateur. Le choc a été dur. L'air a été soufflé, mais nous n'avons rien entendu.

- Eh bien, que s'est-il passé ? C'était quoi ? demanda Sir Robert.

- Nous ne le savons pas, chef honoré.

- Nous avions des armes nucléaires prêtes. Est-ce qu'elles ont explosé ?

Une pause encore. L'enfant était reparti quelque part. Il revint bientôt.

- Non, Sir. Thor dit qu'elles sont intactes et il est drôlement soulagé. Elles n'ont pas explosé.

- Alors c'était quoi ?

- Je suis navré, Sir. Personne ne le sait. Oh, je vois une pelleteuse qui dégage votre plate-forme afin de pouvoir la soulever. La première est tombée en panne après avoir brûlé. On m'a dit qu'il va falloir être patient, Sir. Nous faisons tout ce que nous pouvons... Ils ont dégagé trois autres cercueils, maintenant. (Autre pause. Puis la voix revint, avec un accent de chagrin.) Celui qu'ils appellent Andrew est mort.

La plate-forme fut secouée. La pelleteuse, là dehors, devait tenter de la saisir. Sir Robert entendit un grondement de moteur.

Il y eut un cri d'alerte, puis un fracas.

La petite voix pépiante annonça :

- L'un des poteaux est tombé dans le cratère. Personne n'a été blessé. Voici votre camion à plate-forme, Sir !

- Un camion ! aboya Sir Robert. Mais nous étions censés avoir un avion ! On doit nous évacuer par la voie des airs !

Il y eut une interruption. Le communicateur était reparti quelque part. Il revint bientôt.

- Ils ont trouvé une rivière vers le sud. C'est le Purgatoire. Ce sont les pilotes qui nous l'ont dit.

Sir Robert prit à nouveau le pouls de Jonnie. Il était toujours aussi rapide.

- Je ne comprends pas ! cria-t-il. J'ai besoin de sérum ! Le temps presse ! Est-ce qu'on ne peut pas soulever ce dôme et m'en faire passer ?

- Je suis désolé, Sir. Le Purgatoire est à deux cents kilomètres au sud. C'est sur une des anciennes autoroutes des hommes.

Il ajouta rapidement, de crainte d'être interrompu par Sir Robert :

- Ils emmènent des pompes. Tout notre matériel est contaminé, comme nos avions. Il faut tout arroser pour nous débarrasser des radiations. Quand ce sera fait, nous pourrons ouvrir le dôme.

Sir Robert serra les poings. Deux cents kilomètres ! Combien de temps leur faudrait-il ?

L'enfant avait dû lire dans ses pensées, car il dit :

- On me dit qu'ils conduiront très vite. C'est possible sur l'ancienne autoroute. C'est Thor lui-même qui vous pilotera. Ils savent à quel point c'est important. Votre camion sera le premier à partir. Ils viennent de redresser la grande grue.

La pelleteuse cogna une nouvelle fois contre le dôme. Quelque chose, sous la plate-forme, parut céder.

- Ils ont quinze cercueils à présent, reprit le communicateur. Il n'y a qu'une victime. Son cercueil a été soufflé dans les airs et l'homme a eu le crâne brisé. Tout le plomb des revêtements a fondu. Des couvercles, je veux dire. Ils sont encore chauds et c'est très difficile de les manipuler.

Il y eut un grondement, puis un grincement, quand le croc de la grue se referma sur le haut du dôme. Le son indiquait qu'ils faisaient très attention à ne pas laisser tomber la plate-forme inférieure.

Les patins à soudure moléculaire tenaient bon. Sir Robert sentit qu'on les soulevait. Ils se balançaient. Avec un bruit sourd, ils touchèrent la plate-forme du camion. Puis on les souleva à nouveau pour les poser bien au milieu.

L'enfant devait être resté sur la plate-forme pour observer la manœuvre d'en haut, car il annonça de sa voix calme et aiguë :

- Je vois mieux d'ici. Il ne neige plus. J'aperçois des corps, là-bas dans la plaine. Ce doit être des Brigantes. D'autres cercueils ont été dégagés. (Il cria à l'adresse de quelqu'un. Il devait montrer quelque chose.) Tout le haut de l'ancien camp a été soufflé. Il est ouvert à tous les vents.

Sir Robert prit encore une fois le pouls de Jonnie. Est-ce qu'il était plus faible ?...

- Thor est en train de se faire remplacer. Maintenant, il monte dans votre camion. Ne vous inquiétez pas, il dit qu'il conduit très bien. Il va aller aussi vite que possible. Excusez-moi, mais je suis censé m'asseoir à côté de lui et attacher ma ceinture de sécurité.

Le véhicule à plate-forme démarra en grondant. Il tressauta et rebondit sur le sol accidenté. Sir Robert maintenait la tête de Jonnie. Est-ce qu'il respirait encore ?

Ils atteignirent l'ancienne autoroute. Le bruit du moteur se fit plus aigu comme l'engin prenait de la vitesse.

Sir Robert se rappela que Jonnie avait une montre. Il essaya de trouver le bouton qui commandait l'éclairage du cadran. Les chiffres défilaient rapidement.

Ils roulaient si vite que Sir Robert entendait le souffle du vent sur le dôme.

Le temps ! Cinquante minutes. Cinquante-deux. Cinquante-cinq !

Brusquement, le camion ralentit. Il bondit sur un terrain cahoteux et s'arrêta dans une grande secousse.

La petite voix pépiante reprit :

- On est au bord de la rivière. Il y a beaucoup d'eau. Ils sont en train de monter un tuyau. Il faut que je quitte le dôme pendant qu'on l'arrose. Et il faut aussi que je passe à la douche comme les autres. Ensuite, ils feront le test du gaz respiratoire psychlo.

L'eau tombait en tambourinant sur le dôme. A l'intérieur, le bruit devint un grondement qui résonnait tout autour de Sir Robert. Puis ce fut le camion tout entier qui se trouva arrosé.

Le silence revint enfin. Le communicateur demanda :

- Sir Robert ? Le camion avec la petite grue vient d'arriver et on l'a nettoyé également. Moi aussi, je suis passé à la douche. Est-ce que vous pouvez abaisser le levier ? Celui de l'extérieur est tordu.

Sir Robert avait déjà repéré le levier puisqu'il avait failli l'abaisser une heure auparavant. Il appuya. Avec un grondement, puis un claquement, la grue s'arrima au dôme. Celui-ci se souleva !

Une lumière glauque. Jonnie était là, étendu. Est-ce qu'il respirait encore ?

Le petit communicateur, dégoulinant d'eau, se tenait à proximité. Il avait ôté sa visière et son masque. Il ne devait pas avoir plus de treize ans.

- Je m'appelle Quong, dit-il. Merci d'avoir été si patient avec moi, Sir Robert. J'étais aussi inquiet que vous.

Le docteur Allen sauta sur le camion. Il tenait une seringue et saisit le bras de Jonnie. Une infirmière l'assistait. Elle soutint la tête de Jonnie.

Sir Robert se redressa, les jambes flageolantes. Il était baigné de sueur et le vent était froid sur sa peau.

Il regarda vers le nord.

Là-bas, le ciel était illuminé.

- Qu'est-ce que c'est ? demanda-t-il.

Il vit Thor. Ainsi qu'un autre membre de l'équipage de secours. D'autres camions arrivaient en aval.

- C'est Denver, dit Thor.

Sir Robert regarda fixement. Ils venaient de s'échapper de l'enfer.

VINGT-CINQUIÈME PARTIE

1

Pour la première fois de ce qui avait été une année pénible, morne, le petit homme gris était plein de vie et d'intérêt. L'espoir, qui lui était devenu étranger, s'enflait peu à peu dans sa poitrine. Certes, il était faible, mais il était bien là.

Le formidable éclair qu'ils avaient observé ne l'intéressait pas vraiment et c'est tout juste s'il se donnait la peine de porter les yeux sur le nuage bouillonnant et répugnant qui gonflait au-dessus de la Terre.

Avant tout, il y avait eu cette trace momentanée sur son écran. Un tir de téléportation ! Il n'avait jamais espéré revoir cela un jour.

Sa première réaction avait été de voir si l'un ou l'autre de ces « grands esprits militaires », dans leurs vaisseaux, avait observé cette trace fugace, et il écoutait anxieusement leur bavardage.

- De toute évidence, c'était une explosion nucléaire, dit le Bolbod.

Pour lui, la question était réglée. Il dressa son visage belliqueux par-dessus son col jusqu'à ce qu'il soit presque visible comme s'il défiait quiconque de le contredire.

Le semi-capitaine tolnep proposa immédiatement qu'ils descendent pour « nettoyer le coin une bonne fois pour toutes ».

Le Hawvin émit l'hypothèse d'une situation politique et quêta l'approbation du petit homme gris. Mais le petit homme gris demeurait neutre : il attendait de voir ce que les autres savaient.

Ce fut le super-lieutenant hockner qui résuma la question. Il porta son monocle à son œil et renifla d'un air méprisant.

- Écoutez, vous autres. Vous n'y êtes pas, mais alors pas du tout ! dit-il. Les rapports antérieurs ont fait état de la volatilisation d'un commando de nuit dans cette zone. A l'évidence nous venons d'assister à la culmination d'une guerre politique à la surface de ce monde. Et je dirai que le gouvernement vient de changer de mains. Nous le savions : la situation politique était instable. Des prêtres avaient pris le pouvoir : ces gens en robes jaunes. Mais peut-être l'ont-ils perdu et ont-ils été renvoyés dans ce temple de l'hémisphère Sud.

» Un groupe militaire, poursuivit-il, vient d'anéantir l'ex-capitale de cette planète avec des armes nucléaires. Avec deux révolutions distinctes en quelques mois, le climat politique est plus qu'instable et le moment est idéal pour une attaque de concert.

- Oui ! grommela le Bolbod. Il faut que nous descendions pour les écraser !

Le commandant jambitchow émit un petit rire.

- Je crains que vous ne deviez pas compter sur moi, messieurs. Du moins pour le moment. Est-ce que vous avez bien regardé cet épaulement sur la montagne, là-bas, à l'ouest de la capitale ?

Il y eut un instant de silence suivi d'exclamations étouffées.

Quinze avions de combat et transporteurs d'aéronavale venaient de faire leur apparition.

- C'était une embuscade ! s'exclama le semi-capitaine.

- Bah ! fit le Bolbod, leur puissance de feu ne peut se comparer à celle d'un seul de nos vaisseaux !

- Ils pourraient bien être redoutables, déclara le Jambitchow de sa voix musicale.

Il y eut un instant de calme. Brusquement, un visage apparut sur l'écran du petit homme gris. Celui de Roof Arsebogger, du *Croc de Minuit*. Il appelait depuis le porte-avions tolnep *Capture*.

- Votre Excellence, roucoula-t-il, pourrions-nous profiter de cette pause pour connaître vos réactions personnelles devant l'ensemble de cette situation ?

Le petit homme gris, comme toujours, était calme, sans émotion apparente. Et tout ce qu'il dit, d'une voix posée, ce fut :

- Sortez de mon écran.

- Oui, monsieur. Votre Excellence. Mais bien sûr, monsieur, Votre Excellence. Tout de suite, monsieur !

Le visage vérolé s'effaça.

Le petit homme gris eut une grimace de dégoût et revint aux autres. Tôt ou tard, ils arriveraient à une conclusion et ils décideraient d'une action concertée, quelle qu'elle soit. Jusqu'à présent, personne n'avait fait état du signal de téléportation. Aucun d'eux n'était parvenu à une conclusion logique. Chacun d'eux était-il uniquement intéressé par l'argent de la prime, gardant les autres dans l'ignorance ? Il devait écouter. C'était toujours le moyen le plus sûr.

La force combinée s'était réveillée et se déplaçait à présent afin de maintenir son orbite au-dessus du site. Les éclairs des propulseurs des vaisseaux zébraient l'espace alentour et le murmure des ordres courait sur les ondes. Ils se préparaient.

Ce fut le Hawvin qui, finalement, exprima ce qu'ils devaient tous avoir en tête : les primes.

- J'ai bien réfléchi à la question. C'est sûrement le monde que nous recherchons, mais en bas, ils ne le savent pas ! Il y a un rapport à propos d'un grand Psychlo qui a été vu se promenant aux alentours d'une plate-forme de transfert au début de la journée.

- Eh bien, si c'était un Psychlo, vous ne pensez pas qu'il l'aurait su ? demanda le commandant jambitchow.

Ce qui amena le super-lieutenant hockner à intervenir.

- Même si cet idiot ne le savait pas, ce pourrait quand même être le fameux monde que nous recherchons.

- Mais dans ce cas, insista le Hawvin, il le saurait. Et s'il ne le sait pas, ce n'est donc pas le monde que nous recherchons.

Le quart-amiral, tapotant un de ses crocs d'un air pensif, se mêla à la conversation.

- Étant donné qu'il existe maintenant une possibilité pour que ce soit bien le monde en question... (les autres le regardaient sur leurs écrans, incapables de comprendre encore comment il avait pu parvenir à cette conclusion), alors je ne vois aucune raison d'attendre plus longtemps et de ne pas tout simplement attaquer, tout piller et nous replier.

» Mais d'un autre côté, poursuivit le quart-amiral dans un bel élan de logique, si c'est bien *le* monde, ils représentent un danger extrême et il faut attaquer. Dans tous les cas, nous attaquons, nous divisons le butin et nous nous replions.

- Et l'argent de la prime ? demanda le Jambitchow.

- Eh bien, fit le quart-amiral, nous aurons la preuve qu'il s'agit du monde tant recherché en interrogeant à fond les prisonniers que nous allons faire. En tant que commandant en chef de cette force combinée...

Des protestations s'élevèrent immédiatement. Ils étaient tous d'accord pour attaquer, piller et se replier. Mais il n'était pas question que le quart-amiral soit leur commandant en chef !

Cela produisit un effet très désagréable sur le quart-amiral Snowleter. Roof Arsebogger étant à bord, il désirait donner la meilleure image possible de lui-même. Ce désaccord ne parlait pas en sa faveur et cela le rendit particulièrement furieux.

Le débat qui s'ensuivit prit un temps considérable et le petit homme gris revint au spectacle de la planète.

Il avait repéré un petit convoi qui se dirigeait vers le sud. Il était formé de deux sections. La première, plus petite, filait vers ce qui devait être une ancienne autoroute. La seconde, plus importante, allait presque aussi vite. Au premier abord, on pouvait penser que l'une poursuivait l'autre. Mais elles avaient atteint sans combat les berges d'une rivière. Donc, elles ne formaient qu'un seul et même groupe.

Le cours d'eau était en crue printanière et, peu après l'arrivée de la première section du convoi, des pompes furent mises en place et des geysers d'eau jaillirent. Ils arrosaient les véhicules et les créatures.

Ce genre d'opération était inconnu du petit homme gris, aussi consulta-t-il quelques ouvrages de référence. Des radiations ! Un arrosage copieux à l'eau était nécessaire pour éviter la contamination. Les particules étaient chassées par l'effet de leur propre poids. Donc, il y avait bien eu une explosion nucléaire. Au long des âges, les Psychlos avaient toujours supprimé sans remords tous ceux qui avaient tenté d'utiliser de telles armes. C'était un chapitre presque oublié des conflits du passé.

Le petit homme gris demanda à son officier des communications d'améliorer le réglage des écrans. Avec les nuages et la brume qui régnaient là en bas, la vision était difficile. La ville qui était au nord était ravagée par un énorme incendie et les flammes rougeoyaient sous la colonne de fumée qui s'élevait en torsade. Le vent soufflait du sud et, même si la zone proche de la rivière où s'étaient arrêtés les camions était plus claire, il n'y en avait pas moins de graves interférences. Ah, c'était ce court-circuit général sur le site de la vieille mine qui déformait l'image des écrans.

Il lui fallut un certain temps pour déterminer la nature du groupe près du fleuve. Qui étaient-ils ? Des réfugiés ? Les survivants d'une force d'attaque ?

Et c'est alors qu'il vit ! Sous le dôme qu'ils avaient soulevé à l'aide d'une grue, il y avait une console de téléportation.

Le petit homme gris reconstitua la situation. Il ne savait pas pourquoi ni comment, mais ce combat et cette explosion avaient un rapport avec la téléportation.

L'un ou l'autre de ces commandants de vaisseaux qui l'entouraient allait lui demander son avis. Eh bien, il donnerait une réponse neutre. Pour une fois, il ne se montrerait pas du tout coopératif. Il espérait qu'ils ne verraient pas cette console, là en bas. Il priait pour cela.

Apparemment, il y avait des blessés dans le groupe. On les soignait et l'attention générale, pour un moment, ne fut plus sur la sécurité. La console était là, bien visible.

Finalement, six avions de combat vinrent se poser. En plus de ces appareils, une couverture aérienne particulièrement importante assurait en permanence la protection du convoi.

Le petit homme gris ne quittait pas la console des yeux. Finalement, on la recouvrit et elle fut chargée dans l'un des avions.

Le super-lieutenant hockner déclara tout à coup :

- Est-ce que ce n'était pas une console de transfert qu'ils ont déchargée du camion pour la mettre dans un avion ? Je vais repasser l'enregistrement.

Les épaules du petit homme s'affaissèrent. Il n'avait pas voulu qu'ils la voient. Il avait tant espéré qu'ils ne reconnaîtraient pas la console en la voyant.

Vain espoir.

- Mais *oui !* s'exclama le Hockner.

Le chargement prenait du temps. Deux des avions étaient chargés à plein. Les autres étaient pratiquement vides. Le petit homme gris calcula leurs capacités. Oui, avec deux avions, tout le groupe pourrait être évacué.

Les commandants discutaient à présent fébrilement. Certains avaient déjà vu des images de ce genre de console. L'excitation montait. Ils entrevoyaient déjà l'heure où ils partageraient les deux cents millions de crédits de la prime.

Les camions à plate-forme, les pompes et une grue furent abandonnés sur place, ainsi que ce qui semblait être quelques cercueils. Les six avions décollèrent.

Et c'est alors que les terrestres firent une chose déconcertante et troublante. Au lieu de se placer en formation, ils commencèrent à se croiser en tous sens, à piquer puis à tourner en cercle. Même en repassant l'enregistrement, il était impossible de distinguer un appareil de l'autre !

Quatre d'entre eux se posèrent à nouveau. Mais lesquels ? Quels étaient ceux qui étaient chargés ?

Les commandants discutèrent de façon encore plus animée à ce propos. Ils se repassaient l'enregistrement, cherchant en vain une marque d'identification possible. Mais, avec le brouillage, c'était peine perdue.

Brusquement, le Hockner trouva la solution. Deux des avions, suivis par une petite fraction de la couverture aérienne, prirent l'air assez lentement, à moins de deux mille kilomètres/heure, et se dirigèrent vers le nord-est. Les quatre autres et la plus grande partie de la couverture aérienne restèrent dans le secteur de la rivière.

- C'est un leurre ! cria le super-lieutenant. Ils veulent que nous suivions ce groupe qui va vers le nord-est !

Ils attendirent, tout en déterminant la trajectoire du groupe qui volait vers le nord-est. Il passerait à proximité du Pôle et, à moins qu'on ne l'arrête avant, il atteindrait ces pagodes dans l'hémisphère Sud, dans environ neuf heures, si l'on se basait sur sa vitesse actuelle.

Comme pour confirmer les soupçons du Hockner, les quatre avions de combat restants, suivis des appareils de couverture, s'envolèrent soudain dans une direction nord-nord-ouest à plus de trois mille kilomètres à l'heure.

Une hâtive extrapolation de leur trajectoire indiqua que leur seule destination possible était une ancienne mine, près d'un endroit qui autrefois s'était appelé « Singapour ».

- C'est bien ça, les enfants, se réjouit le Hockner. J'ai un rapport qui indique un surcroît d'activité dans ce secteur et la présence d'une sorte de plate-forme. Ils emmènent cette console à « Singapour » !

Le quart-amiral essaya de le contredire. En tant que doyen des officiers, il avait le droit d'être obéi. Il expliqua que c'était les pagodes. Ce qui le motivait, c'était qu'il détestait toutes les religions. Les religieux n'étaient que des zélateurs qui renversaient les gouvernements et qu'il fallait écraser. Manifestement, ils assistaient à une révolte religieuse et les preuves étaient là. Un ordre religieux avait renversé le gouvernement de la planète et, à présent, dérobait une console. Cette planète était bien celle qu'ils cherchaient et il donna l'ordre de prendre les pagodes comme objectif.

Son ordre eut un effet immédiat. La force combinée se mit en mouvement, en formation unie, et se lança à la poursuite du groupe qui se dirigeait sur Singapour.

Mais le redoutable porte-avions de classe Terreur, le *Capture,* ne les imita pas.

Poussé par sa haine dévorante de la religion et par les exhortations de Roof Arsebogger (une action indépendante ferait un meilleur article), le quart-amiral Snowleter dirigea son énorme et puissant vaisseau, le ventre chargé d'avions de combat, vers Kariba.

2

Jonnie se réveilla avec un sentiment de danger. Le sol avait vibré ! Une infirmière qui avait dû être à son chevet venait de quitter la chambre.

Il regarda autour de lui, incapable durant un instant d'identifier ces lieux qui ne lui étaient pas familiers. Puis il les reconnut. C'était la chambre-bunker de Kariba que les Chinois avaient installée spécialement pour lui, sur le bord intérieur de la cavité qui abritait la plate-forme de tir. Toute la colline avait été creusée de profonds bunkers et ils en avaient même dallé certains. L'intérieur était éclairé par des lampes de mine.

Celui-ci était dallé de jaune, meublé d'un lit, de chaises et d'une penderie. Les dalles étaient décorées d'un portrait de Chrissie qu'ils avaient exécuté à partir d'un picto-enregistrement. Il était très ressemblant, si ce n'est qu'elle avait les yeux légèrement bridés.

A nouveau, le sol fut secoué. Des bombes ?

Jonnie était sur le point de sauter de son lit quand le docteur Allen entra et le repoussa gentiment en arrière.

- Tout va bien, lui dit-il. Ils ont la situation bien en main.

Il prit le pouls de Jonnie.

Sir Robert fit son apparition sur le seuil. Il avait un pansement sur le nez. Il attendait visiblement que le docteur Allen ait fini.

- Tu as été salement touché, mais ton pouls est normal à présent. L'injection préventive de sérum a contrarié en partie l'action du venin. Mais c'est surtout grâce à Sir Robert que tu t'en es sorti : il a fait sortir le poison et il a même réussi à t'injecter quelques gouttes de sérum.

La grosse montre psychlo de Jonnie était posée sur sa table de chevet. Il la regarda. Avait-il vraiment dormi dix-huit heures ? Dieu seul savait ce qui s'était passé durant tout ce temps.

Le docteur Allen précéda sa question.

- Je sais, je sais. Mais il a été nécessaire de te donner un agent opiacé pour ralentir ton cœur. (Il plaça un stéthoscope sur la poitrine de Jonnie, écouta, puis le replia.) Je ne décèle aucune lésion coronaire. Tends la main.

Jonnie s'exécuta.

- Ah, plus de tremblement. Je pense que tu vas bien. Encore quelques jours alité et...

A cet instant, le sol trembla encore une fois. Jonnie essaya de se lever et le docteur Allen le repoussa à nouveau.

- Sir Robert ! lança Jonnie. Que se passe-t-il ?

Le docteur Allen acquiesça à l'attention de Sir Robert pour lui indiquer que Jonnie allait bien et se retira. Sir Robert s'approcha du lit. Il ne répondit pas à la question de Jonnie. Il restait immobile, l'air rayonnant, heureux de voir Jonnie bien en vie. Le garçon avait même un peu de couleur sur ses joues.

- Que se passe-t-il ? répéta Jonnie, en accentuant chaque syllabe.

- Oh, il y a un vaisseau tolnep au-dessus de nous. Il est à environ trois cent mille mètres d'altitude et il n'arrête pas de larguer des avions qui viennent nous bombarder. Nous avons une bonne couverture aérienne. C'est Stormalong qui la dirige. Pour le moment, l'ennemi se concentre sur Singapour.

Angus était à la porte. Jonnie l'appela :

- Est-ce que tu as installé la console ?

- Aïe ! fit Angus en entrant. On n'a pas eu besoin de venir te déranger. (Il pointa l'index vers le haut.) Avec ces tirs et notre défense antiaérienne à l'extérieur de l'écran, sans oublier les moteurs de nos avions, nous n'avons pas osé nous servir du dispositif. Mais tout est connecté. Les Chinois ont fait une très belle installation.

- La prochaine position de l'interrupteur est *en bas,* dit Jonnie.

- Oui, Sir Robert nous l'a dit. Tout est prêt à fonctionner quand le bombardement s'arrêtera ! Repose-toi.

Angus sortit et Thor le remplaça aussitôt.

- Comment te sens-tu ? demanda-t-il.

Jonnie agita la main d'un geste négatif.

- Quasiment inutile. La dernière chose dont je me souvienne, c'est que j'étais sous le dôme. Tu ferais mieux de me mettre au courant.

Thor lui raconta alors ce qui s'était passé et ce qu'ils avaient fait.

- Un choc en retour aussi dur ! fit Jonnie.

- Pire encore.

- Combien d'hommes avons-nous perdus ?

- Andrew et MacDougal. Mais il y en a quinze autres ici dans ce petit hôpital. Quelques traumatismes, des bras et des jambes cassés. Ils sont pour la plupart contusionnés, très gravement contusionnés. Le plomb des cercueils les a protégés. Aucune brûlure par radiations. Andrew a été lacéré de coups de baïonnette par les Brigantes. Il n'a pas pu refermer le couvercle de l'intérieur et il a été soufflé.

- Et MacDougal ?

- Eh bien, pour lui ça a été plutôt affreux. Il était posté près de la vieille cage et son cercueil a été arraché du sol. Pendant un moment, nous avons été incapables de retrouver son corps et nous avons cherché. (Jonnie remarqua alors que Thor tenait un petit paquet, très lourd, qu'il devait appuyer contre la table de chevet.) On a donc cherché parmi tous les corps. Ils avaient été soufflés, dispersés, la chair en grande partie brûlée. On a suivi la ligne d'explosion, parce qu'on pensait que son corps avait été projeté loin de la plate-forme. Ce qui nous a conduits dans ce qui restait du bureau de Terl. Tout le haut avait été soufflé. Quatre ou cinq corps avaient été projetés depuis la plate-forme jusque-là. On ne voulait pas se contenter de porter les gens comme disparus et on a essayé d'identifier les cadavres. C'est comme ça qu'on a retrouvé MacDougal. Et ça aussi. (Thor dépliait le paquet.) Je sais que tu seras soulagé d'avoir ça. Un des cadavres n'avait plus du tout de chair. Il avait été complètement brûlé et les vertèbres étaient à nu. Il y avait ça planté dedans.

C'était la bille de métal du noyau de la bombe.

- Brown Staffor, dit Jonnie. Le Boiteux ! Terl a lancé la bombe sur lui. Comme une balle. Oui, je suis très, très heureux que tu l'aies retrouvée !

- On a aussi le paquet que Terl lui avait donné. On l'a confié à Angus qui l'a désamorcé. Qu'est-ce que ça a comme effet ?

- On ne le sait pas vraiment, fit Jonnie. Mais connaissant Terl...

- On a eu toute sa poubelle de recyclage. On s'était dit qu'il allait s'en servir et on avait coupé l'électricité. Elle était pleine à ras bord ! Si tu le veux, c'est là, dehors sur un chariot. Heureusement qu'on avait tout mis dans un sac anti-radiations. (Il montra la porte.) On l'a récupéré dès qu'il a eu quitté son bureau.

Un serviteur poussa le chariot dans la chambre. Tout le contenu de la poubelle de recyclage de Terl ! Disposé avec soin.

- N'essaie pas de tirer avec ces pistolets d'assassin, dit Thor. Ker y a dissimulé un bouchon pour qu'ils tirent à l'envers, sur celui qui s'en sert. Ker m'a dit de t'avertir et qu'il va les remettre dans leur état d'origine.

Il tendit à Jonnie quelques-uns des papiers et des livres issus des doubles fonds des placards de Terl. Jonnie en avait déjà enregistré un certain nombre. Un livret attira son regard : *Défenses Connues des Races Hostiles et Descriptif de leurs Mondes Natals*. Il le feuilleta. Il y avait des tas de planètes référencées. Il regarda à *Tolnep* :

Cette planète appartient à un système à deux soleils. (Voir table des coordonnées pour sa situation.) Le système lui-même ne compte que trois planètes habitées : la septième, la huitième et la neuvième. C'est sur la neuvième planète que vivent les Tolneps. Elle possède cinq lunes, dont seule Asart a quelque importance. On l'utilise pour le lancement des principaux vaisseaux de guerre. Aucun vaisseau tolnep ne peut se déplacer dans l'atmosphère d'une planète à cause de la déficience de son système de propulsion stellaire qui repose essentiellement sur des moteurs à réaction, lesquels, dans l'atmosphère d'une planète, consomment une trop grande énergie. Après leur construction, les vaisseaux sont basés sur la lune Asart, et les équipages et le fret y sont amenés directement depuis la planète. Des plans ont été régulièrement proposés afin d'occuper et d'exploiter Tolnep. Mais comme les habituelles tactiques militaires risqueraient d'échouer dans le cas d'une guerre avec Tolnep, la lune Asart n'a encore fait l'objet d'aucune atta-que à l'heure où nous rédigeons ceci.

Jonnie regarda la date en psychlo. Le livre n'avait que quelques années. Il continuait sur le même ton. Jonnie le reposa.

Une autre secousse. Le sol trembla.

Tout à coup, Jonnie réalisa qu'il avait perçu une tension sous-jacente chez chacun de ceux qui lui avaient rendu visite. Ils essayaient de le mettre à l'aise ! Pendant qu'il lisait, Thor avait été appelé dehors d'urgence. Et soudain un com-municateur se rua dans la chambre avec une liasse de messages pour Sir Robert, puis se retira aussi vite. Jonnie vit les sourcils de Sir Robert se froncer comme il prenait connaissance des messages.

- La situation est plus grave que vous ne le dites, n'est-ce pas ? demanda Jonnie.

- Nan, nan, dit Sir Robert. Faut pas t'en faire, mon gars.

- Mais quelle est-elle *exactement ?* insista Jonnie.

Chaque fois que Sir Robert revenait à ses expressions dialectales, cela signi-fiait qu'il était très inquiet. Le vieil Écossais soupira et se résigna à répondre. Il retrouva son accent universitaire.

- Eh bien, si tu dois le savoir, nous avons perdu l'initiative. Pour une raison que nous ignorons, l'ennemi a décidé d'attaquer en force. (Il tapota les rapports qu'il avait reçus.) Singapour tient jusqu'à présent, et les trois quarts des forces ennemies y sont concentrées. Mais elles ne resteront pas à Singapour éternelle-ment. La base russe a été attaquée par des avions venant d'un grand vaisseau de guerre. Edinburgh aussi. Ces deux bases ne disposent pas de blindage atmosphé-rique. Et juste au-dessus de nous (il pointa l'index), il y a un vaisseau de guerre monstrueux qui nous envoie des bombes et des avions depuis plusieurs heures. Il risque de débarquer un millier de marines tolneps et nous ne sommes pas trop bien équipés pour venir à bout d'un assaut au sol. Voilà, tu sais tout. Ça ne peut qu'empirer.

- Appelez le docteur Allen, dit Jonnie. Je me lève !

Sir Robert essaya en vain de protester mais dut céder et alla prévenir le doc-teur Allen.

Ce dernier n'appréciait pas du tout.

- Tu es encore plein d'une drogue appelée « sulfa ». C'est pour empêcher l'infection et un empoisonnement du sang. Si tu te lèves trop vite, tu vas éprou-ver des étourdissements. Je ne te conseille pas de le faire.

Mais Jonnie insista malgré tout. Il savait qu'ils faisaient tout ce qu'ils pou-vaient, mais il voulait observer la situation par lui-même. Il n'allait quand même pas rester au lit à attendre d'être réduit en miettes !

Jonnie ne trouvait aucun vêtement. Un coordinateur fit son apparition, accompagné d'un Chinois âgé, aux cheveux gris.

- Voici M. Tsung, dit le coordinateur. C'est lui qui a été chargé de préparer votre chambre. Il a appris quelques rudiments d'anglais afin de pouvoir vous aider.

M. Tsung s'inclina. Il était évident qu'il était heureux d'être en présence de Jonnie, mais le martèlement des bombes retenait une part de son attention. Il avait apporté un bol de soupe pour Jonnie et il le lui tendit avec des mains quelque peu tremblantes. Jonnie fut sur le point de le reposer, mais M. Tsung secoua la tête :

- Buvez ! Buvez ! Peut-êtl'pas possib' manger plus tard.

Un communicateur apparut sur le seuil et fit un geste à l'adresse de Sir Robert. Le vieil Écossais se précipita au-dehors à sa suite.

M. Tsung maîtrisait peu à peu sa nervosité. Il s'habituait déjà à être en présence de Jonnie et, à présent qu'il avait quelque chose à faire, les grondements sporadiques des bombes lui semblaient moins alarmants. Et il acquérait peu à peu la conviction que si quelqu'un pouvait résoudre cette situation, c'était bien Lord Jonnie. Tout en déballant les armes de Jonnie, il afficha un sourire plus confiant.

Le docteur Allen n'avait pas menti à propos des étourdissements. Jonnie s'en rendit compte en essayant de passer ses vêtements. Son bras était raide et douloureux et il avait du mal à s'habiller.

M. Tsung lui fit revêtir l'uniforme vert uni qu'ils portaient tous. Il boucla le ceinturon de Jonnie, avec ses deux holsters : celui de gauche pour le Smith & Wesson et celui de droite pour le pistolet-éclateur. Il noua une écharpe de soie noire à son bras et la serra de telle façon que Jonnie puisse le dégager rapidement pour empoigner le Smith & Wesson en cas de besoin. Il demanda à Jonnie de vérifier s'il en était capable, puis il lui tendit le casque vert.

- Et maintenant, vous les tuez tous, dit-il avec un grand sourire.

De sa main, il imita un pistolet, puis il ajouta :

- Bang ! Bang !

Il glissa ensuite les mains dans ses manches et s'inclina.

Si seulement ça pouvait être aussi simple, songea Jonnie. Mais il n'en répondit pas moins au salut du petit homme. Un étourdissement le reprit. Seigneur ! Il avait l'impression que la chambre se mettait à tourner.

Une explosion plus violente que toutes les autres secoua le sol.

Bon sang ! Les autres là-haut ne faisaient pas semblant !

3

En quittant la chambre, Jonnie s'aperçut que le passage souterrain passait devant l'hôpital. Il avait eu l'intention de se rendre jusqu'au cône où se trouvait la plate-forme, mais il se faisait du souci pour les blessés du commando et il s'arrêta à la porte.

De l'intérieur venait un grand bruit. Des cliquetis de culasses qu'on armait, des claquements de bretelles ! Des armes ?... Il entra. Il y avait environ trente lits dans la salle dont plus de la moitié étaient occupés. Deux Chinois dont les brassards indiquaient qu'ils appartenaient à l'armurerie étaient là avec un chariot chargé d'armes diverses. Ils distribuaient des éclateurs, des AK 47 avec des munitions à thermite et des pistolets à tous les Écossais blessés.

Une infirmière écossaise aux tempes grisonnantes s'approcha de Jonnie. De toute évidence, elle n'approuvait pas son irruption dans son service. Puis elle le reconnut, ravala ce qu'elle s'apprêtait à dire, sans doute un commandement péremptoire de vider les lieux.

Jonnie avait fait le compte des hommes présents.

- Il y a ici treize blessés du groupe de commando et deux artilleurs. Est-ce qu'il y en a d'autres ?

- Les deux garçons avec un traumatisme crânien sont en chirurgie, dit l'infirmière. Le docteur MacKendrick dit que l'opération s'est bien passée et qu'ils s'en sortiront parfaitement. Et vous, MacTyler, êtes-vous censé être debout ?

L'un des blessés écossais avait aperçu Jonnie sur le seuil et il lança son nom. Jonnie s'était apprêté à aller de lit en lit pour présenter des excuses aux blessés. Il y avait eu dix-sept victimes sur les trente-deux hommes qui avaient composé le commando. Dix-huit, s'il se comptait lui-même. C'était beaucoup ! Tous ces hommes étaient gravement contusionnés et il y avait de nombreux yeux au beurre noir. Plusieurs membres cassés également. Jonnie se dit qu'un plan un peu mieux conçu aurait pu empêcher tout cela.

Mais les autres Écossais l'avaient vu et se mirent à hurler. Il lui sembla reconnaître quelque chose comme « L'Écosse toujours ! » Tous s'étaient redressés et criaient à tue-tête. Leur moral à eux, en tout cas, n'était pas en baisse !

Soudain, Jonnie réalisa que tous ces garçons avaient massacré les Brigantes et réglé la dette de sang de l'Écosse. C'étaient des vainqueurs et leurs blessures étaient autant de médailles de bravoure. Ils seraient les héros de la nation écossaise tout entière.

Non, il n'avait pas besoin de s'excuser. Dans les clameurs, il essaya en vain de se faire entendre, puis se contenta de sourire et de les saluer de la main, avant de se retirer.

Au-dehors, des haut-parleurs diffusaient une musique religieuse solennelle pour brouiller les infrarayons des visiteurs.

Jonnie quitta le couloir d'accès aux bunkers et s'arrêta devant la cuvette. Des lambeaux de fumée rendaient la lumière du jour blafarde. L'odeur légère du blindage atmosphérique en Phase Trois se mêlait à celle du charbon de bois. L'endroit semblait inhabituellement peuplé.

Le diamètre, au fond de la cuvette, était de trois cents mètres. Auparavant, Jonnie avait considéré cet espace comme important, environ 250 000 mètres carrés selon son estimation. Mais il semblait tout petit, à présent.

La structure en pagode, au centre, s'étendait bien au-delà de la plate-forme, de chacun de ses côtés. Tout autour de la cuvette, il y avait une sorte de promenade, large et pavée.

La dernière fois que Jonnie l'avait vue, elle était déserte. Là-bas, sur la droite, deux électriciens italo-suisses étaient occupés à monter de nouveaux câblages dans des bunkers. Un Allemand et un pilote suisse arrivaient avec un chariot chargé de masques à air. Tout près de là, un officier écossais donnait des instructions à un soldat russe. Sur la gauche, de l'autre côté, un groupe de soldats suédois déchargeaient des munitions d'un chariot. Plus loin, surgissant d'un passage qui devait accéder à l'extérieur, deux chasseurs sherpas poussaient un autre chariot chargé de ce qui devait être de la viande de bison en direction de la cuisine. Çà et là, des communicateurs bouddhistes allaient d'un bunker à l'autre de leur démarche flottante. Et des familles chinoises, avec leurs enfants et leurs biens, étaient dispersées sur le pourtour intérieur. Sur l'un des grands poteaux qui maintenaient le toit de la pagode, les Chinois avaient accroché des boucliers tribaux représentant les diverses tribus survivantes de la Terre.

Tous les peuples de la Terre. Un lieu vraiment international.

Jonnie s'apprêtait à poursuivre son chemin quand une voix s'éleva derrière lui, un peu sur la droite, et lui dit en psychlo :

- Je suis vraiment navré.

C'était le Chef Chong-won, responsable de la tribu chinoise et principal architecte de ce lieu.

- Il nous a fallu rapatrier tous les gens qui vivaient dans le village près du lac. Le lac est très vaste, le câble de protection est mince au centre et quelques bombes ont réussi à passer au-dessus du barrage. Les vagues créées par les explosions sont dangereuses pour le village. Et puis la fumée des feux des cuisines ne peut pas s'échapper à cause de l'écran.

Il s'inclina. Jonnie acquiesça.

- Mais, continua Chong-won, mes ingénieurs creusent des conduits d'aération dans la colline, sous le câble.

Des tas de terre et de rochers indiquaient l'endroit où les Chinois avaient mis au travail des foreuses pour percer jusqu'à l'extérieur.

- Ils vont placer des ventilateurs d'aspiration et d'expulsion qui seront courbes, afin d'éviter l'effet de souffle des bombes. Je suis vraiment désolé de cette erreur.

- A mon avis, vous avez fait un travail splendide, dit Jonnie. Vous m'avez dit que des bombes touchent le lac, au-dessus du barrage. Est-ce qu'il a souffert ?

Chong-won fit signe à un ingénieur chinois qui s'approcha et ils discutèrent un moment en mandarin. Puis Chong-won dit à Jonnie :

- Non, pas jusqu'à présent. Mais cela a provoqué quelques débordements par-dessus le barrage et ils ont installé des batardeaux mobiles en haut du barrage pour que l'eau ne déborde plus. Si le volume du lac baissait, nous serions privés d'électricité.

L'ensemble du niveau inférieur de la « pagode » était ouvert sur ses quatre côtés. En réalité, la pagode ne constituait qu'un toit factice. La plate-forme métallique de transfert était exposée aux regards. Les Chinois l'avaient polie à tel point qu'elle brillait même dans la lumière atténuée.

Jonnie s'avança sous le toit afin de mieux voir l'endroit où ils avaient installé ce qui comptait avant tout : la console. Il sourit alors. Sur l'autre côté de la plate-forme, ils avaient édifié une estrade qui avait la forme d'une monstrueuse et féroce bête ailée !

Angus était devant la console et il fit un signe de la main à Jonnie.

- C'est quelque chose, non ? lança-t-il.

Oui, c'était vraiment quelque chose. L'animal avait une tête énorme, deux ailes et une longue queue lovée. Il était en métal blindé, peint en rouge et or.

- Un dragon, expliqua Chong-won. Autrefois, c'était l'emblème de la Chine impériale. Regardez, le blindage est à lamination moléculaire.

Il n'y avait pas que ça : la console était couverte ! Elle avait été disposée dans le dos du dragon et la couverture était constituée par les écailles du monstre, de telle façon que l'opérateur pût opérer sans que quiconque l'observe. Sur la plate-forme surélevée où reposait la console, il y avait deux tabourets et, sur un rayon, un ordinateur et divers documents. Le tout était blindé. Rien, non *rien* ne pouvait endommager cette console. Et nul ne pouvait observer ce qu'on faisait avec.

On était bien loin de l'esprit matérialiste des Psychlos, qui ne connaissaient rien à l'art et à la peinture. Ces Chinois étaient extraordinaires !

- Vous voyez ? reprit Chong-won en pointant l'index. Il est exactement semblable à ces autres dragons.

Il montrait un dragon qui surplombait l'un des angles pointus du toit de la pagode. Il y en avait quatre en tout. Puis il désigna à Jonnie des travaux inachevés près de la berge.

- Chaque bunker était censé avoir un dragon à l'entrée. Mais nous n'avons pas eu le temps de les mettre en place.

Ces dragons-là étaient bien plus petits, faits de terre cuite et peints également en rouge et or.

La console avait belle allure dans son enveloppe protectrice. Angus avait apporté le livre des coordonnées de transfert et il s'entraînait à les mettre en place sans toucher aux commandes. Il essayait de convertir les données du livre par rapport au temps local et aux divers boutons de la console.

- J'ai compris comment ça marche, dit-il. Il faut seulement un peu de temps pour effectuer les calculs. Pour chaque planète, il y a huit mouvements séparés, et il faut sélectionner tel ou tel endroit sur la planète. Mais ce n'est pas insurmontable.

Jonnie leva les yeux. Une bombe venait encore d'éclater quelque part.

- Si tout ça s'arrêtait, nous pourrions nous mettre au travail, dit-il. Mais j'ignore quand ce sera possible et ce que nous pouvons faire avec cette console.

Le chef Chong-won montrait la face intérieure d'un des gros piliers qui soutenaient le toit de la pagode et protégeaient la console et la plate-forme de la pluie. Ils avaient monté des projecteurs sur chaque poteau afin qu'ils éclairent bien le centre de la plate-forme.

- Durant la nuit, expliqua-t-il, on ne les voit pas de l'extérieur.

Jonnie voulait poursuivre jusqu'au bunker des opérations, mais le chef lui fit faire un détour par une vaste salle souterraine creusée dans le mur de la cuvette. La pièce était élégamment dallée et, à une extrémité, on avait dressé une estrade pour d'éventuels orateurs. Il y avait des sièges pour cinquante personnes. C'était très bien conçu.

Puis le chef montra à Jonnie un échantillon des trente petits appartements qui avaient été construits pour les invités et les visiteurs, en plus des quartiers réservés aux pilotes et au personnel. Les ingénieurs chinois excellaient dans la construction à base de bois, de pierre et de tuiles, surtout avec l'appoint de machines psychlos.

Jonnie s'intéressa tout particulièrement aux postes de tir disposés tout autour, qui pouvaient couvrir la plate-forme et l'intérieur de la cuvette. Avec des troupes en plus, la base pourrait être efficacement défendue. Mais ils ne disposaient pas d'autant d'hommes qu'il aurait fallu.

Enfin, Jonnie découvrit la salle des opérations. L'endroit bourdonnait d'activité. C'était la réplique en miniature de celle qu'ils avaient découverte dans le sous-sol de la base d'Amérique. Au centre se trouvait une immense carte de la planète. Au fur et à mesure que les rapports parvenaient des pièces adjacentes, des hommes, avec de longues perches, déplaçaient des modèles réduits d'avions et des vaisseaux de guerre qui étaient en orbite. Les vaisseaux ennemis étaient rouges et les avions humains verts.

Stormalong était là, vêtu de son blouson de cuir, de son écharpe blanche, avec des lunettes trop grandes pour lui. Il était flanqué de deux communicateurs bouddhistes ; ceux-ci parlaient dans des micros placés près de leur bouche qui interdisaient toute autre intervention vocale. Leur crâne rasé brillait sous le casque d'écoute trop grand.

On expliqua à Jonnie qu'ils émettaient sur un canal de bataille planétaire - utilisé par Stormalong - et sur un canal de commandement réservé à Sir

Robert. C'était un jeune bouddhiste de treize ans qui était chargé des communications pour Sir Robert.

Jonnie n'avait pas besoin d'un briefing pour comprendre. Tout était là, sous ses yeux, représenté sur le grand tableau des opérations. Singapour subissait une attaque en masse. La base russe avait dû mettre en branle de nombreuses batteries de défense antiaérienne. Dunneldeen commandait la couverture aérienne d'Edinburgh et Thor celle de Kariba. Au Lac Victoria et ailleurs, il ne se passait rien. Mais là où le combat était engagé, il était dur.

Jonnie écouta les messages sur les canaux de bataille et de commandement, mais ils étaient en pali.

Une troisième fréquence, dirigée par un officier écossais, contrôlait les communications de l'ennemi.

Tout au bout de la salle, il y avait quelques bureaux inoccupés. Glencannon était là, penché sur une pile de photos. Jonnie y jeta un coup d'œil. Cela semblait être des clichés pris à travers le pare-brise d'un avion de combat. Celui qu'il avait piloté lorsque le Suisse avait été tué ? Il y avait une autre pile de photos, apparemment plus récentes, du monstrueux vaisseau qui se trouvait au-dessus d'eux.

Glencannon semblait très agité. Ses mains tremblaient. Apparemment, il ne s'était pas encore remis de sa dernière mission et de la mort du pilote suisse, car Stormalong ne l'avait pas désigné pour un vol. Et il ne répondit pas lorsque Jonnie lui parla.

La situation telle qu'elle apparaissait sur le tableau des opérations n'était pas bonne, mais Jonnie ne voyait pas ce qu'il pouvait faire. C'était un combat à mort. Il se demandait combien de temps encore les bases sans rideau atmosphérique pourraient tenir. Edinburgh, en particulier, était très vulnérable. Il s'inquiéta un instant pour Chrissie. Il espérait qu'elle était en sécurité dans un des bunkers de Castle Rock. Sir Robert répondit immédiatement à sa question : oui, ils avaient tous gagné les bunkers, à présent. La défense d'Edinburgh était en grande partie assurée par l'artillerie antiaérienne. Dunneldeen se chargeait des avions qui attaquaient et les batteries antiaériennes se chargeaient des bombes.

Jonnie songea qu'il ferait aussi bien de jeter un coup d'œil sur leur propre défense antiaérienne. Jamais il n'avait observé les canons psychlos en action. Du moins, jamais de près.

Il sortit. Le chef Chong-won avait disparu, appelé par d'autres tâches urgentes. Des familles chinoises avec leurs enfants et parfois un chien s'étaient installées à proximité des puits de tir. La fatigue et l'inquiétude se lisaient sur les visages. Quelques enfants pleuraient. Mais les parents affichaient un large sourire au passage de Jonnie, et se levaient pour le saluer en s'inclinant. Il espérait avec ferveur que leur confiance était bien placée.

On quittait la cuvette par un passage souterrain en courbe. Il se trouvait sous le câble et le courant ne devait donc pas être coupé chaque fois que quelqu'un entrait ou sortait. Quant à la courbure, elle était destinée à empêcher les projections de débris ainsi que le souffle des bombes.

Jonnie se rendit à une première batterie antiaérienne. Le canon était cuirassé et les deux artilleurs portaient des tenues de combat russes pare-balles. Un officier écossais aperçut Jonnie et sortit d'un puits.

- Nous n'en avons pas suffisamment, dit-il à Jonnie en désignant le canon antiaérien. Nous n'arrivons pas à couvrir tout le lac. C'est tout ce que nous pouvons faire pour protéger la cuvette.

Jonnie s'approcha du canon. Le viseur était couplé à un ordinateur et se centrait sur tout objet en mouvement. Il suffisait d'appuyer sur une détente et le canon calculait lui-même la vitesse et la direction de l'objet en mouvement, tirait un projectile explosif sur sa trajectoire et passait à l'objet suivant.

Jonnie leva les yeux vers le ciel. Un avion ennemi était à peine distinct, là-haut, à soixante mille mètres. Il savait que la portée du canon était trop courte de quinze mille mètres. Apparemment, l'ennemi le savait aussi.

Il larguait des bombes.

La pièce tira cinq projectiles coup sur coup. Cinq bombes, atteintes de plein fouet, explosèrent en l'air et le bruit de la déflagration leur parvint.

- Celles que nous manquons tombent dans le lac, dit l'officier écossais. C'est au-delà de notre secteur. Et il y en a aussi qui tombent dans la forêt. Celles-là, nous les ignorons.

Jonnie regarda en direction des bois. Il y avait un important incendie à douze ou quinze kilomètres de là. Non, il y en avait trois en fait. Tous les animaux à cent kilomètres à la ronde avaient dû fuir la contrée. Quant aux buffles ramenés par les sherpas, ils avaient probablement été tués par les bombes. Ma foi, les bois ne brûleraient guère longtemps. Il faisait bien trop humide.

Jonnie porta à nouveau son regard sur le canon. Quels ravages ce genre d'arme aurait pu causer dans les rangs humains plus d'un an auparavant, quand ils avaient attaqué, si l'effet de surprise n'avait pas été total. Et si certains chefs de la sécurité, comme Terl, n'avaient pas totalement négligé le dispositif de défense de la Compagnie.

Une autre bombe explosa sur une colline à vingt kilomètres de là. Ils purent tous voir le geyser de fumée et d'arbres fracassés. Le vaisseau de combat larguait des bombes extra-lourdes, songea Jonnie. Si l'une d'elles venait à toucher le cône, est-ce que l'écran atmosphérique suffirait à le protéger...

Jonnie retournait vers l'entrée quand il vit venir Glencannon qui boutonnait son épaisse tenue de vol. Il n'y avait ni copilote ni communicateur avec lui. Il se dirigeait droit sur un avion protégé par des sacs de sable. Jonnie se dit qu'il avait sans doute reçu des ordres spéciaux et il ne tenta pas de l'arrêter.

Glencannon monta à bord . L'appareil était un Mark 32 blindé qui avait été converti pour le vol à haute altitude.

A l'instant où Jonnie s'engageait dans le passage, Stormalong en jaillit.

- Glencannon ! hurla-t-il.

Mais l'avion venait de décoller.

4

Depuis des jours, Glencannon ruminait. Son sommeil était torturé par des cauchemars.

Au fond de son esprit, il entendait encore la voix de son camarade suisse :

- Vas-y ! Vas-y ! Je vais les descendre ! Continue !

Et puis, son cri lorsqu'il avait été touché, avant de s'éjecter. Et il voyait encore sur son écran le corps de son ami éclater en lambeaux dans les airs, sous l'effet des tirs de l'ennemi.

Il avait les enregistrements du vaisseau de guerre qui avait largué les avions. Et aussi les clichés qui avaient été pris du monstre qui les bombardait.

C'était le porte-avions *Capture* de classe Terreur. Il ne pouvait y avoir aucun doute à ce sujet. C'était bien le vaisseau qui avait massacré son camarade.

Il avait le sentiment qu'il aurait dû rebrousser chemin sans tenir compte de ses ordres. A deux, il en avait la certitude, ils auraient fini par avoir le Tolnep. Mais il avait obstinément obéi aux ordres.

Il avait lutté contre le désir d'aller détruire ce vaisseau mais il savait que s'il ne le faisait pas maintenant, sa vie serait un cauchemar.

Sur la fréquence locale de commandement, il entendit soudain la voix de Stormalong qui s'exprimait en psychlo :

- Glencannon ! Tu dois revenir ! Je t'ordonne de te poser !

Glencannon coupa la communication.

Il pilotait le Mark 32 de Stormalong. L'appareil avait été tenu paré en « réserve de dernier recours ». Il avait été reconverti pour les vols à haute altitude et les portes et les hublots étaient parfaitement étanches. Sa puissance de tir était énorme et il pouvait larguer des bombes capables d'anéantir la moitié d'une ville. Son blindage lui permettait de résister à des tirs nourris. Et même si ses canons ne pouvaient venir à bout du blindage d'un vaisseau de combat, il existait d'autres moyens.

Ceux d'en bas n'avaient aucun moyen de le rejoindre. Tous les autres Mark 32 étaient au Lac Victoria et, ici, à Kariba, il n'y avait que des intercepteurs. Non, il ne risquait pas d'être rattrapé. Pas à l'altitude où il serait.

Il montait dans le ciel, de plus en plus haut. Il ajusta son masque respiratoire : il allait bientôt quitter l'atmosphère.

Le *Capture* suivait son orbite lente et précise à cinq cent cinquante kilomètres au-dessus de Kariba, à environ soixante-quinze kilomètres de l'atmosphère terrestre. Il utilisait ses moteurs à réaction au lieu de se laisser porter par l'orbite.

Des avions étaient régulièrement largués, piquaient vers leurs cibles au sol, puis revenaient pour refaire le plein de bombes et de munitions. Un appareil repéra bientôt Glencannon et plongea. Presque avec mépris, il attendit qu'il soit au centre de ses viseurs et appuya sur le bouton de tir. Le Mark 32 fut secoué par le recul.

Le Tolnep s'enflamma et piqua vers la Terre comme une comète.

Le *Capture* l'avait à présent repéré et, comme Glencannon s'approchait, les écoutilles de tir s'ouvrirent et de longues lanières de flammes strièrent le ciel tout autour de son avion. L'une d'elles éclata sur la carlingue et, instantanément, le pont devint brûlant.

Glencannon fit une embardée et fila hors de portée. Il vit rougeoyer les évents de propulsion du vaisseau et calcula sa trajectoire.

A quarante kilomètres du vaisseau, il se mit à pianoter sur sa console afin de maintenir sa position. Il était exactement hors de portée de tir.

Il régla ses écrans et l'observa.

Les étoiles brillaient intensément sur le fond noir de l'espace, mais il n'avait pas d'yeux pour elles en cet instant. La Terre se déployait sous lui, avec ses courbes harmonieuses, mais il ne la voyait pas.

Toute son attention, son obsession, étaient concentrées sur le *Capture*. Il l'étudiait.

Le vaisseau, après un moment, reprit ses opérations. Il devait considérer que la mission de Glencannon était d'observer et non d'attaquer. L'arrogance du monstre était évidente. Il ne pensait pas que quiconque pouvait oser l'attaquer. Et il s'était remis comme auparavant à larguer et à ravitailler ses avions.

Glencannon remarqua bientôt que, peu avant l'ouverture des grandes écoutilles du pont-hangar, une petite lumière se mettait à clignoter à l'extérieur, sans doute pour prévenir les avions de se tenir au large et de ne pas se placer devant le vaisseau à l'instant du largage.

A chaque fois que la porte s'ouvrait, il examinait attentivement l'image de l'intérieur qui apparaissait sur son écran. Tout le hangar était encombré d'avions. Des Tolneps vêtus de combinaisons pressurisées se hâtaient de tous côtés, procédant au ravitaillement des appareils et au chargement des bombes. Les bombes étaient de bien plus gros calibre à présent.

Ils avaient laissé le magasin intérieur ouvert. Des bidons de carburant, sans doute du gaz liquide, jonchaient le sol. Les Tolneps étaient trop sûrs d'eux et imprudents, mais quel autre comportement fallait-il attendre d'une race d'esclavagistes ?

L'attention de Glencannon se porta alors sur le pont en losange du vaisseau. Il distinguait deux silhouettes qui se déplaçaient d'avant en arrière. L'une ne portait pas d'uniforme. Probablement un civil. L'autre, qui portait une casquette de la marine, semblait accorder toute son attention au civil. Non, ils n'étaient pas sur leurs gardes.

Glencannon observa de nouveau la porte du pont-hangar et le signal lumineux. Il évalua les intervalles et calcula sa propre position.

Tout au fond de ses pensées, il y avait encore la voix de son ami qui résonnait : « Vas-y ! Vas-y ! Je vais les descendre ! Continue ! »

Voilà exactement ce qu'il s'apprêtait à faire : il allait les descendre tous !

Pour la première fois depuis longtemps, il se sentait calme, serein, confiant. Et absolument déterminé. Il allait faire ce qu'il avait à faire.

A la prochaine ouverture...

Le signal s'alluma !

Les mains de Glencannon s'abattirent sur la console.

Le Mark 32 jaillit en avant et il eut l'impression d'être écrasé dans son siège.

Les canons crachèrent à bord du *Capture*.

Des boules ardentes orange crépitèrent sur le Mark 32.

Il transperça le barrage.

Et à la seconde où il pénétrait dans le hangar, Glencannon ouvrit le feu de tous ses canons et largua toutes ses bombes.

L'explosion fut comme un soleil qui éclatait!

Jonnie et Stormalong, derrière l'écran d'un canon, à l'extérieur du cône, virent ce soleil. Ils avaient observé l'avion de Glencannon, ils l'avaient vu foncer dans le hangar en faisant feu de toutes ses armes.

Mais un écran était inutile pour voir l'explosion. L'éclat illumina le crépuscule sur plus de cent kilomètres à la ronde, si violent qu'il était douloureux au regard.

Dans le vide de l'espace, au-dessus de la Terre, il n'y eut aucun son, mais le vaisseau géant entama sa chute. Il dessina un arc fulgurant et plongea du haut du ciel, lentement, très lentement d'abord, puis de plus en plus vite.

Puis il entra en contact avec l'atmosphère et se consuma plus vivement encore.

Il descendait toujours, de plus en plus près, de plus en plus bas.

- Mon Dieu! s'exclama Stormalong. Il va s'écraser dans le lac!

Comme un énorme météore traversant le ciel, le monstre s'abattait vers la Terre, de plus en plus vite.

L'angle de sa chute s'inclinait.

Stormalong bandait tous ses muscles, comme si, par l'effet de sa volonté, il pouvait repousser le vaisseau dans les collines, loin du lac de retenue du barrage.

La carcasse embrasée, dont la course était de plus en plus rapide, s'approchait du sol.

Elle percuta le lac à huit kilomètres en amont du barrage.

L'air brûlant gronda sous le choc. Puis vint le bruit déchirant de l'explosion.

Un geyser de vapeur et d'eau jaillit à trois cents mètres dans les airs.

Il y eut un éclair sous la surface du lac quand les derniers réservoirs de carburant explosèrent.

Une vague gigantesque, semblable à un raz de marée, se mit en mouvement, précédée par l'onde de choc.

Le village chinois abandonné fut balayé comme s'il n'avait jamais existé.

L'onde de choc frappa l'arrière du barrage.

L'énorme vague s'abattit sur l'ensemble de la structure, écrasant les batardeaux, et rejaillit en une cascade colossale sur la face interne du barrage.

Le sol vibra.

Figés sur place, le souffle coupé, tous regardaient. Est-ce que le barrage allait céder?

Les vagues diminuèrent. Le barrage était toujours là.

Les lumières brillaient encore. Les générateurs fonctionnaient toujours.

Les gardes qui s'étaient trouvés dans la centrale sortirent en titubant.

L'eau descendait le fleuve à toute allure, arrachant les berges sur son passage, bousculant les îlots.

Des ingénieurs sortaient du cône en courant.

La plus grande partie du matériel qui s'était trouvé à proximité du lac avait été balayée et ils se précipitaient pour tenter de trouver une plate-forme volante.

Ils en découvrirent une encastrée dans la berge, à demi recouverte de boue. Ils la dégagèrent rapidement, la nettoyèrent et décollèrent.

Accompagnés d'un conducteur de machine, ils se posèrent sur le haut du barrage.

Jonnie et Stormalong les observaient, debout près d'un avion au cas où les ingénieurs auraient besoin d'aide. Leurs appels en chinois retentissaient dans la radio.

Le blindage atmosphérique, au-dessus du cône, crépitait toujours en Phase Trois. Les gardes retournèrent à la centrale, coupèrent le câble de protection du barrage et réduisirent le blindage du cône en Phase Un.

Le lac de retenue, long de deux cents kilomètres, semblait avoir un niveau plus bas.

Jonnie et Stormalong étaient sur le point de décoller pour aller voir ce que les ingénieurs avaient découvert lorsque ceux-ci revinrent. La plate-forme se posa et ils firent leur rapport à Chong-won. Jonnie s'approcha du groupe. On discutait sur un ton vif et inquiet.

- Ils disent que le barrage n'a pas cédé, lui apprit Chong-won. Les batardeaux sont cassés sur tout le haut et les garde-fous ont été arrachés. Mais ce n'est pas grave. Ils n'ont décelé aucune fissure. Mais l'une des culées du barrage, sur la rive opposée, a été délogée de la berge et il y a une voie d'eau. Ils disent qu'avec l'effet de l'érosion, elle pourrait bien devenir plus importante. Cela risque de provoquer un nouvel abaissement du niveau et les turbines ne seraient plus alors en mesure de fonctionner.

- Combien d'heures encore ? s'inquiéta Jonnie.

Chong-won leur posa la question. Ils ne pouvaient que faire des suppositions. Quatre, cinq heures peut-être, dirent-ils. Ils feraient tout ce qui était en leur pouvoir pour endiguer l'eau et stopper la fuite. Ils n'avaient pas assez de mortier pour reboucher. Toute la culée de la berge opposée semblait avoir été arrachée. Ils allaient retourner sur place pour voir ce qu'ils pouvaient faire.

Angus surgit du passage. Il cherchait Jonnie.

- Maintenant, nous pouvons effectuer un tir de transfert ! Le bombardement a cessé !

Bouleversé par le sacrifice de Glencannon, Stormalong dit :

- Oui, tu peux peut-être mettre en marche le dispositif mais combien de temps cela durera-t-il ?

- Au moins, dit tristement Jonnie, il nous aura donné ça...

5

Le petit homme gris avait suivi le gros de la flottille jusqu'au secteur de Singapour. Il avait donné pour instruction à son commandant de bord de ne pas se mettre sur le chemin des bâtiments militaires qui avaient tendance à prendre des risques et étaient enclins aux accidents, pour ne rien dire des projectiles perdus. Ils arrivèrent donc sur les lieux un peu plus tard, alors que la bataille était déjà engagée.

La mine n'était certainement pas difficile à localiser : c'était un cône scintillant de tirs antiaériens, les canons crachant sans cesse des arcs de feu qui convergeaient sur leurs cibles. Elle était située assez loin au nord de l'ancienne ville en ruine et, très exactement au nord de la mine, se dressait un barrage hydro-électrique. La canonnade était aussi intense qu'incessante et perturbait les infrarayons du petit homme gris, lui interdisant pour le moment un examen plus précis de ce qui se passait là en bas.

Il ne se considérait guère comme un spécialiste des affaires militaires. Et il était souvent obligé de chercher dans un ouvrage de référence certaines armes qu'un militaire aurait reconnues immédiatement. Il était si difficile d'identifier ces armes antiaériennes, là en bas, et l'idéal aurait été de pouvoir se stabiliser à une altitude qui lui permettrait d'observer en toute sécurité. Il trouva enfin ce qu'il cherchait dans son livre : « Périmètre de défense rapprochée, système de contre-attaque par ordinateur et canon à faisceau antibombes extra/intra-atmosphérique. Capacité de tir : 15 000 coups par minute. Portée maximale : 55 000 mètres. Limite minimale de sécurité : 600 mètres. Personnel : deux. Canons et boucliers fabriqués par les Armureries Tambert, Predicham. Ordinateurs de l'Armement Intergalactique, Psychlo. Coût total : 4 269 crédits sur plate-forme Predicham. »

Tss, tss, quelle camelote ! C'était bien de l'Intergalactique Minière ! « Les bénéfices avant tout ! Toujours les bénéfices ! » Pas étonnant qu'ils aient des ennuis là en bas ! On aurait pu penser qu'ils disposaient au moins d'un canon orbital.

Donc, il pouvait tranquillement rester à trois cents kilomètres d'altitude, à condition de demeurer à l'écart de la trajectoire des appareils largués par les vaisseaux de combat qui orbitaient hors de l'atmosphère, à cinq cent cinquante kilomètres d'altitude. Le petit homme gris dit cela à son commandant de bord, avant de demander à son communicateur de régler avec la plus grande précision son faisceau de rayons sur ce qui semblait bien être une plate-forme de tir de transfert placée sous un câble de blindage atmosphérique.

Il repéra la chose immédiatement et un élan d'espoir monta en lui. C'était bien une console ! Une console de transfert, là, près de la plate-forme ! Il y avait même des hommes qui semblaient s'activer dessus.

Il scruta intensément les écrans, en quête d'un signal de téléportation. Il resta ainsi durant un long moment. Mais il n'y en avait aucun. Il se demanda pourquoi les militaires des vaisseaux de guerre n'avaient pas remarqué le signal, la veille. Peut-être ne savaient-ils même pas que ce signal révélateur existait. Ou bien ils avaient des écrans différents. Mais il était plus probable qu'ils n'avaient jamais observé ce signal parce qu'ils étaient toujours en train de faire feu sur quelque chose et qu'on ne pouvait pas effectuer de tir si...

Le petit homme gris poussa un soupir. Il n'était pas détective, et la preuve qui était là, sous ses yeux, était passée inaperçue. Ces hommes, en bas, n'étaient pas près d'utiliser le dispositif de transfert. Ils avaient même des avions dans le ciel. Et l'on tirait de tous côtés. Deux raisons qui interdisaient toute téléportation. Sous l'effet des distorsions, le système de transfert tout entier pouvait être réduit en miettes.

Les militaires, à présent, accordaient toute leur attention au barrage hydro-électrique du lac et essayaient de le bombarder afin de couper la mine de sa source d'énergie. Ce qui laissa un peu de répit à la mine elle-même, et le petit homme gris put ainsi se concentrer sur cette console.

Il examina le tracé de l'analyse minérale qu'il avait faite.

Du carbone !

Cela réglait le problème. Cette chose, là en bas, était une console brûlée.

Quelle déception !

Il se désintéressa de la plate-forme pour un temps et observa les événements. Les forces combinées n'avaient guère eu de réussite avec le barrage à cause du câble atmosphérique qui le protégeait et elles se concentraient maintenant sur les appareils de défense. Un combat acharné se déroulait et le petit homme gris vit deux avions de combat jambitchows exploser en miettes.

Il fit prendre de l'altitude à son bâtiment. En direction du sud, les bombardiers de la force combinée avaient commencé à larguer des bombes sur les ruines désertes de Singapour.

Un incendie se développa. Puis un autre. Il s'interrogea sur l'intelligence de ces militaires qui étaient capables de bombarder une ville déserte et sans intérêt stratégique mais qui pouvait receler quelque butin. C'était toujours la même histoire...

Son indigestion était revenue. Oui, ils vivaient vraiment une époque *très* troublée. Et il ne semblait pas y avoir le moindre espoir.

Il savait qu'il existait une base sur le continent nord que les hommes avaient autrefois appelée « Russie » et il donna l'ordre à son commandant de mettre le cap dessus.

L'un des vaisseaux de la force d'attaque larguait des avions au-dessus de cette base. Des transporteurs de personnel. Sous les yeux du petit homme gris, une unité de débarquement d'environ cinq cents marines hawvins se déploya dans la plaine, non loin de la base. Protégés par des boucliers antifeu, ils commencèrent à progresser. Il semblait presque que la base n'était pas défendue. En tout cas, aucun tir ne ripostait à celui des Hawvins. Peu à peu, ils se rapprochaient de la base, tout en tirant de temps à autre. Puis la force d'attaque entreprit de gravir la pente d'une colline en direction de ce qui devait être un point de défense souterrain. Elle n'en était plus qu'à une centaine de mètres, et avait ouvert un feu nourri.

Brusquement, le sol entra en éruption sous les pas des marines.

Des mines ! Le terrain tout entier s'embrasa.

Des éclairs ardents jaillirent de la colline. L'unité d'attaque se replia hâtivement au-delà du village. Les officiers criaient pour regrouper leurs éléments. Ils avaient laissé derrière eux une centaine de morts et de blessés.

Tout ce beau monde se regroupa et repartit en direction de la base.

Des avions jaillirent des hangars souterrains et mitraillèrent les marines.

Le petit homme gris n'avait toujours observé aucune trace de signal sur ces écrans. Mais il n'avait pas eu vraiment d'espoir, pas avec tous ces tirs.

Il demanda à son commandant de passer au-dessus de la base américaine à une altitude de six cents kilomètres. Elle n'était pas très éloignée de la mine russe.

Cela prit quelque temps et le petit homme gris en profita pour sommeiller un peu. Il fut réveillé par un bourdonneur et activa ses écrans.

Loin en bas, les ruines de la mine étaient totalement désertes. Les camions et les pompes abandonnés près de la rivière étaient toujours là. Quel spectacle de désolation ! Et le dôme qui avait recouvert une console était encore là, attaché au grappin d'une grue renversée.

Au nord, la ville brûlait encore.

Le traceur à minéraux indiquait que tout le secteur était totalement irradié.

Le petit homme gris donna l'ordre à son commandant de faire route vers l'Écosse. Il avait dans l'idée de s'arrêter pour voir si la vieille femme était revenue. Mais, lorsque l'Écosse fut en vue, les senseurs détectèrent de la chaleur et il eut bientôt l'image claire et nette d'un bâtiment de guerre drawkin. Il consulta ses cartes. Elles n'étaient pas très bonnes car elles venaient de livres scolaires, mais il identifia facilement la ville. C'était « Edinburgh ». Et elle était en flammes.

Sa radio crachota et le communicateur la régla. Il y eut un véritable torrent de sons ! Il reconnut d'abord le langage drawkin. Les Drawkins contrôlaient vingt planètes, mais le petit homme gris était incapable de comprendre leur langue. Elle se parlait sur un ton hystérique. Il aurait pu utiliser un vocodeur, car il disposait des circuits adéquats quelque part, mais ce ne devait être que des ordres adressés aux pilotes qui opéraient là en bas. Quant à l'autre langue qui sortait de sa radio, il l'avait fréquemment entendue dernièrement. Elle était douce, méditative. Il s'était servi d'une table de décodage à fréquence pour tenter de la comprendre, mais elle semblait défier toute tentative.

Mais il n'avait pas besoin de comprendre la moindre langue pour le moment. Les faits parlaient d'eux-mêmes : un combat aérien de grande envergure se déroulait en cet instant précis.

Il regarda par le hublot. La ville était surplombée par un grand promontoire. Des tirs de barrage antiaériens en jaillissaient. En dessous, la ville était en feu. Le rocher se dressait au centre d'une mer de flammes.

Un bombardier drawkin explosa en plein ciel et tomba vers la cité embrasée, ses débris ardents se mêlant aux flammes orange.

Pas question de téléportation ici. C'était sûr et certain.

Le petit homme gris se sentait très déprimé, très triste. Il s'interrogea à son propos. Est-ce que tous les soucis de l'année écoulée ne l'avaient pas rendu *émotif* ? Non ! Impossible ! Pourtant, la disparition de la vieille femme, au nord de l'Écosse, avait éveillé en lui un *sentiment*. Et à l'idée qu'elle pût être dans cet incendie, il éprouvait quelque *anxiété*.

Tout cela ne lui ressemblait guère. Ce n'était pas digne d'un professionnel comme lui.

Il se dit qu'il devrait plutôt faire une petite sieste pour se réveiller avec des pensées plus claires et l'esprit moins embrumé, moins flou. Oui, cette année avait été affreuse. Il gagna sa cabine et s'étendit. Et il lui sembla qu'un instant à peine s'était écoulé lorsqu'il s'éveilla, avec l'image claire et précise de ce qui s'était passé.

Il se rappelait ce ballet auquel s'étaient livrés les avions terrestres. Quel imbécile il avait été ! Bien sûr, il n'avait rien d'un stratège militaire, mais il aurait dû comprendre depuis longtemps. Ce groupe qui s'était dirigé à haute altitude en direction de Singapour, c'était le leurre ! La console brûlée n'était qu'un *appât*.

Il se rendit dans son petit bureau gris et repassa lentement l'enregistrement du « ballet d'avions ». Il détermina avec précision la trajectoire du groupe qui importait vraiment. Oui, ils s'étaient dirigés vers cette pagode, dans l'hémisphère sud de la planète.

Il donna des ordres au commandant et ils s'éloignèrent à grande vitesse, à deux fois la vitesse de la lumière.

Ils arrivèrent juste à temps pour assister à la fin du *Capture*.

Le petit homme gris fut stupéfait.

Il n'était pas certain de comprendre comment cela avait pu se produire. Un vaisseau-amiral porte-avions de classe Terreur ? Il avait explosé en orbite ?

Il prévint l'officier de passerelle de maintenir le vaisseau à bonne distance tout en observant le gigantesque vaisseau qui se désintégrait en pénétrant dans l'atmosphère avant de s'abattre dans le lac de retenue du barrage. Il prolongea son observation afin de voir si le barrage allait céder. Il était possible qu'il fût touché, décida-t-il, mais il semblait devoir tenir pour le moment. Une énorme voie d'eau avait été ouverte et le flot grossissant déferlait dans le lit du fleuve en aval.

Il cadra les écrans sur le barrage lui-même. Oui, effectivement, l'ouvrage avait été endommagé. Une quantité d'eau importante passait du côté gauche inférieur, pour la plus grande part sous la structure. La brèche était de taille, à en juger par ce qu'il voyait.

Le combat avait été violent. Les bois étaient en feu. Il vit un groupe d'avions de combat du *Capture* qui grimpaient au-dessus de l'horizon à toute vitesse dans l'espoir d'être récupérés par quelque vaisseau tolnep dans le secteur de Singapour. Au moment de la destruction du *Capture*, ils avaient dû se trouver à l'extérieur. Ils ne réussiraient sans doute pas à s'en tirer, se dit le petit homme gris. Leur rayon d'action était trop court et ils termineraient dans la mer.

Mais mieux valait concentrer toute son attention sur cette pagode. A présent, il n'y avait plus le moindre avion alentour. Ses infrarayons ne captaient que de la musique religieuse qui noyait tout autre son.

A distance prudente, il continua d'observer sans interruption ses écrans et il n'eut pas longtemps à attendre.

Un signal de téléportation !

Oui, oui, oui ! Il repassa l'enregistrement.

L'espoir reflua en lui.

Et puis, il se dit que c'était trop beau pour être vrai. Les consoles qu'on avait réussi à capturer au cours des âges ne marchaient qu'une fois et une seule. Ensuite, c'était terminé. Elles étaient mortes. Il lui sembla attendre des éternités.

Le signal se répéta.

La console avait tiré deux fois. *Deux fois !*

Une vague de joie déferla en lui. Mais il trouva cependant un instant pour s'interroger sur lui-même. Du sentiment ? De l'anxiété ? Et maintenant de la joie ? Ce n'était vraiment pas digne d'un professionnel ! Il ne devait se consacrer qu'à une chose : le travail urgent qui l'attendait.

Comment communiquer avec eux ?

Sur la fréquence radio, il ne recevait que ce discours aux accents religieux. Quelle langue parlaient-ils donc là-bas ?

Il empoigna un vocodeur. Il le mit devant un micro. Mais quel langage choisir ? Il en avait plusieurs dans la banque du vocodeur. L'un, le « français », était absolument mort. Et cet autre appelé l'« allemand » ?... Non, jamais il ne l'avait entendu sur leurs fréquences. L'« anglais »... Il commencerait avec l'anglais.

Il parla dans le vocodeur et l'appareil traduisit :

- Je sollicite un sauf-conduit. Mon vaisseau ne dispose d'aucun armement. Vous pouvez braquer vos armes sur lui ou sur moi. Je n'ai pas d'intention hostile. Si vous m'accordiez cette entrevue, cela pourrait fort bien s'avérer bénéfique pour chacun de nous.

Le petit homme gris répéta le message et attendit. Il osait à peine respirer. Tant de choses dépendaient de la réponse qu'il allait recevoir.

VINGT-SIXIÈME PARTIE

1

Jonnie et Angus avaient un problème.

Ils étaient dans « l'enveloppe » de la console et, devant eux, il y avait le manuel technique qu'Angus avait trouvé dans le panier de recyclage de Terl. Penchés tête contre tête, ils l'exploraient en silence. Les manuels techniques psychlos étaient en général de véritables casse-tête, mais celui-ci était pis encore. Rien de plus redoutable, en effet, qu'un manuel destiné à un lecteur déjà formé et ne comportant donc aucune base ni aucun principe élémentaire.

Les plans que Jonnie avait conçus tombaient à l'eau et cela posait un dilemme tactique. Le manuel était intitulé *Règles de Sécurité Destinées à l'Instruction des Opérateurs de Console Assermentés.* Bien entendu, il n'y était nullement question de la position clé de l'interrupteur. Par contre, on y évoquait largement le phénomène appelé « homospatial ».

Le manuel mettait en garde contre un transfert à moins de quarante mille kilomètres de distance.

Jonnie avait eu l'espoir d'aller déposer un engin nucléaire tactique dans chacun des vaisseaux de guerre ennemis pour s'en débarrasser une fois pour toutes.

Le phénomène d'« homospatialité » leur apprit que l'espace « se considérait » comme identique selon le principe de proximité. Selon la loi des carrés, plus un autre point d'espace était lointain, plus il était « différent » du point d'origine. Et la différence totale n'existait qu'à partir d'une distance approximative de quarante mille kilomètres.

Les moteurs à téléportation des avions et des véhicules utilisaient ce phénomène tout en étant très différents du système de transfert. Un moteur obéissait au principe selon lequel l'« homospatialité » résistait fortement à la distorsion. Plus la distance était courte, plus forte était la distorsion. Donc, le moteur fonctionnait sur la résistance de l'espace à la distorsion. Mais dans le cas d'un moteur, il ne s'agissait pas de mouvoir un objet : c'était simplement la position du bâti du moteur qu'on déplaçait. On pouvait faire fonctionner ainsi une dizaine de moteurs dans une même pièce et, en dépit du fait que les distorsions se croisaient, ils marchaient sans problème.

Mais pour déplacer un objet proprement, sans risque de destruction ou de dommage du dispositif de transfert, il était nécessaire que deux espaces coïncident, ce qui était impossible tant que l'espace « se considérait homospatial ». Autrement, c'était le désastre.

Tout cela était plutôt abscons et Jonnie n'était pas vraiment en forme. A chaque fois qu'il se penchait, il éprouvait un étourdissement. Le docteur Allen revint et insista pour qu'il absorbe encore un peu de sulfa.

- Nous ne pourrons pas nous servir de ça pour bombarder les vaisseaux, remarqua Jonnie. Et même si nous arrivons à bombarder leurs bases planétaires, la force d'attaque ne s'en apercevra pas avant des mois. Ils se déplacent avec des moteurs à réaction et ils sont à des mois de voyage de leurs planètes. (Il soupira.) Ce dispositif ne peut pas nous servir à contre-attaquer !

En tout cas il marchait. Ils le savaient car ils venaient d'en avoir la preuve. Ils avaient prélevé une caméra montée sur gyroscope dans un drone. C'était l'appareil avec lequel le drone pouvait tout observer et l'objectif se déplaçait selon tous les angles possibles. Il suffisait de le régler et de le coupler avec un picto-enregistreur.

Le dispositif de transfert pouvait « lancer » un objet quelque part et le ramener, ou bien « le lancer » et le laisser là-bas. Soit on envoyait « cet espace-ci » là-bas et on le ramenait afin de récupérer l'objet. Soit on envoyait « cet espace-ci » aux coordonnées de « cet espace-là », et « cet espace-là » le conservait alors, et on ramenait « cet espace-ci » vide. En fait, rien ne se déplaçait dans l'espace. Mais on s'arrangeait pour que « cet espace-ci » et « cet espace-là » coïncident.

Ils avaient donc placé un picto-enregistreur dans la caméra gyroscopique et l'avaient lancé à la surface de la Lune, ce qui était facile puisque la Lune était dans leur ligne de vision. Ils avaient ainsi obtenu de très belles photos de cratères baignés de lumière.

Puis ils avaient effectué un transfert jusqu'à Mars, dont ils avaient les coordonnées et la trajectoire, et ils avaient reçu l'image d'une immense vallée dont on pouvait penser qu'elle était parcourue par un fleuve.

Oui, le dispositif marchait. Ils n'avaient plus aucun doute à ce sujet. Mais leur but n'était pas de collectionner des photos des autres planètes, aussi belles fussent-elles. Ils entendaient sans cesse les commentaires des hommes, dans la salle des opérations, et ils savaient que, de toutes parts, leurs amis étaient harcelés sans pitié. Il fallait absolument qu'ils trouvent quelque chose qui leur permettrait d'utiliser le dispositif de transfert à leur avantage et de neutraliser les visiteurs.

Mais les étourdissements que Jonnie éprouvait régulièrement l'empêchaient de penser clairement.

On pouvait évidemment menacer les envahisseurs en leur disant que leurs planètes-bases seraient détruites, mais il était probable qu'ils réagiraient en lançant une autre attaque.

Tout à coup, le bourdonneur de l'intercom résonna. Ils entendirent la voix de Stormalong :

- Vous feriez mieux de cesser les tirs. On a détecté un vaisseau inconnu à six cents kilomètres au nord. Restez à l'écoute. Je vous tiendrai au courant.

A l'autre bout de la ligne, Stormalong ôta son doigt de la touche de l'intercom et repassa l'enregistrement en l'agrandissant pour essayer d'avoir une image plus nette.

Son communicateur, une jeune fille bouddhiste, lui tapota l'épaule.

- Sir, dit-elle en psychlo, j'ai un message sur la fréquence de bataille et je n'arrive pas à le comprendre. C'est un langage monocorde, mais je crois que je vous ai entendus le parler, vous et Sir Robert. J'ai l'enregistrement.

Stormalong ne lui accorda pas trop d'attention. Il était occupé à retirer le cliché de l'agrandisseur.

- Passez-le, dit-il simplement.

- « ... Mon vaisseau ne dispose d'aucun armement. Vous pouvez braquer vos armes sur lui ou sur moi... »

Stormalong tiqua. De l'anglais ? Un drôle d'anglais mécanique.

Il avait son cliché. Il l'examina, empoigna brusquement l'enregistreur et se précipita en direction de la console.

Jonnie et Angus, alarmés, levèrent la tête.

- Non, non, fit Stormalong. Je crois que tout va bien. Regardez plutôt !

D'un geste vif, il posa le cliché devant eux. Le vaisseau avait la forme d'une boule entourée d'un anneau.

- Vous vous souvenez de ce vaisseau qui n'était pas là et avec lequel je suis entré en collision ? Et de cette vieille dame sur la côte d'Écosse ? C'est le même vaisseau ! (Il les dévisagea tour à tour, l'air interrogatif.) Est-ce que je le laisse passer ?

- Ça pourrait être une ruse, dit Angus.

- Existe-t-il un moyen d'en être certain ? demanda Jonnie. Je veux dire : est-ce que ça ne serait pas un autre vaisseau ?

La jeune bouddhiste avait suivi Stormalong avec un micro. Il s'en saisit et lança :

- Allô ! Allô, là-haut ! Vous m'entendez ?

- Oui.

C'était la même voix monocorde, métallique.

- La vieille femme vous a servi quoi ? demanda Stormalong.

- Du thé aux herbes.

Stormalong sourit.

- Posez-vous sur le terrain situé au nord. Des canons seront braqués sur vous. Quittez seul votre vaisseau et venez sans arme. Des sentinelles vous attendront.

La même voix métallique répondit :

- Très bien. J'accepte votre sauf-conduit.

Stormalong transmit ensuite des ordres aux gardes de l'extérieur et aux artilleurs. Puis il fit entendre à Jonnie la totalité du message.

- Mais qui est ce type ? demanda Angus, exprimant leur interrogation commune.

2

Le petit homme gris fut escorté jusqu'à la pagode par deux gardes écossais courtois mais vigilants. Il arrivait à peine à hauteur d'épaule de Jonnie. Son costume gris était impeccable. Il était d'apparence absolument humaine si l'on exceptait sa peau grise.

Angus le toisa.

- Son sweater a été tricoté en Écosse, déclara-t-il d'un ton soupçonneux.

- Oui, je sais, je sais, fit le petit homme gris par l'intermédiaire de son vocodeur. Je suis vraiment désolé que nous n'ayons pas plus de temps pour les politesses d'usage, mais il faut que nous travaillions tout de suite et très rapidement !

- Au-dessus de son vaisseau, il y a une lampe blanche qui clignote, dit un des gardes.

Le garçon qui se nommait Quong, le communicateur de Sir Robert, murmura à son oreille, en psychlo :

- Un signal radio émet en permanence sur la fréquence de bataille. Le message est : « Sauf-conduit local temporaire. »

Le petit homme gris devait avoir l'ouïe particulièrement fine car il réagit aussitôt.

- Oh, vous parlez le psychlo !

Il ôta son vocodeur, le remit dans sa poche et poursuivit :

- Donc, je peux me passer de cet appareil. Il est parfois imprécis. Il lui arrive de mal traduire certaines clauses essentielles, ce qui entraîne invariablement des désaccords graves.

Tout en parlant, et avant que quiconque ait pu l'en empêcher, il monta rapidement sur le piédestal et regarda la console.

- Ah... Une console standard de transfert ! Vous n'en avez qu'une.

Jonnie reçut cela comme une critique.

- Nous pouvons en construire d'autres, dit-il.

Ce qui signifiait en quelque sorte : « N'essayez pas de nous voler celle-ci. De toute façon, nous pourrons la remplacer très vite. »

Mais le petit homme gris était littéralement rayonnant de bonheur. Il redescendit de l'estrade et les regarda tour à tour.

- Nous devons vraiment faire vite, dit-il. Y a-t-il parmi vous un représentant légal du gouvernement ?

- Oui, dit Jonnie. Il s'agit de Sir Robert ici présent.

- Avez-vous tout pouvoir pour signer au nom de votre gouvernement ? demanda le petit homme d'un ton vif.

Il y eut un instant d'hésitation. Sir Robert entraîna son communicateur à quelque distance et, très vite, il fut en relation avec le chef du clan Fearghus à Edinburgh, en pleine bataille. Les communicateurs s'exprimaient en pali. Le chef du clan Fearghus dit qu'il n'y voyait aucun inconvénient, vu qu'ils constituaient le gouvernement originel et qu'il n'en existait aucun autre.

- Veuillez enregistrer sa déclaration distinctement, je vous prie, dit le petit homme gris. Nous ne pouvons tolérer aucune irrégularité. Rien qui puisse être contesté par une cour ou porté en litige.

L'idée d'émettre cela distinctement sur les ondes leur répugnait, aussi le chef du clan Fearghus s'exprima-t-il en gaélique et ils enregistrèrent son message.

Le petit homme gris était fébrile. Il se saisit de l'enregistrement et demanda :

- Avez-vous de l'argent ? Des crédits galactiques, je veux dire...

Généralement, ils avaient toujours sur eux quelques crédits prélevés sur les Psychlos à titre de souvenir, mais la besace de Jonnie avait été crevée, Angus n'avait sur lui que sa trousse à outils et Robert le Renard, quant à lui, ne s'était jamais soucié d'avoir de l'argent sur lui. Le communicateur Quong se précipita vers les gardes et revint l'instant d'après avec une coupure de cent crédits qu'il remit à Sir Robert.

- Aïe ! fit le petit homme gris. Nous sommes tellement pressés par le temps que j'ai oublié d'être plus explicite. Le montant minimal est de cinq cents crédits.

Jonnie songea qu'il devait y avoir probablement plusieurs centaines de milliers de crédits... dans les bagages de Ker ! Mais ils étaient au Lac Victoria. Et il y avait aussi deux milliards de crédits dans un coffre... qui n'était pas disponible non plus.

Quong, alors, se rua vers les pilotes. Et trouva ! Ils avaient pris tous leurs crédits aux pilotes ennemis qu'ils avaient abattus. L'un d'eux avait cinq cents crédits, un autre six cents... Mais oui, bien sûr, ils étaient parfaitement d'accord pour en faire don à Sir Robert.

- Ça nous fait mille deux cents crédits, dit le petit homme gris. (Il était en train de remplir une petite carte.) Et quel est votre titre officiel ? demanda-t-il à Sir Robert.

- Chef de Guerre d'Écosse.

- Ah, non ! Et si nous écrivions simplement « Dûment mandaté, soussigné » ?... Et ici, en en-tête, nous pourrions porter « Gouvernement Provisoire de la Planète Terre » et la date. Ainsi que l'adresse, le numéro de téléphone... Non, nous pouvons nous passer de ça puisque c'est sans valeur légale... Signez simplement ici en bas.

Sir Robert s'exécuta.

Pendant ce temps, le petit homme gris sortit un petit carnet de sa poche. Il l'ouvrit et inscrivit « Gouvernement Provisoire de la Planète Terre » à l'intérieur de la couverture. Puis, sur la première ligne de la première page, il écrivit « C 1 200 » et apposa ses initiales, avant de tendre le carnet à Sir Robert.

- Ceci, dit-il, est votre livret de compte. Gardez-le en lieu sûr et surtout ne le perdez pas.

Il lui serra la main. Puis il poussa un long soupir. Et retrouva aussitôt son attitude grave et appliquée. Il retourna le revers de son veston gris et prononça quelques mots devant un micro de la dimension d'un bouton.

La voix du garde posté à l'extérieur leur parvint par l'intercom :

- Les lumières, sur le vaisseau... elles viennent de passer au bleu !

- Le signal radio a changé, dit Quong. C'est à présent : « Conférence locale. Ne pas déranger. »

Le petit homme gris les dévisagea tour à tour d'un air ravi. Il se frotta les mains.

- A présent, vous voici clients. Et je peux donc vous conseiller. Mon premier conseil est : *agissez rapidement !*

D'une poche intérieure, il sortit un petit livre intitulé « Carnet d'adresses ». Le titre était en psychlo.

- Vous allez devoir transférer aussi rapidement que possible à ces différentes adresses. Nous donnerons la priorité aux belligérants. En premier viennent les Hockners... Planète mère : Hockner... Coordonnées... coordonnées... Oui : le Jardin de la Fontaine, en face du Palais Impérial... Les coordonnées de base sont...

Il débita une série de chiffres qu'Angus transcrivit en hâte. Ils correspondaient, pour l'ordre, à ce qu'ils avaient trouvé dans l'énorme manuel de Terl.

- Est-ce que vous savez vous servir d'une console ? demanda Angus d'un ton soupçonneux.

Le petit homme gris secoua vigoureusement la tête.

- Oh, ciel, non ! Absolument pas. Et je suis encore moins capable d'en construire une. Non, je n'ai que les adresses !

C'est alors qu'il remarqua qu'Angus se préparait à calculer les coordonnées avec un crayon et quelques feuilles de papier.

- Seigneur ! Vous n'avez donc pas d'ordinateur de calcul de coordonnées ? Mais ça va vous prendre une éternité si vous le faites à la main ! Et nous n'avons pas de temps à perdre !

Une fois encore, il souleva le revers de son veston mais, avant de parler, il se tourna vers Sir Robert pour avoir son approbation.

- Est-ce que je peux demander à un membre de mon équipage d'apporter un ordinateur ? Je vais également avoir besoin de boîtes rouges. Pourriez-vous envoyer un garde afin de l'escorter ? Je suis ici, donc vous n'avez rien à craindre.

Sir Robert acquiesça et le petit homme gris parla rapidement dans sa radio de veston. Un garde se précipita au-dehors. Le petit homme gris attendit ensuite avec une évidente impatience. Mais il tapota la console en souriant :

- Très esthétique, dit-il. D'ordinaire, elles sont tellement hideuses, vous savez...

Un personnage vêtu de gris entra précipitamment, suivi du garde, et déposa un ordinateur plutôt impressionnant entre les bras du petit homme gris. Il y ajouta une pile de cartes et de cartons rouges et repartit, toujours dûment escorté.

Avec des gestes rapides et précis, le petit homme faisait fonctionner un cliquet sur le côté droit de l'ordinateur. Différentes touches apparaissaient et disparaissaient sur le clavier. Il s'interrompit, revint en arrière, puis déclara :

- Voici un ordinateur de calcul de coordonnées.

Il posa l'appareil devant Angus.

- Vous introduisez ici l'heure exacte de tir, sur ces touches. Elle doit correspondre à l'instant exact où vous appuyerez sur le bouton de transfert. Et là, vous programmez « lancer », ou « lancer-rappel », ou bien encore « échange ». Et sur ces touches, ici, vous composez l'univers, puis ses huit coordonnées de base de temps zéro. C'est très simple. Considérez cet ordinateur comme un cadeau, pour vous remercier d'être devenu client. J'en ai d'autres. Maintenant, voyons... Je suppose que nous pourrions commencer les tirs à partir de 22 heures, temps sidéral de l'univers de base... (Il consulta sa montre.) C'est-à-dire dans huit minutes. Un lancement prend environ deux minutes. Nous en avons trente à effectuer. Nous allons inviter les nations civilisées principales en omettant Psychlo, ce qui nous fait vingt-neuf, mais il convient d'ajouter le Seigneur Voraz... Dieu du ciel, j'espère qu'il n'est pas au lit. Cela risque de nous prendre une heure. Ensuite, nous devrons attendre trois heures et nous ferons un « lancer-rappel ». A chaque fois, il faudra compter six minutes - nous devrons y aller doucement pour qu'ils n'arrivent pas en colère - ce qui fera trois heures. Donc, dans sept heures environ, en comptant un petit supplément pour nous organiser, vous devriez être en mesure de tous les avoir ici.

Il était à bout de souffle. Il s'empara d'une liasse de cartes posée sur les cartons rouges et la tendit à Sir Robert.

- Signez-les toutes en bas et je me chargerai de les remplir. Donnez-les-moi au fur et à mesure que vous les signez.

Sir Robert lut le texte des cartes. Il était imprimé en psychlo :

Vous êtes courtoisement sollicité d'envoyer un ministre mandaté, nanti de pouvoirs plénipotentiaires pour toute question relative aux rapports politiques et militaires avec d'autres races, avec toute faculté de négocier et de régler des traités irrévocables et définitifs. Sa personne est garantie et toute tentative pour le prendre en otage entraînerait de sa part la dénonciation immédiate de tous les accords et son suicide instantané.

Comparaissez dans les .... heures au lieu d'arrivée.

LIEU DE CONFÉRENCE : ....
DURÉE DE LA CONFÉRENCE À LA DISCRÉTION
MINISTÉRIELLE.

NOM DE LA PLANÈTE : ....
ATMOSPHÈRE DE LA PLANÈTE : ....
TEMPÉRATURES MOYENNES : ....
TYPE DE SOLEIL : ....
GRAVITÉ DE LA PLANÈTE : ....
MÉTABOLISME DE LA RACE : ....
PROVISIONS : Disponibles pour votre race ....
Non disponibles ....
Retour de l'émissaire garanti, sain et sauf, avec copies de tous documents signés.

Émis par .... (Initiales et cachet)
Représentant mandaté du gouvernement légal de cette planète ..... (Signature)
Toutes charges diplomatiques afférentes seront assumées par cette planète.
(Signature)

Sir Robert étudia le document trop longuement aux yeux du petit homme gris qui dit :
- Signez, signez. Deux fois. Sur les deux dernières lignes. Je mettrai ensuite mes initiales, j'apposerai mon cachet et j'achèverai de remplir le formulaire.

Le petit homme gris assemblait rapidement des cartons. Il frappait sur deux coins opposés et obtenait une boîte rouge d'assez grandes dimensions. Une fusée et un pot à fumée non encore allumés apparaissaient sur le dessus de chacune des boîtes, ainsi qu'un petit gong non encore déclenché.

Avec un soudain déchaînement de gestes fébriles, le petit homme gris prit la première carte signée par Sir Robert, la remplit frénétiquement, mit ses initiales, apposa violemment un cachet et la lança dans une boîte.

- Hockner ! dit-il à l'adresse d'Angus tout en se précipitant vers le milieu de la plate-forme de transfert.

Là, il déposa la boîte, rebroussa rapidement chemin et se mit au travail sur une seconde boîte.

Jonnie consulta sa montre, releva les coordonnées et les indications qu'Angus avait obtenues de l'ordinateur, et les composa.

- Zéro !
Il appuya sur le bouton de tir.
La première boîte scintilla un instant, puis disparut.

- Tolnep! dit le petit homme gris. Devant les marches de leur Maison du Pillage.

Angus pianota sur l'ordinateur, puis Jonnie régla la console. Le petit homme gris se précipita de nouveau vers la plate-forme pour y déposer la deuxième boîte. Dès qu'il se fut éloigné du centre, Jonnie appuya sur le bouton de tir et la boîte rouge disparut comme la première.

Deux communicateurs bouddhistes avaient vu le manège du petit homme gris. Il était à bout de souffle. Ils se chargèrent alors de transporter les boîtes jusqu'à la plate-forme. Quong, le plus jeune, remarqua que toutes les cartes étaient les mêmes à l'exception des adresses et il entreprit de les rédiger pour le petit homme gris afin qu'il n'ait plus qu'à apposer ses initiales et son cachet avant de les jeter dans les boîtes. Tout fut ainsi terminé quarante minutes avant le dernier tir prévu.

Le petit homme gris, haletant légèrement, se plaça à l'écart et laissa les deux communicateurs se charger du reste de l'opération.

- Est-ce que vous allez également diriger cette conférence? lui demanda Sir Robert.

Le petit homme gris secoua la tête.

- Oh, ciel, non! Je ne fais qu'aider. Quand ils seront ici, ce sera à vous de jouer!

Jonnie et Sir Robert échangèrent un regard. Ils avaient tout intérêt à trouver quelque chose, et vite! Dans six heures et demie, les représentants mandatés de vingt-neuf races, ce qui représentait apparemment près de cinq mille planètes, seraient là!

Le petit homme gris prononça quelques mots dans le revers de son veston.

La voix d'un des gardes postés à l'extérieur résonna dans l'intercom :

- Les lumières de son vaisseau ont changé. La bleue clignote plus rapidement et il y a à présent une grosse balise rouge.

- Le message radio a également changé, annonça un communicateur à Sir Robert. Il dit : « Secteur de trêve locale. La sauvegarde et la sécurité de vos propres représentants seraient menacées par tout moteur, toute attaque, tout usage d'arme à feu. Maintenez-vous au-delà d'une limite de huit cents kilomètres. »

- Est-ce que vous ne pourriez pas déclarer une trêve générale pour toute la planète? demanda Sir Robert.

- Oh, ciel non! C'est impossible. Cela soulèverait un vrai tollé. Ce serait une usurpation des pouvoirs de l'État. Non, je suis navré. Les vôtres, tous ceux qui se trouvent dans les autres régions, devront essayer de tenir.

Sir Robert se rendit à la salle des opérations pour faire part des dernières nouvelles sur la fréquence de commandement. C'était pour tous un encouragement. Les rapports faisaient apparaître que l'attaque ennemie n'avait pas diminué en férocité. Ils résistaient toujours, mais de plus en plus difficilement. Selon les pilotes, l'ennemi, on ne savait pour quelle raison insensée, avait mis le feu à la vieille ville de Londres.

Angus disposait à présent de toutes les bandes de coordonnées nécessaires aux tirs. Mais le petit homme gris lui dit qu'il pouvait maintenant se charger du reste à sa place et faire le nécessaire pour l'opération de « lancer-rappel » après le délai d'attente de trois heures.

Un ingénieur chinois ainsi que le chef Chong-won s'étaient tenus à l'écart, essayant d'attirer l'attention de Jonnie. Il s'en aperçut enfin et laissa Angus s'occuper seul de la console.

- Pardonnez-nous, commença Chong-won, mais c'est le barrage. Le niveau d'eau baisse et on peut voir maintenant le haut des ouvertures d'admission du générateur. Fu-ching, ici présent, est mon ingénieur en chef et il estime que dans quatre heures nous n'aurons plus d'électricité.

Quatre heures ! Alors qu'ils avaient besoin de six heures et demie !

3

Jonnie envoya chercher Thor et demanda également qu'on lui apporte quelques cartes, y compris une copie de l'ancienne carte des défenses psychlos.

En attendant, il observa le petit homme gris qui travaillait sur l'ordinateur, à côté de la console, ses doigts volant littéralement sur les touches du clavier. Pour se servir de cet ordinateur, il fallait être aussi habile que le plus expérimenté des pilotes. C'est alors qu'il réalisa que le petit homme gris ne regardait même pas les touches. Ses doigts semblaient se déplacer de leur propre volonté et ses gestes étaient si rapides qu'ils étaient à peine discernables. Jonnie se dit que le petit homme gris cachait bien plus de choses qu'il ne leur en était apparu jusqu'à présent. Et non pas seulement son nom, qu'il ne leur avait toujours pas révélé. Mais il avait sans doute d'autres raisons de leur venir en aide que celles qu'il avait pu exposer. Non pas que Jonnie se méfiât de lui. C'était seulement un sentiment qu'il éprouvait : au-delà de tout ce que leur avait dit le petit homme gris, il existait d'autres raisons, plus profondes, pour expliquer sa présence parmi eux. Il décida que, quoi qu'il leur dise ultérieurement, lui, Jonnie, percerait les motivations réelles du petit homme gris. Était-ce vraiment un sentiment qu'il éprouvait ? Non, une certitude.

Bon, une chose à la fois. Il devait s'occuper du barrage car, s'ils venaient à être privés d'énergie, ce serait la fin de tout ! Et, en tout et pour tout, il ne disposait que de deux heures. Comment réparer un barrage de cette taille en deux heures ? Fichtre !

Les cartes arrivèrent. L'une d'elles était un croquis récemment tracé par les ingénieurs chinois. Ils y avaient inclu l'emplacement du village. Ils avaient également dressé une carte du lac et, si l'on ne tenait pas compte des annotations et des chiffres en chinois, tout était absolument clair et compréhensible. Ils avaient même porté les relevés des fonds.

Jonnie se pencha sur la carte des défenses psychlos et remarqua pour la première fois la mention « copie du relevé d'origine ». D'après les dates psychlos, le relevé d'origine devait remonter à près de onze cents années. Il prit une loupe pour lire les informations concernant le barrage.

Le barrage originel de Kariba, modifié par les Psychlos après leur victoire et la mise en place du dispositif de défense psychlo, apparaissait comme mesurant six cents mètres de long. La hauteur de l'ouvrage était d'environ cent trente mètres. Quant au lac, il mesurait trois cents kilomètres de long et près de trente kilomètres dans sa plus grande largeur. Oui, c'était vraiment un barrage colossal. Une chaussée avait même été prévue sur le barrage pour recevoir des véhicules.

Jonnie compara les cartes. Sur la carte originale, l'endroit où ils avaient construit le village n'existait pas ! Comment était-ce possible ? La planète avait-elle changé de configuration ?

Il se reporta à une carte-d'homme de la même région. Le fleuve s'était appelé le « Zambèze ». Il était long de 2 660 kilomètres et c'était l'un des plus importants cours d'eau de la Terre. Il traversait les « Gorges de Kariba » où avait été édifié un énorme barrage hydro-électrique. A cet endroit, la gorge était abrupte. Il n'y avait pas le moindre site possible pour construire un village ! Une fois encore, Jonnie compara les cartes.

Avant même la chute du vaisseau, la route qui traversait le barrage avait été submergée.

Jonnie comprit alors ce qui s'était passé. Durant onze cents ans, régulièrement, les crues du Zambèze avaient fini par envaser le lac.

Pas étonnant que le niveau de l'eau ait baissé à cette vitesse incroyable. La chute du vaisseau avait dû soulever des millions de tonnes de vase par-dessus le barrage. Et il n'y avait maintenant plus assez d'eau pour combler cette déperdition ! Car le lac avait diminué de volume ! Il ne mesurait plus que deux cents kilomètres de long, à présent, et, à proximité du barrage, sa largeur n'était que de trois cents mètres. Tout le reste n'avait été que de la boue.

Jonnie se tourna vers Chong-won et l'ingénieur.

- Ce barrage a six vannes d'admission pour le générateur. C'est par eux qu'entre l'eau du lac. Elle traverse le barrage et fait fonctionner les turbines. Je veux qu'on les ferme immédiatement. Dès que le tir sera terminé, dans vingt-cinq minutes environ, nous couperons l'électricité. Ensuite vous fermerez les vannes. Quand ils auront à nouveau besoin d'énergie pour les autres tirs de transfert, nous nous passerons du câble de défense du lac et nous n'ouvrirons que deux vannes de générateur. Est-ce que c'est possible ?

- Oh, oui ! firent-ils. Donc, ce que vous voulez, c'est que nous coupions tout le réseau dans vingt-cinq minutes, que nous fermions l'ensemble des vannes du générateur, que deux heures après nous nous passions du câble du lac pour n'ouvrir que deux vannes seulement. Est-ce qu'il va falloir également fermer tous les déversoirs ?

Jonnie acquiesça. Jamais auparavant, l'excédent d'eau n'était passé par-dessus le barrage. Il s'écoulait par les déversoirs placés en dessous et réintégrait le lit du fleuve en aval. En les fermant, ils conservaient de l'eau. Ce qui ne résolvait pas toute la situation mais pouvait cependant être utile. Jonnie avisa Thor et lui lança :

- Va chercher Dwight !

- Il est à l'hôpital. Contusionné, le bras cassé.

- Quand on travaillait sur le filon, il était le meilleur de nous tous, répliqua Jonnie. Va le chercher.

Ils continuaient les transferts mais il pouvait profiter de ce répit pour tout organiser.

Dwight ne tarda pas à arriver. Il avait les yeux pochés et un bras dans le plâtre. Il boitait. Mais son sourire était radieux comme un jour d'été.

Jonnie ne perdit pas une seconde.

- Dwight, trouve six cents mètres de cordon détonateur, à peu près six cents litres d'explosif liquide, trois de ces perceuses légères avec une vrille de trente mètres pour chacune, ainsi que des détonateurs et tout le bataclan.

- Tu comptes faire quoi ? demanda Thor. Faire sauter la planète ?

- Thor, tu vas me rassembler tous les hommes qui étaient avec nous sur le filon et beaucoup de Chinois.

Stormalong était arrivé :

- Toi, lui dit immédiatement Jonnie, tu vas te charger de transporter les hommes et les explosifs de l'autre côté du lac. Dès que ces tirs de transfert seront achevés, il faut que nous soyons prêts à nous mettre en route.

Il griffonna une note pour un communicateur afin qu'il la remette à Angus dès qu'il aurait fini d'expédier les boîtes.

« Tu vas être privé d'électricité pendant deux heures. Informe-nous dès que tu auras fini cette première série parce que nous allons relancer les moteurs. Ne recommence aucun tir avant que nous te prévenions. Communique avec moi par radio. »

Des hommes furent envoyés vers l'extérieur par le passage. Certains étaient des vétérans du commando et sortaient à peine de l'hôpital. Le docteur Allen avait un regard désapprobateur, et plus particulièrement encore à l'adresse de Jonnie, mais il ne dit rien.

Jonnie sortit. Dieu merci, il faisait jour à présent. Il pouvait voir ce qu'il faisait. Il regarda le barrage. Oui, effectivement : de la vase ! Tout avait été aspergé par la vase. Cela promettait un travail salissant ! Sur la chaussée du barrage, aux endroits fissurés, il y avait de véritables montagnes de vase. Il y en avait aussi sur les parois des falaises, comme si un gigantesque pinceau les avait badigeonnées. La vase était encore fraîche et le premier risque était de glisser et de tomber en marchant.

Il avait allumé sa radio pour pouvoir être prévenu dès la fin du premier tir. Des chariots montaient des entrepôts du dernier niveau et les hommes chargeaient au fur et à mesure les munitions dans un avion. Les pilotes étaient prêts. Deux transporteurs faisaient le plein de passagers. Une dizaine de Chinois se précipitèrent dans la centrale en brandissant des clés de gros calibre. Elles allaient leur être nécessaires pour déplacer les leviers et les contrôles qui n'avaient pas bougé depuis dix siècles.

Jonnie s'avança jusqu'au bord du barrage et observa le lac.

Il n'en crut pas ses yeux. Il avait pensé que, après sa chute dans l'atmosphère, le vaisseau aurait été pratiquement détruit.

L'épave du bâtiment, gigantesque, était plantée dans la vase, huit kilomètres en amont du barrage.

Elle était une des causes du désastre car la coque tordue et noircie, qui avait basculé sur le côté, empêchait l'eau d'atteindre le barrage, créant un nouveau lac en formation.

Jonnie se tourna vers Dwight.

- Tu prends trois hommes avec une plate-forme volante. Qu'ils posent un cordon détonateur sur le flanc est de l'épave et qu'ils le fassent sauter pour permettre le passage de l'eau. Je te donnerai le feu vert. Fais le nécessaire et rejoins-moi ensuite.

Dwight se précipita sans plus attendre à la recherche de trois hommes et d'explosifs supplémentaires.

Jonnie trouva un point d'observation d'où il pouvait voir l'autre extrémité du barrage. L'ouvrage était très arrondi et formait comme une demi-lune au-dessus du lac. Oui, il y avait une voie d'eau très importante. A cause de la forme du barrage, un choc et une poussée brutale auraient pour effet de faire pénétrer encore plus profondément les deux extrémités dans chaque berge. Jonnie pouvait constater que l'autre extrémité tenait bon dans la falaise. C'était le *fond* du barrage qui avait dû bouger et, là-bas, l'eau jaillissait en un jet énorme.

Il était possible que d'anciennes fissures à la base eussent été consolidées au cours des ans par la vase qui s'y était agglomérée. Mais elle avait été chassée par la secousse et il n'y avait guère que les millions de tonnes de rochers qui se trouvaient en amont qui pouvaient obstruer la brèche. Et ce n'était vraiment pas le moment de lancer les pelleteuses et les grues dans une telle entreprise.

Le plan qu'il avait vaguement ébauché était correct. Il porta son regard sur les falaises, de l'autre côté de la gorge. S'il en faisait sauter une, est-ce que cela ne risquait pas d'ébranler le reste du barrage ?

Et il y avait aussi le câble de blindage qui passait justement là-bas. Il ne pouvait se permettre de le sacrifier.

La voix d'Angus résonna dans la radio.

- La première phase de tir est terminée. Paré à couper !

- Coupez ! lança Jonnie dans sa radio de mine. Centrale ! Coupez l'alimentation ! Stormalong ! Fais-les décoller !

Le grésillement du câble cessa. Une averse de fragments de bombes, d'oiseaux morts et de feuilles s'abattit sur le sol à la seconde où l'ionisation atmosphérique fut coupée.

Les avions décollèrent dans un grondement.

Jonnie avait repéré une plate-forme volante en réserve. Il y monta et pianota sur la console. Il jaillit dans les airs au-dessus du lac et du barrage et mit le cap sur le sommet des falaises lointaines.

Dwight était déjà sur place. Jonnie inspecta la texture de la roche des falaises. Il évalua la force du courant au fond du lac. Il devait faire s'ébouler ces falaises dans le lac de telle façon que le courant amène les éboulis directement sur la brèche. Pas facile à calculer et à réaliser...

Trois trous. Oui, il avait besoin de forer trois trous selon un angle très précis et sur une profondeur de trente mètres. Il délimiterait ainsi la découpe de la falaise.

Il inspecta rapidement le bord de la falaise et désigna les points exacts. Un, deux, trois. A environ deux cents mètres du barrage et à un angle de quinze degrés par rapport à la verticale.

Aussitôt, les hommes mirent les foreuses au travail. On les utilisait d'ordinaire pour percer une veine en profondeur. Elles étaient rapides et efficaces. Mais le seraient-elles suffisamment ? Jonnie n'avait que deux heures devant lui.

Le câble ! Une bonne partie du câble était plus proche du lac que l'endroit où ils avaient commencé à forer. Il ne devait absolument pas le sacrifier. S'il le laissait en place, l'explosion risquait de le trancher et il glisserait alors dans l'eau.

- Stormalong ! cria Jonnie. (Le pilote venait juste de sauter d'un avion de transport.) Quel est le plus gros moteur dont nous disposions ?

Stormalong regarda les avions. Sur les quatre qu'ils avaient amenés, l'un était un avion d'attaque de l'aéronavale. Il le désigna à Jonnie.

- Il faut amener des techniciens là, à l'extrémité du barrage. Il y a une boîte de jonction du câble à cet endroit, si j'en crois l'ancienne carte des défenses. Il faut qu'ils le décrochent. Ensuite, attache un filin à toute cette section du câble, soulève-la et dépose-la là-bas...

Jonnie montrait l'endroit où Stormalong vivait. Quelle idée de dingue ! Il allait falloir attacher l'extrémité du câble, une fois libéré, à un avion, voler cap sud-ouest en remontant le lac, tout en remorquant le câble ! Stormalong n'avait pas besoin de plus amples explications. Il savait parfaitement que le poids de deux cents mètres de câble pouvait faire s'écraser l'avion. Il envoya les techniciens vers l'extrémité du barrage tout en se disant qu'il allait faire fixer sur le câble un dispositif de décrochage exprès.

Jonnie s'intéressa aux foreuses. A quelle vitesse travaillaient-elles ? Les mèches étaient blindées et toléraient une haute température. Pourtant, elles fumaient. Il consulta sa montre et calcula la profondeur qu'elles avaient atteinte. Ce serait très juste !

A huit kilomètres de là, en amont du lac, l'équipe de vétérans envoyée par Dwight, plus deux assistants, progressait en glissant et en trébuchant dans la vase, à proximité de l'épave du vaisseau. Les hommes s'enfonçaient presque jusqu'à la taille. La plate-forme volante décollait régulièrement pour échapper à l'enlisement.

L'épave était colossale ! Ce n'était guère étonnant que ces vaisseaux ne puissent pas se risquer dans l'atmosphère. Ils devaient être construits sur cette lune appelée Asart, au large de Tolnep. Les éléments étaient probablement assemblés section par section. Pour arriver à faire mouvoir de tels géants, il fallait sans aucun doute des calculs de forces gravifiques et planétaires particulièrement complexes.

Jonnie, durant un instant de tristesse, se demanda si les restes de Glencannon étaient là, quelque part dans le monstre. Mais même un Mark 32 n'aurait pu résister à une explosion aussi infernale. Non, ce vaisseau était devenu un cimetière. Dans cette carcasse noircie, il devait y avoir les dépouilles calcinées de plus de quinze cents Tolneps. Combien mesurait ce monstre ? Six cents mètres ? Un kilomètre ? C'était difficile à dire d'où il se trouvait, vu qu'une bonne partie de la coque était immergée dans la vase. Mais il faisait un barrage du tonnerre. On aurait pu penser qu'une pareille masse se serait enfoncée plus profondément encore. Jonnie vit alors quelle était la situation réelle. Dans sa chute, le monstre avait créé une sorte de cratère et c'était le *rebord* du cratère qui empêchait l'eau de passer.

Il prit rapidement une lunette dans sa poche et observa de plus près ce que faisaient les hommes, là-bas. Oui, ils étaient occupés à faire passer un cordon détonateur sur les deux arêtes du cratère. Ils n'avaient nullement besoin de conseils.

Les foreuses continuaient de percer la roche dans un sifflement aigu, la vapeur jaillissant des trous surchauffés de refroidissement à eau. Une équipe de vingt hommes installait un tuyau qui allait du lac à une pompe de mine pour avoir un appoint d'eau froide.

Quant à la vase !... Il était difficile, presque impossible d'avancer sans glisser et la plupart des hommes étaient à présent maculés de boue.

Jonnie regarda sa montre. Ce serait très, très juste. Forer un trou de trente mètres en trois heures, ce n'était pas du gâteau... mais en une heure et demie ! Les hommes étaient à quatre sur chaque foreuse, poussant de toutes leurs forces, ajoutant leur poids sur les poignées.

Jonnie espérait que le signal qui avait été déclenché sur le vaisseau du petit homme gris serait efficace. Ils avaient réduit leur force défensive à des proportions squelettiques pour s'occuper du barrage et, en l'absence du câble atmosphérique, ils étaient totalement vulnérables.

Une voix se fit entendre dans sa radio. L'un des membres de l'équipe envoyée auprès de l'épave appelait Dwight. Ils étaient parés. Dwight consulta Jonnie.

Jonnie porta la lunette à ses yeux pour essayer de mieux voir les vannes d'accès du générateur du barrage.

Est-ce qu'elles étaient vraiment fermées ? L'eau était tellement boueuse... Impossible d'être certain à pareille distance. Il appela les ingénieurs chinois qui travaillaient à l'intérieur du barrage et il obtint le chef Chong-won.

- J'ai encore besoin de cinq minutes pour fermer la dernière vanne, dit-il à Jonnie. Ils ont réussi à fermer les déversoirs. Je suis navré, Seigneur Jonnie, mais ces leviers et ces volants n'ont pas servi depuis des années et des années.

- Disons mille ans... Combien d'hommes avez-vous ?

- Soixante-douze.

Grands dieux, la moitié de leurs effectifs se trouvait dans le barrage.

- Vous avez fait du bon travail. Dès que vous aurez fini, évacuez tout le monde. Tout le barrage risque de céder avec les explosions.

- Nous allons faire le plus vite possible, lui assura le chef.

Il y eut un vrombissement de moteur. Stormalong accrochait le câble de blindage atmosphérique aux crosses de son avion.

- Paré à enlever ! lança-t-il dans le porte-voix. Dis-moi quand le secteur sera évacué.

Le gros avion d'assaut survolait le barrage. Le câble, dégagé de la boîte de jonction, était maintenu par des grappins. Les hommes évacuaient le secteur à toutes jambes.

Jonnie cria à l'intention de l'équipe de forage :

- Éloignez-vous !

A regret, ils cessèrent leurs efforts et s'éloignèrent du bord de la falaise en glissant.

Jonnie s'assura qu'ils avaient tous évacué la zone qu'allait traverser le câble, avant de lancer :

- Vas-y ! Arrache-le !

Stormalong lança le moteur de son appareil à plein régime. Comme un serpent gigantesque, le câble se dressa, résista, tressauta et commença enfin à s'arracher du sol. Son poids tirait l'avion vers le sol et Stormalong fit danser son énorme appareil de bas en haut pour dégager complètement le câble. Mètre après mètre, il parvint à l'extraire du sol. L'avion gagna de l'altitude, longeant le bord de la falaise.

Une bonne moitié de câble avait maintenant été arrachée à la terre !

Soudain, avec un bruit violent, le câble céda !

L'appareil de Stormalong fut catapulté vers le ciel, entraînant cent mètres de câble derrière lui.

Jonnie observa la manœuvre. Ce Stormalong, quel pilote ! L'avion traversa le lac et alla déposer le câble cassé sur la rive. Il le libéra avec la commande de dégagement rapide et revint. Quelqu'un dans l'avion abaissa le grappin et Stormalong lança dans le porte-voix :

- Accrochez !

Les hommes dévalèrent la falaise. Ils s'emparèrent du grappin et y fixèrent solidement le reste du câble.

Tout cela prenait du temps et les hommes du forage avaient cessé le travail.

Une nouvelle fois, Stormalong prit de l'altitude pour arracher le câble à sa gangue millénaire.

Il l'emporta et alla le larguer.

Les hommes se précipitèrent sur leurs foreuses.

- Ici, on a terminé ! lança la voix du chef Chong-won dans la radio de mine.

- Parfait, fit Jonnie. Maintenant, faites évacuer tous ceux qui se trouvent là et avertissez-moi quand ils seront loin, y compris vous !

Il aperçut des silhouettes minuscules en tenue de travail bleue qui, là-bas, sortaient en file de la centrale et s'engageaient sur la route. Quelques instants après, tous furent en sécurité, loin du barrage.

- Barrage évacué, Seigneur Jonnie, annonça le chef Chong-won.

Inutile d'arrêter le forage. Jonnie donna le signal à Dwight qui, rapidement, lança ses instructions aux hommes qui étaient sur l'épave du vaisseau.

- Faites sauter les charges dans le trou ! cria-t-il.

Jonnie vit les hommes s'activer sur les détonateurs avant de se replier aussi vite que possible, glissant et pataugeant dans la vase. Ils rallièrent la plate-forme volante. Le dernier fut attrapé prestement par le col et hissé à bord à l'instant où la plate-forme décollait, ses jambes s'agitant dans le vide. La plate-forme gagna un secteur sûr et se posa. Le regard de Jonnie se fixa sur l'épave.

Il y eut deux explosions simultanées. Une grande ligne de boue jaillit dans le ciel et, un instant, l'épave du monstre fut dissimulée par la fumée et l'averse de vase.

L'onde de choc fit vibrer le sol. Une lame parcourut le lac. Vingt-quatre secondes après, le bruit déferla sur eux et les frappa comme une main gigantesque.

La fumée se dissipait. L'épave gigantesque n'avait pas été déplacée mais un canal avait été creusé dans les bords inférieur et supérieur du cratère. Un filet d'eau commençait à s'écouler de l'autre côté. Rien qu'un filet ? C'était tout ?

Jonnie retint sa respiration. Il leva sa lunette pour mieux observer. Il craignait qu'ils ne soient obligés de recommencer l'opération alors que le temps leur manquait.

Allez ! Allez ! s'entendait-il dire. Encore, encore ! Vas-y !

Il savait que l'eau pouvait se frayer son propre chemin.

Le bord opposé du cratère était à moins d'un mètre au-dessus du niveau du lac de retenue. La poussée aurait dû être plus forte !

C'est alors qu'un objet faisant rempart fut arraché par l'eau. Un gros canon-éclateur qui tourbillonna brièvement avant d'être rejeté au loin.

L'eau jaillit à travers la paroi extérieure du cratère. Elle tomba en torrent à l'intérieur. Des flots écumants de boue se ruèrent par la brèche qui s'élargit encore. Le courant se fit plus violent.

Le flot s'abattit dans la tranchée creusée par le cordon détonateur, emporta les obstacles et les débris et poursuivit sa course !

Une troisième voie d'eau s'ouvrit dans le haut du cratère. En un véritable mascaret, l'eau se déversait dans le lac en contrebas, emportant des fragments de l'épave.

Le fleuve coulait à nouveau. Jonnie dit à Dwight de féliciter tous les hommes.

Les foreuses poursuivaient leur travail, dans un déchaînement de bruit et de fumée. Jonnie consulta sa montre. Il leur restait à peine vingt minutes. Pourquoi le temps passait-il si vite ?

- Combien de sections de forage as-tu sur ces trous ? demanda-t-il à Thor.

- Cinq. Ce qui fait vingt-trois mètres.

- Tant pis. Il faudra faire avec. Sors-moi ces foreuses de là ! Stormalong ! Commence à me dégager ces équipes avec leur matériel !

Il distinguait le chef Chong-won comme une tache infime, de l'autre côté. Il l'appela par radio :

- Chef, vous allez apercevoir un éclair formidable dans quelques minutes. Attendez afin de vous assurer que le barrage ne cède pas. Dès que vous en serez certain, envoyez une équipe spécialement choisie afin d'ouvrir deux vannes de générateurs et de rétablir le courant pour le câble du cône et le secteur de la pagode. Compris ?

- Oui, Seigneur Jonnie.

- Et mettez-vous à l'abri pour l'explosion ! ajouta Jonnie.

Les hommes venaient de dégager l'équipement mobile de forage et le rechargeaient à bord de l'avion.

- Dwight ! appela Jonnie. Prends les trois barils d'explosif liquide et verse-les dans ces trous. Ensuite, fixe les bidons par-dessus, pour les boucher. Vite !

De son bras valide, Dwight fit un geste et les hommes se mirent à courir. Ils déversèrent les barils d'explosif liquide dans chaque trou. Mais les trous étaient encore chauds du forage et l'explosif atteignit presque le point d'ébullition. A cause de l'air concentré à l'intérieur des trous, le liquide eut du mal à s'écouler et il y eut un dégagement important de vapeur et de bulles.

Jonnie prit le long cordon explosif et se mit à courir, le déroulant derrière lui. Il fit une boucle autour de l'endroit où serait fixé chaque baril. Sous l'effet de la vapeur d'explosif, les bidons deviendraient de véritables bombes.

- Des détonateurs ! cria Dwight.

- Pas le temps ! répondit Jonnie. Je vais déclencher tout ça avec les canons de l'avion !

- Quoi ? hurla Thor.

Ils avaient à présent vidé les barils et les mettaient en place sur chacune des boucles de cordon explosif, par-dessus les trous qui avaient été forés. Il suffirait d'un projectile dans un seul des barils pour tout faire sauter.

Jonnie pointa le doigt vers l'avion de combat qu'ils avaient amené.

- Laisse-moi celui-là ! Et évacue tout le monde sur-le-champ !

Stormalong voulut protester, changea d'avis et stimula les hommes qui s'empressèrent de monter à bord des appareils.

- Tire d'en haut ! cria-t-il à Jonnie. Tout ce machin va partir comme une fusée !

Jonnie, encore une fois, regarda sa montre. Il ne leur restait que neuf minutes.

Les avions décollaient. On aidait Dwight à monter dans le dernier. Jonnie regarda une dernière fois leur travail. Tout était prêt.

Il se précipita vers l'avion de combat et s'installa aux commandes. Il ne restait plus personne dans le secteur.

Il décolla et grimpa jusqu'à six cents mètres. Le barrage semblait toujours aussi colossal.

Déjà, les avions se posaient derrière des butées de sacs de sable, sur l'autre rive. Stormalong avait vraiment fait vite.

Quant au chef Chong-won, il s'était mis à l'abri avec ses hommes.

- Paré à ouvrir le feu sur le trou ! lança Jonnie dans sa radio.

Il régla les canons sur « Flamme », « Faisceau mince » et « Maximum », puis vérifia sa ceinture de sécurité.

Il allait devoir soigner son tir. Tout semblait bien tranquille là en bas. La structure de l'épave noircie avait crevé sous la pression de l'eau. Le fleuve s'écoulait à nouveau dans le lac de retenue.

Mais il s'écoulait aussi avec de plus en plus de force par la brèche, sous l'ouvrage, et elle ne cesserait de s'agrandir.

Jonnie, en quelques gestes rapides, ferma hermétiquement toutes les issues de l'avion. Il se demanda un instant s'il devait monter jusqu'à mille mètres. Non. Il se trouvait à la portée optimale. Un avion de combat était fait pour résister à pas mal de choses, mais jamais encore il n'avait entendu parler de la mise à feu de six cents litres d'explosif liquide. Plus trois cents mètres de cordon détonant.

Il ajusta avec soin le baril du milieu et effectua sa visée. Puis il pressa la détente.

Un éclair traversa tout le ciel devant lui. Un rideau de feu vert haut de mille mètres.

Un bruit terrible !

L'onde de choc en retour déferla sur lui et l'avion fut propulsé vers le ciel comme un jouet.

La ceinture de sécurité lui coupa brutalement le souffle.

Trois secondes après, il s'aperçut qu'il était la tête en bas. Il pianota sur la console et les moteurs d'équilibrage redressèrent l'appareil. Il constata alors qu'il volait à reculons.

Avec une plainte aiguë, les moteurs luttèrent pour rectifier la course de l'avion qui se stabilisa bientôt. Une fêlure en diagonale marquait à présent le pare-brise.

A cet instant, Jonnie aperçut la falaise. La fumée s'était dissipée. Tout le devant de la falaise, lentement, glissait vers les eaux du lac.

Un demi-million de mètres cubes de roche.

Une bonne part était encore apparemment d'un seul bloc. Non, c'était une illusion. Un pan de falaise avait été nettement et proprement découpé. Mais, à l'intérieur, la roche était craquelée, fissurée et, juste avant d'atteindre la surface de l'eau, elle se disloqua en fragments. On aurait pu croire à première vue que le tout s'était abattu d'aplomb sur la berge. Mais c'était dû à la distance et à la perspective. En fait, certains fragments furent projetés presque jusqu'au milieu du lac.

Jonnie observa le barrage. Est-ce qu'il n'allait pas à son tour s'effondrer lentement, laissant les eaux du lac s'engouffrer dans la gorge ? Il avait réglé l'explosion afin que l'onde de choc se développe à la verticale, et non en profondeur, dans le sol. Sur ce point, tout s'était passé selon ses calculs. La preuve, ce qui était arrivé à son avion.

La première vague heurta le barrage et un geyser d'eau jaillit à trente mètres au-dessus de l'ouvrage. Mais la perte d'eau était sans conséquence. L'important était de savoir si le barrage résistait.

A cette distance, Jonnie ne pouvait dire si les courants de fond emportaient les débris de roche vers la brèche inférieure. Il fit piquer son appareil sur le côté. L'eau s'écoulait toujours en torrent à la base du barrage. Il se livra à un examen attentif de la situation.

Était-ce un effet de son imagination ? Il avait l'impression que moins d'eau s'écoulait par la brèche.

Son attention fut alors attirée par des silhouettes en bleu qui couraient en direction de la centrale. On ne pouvait pas dire qu'ils avaient perdu du temps !

Il consulta sa montre et vit qu'il ne lui restait plus que deux minutes pour se poser.

Il appuya sur la console et dirigea son appareil vers un appontement libre. Il coupa le moteur. Ses oreilles bourdonnaient et il vérifia que le moteur ne tournait plus.

Il restait encore trente-trois secondes. Ç'avait vraiment été *très* juste !

Il traversa le passage souterrain et déboucha à l'intérieur du cône. Il jeta un coup d'œil à la pagode. Elle n'avait pas perdu une tuile sous le choc.

Il retrouva Angus devant la console de transfert. Quant au petit homme gris, il était installé devant l'ordinateur. En apercevant Jonnie, Angus agita la main et lui cria :

- Le courant est rétabli ! On tire !

4

Dans les deux dernières heures qui s'étaient écoulées, quelqu'un d'autre avait été particulièrement actif. Jonnie entendait à présent une musique différente de celles qu'il connaissait. Elle était à la fois noble et grave. Elle lui semblait pourtant vaguement familière, et il se souvint alors qu'un des cadets avait mis à jour une pile de « disques » ; c'était le nom qu'il leur donnait. Des objets de taille assez importante. Si l'on plaçait une épine de rose dans une boîte en carton, qu'on la promenait dans le sillon sans fin du « disque » et qu'on approchait l'oreille, on entendait vingt ou trente instruments qui jouaient en même temps. L'étiquette, sur le disque, en grande partie effacée par le temps, avait indiqué que le morceau s'intitulait « Lohengrin, par le Cleveland Symphony Orchestra ». La musique que Jonnie entendait à présent était très semblable, mais plus profonde, plus pleine, très impressionnante ! Il soupçonnait le petit homme gris d'en être en partie responsable. Est-ce qu'elle venait de son vaisseau ? Jonnie comprit soudain : cette musique était destinée à accueillir les délégués.

Il y avait aussi autre chose qui devait provenir du vaisseau du petit homme gris : un écran qui avait été mis en place tout autour de la plate-forme par le docteur Allen. Il finissait de l'installer. Les mailles en étaient suffisamment larges pour permettre de voir au travers. « Contrôle sanitaire », déclara-t-il à Jonnie d'un ton énigmatique.

Des ingénieurs chinois, ruisselants de sueur, sortirent en rampant d'une canalisation, avec des expressions réjouies. Ils avaient réussi à rétablir la circulation d'air. Déjà, la fumée s'était dissipée. Voilà une bonne chose, pensa Jonnie. A l'instant où les espaces coïncideraient sur la plate-forme, de nombreuses atmosphères de nature différente entreraient en contact avec l'oxygène et plus spécialement pendant l'effet de choc en retour.

Il remarqua aussi que les réfugiés chinois des différents villages s'étaient changés. Ils avaient certes perdu leurs demeures, mais pas leurs biens, qu'ils avaient réussi à préserver. Les grossiers ballots hâtivement noués avaient maintenant disparu. Les enfants et les chiens étaient tranquillement à l'abri dans les puits à canon. Quant aux parents et à ceux qui n'avaient aucune tâche pressante assignée, ils attendaient avec leurs habits les plus beaux.

Une garde d'honneur composée de six hommes de nationalités différentes, qui avaient endossé leurs plus beaux uniformes, surgit d'un bunker. Les hommes rectifièrent fiévreusement leur tenue, ajustant une boucle ou un nœud par-ci, par-là. Ils n'étaient pas armés, mais tenaient des hampes surmontées d'un fanion. Un vieux Chinois se plaça à leur tête. Non, c'était un communicateur bouddhiste habillé de façon à passer pour un Chinois, avec une robe de soie à motifs brodés et une petite calotte. Bien sûr, il fallait quelqu'un qui parle psychlo pour accueillir les nouveaux venus ; et qui ait l'allure d'un dignitaire.

Il restait encore trois ou quatre minutes avant l'arrivée du premier et Jonnie se dirigea vers la salle des opérations. Mais il ne put y entrer. Quong, le jeune communicateur, en surgit en courant. Sir Robert apparut aussitôt à la porte et lui lança :

- Et dis à Stormalong de me trouver aussi l'autre guide !

Quong poursuivit sa course, tout en acquiesçant.

Derrière Sir Robert, la salle des opérations était bouillonnante d'activité.

Jonnie ouvrit la bouche pour demander comment tout se passait, mais Sir Robert lui répondit par avance, en secouant la tête d'un air lugubre.

- Ils utilisent des bombes d'un type nouveau. Les canons n'arrivent pas toujours à les faire exploser. Et ces imbéciles incendient des villes désertes ! Nos drones fonctionnent toujours. Mais pourquoi brûler un endroit aussi abandonné que ce « San Francisco » ? Sur les derniers clichés pris par un drone, on ne voyait que deux ours dans une rue. Je te le dis : on a affaire à de sacrés crétins !

Jonnie fit mine d'entrer dans la salle, mais Sir Robert secoua la tête.

- Tu ne pourras pas mieux faire que nous. Est-ce que tu t'es posé la question de savoir ce que nous allions raconter à ces émissaires ?

- Je n'en ai aucune idée. Est-ce que nous ne ferions pas aussi bien de convoquer le chef du clan Fearghus ?

- Nan, nan... Pas une chance qu'on y arrive... Edinburgh est complètement en flammes !

Jonnie éprouva un serrement de cœur.

- On a des nouvelles de Chrissie ?

- Ils ont tous été conduits aux abris. Dunneldeen leur fournit une couverture aérienne du mieux qu'il peut.

Stormalong arriva en courant avec le livre.

Sir Robert examina Jonnie de la tête aux pieds.

- Va faire un brin de toilette ! Et pense à ce que nous pourrions bien dire à ces visiteurs !

Il poussa Jonnie en direction de sa chambre, puis disparut dans la salle des opérations. Il referma la porte sur lui pour éviter que les bruits des activités fiévreuses n'envahissent le secteur de la plate-forme.

Jonnie gagna sa chambre. A l'instant où il allait plonger dans le passage, le bourdonnement des câbles s'interrompit. Il y eut une brève pause, puis un léger effet de retour.

L'ambassadeur hockner se tenait sur la plate-forme. Dépourvu de nez, il tenait un monocle à tige. Il était vêtu d'une cape et d'une robe scintillantes, et un panier doré était posé près de lui.

Une cloche tinta sur l'écran. La lisière supérieure fut illuminée par un reflet violet. Le Hockner prit le panier, mit son monocle devant l'œil et s'écarta de la plate-forme. La garde d'honneur salua et leva haut les fanions.

L'ambassadeur s'arrêta à bonne distance de la barrière de contrôle sanitaire.

Un messager s'avança pour prendre son panier tandis que le bouddhiste en habit chinois s'inclinait devant lui.

D'un ton hautain, l'émissaire hockner déclara en psychlo :

- Je suis Blan Jetso, ministre plénipotentiaire extraordinaire de l'Empereur des Hockners, long soit son règne ! J'ai mandat de négocier et de traiter tous amendements définitifs aux conventions et accords, et ce en toute chose politique ou militaire. Ma personne est inviolable et toute molestation aurait pour conséquence la dénonciation de tous les traités. Toute tentative pour me prendre en otage serait vaine car je ne serais pas réclamé par mon gouvernement. Sous la menace de torture ou d'extorsion, vous êtes averti que je commettrai l'acte de suicide, et ce par des moyens qui vous sont inconnus. Je ne porte ni maladie ni arme. Longue vie à l'Empire Hockner ! Comment allez-vous ?

Le communicateur vêtu en Chinois s'inclina de nouveau et prononça un bref discours de bienvenue, sur un ton rapide, très révérencieux, et dit au Hockner que la conférence débuterait dans trois heures environ. Puis il le précéda jusqu'à son appartement privé où il pourrait se rafraîchir et prendre un peu de repos.

Jonnie se dit que toutes ces arrivées se ressembleraient. Seuls les races, les êtres et leur tenue seraient différents.

Il essayait de trouver ce qu'il allait dire à tous ces émissaires. Ça lui avait fait un petit choc d'entendre Sir Robert impliquer que cela lui incombait à lui ! Quand ce sacré vieux vétéran n'avait pas d'idées de son cru... Mais il devait être rongé d'inquiétude à propos d'Edinburgh. Autant que Jonnie.

5

Jonnie se courba pour passer sous la poutre, à l'entrée de sa chambre, et éprouva un brusque étourdissement. Jusqu'alors, tout à sa lutte pour le barrage, il avait été soutenu par sa seule volonté et il avait réussi à rejeter de côté ce genre de sensation. Mais soudain, préoccupé par ce qui se passait à Edinburgh, par le sort de Chrissie, il ne se sentait pas tellement en mesure de lutter pour quoi que ce soit. Tous ces jours, il avait beaucoup encaissé.

Il ne s'était certes pas attendu à ce qu'il vit juste au seuil de sa chambre. Il y avait là quatre personnes absorbées par une besogne dont il ne comprenait pas le sens. Elles étaient assises à même le sol, devant de petits bancs, la tête baissée, les mains dansant en mouvements rapides.

Monsieur Tsung devina la présence de Jonnie et se leva pour s'incliner devant lui.

- Seigneur Jonnie, je vous présente mon épouse !

Une Chinoise aux cheveux grisonnants, les traits avenants, se redressa à son tour, et sourit en s'inclinant. Jonnie répondit à cette salutation, tout en éprouvant un nouvel étourdissement. La femme se rassit alors et poursuivit sa besogne.

- Ma fille, annonça Monsieur Tsung.

La troisième personne se leva à son tour pour saluer Jonnie. C'était une très jolie Chinoise aux traits délicats. Elle avait une fleur dans les cheveux. Jonnie s'inclina lentement devant elle. Il se sentit un peu plus mal. La fille se rassit à son tour et se remit frénétiquement au travail.

- Voici mon gendre, dit Monsieur Tsung.

La quatrième personne s'arracha à son banc en un mouvement brusque pour s'incliner elle aussi devant Jonnie. Ce jeune Chinois portait la tenue de travail bleue des mécaniciens. Jonnie s'inclina à peine, pour éviter d'accentuer son étourdissement. Le jeune homme se rassit sans autre cérémonie et des étincelles jaillirent de nouveau de ses outils.

Jonnie les contempla tous. Ils travaillaient avec une sorte de dévouement furieux et il ressentit une vague de tristesse. Si cette conférence échouait, s'ils venaient à être vaincus, quelles souffrances attendaient encore ces gens ? Ils faisaient partie des trente-cinq mille survivants de la race humaine. Il n'avait pas le droit de faillir, de les laisser tomber.

Il entra dans sa chambre. Durant ces deux dernières heures, on y avait travaillé. Angus, probablement, et un électricien. Contre le mur, en face de son lit, encastrés dans un rack, il y avait à présent trois écrans. Une caméra-bouton avait été mise en place dans la salle des opérations, qu'il pouvait observer sur un des écrans. Les gens s'agitaient, parlaient dans des micros, le visage tendu, tandis qu'arrivaient régulièrement de nouveaux clichés pris par les drones sur le tableau des opérations. Une autre caméra-bouton était asservie au second écran. Elle contrôlait la salle de conférence qui était vide pour l'heure. La troisième était braquée sur la plate-forme et la console.

A l'instant où le regard de Jonnie se posait sur le troisième écran, l'ambassadeur tolnep arriva. Il était vêtu de vert éclatant, y compris sa casquette. Mais ses bottes bleues étaient sales. D'énormes lunettes masquaient ses yeux. Il tenait une espèce de sceptre avec un gros pommeau et portait un panier vert monté sur des roues vertes qui contenait ses affaires ainsi que ses vivres. C'était véritablement une créature reptilienne, en dépit de son visage et de ses quatre membres. Un lointain descendant des dinosaures dont la taille s'était réduite et l'intelligence développée ?

Son discours fut plus ou moins semblable à celui du Hockner et il accepta la réponse du communicateur avec un sourire mauvais avant de draper sa cape d'un vert éblouissant sur son corps dur comme l'acier. On le conduisit alors à son appartement privé. Voilà un client qui allait leur poser des sérieux problèmes, songea Jonnie.

Il était sur le point de se laisser tomber sur son lit quand il fut interrompu. Monsieur Tsung l'avait suivi.

- Non, non ! lança-t-il. Le bain d'abord !

Deux Chinois lui avaient emboîté le pas. Ils avaient amené une baignoire pleine d'eau bouillante sur un chariot. Ils la déposèrent dans un endroit libre avant de se retirer.

- Il se trouve que je suis totalement épuisé, protesta Jonnie. Je vais seulement me débarbouiller et...

Monsieur Tsung se précipita devant lui en brandissant un miroir.

- Regardez ! clama-t-il.

Jonnie regarda. Il vit de la boue sur son visage. Des taches d'explosif. L'écharpe de soie noire qu'il avait portée n'était plus qu'un lambeau d'étoffe. Il avait de la vase dans les cheveux et la barbe. En baissant les yeux, il s'aperçut qu'il avait dû être plongé jusqu'à la taille dans la boue. Quant à la peau de ses mains, elle était d'une couleur indescriptible. Tel quel, il serait passé inaperçu dans le dépôt d'ordures du village.

- Vous gagnez, dit-il en commençant à se déshabiller avec lassitude. Monsieur Tsung s'était muni d'un grand seau à minerai dans lequel il déposa les effets de Jonnie avec une répulsion évidente, y compris le casque, les bottes et les pistolets.

Jonnie entra dans le bain. La baignoire n'était pas assez grande pour qu'il pût allonger les jambes, mais l'eau lui arrivait jusqu'au torse. Jamais encore il n'avait pris de bain chaud. Il ne connaissait que les fleuves et les torrents glacés des montagnes. Il sentit l'épuisement quitter peu à peu son corps. Il s'avoua avec quelque surprise que désormais, il aurait pas mal de choses à dire en faveur des bains chauds !

Monsieur Tsung entreprit de le décrasser consciencieusement avec une brosse et un savon, tout en évitant le pansement de son bras. Soudain, il s'interrompit et Jonnie entendit que l'on chuchotait dans son dos. Puis on lui toucha les épaules. Encore un autre conciliabule et Monsieur Tsung prit un bras de Jonnie, le leva et déploya une longueur de ruban de l'épaule au poignet.

Jonnie fut brusquement épouvanté en réalisant que la fille de Monsieur Tsung se tenait là, juste derrière lui, et qu'il était tout nu dans son bain ! Il tourna la tête mais, déjà, elle avait disparu. Monsieur Tsung s'était remis à le récurer. Il entreprit de lui laver la barbe et les cheveux.

Deux fois encore, on interrompit le bain. Une fois pour enrouler un ruban tout autour de son torse, une autre fois pour le tendre de la hanche au pied, à l'extérieur de sa jambe.

Finalement, Monsieur Tsung lui sécha les cheveux et la barbe avec une serviette, en prit une autre, plus grande, dans laquelle il enveloppa Jonnie quand il sortit du bain. Il le sécha et fut obligé de sautiller sur place pour atteindre les épaules, à présent que Jonnie était debout. Puis il lui passa un peignoir bleu et doux avant de l'autoriser enfin à s'étendre sur le lit.

Heureux de pouvoir étirer ses membres, évitant même de risquer un regard vers les écrans, Jonnie se vit interrompu par une nouvelle intervention.

Le docteur MacKendrick venait de surgir en compagnie du docteur Allen. Ils défirent son peignoir et dégagèrent son bras. Le docteur Allen découpa prestement le bandage, nettoya la plaie avec de l'alcool - l'odeur était piquante, désagréable, sans doute du whisky mal distillé - et la saupoudra de poudre blanche. Il lui en fit ensuite avaler un peu. Encore un sulfamide ! Tandis que le docteur Allen refaisait le pansement, Monsieur Tsung arriva avec un bol de soupe.

Ensuite, les deux docteurs reculèrent. Jonnie, qui connaissait bien les usages médicaux, commença à soupçonner qu'ils avaient une idée derrière la tête. Ils affichaient cette fausse jovialité qui est le propre des docteurs quand ils sont sur le point de vous prendre par surprise et de vous faire quelque chose d'atroce.

- J'ai toujours considéré, commença le docteur Allen, que Dunneldeen et Stormalong étaient des casse-cou invétérés. Mais j'étais à l'extérieur quand tu as fait sauter cette falaise et je dois dire que c'est à toi que revient la palme, Jonnie Tyler. Est-ce que tu te sers souvent d'un avion de combat pour allumer des explosifs ?

Jonnie s'apprêta à le contrer avec sévérité en lui expliquant qu'il n'avait pas eu le temps de monter les détonateurs, lorsque le docteur MacKendrick se rapprocha de lui.

- Je suppose, dit-il, que cela lui paraît plus naturel.

Ça, c'était une remarque faite pour détourner son attention.

Et le docteur brandit alors la longue aiguille qu'il avait dissimulée derrière son dos, s'empara du poignet de Jonnie, enfonça cinq centimètres d'acier dans une veine et lui injecta une seringue complète.

- Aïe ! fit Jonnie. Espèce de faux jeton, vous m'avez bien eu. Vous savez très bien que je hais vos satanées aiguilles.

Il avait l'impression qu'un feu ardent brûlait dans sa veine.

- Ça, c'est pour tes étourdissements, commenta MacKendrick, tout en essuyant l'aiguille d'un air satisfait. C'est un produit que nous avons trouvé, le « B Complexe ». Des vitamines. Le venin, les sédatifs et les sulfamides absorbent les vitamines B. D'ici peu, tu te sentiras mieux.

- J'ai bien assez de choses à faire pour me permettre d'être troué comme une passoire, dit Jonnie, encore quelque peu irrité.

Le docteur Allen lui posa la main sur l'épaule.

- C'est justement ça, dit-il. Tu en as trop fait, bien trop fait. Trop de soucis, de responsabilités. Il faut que tu apprennes à te laisser aider par les autres, à les laisser participer. Tu as fait du boulot splendide. Laisse les autres t'aider aussi !

Il tapota l'épaule de Jonnie avant de se retirer.

Le bol de soupe lui avait calmé l'estomac. Après un instant, il leva la tête et la secoua. L'étourdissement diminuait.

Deux nouveaux émissaires s'étaient matérialisés sur la plate-forme. Une véritable frénésie régnait dans la salle des opérations. La conférence qui l'attendait le préoccupait. Il se dit qu'il était resté étendu suffisamment longtemps.

- Tsung ! appela-t-il. Trouvez-moi ma meilleure tenue de daim, s'il vous plaît.

Eh bien, d'accord, il laisserait les autres l'aider. Monsieur Tsung allait lui dénicher son costume de daim.

Le résultat fut totalement inattendu. Monsieur Tsung se précipita dans la chambre, se dressa de toute la hauteur de son mètre soixante et lança :

- Non !

Puis il s'évertua à trouver quelques autres mots dans son maigre vocabulaire anglais, sans vraiment y parvenir.

- Eux seigneurs ! ajouta-t-il.

Jonnie ne comprit pas ce qu'il voulait dire par là.

Plus que surpris, il vit Monsieur Tsung quitter la chambre à toutes jambes pour revenir l'instant d'après avec un coordinateur qui comprenait le chinois mandarin. Monsieur Tsung le mitrailla littéralement de paroles, puis il se tut. Le coordinateur ouvrit la bouche pour parler. A cet instant, Monsieur Tsung se rappela quelque chose qu'il avait oublié, lâcha une nouvelle rafale de mots, puis, affichant une expression du style « c'est comme ça et pas autrement », il s'inclina, glissa les mains dans ses manches et recula légèrement.

Le coordinateur, un Écossais à la barbe noire, inspira profondément avant de parler :

- MacTyler, cela ne va peut-être pas vous plaire, mais vous venez de vous attacher un conseiller diplomatique. Ces Chinois, je les connais bien, et quand ils ont quelque chose dans la tête, ils sont pires que ma bonne femme !

Jonnie s'était étendu. Il regardait le plafond.

- Et qu'est-ce qu'il y a de mal à lui demander simplement de sortir ma plus belle tenue de daim ?

- C'est pire que mal. C'est... (Il soupira, puis se mit à expliquer.) Mon-

sieur Tsung descend d'une famille qui a donné des chambellans à la Dynastie
Ch'ing - qui a régné sur la Chine de 1644 à 1911. Il y a onze cents ans à peu près.
Ce fut la dernière Dynastie avant que la Chine ne devienne une République
Populaire. Les empereurs tout comme la cour n'étaient pas chinois. Ils appartenaient à une race appelée « mandchoue ». Et ils avaient besoin d'être conseillés.
Tsung dit que sa famille les a toujours bien servis mais que, lorsque les temps
changèrent et parce qu'ils avaient servi les Mandchous, précisément, ses ancêtres furent exilés au Tibet. Les Mandchous, dit Monsieur Tsung, ont été renver-
sés par les puissances occidentales, et non à cause des mauvais conseils de sa
famille. A cause de sa lignée, Monsieur Tsung est donc vraiment un « Mandarin
du Bouton Bleu », un seigneur de la cour. Il dit que les archives et les rouleaux
de parchemin de sa famille sont à la bibliothèque de l'Université Chinoise que
vous avez mise à l'abri quelque part dans une chambre forte.

- En Russie, dit Jonnie. Tout est dans la base russe, bien que Dieu seul puisse
savoir quel est son sort à l'heure actuelle !

- Bref, Monsieur Tsung dit qu'il pourrait vous en lire certains passages, mais
il n'a aucun manuscrit ici. Cependant, sa famille s'est toujours attachée à étudier ses anciens écrits avec l'espoir qu'apparaisse une dynastie qui reprendrait le
pouvoir et qu'elle pourrait servir. Ils ont la mémoire longue, ces Chinois - vous
imaginez : attendre pendant onze cents ans de reprendre le travail !

Monsieur Tsung devina au ton que le coordinateur s'écartait de la traduction.
Il lui secoua le bras et fit des gestes qui signifiaient clairement : dites-lui ! dites-
lui !

Le coordinateur soupira. Il n'était pas du tout sûr de la façon dont Jonnie
allait réagir.

- Eh bien... il dit que vous êtes le « Seigneur Jonnie » (il se mit à débiter le
tout d'un trait) et que vous ne pouvez pas vous promener habillé comme un
barbare !

Si Jonnie n'avait pas eu d'autres préoccupations, il aurait éclaté de rire.

Le coordinateur parut soulagé de la façon dont il le prenait. Il continua :

- Il dit qu'il savait qu'une conférence diplomatique allait se tenir, que de
nombreux seigneurs allaient arriver et qu'ils seraient tous hautains, prétentieux
et vêtus luxueusement. Ce qui est assez vrai. Je les ai vus arriver sur la plate-
forme. Avec leurs masques respiratoires sertis de joyaux, leurs vêtements scintillants, leurs bijoux et leurs ornements - il y en a même un qui a un monocle
avec des pierreries. De vrais milords !

Il reprit son souffle et continua en hâte :

- Si vous vous présentez devant eux vêtu de *peaux,* ils vous prendront pour
un barbare et ne vous écouteront pas. Monsieur Tsung dit que si vous avez l'air
d'un lourdaud et d'un sauvage, ils vous mépriseront. (Il s'interrompit à nouveau, heureux d'avoir pu tout dire.) Voilà ce dont il voulait vous faire part. Ne
lui en veuillez pas. Je dois ajouter par pure affection pour vous que trente-cinq
mille existences - non, un peu moins, maintenant - dépendent de cette conférence. Autrement, je n'aurais pas traduit ce qu'il a dit parce que, à mes yeux,
MacTyler, vous n'avez rien d'un barbare !

Jonnie se dit qu'il lui suffirait de calmer Monsieur Tsung, de lui promettre
d'être poli et de ne pas donner de grandes claques dans le dos de tout le monde,
et que Monsieur Tsung serait alors rasséréné. Mais non, pas du tout !

Monsieur Tsung obligea le coordinateur à demeurer sur place, exigeant qu'il
traduise très exactement ce qu'il allait dire, sans changer un mot. Puis il se

rapprocha du lit et commença à parler. A chaque pause, le coordinateur traduisait.

- C'est une chose... d'être un puissant guerrier... mais bien que vous ayez remporté toutes les batailles... que vous ayez mis l'ennemi en déroute... la guerre entière... peut être perdue à la table de conférence !

Jonnie digéra cela. En vérité, ils n'avaient pas encore gagné la guerre, il s'en fallait de beaucoup. Mais, même s'ils l'emportaient, il était exact qu'ils pouvaient *tout perdre* à la table de conférence. Il en avait toujours eu conscience, mais la déclaration de Monsieur Tsung l'impressionnait. Il avait visiblement considéré que son travail n'était pas de faire le ménage dans la chambre mais de donner des conseils. Et Jonnie avait un besoin pressant de conseils. Il était toujours sans la moindre idée, sans la moindre solution.

Le coordinateur se remit à traduire comme Monsieur Tsung reprenait la parole :

- Votre attitude... doit être calculée afin d'impressionner... Un seigneur a l'habitude de traiter avec des inférieurs.... Il sera impressionné si on le traite comme un inférieur... Soyez hautain... Ne vous montrez pas poli... Soyez froid et dédaigneux... Restez distant, lointain... Dites, ce vieil homme me fait drôlement transpirer sur mon mandarin. C'est vraiment du chinois impérial !

Monsieur Tsung lui fit signe de garder pour lui ses commentaires.

- Ne donnez pas l'impression, poursuivit docilement l'Écossais, que vous êtes d'accord avec quoi que ce soit... Ils pourraient vous prendre au piège de vos propres mots... Ils vont présenter des demandes absurdes sur lesquelles ils savent qu'ils n'obtiendront pas votre accord... uniquement pour pouvoir négocier sur certains points et marchander... Aussi, à votre tour, il faudra que vous présentiez des requêtes impossibles, même si vous avez la certitude qu'ils ne seront pas d'accord... Et, qui sait, vous pourriez bien avoir gain de cause quand même !... Toute diplomatie est une question de compromis... Il existe un terrain intermédiaire entre les pôles opposés des demandes impossibles à satisfaire... un terrain qui sera finalement celui de l'entente, d'un accord ou d'un traité... Travaillez toujours dans le sens de la position la plus avantageuse possible.

Le coordinateur s'interrompit brièvement et acheva :

- Il veut savoir si vous avez bien assimilé tout ça.

- Oui, monsieur, dit simplement Jonnie, et je vous en sais gré.

Il avait le sentiment que ce qu'il avait entendu lui serait utile, bien que le Chinois ne lui ait pas donné l'idée dont il avait besoin.

- A présent, reprit l'Écossais, il veut vous donner des leçons de maintien. Regardez-le.

Bof, se dit Jonnie, ils avaient affaire à des créatures de races diverses, dont les idées quant au maintien et aux manières pouvaient ne pas correspondre à celles de l'ancienne Chine Impériale. C'est donc avec une certaine indulgence qu'il accepta d'observer la démonstration du Chinois. Mais, très vite, il dut admettre qu'il s'était trompé. L'attitude du Chinois pouvait convenir à n'importe quelle race !

Comment se tenir debout. Les pieds bien écartés, le corps dressé, légèrement penché en arrière. Bien ancré sur le sol. Une attitude de *domination*. Compris ? Alors, allez-y. Entraînez-vous.

Comment tenir un sceptre ou un bâton de commandement. La main droite sur une extrémité, le pommeau reposant dans la paume ouverte de la main gauche. On serrait les deux extrémités pour affirmer son contrôle. On tapotait légèrement la paume pour suggérer une infime possibilité de châtiment lorsqu'on voulait montrer que l'on avait été quelque peu offensé. En l'agitant vaguement en l'air, on montrait que les arguments de l'autre étaient sans portée, pareils au vent. Compris ? Alors, tenez. Prenez ce bâton. Entraînez-vous... Non, pas exactement comme ça ! Avec aisance, d'un air souverain. Recommencez...

Marchez comme si vous ne vous souciiez pas de ce qui pouvait se trouver sous vos pas. Que la puissance émane de vous. Avancez d'un pas ferme, inexorable. Comme ça. Compris ? Allez-y, faites-le...

Ils travaillèrent ainsi durant une demi-heure. Et Jonnie prit conscience que sa démarche propre était celle d'une panthère alors que, pour cette conférence, elle devrait être altière.

Monsieur Tsung lui fit récapituler toute la leçon, reprendre les différentes attitudes et revoir encore une fois sa démarche avant de se déclarer satisfait. Jonnie, qui avait toujours été paniqué à l'idée de devoir jouer le rôle d'un diplomate, commençait à se sentir plus confiant. La diplomatie était un art. C'était un peu comme chasser le gibier, mais un gibier bien différent de celui qu'il connaissait. C'était aussi un peu comme une bataille, mais une bataille très différente de celles qu'il avait livrées.

Jonnie pensait en avoir terminé avec les préparatifs. Sur l'écran, il voyait arriver de plus en plus d'émissaires. Mais Monsieur Tsung lui dit qu'ils devraient tous auparavant présenter leurs lettres de créances en pénétrant dans la salle de conférence, et qu'il avait donc largement le temps de tout bien préparer. Jonnie avait-il pensé à une stratégie possible ? Car il était absolument nécessaire d'arriver avec une stratégie préparée. Il fallait savoir aborder une bataille diplomatique, savoir comment on allait manœuvrer. Il fallait que le Seigneur Jonnie y réfléchisse. C'était comme une bataille, à cette différence près que votre infanterie et votre cavalerie étaient remplacées par des mots et des idées. Une manœuvre erronée, et c'était la défaite !

En attendant, dit Monsieur Tsung, sa famille et lui devaient s'occuper d'un autre problème et, laissant Jonnie un rien intrigué, il quitta la chambre.

Apprenant que Jonnie n'était pas occupé pour le moment, le chef Chong-won se glissa par l'entrebâillement de la porte. Il était rayonnant. Il inclina la tête :

- Le barrage !

Il serra les poings puis fit un geste des deux mains.

- Le trou. Le flot diminue. Le niveau du lac remonte.

Une fois encore, il inclina la tête, salua, plié en deux, et s'éclipsa.

C'était au moins une chose qui avait bien tourné, songea Jonnie. Ils n'étaient plus menacés de manquer d'électricité, au risque de perdre un diplomate dans quelque espace inapproprié ! Tout ce qui importait désormais, c'était ce monde en flammes, le destin des siens, et cette conférence.

Il n'éprouvait plus aucun étourdissement. La piqûre avait fait son effet.

6

L'«autre problème» s'avéra être une coupe de cheveux. La jeune Chinoise revint, fit asseoir Jonnie face aux écrans et se mit aussitôt au travail avec un peigne et une paire de petits ciseaux. Ce qui était nouveau pour Jonnie, qui s'était contenté jusqu'alors de tailler ses cheveux au couteau lorsqu'ils devenaient trop longs.

La jeune fille semblait très experte dans cet art et témoignait d'une longue pratique, tout en tenant compte des goûts de chacun, et ses ciseaux volaient avec une telle rapidité dans la chevelure de Jonnie qu'il avait l'impression d'entendre une courroie de transport de minerai lancée à pleine vitesse.

Ainsi, pensait-il, la diplomatie était comme une bataille. En regardant arriver tous ces seigneurs, on avait le sentiment qu'ils suintaient littéralement le pouvoir et l'autorité. Les visiteurs qui attaquaient la Terre pouvaient presque être considérés comme du menu fretin local. Ils ne contrôlaient que quelques dizaines de planètes. Par contre, ceux qui arrivaient, Jonnie l'avait appris grâce à des lectures, provenaient d'autres univers et contrôlaient des centaines de mondes rassemblés en une seule sphère gouvernementale. Et ils étaient tous très arrogants et très sûrs d'eux. Quelle que fût leur apparence physique, il ne faisait pas le moindre doute qu'ils étaient les plénipotentiaires assermentés de chefs d'états particulièrement puissants. Ils représentaient des capitaux et des forces de frappe gigantesques ! Et il y avait derrière chacun d'eux des populations qui se chiffraient par milliards de milliards ! C'étaient des vétérans sortis vainqueurs de centaines de conférences. Oui, cette conférence allait être une vraie bataille, et même une bataille plus importante encore qu'une guerre.

Quelles chances avaient-ils, lui et Sir Robert, face à de tels diplomates ? Tous deux étaient des guerriers et non des beaux parleurs pleins de ruse, des négociateurs qui avaient en réserve un millier d'astuces de parlementaires. Ainsi dépourvu de fusils et de canons, disposant seulement des conseils et des leçons de Monsieur Tsung, Jonnie se sentait plutôt dépassé. Et puis, il ne savait toujours pas quelle stratégie il allait appliquer.

La jeune Chinoise avait apporté un petit miroir qu'elle lui présenta pour qu'il s'y regarde. Elle lui avait coupé les cheveux à hauteur de nuque et elle les lui avait peignés en rouleau. Il avait l'impression de porter un casque avec une garde à l'arrière. Et ses cheveux n'avaient jamais été aussi luisants. Sa barbe et sa moustache étaient plus courtes, plus nettement dessinées. Il avait du mal à se reconnaître. Est-ce que la fille avait vu d'anciennes peintures représentant des hommes avec des barbes et des moustaches taillées ainsi ? Effectivement ! Il vit un ancien livre-d'homme sur le lit, ouvert sur le portrait d'un certain «Sir Francis Drake» qui était censé avoir vaincu une certaine «armée espagnole» il y avait très, très longtemps.

L'attention de Jonnie fut brusquement attirée par un autre détail et il arracha le miroir des mains de la jeune Chinoise. Son cou ! Les cicatrices dues au collier avaient disparu !

Il lui fallut examiner son visage de près pour distinguer les traces de la grenade des Brigantes sur sa joue. Il songea qu'elles disparaîtraient aussi, probablement.

Il éprouva tout à coup un sentiment de liberté. Les marques du collier étaient parties ! C'était tellement ironique qu'il en aurait souri si son attention n'avait été attirée de nouveau par les écrans qui lui montraient la salle des opérations. Le relais-son avait été coupé et, tout en rendant le miroir à la jeune fille, il appuya sur le bouton de commande.

- ... n'arrive pas à m'imaginer ce qu'ils veulent. (La voix de Stormalong était coléreuse. Il arrachait un nouveau cliché du processeur d'images.) J'ai perdu le compte !

- Quinze, dit quelqu'un.

- Regardez ça ! Ils arrosent de bombes incendiaires cette zone déserte... (Il regarda une carte.) Détroit ! Mais pourquoi incendier Détroit ? Il n'y a plus personne là-bas depuis mille ans ! Est-ce qu'ils veulent attirer nos défenses sur ce continent ? Ils sont complètement fous ! (Il rejeta le cliché.) S'ils croient que je vais fournir une couverture aérienne pour un amas de ruines, ils peuvent attendre longtemps ! Qu'est-ce que raconte Edinburgh ?

- La défense antiaérienne répond toujours, dit un opérateur. Il y a des interférences de fumée sur la visée optique. Mais Dunneldeen vient juste de descendre son seizième avion hawvin.

Jonnie coupa le son. Il se sentait gagné par l'impatience. Tous ces diplomates qui arrivaient l'un à la suite de l'autre... C'était bien trop long !

Le coordinateur était de retour avec Monsieur Tsung. Il était chargé. Il vit aussitôt que Jonnie était tendu et prononça quelques mots de sa voix chantonnante.

- Monsieur Tsung vous rappelle que même une bataille perdue peut être gagnée à une table de conférence, dit le coordinateur. Il faut se montrer patient et faire preuve d'habileté.

Monsieur Tsung avait apporté quelque chose. Il ôta le peignoir des épaules de Jonnie et lui présenta une tunique.

Au premier regard, on pouvait penser que c'était un habit des plus simples, taillé dans une sorte de soie noire luisante, avec un col droit. C'était censé épouser le corps. Mais ce furent avant tout les boutons argentés qui retinrent l'attention de Jonnie.

Il savait ce qu'ils étaient en réalité. Il avait fait jadis remarquer à Ker qu'il était plutôt surprenant de voir du métal précieux sur un signal d'alarme psychlo. A première vue, cela ressemblait à de l'argent, mais le moindre rayon de lumière éveillait des couleurs d'arc-en-ciel. Ker avait dit que non, ce n'était pas pour sa beauté qu'on utilisait ce métal, mais à cause de sa *dureté*. C'était une couche d'alliage d'iridium d'une molécule d'épaisseur. Elle pouvait résister à tous les coups de griffes et, même dans les tréfonds les plus sombres de la mine, le bouton d'alarme restait visible, comme s'il émettait en permanence des éclairs de couleur. Il comprenait à présent à quoi avait été occupé le gendre de Monsieur Tsung : à plaquer des boutons. Leur éclat était presque aveuglant !

Monsieur Tsung lui dit de mettre la tunique et le pantalon de soie noire, puis boutonna la tunique. Les boutons d'iridium avaient été cousus sur le devant, tous les cinq centimètres.

Puis il lui fit enfiler les bottes. C'était un modèle chinko, mais on les avait revêtues d'iridium.

Le large ceinturon qu'il passa ensuite était également plaqué d'iridium. A l'exception de la boucle. C'était sa vieille boucle de l'U.S. Air Force. On l'avait astiquée et elle était scintillante. Il se souvint d'avoir songé jadis dans la cage qu'il était peut-être le dernier survivant d'une force armée depuis longtemps disparue. Étrange idée. Pourtant, en cet instant, cela le réconfortait quelque peu.

Il se dit qu'il était maintenant habillé et paré, mais il apparut que Monsieur Tsung n'appréciait pas tel pli sur l'épaule, tel froncement dans le dos de la tunique, et il le fit déshabiller rapidement pour tout revoir.

Il présenta à Jonnie son knobkerrie noueux avec ses gravures. Mais il avait été recouvert d'iridium, lui aussi. Il brillait comme une flamme. Jonnie se dit qu'ainsi il ne lui serait plus très utile, mais il était rassuré à l'idée d'entrer dans la salle de conférence avec au moins une arme possible.

Puis le gendre fit sa réapparition, portant un casque. A la base, ce n'était qu'un casque russe ordinaire qu'ils avaient soigneusement astiqué. Mais il y avait autre chose... Oui, la jugulaire avait été passée à l'iridium. Et toute la surface du casque également. Il y avait encore autre chose... Le gendre tourna le casque, avec un rien d'orgueil, afin d'en présenter le devant à Jonnie.

Un dragon.

Et quel dragon !

Comment s'y étaient-ils pris ? Jonnie vit alors que le gendre de Monsieur Tsung lui montrait les pochoirs de papier dont ils s'étaient servis pour passer les différentes couleurs métalliques.

Les ailes dorées du dragon étaient dessinées de part et d'autre du casque. Ses pattes griffues semblaient agrippées au bord inférieur. Les épines et les écailles de son échine étaient bleues et, dans sa tête féroce, de vrais rubis flamboyaient en guise d'yeux. Des crocs blancs saillaient de sa gueule écarlate et béante. Monstrueux. Et il avait quelque chose dans la gueule : une boule blanchâtre.

Le tout semblait être en relief. Si l'on exceptait la curieuse boule blanche dans sa gueule, le dragon était tout à fait semblable à celui qui ornait la console et aux dragons d'argile entassés près de la caverne.

Tout d'abord, Jonnie se dit que c'était un peu trop voyant. Puis, un nouvel émissaire fit son arrivée sur la plate-forme. Il arborait une haute couronne d'or. C'était certainement bien plus voyant que le dragon. Pourtant... Jonnie examina une nouvelle fois le casque. Oui, le dragon était légèrement différent de tous les autres.

- Très beau, dit-il au coordinateur afin qu'il traduise son compliment au gendre de Monsieur Tsung.

On s'occupait de ses habits. Ils avaient encore beaucoup de temps devant eux. Jonnie se tourna de nouveau vers le coordinateur en montrant le casque et demanda :

- Parlez-moi de ce dragon...

Monsieur Tsung expliqua par l'intermédiaire du coordinateur que le trône de Chine avait été appelé « Trône du Dragon ». Quant aux dessins des tissus, ils étaient propres à la cour impériale et on les appelait « Lung p'ao » ou « Chifu ».

Mais Jonnie savait déjà tout ça.

- Dites-lui de me parler de *ce* dragon. Il est différent.

Monsieur Tsung émit un soupir. Il y avait tellement de choses bien plus importantes dont il devait entretenir le Seigneur Jonnie, tellement plus importantes. Il ne pensait pas que ce soit raisonnable de se lancer en un pareil moment dans les mythes et les contes de fées. Mais, bien, puisqu'il le voulait. Oui, certes, ce dragon était différent des autres. Le Seigneur Jonnie voulait connaître toute l'histoire ? Mon dieu... Eh bien, tout avait commencé comme ça. Autrefois...

Jonnie, étendu sur son lit, le casque sur le ventre, écoutait. Il avait du temps à tuer. Malheureusement. Il écouta donc l'histoire longue et compliquée que narrait Monsieur Tsung.

Brusquement, Jonnie se redressa et dit au coordinateur :

- C'est bien ce que je pensais ! Qu'on aille chercher Sir Robert !

Monsieur Tsung fut surpris et Jonnie ajouta en hâte :

- Merci. C'est une très belle histoire. Je vous suis encore plus reconnaissant que vous pourriez le croire !

Le Seigneur Jonnie semblait satisfait et les choses étaient soudain devenues pressantes, aussi Monsieur Tsung s'éclipsa-t-il pour vérifier que l'habit de soie avait été recousu selon ses instructions.

Jonnie regarda autour de lui afin de s'assurer de la présence éventuelle de caméras-boutons. Il ne pensait pas qu'il y en eût, mais il décida d'être à la fois bref et énigmatique pour se garantir un maximum de sécurité.

Quelques minutes après, Sir Robert fit son entrée. Lui aussi s'était vêtu avec grand soin. Il portait une cape aux couleurs Stewart, avec kilt assorti et guêtres blanches. La laine du tissu était tissée de poils brillants. C'était la tenue de cérémonie d'un lord et soldat écossais, avec les armes en moins. Jamais encore Jonnie ne l'avait vu ainsi vêtu avec tous les attributs de son régiment. C'était un spectacle impressionnant. Pourtant, le vieil homme semblait plutôt inquiet et avait le regard fiévreux.

- Ça va être une partie difficile, dit Jonnie.

- Aye, mon garçon ! T'as vu ce Tolnep ? Moi, je ne suis pas un diplomate, et y a aucune chance que Fearghus rapplique ici. Le danger, c'est qu'on pourrait dresser contre nous tous les seigneurs et tous les États qui ne sont pas encore impliqués. Un faux pas, et ils seront avec nos ennemis !

En fait, Sir Robert était très inquiet. Il en retrouvait même son dialecte.

Jamais Jonnie n'aurait cru qu'il devrait un jour réconforter le vieux chef de guerre.

- Nous avons une chance. Une bonne chance. Voilà ce que je propose. Vous y allez d'abord tout seul et vous faites de votre mieux. (Sir Robert prêta l'oreille sans enthousiasme.) Quand vous aurez fini ou quand vous penserez que vous êtes allés aussi loin que possible, vous m'appellerez. Présentez-moi comme vous voudrez, mais pas trop précisément.

- C'est le communicateur qui a accueilli tout le monde qui fera les présentations, dit Sir Robert.

- Bien, alors dites-lui ce que je viens de vous expliquer. D'accord ?

- Très bien, mon garçon. Je ferai de mon mieux. Et si je n'obtiens pas un cessez-le-feu, je t'appelle.

Le vieux chef de guerre s'apprêta à sortir.

- Bonne chance ! lui lança Jonnie.

- Aïe, mon gars ! C'est sûr que j'en aurai besoin ! Les combats ne se passent pas bien du tout pour nous !

Jonnie regarda sa montre. La conférence n'allait pas tarder à commencer. Le chef Chong-won surgit, souriant.

- Il n'y a plus qu'un filet d'eau qui s'écoule de la brèche ! Mes hommes sont en train de remettre le câble de blindage. Le lac sera à nouveau protégé avant la tombée du jour.

Il leva les bras en criant « boum ! », pour rappeler l'explosion provoquée par Jonnie, puis s'éclipsa.

Oui, c'est bien ça, se dit Jonnie. Si la conférence échoue, ce sera boum, mais pour nous.

7

Sir Robert n'était pas depuis plus de trois minutes dans la salle de conférence qu'il prit conscience qu'il livrait ici le plus dur combat de son existence.

Et il ne se sentait vraiment pas en forme. Il avait à peine dormi depuis son retour et il s'apercevait maintenant que ç'avait été une grosse erreur. Tout « Renard » qu'il était, en cet instant, il se sentait l'esprit émoussé. Mais il avait gagné son surnom dans des combats physiques et non dans des salles de conférence. S'il s'était agi de stratégie et de mouvements de troupe, il s'en serait probablement tiré. Il aurait tendu une embuscade à ce Tolnep, il l'aurait criblé de flèches et taillé en pièces avec sa lochaber.

Le Tolnep, pour l'heure, était calme, élégant, dangereux, et il acculait déjà Sir Robert à la défaite.

Le moral du vieux chef de guerre était plutôt bas. La moitié de la couverture aérienne d'Edinburgh avait été balayée par une charge désespérée des marines tolneps. La Russie ne répondait plus. Et son épouse avait été portée disparue à la suite d'un effondrement des tunnels d'accès aux bunkers. Il avait absolument besoin d'un cessez-le-feu !

Et ce Tolnep qui faisait des manières, prenait des poses, jouait avec son sceptre et flattait les émissaires, comme s'il disposait de tout le temps du monde !

Il s'appelait Lord Schleim. Il passait d'un rire aigu à des sifflements acides et insidieux. Il se révélait un maître dans l'art du débat, maniant le langage comme un bretteur son épée.

- Ainsi, très estimés collègues, disait-il présentement, je n'ai pas la moindre idée des raisons qui ont présidé à la convocation de cette assemblée. Vous êtes les représentants des plus puissants seigneurs de l'Univers et il est inadmissible que votre précieux temps, votre confort physique ainsi que la dignité de vos augustes personnes aient été en butte aux insultes d'une bande de barbares vaniteux mêlés à un minable conflit local. Car cela n'est qu'une affaire mineure, une prise de bec sans importance. Il ne saurait être question de traités et il était évident dès le départ que votre présence était inutile au milieu de cette lamentable horde de hors-la-loi et de rebelles qui prétendent représenter un gouvernement. Je propose par conséquent que nous annulions purement et simplement cette réunion et que nous laissions les commandants militaires régler la question.

L'auguste assemblée, qui semblait s'ennuyer ferme, fut parcourue de divers mouvements. Auguste était bien le terme approprié. Des diamants brillaient sur les masques respiratoires de certains dignitaires. Le tissu scintillant de leurs habits ondulait au moindre geste. Quelques-uns arboraient même une couronne, symbole du pouvoir souverain qu'ils étaient venus représenter. Il y avait là vingt-neuf arbitres de la destinée de seize univers différents, et ils avaient parfaitement conscience de l'importance de leur pouvoir. Ils savaient que si telle était leur volonté, ils pouvaient envoyer cette petite planète sans importance dans l'oubli éternel d'un simple geste de la main, d'un seul claquement de doigt. Ils n'accordaient pas grand intérêt à Lord Schleim. Ils chuchotaient et gloussaient entre eux, sans doute à propos de tel ou tel scandale mondain dont ils avaient eu connaissance depuis la dernière fois qu'ils s'étaient rencontrés. Tels quels, ils étaient la preuve physique de ce qui advenait lorsque des lignes génétiques différentes, issues de racines différentes, accédaient à l'intelligence.

Le petit homme gris se tenait à l'écart. Un autre personnage, qui lui ressemblait tout à fait mais dont le costume gris était de meilleure qualité, était arrivé. Tous deux observaient silencieusement Sir Robert. Visiblement, ils ne comptaient pas intervenir et encore moins l'aider.

Sir Robert avait horreur des courtisans. Ils étaient lâches, corrompus, dangereux. Mais il se dit qu'il valait mieux ne pas afficher son mépris.

- Venons-en au but de cette réunion, dit-il.

Les émissaires s'agitèrent en marmonnant. Oui, il fallait accomplir les formalités requises. Ils étaient là pour quelque chose, après tout. Oui, qu'on en finisse... « Je dois donner une soirée d'anniversaire pour mon lézard » (saillie qui fut saluée par des rires).

Ils avaient tous présenté leurs lettres de créance, qui avaient été dûment acceptées. Tous, sauf Sir Robert.

Lord Schleim s'était assis de côté, au premier rang, de façon à pouvoir présider les débats.

- Nous n'avons pas examiné la lettre de créance de ce... euh... soldat qui a convoqué cette assemblée, dit-il. Je propose qu'il soit destitué en tant que principal orateur et que je prenne son poste.

Sir Robert leur présenta le disque. On le passa. C'était du gaélique, un langage qu'ils ignoraient. Il aurait pu être jugé inapte à conduire les débats s'il n'avait adressé un regard suppliant au petit homme gris et si l'un des membres impartiaux de l'assemblée n'avait demandé au même petit homme gris s'il avait, *lui*, accepté cette lettre de créance. Le petit homme gris acquiesça. En bâillant, l'assemblée accepta donc le disque.

Sir Robert n'était pas passé loin de la catastrophe car, juste avant d'entrer, il avait entendu dire que le chef du clan Fearghus avait été blessé en repoussant une attaque dirigée contre son artillerie, et il ignorait si Edinburgh aurait pu confirmer la validité de sa lettre de créance.

- Je crains, reprit Lord Schleim, de devoir soulever un autre point critique. Comment pouvons-nous être sûrs que cette planète vaniteuse pourra supporter les frais, même minimes, d'une telle conférence ? Il est certain que vos seigneuries n'entendent pas supporter elles-mêmes de pareils frais, ni repartir sans rétribution. On vous a garanti les dépenses diplomatiques, certes, mais nous n'avons aucun moyen d'être certains que ces gens seront en mesure de les assumer. Un bout de papier reconnaissant une dette ne suffit pas à garnir les poches.

Les émissaires crurent bon de rire à cette lamentable plaisanterie.

- Nous pouvons payer, s'emporta Sir Robert.

- En faisant la vaisselle ? demanda Lord Schleim.

Les émissaires rirent plus fort.

- Avec des crédits galactiques ! lança Sir Robert d'un ton sec.

- Pris, sans aucun doute, à nos équipages, commenta Lord Schleim. Bon, aucune importance. Vos augustes seigneuries ont parfaitement le droit de demander la poursuite de cette conférence. Mais, pour ma part, je considère qu'il n'est pas digne de représentants de pouvoirs aussi puissants et souverains de déterminer les conditions de reddition et de capitulation de quelques sauvages qui...

- Assez ! gronda Sir Robert. (Il n'en pouvait plus.) Nous ne sommes pas ici pour discuter de notre reddition ! Et il y a ici d'autres planètes que la vôtre qui ne se sont pas encore exprimées !

- Ah, fit Lord Schleim en faisant tourner son sceptre avec désinvolture. Mais ma planète possède le plus grand nombre de vaisseaux. Deux contre un pour les autres planètes. Et il se trouve que l'officier commandant cette force combinée est tolnep. Le quart-amiral Snowleter...

- ... est mort ! rugit Sir Robert. Son vaisseau-amiral, le *Capture*, est là-bas, au fond du lac. Votre amiral et tout son équipage ont péri.

- Vraiment ? fit Lord Schleim. Cela m'était sorti de l'esprit. Ce genre d'accident arrive parfois. Dans le meilleur des cas, le voyage spatial reste une aventure périlleuse. Il se sera sans doute trouvé à court de carburant. Mais cela ne modifie en rien ce que je viens de dire. C'est le commandant Rogodeter Snowl qui est l'officier principal, désormais. Il vient d'être promu. Donc, le commandant de cette force est tolnep, de même que la majorité des vaisseaux, ce qui me laisse en position de négociateur principal pour réclamer la capitulation de votre planète et de votre peuple qui nous ont attaqués sans motif.

- Mais nous ne sommes pas en train de perdre ! gronda Sir Robert.

Lord Schleim eut un haussement d'épaules. Il promena un regard négligent sur l'assemblée, comme s'il demandait à tous d'avoir quelque indulgence pour ce barbare. Puis il poursuivit d'un ton traînant :

- L'assemblée m'autorisera-t-elle à confirmer certains points ?

Oui, bien entendu, murmurèrent-ils. Cette requête était raisonnable.

Lord Schleim pencha la tête sur la petite boule qui surmontait son sceptre et Sir Robert eut un choc en réalisant qu'il s'agissait d'une radio camouflée et que le Tolnep avait été constamment en communication avec ses troupes.

- Ah ! (Il redressa la tête et son sourire révéla ses crocs. Il fixa ses yeux protégés par des verres sur Sir Robert.) Dix-huit de vos principales cités sont en flammes !

C'était donc pour ça qu'ils brûlaient les villes abandonnées. Pour donner l'illusion d'une victoire. Pour se mettre en position de négocier.

Sir Robert s'apprêta à répondre qu'ils s'agissait de ruines qui avaient été abandonnées depuis dix siècles, mais Lord Schleim ne lui en laissa pas le temps.

- Cette auguste assemblée a besoin de preuves ! Veuillez traduire ce relevé !

Il ôta un fil de la base de sa radio : un relevé du même type que ceux qu'ils recevaient des drones.

- Certainement pas ! dit Sir Robert.

L'assemblée parut quelque peu choquée. Il vint à l'esprit des émissaires que, peut-être, après tout, cette planète était en train de perdre la bataille.

- La suppression de pièces à conviction, ricana Lord Schleim, est un crime que le présent corps peut sanctionner par une amende. Je vous suggère de changer d'attitude. Bien sûr, si vous ne disposez pas de l'équipement moderne requis...

Sans un mot, Sir Robert prit le relevé et l'envoya au tirage. Après un instant, ils eurent une liasse de clichés.

Les vues aériennes, en couleurs, étaient particulièrement spectaculaires. Elles montraient vingt-cinq cités ravagées par des incendies. Les flammes s'élevaient jusqu'à des centaines de mètres de haut. Il suffisait de passer un doigt sur le bord droit de chaque cliché pour entendre le son : le grondement des flammes, les craquements des immeubles qui s'écroulaient dans le hurlement des vents qui se levaient de la fournaise. Chaque vue avait été prise d'une hauteur précise afin de produire un effet dévastateur.

Lord Schleim distribua les clichés à la ronde. Des mains et des pattes couvertes de bijoux, ainsi que des palpeurs curieux réveillèrent à chaque fois le bruit des brasiers.

- Nous proposons des termes très généreux, dit Lord Schleim. Je suis certain, d'ailleurs, que je recevrai une réprimande de la Maison du Pillage pour agir de façon aussi magnanime. Mais j'obéis à des sentiments de pitié et ce que je vais déclarer engage mon gouvernement. Les termes sont les suivants : L'ensemble de votre population sera vendue comme esclaves, afin d'honorer les indemnités dues par la Terre pour avoir déclenché cette guerre injustifiée. Je peux même garantir que ladite population sera bien traitée - le taux de survie au cours d'un transport est en moyenne de cinquante pour cent. Les autres belligérants - les Hawwins, Jambitchows, Bolbods, Drawkins et Kayrnes - se partageront le restant de la planète afin de se dédommager des frais engagés pour défendre leurs vaisseaux en mission pacifique contre cette attaque illicite. Votre roi pourra être exilé sur Tolnep où il sera même accueilli dans une oubliette très spacieuse. Ce sont là des termes particulièrement équitables. Trop généreux, certes, mais j'obéis à un sentiment de compassion.

Les autres émissaires haussèrent les épaules. Il leur apparaissait maintenant comme évident qu'on ne les avait convoqués que pour être témoins d'une banale reddition à l'issue d'une guerre minable.

Sir Robert réfléchissait à toute allure, essayant de trouver un moyen de se sortir de ce piège. Il lui semblait avoir entendu le bourdonnement des câbles de téléportation deux ou trois fois depuis le début de cette conférence. Mais il n'en était pas certain. Il ne pouvait compter sur le moindre appui en ce moment. Il était épuisé. Son roi était blessé et sa femme était peut-être morte à l'heure qu'il était. Il n'avait qu'une seule pensée : sauter sur cette affreuse créature et affronter ces crocs empoisonnés. Mais il savait très bien qu'un tel acte, commis devant les émissaires, signifierait la ruine de leurs dernières chances.

Percevant son indécision, Lord Schleim ajouta avec un sifflement perçant :

- Vous autres, petits Terrestres, savez fort bien que ces puissants seigneurs peuvent se mettre d'accord pour vous obliger à capituler ! Et je pense que les autres combattants de la force de police combinée approuvent mes termes !

Les représentants des Hawwins, des Jambitchows, des Bolbods, des Drawkins et des Kayrnes approuvèrent tous de concert et déclarèrent, l'un après l'autre, qu'ils étaient parfaitement d'accord avec ces termes très généreux. Les autres membres de l'assemblée se contentèrent de les observer. C'était juste un conflit local. Mais si cela pouvait leur éviter de perdre tout ce temps, ils soutiendraient bien volontiers les Tolneps.

- Moi, déclara Sir Robert, je suis venu pour discuter de *votre* reddition. Mais, avant que nous nous engagions plus loin dans ce débat, je dois faire appel à un collègue pleinement autorisé et mieux qualifié que moi.

Il fit un geste en direction de la caméra-bouton dissimulée et se rassit. Il était las.

La lenteur de toutes ces délibérations avait grignoté ses dernières forces. Est-ce que ces perroquets enturbannés réalisaient que, pendant qu'ils jacassaient, des braves mouraient sur le champ de bataille ? Mais les situations urgentes ne semblaient pas les toucher, encore moins éveiller leur intérêt.

Il avait conscience d'avoir lamentablement échoué. Son seul espoir était de n'avoir pas mis en péril les ultimes chances dont Jonnie pouvait disposer.

Tout était entre les mains de Jonnie, désormais. Mais que pourrait bien faire le malheureux garçon ?

VINGT-SEPTIÈME PARTIE

1

Une musique s'éleva dans la salle de conférence. Une musique lente, majestueuse. Pesante. Impressionnante. Les émissaires regardèrent autour d'eux, manifestant un certain intérêt, se demandant ce qui allait se produire. Jusquelà, ils avaient été impliqués dans une conférence d'un ennui mortel sur une planète tout aussi morne et mortelle qui n'avait pas la moindre vie nocturne, pas le plus petit dancing et encore moins de femelles pour vous servir en chantant. La conférence avait débuté comme s'il y avait quelque enjeu important et urgent. Ils n'avaient même pas eu droit à une visite organisée des principaux lieux touristiques et, jusqu'à présent, personne n'avait cherché à les acheter ! Il n'avait été question que d'une querelle minable et inintéressante qui ne concernait que des belligérants appartenant à un tout petit secteur de ce seul univers. Mais cette musique était très belle. Elle convenait mieux à une réception royale qu'à ce genre de conférence.

Un personnage impressionnant apparut sur le seuil de la salle. Il mesurait près de deux mètres, il était dénudé jusqu'à la taille. Il avait la peau jaune, le crâne rasé et arborait une ceinture rouge. (C'était un des Mongols venus de Chine.) Mais ce n'était pas le plus intéressant : ses muscles puissants étaient contractés comme s'il portait un poids énorme sur la tête. Pourtant, d'après ce qu'ils voyaient, il ne portait *rien* ! Il n'y avait que ses bras crispés, ses mains qui agrippaient quelque chose d'invisible, ses biceps et ses muscles dorsaux gonflés. Il marchait au rythme de la musique, mais ses jambes tremblaient imperceptiblement. Pourtant, il ne portait rien !

L'homme s'avança jusqu'à la plate-forme et, avec beaucoup de soin, déposa son fardeau invisible. Tous les émissaires entendirent distinctement un bruit mat. (Il s'agissait en réalité d'une table d'électronique en papier cristal dont les Psychlos se servaient pour les travaux de précision qui exigeaient un éclairage multidirectionnel. Ses pieds avaient été sciés, puis elle avait été recouverte d'une fine pellicule de lentilles que la lumière traversait à cent pour cent, ce qui annulait toute réfraction.) Avec le plus grand soin, le Mongol installa son invisible fardeau.

Il y eut quelques remous dans l'assistance. Les émissaires se redressaient pour mieux voir, à la fois intéressés et amusés. Le communicateur qui faisait office d'hôte (et qui avait une minuscule radio dans une oreille) déclara alors :

- Vous avez la promesse solennelle de cette planète que, sous peine d'indemnités très lourdes, aucun objet dangereux, destructeur ou létal ne sera introduit dans cette salle de conférence.

Plusieurs émissaires se mirent à rire. Ils étaient d'humeur franchement joyeuse. Quelle bonne plaisanterie ! Ne rien déposer sur la plate-forme, puis déclarer que ce « rien » était sans danger. Hilarant.

Mais voilà qu'il se passait autre chose. Le grand Mongol s'était retiré. Deux enfants chinois impassibles et somptueusement vêtus s'avancèrent de part et d'autre de la plate-forme au son de la musique majestueuse. Chacun d'eux était porteur d'un magnifique coussin de satin rouge avec des glands d'or. Et, sur chaque coussin, il y avait un énorme livre. Avec solennité, ils s'approchèrent de l'hôte. Celui-ci prit les livres, les déposa sur l'invisible table, le dos tourné vers l'assistance.

Donc, il y avait bel et bien quelque chose sur la plate-forme. Une table invisible. Très intéressant. Les émissaires qui avaient la meilleure vue pouvaient maintenant lire les titres au dos des livres. L'un était intitulé *Dictionnaire de la langue psychlo* et l'autre, *Les lois intergalactiques selon les traités des nations gouvernantes*.

Pour sa part, Lord Schleim, avec ses pauvres yeux de Tolnep, n'essaya même pas de deviner un titre. Il était tendu, à l'affût. Une comédie ! Ils se livraient à une comédie à ses dépens. Très bien. Il n'allait pas tarder à trouver le responsable et il comptait bien le mordre à coups de traits d'esprit meurtriers jusqu'à ce que mort s'ensuive. Il crachait sur leur comédie ! Cela ne changerait rien.

Les deux garçons chinois se retirèrent noblement avec leurs coussins.

La musique se tut soudain.

Il y eut un roulement de tambours.

L'hôte se dressa et lança d'une voix sonore et puissante :

- Maîtres de toutes les planètes ! Seigneurs des puissants royaumes des seize galaxies ! J'aimerais introduire en votre auguste présence... LE SEIGNEUR JONNIE ! Celui en qui s'incarne l'esprit de la Terre !

Une fanfare de trompettes éclata par-dessus les tambours. Les notes perçantes résonnèrent dans toute la salle.

Jonnie s'avança dans l'allée. Lentement, pesamment, avec majesté, comme s'il pesait des centaines de kilos. Il était habillé de noir et d'argent et tenait un bâton qui donnait l'illusion d'être en argent mais qui lançait des reflets multicolores et aveuglants au moindre mouvement.

Il s'avança ainsi jusqu'à la plate-forme, monta, contourna la table et fit face à l'assemblée.

Au même instant, un projecteur placé au-dessus de la porte s'alluma, éclairant ce personnage de noir et d'argent entouré d'un halo de couleurs vives.

Il ne dit pas un mot. Les jambes écartées, bien en vue, il tenait un bâton d'argent entre ses deux mains et contemplait l'assemblée d'un air sévère, dédaigneux, dominateur.

Les émissaires furent impressionnés. Ils avaient certes l'habitude des fastes et de la pompe et, d'ordinaire, n'y attachaient guère d'importance, mais ils n'en éprouvaient pas moins un certain respect devant ce spectacle. Et puis, il y avait un autre détail.

Cet animal sur le casque ! Il semblait vivant. Que ce fût à cause des jeux de lumière, du métal argenté, des yeux qui luisaient comme des brandons rouges, l'animal paraissait *vivant*. Ce personnage portait-il une bête vivante sur son casque ?

Lord Schleim se décida à attaquer immédiatement. Tout à l'heure, il y avait eu un détail qu'il pouvait tourner à son avantage. En psychlo, un mot pouvait changer de sens selon l'inflexion de la prononciation. Il suffisait d'une faible différence d'accentuation pour qu'un mot comme « esprit » signifie « pensée » ou « ange », ou bien encore « démon ». Bien que le communicateur eût prononcé correctement le mot « esprit », Lord Schleim décida de l'entendre différemment.

Et il se dressa soudain comme un diable surgissant d'une boîte pour lancer avec son accent sifflant :

- Seigneurs et augustes émissaires ! Je conteste à ce *démon* le droit de parler ! Nous n'avons vu aucune lettre de créance et nous...

- Monsieur, dit Jonnie, je ne vous ai pas bien compris. Qu'avez-vous dit ?

Lord Schleim pivota et commença d'un ton agressif :

- J'ai dit...

Jonnie agita la main.

- Ah, oui, oui... Je vous demande pardon, votre seigneurie. C'est à cause de votre accent tolnep plutôt rustique et provincial. Est-ce que vous arrivez à comprendre ce qu'il dit, mes seigneurs ?...

Ils rirent. Il était vrai que Schleim avait un accent, probablement à cause de ses crocs qui provoquaient ce sifflement. Les Tolneps étaient effectivement des ruraux. Ils n'occupaient qu'une seule planète qui se trouvait très à l'écart.

- Démon ! siffla Schleim.

- Tss, tss, tss ! fit Jonnie. Pas de violence dans une telle réunion. Je suis persuadé que nul, parmi ces nobles émissaires, pas plus que moi, ne souhaite vous en voir expulsé.

Puis, avant que Lord Schleim ait pu rétorquer, il se produisit autre chose. Jonnie pointa brusquement le bâton, qu'il avait tenu jusque-là entre ses mains, droit sur les pieds du Tolnep. Un mince trait de lumière jaillit de l'extrémité du bâton. (C'était en réalité une minuscule lampe de mine destinée à détecter la poussière dans les galeries.)

Jonnie prit une expression quelque peu incrédule. Puis tourna la tête, comme s'il voulait dissimuler un rire. La lumière s'éteignit.

Schleim baissa les yeux. Ses bottes ! Il ne portait pas ses bottes à écailles vertes éclatantes, mais de vieilles choses fatiguées, d'un bleu ordinaire. Des bottes sales ! Son valet ! Dans sa précipitation, ce maudit maladroit lui avait mis ses vieilles bottes. Oh, quand il rentrerait, cet imbécile ne perdrait rien pour attendre... Il allait lui percer la panse. Mieux. Il le ferait traîner dans les rues et le livrerait aux crocs des enfants.

Mais Jonnie avait repris la parole et s'adressait aux émissaires :

- Mes seigneurs, je dois vous présenter mes excuses. Je vous prie de ne pas me tenir rigueur de mon retard. Je suis certain que vous vous montrerez compréhensifs quand je vous aurai dit que j'étais occupé à éclaircir un point de *loi*.

Il promena sur eux un regard empreint de déférence et de douceur, posa le bâton sur la table invisible et tapota le livre de droit posé devant lui. (Les phrases et les attitudes des vieux disques éducatifs chinkos lui revenaient au fur et à mesure ! Au début, en entrant, il s'était senti mal à l'aise, emprunté, affecté, mais soudain il avait l'impression de s'être comporté ainsi toute sa vie durant.)

- Nul, reprit-il, ne saurait s'attendre à ce que des seigneurs de votre rang, hautement mandatés, s'incommodent des désagréments d'un voyage pénible et se réunissent sur une planète aussi humble et indigne d'attention, dans le seul but de décider de l'issue d'un petit conflit sans importance.

Les délégués se redressèrent. Ils aimaient mieux ça. C'était bien ce qu'ils avaient pensé depuis le début.

Quant à Sir Robert, il était cloué sur place. Mais qu'est-ce que ce garçon avait en tête ? Une guerre sans importance ? Leurs camarades mouraient, leurs bases de défense cédaient, et il osait dire que tout cela était sans importance ? Il se tourna vers les deux petits hommes gris. Ils étaient calmement assis, souriants. Quelque peu absents, certes, mais souriants. Auparavant, ils n'avaient pas eu un seul sourire, et Sir Robert savait pertinemment que Jonnie ne leur avait pas parlé et qu'ils n'en savaient donc pas plus que lui. Mais il dut prendre sur lui pour ne pas bondir et hurler que cette guerre était importante, *très* importante. Un point était acquis cependant : tous ces émissaires, avec leurs tenues voyantes, leurs bijoux, leurs visages étranges et leurs pseudopodes bizarres, semblaient approuver et se préparer à entamer une véritable conférence.

- Non, poursuivait Jonnie, ce serait insulter les puissants états que vous représentez que de vous convier pour réprimer un acte de piraterie !

Lord Schleim voulut se glisser hors de son siège. Il était sur le point d'invectiver ce démon, d'exiger qu'il modère son langage, quand il surprit à nouveau son regard sur ses bottes. Mais ce ne fut pas ça qui le stoppa net. Son expérience diplomatique lui dit brusquement que ce démon était bien capable de se prendre à son propre piège. Lord Schleim n'aurait aucune difficulté à prouver que les vaisseaux d'attaque tolneps avaient été envoyés par son gouvernement, qu'ils étaient là légalement et qu'ils appartenaient à la marine tolnep, de même que leurs officiers. Mieux valait laisser ce démon s'enfoncer. Il ne tarderait pas à lui faire goûter ses crocs. Bah, en fin de compte, cette créature n'était pas un adversaire à sa mesure !

- Il appartient aux représentants assermentés des gouvernements et royaumes, reprit Jonnie - et veuillez me corriger si je suis dans l'erreur -, de débattre sur les points essentiels des traités et lois intergalactiques. Et leur compétence ne saurait être raisonnablement mise en doute, voire discutée.

Oui, oui. C'était parfaitement exact. Évident même. Vous avez tout à fait raison. Veuillez poursuivre, s'il vous plaît. Chaque émissaire, à l'exception des belligérants, était maintenant tout ouïe. Les représentants des puissances attaquantes, quant à eux, commençaient à être mal à l'aise. Tous, sauf Lord Schleim, qui reprenait confiance. Oui, pensait-il, ce démon était en train de creuser sa propre tombe. Mais quelque chose énervait Lord Schleim : à chaque mouvement que faisait le démon, les boutons de son vêtement lançaient des éclairs. Les Tolneps, pour voir dans le spectre ordinaire, devaient porter des filtres de conversion, mais à chaque éclair, l'intensité lumineuse dépassait la capacité du filtre et Lord Schleim en avait mal à la tête. Ah, si seulement on pouvait éteindre le projecteur braqué sur cette créature !...

Jonnie continuait :

- Le point critique est de définir la condition de « pirate », par opposition à celle de « force militaire ». Je suis certain que, de temps à autre, même dans les forces militaires les mieux organisées, les mieux payées et les mieux commandées, il s'est trouvé des éléments de la marine, qu'elle soit marchande ou de guerre, pour se mutiner ou se transformer en pirates, soit parce qu'ils avaient été achetés, soit parce qu'ils s'étaient dévoyés et avaient décidé de défier l'autorité bénigne et sensée de leurs gouvernants.

Pour ça, oui. La chose s'était produite souvent. Le mois dernier, justement, en pleine période trouble, une escadre de vaisseaux s'était mutinée à Oxentab. Et l'Histoire abondait d'exemples similaires. Oui, c'était un problème qui ne datait pas d'aujourd'hui, convinrent les émissaires. On avait beaucoup écrit à ce sujet. Poursuivez. Poursuivez...

- Ainsi donc, continua Jonnie, afin de protéger l'autorité légitime dont vous êtes les représentants (une expression de satisfaction apparut sur les visages, excepté ceux des combattants) et d'être en mesure de traiter le problème de la piraterie lorsqu'il se pose, il convient de définir clairement ce terme. Et cela ne saurait être fait que par une auguste assemblée telle que la vôtre et dans le cadre d'une convention légale.

Bonne idée. Vous avez parfaitement raison. Tous les belligérants devenaient de plus en plus sombres, à l'exception de Lord Schleim qui se disait que, d'un instant à l'autre, ce démon s'abattrait en flammes.

Jonnie ouvrit alors le dictionnaire de psychlo à une page précise.

- Nous savons, dit-il, que la langue psychlo est composite, faite de nombreuses langues différentes, y compris les vôtres, et qu'elle n'a nullement été générée par les Psychlos. C'est une langue universelle puisqu'elle provient d'univers nombreux et divers. Ce qui est l'unique raison qui en justifie l'emploi général.

Encore exact. Belle érudition. Les Psychlos avaient tout pillé, y compris les langages existants. On ne pouvait même pas parler de « langue psychlo ». Les émissaires murmurèrent pendant un moment.

- Ce dictionnaire, poursuivit Jonnie, est la référence standard officiellement admise, n'est-ce pas ? (Il prit l'ouvrage et le leur présenta. Ils approuvèrent et il le reposa puis lut :) « Pirate : celui qui vit du pillage des biens commerciaux, des communautés ou des planètes et dont le bâtiment, le vaisseau ou le groupe de vaisseaux n'est sous les ordres d'aucun gouvernement national ou planétaire. De même, tout commandant ou membre d'équipage d'un tel bâtiment, vaisseau ou groupe de vaisseaux. »

Absolument, absolument. C'était bien la définition d'un pirate. Mais Lord Schleim était très confiant et hautain à présent. Il sentait qu'il tenait ce démon. Il discernait très bien ses intentions. Ce serait un jeu d'enfant que de détruire ses arguments et d'exiger la reddition. La créature allait avoir une mauvaise surprise. Chacun des vaisseaux tolneps était placé directement sous les ordres du gouvernement de Tolnep. Tout était absolument légal.

Jonnie, à présent, avait pris l'autre livre et lisait un extrait du code intergalactique :

- Cependant, selon les traités qui composent la loi intergalactique, la définition est différente. Avec votre permission, je vais vous en donner lecture : « Article 234 352 678. Selon les conventions signées sur Blonk, entre Psychlo et Hawvin, et, sur Psychlo, entre Psychlo et Camchod, est défini comme pirate quiconque exploite ou vole délictueusement des minerais. » (Jonnie tapota le livre en émettant un petit rire.) Je suppose que nous savons par qui et pourquoi cette « définition » a été introduite !

Ils rirent. Nul n'appréciait les Psychlos et ils étaient bien connus pour être capables de n'importe quoi pour protéger les intérêts de Psychlo.

- Donc, reprit Jonnie, je propose que cette auguste assemblée définisse les termes de « pirate » et de « piraterie » selon le dictionnaire et que, après en avoir dûment délibéré, elle envisage l'application de traités afin de proscrire de tels actes !

Sir Robert grommela. Alors que la planète était réduite en miettes par un assaut en force, Jonnie proposait des jours de délibérations mortelles sur des traités. Un assaut sans doute fomenté par ce Tolnep avec sa radio cachée. Mais les grognements du vieux chef de guerre se perdirent dans les murmures d'approbation de l'assistance.

Jonnie abandonna les livres et prit son bâton. Calmement, il tapota la paume de sa main.

- Donc, selon mon humble opinion (il paraissait tout sauf humble), nous devons maintenant décider si les membres et officiers des équipages tolneps doivent être individuellement et lentement vaporisés en tant que pirates ou bien fusillés en tant que soldats renégats après avoir été traduits en cour martiale.

Lord Schleim se dressa en hurlant :

- Arrêtez !

Il se tourna, hors de lui, vers les émissaires. Ils étaient tous assis derrière lui. Ils ne disaient rien. En fait, ils étaient stupéfaits. C'est alors qu'il réalisa que le démon avait dit « Tolnep » et non « forces combinées ». Le venin jaillit de sa bouche. Le démon allait trop loin ! Il pouvait d'ores et déjà faire sa prière. Mais, auparavant, il y avait un point à régler.

- Vous avez choisi de compromettre les honorables forces de Tolnep par vos insinuations venimeuses ! Ce qui est un outrage que cette assemblée ne saurait tolérer ! Il y a d'autres combattants engagés. J'exige que ces propos tendancieux et intentionnellement insultants pour les forces planétaires tolneps soient effacés des enregistrements de la présente assemblée.

Jonnie, en souriant calmement, regarda d'abord les bottes du Tolnep puis revint à son visage.

- Une attitude aussi excessive ne saurait arranger les choses. Votre comportement est insultant pour ces seigneurs. Surveillez-vous !

- J'exige une réponse ! cria Lord Schleim.

Jonnie soupira d'un air indulgent.

- Très bien. Je vais vous la donner. Mon opinion est que les Hawvins, les Bolbods, les Drawkins, les Jambitchows et les Hockners ont été tout simplement abusés, sans doute par de faux rapports, et amenés à coopérer avec les Tolneps. Vous avez dit vous-même que vos vaisseaux sont nettement plus nombreux que les leurs, et que c'était votre officier principal qui commandait la prétendue force combinée, un autre officier tolnep l'ayant remplacé après sa mort. Donc il me semble parfaitement évident qu'ils ont été obligés de coopérer dans cette attaque face à la puissance de feu supérieure de la flotte tolnep. Nous ne pouvons donc considérer les autres races ainsi que leurs forces comme coupables. Et nous ne les condamnons pas. Ce ne sont que des victimes et elles ne sauraient être considérées autrement si nous nous basons sur la définition du terme « pirate ».

Ça y était ! C'était le moment idéal ! Lord Schleim savait quand il fallait agir. Il allait briser ce démon. Il se dressa de toute sa hauteur en un mouvement reptilien, avec toute sa dignité.

- Tes arguments, démon, fondent comme neige au soleil. L'amiral tolnep, le commandant tolnep ainsi que l'ensemble des vaisseaux et des équipages tolneps n'ont jamais, à aucun moment, agi sans l'ordre du gouvernement central de Tolnep. Alors, arrête de nous débiter ces bobards sur les « pirates » et laisse-nous discuter de votre reddition !

Dans sa bouche, le goût de la victoire et du triomphe était aussi doux que celui du venin. Avant peu, toute cette affaire serait réglée.

Sir Robert gémit.

Il vit que les deux petits hommes gris baissaient les yeux, soudain nerveux. Peut-être regrettaient-ils d'avoir apporté leur aide ?

2

Jonnie dévisagea longuement le Tolnep.

Il secoua tristement la tête.

Puis il porta son regard sur l'assistance. Tous les émissaires s'étaient rencognés dans leur siège, commençant visiblement à se désintéresser de la discussion. Jusqu'ici, ils avaient eu l'espoir que quelque chose allait se passer qui les concernerait directement.

- Mes seigneurs, commença Jonnie, veuillez pardonner cette intervention qui nous a détournés du but essentiel de cette réunion. Ce... ce Tolnep insiste pour que nous en finissions avec cet incident mineur que constitue une attaque contre une planète pacifique. Par conséquent, et avec votre permission, je crois qu'il ne me reste d'autre choix que de régler ce petit différend.

Oui, oui. Pourquoi pas, après tout. Dieu seul savait où tout cela aller mener maintenant. Le Tolnep allait probablement continuer d'interrompre les débats. Allez-y, allez-y...

Jonnie soupira :

- Je vous remercie, mes seigneurs. Vous êtes très indulgents.

Il se tourna vers Lord Schleim, bien campé sur ses jambes, reprit le bâton et en tapota calmement le creux de sa paume.

- Lord Schleim, commença-t-il, du moins il me semble que c'est ainsi que certains vous nomment, veuillez produire, je vous prie, les ordres qui ont été donnés à vos commandants et amiraux.

Schleim rit.

- Vous savez parfaitement qu'un émissaire ne peut emporter avec lui tous les dossiers d'une administration militaire. De plus - mais un barbare tel que vous ne saurait avoir la moindre idée de cela - un commandant tolnep est libre d'agir en toute autonomie lors d'une expédition militaire.

- Comme je le soupçonnais, dit Jonnie, il n'y a pas eu d'ordres légaux.

- Je n'ai pas dit cela ! siffla Lord Schleim.

- Je crains que si. Je n'ai pas d'autre choix maintenant que de poursuivre car vous retardez des débats plus importants.

Par deux fois, Jonnie fit claquer son bâton dans la paume de sa main. Ce fut comme deux coups de pistolet.

Il y eut un mouvement à l'extrémité de la travée centrale. Deux techniciens en uniforme firent leur entrée, poussant un chariot de mine qui avait été plaqué d'or. Sa surface était luisante. Il était chargé d'un projecteur d'un volume assez important qui était également revêtu d'or. C'était un projecteur d'écran atmosphérique. On s'en servait habituellement pour projeter des clichés pris à l'intérieur des puits et des galeries de mine. Il reposait sur un principe de projection lumineuse analogue à celui du câble de blindage atmosphérique, avec une différence toutefois. La lumière, en frappant les ions de l'atmosphère, provoquait leur condensation à divers degrés, ce qui engendrait un reflet. En plaçant un étalon de mesure dans la scène originale, on pouvait ensuite mesurer les diverses distances sur l'image projetée. Ainsi, une image tridimensionnelle semblait se matérialiser dans l'air.

Les techniciens mirent le projecteur en place afin que l'image apparaisse dans le vaste espace vide qui se trouvait sur la gauche de Jonnie. Ils placèrent ensuite un boîtier de télécommande sur la table invisible, à portée de Jonnie. Ils s'inclinèrent avec révérence et se retirèrent.

Ils étaient entrés et repartis si rapidement que Lord Schleim n'avait même pas eu le temps de soulever une objection. Il réagit.

- Je dois protester contre tout ce tralala absurde et ridicule ! Je ne permettrai pas que l'on abuse plus longtemps cette auguste assemblée...

- Schleim ! lança Jonnie d'un ton sévère. Vous n'arrangerez rien en cherchant à empêcher la divulgation d'une preuve dont vous savez pertinemment qu'elle est en votre défaveur.

Les émissaires marmonnèrent entre eux. Assis, Schleim. Du calme. Cela promet d'être intéressant. Chut, Schleim !

Jonnie appuya sur deux boutons. Le projecteur placé près de la porte s'éteignit et, simultanément, une image se matérialisa. Elle était en trois dimensions, remarquablement détaillée, et montrait Roof Arsebogger. Les émissaires eurent l'impression qu'il était là, devant eux, debout à gauche de Jonnie. L'image n'avait pas de son. Jamais encore ils n'avaient vu de projecteur atmosphérique, pour la bonne et simple raison que les Psychlos ne commercialisaient jamais de gadgets destinés aux loisirs et qu'il s'agissait, de plus, d'un équipement minier.

Le visage de Roof Arsebogger était tavelé de taches malsaines. Il avait les crocs noirs et l'un d'eux était même cassé. Le vêtement qu'il portait semblait venir d'une décharge publique. Le cliché faisait partie de toute une série de films qui avaient été pris par les pilotes de la couverture aérienne, à la Rivière du Purgatoire, à l'aide d'une caméra télé-radioguidée. On avait apporté les films à Jonnie pour qu'il puisse se mettre au fait de ce qui s'était passé pendant qu'il était à l'hôpital.

Jonnie demanda :

- Cet homme est-il un membre de votre gouvernement ? Faites très attention à ce que vous allez dire, Schleim. Est-ce un fonctionnaire militaire, un officiel de quelque service que ce soit ?

Plusieurs émissaires ricanèrent. Le personnage était tellement *dégoûtant* que s'il appartenait vraiment au gouvernement de Tolnep... Alors, là !

Schleim était saisi. Il avait les yeux fixés sur l'image. Quelle créature repoussante ! A vomir ! Les yeux encore un peu éblouis par les éclairs qui jaillissaient toujours du démon, il ajusta ses filtres afin de mieux voir. Est-ce que cet être n'avait pas quelque chose de familier ?

Il regardait l'image avec une telle intensité que les émissaires se dirent que, peut-être, le gouvernement de Tolnep était réellement composé de semblables loques, et certains se mirent à rire bruyamment.

Ce qui déclencha la réaction de Schleim.

- Bien sûr que non ! Cette répugnante créature serait expulsée de n'importe quel service du gouvernement de Tolnep ! Tu m'insultes ! Tu insultes le gouvernement de Tolnep ! Tout cela est un coup monté pour dégrader la valeur et la dignité de mon département et de ma planète. Je dois protester...

- Du calme, dit Jonnie d'un ton apaisant. Regardez bien. Vous avez déclaré qu'il n'appartient pas à votre gouvernement et qu'il n'a aucun rôle officiel. Est-ce bien exact ?

- Absolument ! Et si tu crois que...

- Alors, poursuivit Jonnie, que fait-il donc en train de donner des instructions au quart-amiral Snowleter ?

Il appuya sur un autre bouton. La caméra parut prendre du champ. L'image s'anima. Le pont du *Capture* apparut, ainsi que le losange traversé d'un éclair qui était l'insigne de Tolnep. Ils virent ensuite le quart-amiral Snowleter, face à cette horrible créature, Roof Arsebogger.

Jonnie appuya sur un autre bouton. Le son arriva enfin.

Le grondement sourd d'un vaisseau extra-atmosphérique, la vibration de la baie de la passerelle de commandement, et la voix de Roof Arsebogger qui dominait la rumeur.

- Il faut que vous agissiez indépendamment, Snowleter ! Il faut que vous fassiez tout ce qui peut améliorer vos chances de profit personnel ! Ce que je vous demande, c'est de foncer droit sur cette base et de la piller rien que pour vous ! Quand cette planète sera sous votre seul contrôle, vous pourrez dire à tous les autres d'aller au diable. Cassez-moi tout ça. Capturez la population et vendez-la à titre privé. Je vous couvrirai. Que ça vous plaise ou non, c'est la seule chose à faire ! C'est moi qui détiens le pouvoir ! Et nous partagerons les bénéfices ! Compris ?

Snowleter souriait. Il porta la main à sa casquette de quart-amiral pour saluer.

- A vos ordres !

Jonnie appuya sur un autre bouton. La caméra parut prendre encore du recul. L'image, à présent, était celle de l'ensemble de la force combinée, dans le ciel, au-dessus de la Rivière du Purgatoire. Il n'y avait plus de son.

- C'est votre amiral, ainsi que sa flotte.

Jonnie appuya encore une fois sur un bouton. L'image disparut et le projecteur se ralluma.

Les émissaires étaient subjugués. Jamais encore ils n'avaient assisté à une projection atmosphérique. C'était exactement comme une scène vivante. Oui, c'était bien la flotte tolnep. C'était bien l'amiral. L'attitude de Schleim le confirmait clairement.

Soudain, il éclata :

- Des images truquées ! N'importe qui peut falsifier des enregistrements. Cette prétendue preuve...

- Oh, ça suffit, Schleim, dit Jonnie. Ce n'est pas une crise d'hystérie qui effacera cela. Cet enregistrement était trop net pour qu'il ait pu être « truqué », comme vous dites.

Il se tourna vers les émissaires.

- Ainsi, vous le voyez, mes seigneurs, l'amiral tolnep n'exécutait pas les ordres de son gouvernement, mais ceux d'un particulier. Il n'a agi que pour son profit personnel et non pour sa planète. Restez tranquille, Schleim ! Vous n'infirmerez pas ces preuves par une mauvaise humeur particulièrement choquante en ces lieux. Mes seigneurs, je vous prie d'excuser sa conduite. On peut comprendre sa situation. Le quart-amiral Snowleter, à propos, qui est l'oncle du semi-capitaine Rogodeter Snowl, aurait été entraîné dans cette aventure par son neveu, si l'on en croit les divers disques et enregistrements en notre possession. C'était une affaire de famille et, de toute évidence, le neveu poursuit à son compte l'acte de piraterie.

Jonnie ne leur dit pas, bien entendu, qu'il y avait autre chose dans le film qu'ils venaient de voir, et que tout n'étayait pas sa position. Mais il était clair maintenant que Roof Arsebogger avait été le maître à penser du quart-amiral.

— Donc, le forfait de piraterie a bien été prouvé, dit-il. Nous avons là une flotte qui opère sous une autorité autre que celle de son gouvernement. Si vous voulez bien m'accorder encore un moment, je demanderai simplement à Schleim la reddition de ses vaisseaux et nous pourrons alors passer à des affaires plus sérieuses que les actes de piraterie et autres codes de loi. Schleim, voulez-vous, je vous prie, appeler la personne qui est au commandement en ce moment et lui demander de regrouper tous ses vaisseaux dans une prairie dont je vais vous donner le nom et...

— Vous êtes fou ! glapit Schleim. Notre flotte a la domination de votre ciel et vous venez me demander...

— ... de m'aider à mettre un terme à un acte de piraterie, acheva Jonnie. Mes seigneurs, pardonnez-moi, mais il semble que Schleim doive prendre encore un peu sur votre temps si précieux avant que vous en ayez fini avec lui. Avec votre permission, nous allons régler une fois pour toutes cette odieuse affaire.

Oui, oui. Absolument. On passerait plus tard à l'établissement du traité. D'accord. Allez-y. Les émissaires des planètes combattantes échangeaient des regards, quelque peu effrayés. Dans quoi s'étaient-ils laissés embarquer ?

Le petit homme gris semblait moins déprimé.

Mais Sir Robert, en observant Schleim, se dit que le Tolnep était loin d'être vaincu. Il profitait de cette pause pour lancer quelques phrases sifflantes dans sa radio. Il donnait des ordres. Il était question d'attaques-suicides. Il devait être particulièrement ébranlé, car il s'exprimait en psychlo.

Sir Robert s'excusa et se précipita vers la salle des opérations pour prévenir les différentes bases de ce qui se préparait. Il leur demanda d'être encore plus vigilants et de doubler la riposte.

Le petit homme gris quitta également la salle pour aller donner l'ordre à son vaisseau d'allumer deux phares rouges et de modifier le signal radio qui émit bientôt :

« Alerte ! Alerte ! Une conférence interplanétaire et intergalactique a lieu dans ce secteur. Tout bâtiment, tout vaisseau pénétrant dans cette zone sera considéré comme transgressant les lois intergalactiques et son gouvernement ou son propriétaire encourra toutes les sanctions prévues. Alerte ! Alerte ! Une conférence interplanétaire et intergalactique... »

3

Lord Schleim n'était pas le moins du monde ébranlé. Il savait parfaitement ce qu'il faisait : il appliquait l'une des maximes de la diplomatie, selon laquelle on devait recourir aux moyens militaires lorsque la diplomatie échouait.

Durant ces dernières minutes, il lui était apparu clairement que, s'il continuait dans cette voie, il perdrait. Donc, brusquement, irrévocablement, il avait décidé de modifier tous ses plans.

C'était une époque très troublée. Il sentait que le pouvoir du petit homme gris s'était effrité et que les choses ne se passaient pas comme à l'accoutumée. Par conséquent, toute menace de représailles de la part du petit homme gris pouvait être ignorée. C'était la première réunion d'émissaires depuis plus d'un an et il avait la certitude absolue que le pouvoir des émissaires et de l'ensemble des gouvernements ne valait plus rien, qu'ils ne représentaient pour Tolnep aucun danger réel. Ces états, ces empires étaient bien trop lointains.

Il venait de donner au semi-capitaine - non, au *capitaine* Snowl depuis aujourd'hui - des ordres très spécifiques. Il s'était servi de mots de code connus uniquement des officiers de haut rang et des fonctionnaires les plus haut placés du gouvernement de Tolnep. Certaines séries de mots, lorsqu'elles étaient employées, voulaient dire tout à fait autre chose. De plus, la fréquence radio utilisée était hyper-non-directionnelle. Elle était connue des seuls Tolneps et ne pouvait être captée sur aucune autre radio, sauf sur celles des officiers de l'amirauté et du corps diplomatique. Cette fréquence était ouverte en permanence sur la passerelle de commandement de tous les bâtiments de guerre tolneps. Et, pour renforcer encore la sécurité, les émissions étaient brouillées.

Schleim venait d'ordonner à Rogodeter Snowl d'expédier les vaisseaux des autres états combattants vers les différents points tenus par les Terrestres, de rassembler toutes les forces tolneps et de faire route à vitesse maximale sur le lieu de conférence. Il avait dit à Snowl de ne tenir compte d'aucune mise en garde lancée par le petit homme gris.

Étant donné que le gros de la force tolnep était au-dessus de Singapour, à quelque sept mille kilomètres de là - plutôt près, à vrai dire - les vaisseaux arriveraient avant deux heures.

A l'autre extrémité de son sceptre, à l'opposé de sa radio, Schleim disposait d'un émetteur de rayon paralysant. Il lui suffisait d'exercer une petite torsion et toute créature se trouvant à proximité serait instantanément paralysée, hormis lui-même : il avait prévu un obturateur auriculaire pour protéger ses tympans. Oui, toute cette assemblée était à sa merci. Tout ce qu'il lui restait à faire à présent, c'était de trouver un prétexte pour les rassembler à l'extérieur, dans la cuvette, afin que tous les gardes soient eux aussi à portée d'écoute. Ensuite, il guetterait l'approche de la flotte, obturerait ses oreilles et se servirait de son sceptre.

Les diplomates de Tolnep étaient choisis pour leur courage autant que pour leur intelligence. Il s'emparerait d'une arme pour se frayer un chemin jusqu'au câble de blindage atmosphérique si nécessaire, il le déconnecterait et ses marines pourraient alors débarquer.

Quant à la console de téléportation, c'était le cadet de ses soucis. Tolnep se porterait bien mieux si elle était détruite. Une nation dont l'économie était fondée sur l'esclavage était toujours plus ou moins en danger et la téléportation avait plus souvent été une gêne qu'un avantage pour Tolnep.

Il était lui-même à distance de vol de sa planète. De même que les autres combattants, qui devraient se plier à ses ordres s'ils ne voulaient pas être tués. Pour ce qui était des autres émissaires, il se souciait peu de savoir de quelle manière ils regagneraient leurs systèmes. Et puis, des émissaires morts, de même que des Terrestres morts, ça ne bavardait pas, surtout après avoir été enterrés.

Bien entendu, il se ferait un plaisir de torturer ce démon pour essayer de lui arracher le secret de la téléportation. S'il mourait, eh bien, tant pis.

Mais le plus beau dans tout ça était que si quelque chose venait à mal tourner, il se servirait des propres arguments du démon pour se défendre. Il dirait que Rogodeter Snowl était devenu un pirate, qu'il avait transgressé ses ordres et s'était mis hors la loi en violant le lieu de la conférence. Il savait parfaitement qu'il pouvait limoger Snowl et le faire exécuter pour prendre le commandement des équipages de la flotte. Snowl serait tout simplement sacrifié pour le plus grand bien de l'état, un expédient courant dans les cercles diplomatiques.

Schleim pourrait même liquider les autres belligérants avec la flotte tolnep si besoin était.

C'était un plan absolument impeccable.

La seule chose à solutionner maintenant, c'était le moyen de faire sortir toute l'assemblée dans la cuvette.

Il se sentait à présent tellement confiant qu'il prêtait à peine attention au démon qui faisait un résumé de ses forfaits. Quoi qu'il tente désormais, ce serait en vain.

Magnanime, Lord Schleim se rassit et écouta d'une oreille distraite la suite des débats.

La diplomatie, en vérité, était un art. Mais lorsqu'elle échouait, il fallait recourir à la force.

Il tripota l'extrémité de son sceptre.

Puis il régla son ouïe afin de guetter les premiers grondements annonçant l'arrivée de sa flotte.

4

Il y avait eu une pause pour permettre à un technicien de changer les cartouches du projecteur atmosphérique.

Voyant que Jonnie s'apprêtait à reprendre la parole, les émissaires s'installèrent à nouveau confortablement.

- Mes seigneurs, commença Jonnie, j'apprécie l'indulgence dont vous faites preuve en me permettant d'en finir avec les ultimes petits détails de cet odieux problème tolnep. En vérité, je suis impressionné par votre patience. Je vous donne l'assurance qu'avant peu nous pourrons passer aux seuls débats véritablement dignes d'un groupe investi d'une telle autorité.

Très pratiques, toutes ces formules de courtoisie des disques chinkos. Les seigneurs de tous les états représentés ici, à l'exception de ceux qui étaient engagés dans la bataille, lui étaient acquis.

Il se dressait, haut et digne, dans la clarté du projecteur. Les boutons de son habit lançaient des éclairs, et le dragon, sur son casque, sembla s'éveiller à la vie quand il tourna la tête en direction de Lord Schleim.

- Tolnep, lança-t-il avec dédain et mépris. J'ai ici certaines vues qui ont été prises alors que l'on procédait à la vérification des lettres de créance. Je vais vous demander d'identifier certaines choses pour moi.

- Vas-y, démon, dit Schleim en se rencognant dans son siège, très calme à présent, presque désinvolte.

Jonnie le fixa avec attention. D'où venait cette brusque sérénité ? Était-ce uniquement du self-control diplomatique ? Après tout, Schleim était un diplomate rusé et particulièrement bien formé.

D'un geste vif, il effleura les boutons de commande et la lumière s'éteignit. Une nouvelle image apparut dans l'espace vide, à la gauche de Jonnie. Elle était remarquable et les émissaires se redressèrent, soudain excités.

Là, devant eux, comme vue par la baie d'un astronef, il y avait l'image nette et lumineuse, colorée et en relief de l'ensemble du système de Tolnep, Tolnep étant la neuvième planète. Le soleil principal, énorme, avait un compagnon plus petit. Des ombres doubles marquaient toutes les planètes et les lunes de ce vaste système qui, dans les livres de coordonnées psychlos, portait le nom de Batafor.

Sur les anciennes cartes de l'homme, il s'appelait « Sirius » ou « Étoile du Grand Chien ».

- C'est bien Batafor ? demanda Jonnie à Lord Schleim.

Le Tolnep rit.

- Si c'est vous qui avez pris cette vue, vous devez bien le savoir. Pourquoi me poser la question ?

Jonnie pointa son bâton sur le représentant hawvin, au second rang.

- Peut-être l'émissaire royal de Hawvin voudra-t-il bien nous porter assistance. Est-ce bien le système de Batafor ?

Depuis quelque temps, le Hawvin regrettait amèrement d'avoir été mêlé à toute cette affaire. Sa nation était l'ennemie traditionnelle des Tolneps et avait durement souffert de leurs raids d'esclavage au fil des siècles. Il commençait à soupçonner qu'ils auraient bientôt à payer des amendes et des indemnités. Cet « esprit de la Terre » semblait s'être donné beaucoup de mal pour exclure les autres combattants et le Hawvin discernait une possibilité d'échapper aux sanctions si les choses tournaient mal - ce qui semblait nettement être le cas. Mieux valait s'attirer quelque faveur et il n'y avait là rien de dangereux.

Il se leva donc, s'avança, et Jonnie lui tendit le bâton avec le rai lumineux allumé.

Le Hawvin braqua le faisceau sur l'image du système et le balaya dans tout son diamètre.

- Je reconnais et j'atteste qu'il s'agit bien là du système de Batafor. C'est le vieux nom que lui donnent les Psychlos. Les Hawvins surnomment ce soleil double « Twino », ce qui signifie « la mère et l'enfant ».

Il montra la planète la plus proche du soleil double.

- Voici Jubo, inhabitée à cause de sa gravité extrême et de sa chaleur. (Il désigna rapidement la seconde, la troisième, la quatrième et la cinquième planète.) Celles-ci sont sans importance et n'ont même pas de nom. Elles sont constamment soumises à des séismes et à des éruptions volcaniques et sont donc totalement inhabitées. (Il montra la sixième planète, presque dissimulée par le double soleil.) Celle-ci est Torthut, une planète exploitée par les Psychlos. Elle était autrefois habitée, mais les Psychlos y ont exterminé tout le monde.

Le Hawvin s'interrompit pour se tourner vers son collègue hockner et demander :

- Mon seigneur, voyez-vous quelque inconvénient à ce que je poursuive ?

Le Hockner haussa les épaules, puis il eut un rire crispé.

- Puisque vous l'avez déjà pratiquement dit, mon cher, autant préciser qu'il s'agit là d'une possession hockner !

- Très bien, dit le Hawvin. Oui, cette septième planète est Holoban et elle appartient à la Confédération Hockner. La huitième est Balor, une planète des Hawvins.

Il abaissa le bâton et regarda Lord Schleim. Mais le Tolnep se contenta de hausser lui aussi les épaules et de dire :

- Vous êtes un excellent conférencier astronomique, seigneur des Hawvins. Vous avez omis quelques flores et faunes, mais continuez, je vous prie.

Le Hawvin braqua le pinceau de lumière sur la neuvième planète.

- Et ce monde, je le certifie, est Tolnep. (Il regarda plus attentivement la projection.) Oui, ces petits points sont les cinq lunes, quoique l'une d'elles nous soit cachée. Tolnep se distingue par le nombre de ses lunes dans un système dont la plupart des planètes ne comportent qu'une lune. La composition des lunes de Tolnep explique leur exceptionnelle réfraction. La lumière provenant du soleil double se situe dans la norme du spectre mais, par suite de l'effet de réfraction de ces lunes, la lumière monte plus haut dans le spectre. La civilisation tolnep a toujours préféré travailler au clair de lune et dormir durant le jour. On dit que les Tolneps ne seraient pas d'origine indigène et que...

- Oh, épargnez-nous ça ! lança Lord Schleim. Bientôt, vous allez nous parler de notre mode de reproduction et de la ponte ! Restons décents, Hawvin !

Certains des émissaires non impliqués firent entendre un rire. Schleim faisait tout son possible pour revenir dans leur bonne grâce.

- La dixième planète, reprit le Hawvin, est exploitée par les Psychlos. Il s'agit de Tung. Elle possédait autrefois une population mais celle-ci a été capturée par les Tolneps avant l'arrivée des Psychlos. Quant à la onzième...

- Je vous remercie, seigneur des Hawvins, dit Jonnie. Vous nous avez été d'un grand secours.

Le Hawvin redescendit et il s'apprêtait à regagner sa place quand Jonnie le retint. Il appuya sur un nouveau bouton.

Une image particulièrement nette d'une ville se matérialisa comme par magie dans l'air. On avait l'impression de se trouver juste au-dessus.

- C'est Creeth, la capitale de Tolnep, dit le Hawvin. Très reconnaissable. Voyez la façon dont les rues sont entrelacées. (Il leva le pinceau lumineux et montra un endroit précis.) Voici la Maison du Pillage, le centre législatif de Tolnep. Observez le style de la construction : les différentes sections s'enroulent les unes autour des autres pour se ressouder à la fin. Typiquement tolnep. Et là, nous avons Grath, le parc célèbre qui est également le marché aux esclaves. Cette colline rocheuse avec des trous...

- Merci, dit Jonnie. Maintenant, voici précisément ce pour quoi j'ai besoin de vous.

Il appuya sur un autre bouton et la vue changea. Elle se rapprocha du parc et les émissaires eurent tous l'impression de tomber en chute libre. Le parc demeurait au centre, mais les alentours s'élevaient en perspective de fuite, comme s'ils descendaient dans une cuvette. La caméra redevint fixe. Ils n'avaient plus que le parc devant eux à présent.

Ils contemplaient maintenant les longs bâtiments du marché aux esclaves, les boxes pour les acheteurs, avec leurs sièges cossus. Mais le plus remarquable était l'immense horloge sur la colline, au bord de l'image.

- L'horloge, dit Jonnie.

- Ah oui, l'horloge. (Le Hawvin soupira, jeta un bref regard à Lord Schleim, mais sa seigneurie était calme, affichant un léger sourire sous ses lunettes, caressant son sceptre.) L'horloge a été construite à l'aide d'ossements d'esclaves, à ce que l'on dit. Il en a fallu une quantité considérable pour former les rouages que l'on peut voir tourner par les orifices. On prétend qu'il a fallu tuer 58 000 esclaves femelles pour construire le cercle du cadran que vous voyez...

- Je parlais du jour et de l'heure, dit Jonnie. Ils sont en tolnep et je suppose que vous savez les déchiffrer.

- Ah ! fit le Hawvin, heureux de changer de sujet, car il redoutait que Lord Schleim finisse par s'en prendre à lui. Le jour et l'heure, oui... Je connais le système numérique tolnep. Cette vue a été prise il y a deux heures environ. (Il consulta sa montre.) Il y a une heure et cinquante et une minutes exactement. Remarquable. Est-ce que cela a été pris aujourd'hui au moyen du système de téléportation installé dehors ?... Oui, probablement.

- Je vous remercie, dit Jonnie.

Il reprit le bâton et le Hawvin regagna sa place, non sans jeter un dernier regard craintif à Lord Schleim.

Jonnie appuya sur un autre bouton. La planète Tolnep apparut, magnifiquement détaillée, avec ses cinq lunes.

- Lord Schleim, est-ce bien la planète Tolnep avec ses lunes ?

Schleim rit.

- Je ne gagnerais rien à dire non, n'est-ce pas ? Oui, démon, il n'y a pas besoin d'un professeur d'astronomie comme notre ami hawvin pour reconnaître la planète Tolnep et ses cinq lunes.

Il rit de bon cœur.

- Très bien, dit Jonnie. Donc, en tant que natif de Tolnep et sans nul doute fier de ses lunes, pourriez-vous me dire quelle est celle que vous préférez ?

Ce brusque changement de sujet éveilla la méfiance de Schleim. Jusque-là, il n'avait prêté qu'une moitié de son attention à la démonstration. Il savait qu'il s'écoulerait encore un moment avant que la flotte n'arrive mais il était possible qu'elle envoie un patrouilleur en avant. Il regarda sa montre, toucha l'extrémité de son sceptre. Ce qui le préoccupait, c'était de trouver un moyen de faire sortir tous ces émissaires afin de les cueillir en même temps que les gardes, d'un seul coup de sceptre.

- Ma foi, dit-il, je crains d'avoir des choses plus importantes à faire chez moi que de passer mon temps à contempler des lunes.

- Et quelle est celle qui vous plaît le moins ? insista Jonnie.

- Oh, toutes, dit Schleim, désinvolte.

Jonnie eut un sourire. Le dragon sur son casque étincela et parut à nouveau bouger comme il se tournait vers les émissaires.

- Puisque Lord Schleim n'a pas de préférence, dit Jonnie en pointant le pinceau lumineux, nous choisirons celle-ci. Asart ! (Il posa le point de lumière sur la lune.) Vous noterez la forme particulière des cratères, ces cinq ellipses qui distinguent cette lune.

Schleim fut parcouru d'un frisson. Asart ! Sous sa surface, il y avait l'ensemble des ateliers et des hangars de toute la flotte tolnep. Les pièces des vaisseaux étaient amenées séparément sur Asart par des transporteurs, puis elles étaient assemblées. Les lourds bâtiments spatiaux de Tolnep n'auraient jamais pu décoller d'une surface planétaire. Avant chaque livraison, on fouillait l'espace alentour pour parer à toute surveillance ennemie. Avant chaque lancement, les vaisseaux détecteurs quittaient le sol de Tolnep pour sillonner l'espace. La fonction d'Asart était un secret bien gardé. Comment ce démon avait-il pu mettre la main dessus ? Ou avait-il choisi Asart sans le faire exprès ? Schleim sentait croître son malaise.

Et puis, brusquement, tous ses soucis s'effacèrent. Car le démon avec la bête bizarre sur son casque venait de déclarer :

- Puis-je demander à vos seigneuries de se rendre au-dehors ? Des sièges ont été disposés pour votre confort. Vous allez assister à une démonstration que, je pense, vous trouverez intéressante.

Sans s'en douter, il avait résolu le problème de Schleim !

5

Lord Schleim prit bien garde à quitter la salle en dernier ; pour s'assurer que personne n'y resterait. Il avait noté que la salle avait une porte munie d'un verrou. En partant le dernier, il lui serait possible de fermer. Ce qui lui ferait déjà une porte de moins à surveiller. Il aurait ainsi la certitude que personne ne viendrait mettre le nez dans cette salle quasiment insonore et échapperait au paralyseur.

Tous les émissaires sortirent en file. Schleim était le plus loin dans la salle et il était normal qu'il soit le dernier à quitter les lieux. Le démon avait emboîté le pas aux autres et les petits hommes gris étaient déjà dehors.

Mais il y avait ce satané hôte ! Ce vieil homme en tenue chinoise de carnaval semblait avoir rassemblé des feuilles de papier et il les avait posées sur le plancher, à côté de son siège. Les listes d'invités, bien sûr ! Une feuille était tombée derrière la chaise et il essayait de la récupérer. Il y parvint enfin, se releva et la parcourut, révisant vraisemblablement quelques noms plus particulièrement difficiles à prononcer. Aussi, Schleim fit semblant d'avoir lui aussi égaré quelque chose et entreprit de fouiller dans ses poches d'un air préoccupé. Cela l'énervait un peu de devoir attendre la sortie de l'hôte. Le vieil homme ne semblait pas s'être aperçu de sa présence. Il n'avait pas bougé et continuait de lire sa liste en suivant les lignes du doigt et en marmonnant. Le moment était bien choisi pour réviser, songea Schleim avec aigreur. Avant peu, son absence allait être remarquée. Mais il devait absolument être certain que cette salle était vide. Elle était par trop insonorisée ! Et il se pouvait qu'il y eût des écrans placés à l'intérieur. Il regarda autour de lui. Il aperçut un appareil dans un coin du plafond. Est-ce que cela pouvait être une visionneuse ? Difficile à dire. La lumière était faible. Le projecteur lui-même faisait peut-être office d'écran de vision. Oui, il devait attendre au cas où quelqu'un se hasarderait dans la salle.

Enfin ! L'hôte descendit la travée d'une démarche flottante et s'avança vers la porte sans cesser de marmonner, les yeux fixés sur sa liste. Schleim le suivit.

L'hôte était presque sur le seuil, et le Tolnep tendait déjà la main pour refermer la porte, lorsqu'il s'arrêta.

Lord Schleim n'avait d'yeux que pour la porte. Il était tout près du seuil. Brusquement, deux techniciens firent leur apparition en courant. Ceux-là mêmes qui avaient installé le projecteur dans la salle. Ils venaient pour le remporter.

Ils entrèrent violemment en collision avec le Tolnep.

Le sceptre jaillit de la main de Schleim.

L'un des deux techniciens eut la vision éclair de crocs à quelques centimètres de son visage et leva le bras. Incapable de freiner son mouvement, il abattit lourdement son bras sur la bouche du Tolnep.

La réaction de Schleim fut instantanée. Il mordit ! Sauvagement et à plusieurs reprises, en émettant des sifflements de rage. L'homme poussa un cri et recula en titubant, serrant son bras blessé de son autre main. Il disparut par une autre porte.

Son camarade balbutiait des excuses terrifiées dans un langage inconnu. Du chinois ? Il se pencha et ramassa l'objet doré tombé sur le sol. Il le tendit en tremblant à Schleim.

Schleim s'en saisit. Il palpa les perforations à une extrémité, puis les anneaux à l'autre. Il réajusta ses lunettes et poussa un soupir de soulagement. Au moins, le sceptre n'avait pas souffert !

L'hôte chinois le brossait en s'excusant, bouleversé. Il s'interrompit une seconde pour faire un geste à l'adresse du deuxième technicien et alors seulement celui-ci se dirigea vers le projecteur et le poussa vers la sortie.

Schleim resta dans la salle, affichant un air offensé. Finalement, la salle fut vide. Sans que l'hôte le remarque, il verrouilla la porte, puis il fit mine de boiter. Il dit à l'hôte de ne pas s'inquiéter. Et il alla rejoindre les autres.

A l'hôpital, le docteur Allen, avec l'assistance d'une infirmière, était occupé à ôter avec précaution le blouson du « technicien » chinois. Il prit la manche molletonnée et, évitant de la toucher, il la détacha du blouson et la laissa tomber dans un grand bocal. Des gouttes de venin étaient visibles sur l'étoffe.

Le docteur se pencha sur le bras du « technicien » et déclara :

- Pas la moindre égratignure, mais nous avons bien fait de mettre la doublure de cuir. Vous avez été très courageux, Chong-won.

Le chef ignora le compliment. Il posa devant lui un couteau et un petit éclateur.

- Le couteau était derrière sa nuque, dit-il. Et il avait caché le pistolet dans une botte. Je me suis dit : autant les prendre dans la foulée.

- Vous êtes certain qu'il n'avait rien d'autre sur lui ? Je ne tiens pas à rafistoler encore une fois Jonnie.

- Non, rien d'autre, affirma Chong-won. A moins qu'il ne se serve de son sceptre pour taper sur la tête de quelqu'un.

- Je suis sûr que Jonnie peut se défendre contre un sceptre, dit le docteur Allen. Ce Schleim est une créature très dangereuse. (Il montra le bocal.) Infirmière, mettez ça dans notre collection, pour que nous puissions fabriquer un peu plus d'antidote.

6

Le colonel Ivan était allongé dans l'obscurité, un lance-flammes posé sur les sacs de sable empilés devant lui. Il se trouvait au premier tournant du labyrinthe de passages souterrains situés sous la base. Derrière lui, à chacun des autres tournants, il y avait un homme posté derrière un rempart de sacs de sable.

La barbe du colonel Ivan était brûlée et ses mains couvertes d'ampoules.

Devant lui, à quinze mètres de là, la porte principale, en acier blindé, avait été portée au rouge sous les impacts répétés.

Le colonel avait rappelé ses avions - quand donc ? hier ?... - Ils étaient à court de carburant et de munitions et désormais inutiles. Tous les pilotes avaient été assignés aux différents points d'appui, dans tout le labyrinthe.

Son antenne radio était hors d'état. Était-ce également depuis la veille ? Il lui semblait que six mois s'étaient écoulés.

Toutes les mines qu'ils avaient placées au-dehors avaient explosé. Combien y en avait-il eu ? Mille ? Le terrain était jonché de corps aux formes bizarres, démembrés, mais l'attaque n'avait pas été stoppée.

La porte devenait de plus en plus chaude, passant du rouge au blanc en certains points. Combien de temps tiendrait-elle encore ? Et combien de temps le colonel Ivan pourrait-il résister à la chaleur qui en émanait ?

Il se demandait ce que le maréchal Jonnie pouvait bien faire...

Le chef du clan Fearghus gisait sur son flanc valide, le regard tourné vers la roche. Il n'y avait plus aucune retraite possible. Les tunnels s'étaient effondrés derrière lui.

Il ne leur restait plus qu'une batterie antiaérienne en état de marche. Mais elle n'était plus dirigée vers le ciel. Ils l'avaient braquée sur le point où l'ennemi était susceptible de franchir le dernier barrage.

Edinburgh était en flammes et le grondement du feu dominait le crépitement des armes légères. Ces vieux bâtiments n'en finissaient pas de se consumer.

Jusqu'à ce moment, ils avaient cru qu'ils réussiraient à contenir l'offensive ennemie. Mais un nouveau vaisseau était arrivé, tout là-haut. Il lançait vague après vague d'avions chargés de troupes.

Dunneldeen était seul dans le ciel, à présent. Ils le virent revenir de Cornouailles, où il s'était ravitaillé.

Pourquoi n'avaient-ils pas écouté MacTyler et regroupé tout le monde dans l'ancienne mine de Cornouailles ? A cause du sentiment qui les attachait à Edinburgh. Mais que resterait-il d'Edinburgh sinon des cendres ?

Une nouvelle vague d'assaut ennemie se préparait devant l'autre entrée. Il espérait que Dunneldeen s'en tirerait. Les Écossais, du moins ceux qui s'en sortiraient, auraient bien besoin de lui. Le chef du clan Fearghus ne pensait pas que, personnellement, il s'en tirerait. Il perdait trop de sang par sa blessure au flanc.

Il se demanda ce que MacTyler pouvait bien faire...

Il se tourna vers l'artilleur.

- Vise bas pour cette première vague. Et ne cesse pas le tir tant que tu auras des munitions. Au moins, on finira en beauté !

A Singapour, l'officier écossais se tourna vers le communicateur noirci par le brasier, abaissa ses jumelles et dit :

- Je ne comprends pas.

Les marines tolneps avaient utilisé l'artillerie afin de creuser un trou au nord, sous le câble de blindage atmosphérique. Ce qui leur avait fait subir de lourdes pertes, dont une douzaine de tanks. Mais un petit groupe avait finalement réussi à atteindre le câble et à creuser un trou à coups de bombes. Cinq marines avaient été abattus.

L'officier écossais s'était attendu à ce que la vague suivante se porte sur la centrale afin de couper l'alimentation en électricité, ce qui aurait laissé la base sans défense.

Mais l'ennemi s'était brusquement retiré.

Depuis vingt minutes, ils ramassaient leurs blessés, récupéraient le matériel et les embarquaient à bord d'appareils de sauvetage, sous le harcèlement des avions de la Terre.

Ils disparurent bientôt dans le ciel, hors de portée.

La flotte tolnep tournait en cercle au-dessus d'eux. Quelques minutes auparavant, les hommes de la défense antiaérienne avaient fait leur rapport : tous les vaisseaux non tolneps s'étaient retirés. L'un était parti sur Edinburgh, les trois autres pour la Russie. A présent, seuls demeuraient les Tolneps.

- Ils s'en vont ! cria l'officier écossais.

En tout cas, cette diversion à Singapour avait vraiment été utile. Elle avait permis de maintenir les forces ennemies ici un bon bout de temps. Et les pertes humaines avaient été légères, alors que les pertes de l'ennemi avaient été énormes.

Les derniers avions chargés de la couverture aérienne atterrirent. Ils n'étaient pas étanches et ne pouvaient quitter l'atmosphère. Lorsque le dernier moteur fut coupé, le silence qui régna soudain fut presque douloureux après le vacarme assourdissant des derniers jours. Seul subsistait le grésillement du câble atmosphérique.

A l'est comme au sud, des colonnes de fumée noire s'élevaient des vieilles ruines de Singapour.

- Les vaisseaux tolneps mettent le cap à l'ouest ! lança l'officier de la défense antiaérienne. Très exactement ouest-sud-ouest !

- Vitesse ? demanda l'officier écossais.

- Ils sont encore en accélération. Attendez. Je calcule. S'ils maintiennent ce cap, ils se retrouveront au-dessus de la base de Kariba. Ils doivent être à court de charge solaire parce que leur vitesse n'est que de trois kilomètres à la seconde. Ce qui les met à Kariba dans... dans trente-sept ou trente-huit minutes.

L'officier se tourna vers le communicateur.

- Avertissez Kariba qu'ils vont bientôt avoir de la visite.

Le terrain encore fumant, devant eux, leur donnait un aperçu de l'enfer que la flotte ennemie pouvait déchaîner. Sans le câble de blindage, les défenseurs seraient déjà morts dix fois.

Quelque part, un oiseau se mit à chanter. Étrange dans ces ruines calcinées.

L'officier se demanda ce que pouvait bien faire Jonnie. En tout cas, ils avaient intérêt à s'activer, là-bas à Kariba. Dieu qu'il était fatigué ! Ces Tolneps n'étaient pas des enfants de chœur ! S'ils ne s'étaient pas retirés aussi brusquement et bizarrement, la totalité des forces de défense de Singapour, privée d'électricité, aurait été anéantie en une vingtaine de minutes. Oui, Kariba avait intérêt à préparer un comité d'accueil !

7

Il avait fallu un certain temps aux émissaires pour s'installer à l'extérieur. Certains avaient exprimé le désir de remplacer leurs cartouches de gaz respiratoire, quelques-uns avaient demandé à manger. D'autres encore s'étaient promenés aux alentours, curieux mais amicaux, désireux de visiter un peu l'intérieur de la cuvette. L'un d'eux était même allé jusqu'à marchander l'achat d'un chien dans un village de réfugiés chinois. Il n'avait jamais encore vu de chien et il trouvait cet animal ravissant, surtout depuis qu'il avait essayé de le mordre. Il ne parvenait pas à comprendre que le Chinois, qui ne parlait pas un mot de psychlo, refusât son offre. Pourtant, cinq mille crédits galactiques, cela représentait une certaine somme. De quoi s'acheter une maison plus une ferme sur Splandorf, la planète natale de l'émissaire.

Tout le monde était installé, à présent. Même Lord Schleim, qui s'était promené un peu partout, la bouche constamment collée contre le pommeau de son sceptre.

Il faisait nuit. La plate-forme était éclairée par des lampes de mine. Les émissaires avaient pris place sur les bancs et dans les fauteuils qui avaient été disposés devant le grand carré de métal, hors de la zone de danger. Quelques-uns bavardaient entre eux, mais l'intérêt général était loin d'être éteint.

Jonnie se tenait au milieu de la plate-forme et, durant un moment, ils se demandèrent s'il n'allait pas se téléporter quelque part ou faire quelque tour de ce genre. Les projecteurs éveillaient des éclairs sur les boutons de sa tenue et la créature, sur son casque, paraissait à nouveau vivante. C'était très intéressant, même pour un puissant seigneur qui, d'ordinaire, trouvait tout ennuyeux.

- Mes seigneurs, commença Jonnie, une fois encore, veuillez me pardonner pour abuser de votre temps que je sais précieux. Mais, afin de régler définitivement ce problème avec Schleim, je crains qu'il nous faille assister à une démonstration. Une démonstration où nous serons les témoins d'un appétit excessif. Avec votre permission ?...

Toute l'assistance se mit à rire, à l'exception de Lord Schleim et des représentants des états combattants. Une démonstration d'appétit excessif ? Une sorte de compétition gastronomique ? Ils en avaient déjà vue. Oui, oui, allez-y, continuez...

Par deux fois, Jonnie frappa le creux de sa paume avec son bâton. Deux mécaniciens surgirent de l'ombre avec un chariot de mine splendidement décoré.

Et, sur le chariot, il y avait un dragon semblable à celui qui se trouvait sur son casque. Il mesurait près de deux mètres. Il avait des ailes. Un cou. Et sa tête était féroce, avec une gueule béante, des cornes et des yeux rouges ardents. Et sur toute la longueur de son corps, de la tête à l'extrémité de la queue, ses écailles étaient dressées. Sa carapace était dorée et sa gueule écarlate.

Les mécaniciens firent mine de déplacer le dragon, mais Jonnie leur fit signe de s'écarter, comme si l'animal allait les mordre.

Schleim pouffa de rire. Il guettait toujours le moindre son annonçant l'arrivée de sa flotte et peu lui importait ce que faisait le démon, mais il ne put s'empêcher de réagir :

- Mais ce n'est pas vivant ! clama-t-il. Ce n'est qu'une sculpture peinte ! Il y en a d'autres là-bas ! (Il montra du doigt la pile de sculptures inachevées.) Ce n'est rien de plus qu'une figure creuse !

Quelle comédie insipide ! Ce pauvre idiot de démon croyait donc réellement appâter tous ces seigneurs comme s'ils étaient des enfants ?

Mais les émissaires tournèrent vers Schleim des regards réprobateurs et celui qui se trouvait placé immédiatement derrière lui se pencha et fit : « Chut ! »

Schleim se retourna pour le dévisager. C'était un être massif, énorme, dont les ancêtres avaient dû être plus proches des arbres que des animaux. Sa peau était pareille à de l'écorce et ses cheveux drus étaient comme des feuilles. Ses bras avaient plus de trente centimètres de diamètre et Schleim se dit qu'il devrait tout particulièrement surveiller celui-là quand il entrerait en action. Ce qui n'allait pas tarder, d'ailleurs.

- Veuillez excuser Lord Schleim, dit Jonnie. Il est surmené et il n'y voit pas très bien.

Ce fut au tour des seigneurs de pouffer de rire.

- Cette bête qui se trouve sur le chariot, continua Jonnie, est appelée un « dragon ». Si vous regardez bien, vous verrez sa mère sur la console, là-bas.

Les émissaires se tournèrent vers le dragon de plus grande taille qui surplombait la console et rirent de plus belle. Sa mère !

Sir Robert se trouvait sur le seuil de la salle des opérations. Derrière lui, Stormalong lui parlait à voix basse, une liasse de rapports dans la main. Sir Robert secouait la tête. Finalement, il dit :

- Ce n'est pas le moment de venir embêter Jonnie avec ça !

Et Stormalong regagna l'intérieur de la salle.

Lord Schleim avait remarqué cette brève scène. La flottille avait-elle été repérée ? Peut-être lui faudrait-il entrer en action plus tôt que prévu. Il pointa une oreille vers le ciel. A leur arrivée, ils devaient larguer quelque chose dans l'atmosphère. Afin qu'il entende. Telles étaient ses instructions.

- Vous remarquerez, poursuivait Jonnie, que le dragon qui est sur le chariot est différent de celui qui est sur mon casque. (Il montra son front.) On a donné à manger au plus petit.

Oui, ils le voyaient bien. Le dragon du casque avait bel et bien une petite boule dans sa gueule. Une boule blanche.

- Celui qui est sur le chariot est affamé ! ajouta Jonnie. A titre d'information - et vous pourrez ajouter cette donnée à vos connaissances de la flore et de la faune des autres mondes - sachez que ceci est un Dragon Impérial ! Il se nourrit de planètes et de lunes !

Ils trouvèrent la plaisanterie excellente. Ceux qui régnaient n'arrêtaient pas de dévorer des planètes. C'était le régime impérial ! Vu ! Oui, très bonne plaisanterie. Ils riaient aux éclats. Ils comprenaient très bien que c'était une allégorie. Très habile.

Jonnie écarta à nouveau les mécaniciens et tapota doucement la tête d'argile du dragon. Puis, soudain, il referma ses bras sous le cou et le ventre de la bête, exactement comme on attrape par surprise un animal sauvage, le souleva et recula en titubant sous le poids. Ce dragon était lourd !

Les mécaniciens s'éclipsèrent avec le chariot, suivis par le regard attentif de Schleim. Ils s'enfoncèrent dans l'ombre, puis revinrent presque aussitôt et se tinrent à l'écart, immobiles. Bon, il n'aurait aucun problème quand il déclencherait le rayon paralysant.

Jonnie avait installé le dragon au centre de la plate-forme. Il faisait maintenant quelque chose de très intéressant. Penché sur la tête de la bête, il lui parlait à l'oreille.

- Très bien, disait-il. Je *sais* que tu as faim. ALORS VA ! DÉVORE ASART !

Dissimulé aux regards par le dragon, il glissa la main à l'intérieur de la bête, entendit le signal discret d'Angus, à la console, et abaissa le levier de déclenchement de la bombe ultime qui se trouvait dans le ventre du dragon. Le détonateur était réglé sur cinq minutes. Du pouce de son autre main, il perça habilement la capsule d'une bombe fumigène du modèle utilisé dans les mines pour détecter les courants d'air.

La fumée commença à jaillir de la gueule du dragon, lui donnant une apparence plus féroce encore !

Jonnie sauta de la plate-forme. Angus appuya sur le bouton de tir.

Jonnie, alors, pointa son bâton sur le dragon.

- Va ! Et ne reviens pas avant d'avoir dévoré Asart ! Va !

Les câbles se mirent à bourdonner.

Le dragon fumant se mit à luire, puis disparut.

Le choc du recul fut très léger.

Jonnie regarda sa montre. Il leur restait trois minutes et demie.

Il retourna sur la plate-forme. Il sentit un froid intense à l'endroit où, durant une fraction de seconde, s'était trouvé le vide glacé d'Asart.

- A présent, dit-il, l'un de vous, mes seigneurs, aurait-il un picto-enregistreur auquel vous puissiez vous fier ? Je ne désire pas utiliser le nôtre car vous pourriez ne pas lui faire confiance. J'ai besoin d'un appareil qui vous appartienne, que vous puissiez sceller afin d'éviter tout trucage.

Le seigneur qui représentait Fowljopan, un empire de sept cents mondes, dit qu'il serait très obligé d'apporter son concours. Il gagna son appartement et revint avec un picto-enregistreur. Il vérifia que l'appareil était bien chargé. Jonnie y apposa un sceau métallique qu'il ferma soigneusement.

Les deux mécaniciens se précipitèrent alors sur la plate-forme et y déposèrent une gyrocage qui provenait d'un drone. Le seigneur de Fowljopan jeta un coup d'œil à la console pour s'assurer qu'elle ne fonctionnait pas, inspecta les poteaux, guettant le moindre bourdonnement puis, rassuré, il gagna le centre de la plate-forme, posa le picto-enregistreur dans la gyrocage et, ainsi que Jonnie l'avait demandé, referma et verrouilla la porte avant de quitter la plate-forme.

Jonnie consulta sa montre. Sept minutes s'étaient écoulées. Le dragon avait été déposé exactement à la surface d'Asart. La bombe avait dû exploser deux minutes auparavant. Ce deuxième tir placerait le picto-enregistreur au large d'Asart.

- Feu ! lança Angus.

Les câbles bourdonnèrent.

Le picto-enregistreur et la cage se mirent à scintiller et disparurent.

Il n'y eut pas d'effet de recul.

Les chiffres défilaient rapidement sur le cadran de la montre de Jonnie. Trente-neuf secondes.

Le bourdonnement changea. Quelque chose brilla sur la plate-forme.

Le picto-enregistreur réapparut ainsi que la cage.

Le bourdonnement cessa.

Il y eut un faible recul.

Deux mécaniciens avancèrent le projecteur au milieu des émissaires.

Jonnie se tourna vers l'émissaire de Fowljopan.

- A présent, seigneur, voulez-vous je vous prie récupérer votre picto-enregistreur, l'amener à côté du projecteur et ôter le scellé. Et assurez-vous bien, je vous prie, qu'il s'agit de *votre* disque en prononçant quelques mots à la fin de l'enregistrement. Vérifiez aussi qu'il ne se trouve aucun disque, aucun détail suspect dans la machine, puis passez votre enregistrement.

Le seigneur de Fowljopan fit très exactement ce que Jonnie lui avait demandé.

- L'appareil est froid comme la glace ! s'étonna-t-il.

Jonnie retint son souffle. Il avait une idée assez précise de l'effet de la bombe. Mais il n'avait aucune certitude. C'était le moment décisif !

Il appuya sur la télécommande. Les lumières s'éteignirent. Et le projecteur se mit en marche.

Là, devant eux, dans l'ombre, apparut Asart, en relief, bien reconnaissable aux cinq ellipses.

Habitués comme ils l'étaient aux effets des bombes, les émissaires s'étaient attendus à voir une colonne de poussière et de fumée. En vérité, aucun d'eux n'avait été préparé à ce qu'ils voyaient à présent. Jonnie avait été si calme, si poli, certainement pas d'humeur belliqueuse.

Tout d'abord, ils ne virent rien d'étrange. Puis, comme l'enregistrement se déroulait, ils discernèrent *un trou*. Un trou dans la surface de la lune, en haut à droite. Rien qu'un trou. Avec un léger cerne noir autour.

Schleim, qui guettait toujours le ciel, éprouva un soudain élan d'effroi. Par les cinquante démons, qu'est-ce qui se manigançait ici ? Mais il s'efforça au calme. Les bombes, ça explosait. Il n'en existait pas qui faisaient simplement un trou. L'image disparut et ils entendirent le Fowljopan : « Ceci est ma voix ! »

- Quelle pauvre comédie ! s'exclama Schleim en riant. Tout cela est absurde !

- Mes seigneurs, dit Jonnie en l'ignorant, l'un de vous aurait-il un autre picto-enregistreur que nous puissions utiliser ?

Oui, offrit immédiatement Lord Dom. Il fit comme le seigneur de Fowljopan. Angus régla le temps de transfert, plaça le picto-enregistreur selon un angle différent, le téléporta, puis le récupéra.

Lord Dom, quelque peu effrayé de mêler les mille deux cents mondes de sa république à cette affaire, enregistra quelques mots d'une voix incertaine.

Jonnie démarra la projection.

Asart, une seconde fois, brilla dans le noir, devant l'assistance.

Un centième de la lune à peu près avait été gagné par le trou qui était maintenant entouré de vagues de nuages noirs. Et, presque à la fin de l'enregistrement, ils eurent l'impression qu'une sorte de porte s'ouvrait en bas à gauche, une porte dans la croûte planétaire qui ne faisait pas partie du trou qui grandissait.

Un frémissement de terreur courut dans l'assistance. Mais Jonnie n'avait pas l'intention de laisser le désordre s'installer.

- Vous voyez, mes seigneurs, dit-il, le dragon avait vraiment *très faim*. (Il eut un rire léger.) C'est également un dragon particulièrement obéissant. Je lui ai dit de dévorer Asart, et il dévore Asart. Il est très docile.

On aurait dit qu'il les avait arrosés d'eau glacée. Tous les yeux, braqués sur lui, étaient gagnés par une horreur grandissante.

Schleim brisa le sortilège. Il venait d'avoir une idée qui lui assurerait la victoire. Dans ses bagages, il avait un picto-enregistreur mais également un pistolet. Celui qu'il avait glissé dans une de ses bottes avait disparu. Maudit valet ! Les esclaves hawvins avaient toujours été nuls.

- Tu te contentes d'expédier les picto-enregistreurs sur une maquette cachée quelque part dans les collines. Avec des gens qui la trafiquent au fur et à mesure ! C'est de la frime ! (Schleim le croyait vraiment. Mais il lui fallait être *sûr*.) Moi aussi j'ai un enregistreur.

- Eh bien, allez le chercher, dit Jonnie.

Schleim se précipita vers son appartement. Il fouilla rapidement dans sa malle. Ah ! Non seulement il y avait un pistolet mais aussi un autre sceptre, au fond, avec un émetteur de rayon paralysant. Comme ça, il pourrait en poser un sur un siège et se servir de l'autre pour aller couper l'alimentation du câble de blindage. Ah ! Ah ! Ah ! Trois grenades à éclatement ! Quand il aurait déclenché le rayon, il en lancerait une dans la salle des opérations et garderait les deux autres pour détruire quiconque franchirait la porte. Parfait ! Tout compte fait, il ne torturerait pas son esclave hawvin. C'était un brave type !

Schleim revint avec sa malle et l'installa à côté de son siège. Il l'ouvrit avec précaution afin que personne ne puisse voir ce qu'il y avait à l'intérieur et prit le picto-enregistreur. Il était d'un modèle différent des autres mais fonctionnait avec les mêmes disques.

- Démon, dit-il, ta comédie va s'arrêter là. Tu ignores, parce que tu n'es pas né sur la bonne planète, qu'Asart, sur son autre face, porte un losange barré. Cela a été fait à l'aide d'un matériau nullificateur à hyper-fréquence afin de servir de balise de navigation et d'identification. Seuls les officiers de la flotte le connaissent. Sur tes enregistrements, il n'apparaît pas. Et tes appareils ne peuvent enregistrer à la fois dans l'hyper-spectre et dans ce que vous appelez la lumière visible. Sur mon enregistrement, tu pourras voir le losange barré. Pas sur les tiens. Et comme, bien sûr, tu n'as pas pu le mettre sur ta maquette, je vais donc prouver que tu es le plus grand magouilleur de tous les temps !

Il était confiant. Mais, avant de détruire le dispositif de transfert, il fallait être certain. S'agissait-il d'une maquette cachée quelque part dans les collines ou bien était-ce vraiment Asart ? Parce que, si c'était vraiment Asart... Il fallait qu'il sache si le démon avait le secret de la téléportation. Quelle arme !

Il se leva en sinuant pour aller déposer le picto-enregistreur dans la gyrocage, la scella d'un signe en forme de griffe et quitta la plate-forme.

Angus avait tout entendu. Il modifia immédiatement les coordonnées afin d'avoir l'autre face d'Asart *et* le trou.

Il déclencha le tir, effectua la récupération et, dès que l'effet de recul eut cessé, Lord Schleim se précipita pour vérifier que le signe était toujours là. Il était intact.

Il alla au projecteur, s'assura qu'il ne contenait aucun autre enregistrement, dit « Lord Schleim ! » sur la fin du disque et le mit en place dans le projecteur.

Est-ce qu'il ne venait pas d'entendre un sifflement lointain dans le ciel ?

8

Lord Schleim était certain qu'il n'y aurait pas de losange barré sur l'image enregistrée qui allait être projetée avant peu. Seuls des yeux et des picto-enregistreurs tolneps pouvaient enregistrer cet emblème. Il profiterait de cet instant précis pour distraire les autres.

Oui ! C'était bien un sifflement qu'il avait entendu dans le ciel. La flotte les survolerait d'ici quelques instants. Son timing avait été parfait. Bien joué ! Il avait cent fois mérité sa réputation de diplomate fourbe et roué.

Il se dirigea vers son siège et s'assura que sa malle était à portée de main. Puis il promena son regard sur les émissaires. Ils dressaient tous la tête, guettant la première image, totalement absorbés et à sa merci. Schleim repéra l'endroit exact où se trouvait le démon, un peu au-devant du premier rang, loin du projecteur. Schleim porta la main à son sceptre.

- Passe-nous ce dernier enregistrement de ta maquette ! lança-t-il.

Jonnie appuya sur les boutons. Les lumières s'éteignirent encore une fois et l'image tridimensionnelle d'Asart se matérialisa devant eux.

Elle était prise sous un angle nouveau. On voyait une partie de la face cachée en même temps qu'une partie de la face visible. Le filtre conférait à l'ensemble une teinte bleutée, mais c'était bien Asart.

Et, au milieu de l'image, s'imposant au regard, il y avait l'emblème de Tolnep, le losange barré, noir sur la surface de la lune.

Schleim en resta bouche bée. C'était vraiment Asart.

L'une des extrémités de la balafre qui barrait le losange était pointée droit sur une porte de hangar. Et voilà que, sous les yeux de l'assistance, cette porte s'ouvrait, démasquant une des nombreuses bouches béantes des cavernes aménagées par les Tolneps !

La lune avait encore diminué de volume. On aurait dit un ballon bleu en train d'être grignoté par quelque bouche invisible. Le trou sur le côté s'agrandissait de plus en plus rapidement.

Des tourbillons de gaz noir s'amoncelaient dans la partie évidée.

Et tout à coup, un vaisseau de guerre jaillit du hangar béant ! Sa vitesse devait être élevée mais sa taille colossale donnait une impression de lenteur. Trente mille tonnes de la force spatiale de Tolnep tentaient de fuir dans l'espace.

Mais il était trop tard. Le trou qui se creusait dans la lune avait déjà rattrapé le vaisseau. Et sa partie arrière venait de disparaître !

Devant les yeux fixes de tous les délégués, le vaisseau géant fut dévoré de la queue à la tête. La masse de métal fut transformée en gaz.

D'autres portes de hangars s'ouvraient.

Mais l'enregistrement arrivait à sa fin. Sur une dernière bouffée de gaz noir, l'ultime parcelle du vaisseau géant fut désintégrée et la voix de l'émissaire tolnep dit « Lord Schleim ! ».

Lord Schleim hurla. Et entra en action.

Il mit en place ses tampons auditifs et bondit. Il actionna l'extrémité de son sceptre et, le saisissant comme une mitraillette, il balaya l'espace de gauche à droite pour paralyser toute l'assistance.

- Vous êtes tous paralysés ! Tous ! glapit-il. Morts ! Vous êtes morts ! Ne bougez plus ! Vous m'entendez, maudits ?

Ça n'allait pas assez vite ! Les émissaires s'étaient levés et fuyaient. Certains trébuchèrent.

Il prit le deuxième sceptre dans sa malle et tourna rapidement l'extrémité, avant de viser les gardes.

Eux non plus ne tombaient pas assez vite.

Il prit alors les trois grenades. Il en lança une de toutes ses forces vers la porte béante de la salle des opérations. Puis une deuxième vers la cuvette. Quant à la troisième, il la projeta droit sur le démon.

Il avait agi avec une rapidité extraordinaire : les grenades n'avaient pas encore atterri qu'il tenait déjà le pistolet dissimulé dans la malle. Il ajusta le démon qui se trouvait à moins de dix mètres de distance. Il appuya avec délectation sur la détente.

Le coup ne partit pas.

Lord Dom, une créature bulbeuse originaire d'un monde en grande partie aquatique, venait de bondir sur ses pieds et accourait dans la direction de Lord Schleim.

Le Tolnep leva le pistolet, se préparant à l'abattre sur la tête de Dom. Un Tolnep pouvait écraser n'importe qui.

Jonnie lança son knobkerrie, qui traversa l'air en sifflant. Le bâton de bois dur fracassa les filtres optiques de Schleim.

Lord Browl, l'émissaire massif qui avait été assis immédiatement derrière le Tolnep, referma ses bras de trente centimètres de diamètre sur lui et le bloqua sur place en une clé douloureuse.

- Qu'on l'empêche de bouger ! cria le Fowljopan. Ne le laissez pas toucher son corps !

D'un geste du poignet, il cueillit un couteau semblable à un bec dans sa patte droite et s'avança droit sur Schleim.

Le Tolnep se débattait mais les bras énormes de Lord Browl lui interdisaient le moindre geste. L'émissaire de Fowljopan inspectait de ses petits yeux le cou du Tolnep. La peau avait l'apparence de l'acier.

- Ah ! s'exclama-t-il enfin. Voilà l'incision. Elle n'est pas tout à fait cicatrisée !

Il pointa son couteau et entailla la chair. Des gouttes de sang gris jaillirent de la fente. Le représentant de Fowljopan la pressa délicatement et une fragile capsule de verrite tomba, intacte.

- Sa capsule létale, dit-il. Il lui aurait suffi de se donner une claque sur le cou et il était mort. (Il adressa un regard réprobateur à Jonnie.) Si vous l'aviez touché à cet endroit avec votre bâton, nous n'aurions plus d'accusé !

Pour la première fois Jonnie eut le sentiment que tout n'allait pas se passer exactement comme prévu, que les choses ne tournaient pas rond.

L'émissaire de Fowljopan se tourna vers ses collègues qui s'étaient regroupés autour de lui et lança d'une voix criarde :

- Cette assemblée émet-elle le vœu de procéder à l'arrestation de cet émissaire afin qu'il soit traduit en jugement ?

Ils réfléchirent. Ils supputèrent. Ils se regardèrent. Quelqu'un évoqua la « clause 32 ».

Jonnie n'avait qu'une pensée en tête : se mêler à eux et faire que la guerre cesse *instantanément*. Est-ce que ces émissaires réalisaient que des gens continuaient de mourir ? Quant à Lord Schleim, n'avaient-ils pas tous vu qu'il avait essayé de faire usage de ses armes contre eux. Mais Jonnie se heurtait à présent à la lourde et absurde procédure qui était le propre des cours de justice et des gouvernements. Dans le ciel, le sifflement se faisait de plus en plus fort. Ils étaient directement menacés.

- Je propose qu'il soit légalement jugé ! lança un des seigneurs.

- Qui est d'accord ? cria un autre.

Tous les représentants des états non belligérants approuvèrent : « Oui. » Les combattants dirent non.

- Je déclare donc, entonna le représentant de Fowljopan, que l'émissaire de Tolnep est prisonnier de cette assemblée et qu'il doit être traduit en jugement au titre de la clause 32 pour avoir utilisé la menace de violences physiques lors d'une conférence !

Le sifflement dans le ciel s'amplifiait. Jonnie se fraya un chemin jusqu'au Tolnep et lui brandit un sceptre devant le visage.

- C'est ça que vous cherchiez, Schleim ? C'est le vrai sceptre. Les autres n'étaient que des copies que nous avons faites. Des faux, comme toutes vos armes !

Schleim se débattait en hurlant.

- Qu'on nous apporte des chaînes ! lança l'émissaire de Fowljopan.

Jonnie se pencha un peu plus près du visage de Lord Schleim. Mais le représentant de Fowljopan était occupé à palper les dents du Tolnep afin de s'assurer qu'il n'avait pas d'autre capsule létale à croquer. Quand il eut fini, Jonnie reprit :

- Schleim ! Dites à votre commandant de se retirer ! Parlez-lui ou je vous enfonce cette radio dans la gorge !

Lord Dom tenta d'écarter Jonnie.

- C'est le prisonnier de cette assemblée ! Il ne doit communiquer avec personne avant d'être jugé. La clause 51, concernant la procédure de jugement, stipule que...

Jonnie parvint tant bien que mal à se dominer.

- Seigneur, cette assemblée est sous la menace d'un bombardement en ce moment même ! Pour votre sécurité, j'exige que Schleim...

- Vous exigez ? s'exclama le représentant de Fowljopan. Voilà des mots bien forts ! Nous devons nous plier à certaines procédures. Et je vous signifie officiellement que vous avez vous-même jeté un objet sur un émissaire. La conférence...

- Pour lui sauver la vie ! protesta Jonnie en désignant Dom. Le Tolnep lui aurait fracassé le crâne !

- Vous agissiez donc en tant que capitaine d'armes de cette conférence ? dit le Fowljopan. Je ne me souviens d'aucune nomination...

Jonnie inspira. Il réfléchissait à toute allure.

- J'ai agi en tant que mandataire de la planète hôte, responsable de la vie des délégués invités.

Il n'avait jamais entendu parler d'une telle procédure.

- Ah, dit Lord Dom, il invoque la clause 41 : responsabilité planétaire à l'égard des émissaires invités.

- Mmm, fit le Fowljopan. Donc, nous ne pouvons vous inculper. Alors, ces chaînes, elles viennent ?

Un garde chinois arrivait en courant, portant un rouleau de chaînes de treuils, suivi par deux pilotes chargés de lourds anneaux d'assemblage.

- Selon la clause 41, dit Jonnie, dans une dernière tentative désespérée, je dois exiger du prisonnier qu'il donne l'ordre à sa force d'attaque de se rendre sur l'heure.

Lord Dom regarda l'émissaire de Fowljopan qui secouait la tête.

- Tout ce que nous pouvons ordonner, selon la clause 19, c'est une suspension temporaire des hostilités dans la mesure où ce conflit menace la sécurité physique de l'assemblée.

- Bien ! dit Jonnie.

Il savait qu'il prenait un risque. Les émissaires n'étaient plus aussi bienveillants, maintenant. Mais il devait aller jusqu'au bout. Il avait des vies à sauver. Non seulement les leurs mais celles des survivants d'Edinburgh. Il avança la radio tout contre la bouche de Schleim et dit :

- Déclarez la suspension immédiate des hostilités, Schleim ! Et dites à votre commandant de retirer ses forces !

Lord Schleim leur cracha dessus.

Ils l'enchaînaient maintenant. Quelqu'un avait déniché des filtres de rechange dans ses bagages et remplaçait ceux qui avaient été cassés afin que le Tolnep pût voir à nouveau clairement. On l'avait couché sur le sol et il n'était plus qu'un rouleau de chaînes. Seule sa face était visible. Il avait retroussé les lèvres et émettait des sifflements de rage.

Jonnie était sur le point d'éclater et de lui dire que s'il ne parlait pas dans sa radio et ne donnait pas les ordres qu'il exigeait, la planète Tolnep aurait droit à un gros dragon. Mais il pensa qu'il risquait de violer une loi ou une autre et il hésita, cherchant les mots qui convenaient.

Lord Dom, accidentellement, trouva la solution avant que Jonnie puisse parler.

- Schleim, dit-il, je suis certain que votre jugement se passera bien mieux si vous retirez immédiatement vos forces.

C'était la perche que Schleim attendait.

- Dans ces conditions, dit-il, et si le commandant accepte de mettre un terme à cet acte de piraterie et de suivre mes ordres, donnez-moi la radio.

Jonnie faillit presque la lui coincer entre les crocs.

- Pas de code ! Contentez-vous de dire : « Je déclare une suspension temporaire des hostilités » et « Vous avez l'ordre de vous remettre en orbite à l'écart de toute zone de combat. »

Schleim observait les visages penchés sur lui. Lorsque Jonnie appuya sur le contact dissimulé dans le sceptre, il surprit tout le monde en disant exactement ce que Jonnie lui avait demandé de dire. Mais n'y avait-il pas l'ombre d'un sourire mauvais sur ses lèvres ?

Dans l'espace, on prenait déjà des dispositions. La voix de Rogodeter Snowl leur parvint par l'intermédiaire du sceptre-radio :

- Il est de mon devoir de m'enquérir si l'émissaire de Tolnep est sous la contrainte d'une menace physique.

Ils se regardèrent. Il était évident que les règlements de la marine tolnep prévoyaient des contre-ordres aussi inattendus et inexplicables.

Schleim leva le menton par-dessus les maillons de la chaîne et dit en souriant :

- Est-ce que je peux lui parler à nouveau ?

- Dites-lui de s'exécuter immédiatement ! fit Jonnie.

Il n'avait pas l'intention de proférer une menace précise à l'encontre de la planète Tolnep dans les circonstances présentes et devant une pareille assemblée.

Une nouvelle fois, Schleim s'exécuta docilement.

Rogodeter Snowl répondit rapidement.

- Je ne puis m'exécuter que si j'ai l'assurance que la sécurité personnelle de l'émissaire de Tolnep sera garantie et si la conférence promet de le renvoyer sans sévices sur la planète Tolnep.

L'émissaire de Fowljopan déclara à Lord Dom :

- Ce qui exclut l'exécution.

- Selon la clause 42, dit Lord Browl, il peut quand même y avoir jugement. C'est une procédure tout à fait normale. Je propose que nous garantissions le rapatriement sain et sauf de l'émissaire à titre personnel. Vous êtes tous d'accord ?

La motion fut approuvée à l'unanimité.

Le Fowljopan cherchait du regard, tout autour de lui.

- Mais où est ?... Où est ?...

Le petit homme gris fit son apparition. Il prit le sceptre des mains de Jonnie, promena les yeux sur les visages des émissaires et, lorsqu'ils hochèrent la tête, il se mit à parler dans le micro. Il donna d'abord un mot de code suivi d'un bourdonnement bizarre qui paraissait venir du revers de son costume gris. Puis il déclara :

- Capitaine Snowl, vous avez l'assurance que l'émissaire de Tolnep sera renvoyé, sans dommages physiques, sur sa planète après un délai raisonnable.

Snowl répondit aussitôt :

- Merci, Votre Excellence. Veuillez, je vous prie, informer les émissaires que j'accepte une suspension temporaire des hostilités à l'instant même et que je me retire sur une orbite à l'écart de toute zone de combat. Fin de la communication.

Jonnie désigna les émissaires des autres états combattants. Car c'étaient *eux* qui réduisaient en cendres Edinburgh et la Russie !

- Lord Fowljopan, je suis certain que toute suspension temporaire des hostilités engage tous les belligérants.

- Ah, fit le Fowljopan. (Il réfléchit brièvement.) Nous n'avons aucune garantie que seuls des vaisseaux tolneps se trouvaient là-haut. Il serait inapproprié que les autres ne se rangent pas à cette décision.

Mais le Bolbod, le Drawkin et le Hawvin désignaient à leur tour Sir Robert, qui se tenait sur le seuil de la salle des opérations.

- Nous sommes d'accord ! lança le chef de guerre avec une expression dégoûtée devant tous ces atermoiements.

Les émissaires des états combattants se mirent en quête de moyens de liaison et une horde de communicateurs se rua dans la salle, micro au poing, manquant presque les renverser.

Dans un brouhaha de langages divers, les émissaires ordonnèrent à leurs unités de suspendre momentanément les hostilités.

Grands dieux, pensait Jonnie. Et pendant ce temps, des hommes mouraient.

Mais rien n'était joué. Nul n'avait encore dit que les combats ne reprendraient pas, et peut-être avec une plus grande violence encore.

Et qui était donc ce petit homme gris qui exerçait sur tous une telle autorité ? De quel côté était-il ? Et qu'était-il vraiment ? Qu'avait-il à gagner dans toute cette histoire ? Représentait-il une nouvelle menace ?

9

Les émissaires entraînaient Schleim quand survint Quong, le communicateur bouddhiste de Sir Robert. Il se précipita vers Jonnie et lui murmura :

- Sir Robert me prie de vous dire qu'il va y avoir un exode avant peu et qu'il ne faut pas vous en alarmer. Ils travaillent là-dessus depuis une demi-heure aux opérations et les ordres viennent d'être donnés. Il y a des centaines de gens bloqués dans les abris d'Edinburgh. Les entrées et les tunnels se sont effondrés sous les bombes. On ignore encore le nombre des survivants. Sir Robert dit que c'est exactement comme un effondrement dans une mine. Ils vont se rendre là-bas dans quelques minutes et il veut que vous restiez ici. Si besoin est, il reviendra.

Ce fut comme si une main glacée se refermait sur le cœur de Jonnie. Chrissie et Pattie étaient là-bas. Est-ce qu'elles vivaient encore ?

- Il faut que j'y aille ! lança-t-il.

- Non, non ! Sir Robert m'a dit que vous alliez réagir comme ça, Lord Jonnie. Ils vont faire tout ce qui est en leur pouvoir. Il m'a dit que tout reposait entre vos mains à présent.

A cet instant, le pandémonium éclata. Sir Robert jaillit hors de la salle des opérations. Il s'était changé et sa cape grise flottait derrière lui comme il courait.

- Au revoir, Lord Jonnie, ajouta Quong avant de s'éloigner à toutes jambes.

Sir Robert, à l'entrée du tunnel, agitait frénétiquement le bras.

- Allez ! cria-t-il. On se dépêche !

Les docteurs MacKendrick et Allen sortirent du secteur hospitalier. Ils couraient tout en bouclant leurs valises. Allen, sans ralentir, se retourna pour lancer un ordre à l'infirmière.

Les blessés en état de marcher clopinaient tous en direction du tunnel.

Quatre pilotes passèrent en courant.

Les gardes qui, l'instant d'avant, avaient tenu Schleim en joue depuis leurs postes s'interpellaient. Un soldat arriva, lourdement chargé de paquetages qu'il leur distribua et, la seconde d'après, ils avaient disparu.

Une véritable foule d'officiers et de communicateurs quittait la salle des opérations pour se diriger vers la sortie.

Soudain, Jonnie prit conscience de l'activité et de l'excitation qui régnaient parmi les Chinois. Les mères posaient leurs enfants, criaient des instructions à leurs filles aînées, puis se précipitaient l'une après l'autre vers la sortie. Quant aux hommes, ils se démenaient avec des bagages et poussaient les plus petits des enfants vers leurs grandes sœurs. Les chiens, tenus en laisse par les plus jeunes garçons, se déchaînaient en une cacophonie d'aboiements et de plaintes.

Un premier moteur démarra. Puis un autre.

Trois pilotes écossais quittèrent la salle des opérations, achevant de boucler leur tenue de vol, des cartes sous le bras.

Et, pendant tout ce temps, Sir Robert, debout près du seuil, ne cessait de crier :

- Allez ! Allez !

La voix de Stormalong retentit au-dessus du vacarme :

- Victoria ? Victoria ? Nom de dieu, mon vieux, arrange-toi pour qu'il y ait une permanence radio ! Prends toutes les pompes de mine dont tu disposes. Ainsi que toutes les pompes atmosphériques, tous les tuyaux. Compris ? Oui, je sais que j'émets en clair !

Une voix de communicatrice se fit entendre. Elle s'exprimait en pali.

- Allez ! criait toujours Sir Robert à l'adresse des quelques traînards. Vite, bon sang ! Edinburgh brûle !

Un premier avion décolla. Sir Robert disparut. Un deuxième, puis un troisième avion suivirent. A l'oreille, ils devaient passer en vitesse hypersonique quelques secondes après avoir quitté le sol. Jonnie se demanda si tous les appareils allaient prendre l'air.

Lord Dom s'approcha de lui. Il y avait une expression soucieuse sur son visage énorme, liquide.

- Que se passe-t-il ? Vous abandonnez ce secteur ? Avez-vous conscience qu'il est illégal de profiter d'une suspension d'hostilités pour redisposer des forces militaires afin d'acquérir l'avantage de la surprise quand les combats reprendront ? Je tiens à vous mettre en garde contre...

Jonnie en eut brusquement par-dessus la tête des politesses chinkos. Il était inquiet pour Chrissie et Pattie. Et pour tous les gens de son village qui étaient en Russie.

- Ils sont partis pour essayer de dégager les centaines de gens pris sous les décombres des abris, dit-il. Je ne pense pas que votre règlement s'applique aux non-combattants, Lord Dom. Et même si c'était le cas, vous ne pourriez arrêter ces Écossais. Ils vont tenter de sauver ce qui peut encore l'être de la nation écossaise.

Sur ce, il gagna la salle des opérations. Le brusque départ de tous était visible dans le désordre qui régnait. Il n'y avait là que la communicatrice bouddhiste et Stormalong. Elle avait fini de transmettre les messages et se reposait, la tête renversée. Elle était épuisée. Il y avait des jours que tous travaillaient sans un moment de repos. C'était la première accalmie depuis longtemps.

- La Russie ? demanda Jonnie.

- Il y a une demi-heure, j'ai expédié tout le contingent de Singapour, dit Stormalong. Ils ont emporté tout ce qu'ils avaient. Ils n'ont que l'Himalaya à survoler. Ils seront sur place dans deux heures. J'ignore ce qu'ils vont trouver là-bas... Ça fait deux jours que nous sommes coupés de la Russie...

- Edinburgh ?

- Rien depuis une heure.

- Est-ce que je t'ai bien entendu donner l'ordre à Victoria de faire route sur l'Écosse ? demanda Jonnie. Et les prisonniers ?

- Oh, ils ont donné un fusil-éclateur à Ker. (Stormalong vit le regard de Jonnie.) Il dit qu'il leur fera sauter la tête s'ils remuent ne serait-ce qu'un os-paupière ! Et on a laissé cette vieille femme des Monts de la Lune pour s'occuper de la nourriture et des repas des prisonniers. Tous tes dossiers importants sont en sécurité...

Il s'apprêtait à ajouter « ici même », quand il aperçut Lord Dom sur le seuil.

- Je ne voudrais pas vous déranger, dit Lord Dom, mais je n'ai pu m'empêcher de surprendre vos propos. Auriez-vous laissé le secteur de cette conférence, et peut-être même tout ce continent, toute cette planète, sans couverture aérienne ?

Jonnie, avec un haussement d'épaules, désigna Stormalong et dit simplement :

- Il y a nous deux.

Lord Dom les regarda, bouche bée. Il réprima un frisson.

Stormalong se mit à rire :

- Et encore, nous sommes deux fois plus nombreux qu'avant ! Il n'y a pas si longtemps, il était *seul* !

Il montrait Jonnie.

Lord Dom tiqua. Il dévisagea Jonnie et se dit que ce jeune Terrestre ne semblait pas le moins du monde inquiet.

Puis il prit congé et alla raconter ce bref échange à ses collègues. Ils en discutèrent longuement entre eux.

Pour décider finalement qu'ils avaient intérêt à garder un œil sur Jonnie.

10

Jonnie, debout sur le seuil de la salle des opérations, contemplait la cuvette. Tout semblait si calme.

Les enfants chinois les plus âgés avaient réussi à apaiser les plus jeunes avant de les mettre au lit. Les chiens s'étaient enfin tus, épuisés par leur excitation. Les émissaires avaient gagné leurs appartements, à l'exception de ceux qui montaient la garde auprès de Schleim. Il n'y avait aucune sentinelle en vue. L'endroit semblait désert. Pourtant, il n'était pas très tard.

Pour Jonnie, qui avait été élevé dans le silence des montagnes, cette accalmie était la bienvenue. Cela ressemblait au calme qui succède à la tempête. Mais il ne durerait guère.

Il y avait trop d'événements en cours pour qu'il puisse garder l'esprit en paix. Qui pouvait savoir quel serait le verdict des émissaires au terme du procès ? Il n'avait aucune confiance en eux. Et que se passerait-il après cette « suspension temporaire » de la guerre ? Qu'allaient-ils trouver à Edinburgh ? Et en Russie ? Il se dit qu'il ferait mieux de ne pas trop penser à ces deux endroits, de crainte de sombrer dans l'angoisse et le chagrin.

Il se rappelait ce livre qu'il avait lu, où il était dit que pour contrôler les choses, il fallait ne s'occuper que d'un problème à la fois : un bon conseil.

Psychlo ! Depuis quelque temps, l'existence de Jonnie était si mouvementée que le problème de Psychlo était devenu comme une douleur lointaine, diffuse, pareille à un mal de dent. Couraient-ils encore le danger d'une contre-attaque ? Ou bien n'était-ce qu'une ombre imaginaire ?

C'était le moment ou jamais d'en avoir le cœur net. Il avait un dispositif de transfert en parfait état de marche. Il n'y avait pas le moindre avion en l'air, ni aucun moteur en marche. Psychlo ! Oui, il allait percer immédiatement cette énigme douloureuse.

Il marcha à grands pas jusqu'à la console et faillit entrer en collision avec Angus. L'Écossais était assis dans un rond de lumière, penché sur des rouages et des bielles. Il ne leva pas la tête, conscient de la présence de Jonnie.

- Pendant que tu t'occupais de Schleim, dit-il sans se détourner de son travail, j'ai placé un picto-enregistreur sur Tolnep afin de surveiller cette lune. Il n'y a aucun risque avec les moteurs à réaction. Seuls les moteurs à téléportation interfèrent avec les transferts. Comme c'était la seule gyrocage dont je disposais, j'en construis une autre avec des pièces détachées.

- Angus, dit Jonnie, nous allons essayer de découvrir ce qui s'est passé sur Psychlo. Nous avons la machine et nous avons le temps.

- Donne-moi une demi-heure.

Jonnie vit qu'Angus n'avait pas besoin d'aide. Il décida qu'il n'était pas obligé de rester là à attendre.

Il se dirigea vers sa chambre. En chemin, il s'arrêta à l'hôpital. On avait laissé une infirmière, une vieille Écossaise, et elle était mécontente de n'avoir pu partir avec les autres. Elle était penchée sur un patient et leva les yeux à l'entrée de Jonnie.

- C'est l'heure de vos sulfamides et de votre piqûre, fit-elle d'un ton menaçant.

Jonnie se dit qu'il n'aurait pas dû s'arrêter. Il avait seulement voulu jeter un coup d'œil sur les blessés.

Les deux hommes victimes de fracture du crâne étaient étendus. Ils semblaient hors de danger. Mais ils étaient écossais, et on les avait laissés ici. Ils regardèrent Jonnie d'un air abattu. Les deux artilleurs de la batterie antiaérienne qui avaient été brûlés semblaient eux aussi tirés d'affaire. Mais eux aussi étaient Écossais, et Edinburgh brûlait pendant qu'ils étaient dans leur lit.

- Enlevez votre blouson ! ordonna l'infirmière à Jonnie. (Elle ôta son pansement et examina la blessure de flèche.) Oh ! (Elle parut déçue.) Ça ne laissera même pas une cicatrice !

Elle le força à avaler de la poudre de sulfamide avec de l'eau. Puis elle lui enfonça une aiguille de trois centimètres dans son bras valide, lui injectant férocement une pleine ampoule de B complexe. Enfin, elle prit sa température et son pouls.

- Vous allez parfaitement bien ! conclut-elle.

Dans sa bouche, c'était comme une accusation.

Depuis quelques heures, la diplomatie n'avait plus aucun secret pour Jonnie. Il était sincèrement désolé pour ces hommes. Aussi dit-il, serrant casque et blouson dans une main :

- Je suis heureux que vous soyez restés. J'aurai peut-être besoin de pas mal d'aide pour défendre ce secteur.

D'abord, ils furent surpris, puis ils sortirent de leur torpeur. Ils lui dirent qu'il pouvait compter sur eux. Quand il les quitta, ils discutaient de ce qu'ils pourraient bien faire et ils avaient tous le sourire, même l'infirmière.

Tous les Chinois adultes étant partis, il ne s'était pas attendu à retrouver Monsieur Tsung. Mais il était là. Il avait posé un blouson bleu sur le lit avec quelques autres effets afin que Jonnie se change. Il s'inclina plusieurs fois, le visage rayonnant, les mains dans ses manches.

Il voulait dire quelque chose, mais son anglais n'était pas à la hauteur, et il disparut un instant pour revenir avec le chef Chong-won.

- Eh bien, vous au moins vous êtes là, dit Jonnie. Je croyais que la place était vide.

- Oh, non ! fit le chef. Tous les coordinateurs sont partis. Mais nous avons des invités, comme vous le savez. Les émissaires. Je suis donc resté, de même que le cuisinier, ainsi qu'un électricien et deux artilleurs pour la batterie anti-aérienne. (Il compta rapidement sur ses doigts.) Il doit rester en tout une douzaine de personnes. Et nous avons un problème. (Il vit que l'intérêt de Jonnie s'éveillait.) Il s'agit de la nourriture. J'avais pensé que nous aurions à restaurer tous ces émissaires et nous leur avons préparé la plus fine cuisine chinoise dont vous ayez entendu parler. Mais ils ne veulent pas de nos aliments ! Nous avons donc tous ces plats et personne pour les manger ! Quel dommage !

Pour quelqu'un appartenant à un peuple qui avait connu la famine dans les cimes enneigées durant des siècles, c'était une tragédie.

- Donnez-les aux enfants, dit Jonnie.

- Oh, nous l'avons fait, nous l'avons fait. Même aux chiens. Mais il nous reste encore beaucoup de nourriture, beaucoup. Je vais vous dire ce que je vais faire. Il y a un appartement vacant. Nous allons y mettre la table et vous offrir un très beau dîner.

- J'ai des choses à faire, dit Jonnie.

- Oh, pas de problème, pas de problème. C'est très distingué de manger tard. Et le cuisinier sera tellement ravi. En attendant... (Il disparut prestement dans le hall pour revenir avec un plateau sur lequel étaient disposés un bol de soupe et des petits pâtés de viande.) Ça, c'est... je ne trouve pas le mot psychlo... des bouchées pour entre les repas. Aidez-nous !

Jonnie se mit à rire. Si seulement ça pouvait être leur unique problème, la vie serait un vrai bain de soleil ! Il se laissa aller dans un fauteuil et se mit à grignoter. Tsung, qui avait été occupé quelque temps à dresser une petite table, se remit à s'incliner.

- Pourquoi salue-t-il comme ça ? demanda Jonnie.

Le chef leva la main et Jonnie s'aperçut qu'un quatrième écran avait été mis en place, ce qui en faisait deux qui donnaient en permanence l'image de la salle de conférence.

- Pendant tout le temps où vous étiez sur la plate-forme, il est resté ici avec un coordinateur qui traduisait au fur et à mesure. A la fin, le coordinateur était à moitié mort d'épuisement. Nous avons les disques de tout ce qui s'est passé. Sur ce deuxième écran, vous étiez visible en même temps que les émissaires. J'ai moi-même regardé une ou deux fois...

Monsieur Tsung l'interrompit, volubile. Le chef traduisit aussitôt.

- Il désire vous faire savoir que vous êtes l'élève le plus doué et le plus rapide qu'il ait jamais eu. Il dit que si vous aviez été un Prince Impérial de Chine et que lui et les siens avaient encore été chambellans et non en exil, la Chine serait toujours là.

Jonnie rit et voulut lui rendre le compliment, mais Monsieur Tsung continuait de parler très vite tout en tirant quelque chose de sa manche.

- Il désire quelque chose, dit le chef. Il veut que vous mettiez votre « signe » sur ce papier. C'est-à-dire votre signature.

Monsieur Tsung déroulait un parchemin couvert de caractères chinois.

Le chef, haussant les sourcils, se mit à en traduire le contenu à l'intention de Jonnie.

- Cela dit que vous approuvez l'annulation du statut d'exil de la Cour Impériale, pour toute sa famille, et que vous appuyez leur réintégration en tant que chambellans du gouvernement principal de cette planète et de vous-même.

- Je ne suis pas membre du gouvernement, dit Jonnie.

- Il sait cela, mais il n'en veut pas moins votre signe. Je vous préviens qu'il a deux frères et plusieurs parents. Ils ont tous reçu une formation diplomatique. Ah, oui, il me dit qu'il a là un autre document. Il y est écrit qu'ils sont réintégrés au rang de Mandarin du Bouton Bleu. Qu'ils pourront porter une calotte avec un bouton bleu. Qu'ils seront à nouveau nobles, en fait. Ce document est tout ce qu'il y a de valide, puisqu'ils appartiennent à la noblesse.

- Mais je ne suis pas... commença Jonnie.

Monsieur Tsung émit un trille aigu de protestation.

- Il dit que vous ignorez qui vous êtes réellement. Mettez votre signe et il se chargera du reste.

- Mais je n'ai pas l'autorité pour le faire. La guerre n'est pas encore finie. Tant s'en faut. Je...

- Il dit que les guerres sont les guerres, que les diplomates sont les diplomates et que le jeu ne cesse jamais. Lord Jonnie, si j'étais vous, je signerais. Ils étudient tous l'anglais et le psychlo. C'est sa seule chance d'atteindre le but qu'ils se sont fixés il y a mille cent ans. Je vais vous lire ces documents mot par mot.

Ma foi, se dit Jonnie, ils ne seraient arrivés à rien sans Monsieur Tsung. Il se fit donc donner un pinceau, signa, et le chef Chong-won apposa son attestation en tant que témoin.

Avec révérence, Monsieur Tsung enveloppa les documents dans une pièce de brocart doré et les remporta comme s'il s'était agi des joyaux d'une couronne.

- Ah, oui, dit Jonnie à l'instant où il sortait. Autre chose. Veuillez lui dire à quel point j'ai apprécié ce conte à propos du dragon qui a dévoré la lune.

VINGT-HUITIÈME PARTIE

1

Psychlo !

La planète mère de deux cent mille mondes.

Le cœur d'un empire qui avait dominé et ravagé seize univers durant trois cent deux mille années.

Psychlo. Qui avait amené la destruction de l'homme.

De cet empire, qu'était-il donc advenu ?

Que s'était-il passé sur Psychlo ? Et, si elle existait encore, que manigançaient ses habitants ?

Représentait-elle ou non un danger ?

Durant toute une année âpre et turbulente, ils s'étaient interrogés et Psychlo avait été enfouie sous leurs pensées, les tourmentant sans cesse comme quelque épine.

A présent, ils allaient savoir.

Une pâle lumière éclairait la cuvette, et le métal de la plate-forme luisait d'un éclat mat. Il n'y avait pas un bruit de moteur dans le ciel étoilé.

Angus et Jonnie échangèrent un regard. Ils allaient découvrir ce qui était arrivé.

- D'abord, commença Jonnie, nous allons inspecter diverses exploitations minières pour voir quels sont les dispositifs de transfert en activité. Il existe peut-être quelque part un indicateur susceptible de les alerter. Nous devrons faire très attention et ne pas nous approcher trop près de quoi que ce soit.

Le livre des coordonnées leur indiqua la présence d'un dispositif de transfert sur Loozite, un monde minier exploité par des mineurs psychlos, de taille importante et relativement éloigné de Psychlo.

Ils mirent en place la nouvelle gyrocage, installèrent un picto-enregistreur dans le coffre blindé, déterminèrent les coordonnées par rapport à un point situé à quatre-vingts kilomètres du dispositif de transfert de Loozite, et déclenchèrent le tir.

Les câbles se mirent à bourdonner.

La cage revint bientôt.

Il y eut un effet de recul infime.

Jonnie prit le disque et le plaça dans le lecteur du projecteur atmosphérique.

Il le mit en marche.

Durant un instant, Angus et lui se dirent qu'ils avaient dû se tromper dans leurs calculs et filmer une mine. A une distance de quatre-vingts kilomètres, les détails n'étaient pas très visibles et Jonnie recentra et réajusta l'image.

Ils virent un trou !

Ce n'était pas une mine. Ils remarquèrent un poteau de transfert penché selon un angle anormal.

Mais, ce poteau mis à part, ils ne virent qu'un trou. Et, alentour, pas la moindre trace de dômes d'habitation.

Jonnie s'interrogea : est-ce qu'il y avait des sites d'exploitation construits différemment selon les planètes ? Cette plate-forme de Loozite s'était peut-être trouvée complètement à l'écart, à des kilomètres de tout lieu habité. Pourtant, les Psychlos avaient toujours fait preuve d'un conformisme maniaque quant à leurs installations et, généralement, l'administration centrale des mondes qu'ils contrôlaient se trouvait à proximité du dispositif de transfert, puisque c'était là qu'était regroupé le minerai de la planète. C'était là que l'on trouvait les magasins, là qu'étaient centralisés les dossiers. C'était là que résidaient les fonctionnaires.

Ils avaient sous les yeux un trou. Un trou immense.

Ils décidèrent de choisir un autre site, Mercogran, dans le cinquième univers. Le guide indiquait que c'était une planète cinq fois plus grande que la Terre mais de moindre densité.

Ils déclenchèrent un deuxième tir et récupérèrent bientôt la gyrocage.

Lorsqu'ils rallumèrent le projecteur, ils virent tout de suite que l'image montrait autre chose. Ils durent régler le cadrage pour mieux distinguer les détails.

Mercogran s'était trouvé situé près d'une chaîne de montagnes et, apparemment, il s'était produit des avalanches si importantes qu'elles auraient largement recouvert n'importe quel camp minier.

Jonnie rapprocha encore la vue. Oui, là ! Dans l'angle inférieur droit ! La coupole renversée d'un dôme du camp. Pareille à une soupière basculée. Un poteau de transfert était visible au centre, de même que des câbles grillés et emmêlés. Mais rien d'autre.

Il leur était impossible de parvenir à une conclusion ferme, si ce n'était que les installations centrales et le dispositif de transfert étaient hors d'état.

Ils choisirent une autre planète au hasard : Brelloton. Un monde habité dont la population était indigène et qui était gouverné par une « régence » psychlo depuis soixante mille ans.

Ils déterminèrent les coordonnées par rapport à un point situé à soixante kilomètres du dispositif de transfert et lancèrent la gyrocage.

Ils n'étaient nullement préparés au spectacle qui les attendait. Ils virent une ville. Le dispositif de transfert, apparemment, avait été installé sur un plateau surélevé au centre même de la ville.

Les bâtiments, qui autrefois avaient été gigantesques, n'étaient plus que des amoncellements de débris, tout autour du plateau. Ils avaient dû culminer à plus de six cents mètres au-dessus de la ville et s'étaient effondrés comme des dominos sur un million d'habitants ou plus.

Ce qui restait du dispositif de transfert était parfaitement identifiable. A la place de la plate-forme, il y avait un trou. Quant aux poteaux, ils étaient tous penchés vers l'extérieur.

Les dômes du camp, au-dessus du plateau, avaient été soufflés par l'onde de choc et projetés à quelque distance. Leurs sous-sols étaient à ciel ouvert.

Une image plus rapprochée encore leur révéla l'herbe qui avait poussé dans les crevasses.

Il n'y avait pas la moindre trace de vie.

Jonnie alla s'asseoir, songeur. Puis il demanda à Angus de retrouver certaines des vues prises par les appareils de couverture au-dessus de la Rivière du Purgatoire et du camp américain.

Angus revint bientôt et ils les visionnèrent. La ville en ruine était bien visible, à plus de soixante kilomètres de distance. Ainsi que le trou à l'emplacement de la plate-forme et les poteaux qui étaient tous inclinés vers l'extérieur.

- Je sais ce qui est arrivé, dit enfin Jonnie. Nous pourrions continuer d'explorer ainsi toutes les planètes de l'empire psychlo pendant toute la nuit, nous verrions à chaque fois la même chose. Donne-moi cet ordinateur. On va essayer de voir ce qui s'est produit sur Psychlo le 92e Jour de l'an dernier !

La lumière. Sa vitesse approximative était de 9 300 000 000 000 kilomètres par an. La lumière qui avait été émise par Psychlo à cette date traversait encore l'espace. Il leur suffirait d'aller à sa rencontre et, avec un picto-enregistreur de drone stellaire réglé pour un agrandissement de 6 000 000 000 000, ils pourraient observer Psychlo à l'instant même où l'événement s'était produit. Quel qu'ait été cet événement.

Il avait eu lieu un an auparavant, plus quelques jours.

Il fallait définir un angle sidéral pour la prise de vue. Éviter les divers corps astraux afin que la cage ne subisse pas l'influence de champs gravifiques et reste stable durant deux ou trois minutes. Non : il fallait faire preuve d'audace et la laisser durant quinze minutes en espérant qu'elle ne bouge pas. Puis la rappeler.

Il fallut aux deux hommes un certain temps pour tout mettre au point. Ils durent régler à nouveau l'agrandissement, ajuster les senseurs thermiques, afin qu'ils demeurent aveugles aux autres masses, et calculer les secondes.

Finalement, ils lancèrent la gyrocage.

Les câbles bourdonnèrent durant tout le long moment d'attente. Et la cage réapparut.

Elle était légèrement déplacée sur la plate-forme. Dans sa hâte, Jonnie voulut se précipiter pour la toucher, mais Angus le retint. Le métal devait être glacé au point de lui arracher la peau ! Il fallait attendre qu'il se réchauffe un peu car ils couraient le risque de déformer le disque d'enregistrement avec la brusque différence de température.

Jonnie avait l'impression d'être un homme mourant de soif devant lequel on agitait une gourde d'eau.

Enfin, ils purent mettre le disque en place dans le projecteur ! L'image leur apparut, nette et brillante ! Ils avaient cru qu'elle serait floue, comparable à ce que l'on voit au travers des vagues d'air chaud. Mais tous les détails étaient clairs comme du cristal.

Devant eux se dressait la Cité Impériale de Psychlo. Avec ses rails circulaires de tramway, ses rues qui convergeaient depuis les falaises alentour comme autant de courroies de transport. Le concept de la mine avait carrément été intégré à l'architecture de la ville !

Psychlo était une planète énorme, bourdonnant d'activité.

Ils avaient devant leurs yeux le monde qui avait plié à sa volonté tous les univers connus, le nerf moteur de la patte aux griffes acérées qui déchirait et raclait la chair et les os de toutes les planètes habitées. Un monde sadique et affreux qui existait depuis trois cent deux mille ans !

Jamais auparavant ils n'avaient contemplé une cité d'une telle importance. Quelle pouvait en être la population ? Cent millions ? Un milliard ? Et ce n'était que la capitale, pas la planète tout entière ! Avec ses tramways qui montaient vers les collines en suivant de larges rampes en spirales. Avec ses véhicules qui ressemblaient à s'y méprendre à des chariots de mine mais qui étaient bondés de gens. De Psychlos ! Des foules, des multitudes de Psychlos ! Jamais encore ils n'avaient vu autant d'êtres à la fois.

Ils étaient fascinés. Ils comparaient ce qu'ils voyaient à leurs propres villes, et même aux grandes métropoles en ruine. Mais aucune comparaison n'était possible.

Il fallait être bien vaniteux pour s'attaquer à cela.

Ils étaient tellement impressionnés, fascinés qu'ils en avaient omis d'observer le dispositif de transfert de Psychlo. Ils avaient en fait manqué le début et ils durent revenir en arrière.

Ils agrandirent l'image et la centrèrent sur la plate-forme.

Ils virent alors toute la séquence, enregistrée immédiatement après que Jonnie et Fend-le-Vent furent arrivés sur la plate-forme.

Ils virent tout d'abord les ouvriers psychlos qui évacuaient la plate-forme pour l'habituel tir de routine bisannuel en provenance de la Terre. Des véhicules à plate-forme attendaient non loin de là pour embarquer les cercueils et le personnel.

Il y eut un scintillement préliminaire pour l'arrivée des Psychlos que Jonnie, avec Fend-le-Vent, avait assommés.

Puis une minuscule explosion.

Les ouvriers psychlos reculèrent.

Un écran de force venait d'être activé ! Un dôme qui avait couvert la plate-forme instantanément pour contenir l'explosion. Ce n'était pas un câble de blindage atmosphérique. Plutôt une sorte d'écran scintillant, étincelant. Transparent mais bien visible.

Les véhicules avaient déjà démarré. Un énorme camion s'approcha de la plate-forme. A l'évidence, il avait été prévu pour s'occuper des explosions mineures. Une longue minute s'écoula.

Et le premier cercueil de mort explosa. Un « casse-planète » nucléaire enfoui dans un véritable matelas de mines destructrices.

L'écran de force tint bon.

L'holocauste fut contenu. La formidable explosion n'avait même pas déformé l'écran !

Un deuxième choc : un autre cercueil venait d'exploser.

Une nouvelle fois, l'écran résista ! Grands dieux ! Quelle technologie extraordinaire ! Comment avaient-ils fait pour mettre au point pareil écran. Il devait falloir une quantité d'énergie inimaginable pour le faire fonctionner.

Un troisième choc. Un troisième casse-planète. Des bombes atomiques anciennes, sales.

L'écran résistait toujours.

Des Psychlos accouraient de toutes parts. Quant à ceux qui étaient à proximité de la plate-forme, ils étaient couchés au sol par l'effet de choc qui provenait de l'écran.

Une quatrième bombe explosa.

L'écran résistait toujours.

Mais l'onde de choc avait propulsé le gros camion en arrière et les vitres des immeubles alentour avaient éclaté.

Le sol était secoué comme sous l'effet d'un gigantesque séisme.

Un des bâtiments s'effondra tout à coup, comme aspiré vers le bas. D'autres suivirent.

La cinquième bombe explosa !

Et, d'abord lentement, puis de plus en plus vite, la scène tout entière fut changée en un nuage bouillonnant de feu atomique.

Mais il y avait plus ! Sur toute l'étendue de la plaine, des gerbes ardentes jaillissaient de toutes parts.

Ils élargirent rapidement l'image.

Toute la Cité Impériale de Psychlo s'écroulait, dans des geysers de flammes gigantesques.

Les trams, la foule, les immeubles et même les falaises étaient noyés dans une tourmente de flammes jaune-vert.

Ils agrandirent en hâte la perspective.

Et ils virent la planète Psychlo transformée en soleil radioactif !

L'enregistrement cessait là. Ils restèrent un instant immobiles, sans énergie.

- Mon dieu, dit enfin Angus.

Jonnie sentit monter en lui une légère nausée. Ils venaient d'assister au résultat de leurs plans et des risques qu'ils avaient pris un an auparavant. Bon, d'accord, il s'était agi des Psychlos, mais tout cela lui laissait un arrière-goût de culpabilité. Difficile d'assumer la responsabilité d'une destruction d'une telle ampleur.

Il avait pensé que les bombes balayeraient le quartier général de la Compagnie et peut-être aussi la Cité Impériale. Au lieu de quoi, elles avaient créé un nouveau soleil.

- Que s'est-il passé ? fit Angus.

Jonnie contemplait ses pieds.

- J'ai déclenché dix détonateurs dans ces cercueils. Nous ne voulions pas utiliser une minuterie et courir le risque qu'elles explosent sur Terre. Nous savions que ces bombes étaient plus ou moins contaminées, qu'il y avait des fuites de radiations. Elles étaient vieilles et leurs enveloppes aussi. Nous avons été obligés de les manipuler avec des tenues anti-radiations. (Il laissa tomber son bras.) Dans la bataille, j'ai lâché les cordons de déclenchement des détonateurs sur la plate-forme. Et je les ai oubliés. Ils devaient être légèrement radioactifs et, lorsqu'ils ont atteint la plate-forme de Psychlo, ils ont provoqué cette petite explosion. C'est ce qui explique le petit choc en retour enregistré l'an dernier.

» Sur Psychlo, cela a déclenché ce champ de force dont les frères Chamco nous avaient parlé. Il s'est montré assez solide pour contenir les explosions.

» J'ai lu dans un des livres de Char que la croûte de Psychlo était truffée de puits et de galeries de mine abandonnés. Une véritable taupinière. Ils appellent ça l'exploitation à mi-noyau. Les explosions se sont propagées en profondeur. A chaque fois, elles se sont rapprochées un peu plus du noyau plasmique de Psychlo.

» C'est la cinquième qui l'a pénétré. Et les autres ont suivi.

» Une arme nucléaire ne fait que *stimuler* une réaction en chaîne. Et non seulement la croûte planétaire a été détruite, mais la fusion s'est poursuivie. Et elle continue sans doute encore à l'heure qu'il est, et pour des millions d'années.

» Psychlo n'est plus une planète mais un soleil en activité !

Angus acquiesça.

- Oui, et tous les centres de transfert de l'empire psychlo, ignorant ce qui s'était passé et respectueux des dates de transfert, ont téléporté leurs cargaisons dans ce soleil radioactif et ont explosé à leur tour ! Ils ont été réduits en miettes !

Jonnie hocha la tête d'un air épuisé.

- Comme Denver l'autre jour. (Il eut un frisson.) Terl s'est projeté dans un holocauste. Pauvre Terl !

Cette réflexion sortit brusquement Angus de son apathie.

- Pauvre Terl ! Après tout ce que ce maudit démon a fait ? Jonnie, quelquefois je me pose des questions à ton sujet. Tu peux te montrer froid comme la glace et, l'instant d'après, tu dis des choses comme « pauvre Terl » !

- Sa mort a dû être affreuse.

Angus se redressa. Il semblait aussi en forme qu'après un plongeon dans le lac.

- Et voilà ! Psychlo, c'est fini ! L'Empire n'existe plus ! Nous n'aurons plus à nous en inquiéter ! Bon débarras !

2

En dépit de ses réactions émotionnelles, Jonnie avait été élevé comme un chasseur. Il avait passé le plus clair de son temps dans les montagnes, seul sur les pistes hantées par les loups, les pumas et les ours grizzlis. Souvent, il avait deviné derrière lui la présence d'un prédateur qui guettait la moindre défaillance de sa part.

Depuis quinze secondes, il éprouvait à nouveau ce sentiment. *Danger !*

Il se retourna brusquement, prêt à l'action.

Le petit homme gris qui se trouvait derrière lui dit :

- Oh, vous ne saviez donc pas ?

Jonnie laissa retomber la main qu'il venait de poser sur son arme.

Le petit homme gris fit mine de n'avoir pas remarqué son geste.

- Je comprends à présent bien des choses qui ne m'étaient pas encore apparues. Oui, je crains que Psychlo n'existe plus. Bien entendu, nous le savions. Mais nous ignorions *comment* cela s'était passé.

- Est-ce qu'il reste des Psychlos *quelque part ?* demanda Angus.

Le petit homme gris secoua la tête.

L'autre petit homme gris, qui était arrivé par téléportation, avait attendu jusque-là dans l'ombre. Il s'avança enfin.

- Nous avons vérifié et revérifié. Nous n'avons appris la disparition de Psychlo que deux semaines après que l'événement se fut produit. Nous avons lancé des vaisseaux partout...

Le premier petit homme gris lui jeta un regard vif. Une mise en garde ?

Son compagnon changea tranquillement de sujet.

- Les dispositifs de transfert étaient tous installés dans les centres miniers ou les palais de régence. C'était l'usage de la Compagnie. Tous leurs cadres et leurs officiels étaient logés à proximité des plates-formes. Par paresse, en fait, pour leur éviter d'avoir à se déplacer trop loin, pour avoir les messages plus vite. Même chose pour leurs stocks de gaz respiratoire.

» C'est en effectuant leur tir vers Psychlo qu'ils se sont aperçus de ce qui s'était produit. Les Psychlos ont toujours eu le monopole de la téléportation et n'ont guère pratiqué le voyage spatial - qui ne leur aurait d'ailleurs jamais permis d'apprendre la nouvelle.

» Quant à nous, bien sûr, nous n'avons pas pu explorer tous les univers. Mais, connaissant les Psychlos, nous pouvons affirmer qu'il ne subsiste aucun dispositif de transfert, aucun camp ni aucun Psychlo survivant. Nous avons laissé tomber les recherches il y a cinq mois. Leurs réserves de gaz respiratoire étaient prévues pour une durée de six mois. Et ce délai a expiré il y a six mois.

Jonnie avait examiné attentivement les deux petits hommes gris. Ils lui cachaient quelque chose. Et ils voulaient quelque chose. Ils représentaient une menace. Il en avait l'intime conviction. Ils étaient courtois, affables, polis. Mais leur franchise n'était qu'une façade.

- Comment pouvez-vous être sûrs qu'un ingénieur psychlo, quelque part, n'a pas construit un dispositif de transfert ?

- Parce que, dit le deuxième petit homme gris, il aurait tenté de nous contacter immédiatement, en admettant qu'il n'ait pas voulu tirer en direction de Psychlo. Le dispositif le plus proche de nous a été anéanti comme les autres. Avec la moitié de la ville. Atroce. Par chance, il s'est trouvé que j'étais en voyage à des kilomètres de là avec ma famille ce jour-là. De toute façon, nos bureaux sont à quinze niveaux de profondeur.

Le premier petit homme gris venait-il de lui faire signe ? Probablement, car son compagnon se passionnait soudain pour ses ongles pointus.

- Je n'ai vu aucune planète dans nos livres qui ait la même atmosphère que Psychlo, dit Angus. En existe-t-il ?

Les deux petits hommes gris réfléchirent.

- Fobia, dit celui qui était arrivé en second. Mais je ne pense pas qu'ils l'aient mentionnée dans leurs guides.

Tous deux se mirent à rire. Le premier dit :

- Veuillez nous excuser. C'est une plaisanterie entre nous. Dans notre profession, les secrets d'état les mieux gardés de Psychlo sont comme un livre ouvert. Qu'ils omettent de mentionner « Fobia » est typique de leur part. C'est le monde sur lequel ils ont exilé le Roi Hak il y a environ 261 000 ans. C'est la seule autre planète de leur système. Et elle est tellement éloignée de Psychlo qu'elle n'est pas visible à l'œil nu depuis la planète mère. Elle est si froide que son atmosphère est à l'état liquide à la surface. Bref, les Psychlos y ont édifié un dôme atmosphérique où ils ont enfermé le Roi Hak et ses amis conspirateurs. Ensuite, ils ont tellement eu peur qu'il s'enfuie qu'ils ont envoyé des assassins, lesquels ont tué tout le monde. Typiquement psychlo. Puis, ils ont gommé toute l'affaire de leurs livres scolaires. Voyons ce que disent les tables astrographiques... (Il prit les volumes, les parcourut, puis rit en montrant une page à son compagnon.) Elle n'y est pas ! Ils ont omis une planète qui se trouve dans leur propre système !

L'autre perçut le regard de Jonnie et dit :

- Non, il n'y a plus un seul Psychlo là-bas. Et il ne s'y passe rien non plus. C'est une très petite planète, avec seulement de la glace en surface. Il y a deux ou trois semaines, des sondes nous ont montré qu'elle était déserte. Non, vous pouvez en être sûr : c'en est bien fini des Psychlos. D'après mes enregistrements, vous en avez encore quelques-uns ici, mais vous n'auriez pas réussi à leur faire construire ça ! (Il tapota la console-dragon.) Pour des raisons connues d'eux seuls, ils se tueraient avant ! (Il secoua la tête.) Il en restait encore quelques-uns de vivants sur certaines planètes minières. Des ingénieurs. Ne croyez pas que nous n'avons pas tenté de les convaincre, mais ils sont tous morts maintenant.

Le premier petit homme gris essayait-il de faire taire son compagnon ? Mais ce dernier était un peu mieux vêtu et avait l'air d'être son supérieur hiérarchique.

- Je crois, dit le premier petit homme gris, que nous devrions nous réunir pour une conférence privée. Il y a plusieurs problèmes à régler.

Ah, pensa Jonnie, nous y voici.

- Je ne suis pas membre du gouvernement, se défendit-il.

Le deuxième petit homme gris rétorqua :

- Nous savons cela. Mais vous avez sa confiance. Nous pensons que si nous avions la possibilité, nous et vous, de converser, vous pourriez ainsi nous aider à arranger une conférence avec votre gouvernement.

- Bref, préparer le terrain pour une conversation sérieuse, ajouta l'autre.

Jonnie eut une inspiration soudaine. Il se souvenait que le petit homme gris, le premier, avait bu du thé aux herbes.

- Je dîne dans une demi-heure. Si notre nourriture convient à votre métabolisme, je serais heureux que vous vous joigniez à moi.

- Oh, mais nous mangeons de tout, dit le deuxième petit homme gris. Tout ce qui se présente. Nous serions ravis.

- Alors, dans une demi-heure, dit Jonnie.

Et il prit congé pour aller dire à Chong-won qu'il avait trouvé des convives.

Il allait peut-être enfin avoir l'occasion de découvrir quel genre de menace ces deux petits hommes gris représentaient. Car il était persuadé que ce n'était pas un effet de son imagination : ils étaient bel et bien dangereux !

3

Les petits hommes gris savaient manger. Aucun doute à ce propos.

Jonnie avait été surpris par la façon dont le chef avait décoré la pièce principale de l'appartement. On y avait suspendu des lampions de papier coloré, éclairés par des lampes de mine placées à l'intérieur. Deux peintures, l'une représentant un tigre qui chargeait dans la neige, l'autre un oiseau en vol, ornaient chacune un mur. On avait disposé des tables de service autour de la table centrale et celle-ci était même recouverte d'une nappe.

Monsieur Tsung avait insisté pour que Jonnie revête une tunique de brocart doré - après son refus d'arborer une robe de satin vert - et Jonnie avait fort belle allure.

Une musique discrète aux notes aiguës sourdait de quelque part. C'était le seul son qu'on entendait dans la pièce, si l'on exceptait le claquement des assiettes que le chef Chong-won amenait sans arrêt et le bruit des mâchoires des petits hommes gris.

Jonnie avait tenté d'inviter Angus au repas, mais il avait refusé en prétextant qu'il devait garder un œil sur la gyrocage de la lune. Jonnie avait répété la même invitation à Stormalong, mais le pilote était épuisé et se reposait dans la salle des opérations. Finalement, il avait demandé au chef Chong-won et à Monsieur Tsung de se joindre à eux, mais ils avaient dit qu'ils devaient faire le service. Ainsi, Jonnie se retrouvait seul avec les deux petits hommes gris. Il pensait que c'était bien dommage car il y avait surabondance de mets. Et puis, il n'avait personne à qui parler, car les deux petits hommes se contentaient de manger sans un mot. Ils mangeaient, mangeaient, mangeaient !

Le dîner avait commencé par quelques hors-d'œuvre : roulades aux œufs, côtelettes grillées et poulets en papillote. Ils avaient été servis copieusement et les deux petits hommes gris avaient tout dévoré sans sourciller. Puis on avait présenté diverses pâtes : des yat ga mein, des mun yee, des war won ton, un flan aux nouilles, du bœuf lo mein et du yee fu par platées entières ! Les deux petits hommes gris avaient tout avalé. Ensuite, ç'avait été du poulet : poulet aux amandes, aux noix de cajou, aux petits champignons, aux lychees. Toujours avec le même succès auprès des deux petits hommes gris. Puis on avait servi du bœuf : bœuf de Mongolie, bœuf aux aubergines sautées, bœuf aux tomates, bœuf aux piments. Et les deux petits hommes étaient venus à bout de tout ça ! D'énormes quantités de canard pékinois, cuisiné de trois manières différentes, avaient succédé au bœuf et les deux petits hommes gris, imperturbables, les avaient ingurgitées ! A présent, ils faisaient un sort à divers plats d'œufs : une omelette au poulet, une autre aux champignons, et des œufs aux fleurs précieuses.

Jonnie se demandait où le chef Chong-won avait bien pu trouver tous ces ingrédients, mais il est vrai que le gibier abondait, qu'il y avait même du gibier d'eau dans le lac et que les Chinois s'étaient aménagé des jardins et des potagers protégés des prédateurs par le câble de blindage.

Jonnie, pour sa part, n'avait guère mangé. Monsieur Tsung lui avait appris, avec un peu de mépris dans la voix, que la plupart de ces plats venaient du sud de la Chine, mais que la seule véritable cuisine chinoise avait été pratiquée dans le nord, sous la dynastie Ch'ing, à l'époque où sa famille avait encore les choses en main. Le canard pékinois et le bœuf de Mongolie, cependant, étaient des mets dignes d'attention. Jonnie s'était incliné et avait trouvé cela fort bon. Pas aussi bon, bien sûr, que les civets de gibier de sa tante Ellen, mais très comestibles. L'infirmière lui avait fait dire qu'il valait mieux pour lui s'abstenir de prendre de l'alcool de riz à cause de son traitement aux sulfamides, ce qui n'était pas un problème pour Jonnie qui buvait peu.

A eux deux, les petits hommes gris étaient en train de dévorer un repas prévu pour trente personnes ! Mais où mettaient-ils tout ça ?

Jonnie prit tout son temps pour mieux les étudier. Leur épiderme était gris et d'aspect rugueux. Ils avaient les yeux d'un bleu-gris terne, un peu comme la mer, et leurs paupières étaient lourdes. Ils avaient le crâne rond et absolument chauve. Leur nez était nettement redressé au bout. Leurs oreilles avaient un aspect bizarre et évoquaient plutôt des branchies. Leurs mains étaient normales, avec quatre doigts et un pouce, quoique leurs ongles fussent particulièrement pointus. Tels quels, ils ressemblaient tout à fait à des hommes normaux. La principale différence était leur denture : ils avaient *deux* rangées de dents. La deuxième était placée juste derrière la première.

En les voyant manger avec une telle voracité et en pareille quantité, Jonnie essaya de déterminer la lignée génétique de ces êtres. Ils lui rappelaient quelque chose et il chercha quoi exactement. Il se souvint alors d'un poisson qu'un pilote, de passage au Lac Victoria, leur avait montré. Son avion était tombé dans l'Océan Indien à la suite d'une panne de carburant et le pilote s'était éjecté avec son canot de sauvetage. En attendant les secours, il avait été attaqué par quelques-uns de ces poissons. Lorsque les secours étaient arrivés, on avait tué un des poissons et fait un picto-enregistrement. Un poisson énorme. Mais quel était donc son nom ? Jonnie réfléchissait. Il avait regardé dans un livre-d'homme. Oui ! Un *requin !* C'était le nom du poisson. Les petits hommes gris avaient le même genre de peau, les mêmes dents. Peut-être avaient-ils évolué à partir d'une race de requins qui avait accédé à l'intelligence.

Ce fut enfin le moment du thé. Non pas que les petits hommes fussent rassasiés, mais le chef Chong-won était tout simplement à court de vivres ! Lorsqu'on servit le thé, le premier petit homme gris demanda avec une trace d'inquiétude s'il s'agissait là de thé aux herbes. Non, le rassura-t-on, c'était du thé de Chine, et il parut soulagé.

Ils se laissèrent aller contre le dossier de leur siège et sourirent à Jonnie. Ils dirent que c'était le meilleur repas qu'ils avaient fait depuis longtemps, peut-être le meilleur de toute leur vie, et le chef s'éclipsa pour aller rapporter ces compliments au cuisinier.

En voyant leur regard, Jonnie se dit que peut-être ils envisageaient de le dévorer, lui, maintenant qu'ils avaient tout avalé ! Mais non, il délirait. En fait, ils étaient très affables. Il allait peut-être enfin apprendre qui ils étaient, ce qu'ils voulaient.

- Vous savez, commença le premier, en ce qui concerne ces forces hostiles, le problème, c'était surtout vos défenses. Elles ne valent rien. Mais c'est toujours comme ça avec les Psychlos. Ils n'investissaient jamais dans la défense et ils employaient du personnel bon marché. Ils préféraient acheter une demi-douzaine de nouvelles femelles ou deux tonnes de kerbango plutôt qu'un armement valable.

Il regarda Jonnie comme s'il s'apprêtait à lui révéler quelque chose d'absolument renversant.

- Vous savez combien coûtent ces canons antiaériens dont vous vous servez ? Moins de cinq mille crédits ! Quelle camelote ! Leur portée ne dépasse pas soixante mille mètres. Des armes soldées, des fortifications au rabais. Ils avaient sûrement acheté des vieux surplus de guerre. Et un cadre a dû inscrire, quelque part des faux prix dans les livres de comptes et empocher la différence.

- Quel est le prix d'un canon convenable ? demanda Jonnie pour maintenir la conversation.

Le second petit homme gris réfléchit un instant. Puis il sortit un petit livre gris d'une poche de son gilet et l'ouvrit. La page parut s'agrandir. Il se pencha dessus et la parcourut au moyen d'une petite loupe de lecture.

- Ah, en voici un. « Canon de défense multicomputeur à effet combiné surface/espace. Portée maximum : 985 kilomètres. 15 000 coups/minute. Visée simultanée prévue pour 130 vaisseaux ou 2 300 bombes. Potentiel de destruction A-13 (ça veut dire qu'il pénètre la coque d'un vaisseau-amiral). Prix net 123 475 crédits, plus transport et installation. » Avec quelques batteries de ce type réparties autour de vos points d'appui, vous auriez pu contenir l'ensemble de cette force ou encore la maintenir à une altitude telle qu'elle n'aurait pu utiliser d'engins atmosphériques.

Le premier petit homme gris approuva.

- Oui, c'est la cause principale de vos ennuis. Les Psychlos ont toujours été imprévoyants et avares. Je pense qu'ils n'entretenaient même pas le dispositif de défense de cette planète.

Jonnie était d'accord sur ce point. Il sentait qu'il allait enfin apprendre quelque chose sur ces deux créatures. Il fallait tout faire pour qu'ils continuent de parler !

- Selon vous, dit-il, que coûterait en gros une défense correcte pour cette planète ?

Il était tombé sur quelque chose !

Les deux petits hommes gris rapprochèrent leurs têtes. Le premier se mit à sortir divers objets de sa poche, à les examiner. Quant au second, il avait un anneau large à un doigt de la main gauche et, tout d'abord, Jonnie pensa qu'il ne faisait que jouer avec. Mais ce n'était pas cela. Il le tapotait selon une série de petits coups rapides et un fil très fin, presque invisible, en sortait.

Ils étaient l'un et l'autre particulièrement absorbés et leurs deux voix se fondaient :

- ... Trente sondes spatiales... balises de signalisation à onde porteuse permanente... quinze drones spatiaux, tir automatique sur tout engin non annoncé... coût d'équipement des engins terrestres avec balises d'identification... 2 000 balises atmosphériques... 256 chasseurs Mark 50... 400 tanks antipersonnel voltigeurs... 7 000 barricades routières antipersonnel... cent câbles de défense urbaine avec portes rétractables... cinquante drones à recherche chromothermique... cinquante drones de destruction à ciblage automatique...

Ils avaient fini. Le deuxième petit homme cassa le fil sorti de son anneau, le tapota à une extrémité et, avec un claquement sourd, le fil se changea en une feuille de papier longue comme un ruban. Il l'agita, lui donna une pichenette et elle tomba très exactement devant le premier petit homme gris qui s'en saisit. Il parcourut les chiffres qui y étaient portés avant de passer au total.

- Si l'on compte les pièces détachées et le transport, dit-il, nous atteignons 500 962 878 431 crédits payables en plusieurs tranches au taux d'intérêt habituel de deux pour onze, plus le salaire annuel des soldats et du personnel, ainsi que le gîte et le couvert, qui s'élèvent environ à 285 000 006 crédits.

Il lança la longue feuille en direction de Jonnie et conclut :

- Voilà. Un système de défense planétaire économique et efficace. De la marchandise haut de gamme. Faite pour durer cent ans. Exactement ce qu'il vous aurait fallu ! Et vous pouvez encore l'avoir !

Pour la Terre, c'était 498 960 878 431 crédits de trop ! Jonnie réalisait soudain à quel point ils étaient pauvres. Le moment était venu de tout savoir sur ces deux personnages.

- J'apprécie vos informations. Mais, si vous voulez bien m'excuser, messieurs, qui êtes-vous ? Des marchands d'armes ?

Ils eurent l'air stupéfaits, comme si on venait de lâcher une bombe sur eux ! Puis ils se regardèrent et éclatèrent de rire.

- Oh, je suis vraiment désolé, dit le premier. C'est affreusement impoli de notre part. Voyez-vous, nous sommes très connus dans nos secteurs respectifs. Et nous vous connaissons tellement bien, en fait, tellement à fond, qu'il ne nous est pas venu un instant à l'idée de nous présenter ! Je suis Son Excellence Dries Gloton. Et je suis très heureux de vous rencontrer, Lord Jonnie Tyler.

Jonnie prit la main que le petit homme lui tendait. La peau était sèche et rêche au contact.

- Et, continua Son Excellence, je vous présente Lord Voraz. Lord Voraz, voici Lord Jonnie Tyler.

Jonnie serra la main tout aussi rugueuse de Lord Voraz et dit :

- Je ne suis que Jonnie Tyler, Votre Seigneurie. Je n'ai pas de titre.

– Il nous plaît d'en douter, dit Lord Voraz.

Son Excellence intervint :

– Lord Voraz est le Directeur Central, l'Administrateur Principal et le Souverain de la Banque Galactique.

Jonnie cilla mais n'omit pas de s'incliner.

– Dries, dit Lord Voraz, se plaît à se qualifier d'encaisseur en chef, mais c'est en fait une vieille plaisanterie de notre profession. En vérité, il est le Directeur de la Filiale de la Banque Galactique pour ce secteur. Vous avez pu remarquer qu'il m'est arrivé une ou deux fois de lui marcher sur les orteils accidentellement. Un Directeur de Filiale jouit de l'autorité absolue dans son secteur et il est généralement jaloux de ses prérogatives. (Il rit, ravi de taquiner son subalterne.) Votre planète dépend de son secteur et il est responsable de toutes les négociations la concernant. C'est à lui qu'il incombe de présenter des bénéfices pour ce secteur. Quant à moi, ma présence ne se justifie que parce qu'il y a une réunion d'émissaires. Cette période est très troublée et...

Dries Gloton le coupa brusquement :

– On ne peut décemment exiger de Sa Seigneurie qu'elle connaisse tous les détails de notre activité sectorielle. Elle connaît déjà suffisamment bien les univers.

Lord Voraz se remit à rire.

– Oh, très cher, je suis vraiment navré de vous avoir piqué au vif. Mais nous cherchions simplement...

– Nous cherchons simplement à aider, Lord Jonnie, interrompit sèchement Lord Dries. A propos, désirez-vous ouvrir un compte personnel ? (Il fouillait dans ses poches.) Nous pouvons vous assurer une absolue confiance et un taux réduit.

Soudain, Jonnie réalisa qu'il n'avait pas d'argent. Pas même de l'argent de poche. Rien. En fait, il n'avait *jamais* eu le moindre argent. Il avait même fait cadeau de sa pièce d'or. Il touchait sans doute un salaire de pilote, mais il était remis à Chrissie et il n'en avait jamais vu la couleur. Il chassa rapidement une pensée inquiète qui lui était venue à propos de Chrissie. Il devait se concentrer sur la conversation. Oui, il était absolument pauvre. Il n'avait pas un penny à lui.

– Je suis désolé, dit-il enfin, peut-être plus tard, si j'ai de l'argent à déposer.

Les deux petits hommes échangèrent un bref regard. Puis Dries déclara :

– Bon. Mais n'oubliez pas que nous ne sommes pas vos ennemis.

– Je n'aimerais pas vous avoir comme ennemis, dit Jonnie. Cette flotte n'est partie que lorsque vous avez parlé à Snowl.

– Oh, ça ! fit Dries Gloton. La Banque Galactique met de nombreux services à la disposition de ses clients. Ce que vous avez observé là, ce sont des services de type notarial. Il fallait un code radio notarial pour attester de la validité de cette conférence et, bien sûr, la parole des émissaires n'aurait pas été acceptée. Il fallait celle de la banque.

– La réunion des émissaires était donc aussi un service de la banque ?

– Eh bien, non, commença Lord Voraz.

– En un sens, si, corrigea Dries. Car il advient parfois que ce genre de conférence soit arrangée par nos soins. Il est de l'intérêt de la Banque Galactique que les planètes civilisées commercent harmonieusement entre elles.

Jonnie n'était pas le moins du monde satisfait de cette réponse mais il fit bonne figure.

– Pourtant, ces émissaires semblent vous obéir. Ils vous appellent « Votre

Excellence » et donnent à Lord Voraz le titre de « Son Adoration ». Que faites-vous quand ils ne vous obéissent pas ? Par exemple, quand ils refusent de venir à une conférence ou de faire ce que vous leur dites ?

Cette seule pensée parut choquer Lord Voraz. Avant que Dries Gloton ait pu l'arrêter, il s'exclama :

- Impensable ! Parce que, dans ce cas, la banque réclamerait ses prêts et leur couperait tout crédit. Leurs économies s'effondreraient. Elles feraient faillite. On pourrait vendre leurs planètes à l'encan. Oh, non, ils y réfléchiraient à plusieurs fois avant de...

Dries réussit enfin à capter son attention :

- Allons, Votre Adoration, dit-il d'une voix très douce, je sais à quel point vous êtes sensible à ce genre de problème, mais il convient de ne pas oublier qu'il s'agit de *mon* secteur et que tout ce qui concerne cette planète me regarde, *moi.* Pardonnez-moi. Je pense qu'il est vraisemblable que Lord Jonnie ne connaît guère la Banque Galactique. Nous n'avons pas réimprimé notre documentation depuis des années. Voudriez-vous en savoir plus, Lord Jonnie ?

Oui, Jonnie voulait en savoir plus, beaucoup plus. Car son attention avait été particulièrement alertée par la mention de planètes vendues à l'encan.

4

Chong-won resservait du thé.

- Vous ne devez pas rester sous l'impression que nous sommes des gens violents, déclara Dries après avoir bu une longue gorgée.

Non, juste des gens puissants et mortellement dangereux, se dit Jonnie.

- Notre race est appelée les Selachees, poursuivit Dries. Nous sommes originaires des trois seules planètes habitables du Système de Gredides. Elles sont en grande partie aquatiques : en moyenne neuf parts d'eau pour deux seulement de terre. Et la banque est notre seule industrie. (Il sourit en buvant une autre gorgée de thé.) Nous sommes des banquiers idéaux. Nous pouvons manger et boire n'importe quoi, respirer l'atmosphère de n'importe quel monde et survivre sous presque toutes les gravités. Par tradition tribale, nous adorons l'honnêteté absolue et l'acquittement des obligations.

Jonnie songea que c'était probablement vrai, mais il se disait en même temps qu'ils n'avaient pas révélé tout ce qu'ils savaient et, avant tout, ce qu'ils avaient l'intention de faire. « L'honnêteté » n'exigeait probablement pas qu'ils disent toute la vérité. Peut-être trouverait-il, dans ce qu'ils allaient raconter, certains indices sur ce qui se préparait. Il sourit poliment tout en écoutant avec attention.

- Sur chaque planète, nous avons environ cinq milliards d'habitants, continuait Dries, et cette population est extrêmement active. Si nous nous consacrons avant tout à la banque, nous avons aussi, bien sûr, nos spécialistes et nos ingénieurs, ainsi que de nombreux mathématiciens. Nous avons accédé aux voyages spatiaux il y a environ cinq cent mille ans. Ce chiffre est-il exact, Votre Adoration ?

Lord Voraz était encore quelque peu ému à l'idée que des planètes puissent renier leurs obligations. Mais il reprit l'attitude du bon banquier professionnel.

- 497 432 ans au jour sidéral 103 de cet univers, c'est-à-dire bientôt, répondit-il.

- Merci, déclara Dries, satisfait d'avoir ramené Son Adoration à la conversation en cours. Et, il y a trois cent deux mille ans...

- Trois cent deux mille trois, corrigea Lord Voraz.

- Merci... Nous avons rencontré les Psychlos ! Non, ne vous inquiétez pas. Ils ne nous ont pas conquis. Nous n'avons même pas été en guerre. Car à cette époque les Psychlos n'étaient pas aussi mauvais qu'ils le sont devenus cent mille ans plus tard. Ils ne tuaient pas par plaisir, en ce temps-là. Mais je pense que je n'ai rien à vous apprendre à leur propos.

- Non, pas vraiment ! fit Jonnie.

Il avait le sentiment qu'il n'allait pas tarder à apprendre de mauvaises nouvelles. Leurs sourires ne parvenaient pas à le rassurer.

- Je m'en doutais... fit Dries. Où en étais-je ? Ah oui !... Cela va vous amuser ! Nous ne les intéressions pas réellement parce que nous n'avions guère de métaux. De par leur nature aquatique, nos planètes auraient de toute façon posé de sérieux problèmes d'exploitation. Par contre, nous, nous avions besoin de métaux. Et les Psychlos, eux, avaient besoin de la technologie informatique que nous avions développée. Nous sommes donc devenus un *marché* pour eux. Dans leur histoire, c'était tout à fait nouveau. Ils avaient beaucoup à apprendre en matière de finances. Nous les leur avons donc apprises.

Le petit homme gris but un peu de thé et poursuivit :

- Leur situation interne était plutôt mauvaise. Ils se reproduisaient comme... une sorte de poisson que vous avez sur votre planète... oui, comme des harengs ! Ils ont toujours refusé de fonder des colonies psychlos, car ils avaient peur qu'elles se révoltent contre la planète mère. Bref, ils avaient de la surpopulation et du chômage. Et des crises très graves. En fait, ils étaient en plein chaos économique. Nous les avons donc aidés à construire des marchés pour leurs métaux. Avec leur système de téléportation, c'était chose facile que d'expédier les minerais. Ils sont devenus prospères, ils ont développé de nouvelles techniques d'exploitation et nous avons veillé à ce qu'ils restent économiquement stables. Et puis, brusquement, une chose terrible du point de vue psychlo s'est produite, qui les a terrifiés. C'était il y a environ deux cent mille ans.

- 200 462 ans exactement, dit Lord Voraz.

- Merci. Une autre race découvrit ou bien déroba le secret de la téléportation !

- Les Boxnards, dans l'Univers Six, précisa Lord Voraz.

- Ce qui est arrivé alors n'est pas très clair. Nous n'avons pas toujours accès aux archives militaires et, en ce qui concerne celles-ci, nous ne les avons jamais eues en main. Je crois cependant que les Boxnards ont tenté de se servir de la téléportation à des fins militaires. Mais les Psychlos les ont devancés et ont anéanti les sept planètes boxnards et l'ensemble de la population. Il leur a fallu des années pour ça.

- Trois ans et seize jours, dit Lord Voraz.

- Ils ont même exterminé toutes les races qui avaient été les alliées ou les associées des Boxnards, car nous n'en avons jamais retrouvé trace. Cette guerre semble avoir également changé les Psychlos. Durant près d'un demi-siècle, ils ont rompu le contact avec les autres mondes. Pour nous, ce fut une période néfaste. Notre économie était directement liée à leurs intérêts. Ils ont dû également connaître des génocides internes car nos recensements ultérieurs nous ont montré que leur population avait diminué de six onzièmes. Il leur fallut encore un siècle pour reprendre un rythme normal, mais ils étaient profondément transformés.

« Ah, ah, songea Jonnie. Je sais maintenant à quelle époque ils ont commencé à mettre ces capsules dans la tête des bébés psychlos ! Et pour quelle raison. Pour protéger leurs mathématiques et la technologie de la téléportation. »

- Ils avaient brûlé tous leurs livres, continua Dries. Ils avaient oublié tout leur art, toute leur esthétique. D'après leurs dictionnaires, il apparaît que le langage qu'ils avaient développé au fil des âges fut amputé de nombreux termes. Ils supprimèrent des mots comme « compassion », « pitié » et même, semble-t-il, un terme comme « bon sens ». Nous les appelons à présent les « Psychlos », mais ce mot n'existait pas avant cette époque. Auparavant, ils prenaient le nom du roi qui montait sur le Trône Impérial. En résumé, pour ne pas vous ennuyer, car je vois que vous connaissez un peu la question, les siècles qui suivirent furent très, très mauvais pour tous, et plus particulièrement pour les Psychlos. Ils acquirent la réputation d'oppresseurs les plus sadiques et les plus cruels que l'univers ait connus. Mais leur situation interne était désastreuse. Leur population était excédentaire. Le chaos économique avait repris. Le taux de chômage était de neuf pour onze. La maison royale craignait la révolution comme la peste et il y eut en fait, je pense, quatre princes assassinés...

- Sept, dit Lord Voraz. Et deux reines.

- Merci. C'est ainsi qu'absolument désespérés, ils vinrent dans les Gredides et implorèrent l'aide des Selachees. Ils avaient besoin d'argent pour acheter des armes et payer des soldats. Mais notre parlement, que nous appelons le Corps Créditable, de même que toutes les races des seize univers, ne voulait rien avoir à faire avec eux et il sembla bien que la guerre allait éclater. Mais un membre du Corps Créditable...

- Lord Finister, dit Lord Voraz.

- Merci. Lord Finister eut le bon sens de nous mettre en contact avec eux. Nous étions déjà une banque importante alors. A sa tête...

- Lord Loonger, dit Lord Voraz.

- Merci. Lord Loonger négocia avec eux et leur fit signer un accord en béton armé ! La banque assurerait *tous* les rapports économiques qu'ils avaient avec les autres races, *tous* les transferts de fonds psychlos, et elle dirigerait *toutes* les conférences de paix. En retour, tous les Selachees jouiraient de l'immunité, le système de Gredides avec toutes les planètes selachees serait totalement inviolable et les Psychlos s'engageaient à fournir à la banque des dispositifs de téléportation dans l'ensemble des univers. Ils signèrent cet accord, reçurent leur argent et retrouvèrent la stabilité.

- Par deux fois seulement, intervint Lord Voraz, ils tentèrent de violer cet accord, se cassèrent le nez et firent aussitôt machine arrière.

- Voilà donc toute l'histoire de la Banque Galactique, conclut Dries Gloton. Nous l'appelons toujours « Banque Galactique » alors qu'elle devrait s'appeler « Banque Pan-Galactique », puisqu'elle couvre seize univers. Mais le terme de « Galactique » donne à chacun de nos clients le sentiment qu'il s'agit de sa banque locale, de la banque de *sa* galaxie. C'est plus sympathique ainsi, vous ne trouvez pas ?

Jonnie pensait à cet instant précis qu'il avait affaire à une organisation bien plus puissante que les Psychlos. Une organisation galactique qui pouvait se faire obéir de n'importe quels monstres. Il était sur le qui-vive. Quelque part, de gros ennuis se préparaient.

- Donc, dit-il, vous désirez peut-être vous entretenir de la téléportation avec le gouvernement de cette planète.

Les deux petits hommes gris se regardèrent, puis se tournèrent à nouveau vers lui.

- Pas avec le gouvernement, dit Lord Voraz. Je doute qu'il en soit propriétaire. Nous tenons cette petite conférence privée afin de préparer une conférence. La téléportation, c'est un autre sujet. Voyez-vous, le voyage spatial existe. Il est lent, il prend du temps, mais il existe.

Jonnie avait le sentiment qu'il ne lui disait pas tout. Mais il n'insisterait pas sur ce point. A l'évidence, ce n'était pas là que résidait le danger. Non, le danger résidait autre part ! Il le sentait. Il s'installa plus confortablement et dit :

- Il s'agit peut-être du règlement des honoraires pour cette conférence. Il se pourrait qu'ils soient bien plus importants que nous l'avions prévu.

- Oh ciel, non ! s'exclama Dries. (Et, cette fois, c'est lui qui se lança dans des calculs sur l'anneau qu'il portait. Quelques gestes vifs et le fil sortit, puis se changea en feuille. Il la consulta.) Une somme insignifiante. Les honoraires varient selon les émissaires, en fonction de l'importance de leur gouvernement. Mais cela ne dépassera pas 85 000 crédits - somme qui, bien sûr, peut augmenter s'ils restent plus longtemps que prévu. Mais pas de beaucoup. Quant à la commission de la banque, elle est standard : 25 000 crédits. Bien sûr, il y a mon yacht...

- La banque, intervint Lord Voraz, assume les frais du yacht spatial lorsqu'il s'agit d'un déplacement professionnel. Dries, je pense qu'il serait juste que vous comptiez tous les mois de recherche...

Dries l'interrompit sèchement :

- Les charges ne seront comptées qu'à partir de la planète Balor du système Batafor. (Il ajouta à l'adresse de Jonnie :) Il s'agit de la Filiale de la Banque Galactique pour ce secteur. C'est une planète hawvin. Ce ne sont pas de mauvais bougres. Individuellement, ils sont plutôt honnêtes. Disons que ça nous fera dans les 60 000 crédits. Donc, cela nous donne un total de 170 000 crédits.

Ils avaient cette somme, se dit Jonnie.

Mais Dries semblait hésiter.

- Mais nous ne sommes pas absolument certains que vous recevrez cette facture. Cela dépendra en quelque sorte de l'issue de la conférence.

Nous y voilà, se dit Jonnie. Il avait enfin mis le doigt dessus.

5

Sous leurs lourdes paupières, leurs yeux étaient fixés sur Jonnie. Ils étaient très sérieux, à présent.

Son Excellence Dries Gloton se pencha en avant :

- C'est une question de clarté de titre. Jamais la banque n'acceptera un titre douteux.

- *Jamais !* répéta Lord Voraz.

- La réputation de la banque et, en fait, celle de toute la race des Selachees, repose sur une honnêteté absolue, sur un respect scrupuleux de la légalité.

- Tout est toujours légal chez nous, enchaîna Lord Voraz. Si jamais nous faisions quoi que ce soit d'illégal, ce serait notre ruine. Nous ne contournons jamais les règlements. C'est la raison pour laquelle des quintilliards de gens nous font confiance.

Jonnie ne faisait pas partie de ces quintilliards de gens. Il sentait ici quelque chose de froid, de dur, d'horrible.

- Peut-être devriez-vous vous expliquer davantage ? dit-il. Si je suis censé préparer une conférence pour vous, il faut absolument que je connaisse la question à fond.

Dries se laissa aller en arrière.

- Ma foi, oui, c'est vrai. Par quoi vais-je commencer ? Le mieux est sans doute la découverte de cette planète. Le seizième univers fut le dernier à être découvert, il y a probablement moins de vingt mille années. Il n'a jamais été entièrement cartographié. Le Gouvernement Impérial de Psychlo y avait lancé des sondes de reconnaissance mais, pendant très longtemps, elles n'ont rien trouvé de nouveau. Cette planète fait partie de ce que l'on peut appeler un « système stellaire périphérique », c'est-à-dire qu'il se situe en bordure de la galaxie. Elle aurait pu passer inaperçue si elle n'avait elle-même lancé des sondes spatiales. Ces sondes donnaient sa situation exacte. Elles furent interceptées par une sonde impériale et le reste appartient à l'histoire.

» Le gouvernement de Psychlo obtint très légalement, du fait de cette découverte, le titre de propriété. Et ce titre fut donc inscrit dans les registres. Le gouvernement vendit alors cette planète à l'Intergalactique Minière qui, se trouvant à court d'argent, dut emprunter le montant de l'achat à la Banque Galactique. Tout cela était parfaitement normal et habituel. De la pure routine. L'Intergalactique Minière avait utilisé ce recours d'innombrables fois.

» Ce type d'emprunt est garanti par la consignation du titre de propriété à la Banque Galactique. Le taux d'intérêt usuel est de deux pour onze. Ou, en arithmétique non psychlo, à peu près de dix-huit pour cent par an. Sur un terme de deux mille cinq cents ans. Dans le passé, l'Intergalactique avait toujours régulièrement remboursé ses emprunts - ce qui était dans son intérêt. En fait, cette planète est la seule qu'elle ait achetée récemment. Toutes les précédentes avaient été remboursées. Une telle transaction est appelée une « hypothèque ». Me suivez-vous jusque-là ?

Jonnie suivait parfaitement. Il commençait même à deviner ce qui allait suivre.

377

- Il y avait également une deuxième hypothèque, poursuivit Son Excellence. Elle était destinée à couvrir les dépenses militaires engagées par l'Intergalactique pour la conquête de cette planète. Mais elle était moindre, d'un taux d'intérêt plus élevé, et elle a été couverte en cinq ans seulement.

Jonnie comprenait. C'était la Banque Galactique qui avait financé l'invasion de la Terre. Qui avait payé le drone bombardier qui avait gazé la planète.

Les deux petits hommes gris durent déceler un changement d'attitude chez lui, car Lord Voraz dit :

- Ce sont les affaires, seulement les affaires. Le banquier fait de la banque et ses clients s'occupent de leurs affaires. Cela ne signifie pas que la banque vous était hostile. En fait, nous ne sommes absolument pas hostiles actuellement. Tout cela n'était que pure routine. Une opération bancaire courante.

- En tout cas, dit Dries, ne se gênant pas pour affirmer ses prérogatives, l'hypothèque de base court encore sur mille quatre cents ans.

Jonnie digéra cela. Il était sur ses gardes, tendu.

- Mais je pensais que la guerre et tout ça auraient pour résultat d'effacer l'hypothèque.

- Oh, ciel, non ! fit Dries. Une simple victoire militaire ne modifie pas la dette de base d'une planète. Et le fait qu'il se produise un changement de gouvernement ne change en rien la propriété de la dette. Si cela était, les gouvernements s'arrangeraient pour changer de main tous les jours afin de se débarrasser de leurs obligations financières. (Il rit.) Non, non. Un changement de gouvernement ou une victoire militaire ne changent rien aux dettes d'une nation. Les nouveaux propriétaires doivent payer.

- Lors de la conquête originelle, dit Jonnie, quand l'Intergalactique s'est emparée de la Terre, aucune dette n'a été contractée.

- Des dettes internes, fit Dries. Les dettes internes n'ont rien à voir avec les dettes internationales. Non, la planète a été découverte dans les règles et achetée dans les règles au Gouvernement Impérial de Psychlo par la Compagnie Minière Intergalactique. Et le dossier d'hypothèque a été constitué dans les règles. Tout a été fait légalement.

- Très légalement, appuya Lord Voraz.

- Ce n'est pas la dette qui est en cause, dit Dries, mais le fait de savoir *qui* va la payer.

- Et vous voulez tenir cette conférence pour le savoir ? demanda Jonnie.

- Pas exactement, mais un peu, oui. Vous comprenez, tant que le combat se poursuivait et que nul ne pouvait vraiment déterminer qui était ou qui serait le gouvernement réel de cette planète, il m'était impossible de notifier ce document.

Il tenait une feuille de grand format qu'il ne tendit pas à Jonnie. Jonnie tendit alors la main, mais Dries dit :

- Non, vous n'êtes pas membre du gouvernement, selon vos propres dires.

- Qu'arrivera-t-il quand vous l'aurez notifié ?

- Eh bien, nous aurons une réunion afin de déterminer quelles sont les conditions et possibilités de paiement, et si nous n'arrivons pas à un accord, nous pratiquons la saisie.

- Et que se passe-t-il alors ?

- Eh bien, la planète fait l'objet d'une vente aux enchères et elle est acquise par l'enchérisseur le plus élevé.

Jonnie commençait à comprendre le sentiment qu'il avait éprouvé vis-à-vis de ces deux personnages.

- Et qu'arrive-t-il à la population de la planète ?
- Ma foi, cela ne regarde que l'acheteur, bien entendu. Une vente aux enchères n'entame en rien le titre de propriété. Il peut en faire ce qu'il veut. Cela ne regarde en rien la banque.
- Et que font les acheteurs, généralement ? insista Jonnie.
- Oh, ça dépend... D'ordinaire, ils paient comptant ou utilisent leur crédit pour payer le prix de la planète. Généralement, ces acheteurs ont un crédit ou des garanties et ils payent ce qui reste de l'hypothèque. Souvent, ils s'installent mais, en cas de protestation locale, ils contractent un emprunt à court terme auprès de la banque et s'engagent dans une rapide neutralisation militaire de la population. Quelquefois aussi ils vendent la population sur le marché de l'esclavage afin d'honorer leurs créances. Ce type d'acheteur veut simplement installer sa propre population sur la planète, vous savez.

Jonnie les fixa un instant.
- Je ne pense pas que ce serait aussi facile que ça pour un acheteur de s'installer sur cette planète, dit-il enfin.
- Oh ! fit Dries avec un geste de dérision, cette planète ne dispose d'aucune défense valable. Votre population n'est pas très élevée. Des armes modernes en viendraient à bout en quelques jours. Cette force combinée qui vous a attaqués n'est qu'un tout petit nuage d'insectes. Les véritables flottes ne sont pas intervenues. Mais gardez votre calme. Vous n'avez aucune raison de vous inquiéter. Nous parlons simplement affaires. Il s'agit d'une hypothèque et du règlement de certaines obligations. Un problème bancaire, rien d'autre.
- Vous attendez donc maintenant de savoir si nous allons gagner pour notifier votre papier.
- Oh, je pense que vous allez gagner, dit Dries. C'est pour cela que nous nous entretenons avec vous ce soir. Nous désirons que vous prépariez une conférence avec votre gouvernement dès que nous saurons qu'il a vraiment gagné. Nous présenterons alors ce document et nous pourrons discuter. C'est tout.
- Si je dois arranger cette conférence, dit Jonnie, il vaut peut-être mieux que vous me montriez ce papier afin que je sache de quoi je parle.
- Je ne vous le notifie pas, dit Dries, mais vous pouvez en prendre connaissance.

Jonnie le prit.

Il y avait des pages et des pages de détails juridiques à propos de la découverte de la planète, de l'emprunt, des paiements. Et, attachée au tout, une simple feuille, très grande. Jonnie avait tenu chaque page en l'air afin de mieux l'éclairer (et surtout pour présenter le tout à la caméra-bouton qui fonctionnait dans un coin de la pièce). Il leva la grande feuille et la lut :

NOTIFICATION DE DÉLIT

A l'attention de : .... (propriétaires et occupants légitimes de la planète lors de la notification) **Date : ....Vous êtes par la présente convoqués à une rencontre avec les représentants dûment appointés de la BANQUE GALACTIQUE afin de :**

a) Discuter les termes de règlement de votre obligation financière, étant entendu que votre arriéré est de « Une année et   jours » sans paiement d'aucune sorte et sans que soient intervenus des arrangements afin d'acquitter ou proroger ladite obligation.

b) Si de tels arrangements sont considérés comme inacceptables par la BAN-

QUE GALACTIQUE, vous devrez renoncer au titre de propriété, à l'occupation et à la jouissance dans un délai D'UNE SEMAINE A COMPTER DE LA PRÉSENTE DATE. Le montant desdits emprunt et hypothèque non honorés étant de QUARANTE BILLIONS NEUF CENT SOIXANTE MILLIARDS DEUX CENT DIX-SEPT MILLIONS SIX CENT CINQ MILLE DEUX CENT SEIZE CRÉDITS GALACTIQUES (C 40 960 217 605 216), représentant le solde impayé ainsi que les intérêts de l'emprunt initial accordé de bonne foi à la COMPAGNIE MINIÈRE INTERGALACTIQUE de Psychlo, et d'un montant de SOIXANTE BILLIONS DE CRÉDITS GALACTIQUES (C 60 000 000 000 000), par la BANQUE GALACTIQUE à l'ordre de la COMPAGNIE MINIÈRE INTERGALACTIQUE pour le compte du GOUVERNEMENT IMPÉRIAL DE PSYCHLO, ce pour paiement comptant de la planète dite « Terre », Système Solaire, Univers Seize.

DRIES GLOTON
Directeur de l'Agence

(signé et scellé)
LA BANQUE GALACTIQUE
Balor, Système de Batafor
Direction du Secteur 4
Univers Seize

- Et quels seraient des « termes » satisfaisants pour ce règlement ? demanda Jonnie.

- Oh, fit Dries Gloton avec désinvolture, un règlement immédiat de cinq billions suivi d'un arrangement du style cinq cents milliards par mois serait tout à fait acceptable. Voyez-vous, légalement, la totalité d'un prêt est exigible et payable immédiatement si des échéances ne sont pas honorées. Vous devez donc nous considérer comme accommodants puisque nous pourrions exiger le paiement de la totalité sur l'heure ! Nous sommes vraiment vos amis, vous savez. Nous nous flattons non seulement de notre honnêteté absolue et de notre intégrité, mais aussi de nos bonnes relations avec notre clientèle.

Cinq billions ! pensait Jonnie. Et cinq cents milliards par mois ! Alors qu'ils ne disposaient que de deux milliards deux cents millions. Et qu'ils n'avaient ni ressources ni industrie. Jamais ils ne réussiraient à tirer du sol la somme nécessaire dans les délais requis.

Dries lut sa consternation en dépit de son expression fermée.

- Vous disposerez de toute une semaine ! C'est très généreux !

- Et dès que cette conférence aura décidé du sort de Schleim, dit Jonnie, et de nos relations avec les autres combattants...

- Eh bien, le titre de propriété de cette planète sera parfaitement légitime ! s'exclama Dries d'un ton triomphant. Et vous pourrez prendre des dispositions pour cette conférence avec nous. Nous notifierons alors ce document et tout sera réglé !

- Le gouvernement victorieux, dit Lord Voraz, disposera de plusieurs jours pour discuter du règlement de la dette et savoir où il va se procurer la somme.

- Vous ne pourriez pas nous la prêter ? demanda Jonnie.

- Ciel, non. Nous l'avons déjà prêtée.

- Et qui pourrait acheter cette planète ?

- Ma foi, n'importe lequel des combattants serait heureux de l'acquérir. Contrairement à vous, ils disposent d'industries, de crédits et de garanties.

- Donc, après avoir gagné cette guerre, si nous la gagnons, nous pourrions perdre cette planète, et elle pourrait même tomber entre les mains des Tolneps !

- Vous savez, fit Dries Gloton avec un geste significatif, la banque est la banque. Les affaires sont les affaires.

6

Stormalong dormait, affalé sur un bureau de la salle des opérations. Il fut tiré brusquement de son sommeil épuisé par Jonnie. Encore abruti par toutes ces journées passées à diriger les combats, il le regarda avec inquiétude.

- Réveille-toi ! fit Jonnie d'une voix tendue.

En même temps, il secouait Tinny, la jeune communicatrice bouddhiste.

- Qu'est-ce qu'il se passe ? demanda Stormalong en se redressant. Est-ce qu'ils ont repris leur attaque ?

- C'est pire ! Ces petits hommes gris !... Tinny, réveille-toi, je t'en prie !

La jeune femme était presque inconsciente après toutes ces journées de travail sans un moment de sommeil.

Jonnie avait reconduit ses invités. Puis il avait fait le tour de la cuvette plongée dans la nuit. MacAdam ! Il savait qu'il devait trouver aussi vite que possible MacAdam, de la Banque Planétaire de la Terre au Luxembourg. Il n'était pas question d'organiser une rencontre avec le gouvernement de la Terre. Par contre, il allait organiser une rencontre avec quelqu'un qui connaissait la banque !

Tinny s'arrachait enfin au sommeil.

- MacAdam ! dit Jonnie. Contacte MacAdam par radio !

- Qu'y a-t-il ? demanda Stormalong. Qu'est-ce que je peux faire ?

D'ordinaire, Jonnie était plutôt calme et posé.

Il lui lança deux disques : les enregistrements de la soirée.

- Fais-moi des copies de ça. C'était un dîner entre amis.

Pour Stormalong, tout cela n'avait aucun sens, mais il prit les disques et se dirigea vers le duplicateur.

Pendant ce temps, Tinny essayait de réveiller Luxembourg en chantonnant d'une voix encore ensommeillée les mots de code pali.

- Si c'est Luxembourg que tu appelles, dit Stormalong, il n'y a plus personne.

Il prit alors conscience que Jonnie n'avait pas été mis au courant des dernières informations.

- C'est à cause de la Russie, ajouta Stormalong. Les gens de Singapour, quand ils sont arrivés là-bas, ont trouvé tout en feu.

Jonnie ne comprenait pas. Une base souterraine en feu ?

- Tu as été là-bas, dit Stormalong. Je ne sais pas pourquoi, mais ils avaient une espèce de matière noire, inflammable, devant les entrées principales de la base. Tu sais ce que c'est ?

Du charbon ! La base russe avait entassé du charbon pour l'hiver.

- Oui, dit Jonnie. C'est du charbon. Une roche noire qui brûle.

- Quoi qu'il en soit, ceux qui ont construit cette base l'ont installée tout près d'une mine de cette chose, ou même en plein dessus, et ça a dû prendre feu pendant les combats. L'équipe de Singapour n'a même pas pu s'approcher. Ils n'étaient pas très nombreux, ils n'avaient pas de pompes, et, de toute manière, il n'y avait pas d'eau à proximité. Alors, ils ont demandé du secours. Il fallait absolument que l'incendie soit maîtrisé s'ils voulaient entrer dans la base. Luxembourg était le seul point de défense encore indemne qui disposait d'avions-citernes. Il y a deux heures, ils ont fait le plein des citernes et sont partis pour la Russie. Depuis, nous n'avons aucun rapport sur la situation de la base russe. Et il ne reste aucune défense à Luxembourg.

- Mais la Banque Planétaire a certainement une radio ! dit Jonnie.

- Oui, fit Stormalong, dubitatif, mais à cette heure de la nuit, je crains qu'il n'y ait personne de service. Ils ne font pas partie du réseau de défense.

- Alors, il faut que j'y aille moi-même. Quels sont les avions disponibles...

- Pas question ! Sir Robert m'a personnellement donné l'ordre de ne pas te laisser sortir !

- Mais MacAdam ne pourra jamais venir ici s'il n'y a pas de pilotes. Est-ce qu'il n'en reste pas un seul à Luxembourg ?

- Pas un seul.

Jonnie était gagné par le désespoir.

- Et si on détachait un pilote d'Edinburgh et que...

- Pas moyen, fit Stormalong. Ils sont sur place et c'est un vrai désastre. Tout le réseau de tunnels creusé sous la roche s'est effondré. Impossible d'y pénétrer pour essayer de retrouver des survivants dans les abris. On a installé des pompes et des tuyaux pour fournir de l'air à ceux qui seraient encore en vie, et des excavatrices ont été amenées de Cornouailles. Ils ont besoin des pilotes pour conduire les machines. Je ne crois pas que je pourrais persuader même un seul de...

- Est-ce que tu as un avion ici ?

- Bien sûr que j'ai un avion ! J'en ai même cinq ! Mais il n'est pas question que tu en prennes un !

La jeune femme se détourna du micro de la radio.

- Rien. Personne ne répond. Ni à la mine ni à la banque. Après tout, il est deux heures du matin là-bas.

- J'y vais, déclara Jonnie.

- Pas question ! lança Stormalong.

- Alors c'est toi qui vas y aller !

Stormalong cilla un peu. Il avait pris deux heures de sieste, tant bien que mal.

- Dans ce cas, c'est toi qui prends les choses en main ici, dit-il. Si jamais vous avez besoin d'une couverture aérienne, tu devras te débrouiller tout seul : rester devant ce micro et en même temps voler.

- Si jamais je dois assurer la couverture aérienne, je prendrai Tinny avec moi dans l'avion, comme ça je resterai en contact avec le réseau tout en volant, dit Jonnie. Mais la bataille est tout autre, à présent. Ce sont les petits hommes gris que nous affrontons maintenant ! Est-ce que tu pourras rester éveillé jusqu'à Luxembourg ?

Stormalong haussa les épaules et hocha la tête.

- Bien. Tu prends les copies des deux disques de cette charmante soirée, tu voles jusqu'à Luxembourg et tu mets la main sur MacAdam. Secoue-le. Dis-lui que j'ai dit qu'il était absolument vital qu'il visionne ces disques sans perdre un instant. Et qu'il trouve un moyen de régler cette dette. Dis-lui exactement ça.

- Une dette ?

- Oui, une dette. Et si nous ne la payons pas ou si nous ne trouvons pas le moyen de la régler, nous aurons perdu cette guerre ! Même si nous la gagnons !

VINGT-NEUVIÈME PARTIE

1

Les deux jours qui suivirent furent les plus horribles de la vie de Jonnie - plus horribles encore que son séjour dans la cage ou que les terribles heures passées dans le drone !

Stormalong avait tout simplement disparu dans les airs et s'était évaporé.

Il ne répondait pas aux appels radio, même lorsque Jonnie prononçait son nom en clair.

Les bureaux de la banque du Luxembourg avaient rouvert mais la fille parlait une langue que personne ne connaissait à Kariba. Le français peut-être ?... Lorsqu'ils demandaient « MacAdam », elle essayait bien de leur dire quelque chose, mais c'était incompréhensible.

Et Jonnie ne pouvait pas partir.

Les émissaires allaient et venaient, travaillant sans relâche sur le jugement, et ne s'occupaient guère de lui.

Jonnie dormait dans la salle des opérations et ne la quittait que lorsque le chef Chong-won venait le remplacer quelques minutes, chaque fois qu'une urgence l'appelait au-dehors.

A vrai dire, aucun problème ne requérait vraiment son intervention personnelle. Même s'il avait été placé devant des problèmes de première urgence, il n'aurait guère pu les résoudre puisqu'il n'avait plus de forces de défense, plus de troupes, plus de pilotes. Il était en fait tout seul pour défendre la planète. Tinny, la jeune communicatrice, l'aidait efficacement mais il y avait une limite au nombre d'heures pendant lesquelles un humain pouvait rester éveillé, même une nonne bouddhiste.

Angus consacrait une partie de son temps au dispositif de transfert. Il avait laissé la gyrocage sur une montagne de Tolnep afin d'observer l'évolution de la lune Asart.

- Je voulais voir s'il se produirait des séismes sur Tolnep, dit-il à Jonnie. Lorsqu'on modifie l'équilibre des masses d'un système, on peut s'attendre à des modifications des forces gravifiques. J'ai lu quelque part que si notre propre lune était éjectée dans l'espace, ou quelque chose comme ça, cela provoquerait des tremblements de terre. Mais la gyrocage de Tolnep n'a enregistré aucune secousse.

Quelques heures plus tard, Jonnie avait entendu le bruit d'un moteur dans la cuvette et, nerveux, il était allé voir ce qui se passait. Il découvrit Angus aux commandes d'une pelleteuse qui poussait un énorme fragment du vaisseau tolnep à travers l'entrée qui passait sous le câble. C'était un des débris qui étaient retombés sur la berge du lac. Le chef Chong-won le réprimanda sèchement car l'engin endommageait le dallage et il ne disposait pas de personnel d'entretien pour effacer les rayures.

Angus déclara qu'il voulait vérifier si la bombe ultime était encore en activité.

- Ne ramène rien qui puisse toucher cette zone, le prévint Jonnie avant de retourner à la radio pour répondre à un appel.

Le lendemain matin, Angus l'avait rejoint pour avaler un bol de nouilles en sa compagnie et lui raconter ce qu'il avait découvert.

- J'ai lancé ce fragment de métal bien au-delà d'Asart, dit-il. Je m'étais dit qu'il tomberait à travers le gaz...

- Quel gaz ? l'interrompit Jonnie.

- Oh, eh bien, Asart ne semble plus être faite que de gaz maintenant. C'est devenu un gigantesque nuage de gaz. Au début, il était totalement noir, mais il s'est éclairci. On commence à voir au travers. Je comprends maintenant pourquoi les Psychlos n'ont jamais utilisé cette bombe. Ils étaient avant tout des mineurs. Ils avaient besoin de métal et non de gaz !

- Et qu'est-il arrivé au bout de métal ?

- J'avais pensé qu'il passerait à travers le gaz et qu'il finirait par tomber sur Tolnep. Mais ça ne s'est pas passé comme ça. Il a effectivement traversé le gaz, mais il est allé au centre du nuage et il y est toujours. Tu veux voir une image ?

- Ne tire plus dans ce nuage. Il ne faut pas que quoi que ce soit revienne avec l'effet de recul !

- Oh, je n'en ai pas l'intention, dit Angus. Mais voici ce que je crois : quand cette bombe ultime a tout converti en gaz, elle a été annulée. Elle n'a plus rien contre quoi exercer son action. Lorsque la réaction prend fin, elle ne recommence pas. Les raies d'analyse du métal révèlent surtout la présence d'hydrogène.

- Donc, la bombe ultime provoque une fission de bas niveau, conclut Jonnie. Elle stimule l'éclatement des atomes des métaux lourds. Je ne suis pas un expert, mais cela semble correspondre à ce que tu m'as décrit.

- En tout cas, ce que j'essaie de te dire, c'est que la masse de la lune n'a pas été modifiée, du moins en ce qui concerne l'influence gravifique. A cette température, le gaz a été liquéfié en grande partie et la lune est devenue une sorte de bulle dont le diamètre est plus grand qu'avant. Je crois qu'on pourrait la traverser sans difficulté.

- Magnifique, dit Jonnie. Surtout abstiens-toi.

Angus finissait ses nouilles.

- Je me suis dit que cela te plairait de savoir que le fait de détruire cette lune n'a pas modifié le tableau des coordonnées. Une modification de masse pourrait déranger toutes les coordonnées.

- Ah ! Là, tu marques un point ! Bien vu !

C'était bien l'opinion d'Angus.

Mais les nouvelles qui leur parvenaient des autres secteurs n'étaient pas aussi encourageantes. Certes, il ne s'était pas produit d'autres événements graves. Mais ils n'avaient toujours pas d'informations précises sur le sort de Chrissie et des gens d'Écosse, ni sur ce qu'il était advenu de la base russe.

On avait retrouvé le chef du clan Fearghus. Il était mourant. Après quelques transfusions d'urgence, il avait été transporté en toute hâte dans le vieil hôpital souterrain d'Aberdeen. Mais il n'y avait pas grand espoir.

Ils avaient foré des passages dans les éboulis qui obstruaient les tunnels et l'on espérait que les conduits d'air avaient atteint les abris. Des rumeurs circulaient : on aurait entendu des voix, mais il n'y avait aucune radio dans les abris et il était difficile de distinguer quoi que ce fût avec le hurlement des conduits d'air et des pompes.

Edinburgh et Castle Rock n'étaient plus que des colonnes de fumée.

Les hommes en bavaient. C'était un travail de forçat que d'essayer d'ouvrir tous les tunnels d'accès. Ils travaillaient nuit et jour.

Les nouvelles de la base russe n'étaient guère meilleures. Les incendies de charbon avaient été éteints en surface, mais la mine continuait de brûler en profondeur et on ignorait si le feu avait atteint le niveau de la base. Les énormes portes étaient si déformées qu'on ne pouvait les ouvrir, même au chalumeau, et on creusait une autre entrée à travers la roche, sur un sol rendu brûlant par les incendies souterrains. Quant aux puits de ventilation, ils étaient trop sinueux et trop encombrés de blindages et de filtres pour être d'une quelconque utilité.

Pour ajouter à la tension qui régnait à Kariba, le premier petit homme gris, Dries Gloton, avait disparu. L'unique artilleur de service à la batterie anti-aérienne avait déclaré qu'il était parti à l'aube, qu'il avait mis en place un nouveau dispositif de balises de signalisation et de radiophares autour de son vaisseau, avant de décoller comme ça, pff ! d'un coup. Il avait disparu dans le ciel sans qu'on ait pu suivre sa trajectoire. Les lumières clignotaient toujours, deux balises rouges, et le radiophare continuait d'interdire à tous les vaisseaux l'accès au secteur de la conférence.

Lord Voraz, interrogé, s'était contenté de hausser les épaules et de déclarer que cela faisait sans doute partie des prérogatives d'un directeur d'agence, qu'il s'agissait probablement d'affaires concernant la banque. Puis il s'était éclipsé pour aller dévorer l'un des multiples en-cas que le cuisinier ne cessait de lui servir. Il n'avait été d'aucun secours.

Mais, durant ces deux derniers jours, Jonnie fut avant tout perturbé par la soudaine arrivée du capitaine Rogodeter Snowl.

Les émissaires l'avaient fait citer en tant que témoin sans prévenir Jonnie. Et sans en avertir le serveur de la batterie antiaérienne.

Jonnie entendit soudain des détonations en provenance de la batterie.

Lord Dom fit irruption dans la salle des opérations, pareil à une énorme méduse, et exigea d'une voix rugissante l'arrêt immédiat des tirs.

Jonnie ordonna à l'artilleur de cesser le feu. Fort heureusement, la cible avait été hors de portée et Angus, à ce moment, ne se servait pas du dispositif de transfert. Mais Rogodeter Snowl, en omettant de demander l'autorisation de poser son petit engin, avait bien failli être abattu.

- Il a été convoqué comme témoin ! hurlait Lord Dom. Est-ce que vous ignorez que nous sommes en plein procès ?

Procès ou non, Jonnie glissa un Smith & Wesson chargé de balles-thermites dans sa ceinture, enfonça un tampon dans chaque oreille et sortit avec une radio portative pour donner lui-même les instructions d'atterrissage. De plus, il ne voulait pas que le Tolnep constate qu'ils n'avaient plus aucune défense.

Luttant contre l'envie d'abattre Rogodeter à vue, il se contenta de lui confisquer son filtre de vision, puis vérifia qu'il n'en avait pas d'autre sur lui et l'escorta personnellement jusqu'à la salle de conférence. Il laissa le Tolnep aux émissaires, non sans leur dire que dès qu'ils en auraient fini avec lui, ils feraient mieux de prévenir la salle des opérations pour qu'on le réescorte jusqu'à son appareil car Rogodeter resterait aveugle durant tout le temps de son séjour à Kariba.

Cinq heures plus tard environ, ils le rappelèrent. Il alla récupérer Rogodeter Snowl et le ramena jusqu'à son engin. Avant de lui restituer son filtre de vision, il laissa le chef Chong-won asperger d'encre noire l'intérieur du dôme de l'appareil. Jonnie, qui portait encore ses tampons auditifs, ne sut jamais si Rogodeter se plaignait ou non qu'il lui faudrait trouver un moyen d'enlever l'encre s'il voulait retrouver le vaisseau en orbite.

Mais, à l'instant où il tendait son filtre de vision à Rogodeter, il lut nettement sur la bouche du Tolnep :

- Toi, si je te tiens !

Aussi Jonnie déclara-t-il :

- Oui, moi, justement. Et, afin de vous souhaiter un bon retour, laissez-moi vous dire que la prochaine fois que je vous verrai sur la surface de cette planète, ça risque de ne pas vous plaire du tout ! Alors, foutez le camp !

Et il rabattit la coupole sur lui.

Lorsque l'engin fut haut dans le ciel Jonnie se déboucha les oreilles et s'aperçut que le serveur de la batterie antiaérienne lui demandait depuis dix minutes l'autorisation de descendre l'engin tolnep « accidentellement ». Jonnie ne pouvait que sympathiser avec lui. Il éprouvait exactement le même sentiment.

Il n'avait toujours aucune nouvelle de Stormalong. Ni du Luxembourg.

Pas un mot non plus à propos de Chrissie, des gens du village et de ses amis.

Ce furent deux jours atroces.

Il découvrait que l'inaction était infiniment plus lourde à supporter que la tourmente dans laquelle il vivait habituellement. Il n'était pas loin de craquer, tant était grande la crainte qu'il éprouvait pour les siens et pour cette planète. Cette planète pour laquelle il se battait depuis si longtemps.

Le même soir, à huit heures, les choses empirèrent encore lorsque Lord Voraz lui offrit un salaire de cinquante mille crédits par an afin de se rendre dans le système de Gredides pour y construire, pendant le restant de ses jours, des consoles de téléportation destinées à la banque. Jonnie dut prendre congé très rapidement pour ne pas le frapper.

Deux jours abominables !

2

Les choses commencèrent à changer le jour suivant.

Jonnie avait passé la nuit dans la salle des opérations et il était encore endormi, affalé sur une table, lorsque Lord Dom vint le réveiller.

- Dans deux heures, lui dit-il, nous allons lire et voter les conclusions et le verdict.

- Je ne suis pas membre du gouvernement, répondit Jonnie.

- Nous savons cela, mais cette affaire vous concerne personnellement et vous devez être présent. Il va également être fait mention des dommages et intérêts. Aussi, soyez là !

Ah ! Des dommages et intérêts. Jonnie ressentit un soudain élan d'espoir. Pourraient-ils être suffisamment importants pour couvrir cette dette vis-à-vis de la Banque Galactique ? Ou au moins pour permettre des arrangements, des paiements préliminaires ?

Tinny avait pris tant bien que mal une nuit de repos dans un fauteuil. Il n'y avait guère d'activité à cette heure, aussi Jonnie demanda-t-il à Chong-won de le remplacer et partit s'habiller.

Monsieur Tsung arborait une petite calotte de satin noir avec un bouton bleu sur le dessus. Depuis qu'il avait retrouvé son rang, il ne cessait de sourire. Il s'inclina devant Jonnie et fit rouler jusqu'à lui une baignoire montée sur un chariot de mine. Puis il prépara le déjeuner et les vêtements de Jonnie.

Il prit ensuite une toute petite boîte, noire et plate, accrochée à un lacet de soie qu'il passa autour de son cou. Il murmura quelques paroles devant la petite boîte et Jonnie eut la surprise d'entendre de l'anglais débité d'une voix électronique, monotone et plate.

Monsieur Tsung vit le haussement de sourcils de Jonnie et lui expliqua qu'il s'agissait d'un cadeau que le petit homme gris, Dries Gloton, lui avait fait avant de partir. Un cadeau pour avoir ouvert un compte ! Apparemment, la fille de Monsieur Tsung peignait des tigres et des oiseaux sur de grandes feuilles de papier de riz de fabrication manuelle, et elle les vendait aux émissaires cinquante crédits pièce. Les seigneurs des divers mondes qualifiaient ces dessins d'art « primitif » et de pièces de collection. Quant au gendre de Monsieur Tsung, il peignait des dragons sur des plaques de métal rondes à l'aide d'un projecteur moléculaire et il vendait ses œuvres cent crédits pièce. Monsieur Tsung, en bon père qu'il était, avait surmonté le mépris qu'il éprouvait pour les marchands et leur caste, et placé l'argent de ses enfants.

Il expliqua que Son Excellence avait découvert le langage « chinois mandarin de cour » dans la bibliothèque de son vaisseau, qu'il en avait fait exécuter une microcopie et... Est-ce que le Seigneur Jonnie voyait ce petit bouton, là ? En position haute, ça traduisait le mandarin en anglais, en position intermédiaire, le mandarin en psychlo, et l'anglais en psychlo en position basse. Et est-ce que ce n'était pas bizarre d'entendre l'anglais transformé en tonalités chinoises ?

Mais ce n'était pas tout : la petite boîte faisait également office de voco-lecteur. Voyez cette petite lumière à une extrémité ? Il suffisait de la promener sur des caractères mandarins et la petite boîte les lisait à haute voix en anglais ou en psychlo. Elle pouvait lire de même le psychlo et l'anglais et le transposer en mandarin. Donc, désormais, il était à l'abri de traductions défectueuses.

La petite boîte fonctionnait grâce à la température du corps. Elle n'avait donc pas besoin de piles et Monsieur Tsung, désormais, pourrait parler directement à Jonnie ! Bien sûr, ça ne l'empêcherait pas d'apprendre l'anglais, car il n'appréciait guère d'être traduit sur un ton aussi monocorde. Mais Dries Gloton n'était-il pas un homme charmant ?

Jonnie était effectivement heureux de pouvoir converser avec Monsieur Tsung sans l'intermédiaire d'un coordinateur, mais il se sentait de plus en plus cerné par la Banque Galactique.

Monsieur Tsung mit immédiatement la boîte à l'ouvrage.

- On m'a dit que vous alliez entendre la sentence et que vous êtes plus ou moins impliqué. Étant donné que vous ignorez encore si vous allez être jugé coupable ou non, contentez-vous de rester assis avec respect et d'écouter. S'ils vous demandent quoi que ce soit, inclinez-vous, ne répondez rien. Inclinez-vous, c'est tout. C'est ainsi que l'on procède pour demander un autre jugement.

C'était un bon conseil, mais cela n'apaisa en rien les nerfs de Jonnie.

Le chef Chong-won lui dit que la radio était calme. Non, toujours aucune nouvelle ni de Stormalong, ni d'Edinburgh, ni de la Russie.

Les seigneurs s'étaient rassemblés. L'ordonnance de la salle avait été modifiée. L'émissaire de Fowljopan avait pris place devant un haut bureau installé sur la plate-forme. Les émissaires étaient assis en rangs réguliers, face à lui. Sur un côté de la salle, des sièges avaient été disposés. Schleim était étendu sur un chariot, entortillé dans des chaînes. Seul son visage était visible. Il se trouvait entre l'assemblée et la plate-forme.

Lord Dom fit signe à Jonnie de bien vouloir prendre place auprès de Lord Voraz, sur un des sièges disposés sur le côté. Il eut clairement le sentiment qu'ils l'écartaient de leurs délibérations. En fait, les émissaires ne lui accordaient même pas un regard. Au moins, se dit-il, il n'était pas avec Schleim !

- Ils ont déjà discuté de tout ! glissa Lord Voraz à son adresse. Mais ils doivent tout reprendre pour voter les conclusions et le verdict. En fait, c'est plus un traité qu'un jugement. Je suis surpris de ne pas voir l'émissaire de la Terre parmi eux. Mais ils peuvent délibérer sans lui jusqu'au moment de la signature.

Le représentant de Fowljopan fit signe à Lord Browl de bien vouloir ordonner l'ouverture de la séance, ce qui fut fait.

- Nous nous sommes d'ores et déjà mis d'accord sur les termes d'un traité, déclara le Fowljopan. Ce traité redéfinit le mot « pirate ». J'attire votre attention, cependant, sur le fait que cette redéfinition ne saurait avoir le moindre effet sur le verdict puisqu'elle a été approuvée et ratifiée *après* l'incident dont nous avons à juger. Est-ce exact, mes seigneurs ?

Ils hochèrent la tête.

- Ainsi donc, poursuivit le représentant de Fowljopan, ce jugement ne reposera que sur des attendus et des clauses existants. Nous avons entendu le témoignage du capitaine Rogodeter Snowl et dûment enregistré sa déclaration selon laquelle il aurait reçu *l'ordre* de ne pas tenir compte de l'inviolabilité de ce secteur de conférence de l'ex-émissaire tolnep Schleim. Je considère que le vœu de cette assemblée est d'accepter le témoignage ainsi que les preuves dudit Snowl, en particulier à la lumière du fait qu'il se considérait comme devant protéger l'émissaire tolnep. Ceci le lave de toute accusation. Voterez-vous dans ce sens ?

Les seigneurs votèrent dans ce sens.

- Par conséquent, cette assemblée considère comme dûment établi que ledit émissaire tolnep, du nom de Lord Schleim, a volontairement et avec préméditation ordonné aux forces militaires de Tolnep d'attaquer le lieu de la conférence. Telle est bien votre conclusion ?

Ils votèrent à l'unanimité que telle était bien leur conclusion et Schleim, entendant cela, siffla et cracha.

Le seigneur de Fowljopan reprit :

- Il a été de plus prouvé que ledit émissaire tolnep a tenté de paralyser, d'abattre et de porter atteinte à la personne physique des autres émissaires dans l'accomplissement de leurs devoirs légitimes, transgressant ainsi certaines clauses ici énumérées mais trop nombreuses pour que j'en donne lecture. Telle est bien votre conclusion ?

Ils votèrent à nouveau dans ce sens et Schleim se remit à siffler et à cracher.

- Ainsi, la sentence de cette assemblée, légalement réunie selon les termes du traité signé entre les planètes, est que Tolnep, pour une période de cent années, sera considérée comme une nation renégate ! Est-ce votre vote ?

Tous votèrent, l'air déterminé.

- En conséquence, reprit le Fowljopan, tous les traités passés avec la planète et la nation tolnep sont annulés. Est-ce votre vote ?

Ils votèrent cette sentence.

- Les ambassades, légations et consulats de la nation et de la planète tolnep seront fermés et les diplomates expulsés. Durant une période de cent ans, toutes les fonctions diplomatiques afférentes aux problèmes mineurs seront dévolues aux ambassades, légations et consulats hawvins au coût usuel. Êtes-vous d'accord ?

Ils étaient d'accord.

- Étant donné que la sécurité personnelle dudit Schleim a été garantie par cette assemblée et que, de plus, elle s'est engagée à ce qu'il soit renvoyé indemne sur sa planète, l'assemblée décide que ledit Schleim sera expédié nu et enchaîné sur le marché public aux esclaves de la cité de Creeth, sur Tolnep, et ce afin d'exprimer sa disgrâce au sein de cette assemblée. Est-ce bien votre volonté ?

C'était leur volonté. Schleim cracha et siffla de plus belle. Jonnie se posait une question : quand donc aborderaient-ils le chapitre des dommages et intérêts ? L'espoir était mince mais il existait néanmoins.

Le Fowljopan reprit :

- Étant donné que Tolnep possède la majorité des vaisseaux de guerre et que, selon le témoignage de Schleim lui-même, un officier tolnep commandait l'ensemble de la force combinée, cette assemblée conclut que les nations non tolneps, qui complétaient la force combinée, sont dégagées de ce délit. Mais, étant entendu que la présence de leurs forces dans le ciel constitue une menace permanente dirigée contre cette conférence, cet acquittement dépendra des conditions suivantes : a) les nations concernées s'assureront que la flotte de Tolnep restituera l'ensemble des prisonniers indemnes en un lieu désigné par le commandant militaire des forces terrestres ; b) les nations non-tolneps restitueront elles-mêmes tous les prisonniers qu'elles ont pu faire, sains et saufs, au même lieu ; c) lesdites nations escorteront, si nécessaire en usant de persuasion militaire, la flotte tolnep jusqu'à la planète Tolnep ; d) elles obligeront la flotte tolnep à se poser à la surface de ce monde, étant entendu devant cette conférence que cette flotte ne pourra plus quitter cette surface à nouveau ; e) elles regagneront chacune leur monde d'origine. Les forces mandatées par cette clause sont celles des Bolbods, des Hawvins, des Hockners, des Jambitchows, des Drawkins, de même que toute force sous leurs ordres et toute force de toute autre planète ou nation extérieure à ce système. Ce décret est-il voté ?

On discuta quelque temps afin de décider si les émissaires représentant ces différentes nations devaient être inclus ou non dans le vote. Ou bien s'ils devaient s'abstenir.

- Je suppose, avança Lord Voraz en s'adressant à Jonnie, que vous êtes habilité à désigner un lieu sûr en l'absence d'une autre autorité ?...

- Oui, murmura Jonnie en réponse, mais ils n'ont pas dit ce que nous devions faire des prisonniers que nous pourrions avoir.

- Ceci n'est pas un traité de paix. Il s'agit de juger les offenses commises contre cette assemblée. C'est moi qui ai parlé en faveur des prisonniers terrestres. Ils sont, voyez-vous, des biens planétaires. Les prisonniers de la flotte que vous pourriez détenir ne seraient mentionnés qu'en cas de traité de paix. Et je doute qu'ils les rapatrient vu la possibilité d'une contamination. Vous pourriez essayer de vous venger avec des armes biologiques. Vous êtes couverts, étant donné qu'il est stipulé que les prisonniers doivent être « indemnes », selon leurs propres termes.

Des biens, se dit Jonnie. Tout ce qui intéresse Voraz, c'est la valeur de ce bien immobilier qu'il veut récupérer. Mais il ne dit rien, trop heureux de pouvoir récupérer des prisonniers.

Ils avaient finalement pris la décision que les émissaires des autres nations attaquantes devaient voter car cela ferait meilleure impression sur les minutes du jugement. Les dernières conclusions furent donc votées à l'unanimité.

- La loi exige, déclara alors le Fowljopan, que cette assemblée mentionne qu'il a été usé de violence à l'encontre de l'ex-émissaire, Lord Schleim.

Lord Voraz toucha le genou de Jonnie.

- Ça vous concerne.

- Un dénommé Jonnie Goodboy Tyler a été vu lançant une canne ou un sceptre sur la personne de Lord Schleim. Le vœu de cette assemblée est de disculper ledit Tyler. Voterez-vous en ce sens ?

Ils votèrent tous et Schleim se déchaîna en crachats et en sifflements.

- Maintenant, c'est la partie agréable, souffla Lord Voraz.

- En application de la Clause 103, dit le Fowljopan, qui couvre les services rendus pour la protection et la préservation de la vie des membres d'une assemblée, pour avoir deviné les intentions dudit Schleim et l'avoir désarmé de façon qu'il ne puisse porter atteinte à quiconque, le dénommé Jonnie Goodboy Tyler est officiellement investi de l'Ordre de l'Écharpe Rouge. Est-ce bien là le vœu de cette assemblée ?

Il y eut un bourdonnement de voix et des applaudissements crépitèrent.

Lord Voraz murmura :

- C'est l'Impératrice Beaz des Chatovariens qui a créé cet ordre il y a 83 268 années parce qu'un serviteur, lors d'une assemblée, avait sauvé la vie de son amant. On avait tenté de l'assassiner et le serviteur, en intervenant, fut blessé d'une simple estafilade. D'où l'« Écharpe Rouge ». (Il tira de sa poche un livre minuscule qui s'agrandit et consulta une page.) Cela vous confère le droit d'être appelé « Seigneur » et vous garantit le versement d'une pension de deux mille crédits par an. Nous gérons ce fonds. Je vais le noter dans mon carnet.

Les applaudissements continuèrent un instant, puis Lord Browl déclara que Jonnie devait se lever et s'incliner. Avec amertume, Jonnie se dit qu'il mettrait l'écharpe rouge à Fend-le-Vent car il ne voulait pas de leurs honneurs. Il se rassit. Une chose était certaine : ils mettaient du temps à en venir aux dommages et intérêts. Ah, il semblait que le moment était venu !

Le Fowljopan déroulait un parchemin couvert de chiffres.

- Il a été également établi que la dignité des émissaires ainsi que celle de leurs planètes respectives a été bafouée par l'agression inconvenante dudit Schleim. L'assemblée décide par conséquent de condamner la planète Tolnep à une amende de un billion de crédits galactiques de dommages et intérêts.

Le Fowljopan s'interrompit un instant pour chercher dans ses documents.

- Les émissaires qui possédaient des vaisseaux dans l'espace au moment de l'incident ne seront pas inclus parmi les récipiendaires de cette indemnité par suite des soupçons de conspiration délibérée ou involontaire qui pèsent sur eux.

La somme, ainsi qu'il en a été décidé lors des précédentes délibérations, sera allouée aux émissaires en rapport aux populations qu'ils représentent. (Il parcourut une liste de chiffres.) L'assemblée est-elle d'accord ?

Ils rectifièrent quelques chiffres.

- Mais la Terre, murmura Jonnie à Lord Voraz, ne reçoit pratiquement rien !

- Certains des émissaires présents représentent des populations dépassant des centaines de milliards d'êtres, chuchota Lord Voraz en réponse. Les Chatovariens comptent près de trente-neuf billions d'habitants sur leurs sept cents mondes. Et vous, combien êtes-vous ? Trente-trois mille ?

Les émissaires acceptèrent les chiffres revus et corrigés. Jonnie retint son souffle. Les dommages et intérêts dus à la Terre allaient-ils être annoncés ?

- Toutes les dispositions financières seront prises en accord avec les usages de la Banque Galactique, dit le Fowljopan.

Il ne demanda pas l'accord des émissaires sur ce point. Lord Voraz se contenta de hocher la tête.

- Telles sont donc nos conclusions, dit le Fowljopan. Le vœu de la présente assemblée est-il que cela soit transcrit, tel que voté, afin d'être signé et attesté ?

Jonnie chuchota vivement à l'adresse de Lord Voraz :

- Attendez. Ils prétendent que de nombreuses cités ont été incendiées. Il y a des dommages de guerre considérables.

- J'ai tenté d'intervenir dans ce sens. Cela aurait augmenté la valeur de cette propriété. Mais ce n'est pas une conférence de paix, vous savez. C'est un procès et cette assemblée a délibéré sur les offenses commises à l'encontre d'elle-même.

Pas de dommages et intérêts pour la Terre ? Jonnie résista à l'envie de se lever d'un bond pour protester. Si Sir Robert ou MacAdam avaient été là...

- Un billion de crédits d'amende, souffla Lord Voraz, c'est *dur*. Cela va provoquer l'effondrement de l'économie tolnep. Même si la Terre était indemnisée pour les villes détruites, Tolnep serait incapable de payer après une amende aussi énorme. Vous devriez vous réjouir. Vous voilà débarrassés des forces hostiles.

Et de toute contestation quant à la validité du titre de propriété, songea Jonnie avec amertume. Désormais, ils risquaient la saisie bancaire et ils n'avaient pas le premier sou pour l'éviter.

Mais le Fowljopan s'adressait à lui avec véhémence.

- Votre émissaire ne s'est pas présenté ! C'est tout à fait irrégulier. Cela n'annule ou ne change nullement les conclusions du procès. Mais s'il n'est pas là pour les signer, elles ne seront pas valides. Et cette guerre se poursuivra. Vous feriez donc bien de conseiller à votre gouvernement de l'envoyer ici rapidement. Ces documents seront prêts à être signés dès demain après-midi. Allez-vous vous arranger pour qu'il soit présent ?

- Je ne suis pas un représentant du... commença Jonnie.

- Mais vous avez de l'influence, dit le Fowljopan. Servez-vous-en ! Nous désirons en finir et rentrer chez nous !

- Vous feriez bien de faire ce qu'il vous dit ! souffla Lord Voraz.

Jonnie leva les yeux et aperçut Dries Gloton sur le seuil. Il était de retour !

A l'instant où Jonnie quittait la salle, Dries demanda à Lord Voraz :

- Le représentant de la Terre viendra-t-il ?

Voraz désigna Jonnie.

- Est-ce que vous allez le ramener ? demanda Dries à Jonnie.

Jonnie dit qu'il allait essayer, et les deux petits hommes gris échangèrent un regard en souriant.

Mais Jonnie était trop accablé par l'absence d'indemnités pour leur accorder beaucoup d'attention.

3

Une fois hors de la salle de conférence, Jonnie se laissa gagner par la fureur.

La guerre ! Chacun de ces seigneurs, ou leurs gouvernements, n'avait qu'un mot à dire et les flottes s'ébranlaient pour aller casser des mondes.

Puis elles se retiraient tranquillement et elles regagnaient l'espace sans que quiconque se soucie de ce qu'il était advenu des populations, des maisons, des vies. Et, un beau jour, elles revenaient et recommençaient.

Jonnie fit le tour de la cuvette. Il était midi, la journée était ensoleillée et un souffle d'air frais venait des galeries et des ventilateurs de recyclage.

Les petits enfants jouaient dans les puits de tir, vêtus de bouts de tissu dépareillés. Ils regardaient passer Jonnie. Les chiens reniflaient et aboyaient sur son passage, tirant sur leur laisse. Puis, devinant qu'il était leur ami, ils remuaient la queue. Les enfants plus âgés, qui avaient fini de nourrir les plus petits, étaient assis en tailleur, picorant dans leur bol. Ils souriaient au passage de Jonnie.

Pourquoi tous ces enfants n'auraient-ils pas leur chance ? se demandait Jonnie. Pourquoi n'auraient-ils pas droit à un avenir, à la sécurité et au bonheur ?

La guerre ! De quel droit ces nations impersonnelles et froides tuaient-elles, écrasaient-elles des êtres sans défense ?

On pouvait appeler cela « politique nationale », « raison d'état » ou autrement, mais ce n'était rien d'autre qu'un acte de folie.

Psychlo ! De quel droit Psychlo avait-elle exterminé cette planète ? Est-ce qu'elle n'aurait pas pu simplement acheter ce dont elle avait besoin ? Les Psychlos auraient très bien pu débarquer et dire : « Nous avons besoin de métal. Nous sommes prêts à en échanger contre telle ou telle technologie. » Mais non, ils avaient préféré voler et tuer.

Il pensait à la période qui avait précédé la venue des visiteurs, où la Terre ne vivait plus sous l'oppression des Psychlos. Les gens avaient essayé de vivre, d'être heureux. Ils avaient eu un but, ils avaient travaillé. Et puis les visiteurs étaient arrivés. Et, avec eux, la banque.

S'organiser était une nécessité, mais cela ne donnait aucunement le droit à quiconque de créer des gouvernements inhumains et sans âme !

Il pensa à Brown Staffor le Boiteux et à ses inepties au nom de « l'état ». Et pourtant, il avait été presque sensé, comparé à ces seigneurs des autres mondes.

Jonnie regarda les enfants autour de lui. Et il prit sa décision. Quoi qu'il advienne, il n'y aurait plus jamais de guerre. Nulle part.

Il était tellement accaparé par ses pensées que le chef Chong-won dut le secouer par le bras pour obtenir son attention.

Il sautait sur place. Il demanda à Jonnie de le suivre très vite et il le poussa littéralement en direction de la salle des opérations.

Tinny était rayonnante ! On percevait des flots de paroles palis dans ses écouteurs. Elle prononça quelques mots dans son micro et se tourna vers Jonnie.

- C'est l'officier écossais de l'équipe de secours en Russie. Ils ont détecté une fumée verte qui arrive par les ventilateurs. Quelqu'un, à l'intérieur, a réussi à percer le blindage dans les conduits et ils sont en train de mettre des treuils en place pour remonter les gens !

Minute par minute, les rapports arrivaient. Tinny annonça tout à coup à Jonnie :

- C'est le colonel Ivan ! C'est pour vous ! Il dit : « Dites au maréchal Jonnie que la vaillante Armée Rouge est toujours à ses ordres ! »

Jonnie était sur le point de répondre, mais il avait du mal à parler. Tinny reprit :

- Quelqu'un d'autre pour vous ! Il veut entendre votre voix !

Elle tendit son casque à Jonnie.

Sécurité ou pas, la voix lança en clair et en anglais :

- Jonnie ? C'est Tom Smiley Townsen !

Jonnie fut incapable de parler.

- Jonnie, tous les gens du village sont sains et saufs. Tout le monde va bien, Jonnie. Jonnie, est-ce que tu m'entends ?

- Dieu merci, dit enfin Jonnie. Dis-leur ça pour moi, Tom. Dis-leur à tous. Dieu merci !

Alors, il se laissa tomber sur une chaise et se mit à pleurer. Il n'avait pas réalisé jusqu'alors à quel point il s'était fait du souci pour eux. Il avait dressé un barrage de fer en lui pour pouvoir accomplir sa tâche.

Les rapports continuaient d'arriver et, après un moment, il se mit au travail. Tous voulaient savoir où ils devaient aller à présent et il leur apprit alors la bonne nouvelle : le départ de l'ennemi et le traité. Des applaudissements et des vivats se firent entendre derrière la voix du communicateur.

Cinq pilotes avaient été blessés, il y avait de nombreux brûlés et ils demandaient que l'Écosse leur vienne en aide. Jonnie apprit que le vieil hôpital souterrain d'Aberdeen avait été réorganisé. Il demanda que les blessés les plus graves y soient acheminés par avion, puis obtint qu'une infirmière d'Aberdeen se rende à Tachkent afin de s'occuper de ceux qui souffraient de blessures et de brûlures bénignes.

Jonnie était à ce point pris par ces problèmes qu'il en avait oublié Sir Robert jusqu'au moment où Dries Gloton intervint auprès de Chong-won pour qu'il le lui rappelle.

Jonnie avait vaguement cherché à éviter cela. A Castle Rock, rien n'était encore joué et il savait qu'il faudrait de la persuasion et de la patience pour arracher Sir Robert à son poste. Il avait vaguement espéré que le seigneur de Fowljopan accepterait de retarder la signature. Sir Robert n'allait pas être facile.

Il ignora la requête de Dries Gloton et se consacra aux dispositions à prendre pour que tous les prisonniers soient déposés à Balmoral Castle, à quatre-vingts kilomètres environ à l'ouest d'Aberdeen. L'endroit était facilement repérable du haut des airs à cause des trois pics montagneux qui se dressaient à proximité de la rivière, et aussi parce que le château lui-même était une ruine particulièrement évidente. La route d'Aberdeen était en assez bon état, mais Thor s'offrit à évacuer les prisonniers par avion et à conduire à l'hôpital d'Aberdeen ceux qui nécessitaient des soins. Jonnie lui donna quelques conseils de prudence avant d'aller rejoindre l'émissaire hawvin qui semblait à présent assurer le contact avec la flotte en orbite. Il lui remit une carte avec des indications précises pour qu'il la transmette au commandant hawvin. On lui assura que tout serait fait dans l'après-midi, sans attendre les signatures. Personne ne savait quel était le nombre des prisonniers, mais ils seraient conduits au sol à bord de différents vaisseaux. Jonnie laissa le soin de l'opération à l'émissaire hawvin ainsi qu'à Thor, en Écosse.

Tout cela lui avait donné le sentiment très net que la situation était particulièrement critique autour d'Edinburgh et Jonnie avait encore moins envie d'appeler Sir Robert.

Une nouvelle fois, Dries Gloton intervint auprès de Chong-won pour que Jonnie se décide à faire le nécessaire. Grands dieux, ces petits hommes gris étaient vraiment pressés de voir arriver Sir Robert !

Finalement, il réussit à persuader les communicateurs d'Écosse d'aller chercher Sir Robert et, lorsqu'il l'eut enfin à la radio, toutes ses réticences se trouvèrent justifiées.

- Quoi ! Venir à Kariba ! avait grondé Sir Robert.

Pour autant que les communicateurs eussent correctement transmis et traduit la suite, il envoyait bel et bien promener Jonnie ! Est-ce que Jonnie ignorait qu'il y avait deux mille cent personnes bloquées dans les différents abris de Castle Rock ? Qu'on ne savait même pas si elles vivaient encore ? Que des bombes lourdes avaient provoqué l'écroulement de toutes les issues possibles ? Ils avaient réussi à faire passer des tuyaux pour envoyer de l'air, mais il était impossible d'entrer en contact avec les éventuels survivants. Les parois de la falaise avaient été tellement fissurées par le bombardement qu'à chaque fois qu'ils perçaient, il se produisait des glissements de terrain !

Oui, confirma Sir Robert, Dwight était sur place. Oui, il avait apporté des coffrages de galeries de Cornouailles et tentait de les mettre en place. Est-ce que Jonnie croyait vraiment qu'ils restaient là à ne rien faire ?

Si Jonnie se plaisait tellement à rester à boire le thé avec ces délicats seigneurs, tant mieux pour lui. Mais qu'il laisse au moins travailler les autres...

Il fallut encore une demi-heure à Jonnie pour commencer à faire comprendre à Sir Robert que, sans sa signature, l'affaire des « visiteurs » ne serait pas finie.

Enfin, sur un dernier chapelet de blasphèmes que les communicateurs renoncèrent à traduire en pali, Sir Robert dit qu'il allait trouver un pilote et qu'il arrivait.

Jonnie se rassit, épuisé. Il n'aimait pas se disputer avec Sir Robert. Et il comprenait parfaitement ses sentiments. Sa tante Ellen était quelque part dans ces abris. Et Chrissie ! Il devait rester à Kariba pour tout diriger, mais il savait que sa place aurait dû être là-bas, à creuser, avec ses mains nues si nécessaire.

Lorsque Chong-won vint lui annoncer l'arrivée de Sir Robert, le petit homme gris eut l'air ravi.

4

Dans le ciel, au nord, précédant le bruit de son moteur, pareil à une étoile mobile, un avion arrivait sur Kariba.

L'intercom de la batterie antiaérienne sonna. L'appareil était ami et demandait la permission d'atterrir.

Jonnie sortit pour le voir se poser. La porte s'ouvrit et une silhouette sauta au sol. Les traits de l'homme étaient indistincts dans la nuit. Jonnie regarda plus attentivement et vit des pansements. Le visage de l'arrivant était enveloppé de pansements !

Un doigt se tendit, droit sur la barbe de Jonnie.

- Magnifique !

C'était Dunneldeen !

Ils échangèrent de grandes claques amicales. Puis Dunneldeen entraîna Jonnie vers un endroit mieux éclairé et le regarda.

- Oui, magnifique ! Quelqu'un t'a taillé la barbe de moitié et la mienne est à moitié brûlée ! Prends un rendez-vous pour moi chez ton coiffeur.

- Tu as été descendu ? demanda Jonnie, un peu inquiet, en examinant les pansements sur le visage de son camarade.

- Pas d'insultes, mon gars ! Est-ce que tu crois que tes Bolbods, Drawkins ou Hockners pourraient abattre l'as des as ? Non, mon petit Jonnie, j'ai simplement lutté contre l'incendie. Ce n'est pas une brûlure très grave, mais tu connais le docteur Allen. Il n'est pas heureux tant qu'il ne t'a pas emmailloté comme un bébé.

- Ça se passe comment, là-bas ? demanda Jonnie.

- Mal. On a réussi à maîtriser l'incendie, c'est tout ce qu'on peut dire. Dwight et Thor essaient de percer des tunnels mais il y a des glissements de roche. On a bon espoir, c'est tout ce que je peux te dire. Dis-moi, est-ce que ce petit homme gris est revenu ? C'est bien son vaisseau que je vois là-bas ?

- Il était à Edinburgh ?

- Oui. Et pas qu'un peu ! Il s'est baladé partout en posant des questions à tout le monde. Et puis, tout d'un coup, on a eu l'impression qu'il avait trouvé ce qu'il cherchait et il est parti à toute allure vers Aberdeen. Il a bien failli se faire descendre ! Il cherchait le Roi... Tu sais, le chef des Fearghus.

- Comment va-t-il, lui ?

- Ma foi, il saigne. Tu sais, dès qu'il se coupe, il n'arrête pas de saigner. Je lui dis toujours d'éviter les champs de bataille. C'est mauvais pour lui ! Bref, on l'a trouvé quelque part dehors et on l'a aussitôt expédié à Aberdeen pour lui faire des transfusions. Le petit homme gris voulait absolument le voir et les écuyers l'ont bien sûr viré. Ensuite, il a réussi à coincer le docteur Allen dans un coin. (Dunneldeen désigna le vaisseau dont les phares continuaient de clignoter.) On dirait que ce type a passé son temps à ravager toutes les bibliothèques du coin. Il pictographie chaque bouquin qui lui tombe sous la main. Il a demandé au docteur de lui dire ce qui n'allait pas chez le Chef. Il a consulté un tas de vieux bouquins avec le docteur, et le docteur a découvert qu'il existait un composé appelé vitamine K qui aide à la coagulation du sang. Ils en ont synthétisé et tu sais quoi ?... L'hémorragie a cessé ! Le Chef est en voie de guérison. Qu'est-ce qu'il est exactement, ce petit homme gris, un docteur ?

- Non, dit Jonnie. C'est le directeur de la succursale locale de la Banque Galactique. Je t'expliquerai plus tard. Il s'est rendu là-bas pour s'assurer que cette planète a bien un gouvernement !

- En tout cas, c'était chic de sa part.

Jonnie était heureux pour le Chef, mais il avait de plus en plus le sentiment d'être cerné par les banquiers. Il préféra ne pas dire à Dunneldeen qu'ils étaient menacés de saisie et de vente.

- Tu as vu Stormalong ? demanda-t-il.

Dunneldeen secoua la tête.

- Allons rejoindre Sir Robert. Il est dans l'avion, mort pour le monde.

Oui, Sir Robert était vraiment mort pour le monde. Le visage gris, la peau noire de suie, les mains déchirées, les vêtements en lambeaux, Sir Robert avait l'apparence de ce qu'il était : un vieil homme qui avait connu l'enfer durant plusieurs jours de suite sans un instant de répit.

Ils essayèrent de le porter à deux, mais le vieux chef de guerre était particulièrement lourd, surtout à l'état de poids mort. Ils trouvèrent donc un chariot et le poussèrent jusqu'à l'hôpital.

Jonnie alla réveiller l'infirmière qui vint examiner Sir Robert. Il n'avait aucune blessure, à part les plaies qu'il portait aux mains. Elle lui fit une injection de B Complexe et il ne tressaillit même pas.

Monsieur Tsung et toute sa famille étaient tout à coup debout et se hâtaient de mettre les choses en train. Ils donnèrent d'abord un bain à Sir Robert, taillèrent sa barbe pour faire disparaître les poils brûlés, puis lui coupèrent les cheveux, et il eut très vite meilleure mine. Il ne tarda pas à se retrouver dans un lit. A aucun moment il n'avait ouvert une paupière !

Jonnie retourna auprès de Dunneldeen, qui était resté à l'hôpital, et le retrouva profondément endormi dans un fauteuil. L'infirmière était occupée à changer ses pansements. Les brûlures étaient superficielles et ne laisseraient pas de cicatrices. Sa barbe était grillée de place en place. Jonnie interrompit l'infirmière à l'instant où elle préparait de nouveaux pansements et appela la fille de Monsieur Tsung qui arriva presque aussitôt avec ses ciseaux pour tailler la barbe de Dunneldeen comme celle de Jonnie.

Jonnie avait eu le vague espoir que Dunneldeen le remplacerait à la salle des opérations, afin qu'il puisse partir à la recherche de Stormalong. Mais Dunneldeen n'était plus capable que d'une seule chose : dormir. Jonnie le confia donc aux bons soins des Tsung qui le baignèrent et le mirent au lit, comme Sir Robert.

Ce devait être l'enfer à Edinburgh !

Jonnie contacta la Russie par radio. Plusieurs milliers de personnes avaient été entassées dans cette vieille base. Fumée ou non, il devait y avoir des gens opérationnels. Il y avait deux cent cinquante Chinois du nord de la Chine. Plus les Sibériens et les Sherpas. Tinny lui lut certains messages personnels qu'elle avait reçus : les moines étaient sains et saufs et on avait réussi à sauver les bibliothèques bouddhistes et chinoises et diverses choses de ce genre. Elle courut en informer Chong-won et Monsieur Tsung. Il était très tard aussi bien à Tachkent qu'à Edinburgh, mais Jonnie entreprit d'envoyer les gens à droite et à gauche.

Car la question essentielle était à présent : où était Stormalong ? Et où était donc MacAdam ? La seule personne avec laquelle ils avaient un contact au Luxembourg était une fille qui ne cessait de répéter quelque chose comme : *Je n'comprends pas !* (*), ce qui n'apportait guère d'informations sur le sort de Stormalong et du banquier écossais. Jonnie se demandait s'il allait devoir affronter cette menace de saisie sans aide ?...

5

On avait appris à Jonnie que la signature aurait lieu dans l'après-midi.

Lord Dom et Dries Gloton se présentèrent dans la salle des opérations. Dries semblait particulièrement heureux.

- J'ai entendu dire que le représentant de la Terre est arrivé cette nuit. Assurez-vous qu'il soit bien présent à cette signature.

Jonnie consulta sa montre. On était au milieu de la matinée. Il gagna la chambre où le vieux chef de guerre et Dunneldeen avaient été installés.

Dunneldeen était levé et habillé. Il paraissait en forme. Sir Robert avait enfin ouvert les yeux, mais semblait encore quelque peu groggy. Jonnie entraîna Dunneldeen vers la salle des opérations.

- Je veux que tu prennes mon poste, dit Jonnie. Je resterai jusqu'à la signature mais, ensuite, je partirai à la recherche de Stormalong.

Il consacra quelques minutes à mettre Dunneldeen au courant, puis retourna auprès de Sir Robert.

Le vieil Écossais était aussi aimable qu'un ours. Il était assis sur le bord du lit et mangeait ce que Chong-won venait de lui servir.

- Une signature ! grommela-t-il entre deux bouchées. Quelle perte de temps ! Ils ne respectent jamais aucun traité. C'est une belle planète et ils la veulent ! Ma place est à Edinburgh, pour aider à dégager tous ces pauvres gars ! Tu avais raison, MacTyler : ils auraient tous été mieux en Cornouailles !

Jonnie le laissa finir son repas, puis, profitant de ce qu'il prenait son thé, il se mit en quête d'un projecteur atmosphérique. Sans tenir compte des marmonnements courroucés de Sir Robert sur le fait qu'il ne servait à rien ici, il lui fit un exposé détaillé des derniers événements et lui parla des solutions qui s'offraient à eux. Puis il se tut et attendit.

- Je ne suis pas un diplomate ! rétorqua Sir Robert. Je l'ai déjà prouvé ! Et je ne suis pas non plus un avocat ou un banquier ! Mais ton plan a une chance d'aboutir et je ferai ce que tu as dit.

C'était tout ce que voulait Jonnie.

Au milieu de l'après-midi, ils se rendirent jusqu'à la salle de conférence. Sir Robert était en uniforme et Jonnie avait mis sa tunique noire et coiffé son casque. Personne ne leur prêta grande attention.

Les émissaires avaient rédigé le traité dont Jonnie avait entendu la lecture. C'était un gros parchemin qui avait été déroulé sur une table afin que chacun

(*) En français dans le texte. (N.d.T.)

des émissaires pût aller le signer, apposer son sceau (lequel était aussitôt contresigné et certifié par la banque), puis regagner sa place.

C'était comme une sorte de parade. Dries Gloton et le Fowljopan étaient les seuls à demeurer à la table.

Sir Robert continuait de fulminer à propos de « cette perte de temps », mais à voix basse et uniquement à l'adresse de Jonnie. Les signatures se succédaient, lentement, interminablement. Cela dura ainsi près d'une heure.

La Terre était la dernière à apposer sa signature. Sir Robert se leva, inscrivit son nom sur le document, puis prit une allumette, fit fondre un peu de cire et y pressa fortement le sceau de son anneau. Dries apposa la signature bancaire et prit le document.

- J'atteste, annonça-t-il à l'assemblée, que la Banque Galactique certifie l'authenticité du Traité de Kariba, Planète Terre. Il est conclu et signé par tous. Puis-je suggérer que des copies soient sur l'instant transmises à tous les vaisseaux concernés ?

Il déroula le traité, sortit un petit picto-enregistreur de sa poche et le promena sur le parchemin.

Jonnie remit le picto-enregistreur à Dunneldeen pour qu'il aille faire des copies pour la Terre, pour les délégués et pour la banque.

Le représentant des Hawvins se leva.

- On m'a informé que tous les prisonniers ont été débarqués au lieu prescrit et que la décharge a été dûment signée par le représentant de la Terre.

Dries regarda Jonnie. C'était Thor qui avait annoncé la nouvelle au milieu de la matinée. Il y avait sept pilotes, deux soldats russes, deux Sherpas et un Écossais. Treize hommes en tout. Ils étaient tous en assez bonne condition physique. Mais, étant donné qu'aucun des vaisseaux de la flotte ne possédait d'aliments humains, tous souffraient d'une faim atroce et il était certain qu'ils n'auraient pas survécu à un long voyage dans l'espace. On les avait évacués rapidement sur Aberdeen où ils avaient été alimentés par intraveineuse avant que l'on soigne leurs blessures légères. Thor s'était querellé avec l'officier hawvin qui dirigeait le débarquement car l'un des pilotes se souvenait d'un camarade qui avait été fait prisonnier par les Tolneps et qui n'était pas du nombre. Thor avait fait évacuer le premier groupe et attendu patiemment. Il était bientôt apparu que, oui, les Tolneps détenaient un autre pilote, un Allemand. Il était arrivé deux heures plus tard et on avait juré à Thor que c'était tout, qu'il n'y avait plus personne, et il les avait crus.

- Notre officier confirme que tous les prisonniers ont bien été restitués, dit Jonnie.

Les émissaires qui avaient des vaisseaux en orbite transmirent alors leurs ordres à leurs officiers respectifs.

Ils attendirent. Puis Dunneldeen arriva et annonça que les observateurs de Russie avaient rapporté que toute la flotte en orbite avait regagné l'espace et s'était placée en formation autour des vaisseaux tolneps avant de s'éloigner. Les vaisseaux avaient paru devenir énormes un instant, puis s'étaient évanouis. Le contact radio était rompu.

Tous les membres de l'assemblée se portèrent alors à l'extérieur et Angus téléporta Schleim, nu et enchaîné, sifflant et crachant, vers le marché aux esclaves de Creeth (*). Ensuite, les émissaires regagnèrent la salle de conférence.

(*) Ce traité eut des répercussions bizarres. Lord Schleim, de retour sur Tolnep, se servit des propriétaires du journal de Creeth, le principal organe de Tolnep, *Le Croc de Minuit*, qui étaient furieux

Sir Robert pensait que tout était terminé. Il était assis au premier rang et grommelait.

Dries Gloton souriait. Il s'approcha de lui et sortit un épais document de sa poche.

- Mes seigneurs, déclara-t-il à l'assemblée, vous êtes témoins qu'il n'y a plus de litige quant au titre de propriété de la Terre. Le gouvernement de cette planète est indemne. Le roi se rétablit. Et le représentant de la Terre ici présent est dûment mandaté afin d'agir pour le compte du gouvernement.

Il prit un air triomphant et s'écria :

- Ainsi donc, le titre de propriété de cette planète est légitime ! Émissaire de la Terre ! Je vous remets officiellement une notification de délit et de contrainte de paiement ! Si, après discussion, et ce dans un délai maximum d'une semaine, l'hypothèque demeure impayée, il s'ensuivra la saisie et mise en vente de cette planète, de tous ses biens ainsi que de ses habitants !

Il laissa tomber le document sur les genoux de Sir Robert.

- Considérez-vous comme légalement notifiés !

Sir Robert fixait le papier, immobile.

Dries Gloton adressa un sourire de requin à Jonnie.

- Je vous remercie de l'avoir conduit ici afin qu'il reçoive légalement ce document. Voyez-vous, je suis non seulement directeur de la succursale dont dépend cette planète, mais également responsable du service des contentieux.

Il alla prendre sur un fauteuil une grosse pile de brochures, retourna sur la plate-forme et s'adressa à nouveau aux émissaires.

- Très honorés seigneurs, le premier objectif de cette conférence, à savoir établir la légitimité du titre de propriété de cette planète, a été atteint. Cependant, je n'ignore pas que chacun d'entre vous a toute autorité pour acquérir des territoires pour son état. Il existe d'autres moyens que la guerre.

Les émissaires haussèrent les épaules. La guerre, dit l'un d'eux, était la méthode la plus sûre. La santé mentale du peuple en dépendait, commenta un autre. Comment un état pouvait-il prouver sa puissance sans la guerre ? demanda Browl. Et Dom railla : Comment la Banque Galactique pourrait-elle survivre sans prêts militaires ? Les grands, lança un autre émissaire, ne pouvaient espérer acquérir la célébrité que par la guerre. Ils étaient tous d'humeur particulièrement joviale.

Jonnie écoutait tout cela avec un sentiment d'horreur. Il était témoin de la froide cruauté dont pouvaient faire preuve les grosses machines gouvernementales.

---

de la disparition de leur meilleur reporter, Arsebogger, pour mener une campagne de dénigrement contre le Capitaine Rogodeter Snowl et le rendre responsable de tout le désastre. Schleim prétendit que c'était le « faux témoignage » de Snowl qui avait provoqué la disgrâce de Schleim et de Tolnep. Rogodeter Snowl fut jeté dans les rues de Creeth et mordu à mort par la foule. L'un de ses proches, Agitor Snowl, accusa alors Lord Schleim d'être à l'origine de la campagne de dénigrement et de ce meurtre. Avec un groupe d'officiers de la flotte, il attendit que Lord Schleim se présente devant le gouvernement et fit sauter Schleim et la Maison du Pillage. Plus tard, on devait appeler cet incident « Le grand complot contre Schleim ». Peu après, Tolnep devint incapable d'honorer ses échéances puisque sa flotte avait était consignée au sol par le traité et qu'elle ne pouvait donc poursuivre le commerce des esclaves qui formait la base de son économie. Le trésor public, qui avait toujours été corrompu, tomba au-dessous de son quota habituel de pots-de-vin versés aux hauts fonctionnaires et saisit un par un les citoyens de Tolnep pour retard d'impôt, leur fit arracher les crocs et les stérilisa avant de les vendre comme esclaves. Finalement, les Hawwins achetèrent la planète, exterminèrent les Tolneps qui restaient et la race s'éteignit.

(Extrait des Registres du Service de la Clientèle, Banque Galactique, Vol. 43562789 A.)

- Poursuivez, Votre Excellence, dit enfin le Fowljopan. Nous savons tous ce que vous allez nous dire.

Dries sourit et commença à distribuer les brochures.

- Voici quelques catalogues que j'ai fait établir tout en attendant l'établissement du titre. Vous y trouverez tous les détails concernant la masse planétaire, la surface, les climats, les mers et les océans, la hauteur des montagnes, ainsi que quelques vues sélectionnées. C'est une très jolie planète, en vérité. Elle peut abriter plusieurs milliards d'habitants, à condition qu'ils puissent respirer son atmosphère, l'air. Mais la plupart d'entre vous ont des colonies dont l'atmosphère est de ce type et qui sont déjà surpeuplées.

Il finit de distribuer les brochures et les seigneurs commencèrent à feuilleter les pages illustrées en couleurs.

- Vous avez des garants et même, pour certains, de la liquidité. Comme vous le savez, une force mercenaire minimale suffirait à occuper cette planète. Ses défenses sont archaïques et sa population trop réduite pour résister à une invasion. Le transfert du titre de propriété inclurait tous les biens et l'ensemble de la population. Donc, au cas où vous auriez envie de prolonger votre séjour sur ce monde, sachez que dans sept jours, la banque exercera la saisie de cette planète et la vendra aux enchères si des arrangements ou des paiements ne sont pas intervenus, ce qui est peu probable car ils ne possèdent ni argent, ni crédit, ni garants. Merci, mes seigneurs.

Ils bavardaient tous en commentant la brochure et semblaient d'humeur folâtre. Il était évident qu'ils avaient l'intention d'attendre, y compris ceux qui venaient d'univers très lointains.

Jonnie s'adressa à Dries Gloton :

- Ainsi, ce n'était qu'une question d'argent !

Dries sourit.

- Nous n'avons pas l'ombre d'un sentiment d'hostilité envers vous. Les affaires sont les affaires et la banque est la banque. On doit honorer ses obligations. Un enfant sait cela.

Il se tourna vers Sir Robert :

- Veuillez organiser une rencontre pour que nous puissions passer aux négociations dès que possible et en finir avec tout cela.

Jonnie et Sir Robert prirent congé.

6

Il régnait une activité fiévreuse dans la cuvette. La tribu du chef Chong-won, à Edinburgh, avait été relevée par les Chinois du Nord que Jonnie avait fait venir de Russie.

Les rapatriés étaient sales et couverts de brûlures. Certains étaient encore dans un état d'épuisement évident et ils n'avaient même pas réussi à se reposer durant le vol. Ils s'étaient précipités vers leurs enfants pour les prendre dans leurs bras, lançant des questions aux enfants plus âgés. Les chiens tiraient sur leurs laisses en aboyant joyeusement. C'était une scène de retrouvailles bruyantes et heureuses.

Jonnie était content d'avoir pu les relever. Tous avaient travaillé sans relâche et il était certain qu'ils n'auraient pas tenu beaucoup plus longtemps. Tout en regardant ces pères qui bavardaient gaiement avec leurs petits, ces mères qui posaient des questions inquiètes pour savoir si on avait bien pris les repas et fait les siestes, Jonnie songeait à ces arrogants seigneurs et à leurs gouvernements sans âme. Le sort de ces gens les laissait indifférents. Oui, certes, ces états étaient capables de justice et même de sens social, mais ils demeuraient avant tout des forces dures, froides qui pouvaient bouleverser et briser l'existence de peuples entiers sans le moindre remords.

Le chef Chong-won dirigeait la réorganisation. En passant près de Jonnie, il lui expliqua qu'il les conduisait tous à l'ancien dôme de la mine qui avait été nettoyé. Il y avait des chambres disponibles au sous-sol et le câble de blindage atmosphérique couvrait ce secteur.

En tout cas Jonnie était libre, à présent. Dunneldeen pourrait le remplacer.

Il se rendit à nouveau dans la salle des opérations et demanda :

- Est-ce que les gens de la tribu ont ramené des informations ?

Dunneldeen secoua la tête.

Jonnie prit un blouson de pilote et un masque à oxygène.

- En ce cas, je vais à la recherche de Stormalong.

Il n'alla pas plus loin que la sortie de la cuvette. Il entra en collision avec Stormalong lui-même.

- Mais où étais-tu passé ? lança-t-il. J'ai appelé sans arrêt !

Stormalong le poussa jusqu'à un bunker où nul ne pourrait les entendre.

- Je me suis battu et j'ai volé comme un dingue pendant des jours et des jours !

Jonnie n'avait qu'à le regarder pour le croire. Il avait les yeux cernés, son écharpe blanche était sale et son blouson souillé de graisse et de sueur. Il avait même une trace de brûlure laissée par une arme à hauteur de l'épaule.

- Tu es blessé.

- Non, non, ce n'est rien. C'est un officier drawkin qui refusait de se rendre. J'ai dû le poursuivre avec un avion d'assaut ! Imagine la scène ! Il s'était enfui à pied sur une montagne, le Ben Lomond, et moi j'étais derrière lui, obligé de le paralyser. De le paralyser, pas de le tuer ! Avec un canon-éclateur ! Rien que ça ! Quand je me suis posé, il faisait le mort. Je me suis approché et c'est alors qu'il a essayé de me descendre. Je l'ai finalement paralysé avec mon pistolet. Mon vieux, tu parles d'une partie de chasse !

- Mais qu'est-ce que tu as *fait* pendant tout ce temps ? insista Jonnie qui n'y comprenait rien.

- J'ai fait des prisonniers ! Il y avait des pilotes et des marines tout autour de la mine de Singapour. Certains étaient blessés. En Russie, ils n'avaient même pas pris la peine de récupérer leurs blessés. Dunneldeen à lui seul a dû descendre trente appareils ennemis autour d'Edinburgh. Les pilotes se sont éjectés et se sont éparpillés dans tout l'Ouest et dans les Highlands. Crois-moi, ç'a été un sacré travail que de les récupérer. Ils croient tous qu'on va les tuer. Et ils ne se rendent pas aisément !

- Tu étais tout seul pour ça ?

- J'avais juste une demi-douzaine de gardes de sécurité de la banque. Des Français, Jonnie. Mais ce ne sont pas des soldats. Ils sont peut-être bons pour garder des coffres ou transporter des fonds...

- Stormalong, j'ai lancé des messages radio partout ! Ton poste devait être à l'écoute, non ? Et puis, les gens ont bien dû te voir !...

Tout cela, pour Jonnie, n'avait pas le moindre sens.

- C'est à cause de MacAdam, Jonnie. Il ne voulait pas que je réponde. Et chaque fois que nous rencontrions quelqu'un, il lui disait que personne ne devait révéler que nous étions là. Je lui ai dit que tu serais inquiet. Mais il a insisté. Il voulait le silence radio absolu ! Jonnie, crois-moi, je suis navré.

Jonnie s'efforça à la patience.

- Commençons par le commencement. Est-ce que tu as livré les copies que j'avais faites de mes entretiens avec les deux petits hommes gris ?

Stormalong se laissa tomber sur un caisson de munitions. Il regarda autour d'eux afin de s'assurer que nul ne pouvait les voir ni les entendre.

- Je suis arrivé à l'aube et je me suis rendu directement à la chambre de MacAdam. Quand je lui ai dit que je venais de ta part, il a mis les disques dans un projecteur. Puis il a appelé l'Allemand et six gardes de sécurité, s'est fait amener tout un panier de billets de la Banque Galactique et il a dit à la fille qui était dans son bureau de ne rien dire à personne. Ensuite, nous avons décollé. En fait, il m'a tout simplement kidnappé ! Puis on a visité tous les champs de bataille pour trouver des officiers. Il avait sur lui une liste de toutes les nationalités et il voulait plusieurs officiers de chaque nationalité. Tu sais, Jonnie, ces gardes de sécurité français sont vraiment incapables ! J'ai dû tout faire. Piloter et me battre. Mais je suis arrivé à me reposer de temps en temps, chaque fois que nous avions rassemblé des officiers... Est-ce que tu savais que MacAdam et l'Allemand parlaient parfaitement le psychlo ? Ça m'a surpris... Ils procédaient à l'interrogatoire des officiers et j'en profitais pour dormir un peu. Après, on embarquait tout le monde, bien ligoté, les gardes braquaient un fusil sur les prisonniers, et hop ! on décollait pour un autre champ de bataille.

- Mais qu'est-ce que leur demandait MacAdam ?

- Oh, je ne sais pas. Il ne les a jamais torturés. Quelquefois, il leur donnait une liasse de billets. Et ils parlaient.

Jonnie regarda à l'extérieur. Oui, les gardes de sécurité de la banque étaient là, près de l'avion. Ils portaient des uniformes gris et ils étaient occupés à décharger des boîtes. Des Chinois étaient arrivés avec des chariots et empilaient le chargement au fur et à mesure avant de pousser les chariots vers la cuvette.

- Je ne vois aucun prisonnier, remarqua Jonnie.

- Eh bien, expliqua Stormalong, nous sommes retournés au Luxembourg, nous y avons pris des cantines, plus deux gardes supplémentaires - des Allemands, cette fois - et nous sommes repartis pour le lac Victoria. Là-bas, j'ai pu me reposer un peu plus parce que MacAdam a passé pas mal de temps à parler aux prisonniers qui étaient déjà là-bas. Ensuite, on a relâché tous les prisonniers et on est venus ici. Voilà. C'est tout.

Non, se dit Jonnie, ce n'était pas tout. Mais il se contenta de dire à Stormalong d'aller se restaurer et de se reposer un peu, puis il se mit en quête du banquier.

MacAdam était un personnage râblé, de petite taille, dont la barbe noire était çà et là marquée de gris. Il s'activait pour l'instant à diriger les opérations de déchargement. Lorsqu'il aperçut Jonnie, il vint lui serrer vigoureusement la main. Puis il fit signe à un autre homme de s'approcher.

- Je ne crois pas que vous ayez déjà rencontré le baron von Roth, dit-il à Jonnie, l'autre membre de la Banque Planétaire.

L'Allemand était un personnage massif, de haute taille, aussi grand que Jonnie lui-même et plus lourd. Il avait le visage rouge.

- Ach! C'est un plaisir pour moi! rugit-il en étreignant Jonnie sans douceur.

MacAdam, tout soudain, s'était éclipsé dans la cuvette et l'Allemand s'empara d'un colis énorme et courut à sa suite.

Jonnie connaissait certains détails à propos de von Roth. Il avait fait fortune dans la laiterie et dans l'alimentaire, mais on disait qu'il était le descendant d'une famille qui avait eu la haute main sur les banques européennes durant des siècles, avant l'invasion psychlo. Il avait l'air efficace, mais peu commode. On achevait de débarquer la cargaison amenée par l'avion. Jonnie n'arrivait pas à deviner ce qu'ils préparaient.

A l'intérieur, une équipe composée de Chinois et de gardes, dirigée par Chong-won, était occupée à mettre en place d'immenses bâches de mine tout autour du toit de la pagode afin de dissimuler la plate-forme de transfert. D'autres Chinois tendaient des câbles et d'autres bâches afin de ménager un passage couvert entre la console et un bunker. Bientôt, toute la plate-forme fut cachée aux regards.

MacAdam parlait avec Angus. Ils sourirent quand Jonnie s'approcha, mais MacAdam semblait très pressé et il dit :

- Plus tard, plus tard.

Tout le chargement avait disparu dans le bunker. Les chiens et les enfants chinois avaient été évacués. Quelques Chinois étaient occupés à nettoyer la cuvette. Quelques émissaires vinrent se promener sur les lieux, observèrent les bâches sans montrer trop de curiosité, puis s'éloignèrent tout en émettant des commentaires divers sur la brochure.

Dunneldeen était à son poste dans la salle des opérations et il dit à Jonnie qu'il avait conseillé à Stormalong de se tailler la barbe à la façon de « Sir Francis Drake ». Non, il n'y avait rien de nouveau du côté d'Edinburgh, si ce n'était que la nouvelle équipe de Chinois du Nord semblait faire du bon travail. Est-ce que Jonnie savait qu'ils étaient beaucoup plus grands que les autres ? Ah, oui, Ker, aidé de deux gardes de la banque, tenait en joue cinquante prisonniers à Victoria.

Jonnie leva les yeux vers le ciel. S'il advenait le pire, il savait quelle mesure il prendrait : une mesure qui pourrait bien déboucher sur un avenir fatal mais qu'il devrait prendre.

Il regagna sa chambre afin de mettre des vêtements moins voyants. Il ne leur restait que quelques jours. Et les jours passaient trop vite quand le temps comptait.

La confrontation finale, la dernière bataille se rapprochait.

7

Le moment fatal de la discussion avec les banquiers était arrivé.

Cinq jours s'étaient écoulés.

Jonnie était assis seul dans la petite salle qui avait été préparée pour la rencontre. Il attendait les autres.

Il n'y avait pas le moindre doute dans son esprit : cela allait être la plus dure bataille qu'il eût jamais livrée.

Étant donné son caractère, il n'avait pas supporté l'idée de rester à attendre tranquillement pendant que MacAdam et le baron von Roth se préparaient.

Pendant cinq jours et cinq nuits ils avaient été très actifs. Sans cesse, le bourdonnement du dispositif de téléportation avait résonné dans la cuvette. Sur la plate-forme dissimulée par les bâches, des choses arrivaient ou partaient.

Mais ils ne se parlaient pas, de crainte d'être entendus, et se contentaient de lancer des ordres brefs : « Coupez les moteurs ! » « Pas d'avion en vol ! » « Prêt ! » « Feu ! » Quand quiconque approchait des bâches ou du passage couvert qui accédait au bunker, plus particulièrement les émissaires ou les petits hommes gris, des gardes inflexibles intervenaient pour leur barrer le chemin. Et tout ce que Jonnie avait entendu de la bouche de MacAdam était : « Plus tard ! Plus tard ! » Même Angus ne lui avait pas dit un mot.

On lui avait fait savoir que les préparatifs prendraient plusieurs jours. Monsieur Tsung lui avait dit que les négociations en matière de banque et de finance constituaient une discipline très spéciale. Et il avait ajouté une phrase qui s'était gravée dans l'esprit de Jonnie : « Le pouvoir de l'argent et de l'or sur l'âme des hommes dépasse l'imagination. »

Après l'arrivée de MacAdam, Jonnie s'était retrouvé volant dans le ciel où pointait l'aube. Il avait entendu parler d'une université située près des ruines d'une ville ancienne appelée Salisbury, à trois cents kilomètres environ de Kariba. Il avait tenté de convaincre Sir Robert de l'accompagner, mais le vieil Écossais était littéralement accroché à la radio dans la salle des opérations, en liaison constante avec Edinburgh, faisant tout son possible pour aider l'équipe de secours. Jonnie avait emmené avec lui quelques soldats chinois afin de repousser les lions ou les éléphants qui risquaient de le déranger dans ses études.

L'université était en ruine mais la bibliothèque était encore debout, au milieu de la poussière et des gravats. Jonnie avait réussi à dénicher les cartes du catalogue et avait trouvé sans difficulté ce qu'il cherchait. Cette bibliothèque avait été particulièrement bien fournie autrefois. On y trouvait de nombreux textes sur l'économie, sans doute parce que cette nation encore jeune connaissait de terribles problèmes économiques. Ils étaient en anglais et donnaient un bon aperçu de l'histoire de l'économie et de celle des banques.

Monsieur Tsung avait parfaitement raison ! C'était un sujet très particulier. Et quand quelqu'un se trompait, comme par exemple un crétin nommé Keynes qui, apparemment, avait été détesté, il s'ensuivait des catastrophes. Ce que Jonnie retira de ses lectures, c'est que l'État était fait *pour le peuple*. C'était exactement ce qu'il avait soupçonné. Et les individus travaillaient et confectionnaient des choses qu'ils échangeaient contre d'autres choses. Et c'était plus facile à faire avec de l'argent. Mais l'argent pouvait lui-même être manipulé. Les Chinkos avaient été des professeurs doués et patients et Jonnie savait comment il devait procéder pour étudier. Il avait l'esprit vif et saisissait tout très rapidement.

Il était resté quatre jours plongé dans les livres et la poussière. Autour de lui, les gardes chinois avaient éloigné les bisons et les serpents noirs mambas.

Tandis qu'il attendait seul dans la salle, il se dit avec satisfaction que, bien qu'il ne fût pas un expert, il pourrait au moins comprendre la bataille qui allait s'engager.

Sir Robert entra, grommelant et pestant, et prit place à côté de Jonnie. Les petits hommes gris avaient eu beau assurer que la discussion aurait lieu entre eux et lui, le vieux chef de guerre savait bien que, dans cette bataille, les lochabers et les claymores ne serviraient à rien et que ce serait une guerre d'experts. Son seul souci était Edinburgh. Ils avaient réussi à faire passer de l'eau et des vivres jusque dans les abris à l'aide de tuyaux étroits, mais la roche continuait à s'effondrer dans les galeries. Ils avaient cependant réussi à mettre en place des caissons de soutènement qui avaient tenu, ce qui leur avait donné bon espoir.

Dries Gloton et Lord Voraz firent leur entrée. Une table pour quatre avait été placée au centre de la salle et ils s'y installèrent. Ils étaient impeccablement vêtus de gris comme à l'accoutumée. Ils avaient les bras chargés de paperasses et d'attaché-cases. Ils posèrent le tout. Leur expression était celle de requins affamés.

Jonnie et Sir Robert ne les saluèrent pas.

- Vous n'avez pas l'air de très bonne humeur ce matin, dit Lord Voraz.

- Nous sommes des hommes d'arme, dit Sir Robert. Nous n'avons rien à faire avec les marchands du temple.

Sir Robert s'était exprimé en anglais et les deux banquiers branchèrent leur vocodeur.

- J'ai remarqué, dit Dries Gloton, qu'il y avait une cinquantaine de soldats en tunique blanche et pantalon rouge tout autour de la cuvette.

- C'est une garde d'honneur, dit Sir Robert.

- Ils avaient un armement conséquent. Et l'énorme personnage qui les commandait ressemblait plus à un brigand qu'à un officier.

- Il vaut mieux pour vous que le colonel Ivan ne vous entende pas, dit Sir Robert.

- Est-ce que vous réalisez que si vous nous tuiez, nous et les émissaires, vous seriez une nation hors la loi ? Tout le monde sait où nous sommes. Vous auriez une dizaine de flottes qui viendraient vous réduire en miettes.

- Il vaut encore mieux se battre avec des vaisseaux qu'avec des paperasses, fit Sir Robert en montrant la table. Les Russes ne vous feront rien si vous dites la vérité et si vous vous conduisez en gentlemen. Nous savons très bien que nous allons nous battre avec nos intellects, mais ce sera une bataille aussi sanglante que n'importe quelle autre !

Lord Voraz se tourna vers Jonnie.

- Pourquoi nous considérer avec autant d'hostilité, Sir Lord Jonnie ? Je puis vous assurer que nous n'éprouvons que des sentiments amicaux à votre égard. Nous vous admirons beaucoup. Il faut nous croire.

Il avait l'air sincère et l'était sans doute.

- Mais la banque est la banque, dit Jonnie. Et les affaires sont les affaires. N'est-ce pas ?

- Bien sûr ! appuya Lord Voraz. Cependant, des considérations personnelles interviennent parfois. Et c'est certainement vrai dans votre cas. J'ai plusieurs fois essayé de vous trouver, ces derniers jours. Il est dommage que nous n'ayons pas pu nous parler avant cette entrevue. En fait, nous sommes vos amis.

- Et de quelle façon ? demanda Jonnie d'un ton glacé.

Un grizzly ou un éléphant aurait reculé en l'entendant, mais Lord Voraz dit :

- Est-ce que vous avez conscience que lorsqu'une planète est vendue, c'est avec toute sa population et sa technologie ? Vous n'avez pas lu la brochure ? Vous ainsi que vos associés êtes exemptés de la vente, de même que tout ce que vous avez construit et développé personnellement.

- Très généreux de votre part, dit Jonnie, froidement sarcastique.

- Puisque nous n'avons pas eu l'occasion de nous parler, je profite de ce que les autres soient en retard pour vous dire ceci. Nous avons une offre à vous faire. Nous allons créer un département technique au sein de la Banque Galactique et vous en confier la direction. Nous construirons une belle usine à Snautch (c'est la capitale du système), nous vous fournirons tout ce dont vous aurez besoin et nous vous signerons un contrat à vie. Si les chiffres que je vous ai déjà proposés semblent trop faibles, nous négocierons. Vous ne manquerez pas d'argent.

- Et l'argent c'est tout, dit Jonnie d'un ton mordant.

Les deux petits banquiers furent choqués par son ton.

- Mais c'est vrai ! s'exclama Lord Voraz. Tout a un prix ! Tout peut s'acheter !

- Pas l'honnêteté ni la loyauté.

- Jeune homme, fit Lord Voraz d'un ton sévère, vous avez du talent et bien d'autres qualités appréciables, j'en ai la certitude, mais on a omis certaines choses dans votre éducation !

- Vous feriez bien de ne pas lui parler sur ce ton ! lança Sir Robert.

- Oh, je suis désolé, dit Lord Voraz. Pardonnez-moi. Je me suis laissé emporter dans mon désir de vous venir en aide.

- Voilà qui est mieux, grommela Sir Robert en lâchant la poignée de sa claymore.

- Vous comprenez, reprit Lord Voraz, une société peut acheter les services d'un savant. Ce qu'il crée appartient à cette société. S'il travaille seul et mène lui-même ses affaires, cela aboutit au désastre. Sur ce point, toutes les sociétés et toutes les banques sont absolument d'accord. Un savant perçoit tranquillement son salaire, donne ses brevets à la société et continue son travail. Tout a été prévu ainsi. Parce que s'il voulait s'y prendre autrement, il passerait sa vie dans les cours de justice. Tout a été soigneusement prévu.

- Donc, les chaussures qu'un cordonnier confectionne lui appartiennent, dit Jonnie, mais les inventions d'un savant appartiennent à l'État ou à une société. Oui, je comprends. C'est parfaitement clair.

Lord Voraz ignora le sarcasme. Ou bien ne le remarqua pas.

- Je suis si heureux de voir que vous avez compris. L'argent est tout et il peut tout acheter, y compris le talent. C'est le cœur et l'âme de la banque, la pierre angulaire des affaires. Le principe de base.

- Je croyais que le principe de base était de faire des bénéfices, dit Jonnie.

- Oh, également, également. Pour autant que ce soit de façon honnête. Mais, croyez-moi, le cœur et l'âme...

- Je suis heureux d'apprendre que les affaires et la banque ont un cœur et une âme. Jusqu'à présent, cela ne m'était pas apparu.

- Oh, mon cher, vous êtes bien sarcastique, dit Lord Voraz.

- Tout ce qui peut détruire l'existence des honnêtes gens n'a ni cœur ni âme. Y compris les affaires, la banque *et* les gouvernements. Ces organismes ne peuvent exister que *pour le peuple*. Ils doivent servir les besoins et les désirs des êtres ordinaires !

Lord Voraz le regarda d'un air intrigué. Il réfléchissait. Dans ce que Lord Jonnie avait dit, il y avait quelque chose... Puis il n'y pensa plus. Il était avant tout banquier.

- On peut dire que vous êtes un jeune homme singulier, dit-il enfin. Peut-être que lorsque vous serez assez âgé pour comprendre la façon dont le monde...

La réaction de Sir Robert fut coupée net par l'arrivée de MacAdam et du baron von Roth.

- Qui est un jeune homme singulier ? demanda le baron. Jonnie ? Oui, c'est exact, dieu merci ! Je vois que vous êtes arrivés en avance. Jamais je n'ai vu des gens aussi avides de chair fraîche ! Est-ce que nous commençons ?

TRENTIÈME PARTIE

1

Andrew MacAdam et le baron von Roth posèrent les documents et les attaché-cases qu'ils avaient apportés, serrèrent la main à Dries Gloton et à Lord Voraz et s'assirent.

Jonnie tiqua. MacAdam comme le baron portaient un costume gris ! Un costume du meilleur tweed, dont les fibres scintillaient, mais un costume gris !

Durant un moment, les quatre personnages parurent se mesurer du regard. Ils lui rappelèrent des loups gris qu'il avait vus, les yeux étincelants, tous crocs dehors, s'observant intensément, avant de bondir vers un combat à mort.

Oui, ç'allait être un combat à mort. Si MacAdam et le baron perdaient, ce serait la fin pour tous ceux qui habitaient cette planète. Jonnie n'avait pas la moindre idée de ce que MacAdam et le baron avaient préparé et il éprouva un sentiment de déception en entendant la première phrase de MacAdam.

– Messieurs, êtes-vous sûrs de ne pouvoir nous laisser un peu de temps ? Disons un mois de plus ?

Dries retroussa les lèvres, dévoilant sa double rangée de dents.

– Impossible ! Vous avez attendu le dernier moment. Il n'y a aucun délai possible.

– Les temps sont durs, dit le baron. Il y a des crises économiques de toutes parts.

– Nous le savons, dit Lord Voraz. Mais cela ne saurait vous servir d'excuse. Si vous êtes dans l'impossibilité de payer vos dettes et d'assumer vos obligations, vous auriez dû nous le dire il y a quelques jours, ce qui nous aurait épargné cette attente. Je ne comprends pas ce que vous avez fabriqué pendant tout ce temps.

– Pour ma part, dit MacAdam, j'ai interrogé les membres des équipages des vaisseaux. Cela n'a pas été facile de trouver un représentant de chacune des races qui ont attaqué cette planète.

– Et c'est eux qui vous ont parlé des crises économiques, dit Dries. Vous feriez aussi bien de signer cet acte de renonciation tout de suite afin que nous en finissions.

Il poussa un document vers Sir Robert qui n'eut même pas le temps de le prendre. MacAdam l'intercepta et le fit tomber par terre.

– J'ai découvert que ces équipages ne voulaient pas rentrer chez eux. Ils avaient été enrôlés de force. Certains pensaient que, s'ils retournaient chez eux, ils risquaient d'être mêlés à des révolutions ou à des guerres civiles. Ils ne voulaient pas tuer des gens de leur race. D'autres savaient qu'ils allaient grossir les rangs des chômeurs et des indigents et se trouver mêlés à des émeutes, comme en connaissent de nombreuses capitales.

- Tout cela n'est pas nouveau, dit Lord Voraz. Toute cette dernière année a été particulièrement troublée. C'est pour cette raison que les émissaires projettent des guerres de conquête, pour détourner les populations de leurs préoccupations immédiates. Vous auriez aussi bien pu m'interroger à ce propos. Je vous l'aurais dit.

- Cela ne change rien, enchaîna Dries. Je vous conseille de céder cette planète en toute docilité. Car il n'est pas un seul de ces émissaires qui n'envisage de l'acheter et de monter une expédition militaire contre vous. Les vaisseaux qui vont ont attaqués ne sont rien comparés à ce qui peut s'abattre sur vous. Ainsi donc, si vous...

Le baron le fixa. Son regard était aussi perçant qu'une baïonnette.

- Après avoir rassemblé toutes les informations disponibles ici, dit-il, nous sommes allés voir par nous-mêmes.

L'attention de Jonnie fut brusquement éveillée. C'était donc là l'explication de tous ces transferts. Ces deux-là avaient passé leur temps à aller un peu partout ! Il avait remarqué des traces presque imperceptibles sur leurs mentons, laissées par des masques respiratoires.

Mais, en dehors de voyager, qu'avaient-ils fait d'autre ?

- C'est le chaos économique ! dit le baron. Lorsque l'Intergalactique Minière a cessé ses livraisons de métaux, les prix ont grimpé en flèche à cause de la raréfaction. Les usines ont fermé. Les gens n'ont plus de travail et il y a des émeutes. Pour distraire la population, les divers gouvernements envisagent des guerres qui ne sont pas populaires. Afin d'avoir du métal pour faire des armes, on réquisitionne les véhicules, les voitures, les batteries de cuisine.

Dries eut un haussement d'épaules.

- Vous ne m'apprenez rien et cela n'a rien à voir avec votre dette impayée. L'émissaire de la Terre va-t-il signer cette renonciation ou devrons-nous recourir à ...

Il laissa la menace en suspens.

Pendant un instant, l'air fut chargé d'électricité.

Les yeux gris pâle du baron rencontrèrent le regard de Dries Gloton.

- Vous avez de graves ennuis, Votre Excellence.

Le directeur de la succursale de la Banque Galactique haussa à nouveau les épaules.

- Les problèmes internes de la banque n'ont rien à voir avec le fait d'honorer une dette.

Le baron se tourna alors vers Sir Robert.

- Son Excellence, ici présente, a la charge de la filiale de la banque pour ce secteur et il a été très mal avisé en consentant des prêts à des hauts fonctionnaires psychlos des planètes Torthut et Tun du système de Batafor, de même que des prêts encore plus importants aux gouverneurs-régents psychlos de seize planètes dans quatre systèmes stellaires proches. Ces prêts étaient garantis par des prises de parts immobilières sur la planète Psychlo elle-même.

- Comment avez-vous découvert ça ? aboya Dries. Cette information est confidentielle !

- Par un employé mécontent que vous avez licencié, dit le baron. Les biens immobiliers de Psychlo sont partis en fumée et les débiteurs sont morts. Vous avez pris un risque mal calculé. Les Psychlos étaient renommés pour leur mauvaise foi.

- Les déposants pourraient faire pression sur la banque, dit Voraz, pour venir au secours de son directeur de succursale. Mais cela ne modifie en rien votre...

- Ça, il est certain qu'ils pourraient faire pression, coupa le baron. L'essentiel des profits de la Banque Galactique provenait des transferts de fonds qu'elle assurait pour les planètes psychlos. Il ne venait pas des prêts, mais du montant élevé de la commission demandée par la banque pour ces opérations de transfert. Comme ces transferts ne se font plus, Votre Excellence, vos banques ont été dans l'obligation de congédier leur personnel et de fermer. Votre propre bureau, la succursale principale de Balor, a licencié pratiquement tout son personnel. Et c'est *pour cela*, Sir Robert, que l'on vous presse de payer. Dries a calculé que le seul moyen pour lui d'éviter la faillite est de reprendre possession de la Terre. C'est la seule planète dans tout l'Univers pour laquelle l'Intergalactique Minière devait encore de l'argent. Il s'est dit que s'il pouvait la faire mettre en vente, cela lui apporterait un peu de liquide avec lequel il éviterait l'insolvabilité.

- Ce n'est pas en montrant la boue sur les nageoires des autres que vous saurez mieux nager ! fit Dries. Vous feriez mieux de signer sinon c'est vous qui allez vous noyer ! (Cette mention des ennuis de l'année écoulée le rendait particulièrement nerveux.) Payez, et payez *maintenant !*

Il ramassa le document et l'agita devant Sir Robert. Cela fit le bruit d'une rafale de mitrailleuse.

MacAdam prit avec douceur le bras de Dries et le reposa sur la table.

- Nous reviendrons là-dessus plus tard, dit-il.

Le petit homme gris tremblait. Il ne se souvenait pas d'avoir été aussi perturbé auparavant. L'année avait été affreuse. Que cherchaient donc ces gens ? S'ils n'avaient pas l'argent nécessaire pour payer, pourquoi retardaient-ils les négociations ? Il se laissa aller contre le dossier de son siège. Bon, aucune importance, se dit-il. Cela ne changerait rien à l'issue finale. Qu'ils s'amusent donc à traîner.

- Parlons maintenant du siège principal de la banque, dans le système de Gredides, dit le baron. Nous nous y sommes rendus, dans l'Univers Un. La capitale, Snautch, a souffert de l'effet de recul du dispositif de transfert de Psychlo, de même que les deux capitales des deux autres planètes selachees. Tous les étages supérieurs des immeubles de la banque ont été gravement endommagés.

- Ils seront reconstruits, dit Lord Voraz.

- Le souffle a détruit les immenses enseignes de la Banque Galactique, qui étaient visibles de toutes les villes. Elles sont encore accrochées en place et le nom de la banque est encore à peu près lisible, mais c'est tout ce que l'on peut dire.

- Ces enseignes peuvent être remplacées, dit Lord Voraz, d'un ton très calme.

- Sauf qu'un an après, insista le baron comme s'il maniait une foreuse, vous ne l'avez toujours pas fait ! Les trois planètes selachees ne vivaient que par la banque. Des millions et des millions de gens en dépendent. Lorsque vous avez été privés de la téléportation, vous n'avez plus été en mesure d'atteindre les quinze autres univers, voyage spatial ou non. Éparpillés aux quatre coins de ces univers, des millions de Selachees se trouvent bloqués dans les diverses succursales, dans des banques aussi ruinées que celle de Son Excellence, des Selachees que vous êtes incapables de rapatrier. Dont les familles pensent qu'elles ne sont pas près de retrouver leur père, leur frère ou leur fils. Il y a eu des émeutes devant les banques. Des émeutes violentes, où les manifestants réclament du sang!

Lord Voraz haussa les épaules.

- Il y a des gardes parfaitement capables.

- Et vous comptez les payer comment ? Vos rentrées d'argent ne provenaient pas des prêts mais des transferts de fonds psychlos. Elles ont cessé dès l'instant où Psychlo et l'Intergalactique Minière ont sauté. Vous couriez droit à la ruine et vous avez commencé à licencier vos employés. Dries lui-même a dit que de nombreuses succursales de votre banque ont dû fermer leurs portes.

- Nous avons déjà connu des difficultés financières, dit Lord Voraz.

Le baron se pencha un peu plus en avant.

- Mais jamais à ce point, Lord Voraz. De toute part, on haïssait les Psychlos. Quand Lord Loonger, dont vos billets portent l'effigie, a conclu cet accord avec les Psychlos, il y a deux cent mille ans, et pris en main leurs finances, il a refusé qu'un seul Psychlo siège au conseil d'administration.

- Cela aurait nui à la réputation de notre banque, dit Lord Voraz. Très avisé de sa part. Sinon tout le monde aurait dit que notre banque était psychlo.

- Certes, oui, fit le baron. Mais les Psychlos exigèrent alors que les réserves de la banque soient gardées dans des chambres fortes sur Psychlo. Elles sont parties en fumée !

Les lourdes paupières de Lord Voraz retombèrent un instant. Il passa une main sur son visage, puis se reprit.

- C'est vrai. Mais cela ne modifie en rien le fait que vous soyez débiteur.

- Mais si, très certainement. Vous êtes insolvables. *Et si vous ne trouvez pas de l'actif pour vous soutenir, vous coulez !*

- D'accord ! Mais ceci ne fait que confirmer que nous devons récupérer cette planète !

- A elle seule, elle ne pourra pas vous sauver, dit MacAdam.

- Pourquoi, dit le baron avec douceur, ne saisissez-vous pas un de ces vieux mondes miniers psychlos ou bien encore une planète régente ? Il y en a plus de deux cent mille disponibles.

- Oh, assez ! s'écria Lord Voraz, horrifié. C'est une chose que de dénoncer notre crédit et de mettre au grand jour nos difficultés. Mais de là à suggérer que notre banque s'engage dans des actes de piraterie pour mettre la main sur des biens pour lesquels elle ne possède aucun titre !

- Dieu du ciel ! appuya Dries. Toutes ces planètes ont été acquises légalement ! Ce serait purement et simplement du vol !

- Les titres de propriété seraient contestés ! reprit Lord Voraz. La banque se retrouverait engagée dans des guerres. Nous ne sommes pas une organisation militaire ! Quiconque toucherait à ces planètes serait traîné en justice. Nous n'aurions aucun titre de propriété ! Je dois dire que vous ne connaissez vraiment pas grand-chose aux lois intergalactiques qui gouvernent les nations !

- Oh, mais si, dit MacAdam. Avez-vous jamais lu la Charte Impériale et Royale de Psychlo pour la Compagnie Minière Intergalactique ?

- De bout en bout ! affirma Lord Voraz. Car il est impossible de commercer avec une société qui n'a pas fait enregistrer sa charte. Elle a été rédigée il y a deux cent deux mille neuf cent soixante et une années par le roi Dith de Psychlo. Et il y en a un exemplaire sur les murs de chaque siège central de l'Intergalactique Minière. La loi l'exige. J'ai lu...

Le baron jeta un exemplaire de la charte sur la table.

- Lisez ce qui est en petits caractères, dit-il.

Il plaça le document devant Voraz afin de lui faciliter la lecture, quoique l'autre ne manifestât pas l'envie de le faire, estimant connaître la charte par cœur ou presque.

- Remarquez cette clause, ici, insista le baron. La 109 : « En l'absence d'un président ou d'administrateurs, le responsable de toute planète appartenant à la Compagnie Minière Intergalactique aura plein pouvoir de décision et d'exécution. »

Lord Voraz haussa les épaules.

- Bien sûr. Ils n'avaient qu'une autre planète à cette époque, gouvernée par un prince de la famille royale. Les administrateurs ne voulaient pas s'occuper des problèmes de gestion. Je ne vois pas en quoi...

- Mais cette clause demeure valide, dit le baron.

- Certes, certes. Mais vous ne faites que retarder...

- Passons maintenant à cette autre clause, coupa le baron. La 110 : « En cas de situation d'urgence et/ou de menace dirigée contre la Compagnie, et plus particulièrement en cas de désastre, le responsable de la planète pourra disposer de la propriété de la Compagnie. » Vous noterez qu'il n'est mentionné aucune qualification ni limitation.

- Mais pourquoi devrait-il y en avoir ? s'étonna Lord Voraz. Il s'agit encore ici de ce prince de sang. Autrement, il n'aurait pas accepté ce poste loin de sa planète. Il redoutait les révolutions de palais ou les ruptures de communication. Il s'agissait du prince Sco. Il aurait pu se retrouver avec toutes les factures impayées de la Compagnie sur les bras.

- Mais vous reconnaissez que ces deux clauses sont valides ?

- Quand récupérerai-je cette planète ? demanda Dries d'un ton las. Il n'y a rien dans cette charte qui vous permette de vous dérober et de ne pas payer ces quarante billions de crédits !

- Quarante billions neuf cent soixante milliards deux cent dix-sept millions six cent soixante-cinq mille deux cent seize crédits galactiques ! précisa Lord Voraz.

- Il n'y a donc rien d'inexact dans la charte ! dit le baron.

- Bien sûr que non ! fit Lord Voraz.

Le baron von Roth et Andrew MacAdam se regardèrent, puis éclatèrent de rire, au grand ébahissement des deux banquiers.

MacAdam prit une épaisse liasse de documents posés à côté de lui.

- Tout cela a été signé et attesté onze mois après la destruction de la planète Psychlo.

En tombant sur la table, la liasse fit le bruit d'un coup de canon.

Elle était couverte de sceaux, de grands rubans officiels rouges et de disques dorés.

C'était le contrat de Terl !

Il vendait à la Terre la totalité des biens de la Compagnie Minière Intergalactique, son actif, ses liquidités, son matériel, ses planètes, tout !

MacAdam laissa tomber un autre document sur le contrat.

- Et voici une attestation du dernier directeur de la Compagnie déclarant qu'il s'agit d'un contrat authentique et valide qui cède la totalité de la Compagnie. Elle a été signée il y a quelques jours.

Un troisième document atterrit sur la pile.

- Voici le reçu. Il y est porté la mention : « Pour paiement intégral. »

Dries et Lord Voraz étaient bouche bée, le regard fixe. Jamais encore, dans leur existence particulièrement mouvementée, ils n'avaient connu une telle surprise. Des secondes passèrent.

Puis, d'un seul mouvement, ils se penchèrent sur la pile et commencèrent à feuilleter fébrilement les documents. Ils lurent, cherchant des failles possibles.

Enfin avec respect, Lord Voraz laissa tomber :

- C'est parfaitement valide. Je vois même que ce document a été déposé par le gouvernement légal de cette planète à la Banque Planétaire de la Terre pour règlement de prêts. C'est absolument en règle. Devant une cour, ce serait inattaquable.

Mais Dries, lui, secouait la tête.

- Pour que ce soit légal et que vous puissiez espérer éviter la saisie, ces documents auraient dû être consignés dans le Hall de la Légalité de Snautch !

- Mais ils l'ont été, ils l'ont été, dit le baron avec douceur. (Il sortit d'une poche l'attestation d'enregistrement du Hall de la Légalité.) Il a été consigné en bonne et due forme il y a exactement trois jours ! En fait, c'est la première chose que j'ai faite quand je suis parvenu à me dégager des émeutiers.

Dries s'était remis du choc.

- Bon, ce document vous fournit des planètes et du matériel. Ainsi que des garanties qui vous permettraient d'emprunter de l'argent. Mais la banque mettra du temps à accorder le prêt. Et elle ne le fera pas tant que votre dette n'aura pas été réglée. Ce document prouve simplement que votre dette est *réelle*. Il va me falloir exiger un règlement comptant et...

- Nous allons y revenir, dit le baron. Lord Voraz, à combien estimez-vous la valeur de la Banque Galactique ? Je veux dire, quels sont l'actif et le passif de votre dernière balance ?

Voraz se hérissa.

- Nous ne sommes nullement tenus de vous montrer nos comptes ! Surtout au moment de récupérer le montant d'une dette !

- Vous avez votre feuille de balance d'il y a deux semaines, insista le baron.

Voraz faillit s'étrangler.

- Vous avez fouillé dans ma malle ?

- *Ach, Gott*, non ! Inutile. On m'a dit que vous aviez cette feuille, c'est tout. De toute façon, voici une copie qui vient de votre comptabilité. (Il extrayit de la pile de documents posée à côté de lui une feuille immense couverte de chiffres et la jeta sur la table.) En comptant tous les immeubles, les terrains, l'avoir, et en soustrayant les factures en suspens et les taxes diverses et ainsi de suite, cela donne en gros une somme de un trillion de crédits.

- Ils n'avaient pas le droit de vous donner ça, dit Voraz. Mais je reconnais que c'est exact. Un trillion en gros.

- Si l'on omet que vous êtes au bord de la ruine, dit MacAdam.

- La banque entrerait en liquidation ! jeta Voraz.

- A condition de pouvoir accéder aux diverses succursales des autres univers, remarqua MacAdam. Ce qui vous est impossible.

Le baron eut un geste vague de son énorme main.

- Mais nous sommes d'humeur généreuse, n'est-ce pas, Andrew ? (Il sourit à Jonnie.) N'est-ce pas ?

Jonnie avait les yeux rivés sur les quatre protagonistes. Il avait l'impression d'assister à un combat à mort entre des bêtes féroces.

- Nos deux amis ici présents, reprit MacAdam en désignant les petits hommes gris, ne semblent pas très enclins à la générosité.

- Mais nous saurons nous montrer magnanimes, dit le baron. Voraz, vous avez désespérément besoin d'être soutenu, car il vous faut de l'actif et des garanties. Sinon, vous déposez votre bilan, n'est-ce pas ?

Voraz lui décocha un regard furieux. Puis il baissa la tête et dit :

- C'est vrai.

- Nous avons l'intention de vous renflouer. N'est-ce pas, Jonnie ? dit Mac-Adam.

Jonnie eut un haussement d'épaules. Qu'ils continuent. Il savait qu'il n'était pas au bout de ses surprises.

Le regard méfiant de Voraz alla de MacAdam au baron.

- La Banque Planétaire de la Terre s'offre à vous acheter les deux tiers de la Banque Galactique, dit le baron.

- Quoi ? s'exclama Voraz. Mais cela vous mettrait en position majoritaire ! Vous contrôleriez tout l'immense empire de la Banque Galactique ! (Il réfléchit un instant.) Et avec quoi ?

- Avec deux tiers d'un trillion de crédits en planètes, dit le baron en brandissant une nouvelle liasse de documents. Sous réserve d'une nouvelle évaluation, une planète a une valeur minimale de soixante billions de crédits.

- Pour être honnête, remarqua Voraz, la plupart valent considérablement plus.

- De cette façon, vous auriez de l'avoir. Vous pourriez consolider votre monnaie avec des réserves qui vous font défaut pour le moment. Les Psychlos ne vous ont jamais laissés acquérir des planètes, mais c'est possible maintenant. Nous allons céder onze planètes valant chacune soixante billions de crédits pour nous rendre acquéreurs des deux tiers de la Banque Galactique, avec son actif, ses dettes, tout.

Lord Voraz était indécis, mais il n'avait pas encore dit oui.

MacAdam se laissa aller en arrière avec aisance et déclara :

- Et nous regrouperons 199 989 planètes et tous les biens de la Compagnie en un trust qui sera géré par la Banque Galactique. Ce qui vous restitue les profits sur les transferts de fonds. Et vous permet de céder en bail les droits d'exploitation minière. Ce qui sauve votre banque à coup sûr !

- Attendez, dit Lord Voraz (et un instant ils crurent qu'il allait refuser), je dois être honnête avec vous. Cette liste de planètes provient de la Table des Coordonnées de Tir de l'Intergalactique. Elle ne comprend pas les planètes minières non exploitées. Afin de faire casquer la Compagnie et de se débarrasser du plus de planètes possible, le gouvernement de Psychlo avait publié un Décret Impérial stipulant que l'Intergalactique Minière devait posséder cinq planètes pour chaque planète exploitée. Il y a dans le Hall de la Légalité une liste d'un million de planètes supplémentaires avec leurs coordonnées, toutes non exploitées par l'Intergalactique. De plus, je crains que Dries ne vous ait pas montré le contrat d'achat de cette planète-ci. Vous ne cessez d'en parler au singulier. Mais ce contrat inclut neuf autres planètes de ce système avec leurs lunes. Je dis cela pour mention car elles sont jugées sans valeur. Il y a aussi des soleils, des nébuleuses et des essaims stellaires. Visiblement, il y a une énorme quantité de biens appartenant à l'Intergalactique dont vous ignorez l'existence. Voulez-vous nous laisser le soin d'en dresser un relevé et d'inclure le tout dans le trust qui sera géré par la banque ?

MacAdam sourit.

- Ça vous semble correct, baron ? Et vous Jonnie, vous voyez des failles là-dedans ?

Jonnie réfléchit. Il y avait une autre situation dont, de toute évidence, ils n'avaient pas tenu compte. Mais il n'y avait rien à redire au plan de la Banque Terrestre.

MacAdam tendit la main à Lord Voraz et dit :

- Nous sommes d'accord.

Voraz avait dit ce qu'il avait à dire. Il allait prendre la main tendue quand il se ravisa.

- Un tel accord, dit-il, devrait être ratifié par le conseil d'administration de la Banque Galactique.

Le baron se mit à rire.

- Très bien. Réunissons-le. Selon votre charte, cela peut se passer dans n'importe lequel des seize univers.

- Attendez. Il y a douze autres membres : des Selachees riches et influents qui...

- Qui crèvent de peur, acheva le baron. La situation de la banque et les émeutes les ont amenés à penser qu'ils risquaient de perdre tous leurs biens personnels et leur fortune si la banque venait à plonger. Ils ont donc considéré que cette offre était avantageuse.

Voraz était abasourdi.

- Mais le conseil d'administration ne peut se réunir derrière mon dos !

- Mais ce n'a pas été le cas, dit le baron. Ils m'ont confié leurs mandats et le droit de voter en leur lieu et place. (Il posa une autre liasse sur la table.) Voici leurs mandats.

Lord Voraz fixa les documents. Il reconnaissait le sceau de chacun. Et le tout avait même été consigné au Hall de la Légalité.

- Aussi, en tant que président, poursuivit le baron, voulez-vous, je vous prie, convoquer sur-le-champ une assemblée du conseil d'administration de la Banque Galactique et accepter la proposition de cession de deux tiers des parts à la Banque Planétaire Terrestre...

- Il faut une résolution dactylographiée, dit Voraz. Je convoque donc l'assemblée. J'ai ici mes sceaux. Mais...

- Voici la résolution, l'interrompit le baron. Elle est déjà tapée. Je suis extrêmement heureux que vous convoquiez cette assemblée, car cela nous épargne la corvée de retourner sur Snautch et de vous licencier.

Voraz éclata brusquement de rire.

- Vous faites de drôles d'anguilles de roche ! Ç'a été tapé par ma propre secrétaire ! Je reconnais ses initiales !

- Exact, exact, dit le baron. Une jeune femme charmante. Elle essayait de sauver votre peau et son emploi ! Si vous voulez bien signer en tant que Président du Conseil d'Administration et Président de...

- Eh, attendez, dit Voraz, soudain grave et préoccupé. Tout cela est très bien. Mais il y a trois choses qui pourraient ruiner cet accord ainsi que nous tous.

Dries intervint.

- La première, c'est : comment vais-je récupérer l'argent de l'hypothèque ?

- Oh, ça ! fit MacAdam. (Il alla pêcher une grande feuille de papier qu'il déploya. Elle était longue de plusieurs mètres.) Ceci est le relevé des transferts de fonds de l'Intergalactique Minière provenant de votre banque. Il y est indiqué que, au quatre-vingt-douzième jour de l'année dernière, certains fonds de l'Intergalactique étaient sur le point d'être transférés. Ils avaient été confiés à la banque afin qu'elle les envoie sur Psychlo mais, bien sûr, cela ne lui a pas été possible. Salaires, paiements de métaux... tout est porté là. Et ces fonds se trouvent encore dans votre banque. Tout cet argent appartient à l'Intergalactique. Lorsque nous nous sommes rendus à Snautch, nous avons ouvert un compte au nom de la Banque Planétaire. Voyons... le total des fonds reçus et non transmis, pour deux cent mille planètes, s'élevait le mois dernier à 209 428 971 438 643 crédits. Cet argent est à nous. Il vous suffit de soustraire l'hypothèque et cela nous laisse encore environ cent soixante-huit billions de crédits.

MacAdam chercha dans ses papiers et ajouta :

- Voici notre lettre d'accord, et un reçu que vous voudrez bien signer, Dries.

Le petit homme gris demeurait immobile, sans voix. Il essayait de réaliser qu'il était solvable. Il n'avait pas espéré récupérer plus de dix billions dans la vente aux enchères. Il se redressa et prit un stylo.

Lord Voraz lui saisit le poignet.

- Tout cela est très bien, dit-il d'une voix où perçait l'inquiétude. Mais il reste deux problèmes. (Il se tourna vers Jonnie.) Pouvez-vous nous excuser par avance de vous traiter comme un employé, Sir Lord Jonnie ? Mais il est vrai que nous ne pouvons absolument pas travailler sans les consoles et les dispositifs de transfert. Nous sommes coupés de tout. Nous nous servions des dispositifs psychlos pour toutes nos opérations bancaires. Ils nous faisaient payer très cher ces services, mais expédier un message par astronef coûte plus de cinquante mille crédits et, en plus, cela prend des années ! Nous aiderez-vous ?

- Ça regarde Jonnie, dit MacAdam. La banque ne possède pas les consoles. Jonnie, nous pouvons vous consentir un prêt à faible taux d'intérêt et vous aider à monter une usine. Une société qui vous appartiendra. Qu'en dites-vous ?

2

Jonnie se secoua. Il avait été tellement absorbé par ces problèmes financiers qu'il dut faire un effort pour revenir à des questions techniques.

Pour la Terre, la dispersion de ces consoles dans les seize univers serait un danger. Cela représenterait des milliers, peut-être des centaines de milliers de dispositifs de transfert entre des mains étrangères pas toujours amicales.

Avec une console, bien des choses étaient possibles. On pouvait transporter les gens, expédier des boîtes, des chargements de minerai, des produits manufacturés, des aliments. Mais on pouvait également envoyer des bombes, ainsi qu'il l'avait lui-même prouvé de manière si fatale pour les Psychlos, et même pour les Tolneps.

Il n'avait pas vraiment réfléchi au problème que cela posait. Il y avait eu d'autres questions plus urgentes. Mais, oui, toutes ces consoles, un demi-million peut-être, dispersées sur tant de mondes, c'était un réel danger pour la Terre.

- Donnez-moi un moment, dit-il enfin.

Monsieur Tsung profita de cette pause pour apporter du thé et un plateau d'en-cas. L'heure du déjeuner approchait. Et puis, cela fournissait un répit supplémentaire à Jonnie.

Les Psychlos avaient toujours eu des techniciens psychlos. Mais cela ne ferait guère de différence pour la plate-forme et le montage. On pourrait installer les mêmes dispositifs de sécurité dans les consoles elles-mêmes, peut-être même les améliorer.

Si l'on plaçait une caméra dans le blindage avant du bâti, on aurait une image de toutes les cargaisons...

Ah, oui... Des détecteurs de métaux. Si on en installait dans la plate-forme même, il serait possible d'analyser les chargements sous tous les angles, dessus et dessous. Et s'ils étaient connectés à un circuit inaccessible placé dans la console, et si ce circuit était pourvu d'un analyseur... Oui. Si l'on détectait des traces de matières interdites telles que l'uranium ou l'élément lourd qui composait le noyau de la bombe ultime, le circuit déclencherait un relais et la console serait instantanément bloquée et le tir n'aurait pas lieu...

Avec tous ces visages qui ne le quittaient pas des yeux, il était difficile de penser. Ils attendaient. Il était inutile de lui dire que le sort de la banque dépendait de lui.

Il faudrait aussi qu'il voie Allen et MacKendrick pour qu'ils travaillent sur les maladies. Ils lui avaient dit qu'elles avaient une aura. Aura ou pas, les virus et les bactéries étaient décelables. Il pourrait là aussi installer un dispositif qui court-circuiterait la console dans le cas où la présence de virus dangereux serait enregistrée sur la plate-forme.

Il pourrait également prévoir un dispositif qui ferait sauter la console si jamais une cargaison de mort (bactéries, uranium, etc.) correspondait aux coordonnées de la Terre.

Et si on plaçait un panneau sur chaque console avec un avertissement du genre : « Toute tentative de transfert de contrebande à partir de cette console la rendra non opérationnelle... » Pas question de donner une liste des matières prohibées, sinon il se trouverait quelqu'un pour essayer de brouiller les détecteurs. On pourrait ajouter aussi : « Toute tentative d'utiliser cette console à des fins guerrières contre la Terre déclenchera son explosion... » Peut-être même mentionner que la console pouvait détecter les intentions hostiles...

Oui, il pouvait construire une console idéale, à l'épreuve de tout.

Il installerait une lourde défense autour des usines. Mais, au stade de l'assemblage final, il faudrait un personnel de confiance, réduit et incorruptible, travaillant en un lieu secret... Il serait nécessaire de créer une école où les techniciens extra-terrestres apprendraient à faire fonctionner la console, mais rien d'autre.

- Je crois, dit enfin Jonnie, que je peux faire ce que vous me demandez.

Ils sourirent. Monsieur Tsung remporta son plateau.

- Néanmoins, ajouta Jonnie, ces dispositifs coûteront plutôt cher.

Sans importance.

- Et je ne compte pas les vendre, seulement les louer. Tous les cinq ans, chaque console sera échangée contre une autre.

Ce qui donnerait à la Terre une source de revenus et permettrait de visionner les enregistrements des diverses cargaisons.

- Il faudra, ajouta Jonnie, engager une firme extra-terrestre pour fabriquer les composants et les bâtis. Autrement, il faudra un temps fou pour construire chaque console.

- Vous pouvez fournir les consoles ? demanda Lord Voraz.

- Il vient de le dire, fit le baron. Et si Jonnie dit qu'il va faire quelque chose, vous pouvez compter dessus ! C'est comme si c'était fait !

- Très bien. Ce qui nous amène maintenant au problème le plus sérieux. (Il pointa le doigt vers la salle de conférence.) Ces émissaires !

Lord Voraz, disant cela, avait l'air très sombre.

- Désormais, vous faites presque partie de la Banque Intergalactique. Ce sera le cas dès que la résolution sera signée. Mais, il faut que vous compreniez qu'il est extrêmement difficile de traiter avec ces gens-là ! Comme vous le savez, leurs pays connaissent des émeutes et des crises économiques désastreuses. Mais leur nature est ainsi faite qu'ils vont se contenter de rester assis là, avec leurs préjugés, et s'accrocher mordicus à leurs opinions les plus arrogantes. Ils n'écouteront personne. En ce moment même, et j'ai de meilleures raisons que vous de le savoir, ils comptent uniquement sur la guerre pour sauver leur économie et leur pays. Ils considèrent que l'hystérie et la violence engendrées par la guerre vont distraire les populations et leur permettre de consolider leur position. C'est la seule formule qu'ils connaissent pour s'en sortir.

» Cette banque a toujours vécu dans l'ombre des puissants Psychlos, même s'ils étaient haïs par tous. Ils ont disparu. Nous sommes de petites planètes, autant la vôtre que les Gredides. Vous n'avez pas de force militaire importante. Bref, pour parler brutalement, ces seigneurs ne vous respecteront pas.

» Avec Lord Schleim, j'ai lu dans les rides de l'eau. Il a supposé que la banque ne représentait plus la même puissance qu'avant. Il s'est dit qu'il pourrait violer une conférence. Il a échoué. Mais ce genre de chose n'aurait pu exister il y a seulement treize mois. Parmi tous ces seigneurs vaniteux, il s'en trouvera d'autres pour avoir la même idée tôt ou tard. (Il montra les documents.) Vous avez ici plus d'un million deux cent mille mondes habitables, utilisables. C'est un appât très tentant, très tentant !

» Étant donné que ces seigneurs pensent que la guerre seule peut sauver leurs régimes, ils trouveront un prétexte pour ne pas respecter la propriété de l'Intergalactique, de la Terre ou de la banque. Ils attaqueront ces planètes. Ils se querelleront pour leur possession. Ils renverseront l'ordre et largueront le bon sens aux quatre vents. Plus ils seront pressurés par le chaos économique de leurs mondes, plus ils trouveront de prétextes pour agir à l'encontre des lois.

Jonnie écoutait. Il s'était demandé quand ils en viendraient à ce sujet. Car c'était effectivement le problème clé. Et s'ils ne le solutionnaient pas, toutes les portes qu'ils essaieraient d'ouvrir se refermeraient devant eux.

- Depuis que je suis ici, poursuivit Lord Voraz, il n'en est pas un qui ne m'ait entraîné à l'écart pour essayer d'obtenir un prêt militaire pour sa nation. Bien entendu, nous ne consentons que très rarement des prêts pour la guerre. Nous nous contentons d'émettre des obligations et ils se les revendent entre eux. Les prêts militaires ne sont pas une bonne source de bénéfices. Avec une économie aussi chancelante, leurs chances d'être remboursés sont faibles. Pour le peuple qui se bat, les guerres sont loin d'être aussi populaires qu'elles le sont auprès des seigneurs qui les déclenchent et en tirent profit ! Des révolutions peuvent éclater et il est bien connu que les révolutionnaires sont des interlocuteurs à qui on ne peut faire confiance.

Lord Voraz les regarda et conclut :

- Donc, avant de vous exposer à ces risques, vous feriez bien de les comprendre parfaitement.

Jonnie se leva. Les deux petits hommes gris n'avaient encore rien signé. Il s'était douté qu'ils hésiteraient. Il prit son casque et son bâton d'argent.

- Nous avons déjà discuté de tout cela, Sir Robert et moi. Nous avons mis quelque chose au point. C'est risqué. Mais je crois que nous n'avons pas le choix. Puis-je obtenir de vous tous le droit temporaire de déterminer la politique de la banque durant les deux prochaines heures ? Si cela réussit, vous ne serez pas perdants. Si j'échoue, vous n'aurez rien perdu.

- Vous voulez décider de la politique de la banque ? s'exclama Lord Voraz, stupéfait.

- Laissez-le faire, dit le baron.

- Mais il pourrait nous engager dans des...

- Vous feriez mieux de dire oui, Lord Voraz, fit MacAdam. C'est Jonnie Tyler qui parle.

Figé sur place, Lord Voraz regarda tour à tour le baron et MacAdam.

- Je n'ai pas encore signé...

- Moi non plus, ajouta Dries.

Le baron tendit la main et « hocha la tête » de Voraz.

- Jonnie, il a dit « oui ». Allez-y.

- Mais il pourrait faire quelque chose de dangereux, balbutia Lord Voraz. C'est un jeune homme très particulier !

Mais Jonnie était déjà parti en compagnie de Sir Robert. Un Sir Robert qui affichait une expression déterminée.

3

On avait ôté toutes les bâches qui recouvraient la plate-forme. Dans chaque puits de tir, il y avait un soldat russe. L'ardent soleil de midi faisait briller les armes de même que les tuniques blanches. Quelques émissaires se reposaient à l'ombre de la pagode.

Jonnie convoqua l'hôte et lui demanda de rassembler tous les seigneurs dans la salle de conférence.

Stormalong, attiré par l'agitation ambiante, sortit de la salle des opérations. Il avait un message à la main et il allait se précipiter vers Jonnie et Sir Robert quand il fut arrêté net par la main bandée du colonel Ivan.

- Pas déranger, dit le colonel en anglais.

Il avait reçu des ordres précis. Il surveillait les émissaires qui se dirigeaient à présent vers la salle de conférence. Il savait que Jonnie les suivrait d'ici peu et il savait aussi ce qu'il allait faire. Il se sentait un peu inquiet car Jonnie, une fois à l'intérieur, n'aurait aucune protection directe. Son œil exercé lui avait appris que la plupart des seigneurs dissimulaient des armes sous leurs riches vêtements. Lorsque Jonnie leur infligerait le choc prévu, ils réagiraient peut-être avec violence. Ce serait comme de nager dans une rivière infestée de crocodiles ! Le colonel Ivan prit une décision : si jamais ces jolis seigneurs s'en prenaient à Jonnie, pas un seul d'entre eux ne quitterait la Terre vivant. Et les banquiers non plus. Mais cela ne changerait rien pour Jonnie.

Angus était agenouillé devant le projecteur atmosphérique, effectuant d'ultimes réglages. Il promena le regard sur l'entrée de la salle de conférence, vit tout le monde entrer, et se remit à travailler plus rapidement encore. Avant peu, on allait avoir besoin de lui.

Stormalong, frustré, agitait son message. Le colonel Ivan lui barrait toujours le passage. Les derniers émissaires entrèrent. Sir Robert et Jonnie leur emboîtèrent le pas.

Dans la salle de conférence, l'hôte était occupé à disposer les sièges et aidait les seigneurs à s'installer.

Les deux petits hommes gris, MacAdam et le baron von Roth entrèrent à leur tour et prirent place sur les sièges installés contre le mur.

Sir Robert et Jonnie étaient à proximité de l'estrade surélevée. Sir Robert étudiait les seigneurs sous ses sourcils gris et hirsutes. Toutes ces puissances devaient être réduites à l'impuissance. Peu lui importait s'il fallait les bousculer un peu. Il espérait seulement que cela ne s'achèverait pas par un désastre.

Une musique martiale retentit tout à coup.

L'hôte se leva.

- Mes seigneurs, l'émissaire de la Terre a convoqué cette assemblée pour la phase finale. Je vous présente Sir Robert !

Un murmure courut dans les rangs des émissaires. Ils regardèrent Voraz, perplexes. N'étaient-ils pas là pour une vente aux enchères ? Pour quelle raison l'émissaire de la Terre désirait-il leur parler ?

Sir Robert, en uniforme de régiment, s'avança au centre de l'estrade. Le projecteur se posa sur lui.

- Mes seigneurs, commença-t-il d'une voix grave et sonore, nous avons à discuter d'autre chose que d'enchères !

- Vous voulez dire, lança le Fowljopan, que vous nous avez fait attendre pendant tous ces jours pour rien ?

- Nos réserves d'atmosphère et de vivres s'épuisent, cria Lord Dom, et nous avons pris du retard ! Tout cela pour perdre notre temps ?

Ils devenaient franchement hostiles. Voraz, quant à lui, ne réagissait pas, ne disait rien. Il restait immobile, le visage neutre. Il désavouait absolument toute cette opération.

- Mes seigneurs, reprit Sir Robert, d'une voix assez forte pour être entendue sur un champ de bataille, depuis quelque temps, il est question d'une prime !

Ils se calmèrent instantanément. Le mot « prime » avait éveillé leur attention.

- Deux récompenses, se montant chacune à cent millions de crédits, ont été proposées afin d'encourager une certaine quête ! Pour trouver *quelqu'un !*

Les seigneurs furent aussitôt sur le qui-vive.

- Le voici ! lança Sir Robert en pointant le doigt sur Jonnie.

Le projecteur se déplaça et se posa sur Jonnie, faisant scintiller son casque et les boutons de sa tenue.

L'effet fut spectaculaire. Les seigneurs retinrent leur souffle.

Les choses ne se passaient pas tout à fait comme Jonnie les avait prévues. Sir Robert, obéissant à ses sentiments personnels, en rajoutait un peu. Mais c'était quand même très efficace.

Sir Robert reprit, d'une voix puissante et triomphante :

- Avec l'aide de quelques Écossais, c'est *lui* qui a mis fin à l'empire le plus puissant des seize univers ! Cet homme a écrasé un empire qui vous oppressait et vous terrorisait tous ! A vous tous, vous comptez cinq mille planètes ! *Lui,* il a vaincu un empire fort de plus d'un million de mondes !

Les émissaires restaient silencieux, immobiles. Ils craignaient ce qui allait suivre. Mais ils étaient impressionnés.

- Maintenant, voulez-vous voir ce qu'il a fait pour mettre fin à Psychlo une fois pour toutes ?

On n'attendit pas leur réponse. Quatre Russes sous la conduite du colonel Ivan se précipitèrent dans la salle, poussant le projecteur atmosphérique installé sur le chariot de mine. Ils le mirent en place avec dextérité avant de se retirer près du mur, au garde-à-vous.

Sir Robert effleura une touche de télécommande. Le projecteur se mit en marche à la seconde où la lumière s'éteignait.

Une vue de la Cité Impériale de Psychlo se matérialisa au-dessus de l'estrade. Les remparts de la formidable planète étaient là, aussi brillants et nets que s'ils avaient été réels.

Peu d'émissaires avaient eu l'occasion de contempler des images de la cité. Tous avaient rêvé d'y poser le pied. Ils reconnaissaient parfaitement les dômes du palais, d'après les sceaux de Psychlo. Pour chacun d'eux, c'était une expérience stupéfiante.

Vint l'instant de la catastrophe.

Ils retinrent leur souffle.

Jamais encore ils n'avaient vu pareil désastre, aussi énorme, aussi violent.

Sous leurs yeux incrédules, Psychlo fut prise dans une tourmente de feu, puis changée en soleil ardent.

L'image s'effaça. Mais la lumière ne revint pas. La voix de Sir Robert s'éleva dans l'ombre.

- Pensez à l'oppression de Psychlo ! Pensez à tout ce qu'elle a fait pour détériorer la vie de vos nations ! Pensez à toute cette tyrannie ! Et dites-vous bien que désormais c'est fini, à jamais fini ! (Le faisceau du projecteur éclaira soudain Jonnie.) Votre dette est immense envers cet homme qui vous a libérés de l'emprise du monstre !

Les émissaires n'avaient guère l'habitude d'avoir peur. Mais ils étaient effrayés.

Sir Robert continua sur sa lancée, oubliant les ordres de Jonnie, se laissant guider par ses sentiments personnels. Il haïssait ces seigneurs impitoyables qui avaient peut-être assassiné l'Écosse.

- Vous avez vu ce qu'il peut faire à une planète comme Psychlo ? Maintenant, je vais vous montrer ce qu'il peut faire encore !

Sir Robert éteignit à nouveau la lumière et déclencha le projecteur atmosphérique.

C'était la séquence présentant la fin de la lune de Tolnep, Asart. Ils en avaient vu certains passages auparavant. Mais ils n'avaient pas assisté à la mort de l'astre car l'enregistrement avait été fait après la rixe avec Schleim.

Sous les yeux des émissaires muets, la lune s'effrita et se plissa. Le grand vaisseau qui avait tenté de fuir fut dévoré. Puis suivirent les images prises depuis les hauteurs des montagnes de Tolnep.

Jonnie, lui non plus, ne les avait jamais vues. Si l'on ne regardait pas très attentivement, on avait l'impression que la lune se changeait en un nuage de gaz, puis que le gaz se liquéfiait dans le froid intense de l'espace.

L'une des séquences, enregistrée lorsque le fragment de métal avait été lancé, était inconnue de Jonnie. Avant qu'il n'atteigne la surface de la lune, une langue de feu jaillit. Durant un instant, il fut porté au rouge, puis, en touchant le gaz liquéfié, il se désagrégea, plongeant vers le noyau encore fluide.

La lune était à présent une sphère composée non pas uniquement de gaz, mais d'innombrables quintillions de mégavolts. Une lune électrique. La séparation des atomes avait engendré une charge énorme mais, en l'absence d'oxygène et de second pôle pour assurer un courant, le froid de l'espace avait littéralement gelé l'électricité. Jonnie réalisa que c'était ainsi que le carburant psychlo fonctionnait, mais sans métal lourd, uniquement avec des métaux de base. Et cette lune détruirait tout vaisseau qui tenterait de s'en approcher, non pas en le désintégrant mais en lui envoyant une colossale charge électrique. Ah! Un météore arrivait! Un énorme éclair le happa et le fit fondre.

Les émissaires avaient vu une planète tout entière transformée en soleil ardent.

Maintenant, ils voyaient une lune disparaître pour devenir une masse froide, létale, destructrice.

La voix de Sir Robert s'éleva et passa sur la salle comme une onde de choc.

- *Il peut à sa guise faire la même chose à chacune de vos planètes!*

Il n'aurait pas produit un effet plus frigorifiant s'il les avait balayés d'un jet de paralyseur.

- *Et il n'y a rien que vous puissiez faire pour l'en empêcher!*

Jonnie n'avait pas dit au vieil Écossais d'y aller aussi fort. Mais Sir Robert se vengeait.

Le projecteur revint se poser sur Jonnie.

- Dans vingt-huit lieux différents n'appartenant pas à cette planète, rugit Sir Robert, il va poser vingt-huit plates-formes de transfert. Ce sont les coordonnées de vos planètes qui seront préréglées. Et ces vingt-huit plates-formes entreront *toutes* en action si l'un de vous manifeste des intentions hostiles!

Ce n'était pas du tout ce que Jonnie avait demandé à Sir Robert de dire. Certes, il y avait bien vingt-huit plates-formes, mais pas...

- Si jamais vous vous écartez d'un millimètre de la ligne à suivre, *toutes vos planètes* connaîtront exactement le même sort que la lune de Tolnep!

Ils étaient paralysés.

- Vous allez tous signer un traité, reprit Sir Robert, un traité qui interdira toute guerre avec nous et entre vous. Sinon, vos planètes seront désintégrées comme cette lune, et vous et vos peuples avec! (Il désigna Jonnie.) Il *peut* le faire et il le *fera*! Alors, mettons-nous au travail et signons ce traité *maintenant*!

Ce fut l'enfer!

Tous les émissaires, d'un seul bond, s'arrachèrent à leurs sièges et se mirent à hurler de rage.

Le colonel Ivan et ses soldats se roidirent.

Le brouhaha était assourdissant.

Sir Robert défiait l'assemblée du regard, triomphant.

Jonnie s'avança alors jusqu'au milieu de l'estrade, suivi par le faisceau du projecteur. Il leva les mains et le tumulte se calma un peu.

Une ultime imprécation de Browl résuma les sentiments de tous:

- C'est une déclaration de *GUERRE*!

Jonnie était immobile. Peu à peu, sa présence amena le silence.

- Ce n'est pas une déclaration de guerre, dit-il. Mais une déclaration de *paix*! Je sais que votre économie vous porte à la guerre. Je sais que vous considérez que le meilleur moyen de vous débarrasser de votre excédent de population, c'est de vous lancer dans la guerre. Mais dans toute guerre, il y a un vaincu. Chacun de vous est persuadé qu'il ne peut être vaincu. Il y a pourtant une chance pour que ce soit le cas. Donc, en déclarant la paix, nous ne faisons que vous protéger les uns des autres.

Le Fowljopan hurla tout à coup :

- Quand nous rentrerons chez nous, nous lancerons des armadas colossales contre vous ! Même si vous nous faites assassiner, ces flottes arriveront et vous détruiront. Quant à toi, tu es d'ores et déjà désigné pour être assassiné !

Sir Robert se plaça devant Jonnie.

- Vos flottes ne sauveront pas vos planètes. Il n'existe aucune défense contre ces plates-formes. Seul cet homme sait où elles se trouvent. Et si trente jours s'écoulent sans qu'il modifie les réglages, si quoi que ce soit lui arrive, les plates-formes tireront automatiquement. Et vos planètes seront détruites. Toutes.

» De plus, il a des doubles de lui-même. Ils lui ressemblent comme deux gouttes d'eau et nul ne peut faire la différence. En croyant l'assassiner, il y a toutes chances pour que vous assassiniez l'un des ses doubles. Et si l'un des doubles est attaqué, les plates-formes se déclenchent. Toutes !

» C'est donc à *vous* de protéger la Terre et de le protéger *lui*. Vos vies en dépendent, de même que celles de vos gouvernants et de vos peuples.

» Quant à vos flottes, elles peuvent certes venir nous détruire. Mais si vous ne regagnez pas vos mondes, elles ne sauront pas. Elles attaqueront mais ensuite elles n'auront plus de planète où revenir, plus de gouvernement. Pensez-y !

- Vous menacez des émissaires ! cria Browl.

- Il *protège* des émissaires ! lança Sir Robert. Vos industries de guerre fonctionnent à plein rendement et plus d'un parmi vous, dans cette salle, représentera un gouvernement renversé par un autre !

» Vous devriez considérer un principe appelé *cas de force majeure* (*). Un événement incontrôlable et inattendu s'est produit au sein des univers. Une force supérieure est apparue ! Cet homme, ainsi que les choses qu'il est capable de faire, représentent un *cas de force majeure*. Un cas de force majeure change l'ordre initial des choses. Il détermine ce que l'avenir sera.

» Je suis un homme de guerre. Vous êtes des diplomates. Il est en votre pouvoir d'exercer une influence sur cette *force majeure*. Si vous n'usez pas de ce pouvoir, c'est que vous êtes des fous et non des diplomates, et des fous suicidaires qui plus est !

- Comment pouvons-nous exercer cette influence ? demanda un seigneur de petite taille, tout au fond de la salle.

Jonnie conduisit doucement Sir Robert vers le bord de l'estrade. Rien ne s'était passé comme prévu. Sir Robert avait des idées bien à lui. Mais il avait fait du bon travail. Ils écoutaient tous.

- Avant que les plates-formes n'entrent en action, dit Jonnie, une conférence d'émissaires serait convoquée. Afin de réparer toute injustice, de corriger toute idée erronée.

Il vit qu'il avait capté leur intérêt.

- Les plates-formes pourraient être l'arme d'une assemblée telle que celle-ci.

Il les vit réfléchir intensément. Certains d'entre eux sans doute entrevoyaient l'idée que, en tant qu'individus, ils auraient un pouvoir nouveau dans leur

---

(*) En français dans le texte. (*N.d.T.*)

gouvernement. C'était bien dans leur style. Ils ne spéculaient pas sur lui mais sur eux. Ils contemplaient leurs doigts ou leurs griffes ou bien penchaient la tête d'un côté ou de l'autre. Il savait cependant qu'il ne les tenait pas encore.

- Cela n'en reste pas moins une menace abominable, dit l'un d'eux.

- Cela ne résout pas nos problèmes économiques, remarqua un autre. Au contraire, cela va accélérer la crise.

Jonnie les regarda. Et il commença alors seulement à réaliser quel était le véritable problème. Chacun de ces seigneurs, de même que les peuples qu'ils représentaient, avait été élevé dans l'ombre des cruels et sadiques Psychlos pendant des millénaires. Ils étaient peut-être demeurés politiquement libres, mais la philosophie psychlo les avait marqués - tous les êtres ne sont que des animaux. La rapacité, le profit, la corruption étaient considérés comme faisant partie de la nature de tout individu. Les qualités et les vertus n'existaient pas. Tel était l'héritage des Psychlos ! Leur marque !

La marque d'êtres fous et dégénérés. Les Psychlos avaient taillé la vie sur mesure et dit : « Vous voyez ? C'est comme ça, la vie. »

Comment se faire entendre de ces puissants seigneurs ?

- Nos industries sont équipées pour la guerre ! lança un autre. La paix intergalactique nous ruinerait tous !

Oui, songea Jonnie. Les Psychlos voulaient que tous ceux avec qui ils commerçaient soient en guerre les uns avec les autres. Qui se souciait de ce que faisaient ces « planètes libres » aussi longtemps qu'elles achetaient du métal ? Les Psychlos pouvaient les écraser quand ils voulaient. Ils désiraient qu'elles continuent de se battre comme des animaux, car ils considéraient tous les êtres comme des animaux !

- Il existe d'autres façons de résoudre les crises économiques, dit Jonnie. Vous pourriez reconvertir vos industries de guerre en industries de produits de consommation. Faire des choses pour le peuple. Le peuple aurait alors du travail. Les gens fabriqueraient des choses les uns pour les autres. Vos peuples sont le meilleur marché qui soit pour vos industries.

» Dans un proche avenir, il va y avoir des échanges entre vos mondes. Les Psychlos s'étaient arrangés pour que tout soit d'abord expédié sur Psychlo. C'était leur moyen de dominer le commerce. Nous allons nous arranger pour que vous puissiez échanger rapidement des marchandises à des prix raisonnables, d'un système à l'autre. Cela suffira à créer une ère de prospérité.

» Vos populations meurent de faim et il y a des émeutes. Vous pourrez leur procurer des emplois dans les industries de paix. Elles pourront alors acquérir les choses qui leur sont nécessaires. Des choses telles que de meilleurs logements, de meilleurs mobiliers, de meilleurs vêtements, une meilleure nourriture.

» Vous tenez ici une chance inespérée d'entamer un âge de prospérité et d'abondance !

Jonnie vit que ses arguments ne faisaient pas vraiment mouche. Les émissaires l'écoutaient, certes, mais sans plus.

- Ça ne résout pas les émeutes qui ont lieu actuellement ! lança Dom.

Jonnie le regarda. C'était le moment de se jeter à l'eau. Voraz allait avoir une attaque !

- Je suis persuadé que la Banque Galactique serait heureuse d'accorder des prêts importants et souples aux gouvernements qui utiliseraient cet argent afin d'acheter des aliments pour leur population, en attendant d'avoir reconverti leurs industries de guerre en industries de paix. Cela, plus l'annonce qu'il n'y a plus de menace de guerre, suffira à stopper les émeutes et à stabiliser vos gouvernements.

Browl regarda Voraz.

- Est-ce que vous feriez cela ?

Voraz constata alors qu'il était encadré par le baron et MacAdam. Tous deux lui donnaient des coups de coude pour qu'il dise oui. Il demeura immmobile et muet.

Jonnie poursuivit :

- Et je suis également certain que la banque serait prête à consentir tous les prêts nécessaires à la reconversion de vos industries. Non seulement ça, mais je suis également convaincu que la banque accorderait aussi des prêts au secteur privé : aux petites entreprises et même aux personnes privées afin qu'elles puissent acquérir de nouveaux produits.

Voraz continuait d'ignorer les coups de coude de MacAdam et du baron. Il regardait Jonnie. Ce jeune homme faisait allusion aux « banques de commerce », des organismes d'ordinaire réservés aux minables petites échoppes, un quart de crédit par-ci, un demi-crédit par-là.

Jonnie continuait :

- Et je souhaite aussi vous annoncer qu'il y aura de nombreuses planètes nouvelles sur le marché. Vous aurez la possibilité d'emprunter de l'argent pour les acquérir ainsi que des fonds suffisants pour les coloniser avec ce que vous considérez actuellement comme votre « excédent de population ». (Jonnie éleva un peu la voix et s'adressa à Lord Voraz.) N'est-ce pas exact, Lord Voraz ?

Le directeur de la Banque Galactique avait l'impression qu'une lame de fond parcourait son cerveau. Il n'avait pas vraiment accepté que ce jeune homme décide de la politique de la banque. Devait-il se lever et le désavouer ?

La Banque Galactique avait traité avec des *nations*. Puis il réalisa soudain qu'elle avait en fait dépendu des Psychlos.

Il réfléchit à toute allure. Les banquiers des Gredides connaissaient leur métier sur le bout des doigts. Il pensa à la population selachee, énorme, dont une bonne partie était au chômage. Il eut brusquement la vision de petits bureaux de la Banque Galactique se créant dans chaque ville, sur chaque continent, sur chaque planète, dirigés par des Selachees... Des banques locales ! Qui prêteraient de l'argent aux petites entreprises, à tous ceux qui se présenteraient, et même aux employés. N'avaient-ils pas déjà fait cela jadis ? Avant Lord Loonger ? Oui... Il s'en souvenait... Cela fournirait des emplois à un nombre extraordinaire de Selachees ! Et toutes ces planètes à coloniser. Il faudrait consentir des prêts pour qu'on puisse les acheter... Brusquement, le fait qu'il faudrait absolument faire *quelque chose* avec un million deux cent mille planètes s'imposait à lui ! Tout cet actif ne pouvait quand même pas croupir dans un coffre-fort ! Et une fois que ces planètes commenceraient à sortir des produits, l'argent reprendrait de la valeur, ce qui enrayerait l'inflation. Ce jeune homme essayait de faire travailler tout cet actif improductif.

Mais, mais, mais ! protestait Voraz en lui-même... Cette idée de prêter de l'argent à des gouvernements afin qu'ils achètent des aliments pour leur population... C'était *social* ! Mais pas inconnu. Cependant, cette période de reconversion serait très longue. Et ces gouvernements seraient endettés jusqu'aux branchies.

Soudain, Lord Voraz lança un regard respectueux à Jonnie. Savait-il vraiment ce qu'il était en train de faire à ces hautains seigneurs et à leurs gouvernements respectifs - en admettant qu'ils acceptent sa proposition ?

Oui ! Il le savait. Voraz le lisait clairement dans ses yeux !

- Répondez, Voraz ! lança Browl. Est-il vrai que vous feriez tout ça et sur une telle échelle ?

Voraz se leva.

- Mes seigneurs, il se trouve que la Banque Galactique vient d'entrer en possession d'un actif plusieurs milliers de fois plus important que tout ce qu'elle a pu contrôler par le passé. Il va être nécessaire de faire travailler cet actif. Vous jouissez tous d'un bon crédit. Et la réponse est oui. Lorsque les documents et les formalités d'usage auront été remplis, la banque sera disposée à accorder des prêts tels que ceux qui ont été décrits.

Les seigneurs restèrent immobiles et silencieux un instant. Ce revirement de la politique de la banque les laissait pantois.

- A présent, mes seigneurs, intervint Jonnie, pourrions-nous discuter de ce traité de paix intergalactique ?

Ils hésitaient. Pire : certains semblaient réticents. La phrase de Monsieur Tsung lui revint : « Le pouvoir de l'argent et de l'or sur l'âme des hommes dépasse l'imagination. » Ces gens-là n'étaient certes pas des humains, mais cela s'appliquait aussi à eux. Durant des millénaires, ils avaient été dominés par le matérialisme psychlo et en étaient venus à raisonner exactement comme les Psychlos. Il fallait les traiter comme des Psychlos, faire appel à leur cupidité.

A l'idée de ce qu'il allait faire, il éprouvait une certaine répugnance. Mais il y avait trop de vies en jeu, trop de civilisations menacées. Il n'avait pas le droit d'échouer si près du but.

Il s'avança vers le devant de l'estrade et s'accroupit afin que sa tête soit au même niveau que les leurs.

- Éteignez ce projecteur ! cria-t-il. Et coupez tous les enregistreurs !

- Les caméras sont coupées ! dit une petite voix ténue derrière lui.

Le regard de Jonnie se promena sur l'assistance.

- Arrêtez tous les enregistreurs que vous pourriez avoir. (Il se tourna vers les deux petits hommes gris.) Il ne doit y avoir aucun enregistrement de fait pour la banque et vous devez le jurer.

D'un même geste, les deux petits hommes gris portèrent la main au revers de leur veston.

- Nous jurons que nous n'enregistrons rien.

Jonnie constata qu'il avait enfin capté *toute* leur attention. Tous les yeux étaient rivés sur lui.

Jonnie regarda les émissaires. D'un ton de conspirateur qui les obligea à se pencher pour mieux entendre, il dit :

- Vous ne pensiez pas que j'allais laisser chacun d'entre vous, individuellement, en dehors du coup, n'est-ce pas ?

Ils étaient tout ouïe.

- Que fabriquent vos principales usines ? murmura Jonnie.

- Des armes, murmurèrent-ils en réponse.

- Et que croyez-vous qu'il se passera pour les actions et les parts de ces entreprises ?

Les seigneurs s'étonnèrent. Comment ! Il ne savait pas ?

- Ce sera l'effondrement !

- Précisément, fit Jonnie, toujours dans un murmure. Et voici ce que vous pourriez faire. Si, en rentrant chez vous, vous parlez bien haut et à tous d'un traité interdisant toute guerre, les intérêts, les actions et les titres de ces usines d'armement s'écrouleront. Et si vous et vos amis omettez de mentionner la reconversion de ces entreprises dans la production de consommation, ainsi que les prêts bancaires, ces actions seront nulles, vous pourrez alors les racheter, peut-être même avec l'aide de la banque, et dès lors ces usines vous appartiendront intégralement. Entre-temps, vous serez devenus les héros du peuple, car vous lui aurez apporté de l'argent pour qu'il puisse manger, ce qui mettra un terme aux émeutes. Quand vous aurez pris le contrôle absolu des entreprises, la banque vous accordera des prêts de reconversion. Et ce sera le boom économique. Ceux d'entre vous qui n'ont qu'une petite fortune deviendront millionnaires. Les millionnaires deviendront milliardaires.

Jonnie s'interrompit un instant, puis ajouta :

- Mais vous devez oublier que j'ai mentionné cela, que je vous ai dit quoi que ce soit.

Il se releva. Puis attendit.

S'était-il trompé ? Impossible. Leur mode de pensée avait depuis trop longtemps été façonné par les Psychlos.

Ils commencèrent à chuchoter entre eux. Puis les têtes se rapprochèrent et il y eut un rire étouffé. Jonnie entendit quelques remarques qui filtraient jusqu'à lui.

- Je vais pouvoir prendre une autre maîtresse.

- Ma femme a toujours eu ce vieux château en horreur.

- Je ne serai pas obligé de vendre mon yacht.

Jonnie se demandait ce qu'ils pouvaient bien tramer. Toutes les têtes s'étaient rapprochées et un vague bourdonnement s'élevait.

Soudain, le Fowljopan se dressa au milieu de l'assemblée.

- Lord Jonnie, nous avons oublié ce que vous avez dit. Nous ne répéterons donc rien. (Il parut brusquement devenir plus grand.) Construisez vos plates-formes ! De notre côté, nous allons rédiger le plus solide, le plus dur, le plus méchant de tous les traités de paix dont vous ayez jamais entendu parler ! (Il se retourna.) Rallumez ! Et remettez les enregistreurs en marche !

L'assistance se dressa comme un seul être et se mit à crier :

- Longue vie à Lord Jonnie ! Longue vie à Lord Jonnie !

Des applaudissements crépitèrent, assourdissants.

Le colonel Ivan poussa un gros soupir de soulagement et ôta son doigt de la détente de son arme. Puis il redisposa en hâte ses soldats pour protéger Jonnie et le raccompagner. Les seigneurs affluaient vers lui, lui donnaient de grandes claques dans le dos, si fort qu'il manquait de tomber à chaque fois. C'était le délire ! Le colonel Ivan ne savait pas ce que Jonnie avait pu leur dire ni comment il s'y était pris pour parvenir à ce retournement de situation. Il ne se perdit pas en conjectures. Il ne se concentra que sur Jonnie, qu'il fallait évacuer avant qu'ils ne l'étouffent sous leur joie. En tout cas, ce coup de théâtre ne le surprenait guère. C'était bien de Jonnie !... La vie n'était jamais ennuyeuse quand on se trouvait aux côtés de Jonnie Goodboy Tyler !

4

Les Russes avaient réussi à raccompagner Jonnie jusqu'à la petite salle de réunion et avaient repris leur poste.

Dries Gloton ronronnait presque en examinant le chèque de transfert dûment libellé et signé de l'Intergalactique. Ce n'était certes pas le plus important dont il eût entendu parler, mais c'était le plus gros qui eût jamais été déposé dans sa succursale. Et c'était plus qu'un chèque. Cela représentait la solvabilité retrouvée, des bureaux qui rouvraient leurs portes dans les secteurs secondaires, des employés qui retrouvaient leur emploi. En vérité, il était superflu de vérifier l'authenticité de ce chèque. Dries savait qu'il était bon. Mais c'était un tel plaisir de le relire.

D'un geste large, il prit un reçu, le parapha d'une main experte, puis passa aux documents d'hypothèque et, en gros caractères, écrivit en travers de la page : « PAYÉ INTÉGRALEMENT ».

Oui, cela compensait largement tous ces longs mois d'attente et d'angoisse.

Il mit le chèque en sécurité dans sa poche et passa le reçu et les documents à MacAdam en les faisant tournoyer gaiement. Puis il lui serra la main.

- Notre travail est fini. C'est un plaisir que de traiter avec vous.

Mais, à la seconde où il lâchait la main de MacAdam, Dries vit que Lord Voraz restait immobile, les yeux vides, le regard posé sur la table. Il ressentit aussitôt un pincement d'inquiétude.

- Votre Adoration ! Y a-t-il quelque chose qui n'aille pas ?

Voraz se tourna vers lui. Préoccupé au point de ne pas remarquer la présence de Jonnie, il déclara :

- Savez-vous ce qu'il a fait ?

- Des prêts spéculatifs ? dit Dries. Les seigneurs vont tous essayer d'emprunter de l'argent quand les cours s'effondreront. Mais c'est sans grande importance. Ces prêts seront avantageux.

- Non, non, insista Voraz, je parle de ce qu'il vient de faire à ces seigneurs et à leurs gouvernements. Vous ne voyez pas. Laissez-moi vous expliquer. En ouvrant un vaste marché d'emplois et en donnant aux petites créatures des rues la possibilité d'emprunter de l'argent, ce jeune homme crée une nouvelle classe, une classe de travailleurs indépendants. Dans les années qui viennent, ils ne seront plus obligés de demander l'obole à l'état. Financièrement, ils seront indépendants. L'état dépendra du marché qu'ils représentent et ne pourra plus les ignorer. Et une part énorme des opérations bancaires se fera avec cette nouvelle classe.

- Mais je ne vois pas de mal à ça, dit Dries. Avec tout l'argent que ces divers gouvernements vont nous devoir, ils auront tout intérêt à faire ce que la banque leur demande.

- Précisément. Et la banque leur dira de plus en plus d'accorder toute leur attention aux travailleurs indépendants parce que c'est d'eux que dépendront les intérêts de la banque ! Et tous ces seigneurs, de même que leurs gouvernements, auront de moins en moins de pouvoir. Ils cesseront virtuellement d'exister en tant que classe particulière.

- Ah, dit Dries en se souvenant de sa période scolaire. La banque sociale.

Jonnie s'était laissé aller dans son fauteuil. Il était un peu las et aurait aimé qu'ils en finissent.

- On appelle ça la « démocratie sociale », dit-il. Et cela fonctionnera tant qu'il y aura de l'espace vital et de nouvelles frontières. Nous n'en manquons pas actuellement et, dans quelques milliers d'années, quelqu'un devra trouver quelque chose d'autre.

Voraz, à présent, dévisageait le baron et MacAdam.

- Comprenez-vous vraiment ce qu'il vient de faire ? Dans le bref laps de temps qui s'est écoulé, là-bas, dans cette salle, il a libéré plus de gens que toutes les révolutions qui ont pu éclater durant l'histoire !

- Je sais qu'il nous a donné le moyen de faire tenir tous ces seigneurs tranquilles, dit MacAdam. Allons-nous voter cette résolution et mettre un terme à cette conférence ?

Voraz fut arraché à son humeur. Il s'empara d'une procuration.

- Il est fait mention d'une deuxième résolution.

Le baron intervint.

- C'est à propos de Lord Loonger.

- Oui, dit Voraz. Il est mort depuis combien de temps déjà ? Deux cents...

- Écoutez, coupa le baron, les Psychlos ont sans doute été le peuple le plus haï que l'univers ait jamais connu. Il y a deux cent mille ans, votre Lord Loonger les a sauvés avec la banque. Et aujourd'hui, cet acte n'est pas très populaire.

- On peut le dire, fit Voraz.

- La définition de l'argent, reprit le baron, est « une idée basée sur la confiance ». Et ce n'est pas un avantage pour votre monnaie que d'avoir l'effigie de Lord Loonger sur chaque billet.

Jonnie tressaillit. Il savait ce qui se préparait. Il songeait à ce qui s'était passé avec la monnaie terrienne. Il était sur le point d'intervenir, mais la grosse main de Sir Robert vint lui fermer la bouche.

Depuis une minute, Dries fixait Jonnie. Sans détourner les yeux, il s'adressa à Voraz :

- Votre Adoration, vous est-il venu à l'esprit que ce jeune homme pourrait être en partie selachee ?

Il n'y avait pas la moindre trace d'humour dans sa voix.

Jonnie était furieux. Il ne voulait pas se quereller avec Sir Robert dont la main était toujours appuyée sur sa bouche. Mais, à cette seconde, il les fusillait tous du regard.

- Regardez ses yeux, reprit Dries. Il y a du gris. Ainsi qu'une autre couleur semblable à celle de la mer. Mais, en gros, on peut dire qu'ils sont gris !

- Je vois ce que vous voulez dire, fit Lord Voraz. Il ressemble tout à fait à un Selachee.

- J'ai plusieurs picto-enregistrements de lui, dit Dries. Pris sous de nombreux angles. Nous pourrions faire appel au peintre Rensfin. Il saura en tirer partie pour nous exécuter un portrait idéal. Avec le casque en couleur. Il existe une encre spéciale qui pourra restituer le scintillement des boutons. Et le casque, nous pourrions même le faire en trois dimensions. Mais qu'allons-nous mettre sur la coupure ? « Jonnie Goodboy Tyler, Conquérant des Psychlos » ?

- Non, non, fit Voraz.

- « Qui a apporté la liberté et interdit la guerre » ?

- Non, non. Le mot de « liberté » nous mettrait les seigneurs à dos. Il faut que ce soit incontestable et définitif, voyez-vous, car nous allons imprimer de nouvelles coupures et récupérer les anciennes. Il faudra que nous ajoutions au revers : « Garanti par l'actif de la Banque Planétaire Terrestre et de l'Intergalactique Minière », ou quelque chose de ce genre. Il faudrait peut-être que l'effigie soit un peu plus grande. Mais le texte...

MacAdam s'illumina :

- Il faut montrer ce qu'il a accompli. Le peintre devrait montrer en fond une image de Psychlo explosant. Et nous pourrions simplement inscrire « Jonnie Goodboy Tyler », avec la mention : « qui a apporté le bonheur à toutes les races ».

- Oui, c'est tout à fait ça ! s'exclama Voraz. Il n'est pas relégué au rang de simple destructeur de Psychlo. Parce que justement il n'a pas fait que cela. Les gens le sauront très vite. Sa popularité va s'étendre jusqu'à toutes les planètes et les étoiles des seize univers !

Lord Voraz se redressa et fit glisser la résolution jusqu'à lui. Il écrivit le texte prévu pour la coupure. Puis, relevant ses manchettes, il leva son stylo d'un geste vif et décidé et signa la deuxième, puis la première résolution.

Tout était terminé. Les deux petits hommes gris se levèrent. Ils avaient un sourire rayonnant. Sir Robert libéra enfin un Jonnie plutôt morose et tous se serrèrent la main.

- Je pense, déclara Lord Voraz à MacAdam et au baron, que nous allons faire du travail splendide ensemble ! Ça, c'est de la banque selon mon cœur !

Ils éclatèrent de rire. Les deux petits hommes gris rassemblèrent leurs papiers et s'éclipsèrent.

- Ouf, ouf, et ouf ! fit MacAdam, affichant un sourire radieux. Nous voilà libres comme l'oiseau ! (Il regarda Jonnie.) Et c'est vous qu'il faut en grande partie remercier, mon garçon !

5

MacAdam et le baron rassemblaient leurs papiers, admirant les signatures, prêts à partir.

- Comment avez-vous fait pour que ces directeurs de Snautch acceptent de vous écouter ? demanda Jonnie.

Le baron explosa de rire.

- En ouvrant un compte. En quelques secondes, toute la banque a été au courant. Étant donné que les Psychlos séquestraient l'or et qu'il était rare, dans les Gredides il avait atteint un demi-million de crédits l'once. Et c'est avec de l'or que nous avons ouvert notre compte. Votre or, Jonnie. Près d'une tonne que nous avions fondue en lingots il y a pas mal de temps. On a failli attraper un lumbago à transporter tout ça jusqu'à l'intérieur de la banque. Ça faisait un siècle qu'ils n'avaient pas vu autant d'or !

Jonnie se mit à rire.

- L'or de Terl nous aura été utile, au bout du compte.

- Après tout le travail que vous aviez fait sur le filon, cet or vous revenait, à vous et aux hommes ! Nous pouvons le rapatrier, si vous le désirez. En ce moment même, il est exposé derrière des vitres blindées au siège de la Banque Galactique de Snautch ! Un or historique, Jonnie.

- Autre chose. Qu'avez-vous raconté à Ker pour qu'il signe ces papiers ?

- Ker ? fit le baron. Eh bien, avant tout, c'est votre ami, Jonnie, et nous lui avons dit que ça vous aiderait. En outre, Stormalong avait vu les images de Psychlo, ce jour-là, et il a dit à Ker que ce n'était plus qu'un monde mort. Jamais encore je n'avais vu quelqu'un d'aussi soulagé ! Il s'était toujours senti traqué par les Psychlos. Donc, en tant que dernier Directeur Planétaire, il a été très heureux d'être débarrassé d'eux. Nous lui avons promis un contrat d'emploi standard amputé toutefois de la clause sur le rapatriement des corps. Nous lui avons laissé les quelques centaines de milliers de crédits qu'il avait pris sur le butin de son prédécesseur et nous lui avons donné la garantie qu'il serait ravitaillé en gaz respiratoire durant toute son existence. J'espère que ce sera faisable.

Jonnie pensait à la lune appelée Fobia. Oui, avec la téléportation, il était possible de pomper des tonnes de gaz dans des bonbonnes et de les faire venir ici.

- Oui. Pas de problème, dit-il.

Jonnie regardait les deux hommes qui se préparaient à partir.

- Vous avez fait de l'excellent travail, tous les deux ! Ç'a été du très grand art !

Ils lui sourirent.

- Nous avions un bon exemple, Jonnie. Vous !

- Mais comment saviez-vous la façon dont il fallait formuler ce contrat de vente de l'Intergalactique pour que Terl le signe ?

MacAdam rit à son tour.

- Quand Brown Staffor a tenté d'utiliser le premier contrat pour créer sa nouvelle monnaie, nous nous sommes aperçus que ce contrat n'était pas légal. Terl avait même tenté de contrefaire sa propre signature ! (Il en montra une copie. C'était effectivement un méli-mélo ridicule.) Alors, le baron et moi, nous avons réfléchi. Il s'était écoulé près de onze mois depuis que vous aviez envoyé ces bombes sur Psychlo et aucune contre-attaque ne s'était produite. Si Psychlo avait été anéantie, alors, selon Ker, il n'y avait guère de chances pour que les autres planètes minières aient des réserves suffisantes de gaz respiratoire. Après onze mois, les Psychlos devaient tous être morts.

- Donc, dit le baron, nous avons pris un risque calculé et l'avons rédigé de telle façon qu'il fût valide dans les deux sens.

- Il y a également une autre raison, dit MacAdam. Nous avions vu ce que le dénommé Jonnie Goodboy Tyler avait accompli. Vous aviez décidé de détruire Psychlo, et c'est ce que vous avez fait, et nous avons donc misé sur le fait que vous aviez sans doute réussi. Et nous ne nous sommes pas trompés !

- On ne court jamais un très grand risque en pariant sur Jonnie, dit le baron.

Il glissa une liasse de documents sous son bras, prit un attaché-case plein à craquer et regarda autour de lui pour vérifier qu'il n'oubliait rien.

- Bien. Tout est donc réglé.

- Oh, certainement pas ! lança Sir Robert.

Son ton était tellement cassant et sévère qu'ils s'arrêtèrent net, surpris.

- Je pense, continua le vieux chef de guerre, que la façon dont vous vous êtes servis de ce pauvre gars est une honte !

- Je ne comprends pas ! fit MacAdam, choqué.

- Vous vous êtes servis de son portrait sur les billets terrestres, vous avez utilisé son énergie et ses idées à vos propres fins. Vous disposez maintenant du capital total des seize univers. Et vous vous préparez à mettre son effigie sur les billets galactiques. Et lui, il est fauché comme les blés. A ma connaissance, il ne touche même pas sa paie de pilote ! Je sais que vous allez lui prêter de l'argent pour son usine. Mais ça signifie quoi, exactement ? Que vous allez l'endetter. Vous devriez avoir honte de vous !

Et Sir Robert pensait tout ce qu'il venait de dire.

S'il avait déchargé un paralyseur sur MacAdam et le baron, il n'aurait pas produit plus d'effet.

Jonnie avait tenté de l'interrompre dès qu'il avait deviné ce qu'il allait dire. Il ne pensait pas qu'il avait besoin d'argent. S'il avait faim, il pouvait toujours aller chasser. Mais la grosse main de Sir Robert l'avait arrêté.

Le baron regarda MacAdam qui regarda le baron. A l'évidence, ils étaient médusés.

Sir Robert continuait, lui, de les dévisager, l'air furibond. La situation était très pénible. Finalement, Sir Robert dit :

- Vous pourriez au moins lui accorder un petit paiement pour avoir utilisé son portrait !

Tout à coup, la lumière parut se faire dans l'esprit de MacAdam. Il laissa tomber ses documents sur la table et se mit à fouiller dans un attaché-case qui menaçait d'éclater. Il trouva très vite ce qu'il cherchait et se rassit.

- Oh, Jonnie, dit-il, veuillez nous pardonner. Visiblement, vous n'êtes pas au courant.

Il se mit à ouvrir divers documents.

- Étant donné que vous n'en avez pas parlé, dit le baron, nous avons pensé que vous ne vouliez pas que ce soit su.

C'était la proclamation de la charte de la banque que tenait MacAdam.

- La charte de la Banque Planétaire de la Terre a été établie par le Conseil original et légitime des trente chefs. Voici le texte de la déclaration qui a été diffusé. (Il prit un deuxième document.) Mais ceci est la *véritable* charte, telle qu'elle a été votée. C'est la seule valide au regard de la loi et, bien souvent, le baron et moi-même nous nous sommes demandé pourquoi elles étaient différentes. Mais vous rappelez-vous qui agissait en tant que secrétaire dans le Conseil d'origine ?

Le texte de la déclaration ne mentionnait que le baron von Roth et MacAdam.

Ils se regardèrent et lancèrent d'une seule et même voix :

- Brown Staffor !

- Pour des raisons qui lui sont propres, reprit MacAdam, il s'est trompé en recopiant la déclaration destinée au public. Nous avons bêtement cru que vous ne vouliez pas que cela se sache.

Il ouvrit la charte originale. En haut de la feuille, au-dessus des noms du baron von Roth et d'Andrew MacAdam, il y avait, en gros caractères bien nets : Jonnie Goodboy Tyler !

- Est-ce que vous n'avez jamais remarqué que nous essayions toujours d'avoir votre opinion au moment des décisions importantes ? demanda le baron d'un air contrit.

- Vous étiez occupé à tant de choses plus importantes que nous avons agi sans vous consulter, expliqua MacAdam. Sir Robert ! Ce garçon détient un tiers de la Banque Planétaire ! C'est dans la charte !

Le baron se tourna vers Sir Robert :

- Jonnie possède deux neuvièmes c'est-à-dire environ vingt-deux pour cent, de la Banque Galactique et un tiers de la Compagnie Minière Intergalactique. (Il regarda MacAdam.) Mais peut-être devrions-nous augmenter ces parts...

MacAdam fixa Sir Robert.

- Vous pensiez vraiment que nous laisserions ce pauvre gars, comme vous dites, dans le besoin ? Il détient également une part de cette tonne d'or. Pour calculer sa fortune, il vous faudrait un ordinateur. Elle va chercher dans les quadrillions de crédits ! C'est le plus riche de tous les pauvres gars des seize univers, y compris feu l'Empereur de Psychlo !

Sir Robert lâcha Jonnie et se mit soudain à rire. Puis il donna un coup de poing sur l'épaule de Jonnie.

- Va donc, espèce de faux pauvre ! (Il dévisagea les autres.) Aye, gentlemen ! Restons-en là ! Dites... Vous pourriez peut-être lui acheter une dizaine de ces seigneurs d'opérette pour sa cour !

- Il les a déjà achetés, dit MacAdam. Avec tous leurs bijoux et leurs colifichets !

Ils éclatèrent tous de rire, sauf Jonnie dont la tête s'était mise à tourner. Des quadrillions de crédits ? Il n'arrivait pas à concevoir ce que représentait cette somme. Il pourrait peut-être acheter une de ces brides de cuir tressé pour Fend-le-Vent... Et offrir des meubles à Chrissie qui ne devait plus en avoir...

Chrissie... Brusquement, il pensa à elle. Il s'était forcé jusque-là à la chasser de ses pensées, afin de pouvoir mener sa tâche à bien.

MacAdam et le baron rassemblèrent à nouveau leurs documents. Ils se dirigèrent vers la porte tout en secouant la tête et en murmurant :

- Brown Staffor ! On peut dire qu'il aura fichu la pagaille jusqu'au bout !

Soudain, une voix résonna dans la salle. Sir Robert se retourna. Stormalong était sur le seuil, solidement maintenu par deux soldats russes.

- Sir Robert ! Venez, *je vous en prie !* J'ai un message pour vous qui attend depuis des heures et des heures !

Sir Robert écarta les deux Russes et disparut en courant.

Jonnie resta seul. Il se sentait fatigué, essayant d'accoutumer son esprit aux récents événements et de décider ce qu'il convenait de faire. Il prit une décision : rien ne le retenait plus ici. Il allait prendre un avion et voler jusqu'en Écosse pour apporter son aide. Il prit son casque. Les deux Russes s'écartèrent pour le laisser passer.

Il entra en collision avec Sir Robert. Le vieil Écossais tenait un message. Il riait et pleurait en même temps. Il tendit le message à Jonnie :

- Ah, Jonnie ! Il ne reste pas grand-chose ! Mais ce bon vieux rocher les a protégés ! Tous !

Edinburgh ! A l'aube, ils avaient réussi à se frayer un passage dans le dernier tunnel. Hommes, femmes et enfants étaient plus ou moins en état de choc, affamés, épuisés, certains blessés, mais ils avaient réussi à les évacuer ! Tous. Deux mille cent en tout.

Si grand fut son soulagement que Jonnie se sentit étourdi. Il n'y avait aucun nom sur le message transmis par radio. Il partit d'un pas incertain et traversa la cuvette avec l'intention de gagner la salle des opérations.

C'est alors qu'il vit quelqu'un, un personnage couvert de poussière qui portait le casque en dôme qu'ils utilisaient pour les vols hypersoniques. Thor !

Il lui adressait des signes joyeux et cria :

- Regarde qui on t'a amené, Jonnie !

Quelqu'un se précipitait dans sa direction. Quelqu'un qui lui ouvrait les bras et qui criait son nom en pleurant.

Chrissie ! Pâle et hagarde, ses grands yeux noirs pleins de larmes.

- Oh, Jonnie ! Jonnie ! Jamais plus je ne te laisserai ! Jamais plus ! Prends-moi dans tes bras, Jonnie !

Il la serra contre lui, presque au point de l'étouffer. Longtemps, très longtemps. Sans pouvoir dire un mot.

TRENTE ET UNIÈME PARTIE

1

Jonnie, chevauchant Fend-le-Vent, suivait les berges de la rivière Alzette, au Luxembourg. Il rentrait à la maison. Tranquillement, sans se presser.

C'était une belle journée d'été. Le soleil filtrait à travers le feuillage et des touches de vert et d'or dansaient sur le chemin, semblant répondre doucement au murmure de l'eau.

Fend-le-Vent se cabra soudain en hennissant. C'était l'ours. L'ours qu'ils avaient rencontré plusieurs fois depuis les trois mois qu'ils étaient au Luxembourg, le long de cette piste qui allait de la maison de Jonnie à l'ancienne mine. L'ours était occupé à pêcher. Il s'interrompit, releva le museau et les vit. Il était de belle taille, la fourrure brune, haut de près de deux mètres quand il était dressé.

- C'est seulement l'ours, vieil idiot ! fit Jonnie.

Fend-le-Vent fit entendre comme un rire et se calma. Depuis que les chevaux avaient été ramenés de Russie où ils avaient pris du poids à cause de l'inaction, Jonnie essayait de leur donner de l'exercice et de rendre leur existence un peu plus excitante. Régulièrement, le matin, il chevauchait jusqu'à l'ancienne mine et laissait Fend-le-Vent fureter paisiblement avant de s'en retourner à la maison. Pour l'heure, Fend-le-Vent eût été bien plus heureux de piquer un bon vieux grand galop à travers ces bois si passionnants, tout parés par l'été. Mais il demeurait parfaitement immobile, docile, prêt à obéir à la moindre pression du talon de son maître.

Jonnie observait tranquillement l'ours. Celui-ci s'était remis à pêcher, considérant que le cheval et son cavalier, de l'autre côté du mince cours d'eau, ne constituaient pas une menace. Jonnie était certain que s'il avait été un Psychlo, l'ours aurait déjà quitté la région. Et qu'il ne se serait arrêté qu'après une bonne journée de course ! Jonnie voulait voir si le gros animal brun était capable d'attraper une des grosses truites qui abondaient dans la rivière.

Jonnie éprouvait un sentiment de désappointement. Il s'était réveillé ce matin-là avec la conviction que cette journée allait lui apporter quelque chose de passionnant, une bonne nouvelle. Heure après heure, il avait attendu.

Il récapitula ce qui s'était produit jusque-là, pour voir si quelque événement particulièrement heureux lui avait échappé.

Comme d'habitude, il s'était rendu jusqu'à l'ancienne mine pour retrouver la même frénétique ambiance de travail. Trois mois auparavant, il avait acheté le vieux Duché de Luxembourg sur les parts de l'Intergalactique. Les Psychlos y avaient exploité une mine de fer avec un certain laisser-aller. Ils y avaient également édifié une petite aciérie et une forge pour manufacturer des crochets, des grappins ou des seaux pour les autres mines de la Terre.

Les envahisseurs n'avaient pas modifié le site, déjà bien défendu, et on avait choisi les niveaux les plus profonds du sous-sol comme étant l'endroit idéal pour le montage final des consoles. Angus MacTavih et Tom Smiley travaillaient là, bien à l'abri derrière de lourdes portes blindées. L'assemblage se faisait à la chaîne et tout ce qu'il leur restait à faire, c'était d'implanter le circuit définitif sur la plaque isolante, d'assembler la console et de disposer le tout dans un caisson d'expédition. Tout le reste était préconstruit à l'extérieur, pratiquement au grand jour, puisque les circuits n'y figuraient pas.

En fait seuls Jonnie, Angus, Tom Smiley et Sir Robert savaient que les consoles étaient achevées au Luxembourg. Les consoles préassemblées étaient livrées dans leur emballage. Les ouvriers pensaient qu'Angus et Tom Smiley n'étaient que des inspecteurs. Mais ces derniers, deux heures par jour, avec des outils conçus spécialement, soustrayaient les consoles « préconstruites » de leur emballage, procédaient au montage final et remettaient le tout en place.

Ensuite, tout était acheminé par un convoi de camions solidement gardé jusqu'à un ancien tunnel, appelé le Saint-Gothard, long de quinze kilomètres. Là, les caissons d'expédition étaient transférés vers le centre du tunnel, sur des véhicules à plates-formes qui circulaient sur rail. Au milieu du tunnel, ils étaient estampillés « achevé » dans une chambre blindée avant d'être chargés sur d'autres véhicules.

D'autres camions, plus sévèrement gardés encore, transportaient chaque expédition vers la nouvelle plate-forme de tir installée dans un cirque montagneux qui s'était autrefois appelé Zurich. De là, les consoles étaient envoyées dans les seize univers.

Jonnie, Angus et Tom Smiley avaient dirigé les travaux d'aménagement du tunnel. L'endroit était archi armé et protégé et personne ne savait qui procédait à l'assemblage final. Certains pensaient que c'était un personnel très spécial ou bien encore des gnomes ou même des êtres qui vivaient dans le tunnel.

Ils sortaient deux cents consoles par jour. Les équipes de préassemblage construisaient l'ensemble de la plate-forme, ainsi que les câblages et les pylônes, puisque rien de tout cela ne constituait un secret. Le tout était expédié en même temps que les consoles.

Mais non, songeait Jonnie. Il ne s'était rien produit de sensationnel ni même de nouveau durant cette journée. La semaine précédente, Tom Smiley lui avait appris que Margarita allait avoir un bébé.

L'ours venait de pêcher sa première truite. Il revint en pataugeant vers la berge, regarda alentour, puis retourna à son poste. Quant à Fend-le-Vent, il avait trouvé de l'herbe tendre et broutait bruyamment.

Il n'y avait rien de nouveau du côté des Chatovariens. La banque avait informé Sir Robert que toutes les manufactures d'armement avaient dû fermer leurs portes dans l'empire chatovarien et, aussitôt, Sir Robert, accompagné d'Angus et d'une demi-douzaine de Selachees, s'était rendu sur place.

Les Chatovariens avaient la réputation d'être les meilleurs constructeurs de défenses de l'Univers. Ils répétaient avec orgueil à qui voulait l'entendre qu'aucune offensive psychlo n'avait jamais pu pénétrer dans leur empire de sept cents planètes. Ils avaient même réussi à abattre des drones-bombardiers porteurs de gaz. C'était donc pour cette raison, ainsi que quelques autres, que la nouvelle société de téléportation - appelée « La Compagnie de Transfert » après que Jonnie eut refusé l'utilisation de son nom - travaillait avec les Chatovariens. Les Selachees avaient aidé Angus à choisir les sociétés qui convenaient et Sir Robert à les acquérir, et ils étaient désormais à la tête de onze firmes chatovariennes, chacune d'elles étant spécialisée dans certains produits dont la Terre avait besoin. Dans cet empire surpeuplé - quarante-neuf billions d'habitants - les entreprises à racheter et les ingénieurs et les ouvriers n'avaient certes pas manqué !

Les bureaux avaient été maintenus sur Chatovaria et seules les équipes de construction étaient ici.

Non, rien de passionnant du côté des Chatovariens !

En fait, les nouvelles étaient plutôt mauvaises. Les bureaux de ces différentes entreprises leur coûtaient très cher car ils ne pouvaient pas licencier les cadres. Et le problème de ce que les Chatovariens allaient devoir produire chez eux commençait à se poser.

Sur le plan de la compétence et de la technologie, ils étaient excellents. Jonnie avait eu quelques difficultés à assimiler leurs mathématiques. Ils utilisaient un système binaire, car ils faisaient tout par ordinateurs et par circuits. Mais tout ce que construisaient les Chatovariens était parfait. A une exception près.

Jonnie ne pouvait pas supporter les moteurs à réaction. C'était un cauchemar que de voler dans ce genre d'appareil. Et ils avaient besoin de pistes spéciales et d'amortisseurs pour se poser. Ils se comportaient plutôt bien dans l'espace, mais ils n'étaient pas pratiques pour le vol en atmosphère. Quant à faire des acrobaties aériennes avec ce genre d'engin, c'était quasiment impossible !

Les Chatovariens étaient répandus un peu partout dans le Luxembourg. C'étaient des gens très agréables. Ils mesuraient un peu plus d'un mètre cinquante et ils avaient le crâne presque plat et de grandes dents de ruminants. Leur peau était d'un orange vif. Leurs mains avaient une membrane, mais cela ne les empêchait pas d'être particulièrement adroits. Et ils étaient également très forts. Jonnie s'en était aperçu lors d'un combat de lutte pour rire avec un de leurs ingénieurs. Il avait bien failli ne pas réussir à le faire tomber. Et ils étaient avant tout rapides, très rapides. Ils travaillaient sans relâche.

Ils mangeaient du bois. La première chose qu'ils avaient faite en débarquant avait été de planter plusieurs centaines d'hectares d'arbres divers, qu'ils mettaient en place à toute allure dans ce qu'ils appelaient des « pots catalyseurs ». Très vite, ils avaient ainsi assuré leur ravitaillement.

Il y avait eu un début de conflit avec trois ingénieurs chinois qui se trouvaient là. Les Chinois aimaient construire avec du bois et les Chatovariens, eux, considéraient que c'était un gaspillage éhonté de nourriture. Les Chatovariens aimaient travailler la pierre. Ils avaient de petits outils à rayon, pareils à des épées, qui découpaient la pierre avec une telle finesse qu'ils pouvaient assembler des blocs sans mortier. Il leur suffisait ensuite d'une soudure moléculaire pour tout assembler de façon indestructible. Et le résultat était particulièrement joli puisque tout le grain de la pierre était mis en valeur, avec des couleurs brillantes. Ils avaient appris leur technique aux Chinois et, en retour, les Chinois leur avaient appris à tisser la soie. Ainsi, tout avait été oublié et pardonné, et cette situation tendue s'était achevée par des sourires.

Lorsqu'on assistait à un repas chatovarien, on avait l'impression de se trouver dans une menuiserie et Jonnie leur fit promettre de ne pas abattre tous les arbres des environs.

Le défaut des Chavotariens était d'être de plus en plus nombreux. Et Jonnie essayait d'imaginer un produit de consommation qui absorberait l'énergie de tous ces Chatovariens au chômage. Il était urgent qu'il trouve une solution, sinon l'empire chatovarien connaîtrait bientôt des émeutes sanglantes.

Il voulait leur faire construire des avions et des voitures à téléportation. Mais il ignorait comment fabriquer ce type de moteur et tous ses efforts avaient échoué. Au diable ces mathématiques psychlos ! Rien ne collait jamais.

Cette idée le harcelait. L'ours, là-bas, venait de pêcher une autre truite. Le soleil dardait ses rayons sur la tenue de daim de Jonnie.

Il avait été tellement certain qu'il se passerait quelque chose de bien aujourd'hui. Mais, après tout, la journée n'était pas encore finie.

Il effleura l'encolure de Fend-le-Vent et sa monture, décidant que c'était un signal pour partir au galop, s'élança sur la piste en direction de la maison.

2

Ils surgirent de la forêt. Fend-le-Vent galopa droit jusqu'au palais et fit mine de s'arrêter avec difficulté en se cabrant.

- Comédien ! fit Jonnie.

Ils n'avaient pas fait une très longue course - un kilomètre tout au plus. Mais Fend-le-Vent semblait heureux. Il fut attiré par des hennissements en provenance des cinq hectares de pelouse.

Stormy, le frêle poulain de Blodgett - qui ressemblait beaucoup à Fend-le-Vent malgré ses jambes trop longues - jouait avec un gros chien roux qui était récemment arrivé des profondeurs de la forêt et qui avait adopté Chrissie. Ils sautaient et cabriolaient en faisant semblant de ruer ou de mordre sans jamais se faire de mal. Blodgett les surveillait d'un air indifférent et Fend-le-Vent trotta vers elle.

Jonnie se laissa glisser à terre et leva la main à l'adresse du soldat russe qui se trouvait dans la tourelle de contrôle cachée dans la tour de droite du palais. Il entrevit le mouvement rapide d'une manche blanche quand le garde répondit à son salut.

Les lieux avaient profondément changé. L'ennui était que tout cela semblait trop neuf, trop brillant, et que rien ne vieillirait jamais vraiment. Les ingénieurs chinois avaient compris, mais les Chatovariens ne pouvaient se faire à l'idée qu'un endroit devait porter la marque des âges.

Jonnie se souvenait du jour où Chrissie avait repéré les lieux. Ils étaient à bord d'un petit avion. Jonnie venait d'acheter le Duché et il voulait voir à quoi il ressemblait. Chrissie s'était tout à coup penchée et elle avait crié : « Là ! Là ! Là ! » Il avait fini par se poser pour qu'elle puisse examiner l'endroit. Elle était encore terriblement maigre et il ne voulait rien lui refuser.

Le bâtiment se dressait au milieu d'une étendue en friche qui avait dû être un parc autrefois. Difficile d'en juger. On ne pouvait même pas être certain que cet entassement de ruines n'avait pas été tout simplement un amoncellement de rocs dû à la seule nature.

Chrissie s'était mise à courir de tous côtés, sans se soucier des ajoncs qui lui griffaient les jambes, poussant des cris d'excitation. Elle montrait tel ou tel coin en lançant : « C'est là que nous mettrons le troupeau ! » ou « Ici, ça sera parfait pour les chevaux ! » Puis elle avait tendu le bras en découvrant un terrain creusé de trous et s'était exclamée :

- Ce serait parfait pour les fosses de tannage !

Un ruisseau passait non loin de là en glougloutant et elle avait dit :

- On pourrait le détourner, le faire passer devant la cuisine et on aurait de l'eau fraîche tout le temps !

Elle s'était avancée dans les débris fracassés de ce qui avait dû être un plancher et elle avait montré divers emplacements que Jonnie avait été incapable d'identifier.

- Là, une cheminée ! Et une ici ! Et une autre là !

Puis elle lui avait fait face et déclaré :

- Ici, nous n'aurons plus jamais faim, nous n'aurons pas froid et nous ne serons plus sous la neige en hiver !

Puis, comme s'il s'apprêtait à dire non, elle avait ajouté d'un air de défi :

- C'est ici que nous allons vivre !

Jonnie était donc allé trouver l'ingénieur en chef chatovarien qui était arrivé avec le premier contingent de construction et lui avait demandé de bâtir quelque chose de moderne sur ce site. Il avait pensé s'être ainsi débarrassé du problème mais, le lendemain, il s'était retrouvé devant une équipe d'architectes chatovariens particulièrement courroucés.

Lorsqu'un Chatovarien s'emportait, il émettait une sorte de sifflement entre ses dents, tout à fait distinct de son rire, qui était une espèce de son gargouillant pareil au bruit d'une bouteille d'eau fortement agitée. Et, présentement, l'architecte en chef sifflait toute son indignation.

Peu importait que la compagnie fût la propriété de Jonnie. Jonnie était un vrai Chatovarien, ce qui était prouvé par le fait qu'il tenait son titre de l'Impératrice Beaz elle-même. Alors comment Jonnie pouvait-il leur demander une *telle* chose ?

Complètement dérouté, il dut subir une longue dissertation sur l'architecture. Ils avaient étudié les diverses formes existant sur Terre et jugeaient que certaines étaient très bien. Les architectures classiques grecque et romaine étaient connues dans d'autres systèmes et elles étaient acceptées, même si on les jugeait peu fonctionnelles. Quant au gothique, au néo-gothique et à l'architecture Renaissance, ils semblaient les considérer comme des nouveautés. Ils arrivaient même, en forçant un peu, à étendre leur sensibilité artistique et à tolérer le baroque.

Mais du *moderne* ? Ils démissionnaient. Qu'on les renvoie sur Chatovaria. Même s'ils devaient y mourir de faim. Il y avait des limites à ce qu'on pouvait accepter !

C'est alors seulement que Jonnie découvrit que le « moderne » était un genre d'architecture qui avait été en faveur sur Terre environ onze cents ans auparavant, qu'il était caractérisé par des murs lisses, stricts, dressés à partir d'une base rectangulaire, qu'il y avait souvent de grandes surfaces vitrées et qu'il avait été conçu par quelqu'un qui avait décidé d'effacer toute trace d'architecture indigène. En bref, le « moderne » était une architecture qui n'en était pas une et qui était juste un moyen facile de faire n'importe quoi en étant payé.

Le leader des Chatovariens pointa un index tremblant vers l'ancienne cité de Luxembourg et recula tandis que ses cinq assistants hochaient la tête. Il clama alors que toute la ville qu'on avait bâtie là était moderne et qu'il jurait sur son âme d'artiste que, lui vivant, jamais on ne commettrait de pareilles abominations !

Jonnie avait dû leur présenter ses excuses. Le Chatovarien lui avait dit que cela provenait peut-être du fait qu'ils s'exprimaient en psychlo. Jonnie leur avait alors demandé ce qu'ils recommandaient, *eux*.

Les cinq assistants lui avaient immédiatement présenté un plan immense.

Ce bâtiment, lui dirent-ils, avait été le Palais du Grand-Duc du Luxembourg, autrefois. Jonnie ne le pensait pas, mais il n'en dit rien.

L'architecture indigène, d'après les châteaux des environs, avait sans doute été gothique et néo-gothique. Et ce palais devait être construit dans le même style. Jonnie avait retardé aussi longtemps que possible le moment d'en parler à Chrissie, mais elle s'était contentée de lui donner à nouveau la liste des éléments qui, selon elle, apporteraient un charme particulier à cet endroit. Il avait donc fait le nécessaire pour qu'ils ne soient pas oubliés, puis avait dit aux Chatovariens de réaliser leur plan.

Avec Chrissie, ils avaient campé dans les bois, heureux d'être à l'écart de l'agitation, dormant dans une tente en peau, se nourrissant de l'excellente cuisine qu'ils faisaient en plein air sur un feu.

Les Chatovariens avaient commencé par nettoyer les lieux avant de dresser une coque blindée. Ils s'étaient ensuite rendus dans des carrières de marbre au nord de Livourne, en Italie, et avaient affrété un véritable pont maritime de transporteurs de minerais pour entasser quantités de blocs vert et rose. Ils les avaient soudés ensemble pour en faire un intérieur et un extérieur de roc blindé et poli. Puis ils avaient dévié la petite rivière pour qu'elle passe devant la maison, avant d'installer la plomberie. Les cheminées pouvaient brûler du bois mais, comme cela était pour eux du gaspillage, ils avaient prévu un chauffage à énergie solaire qui imitait les flammes dans l'âtre.

Oui, c'était un palais. Gothique sans doute. Et assurément très colorié ! Chrissie avait été absolument ravie !

Jonnie, tout en se dirigeant vers les arcades, de l'autre côté du pont-levis, pouvait entendre au loin les claquements et les craquements en provenance de l'ancienne cité de Luxembourg : les Chatovariens étaient en train de la raser. Ils avaient effectué un premier repérage avec des équipes de spécialistes de l'histoire et de l'artisanat. Puis les masses de démolition étaient entrées en action. Voilà un échantillon d'art moderne qui ne survivrait pas.

La banque était retournée à Zurich et Jonnie aurait aimé vivre là-bas à cause des montagnes proches.

Il s'arrêta. Il y avait des traces de brûlure sur la pelouse : Dries Gloton avait dû passer aujourd'hui. Après avoir quitté son poste à la succursale locale, il avait été nommé Responsable de la Liaison entre la Banque Galactique et la Banque Planétaire. C'était lui qui avait découvert « celui » que l'on avait cherché si longtemps, mais en tant que simple directeur de banque, il avait dû refuser la récompense de deux cent millions de crédits, car cela aurait sapé la confiance de la clientèle. Voraz avait donc porté son salaire à cent mille crédits par an - ce qui était amplement suffisant pour entretenir son yacht et tout le reste. Dries avait laissé son yacht au Luxembourg et s'était fait téléporter chez lui. Pendant son absence, l'équipage selachee avait appris aux Chatovariens divers jeux d'argent et leur avait soustrait une bonne partie de leur paie. Mais les ingénieurs chinois l'avaient ensuite gagnée aux Selachees, aussi Jonnie avait-il décidé de ne pas se mêler de tout ça.

Dries passait son temps à bord de son yacht, circulant un peu partout. C'était bien de lui de prendre son astronef pour aller acheter une bouteille de schnaps à la boutique du coin. Il avait accepté ce poste à condition d'avoir de longs week-ends et il semblait se rendre régulièrement en Écosse du Nord. Il déclarait qu'il était en train de mettre sur pied une « industrie de la menthe », mais Jonnie n'en croyait rien. Il avait la certitude qu'il y avait autre chose là-dessous. Aujourd'hui, il avait sans doute apporté du beurre ou quelque chose de ce genre à Chrissie.

D'un autre côté, il avait sans doute eu des comptes à voir avec Monsieur Tsung. Dries avait conservé certains clients et Monsieur Tsung était l'un d'eux. Quant au compte de Jonnie, il y avait quinze Selachees pour s'en occcuper. Ils travaillaient à proximité, dans les bureaux de la mine, et Dries leur fichait la paix. Sur le compte de Jonnie, il rentrait à peu près un billion par jour à présent et cela augmentait régulièrement. Le compte de Monsieur Tsung semblait présenter un intérêt pour Dries Gloton : Jonnie avait proposé un salaire à Monsieur Tsung, mais ce dernier s'était montré très surpris et avait déclaré que, selon la tradition, c'était au chambellan de payer son maître. Ce qui avait permis à Jonnie de comprendre pourquoi certaines personnes étaient invitées et d'autres jamais. C'était la fille de Monsieur Tsung qui gagnait l'argent. Elle se prénommait Lü, en hommage à la dernière impératrice de la Dynastie des Han, et elle était devenue célèbre. Elle travaillait dans un petit bâtiment aux allures de pagode qui était en réalité un puits de batterie antiaérienne camouflé. Elle peignait des tigres dans la neige, des oiseaux en vol et des sujets de ce genre sur de la soie et du papier de riz. On les lui achetait comme pièces de collection et cela lui rapportait un millier de crédits à chaque coup. Mais elle participait aussi aux travaux de la maison, aidait Chrissie et coupait les cheveux.

Jonnie décida qu'il ferait bien de prévoir un amortisseur métallique pour les atterrissages de Dries. Il s'entendait bien avec lui à présent et il était inutile de le rembarrer pour une simple histoire de gazon brûlé.

Il lui fut impossible de traverser la cour. Lin Li, le gendre de Monsieur Tsung, y avait disposé tout le mobilier du grand hall de réception et il était occupé à le recouvrir de laque moléculaire. Deux Chatovariens admiratifs observaient le jeune homme. Il pouvait « peindre » des portraits à main levée, avec un pistolet pulvérisateur et un bout de carton pour arrêter les projections. Il travaillait très vite. Il peignait actuellement une scène qu'il avait dû copier sur un ancien tableau, avec de nombreux chevaliers. Jonnie vit que cela décorerait le dessus de la grande table de banquet. Lin Li ne faisait plus de médaillons ornés d'un dragon. Deux mécaniciens chatovariens, impressionnés par son habileté, lui en avaient demandé un modèle parfait. Puis ils avaient mis au point une machine qui en fabriquait dix mille à l'heure. Mais il y avait une telle demande dans les différents univers qu'ils n'arrivaient pas à suivre.

Jonnie ne voulait pas interrompre Lin Li. Il resta donc là à le regarder. Chrissie et Monsieur Tsung avaient évoqué le risque de voir certains Chatovariens céder à la tentation et dévorer le mobilier. Ce serait désormais impossible avec ce revêtement métallique ! Difficile de se conformer aux usages de tous les invités.

Il éprouvait à nouveau ce vague sentiment de désappointement. Il avait été tellement persuadé, en se levant ce matin, que cette journée allait être particulièrement bénéfique. Que quelque chose de merveilleux allait se passer. Mais non.

Lin Li venait de commencer à dessiner un chevalier qui chargeait. Pour l'instant, il mettait du sang sur une lame, utilisant du métal rouge. Cela amena

Jonnie à penser aux comptes de la société chatovarienne Défense Désespérée qui étaient largement « dans le rouge ». Si seulement il parvenait à mettre au point ces moteurs à téléportation, Chatovaria pourrait se reconvertir dans le transport civil. Car s'ils continuaient avec des moteurs à réaction, ce serait bientôt la catastrophe.

A présent, Lin Li peignait l'armure en gris sous le regard émerveillé des Chatovariens. L'un d'eux tenait un pistolet-pulvérisateur prêt. Ils n'étaient pas officiellement ses assistants. Ils étaient là en spectateurs. Le Chatovarien appuya sur la détente pour vérifier si l'engin fonctionnait.

Et Jonnie sut soudain que l'heureuse surprise qu'il attendait depuis le matin s'était produite !

Il quitta les arcades en courant, fit le tour du palais, sauta le ruisseau et jaillit par la porte de derrière.

Chrissie, les cheveux ramassés en chignon, était occupée à remplir un bol que tenait Monsieur Tsung.

- Chrissie ! lança Jonnie. Prépare tes affaires !

Pattie était assise dans un coin, à l'écart. Depuis quelque temps, elle ne disait plus rien. Elle se contentait de fixer le sol. Tinny, la communicatrice bouddhiste, avait souvent essayé de lui parler.

- Tinny ! continua Jonnie. Appelle la mine ! Je veux un avion d'assaut dans vingt minutes ! Appelle aussi le docteur MacKendrick à Aberdeen et dis-lui de se rendre sans tarder à Victoria !

- Mais Pattie ne se sent pas bien, dit Chrissie.

- Emmène-la !

- C'est une conférence diplomatique ou scientifique ? demanda Monsieur Tsung dans le vocodeur.

- Une conférence médicale ! fit Jonnie.

Monsieur Tsung posa le bol et mit en hâte dans un sac une blouse blanche et une paire de lunettes sans verres. C'était la tenue qui convenait. Il avait vu cela sur des photos anciennes.

- Jonnie, protesta Chrissie. J'ai fait un ragoût de gibier !

- Nous le mangerons dans l'avion ! Nous allons en Afrique !

3

Jonnie faisait route vers le sud-est. Il alluma les écrans de vision. Le copilote était un nouveau. C'était un des réfugiés français des Alpes. Il s'appelait Pierre Solens. Il était très jeune et sortait tout juste de formation. Il ne parlait pas encore très bien le psychlo. D'ordinaire, il était assigné aux navettes des avions de la mine mais, en tant que pilote de service, c'était à lui qu'il incombait d'amener l'avion à Jonnie. Jamais il n'aurait osé rêver qu'il deviendrait un jour le copilote de *Jonnie Tyler* et qu'il irait avec lui en Afrique. Au début, Pierre avait réussi à surmonter sa nervosité, mais quand Jonnie avait pris les commandes, il avait été très impressionné. Jamais encore il n'avait vu un avion s'élever comme ça ! Comme un projectile ! Ils avaient dépassé la vitesse du son, à présent, et plafonnaient à 4 000 mètres. Est-ce qu'ils ne risquaient pas de heurter les sommets des Alpes italiennes ou françaises ?

- Nous sommes terriblement bas, risqua-t-il timidement.

- Il y a des passagers derrière, dit Jonnie. Je ne veux pas qu'ils souffrent trop du froid. Occupe-toi de ces écrans. Je ne tiens pas à entrer en collision avec des drones !

Les drones ! Toujours les drones ! Toute sa vie, il avait vu des drones ! Et cela n'avait pas changé. Le système de défense chatovarien était seulement à moitié en place. Même en tenant compte du fait que la compagnie chatovarienne appartenait désormais à la Terre, ce système était très coûteux, à peu près trois fois plus que celui qu'avaient décrit les petits hommes gris. Mais il était dix fois supérieur. Il comportait des canons-éclateurs automatiques capables de tirer à 2 000 kilomètres dans l'espace et de balayer toute une flotte d'une seule salve. Des drones atmosphériques pourvus d'une puissance de feu. Des drones spatiaux sur des orbites différentes. Des sondes qui détectaient un objet en mouvement dans un rayon de dix années-lumière. Et un véritable blindage atmosphérique sur toutes les agglomérations terriennes.

Comme le dispositif n'était pas complètement en place, de nombreux drones d'urgence avaient été lancés et interceptaient tout ce qui volait. Un phare vert clignotant avait été installé sur la carlingue de l'avion et une boîte récemment posée émettait en permanence le « code du jour », si rapide et si embrouillé, changeant de microseconde en microseconde, qu'un attaquant ne pouvait espérer l'imiter. Si les drones ne voyaient pas le phare et n'entendaient pas le code, ils tiraient instantanément.

Droit devant eux trois drones apparurent, ceux de la Méditerranée. Ils s'approchaient pour « jeter un coup d'œil ». Le copilote tardait à réagir et Jonnie tourna un bouton pour avoir une image rapprochée.

Oui, c'étaient bien des drones chatovariens. Chacun d'eux avait un œil peint sur son museau. Mais ce n'était pas une décoration gratuite : instinctivement, un pilote tirait droit dans cet œil. Si cela se produisait, le drone utilisait la trajectoire de tir pour envoyer une onde en retour qui faisait exploser les munitions de son agresseur et, par là même, son appareil. Il valait mieux éviter de tirer dans ces yeux-là !

Sur les écrans, les drones offraient un spectacle assez déconcertant. Ils semblaient renifler comme des chiens. Enfin satisfaits de leur reconnaissance et de leur vérification, ils se rabattirent et replongèrent vers leurs secteurs de patrouille.

Le copilote français s'était retourné et regardait les Alpes. Ils étaient passés sans effleurer un sommet !

Jonnie régla les écrans sur les drones en orbite. Mais ils évoluaient avec indifférence, satisfaits par le code.

Il y avait autre chose. Qu'est-ce que c'était ? Une sonde spatiale sur un écran ! Il n'avait pas pensé qu'on pouvait les voir à pareille distance. L'engin était-il hostile ?

Comme toutes les autres sondes ou comme tous les drones, ces engins étaient équipés d'un « objectif » fait d'un « aimant à lumière ». Il réagissait aux ondes lumineuses qu'il captait dans un rayon de plusieurs kilomètres, puis les concentrait, après les avoir corrigées magnétiquement pour supprimer les aberrations, jusqu'à ce qu'elles ne représentent plus qu'un simple point. Le problème était l'excédent d'ondes lumineuses, et non le contraire, et il avait fallu prévoir des filtres et des volets qui se mettaient en place automatiquement pour éviter que les récepteurs ou les disques enregistreurs ne brûlent à cause d'un soleil trop proche. Avec cette technique, on obtenait des grossissements de plusieurs trillions.

L'un des fournisseurs avait appris à Jonnie à se servir de ces objectifs et il y en avait sur la carlingue de l'avion. Jonnie appuya sur une touche de contrôle, composa l'indicatif de réception de la sonde et passa l'image sur l'écran central.

Oui, c'était bien leur sonde spatiale. Elle était à plus de quinze mille kilomètres d'eux, mais il voyait sur son écran une image du copilote et de lui-même vue de l'extérieur du cockpit. La sonde était en fin de patrouille. Il coupa la liaison.

Il ne pensait pas que quiconque se risquerait à attaquer la Terre désormais. Comme promis, le traité de paix avait été mis en vigueur avec des griffes de fer ! Il était très, très populaire. Les émissaires avaient même tenu à emporter des copies de l'enregistrement de la mort de Psychlo et d'Asart. La banque accordait des prêts pour l'alimentation comme une véritable cataracte. Les produits de consommation n'avaient cependant pas encore commencé à circuler. Il faudrait du temps pour ça. Ce qu'espérait Jonnie, c'était de trouver le secret du principe du moteur à téléportation et de le construire. Cela ouvrirait la porte à d'autres produits de consommation. Et, plus important encore, ils ne courraient plus le risque d'être à court de véhicules. Car ces avions, par exemple, ne dureraient pas éternellement.

- Prends les commandes, dit-il à Pierre, et il gagna l'arrière de l'appareil.

Chrissie prit un bol, en ôta le couvercle et dit :

- J'ai peur que le ragoût ne soit froid maintenant.

Jonnie prit place dans l'un des grands fauteuils. Pattie était un peu plus loin au fond, assise, immobile, silencieuse, fixant le sol. Pattie l'inquiétait. Parfois, elle sortait la nuit pour une promenade solitaire. Souvent, il l'entendait pleurer dans sa chambre. Elle n'avait que dix ans et il s'était dit qu'elle se rétablirait. Mais cela n'avait pas été le cas.

Il vit que Monsieur Tsung, apparemment, avait décidé d'utiliser ce laps de temps pour mettre de l'ordre dans ses devoirs sociaux et diplomatiques car il venait vers lui avec au moins dix livres de papier. Jonnie attaqua le ragoût qui était encore chaud.

- La boîte de courrier est arrivée de Snautch, dit Monsieur Tsung.

Ainsi, c'était donc pour ça que Dries Gloton était revenu de Zurich.

- Envoyez les dossiers qui concernent les affaires en cours au bureau de la mine. C'est leur travail.

- Je l'ai fait, je l'ai fait. Tous ces papiers ont trait à des questions sociales et diplomatiques. Des invitations à des banquets, des mariages, des baptêmes. Des demandes de participation à des meetings et...

- Eh bien, remerciez-les ou dites non.

- Oh, c'est ce que j'ai fait, dit Monsieur Tsung. Pas de problème. Nous utilisons un vocolecteur, un vocodeur et un vocotype. Nous pouvons correspondre en dix-huit mille langues désormais. Non, ce que j'ai à vous soumettre est un peu plus compliqué.

Nous y voilà, songea Jonnie. Le frère aîné de Monsieur Tsung avait été nommé chambellan à la cour du clan Fearghus. Et son frère cadet était occupé à mettre sur pied un collège diplomatique à Edinburgh.

- Vous avez un autre frère ? demanda Jonnie entre deux bouchées de ragoût.

- Non, j'en suis navré, fit Monsieur Tsung. Il s'agit du neveu du baron von Roth. Il veut apprendre la diplomatie dans mon service.

- Très bien.

Monsieur Tsung monta le volume du vocodeur car, depuis que Pierre était à la console, le bruit des moteurs s'était amplifié.

- Je désire engager environ trente filles russes et chinoises comme employées de bureau et opératrices de vocodeurs. C'est très simple. On lit les invitations avec un vocolecteur et on se sert du vocodeur pour dicter la réponse au vocotype qui la dactylographie dans la langue d'origine de la lettre...

- C'est d'accord, dit Jonnie.

- Il faudrait aussi construire un nouveau bâtiment pour abriter ces jeunes femmes et tous les dossiers. Un bâtiment de style chinois qui...

- D'accord. Faites-le construire.

- J'ai mis de côté une lettre que vous devriez lire. Elle est de Lord Voraz et est adressée à MacAdam. Une copie vous est destinée et Dries a dit à MacAdam de se mettre en contact avec vous avant de répondre.

Des ennuis, songea Jonnie.

- Voraz a besoin d'une formule pour déterminer la validité d'un prêt commercial.

- Ça n'est ni diplomatique ni social, remarqua Jonnie.

- C'est relativement diplomatique, dit Monsieur Tsung. Voraz et MacAdam étant ce qu'ils sont, il vaut mieux éviter les tensions. Tout le problème est de savoir dans *quels* produits de consommation les fabricants d'armements doivent se reconvertir. S'ils choisissent mal, tout le programme échouera et la banque aura accordé des prêts inutiles.

D'une certaine façon, ce problème était identique à celui que lui-même essayait de résoudre. Il pensait aux comptes de Défense Désespérée.

- L'Intergalactique Minière, continua Monsieur Tsung en consultant la lettre de Voraz, avait étouffé des centaines de milliers d'inventions qui sont archivées dans le Hall de la Légalité pour empêcher les autres nations de les exploiter. Je sais que ce n'est pas du ressort de la diplomatie, mais nous risquerions de sombrer dans un beau chaos diplomatique si la banque s'avisait de prêter de l'argent pour des productions qui ne conviennent pas. Et il y a également le fait que les formules des inventions sont rédigées en mathématiques psychlos.

Jonnie avait fini son ragoût de gibier et il rendit le bol à Chrissie. Il avait lu quelque chose à ce sujet dans les vieux livres-d'homme. Mais quoi exactement ?... L'étude de marché considérée comme un facteur vital dans toute réussite commerciale.

- Demandez à MacAdam qu'il fasse le nécessaire pour que les banques envoient des enquêteurs - des gens qui vont un peu partout et qui posent des questions. Il faut que nous sachions ce que les gens voudraient acheter dans chaque secteur planétaire. Non pas seulement ce qu'ils *doivent* acheter, mais ce qu'ils *aimeraient* acheter. Pas de suggestions. Rien que des questions. Peut-être désirent-ils, je ne sais pas, moi... (il se souvint du jour où il avait découvert que le verre pouvait couper)... quelque chose pour découper plus facilement les peaux, par exemple. On appelle ça « étude de marché ». Quant à moi, je suis en train de travailler sur les maths psychlos.

Tinny avait écouté leur conversation. Elle composait déjà certains numéros d'appel. Ce système était nouveau. Mais ridiculement sous-utilisé. Les standards les plus modestes bâtis par les Chatovariens pour une planète comportaient un minimum de deux milliards de canaux radio. Or, depuis la guerre, il n'y avait plus que trente et un mille Terriens. Les Chatovariens avaient installé des imprimantes radio partout. Tinny était en liaison avec la banque de Zurich et allait transmettre l'enregistrement qu'elle venait de faire de la voix de Jonnie. Tsung vit que Jonnie n'en dirait pas plus et lui fit signe de commencer. La réponse écrite allait bientôt tomber sur le bureau de MacAdam. Elle y ajouta la lettre de référence que Tsung lui avait donnée.

- Dries vous a laissé ceci, fit Monsieur Tsung en tendant à Jonnie un petit disque bleu sur lequel était imprimé « Banque Galactique ».

Il y avait une épingle au revers. Quand Monsieur Tsung s'aperçut que Jonnie ne faisait pas mine de prendre l'objet, il ajouta :

- L'officier chatovarien spécialiste des pièges a dit que l'objet était O.K.

Jonnie prit le petit disque. On aurait dit un bouton.

- Est-ce qu'il vous a donné quelque chose d'autre ?

- Oh, vous connaissez Dries, dit Monsieur Tsung. Il a déclaré qu'il y avait actuellement un excédent de beurre dans les Highlands et il en a amené un seau plein à Chrissie. Il a découvert une vieille dame qui élève un troupeau de quinze Holsteins et il dit qu'il finance sa production beurrière.

Jonnie se mit à rire. Il n'y avait jamais eu de vaches du Holstein en Écosse à sa connaissance. Dries avait sans doute persuadé un pilote d'en ramener d'Allemagne ou de Suisse où elles abondaient à l'état sauvage. Il recommençait le coup de l'« industrie de la menthe ».

- Est-ce que nous lui donnons quelque chose en échange ?

- Oh, oui, dit Monsieur Tsung. Nous lui préparons régulièrement l'équivalent d'une baignoire de riz frit ! Il adore ça ! Et mon gendre a réalisé des médaillons avec des dessins de poissons et nous lui en donnons un à chaque fois. Il considère qu'ils ont de la valeur.

- Et vous payez Lin Li, conclut Jonnie, qui avait bien appris à connaître le commerce et les Chinois.

- Bien entendu. Sur votre petite caisse sociale, votre menue monnaie.

En fait, le terme de « menue monnaie » était plutôt vague. La Banque Planétaire de la Terre, par exemple, payait le système de défense de la planète en puisant dans sa menue monnaie.

Mais Monsieur Tsung poursuivait :

- Ce bouton que vous tenez est le prototype du cadeau qu'ils vont offrir à travers tout l'Univers dans le cadre de leur programme d'ouverture de banques locales - vous savez, aux gens qui ouvrent un compte courant. Dans chaque secteur, le bouton fonctionnera dans la langue locale. Il suffit de fredonner une note et le bouton se met à chanter aussi longtemps que vous bougez les lèvres. Ils sont en train de rassembler tous les chants folkloriques de chaque région.

Jonnie prit un nécessaire dans son sac. Il l'avait apporté pour travailler au projet qui avait germé en lui. Il sortit un microsoudeur, ouvrit le bouton de la banque et en examina l'intérieur au microviseur. Il ne vit que de simples cellules de stockage, des relais et des processeurs. La batterie minuscule fonctionnait grâce à la chaleur ambiante. Et c'était une fourche à vibration électronique qui agitait les molécules de l'air ambiant pour créer le son. Simple et pas cher.

Mais ce n'était pas cela qui intéressait Jonnie. Il avait souvent soupçonné la banque de se procurer des informations par des moyens très particuliers et il examinait régulièrement les vocodeurs et autres appareils pour s'assurer qu'ils ne cachaient pas un micro ou un fil enregistreur qui pourraient être prélevés ne cachaient pas un micro ou un fil enregistreur qui pourraient être prélevés ultérieurement. Mais il n'avait encore jamais rien trouvé. Pourtant, tel était à présent le monde où il vivait qu'il ne pouvait rejeter cette précaution.

Il ressouda le bouton et le fixa à son col.

- Il m'a dit de vous prévenir aussi que ce n'est pas le modèle standard, ajouta Monsieur Tsung dans son vocodeur. Il y a rassemblé quelques anciens enregistrements de ballades américaines mais, comme il n'y a pas beaucoup d'Américains, il n'en fabriquera pas pour eux.

Jonnie s'éclaircit la gorge, ouvrit les lèvres et le bouton fit entendre une musique sans paroles. Est-ce que ce refrain ne lui était pas familier ? Écossais ? Allemand ? Non... C'était « Vive le vent » (*). Et le bouton se mit à chanter :

> *Vive la banque !*
> *Vive la banque !*
> *La Banque Galactique !*
> *Plein d'oseille et bons conseils !*
> *Chère Banque Galactique !*

Puis il déclara avec orgueil : « Je suis un client de la Banque Galactique ! »

Rien à voir avec une « ballade américaine » ! Est-ce que Dries avait voulu lui faire une blague ? Lui qui ne plaisantait jamais. Lui qui était un petit homme gris très sérieux.

Jonnie se mit à rire et voulut ôter le bouton. Mais son rire déclencha un autre air :

> *Home, home on the range,*
> *Where the deer and the buffalo play...* (**)

Il se souvint qu'il suffisait de faire mouvoir ses maxillaires pour que le bouton continue de chanter. Ou bien de saliver.

> *Where there seldom is heard*
> *A discouraging word...*

- Monsieur Tyler ! (C'était la voix nerveuse de Pierre qui lui parvenait par l'intercom.) Je distingue le lac Victoria sur les écrans. Il n'y a aucune visibilité et des nuages partout. Est-ce que je ne ferais pas mieux d'aller sur Kariba ?

Jonnie alla s'asseoir à la console. Il y avait toujours des nuages sur le lac Victoria. Il ouvrait la bouche pour demander l'autorisation d'atterrir quand le bouton décida de reprendre :

> *And the skies are not cloudy all day !*

Un ciel sans nuages, mon œil, se dit Jonnie en glissant le bouton de la banque dans sa poche.

(*) Version française du célèbre « Jingle bells ». (N.d.T.)
(**) « *Home on the range* » est une ballade dont nous avons conservé les paroles originales qui se traduiraient par : « La maison dans la prairie, où jouent le bison et le daim, où jamais ne résonne un mot de désespoir, où jamais ne passe un nuage dans le ciel. » (N.d.T.)

4

Après avoir jeté un coup d'œil sur les conditions de vol, Jonnie ne put pas vraiment en vouloir à Pierre. Ils volaient en pleine nuit depuis un certain temps. Bien sûr, un pilote expérimenté et habitué à voler aux instruments ne s'inquiétait pas pour si peu et Jonnie ne s'était guère arrêté à ça.

En regardant très attentivement, avec les yeux d'un pilote aguerri, on arrivait à distinguer vaguement le Mont Elgon qui crevait le noir tapis de nuages. Il n'y avait pas de lune et le Mont n'était décelable que parce qu'il occultait certaines étoiles.

C'est ce qu'il vit sur les écrans qui rendit Jonnie plus indulgent à l'égard de son copilote. La couche de nuages était si épaisse que les écrans ne montraient qu'une sorte de tempête de neige qui n'avait rien d'une image. Il fallait réellement connaître le dessin et les dimensions du lac et de la mine pour deviner ce que l'on voyait. Et il y avait d'énormes perturbations électrostatiques. Il devait y avoir un orage énorme au-dessus du camp. De la pluie et des éclairs.

Pierre, quant à lui, n'avait qu'un seul désir : se retrouver sur la terre ferme. Il n'arrivait pas à lire ce qu'il voyait sur les écrans. Il distinguait quelques étoiles au-dessus d'eux et un océan de noirceur en dessous, traversé de temps à autre par un éclair. Il pensait qu'ils étaient condamnés si jamais ils se risquaient là-dedans. Ils pouvaient percuter une colline à n'importe quel moment. Il aurait été terrifié s'il avait su que le Mont Elgon dépassait largement l'altitude à laquelle ils volaient et qu'ils avaient déjà dépassé quelques pics nettement plus hauts. Sans compter que Monsieur Tyler avait regagné son siège de pilote en fredonnant une chanson bizarre... Mon dieu, on ne chantait pas quand la mort vous attendait ! C'était de la folie !

Victoria leur donna la permission d'atterrir et Jonnie se mit à chercher une route entre les bancs de nuages. L'image des écrans n'était pas plus claire, mais il connaissait la région et parvenait à identifier quelques fragments reconnaissables. Par contre, il était inutile de regarder au travers du pare-brise. Les trombes d'eau masquaient tout.

Il négocia l'atterrissage sur patins, se souciant plus des chocs éventuels pour ses passagers que de savoir où il était. Cela se fit en douceur, à tel point que Pierre sursauta quand Jonnie coupa les moteurs, persuadé qu'ils se trouvaient encore dans les airs !

Le bruit de la pluie sur la carlingue était tel qu'il était presque impossible de se parler. Jonnie ouvrit la porte et il vit Ker qui l'attendait dans la clarté des feux de l'avion, dégoulinant d'eau.

Ker avait l'air absolument déprimé. D'habitude il était heureux de revoir Jonnie...

Lors de sa dernière visite en Afrique, Jonnie avait passé trois nuits de travail sur le dispositif de transfert de Kariba avec Ker. Les coordonnées de la planète Fobia avaient été très vagues. On la disait située « quelque part dans le système de Psychlo ». Ils avaient bien cru pendant quelque temps qu'ils n'arrive-

452

raient jamais à la découvrir et que Ker était condamné à mourir asphyxié faute de gaz respiratoire.

Mais ils l'avaient finalement localisée : elle circulait selon une ellipse très allongée. Il y avait une telle différence de distance au soleil entre son périhélie (le point de son orbite où elle était le plus proche du soleil) et son aphélie (celui où elle en était le plus éloignée) qu'il eût été impossible à quiconque, même à un Psychlo, de survivre à sa surface.

Fobia connaissait trois périodes : en s'éloignant de son soleil, son atmosphère gelait et devenait liquide. Plus loin encore, l'atmosphère se solidifiait, puis, comme elle revenait vers le soleil, l'atmosphère retournait à l'état gazeux. Mais ce très long « été » - l'année de Fobia étant l'équivalent de quatre-vingt-trois années terrestres - permettait aux mousses et autres végétaux de croître. Quand l'atmosphère se liquéfiait, ils demeuraient en état de vie suspendue jusqu'au retour de l'été.

Ils avaient eu terriblement de mal à estimer son orbite par triangulation filmée mais le résultat final avait dépassé toutes les espérances de Ker. La planète était actuellement en « automne » et ils n'avaient eu aucune difficulté à pomper le gaz respiratoire à l'état liquide. Mieux encore : ils avaient rapporté près de cinquante tonnes de la matière qui était à la base du goo-foo, l'aliment préféré des Psychlos. Oui, lorsque Jonnie avait vu Ker pour la dernière fois, il avait eu devant lui un Psychlo qui était au septième ciel - événement tout à fait improbable dans l'existence d'un Psychlo.

Et voilà qu'il arborait une mine sinistre !...

- Salut, Jonnie, dit-il d'une voix morne.

- Qu'est-ce qu'il t'arrive ? demanda Jonnie. Tu as perdu aux dés ?

- Oh, ce n'est pas à cause de toi, Jonnie. Je suis toujours heureux de te voir. C'est Maz. Il était ingénieur en chef ici quand tout fonctionnait encore. Il était parmi les blessés. J'ai environ soixante-dix ex-prisonniers venus de partout sur le dos et j'essaie de gagner ma vie en remettant en état cette mine de tungstène.

Ker s'approcha un peu. La pluie dégoulinait de son masque respiratoire. Sa tunique était trempée.

- Je ne suis pas ingénieur ! clama-t-il soudain. J'étais responsable des travaux, c'est tout. Nous sommes tombés à court de minerai et il y a un autre filon juste derrière. Mais ce... de Maz et tous les autres... de Psychlos sont restés assis sur leur cul à pleurer ! Une espèce de... leur avait montré ces images de l'explosion de Psychlo et ils n'ont plus rien voulu faire ! Je ne connais rien à ces ... de maths et je suis incapable de déterminer l'emplacement du gisement !

On est deux dans ce cas, songea Jonnie. Il était heureux que les filles ne comprennent pas le psychlo. Le petit Psychlo jurait abominablement. Mais c'était très rare. Il fallait qu'il soit vraiment en colère.

- C'est pour ça que je suis là, dit Jonnie.

- Vraiment ?

Ker retrouva brusquement le sourire, comme si quelque chose avait explosé en lui.

- Est-ce que MacKendrick est arrivé ?

- On a reçu un rapport d'un drone sur un avion venant d'Écosse. C'est MacKendrick ? Il sera là dans trois heures.

Trois heures ! Jonnie avait eu l'intention de se mettre au travail immédiatement. Bon, il y avait toujours quelque chose qu'il pouvait faire sans attendre : se procurer des cadavres de Psychlos.

- Il y a des gens à l'arrière de l'avion. Rends-moi service : conduis-les au camp.

- D'accord, fit Ker, qui avait retrouvé sa bonne humeur.

Il avait une bâche pliée sur l'épaule et se dirigea vers la porte arrière. Avec la bâche, il pourrait protéger les passagers de la pluie.

Pierre se remettait. Mais il découvrit aussitôt avec horreur que Jonnie ouvrait le coffre où se trouvaient les tenues de haute altitude. Il en enfila une et en lança une autre à Pierre.

Jonnie entendit claquer la porte arrière et entrevit des silhouettes imprécises qui se hâtaient sous la pluie. Il boucla sa tenue puis vérifia leur réserve de carburant. Il y avait largement de quoi faire l'aller-retour. Vingt secondes plus tard, ils grimpaient dans le ciel. Pierre se débattait encore dans sa tenue avec laquelle il n'était pas familiarisé. Mon dieu ! La vie avec Monsieur Tyler avait de quoi vous faire dresser les cheveux sur la tête !

Jonnie était imperturbable. Au-dessus de la couche de nuages, le ciel était serein et il repérait très bien les pics montagneux qui occultaient les étoiles. Il avait allumé les phares de l'avion et mis le cap sur les hauteurs neigeuses et glacées où ils avaient laissé les cadavres des Psychlos. Il lui en fallait deux. Un ouvrier et un cadre.

Le fait de ne pas savoir où ils allaient n'améliorait en rien l'état d'âme de Pierre. Foncer dans une nuit d'encre à une telle vitesse le terrifiait. Il n'osait même pas regarder les écrans. Ses yeux étaient fixés sur le pare-brise balayé par la neige.

Très vite, Jonnie atteignit son but. Il savait qu'ils avaient abandonné un engin élévateur près des cadavres. Il comptait sur lui comme point de repère. Il était probable qu'après tout ce temps les corps seraient enfouis dans la neige.

Quant à Pierre, toujours dans l'ignorance de ce qu'ils allaient faire, il regardait fixement le pare-brise, avec une expression qui confinait à l'horreur.

Soudain, il vit une masse blanche. Des bouffées s'en élevaient dans la clarté des phares de l'avion. Terrifié, il entendit les moteurs changer de régime.

- Non ! hurla-t-il. Non ! Vous allez vous poser sur un nuage !

Jonnie se pencha pour voir. Oui, à travers le pare-brise, on pouvait penser que c'était un nuage. Le vent soulevait des rafales de neige.

L'élévateur était bien là ! Pris dans la glace et la neige. Les cadavres devaient être à proximité sous la couche de neige.

Jonnie avait volé avec les écrans. Ils étaient loin de toute crevasse. Il laissa l'appareil se poser dans la neige et coupa aussitôt les moteurs. Le vent hurlait, furieux, assez puissant pour faire trembler l'avion.

Jonnie réajusta soigneusement son masque à oxygène et dit à Pierre :

- Sors avec moi et donne-moi un coup de main !

Pierre était dans la plus totale confusion. Il avait vu clairement qu'ils se posaient sur un nuage et il ne comprenait pas comment l'avion pouvait tenir. D'après le cap qu'ils avaient suivi, il savait qu'ils devaient se trouver non loin de l'équateur et ce qu'il avait retenu de ses études, c'est que l'équateur était chaud, en principe. Donc, il était inimaginable d'y trouver de la neige.

La petite tribu à laquelle il appartenait avait été sous la domination de prêtres jésuites qui avaient instillé à leurs ouailles une peur folle de l'enfer et du paradis, surtout de l'enfer, d'ailleurs. La réputation de Monsieur Tyler relevait de plus en plus de l'adoration et de la superstition. Pierre était moins surpris qu'ils se soient posés sur un nuage que de s'entendre dire de sortir.

Il regardait les masses blanches devant eux. Oui, ils étaient bel et bien sur un nuage ! Il porta la main au crucifix pendu à son cou. Il pensait qu'il était trop jeune pour faire un martyr. Mais il y avait une solution. Il prit les fusées dorsales dans le compartiment derrière son siège et les ajusta en hâte sur ses épaules. Il se pouvait que Monsieur Tyler pût marcher sur les nuages mais ce n'était certainement pas le cas pour le fils de Madame Solens.

Il lui fallut du courage pour ouvrir la porte mais il y parvint. Il ferma les yeux très fort et sauta, la main sur la commande des fusées. Le sol se trouvait à un peu plus de deux mètres, mais Pierre s'était attendu à tomber de plus de quatre mille mètres ! Aussi quand ses pieds touchèrent la neige, il faillit se casser une jambe. Il tomba en arrière, abasourdi, et resta les coudes enfoncés dans la neige, sans comprendre pourquoi il n'était pas tombé à travers un nuage.

Jonnie, tout à la tâche à accomplir, n'avait nullement conscience de la confusion qui régnait dans l'esprit de son copilote. Il avait pris une barre à mine dans le coffre à outils de l'avion et farfouillait dans la neige.

Il trouva bientôt un cadavre. Il s'agenouilla et se mit à dégager la neige que le vent emportait par paquets. Il aperçut le bout d'un masque respiratoire, puis l'insigne d'une casquette. Il avait trouvé un cadre de la Compagnie !

Il palpa les monstrueuses épaules pour voir où il devait placer la barre à mine afin d'extraire le cadavre de sa gangue de glace. Il allait soulever plus de cinq cents kilos, plus toute la neige et la glace.

Il appuya sur la barre, l'enfonça plus profondément et pesa de toutes ses forces. Le monstre était tellement pris dans le sol que la barre glissa et que son extrémité déchira le blouson de Jonnie.

Il donna une nouvelle poussée, encore plus forte. Il y eut un craquement profond et il réussit enfin à soulever le cadavre monstrueux.

Mais le bruit avait ressemblé à un raclement de gorge. Et le bouton dans sa poche entonna une ballade d'une voix de baryton :

- *Yeepeeayee ! Yeepeeayho ! Les fantômes du ciel...*

Pierre, encore passablement secoué, crut qu'un démon se dressait devant lui, surgi des profondeurs du nuage. Un démon qui chantait d'une voix sépulcrale, qui plus est.

C'en était trop. Avec un faible gémissement, il s'évanouit.

5

Jonnie avait ensuite dégagé le cadavre d'un ouvrier. Il se rendit jusqu'à l'engin de levage et se mit à cogner sur la glace pour dégager les cames et les cliquets. Il s'apprêtait à faire démarrer la machine quand il s'aperçut de l'absence de Pierre. Il pensait qu'il avait déjà au moins ouvert les portes de chargement de l'avion.

Il le vit alors, étendu sous un moteur d'équilibrage, immobile. La neige commençait déjà à le recouvrir. Un peu inquiet, Jonnie alla jusqu'à lui, regarda s'il n'était pas blessé, et s'étonna de voir les fusées sur son dos. Il se demanda pourquoi le copilote était inconscient. En tout cas, ce n'était pas l'endroit rêvé pour les premiers secours.

Il retourna jusqu'à l'engin, le démarra et s'en servit pour soulever Pierre. Il remonta l'avion sur toute sa longueur, s'arrêta devant les portes et, en se mettant debout sur le siège de pilotage, réussit à les ouvrir.

Mais le vent les refermait dès qu'il les lâchait. Jonnie quitta son siège et entra dans la carlingue avec l'espoir de trouver quelque chose pour bloquer la porte. Il s'arrêta soudain.

Pattie ! Elle était toujours là ! On ne l'avait sans doute pas remarquée au moment où Ker avait fait évacuer les passagers sous la pluie. Elle était tellement silencieuse et immobile.

Elle devait être gelée. Jonnie ouvrit un coffre, prit une couverture et l'en enveloppa. Elle ne leva même pas les yeux.

Tout ce qu'il trouva pour bloquer la porte, ce fut une règle et il s'évertua à la mettre en place entre un anneau fixé au sol et le battant de la porte.

Puis il redescendit et manœuvra l'engin, soulevant le corps inerte de Pierre pour le déposer à l'intérieur. Il y était presque parvenu quand une rafale de vent plus violente que les autres referma la porte. Il dut grimper à nouveau dans l'avion et se battre pour bloquer la porte. Mais la règle de bois se brisa.

Une voix douce s'éleva alors derrière lui :

- Je vais la tenir pour toi.

C'était Pattie. Agrippant la couverture d'une main pour la maintenir sur ses épaules, elle repoussa la porte de l'autre et la maintint ouverte.

C'était la première fois depuis des mois qu'elle offrait de faire quelque chose.

Sans perdre une seconde, Jonnie retourna aux commandes de l'engin de levage et déposa bientôt Pierre sur le plancher de la carlingue. Il bondit ensuite à bord et souleva le copilote pour le placer sur le côté, à l'écart. Il eut la surprise de voir que Pattie l'aidait.

Ensuite, avec Pattie tenant la porte, il lui fut possible de ramasser les deux monstrueux cadavres dans la neige et de les déposer dans l'avion. La petite fille observait la manœuvre avec un regard plein d'intérêt.

Très vite, il rangea l'engin, ferma les portes de l'avion et regagna la cabine, à l'abri du vent âpre. Il appela le camp pour qu'on lui envoie un camion à plate-forme et un élévateur, vérifia que Pattie s'était solidement bouclée sur son siège, et décolla, montant droit à la verticale.

Il s'était attendu à se frayer péniblement une route à travers les nuages avec l'aide de ses écrans à demi aveugles et il eut l'heureuse surprise de découvrir que la tempête s'apaisait et que les interférences électriques avaient cessé.

Il ne pleuvait plus sur le camp quand il arriva et tous les projecteurs avaient été allumés. Une foule de gens s'était rassemblée autour des véhicules qui attendaient. La dernière fois que Jonnie avait vu ces ex-marines et ces ex-astronautes, ç'avait été dans le viseur de sa mitrailleuse. C'était plutôt étrange de voir ces Hawvins et ces Jambitchows qui attendaient, mais ils avaient l'air tout à fait inoffensifs. Il remarqua dans la foule trois ingénieurs chatovariens qui portaient une tenue orange vif avec l'inscription « Défense Désespérée ». Ils étaient sans doute venus en mission d'information pour moderniser le dispositif de défense de la mine.

Il y avait aussi un nouvel avion au sol et Jonnie se dit que MacKendrick avait dû arriver entre-temps. Il appela Pattie après avoir arrêté les moteurs, la prit sous son bras et sauta au sol.

Ker était aux commandes de l'engin de levage.

- Le copilote est là-dedans, lui dit Jonnie. Il respire encore mais il doit être blessé. Conduis-le à l'hôpital avec les deux Psychlos.

Puis, portant toujours Pattie, il se précipita vers le camp en quête de Mac-Kendrick.

Ker démarra aussitôt l'engin et, avec l'habileté qui le caractérisait, il cueillit les trois corps sur le plancher de l'avion et les déposa prestement sur la plate-forme du camion.

Le conducteur était un Jambitchow récemment formé. Il ouvrit de grands yeux en voyant les deux énormes cadavres psychlos et le corps frêle d'un humain à côté.

La première réaction de la foule, en apercevant les Psychlos, fut de battre en retraite. Et vite ! La neige et la glace avaient fondu et ils semblaient vivants.

Le conducteur était sur le point de sauter du camion pour mettre autant de distance que possible entre lui et ces monstres qui allaient renaître à la vie d'un instant à l'autre.

Ker libéra la fourche de l'engin et prit conscience qu'il frôlait l'incident et la panique et qu'il allait être privé du conducteur.

- Non, non ! cria-t-il. Ils sont morts !

Timidement, le Jambitchow regagna son siège tandis que la foule revenait prudemment pour voir si ce que disait Ker était bien vrai. Il rencontra leurs regards perplexes.

- Vous n'avez donc pas entendu ce que Jonnie m'a dit ?

Non, ils n'avaient pas entendu. Ils étaient trop loin pour pouvoir capter ses paroles.

- Ces Psychlos, reprit Ker, se cachaient dans la jungle. Ils ont attaqué et ils ont voulu mettre le copilote en pièces. Jonnie est devenu furieux et il leur a sauté dessus. Il les a étranglés tous les deux en même temps !

Les bouches s'ouvrirent, les yeux restèrent écarquillés. Oui, la preuve était bien là devant eux.

Après un temps, un ex-officier hawvin dit :

- Pas étonnant qu'on ait perdu la guerre.

- Oui, dit Ker. Quand vous le connaîtrez mieux, vous saurez que lorsqu'il est en colère, il l'est vraiment !

Il fit signe au Jambitchow de démarrer le camion et conduisit l'élévateur en direction du camp. Ç'avait été plus fort que lui. A présent, il avait un mal fou à ne pas leur éclater de rire au visage.

6

Jonnie, en arrivant au camp, posa Pattie à terre et se mit à la recherche de MacKendrick. Il le trouva à l'hôpital.

- Où est cette épidémie ? demanda MacKendrick. J'ai reçu ton appel en plein milieu d'un cours. J'ai amené toute une équipe médicale ! Et quand j'arrive ici, on me dit que tu es parti...

- Cette fois, dit Jonnie, on va y arriver !

- Oh, tu veux parler des capsules. Jonnie, j'ai tout essayé. Il n'existe aucun moyen d'ôter ces capsules ! Trop d'os ! Je pensais te l'avoir amplement démontré !

MacKendrick s'approcha du crâne d'un Psychlo sur lequel il avait travaillé et le tapota de son poing.

- De l'os, Jonnie ! De l'os bien dur ! Et le cerveau se trouve juste sous la plaque arrière inférieure. Si je creuse, nous n'aurons qu'un Psychlo mort.

- Justement, fit Jonnie. Je ne « creuse » pas.

Il prit le crâne. Il était lourd dans ses mains. Près de cinquante kilos. Mac-Kendrick avait cousu les jointures. Jonnie ouvrit la mâchoire.

- Regardez les os des oreilles, docteur. (Il assura sa prise et souleva le crâne plus haut, comme un ballon, l'approchant de la lumière.) Regardez.

Il fit à nouveau s'ouvrir la mâchoire.

A l'emplacement du condyle, à l'endroit où la mâchoire s'articulait sur l'os de l'oreille du Psychlo, il y avait un trou de moins d'un millimètre de diamètre.

- Vous m'avez montré ça un jour, dit Jonnie, en m'expliquant qu'il vous était impossible d'y introduire un instrument. Mais cela conduit tout droit aux capsules qui sont serties dans ce crâne.

MacKendrick eut l'air sceptique.

- Jonnie, mon équipe est prête. Tout a été nettoyé et désinfecté en vue d'une opération. Je croyais qu'il s'était produit quelque chose de sérieux. Je vois qu'il n'y a aucune urgence. Donc, si nous allions tous nous coucher...

Jonnie alla reposer le crâne sur la table de dissection.

- Il se peut que ce ne soit pas une urgence à vos yeux. Mais la vérité est que nous ignorons toujours comment construire un moteur psychlo, de même que nous ne savons rien de leurs mathématiques. Et à cause de ça, nous pouvons rester coincés. Nous avons des centaines d'avions qui ne peuvent plus voler. Nous avons besoin de lancer des produits de consommation sur toutes ces planètes et les moteurs psychlos feraient de merveilleux produits. Donc, il y a urgence. Mais regardez !

Jonnie tira de sa poche un bout de fil isolé et glissa une extrémité dans le trou du condyle. Il prit l'autre extrémité et l'introduisit dans le trou opposé, de l'autre côté du crâne.

- Qu'est-ce que tu fais ? demanda MacKendrick.

- La question à laquelle vous devez répondre est la suivante : est-ce que si l'on introduit ces fils, ils risquent de déchirer un quelconque muscle de la mâchoire ou de l'oreille ?

- Ils peuvent provoquer des lésions du tissu, mais aucun muscle majeur ne se trouve dans cette région. Ce trou est là parce que l'os de la mâchoire, lorsque celle-ci est en position basse, laisse un orifice. Autrement, il y aurait deux plaques osseuses supplémentaires et dieu sait qu'il y en a bien assez comme ça ! Je ne crois pas...

Jonnie prit la trousse qu'il avait préparée et en sortit le pistolet moléculaire.

- Avec ça, dit-il, je peux projeter une couche de molécules sur une surface.

MacKendrick était complètement perdu.

- Mais tu ne pourras jamais introduire ton pistolet dans un crâne !

- Le pistolet restera à l'extérieur, dit-il. (Il sortit une plaque d'alimentation électrique de son sac.) Vous avez une de ces capsules que nous avons prélevées ?

MacKendrick lui présenta une capsule constituée de deux demi-cercles de bronze.

Jonnie coupa une certaine longueur de fil isolé. Puis il prit le pistolet de laminage moléculaire, et relia un bout de fil à l'électrode qui, d'ordinaire, alimentait la tige de métal pulvérisé. Il fixa ensuite l'autre extrémité à la pièce de bronze. Il connecta alors un deuxième bout de fil à la plaque d'alimentation électrique et le relia à la pièce de bronze. Puis il relia l'arrière de la plaque, à l'aide d'un fil plus long, à la prise d'alimentation du pistolet. Il comptait tout simplement remplacer la pièce de bronze par le métal pulvérisé du pistolet en dérivant le composant de pulvérisation. Ainsi, les molécules s'écouleraient sur le fil et se déposeraient sur la plaque. Et, pour être bien certain qu'il y aurait électrolyse, il avait relié le circuit au pistolet.

Il appuya sur la détente.

La plaque commença à se recouvrir d'une fine couche de bronze.

Et un trou minuscule apparut dans la capsule qu'ils avaient prélevée dans un crâne de Psychlo.

MacKendrick, qui n'avait rien d'un électricien, s'écria :

- Elle disparaît !

- Les molécules circulent le long du fil pour aller se déposer sur la plaque, dit Jonnie. Je pense qu'on appelle cela « électrolyse ». Comme ça, les molécules ne sont pas pulvérisées mais dirigées sur la plaque.

Il déplaça les fils pour modifier l'orientation du flux et le métal se déposa en un point différent de la plaque.

MacKendrick était bouche bée.

- Mais cette pièce de métal est en train de disparaître !

- Oui, mais elle réapparaît sur la plaque d'alimentation, dit Jonnie. Donc, à l'extérieur de la tête !

Il prit une autre longueur de fil et, à l'aide d'un chalumeau, il arrondit l'extrémité.

- Si nous adoucissons la pointe, comme ça, est-ce que vous pensez pouvoir introduire le fil dans ce trou, éviter les nerfs et toucher la pièce de bronze ? Et faire la même chose de l'autre côté ?

Ça, c'était davantage du ressort de MacKendrick. Il était relativement facile de déplacer les nerfs particulièrement noueux des Psychlos. Le cortex pourrait sans doute être percé çà et là sans risque de lésions dangereuses.

- On va bien voir ! dit-il, rejetant définitivement l'idée d'attendre le matin.

Les cadavres des Psychlos reposaient sur deux chariots de mine, devant la porte. Quant à Pierre, il semblait s'être éclipsé. MacKendrick appela deux infirmières et un autre docteur et, tous ensemble, ils poussèrent le chariot de l'ouvrier psychlo dans la salle de dissection. A eux tous, ils réussirent à poser l'énorme masse du monstre sur la table.

- Il est probablement encore gelé à l'intérieur, dit Jonnie.

- Pas de problème, fit MacKendrick. Tu oublies que nous avons déjà fait ça de nombreuses fois.

Il s'empara d'une liasse de tampons à micro-ondes et les plaça sur les côtés de la tête qui, bientôt, se mit à dégeler.

Il semblait tout à coup y avoir beaucoup de monde dans la salle. Monsieur Tsung était arrivé avec une blouse blanche et une paire de lunettes sans verres qu'il tendit à Jonnie. Jonnie s'interrogea une seconde sur leur utilité avant de les glisser dans une poche. Il s'apprêtait à demander qu'on modifie légèrement la position du corps lorsque le bouton de la banque se remit à chantonner :

> Gone are the days,
> When my heart was young and gay.
> Gone are the days...(*)

Infirmières et docteurs sursautèrent, choqués. La situation était déjà suffisamment macabre comme ça !

Jonnie tendit le bouton à Monsieur Tsung.

- Débarrassez-moi de ce machin !

Jonnie prit d'autres éléments dans la trousse qu'il avait apportée et prépara l'opération de façon plus pratique. Le docteur MacKendrick était occupé à mettre en place l'analyseur de métal dont ils se servaient pour les rayons X. Il plaça le crâne du Psychlo dessus et tourna les boutons afin d'avoir une image nette et claire de la capsule de bronze. Puis il fit fonctionner les mâchoires pour voir si elles étaient redevenues souples et plaça à l'intérieur un outil expanseur en métal.

Son assistant, pendant ce temps, épongeait l'eau qui s'était écoulée de la tête du cadavre.

Une infirmière se pencha vers Jonnie et murmura :

- Je ne pense pas que cette petite fille devrait rester pour assister à ça.

Jonnie se retourna et vit que Pattie était là. Elle avait dû le suivre. Elle regardait avec intérêt le crâne décoloré du monstre.

Depuis de longs mois, c'était la première fois qu'il voyait Pattie s'intéresser à son environnement. Et il n'avait pas l'intention de tout gâcher en lui demandant de sortir.

- Laissez-la, murmura-t-il à l'infirmière.

La femme prit une expression de désapprobation mais ne protesta pas.

Tout était prêt. Le docteur MacKendrick examinait les quelques croquis qu'il avait faits du circuit nerveux du cerveau psychlo. Il les posa après quelques secondes, prit les fils qu'on lui tendait, et se mit au travail.

Il ne quittait pas des yeux l'écran de l'analyseur, pas plus que les croquis, tout en introduisant l'extrémité du fil dans le trou, près de l'oreille. Il parvint enfin, après quelques détours, à atteindre l'objet de bronze placé dans le cerveau. Il fit alors la même chose de l'autre côté, avec l'autre fil.

Jonnie prit le temps de vérifier que tout était prêt et appuya sur le contact.

La plaque extérieure commença à se recouvrir de bronze.

___

(*) « Ils sont loin les jours,
    Où mon cœur était jeune et heureux... » (N. d. T.)

MacKendrick procédait avec toute la délicatesse possible. L'électricité s'écoulait de part et d'autre de la plaque. En suivant l'évolution sur l'écran de l'analyseur, on avait l'impression de voir s'effacer une tache.

La pièce de bronze diminuait à vue d'œil. MacKendrick déplaçait les fils avec précaution. Environ une demi-heure après, il n'y eut plus la moindre trace de bronze dans le crâne. Doucement, il retira les fils.

- Nous allons voir maintenant si des nerfs ont été grillés, dit-il.

L'équipe entra immédiatement en action. Les infirmières et l'assistant enfilèrent gants et tabliers et sortirent d'autres instruments, y compris une scie circulaire.

L'infirmière se pencha vers Jonnie :

- Je crois vraiment que cette petite demoiselle devrait sortir. Ce n'est pas de son âge. Elle a combien ? Dix ans ?

Pattie s'était installée sur un tabouret et observait les préparatifs. Elle semblait passionnée.

Pour rien au monde Jonnie ne l'aurait dérangée en cet instant.

- Laissez-la tranquille, murmura-t-il en réponse.

On écarta les écrans et on amena des chiffons et des coupelles. L'instant d'après, la scie à trépan s'enfonçait en sifflant dans le crâne. Du sang vert jaillit et les infirmières se hâtèrent de l'éponger.

MacKendrick avait fait cela si souvent que quelques minutes à peine s'écoulèrent avant qu'ils aient sous les yeux l'endroit où avait été la pièce de bronze. MacKendrick essuya encore un peu de sang, prit une loupe et se pencha pour examiner les nerfs.

- Presque aucune trace de brûlures, dit-il enfin.
- Je réduirai l'ampérage, dit Jonnie.

Il commença aussitôt à installer un rhéostat sur le circuit.

L'équipe médicale était occupée à rassembler les morceaux du crâne. Le cadavre fut replacé sur le chariot et évacué de la salle. Deux minutes après, le corps du cadre de la Compagnie était à son tour installé sur la table.

Ils répétèrent l'opération de laminage moléculaire sur la pièce de bronze dont ils furent rapidement débarrassés.

Jonnie fit un test sur une capsule d'argent qu'ils avaient prélevée lors d'une opération précédente et MacKendrick se pencha à nouveau sur ses croquis.

Enfin, il reprit les fils et les inséra dans le crâne du Psychlo, visant la capsule d'argent.

Tout se passa bien jusqu'à l'instant où ils atteignirent le fusible de la capsule. Il était de taille si réduite et il fondit si rapidement qu'il leur fallut quelque temps pour récupérer les débris. Il y avait trop de chances que les fils finissent par se toucher si on les déplaçait tout le temps. Finalement ils réussirent. Ils remirent leurs gants et, une fois encore, la scie attaqua la boîte crânienne du monstre. MacKendrick examina l'intérieur du cerveau très soigneusement. Puis il se redressa.

Il regarda Jonnie avec admiration. Ce garçon venait d'inventer une nouvelle méthode opératoire ! MacKendrick pensait aux balles et autres objets métalliques que l'on pourrait désormais extraire de cette façon, sans avoir à ouvrir ni percer. La chirurgie électrolytique !

- Ça marche sur un cadavre, dit Jonnie. (Il regarda sa montre.) Il est près de minuit à présent. Demain, nous verrons si ça marche sur un être vivant !

7

A sept heures le lendemain matin, MacKendrick et son équipe se mirent à préparer une salle d'opération entièrement différente.

- Nous n'en savons pas assez sur les maladies des Psychlos, dit-il à Jonnie. Leurs cadavres pourraient être porteurs de germes dangereux à l'état de putréfaction. La structure de leur organisme est virale et il pourrait exister des virus plus petits encore que ceux que nous connaissons. Il va falloir que tu changes de vêtements et que tu te procures de nouveaux fils et un autre matériel.

Jonnie s'exécuta. Lorsqu'il fut de retour - après avoir posé un problème à Monsieur Tsung en lui demandant de fournir une autre blouse blanche - il construisit un nouveau circuit avec des fils neufs. Avec surprise, il entendit MacKendrick demander à une infirmière d'aller chercher Chirk.

- Elle est presque morte, dit-il à l'adresse de Jonnie. Depuis des mois, des femelles psychlos s'occupent d'elle. Elles la nourrissent par un tube stomacal. La structure du cerveau est similaire et le trou de la mâchoire est plus grand. Elle est dans le coma et nous n'aurons pas à lui donner trop de méthane. C'est l'anesthésique qui agit sur les Psychlos.

- Je ferais mieux d'aller la chercher moi-même, dit Jonnie.

Il prit un chariot de mine, un masque et gagna les quartiers psychlos.

Comme il s'avançait avec le chariot vers le lit de Chirk, deux femelles psychlos s'approchèrent de lui.

Elle était là, les yeux clos, immobile, maigre, presque squelettique.

Pauvre Chirk, pensa Jonnie.

Les deux grandes Psychlos n'eurent aucune peine à la soulever pour la déposer sur le chariot. Jonnie pensait qu'il aurait sans doute pu y arriver seul. C'était tout juste si les os de Chirk ne cliquetaient pas.

- Donnez-moi un masque respiratoire pour elle, demanda-t-il.

Elles le regardèrent sans comprendre.

- Pourquoi ?

- Pour qu'elle puisse respirer ! fit-il d'un ton impatient.

- Vous n'arriverez à rien en la torturant, dit l'une des femelles. Dans son état, elle ne sentira rien.

Jonnie était médusé. L'autre femelle le remarqua et ajouta :

- Nous attendions que quelqu'un descende pour la tuer. Ils le font toujours. Nous nous sommes souvent demandé pourquoi vous avez attendu tous ces mois.

- Pour la lapsine, c'est le seul traitement permis par les kiâtres.

La lapsine ? Les kiâtres ?... Jonnie leur demanda de lui expliquer ces mots... Eh bien, la « kiâtrie », c'était le culte médico-scientifique qui dominait Psychlo. Est-ce que Jonnie ne savait pas cela ? Et la « lapsine » était une maladie infantile très répandue chez les femelles. Elle se manifestait rarement plus tard et le cas de Chirk était exceptionnel - elle avait trente ans - mais il était indéniable qu'elle était atteinte de lapsine. Et, naturellement, tôt ou tard, il faudrait la tuer.

- Je ne vais pàs la tuer ! s'emporta Jonnie, indigné. Je vais tenter de la guérir !

Elles ne le croyaient pas. D'abord, guérir la lapsine était illégal. Et puis, toute personne qui faisait joujou avec l'esprit et le mental sans en avoir l'autorisation transgressait la loi. Il s'ensuivait donc que Jonnie leur mentait. Exactement comme l'auraient fait les kiâtres. Mais ce serait inutile de la torturer avant de la vaporiser car elle ne sentirait absolument rien et il n'en éprouverait aucun plaisir.

Jonnie dut se procurer lui-même le masque respiratoire et le fixer sur le visage de Chirk. Il franchit bientôt le sas atmosphérique en poussant le chariot. Derrière lui, les deux femelles continuaient de palabrer :

- Oui, c'est la torture, je te l'avais bien dit.

Le fait de renouer, ne fût-ce que brièvement, avec la « civilisation » psychlo avait perturbé Jonnie. Chirk fut très vite installée dans la salle d'opération improvisée. Maigre comme elle l'était, ils durent quand même se mettre à trois pour la soulever.

MacKendrick avait répété ces gestes bien des fois et son équipe était rodée. Son assistant souleva le masque de Chirk et introduisit rapidement un expanseur dans sa bouche. Une infirmière glissa un tube en dessous et ouvrit la valve de méthane avant de poser un stéthoscope sur la poitrine de Chirk, guettant le changement de pouls. Lorsque les battements eurent suffisamment ralenti, elle fit un signe de tête à MacKendrick.

Le masque laissait les trous des maxillaires libres et, rapidement, MacKendrick enfila les fils dans le tissu crânien, droit vers le cerveau. Sur l'écran, la tête était parfaitement positionnée. Jonnie régla le débit du pistolet moléculaire. L'infirmière surveillait toujours le rythme cardiaque en équilibrant régulièrement le mélange gaz respiratoire/méthane.

La capsule, dans le cerveau de Chirk, diminuait rapidement. Et la couche de métal augmentait sur la plaque.

Une heure et quarante-cinq minutes plus tard, MacKendrick se redressa avec les fils dans ses mains. Une infirmière épongea les quelques gouttes de sang vert qui sourdaient des trous et ôta le tube de méthane et l'expanseur. L'infirmière ouvrit au maximum la valve du masque respiratoire.

- Nous avons essayé cette méthode de réanimation sur un ouvrier il y a quelques mois sans opérer, commenta MacKendrick. Il lui faudra à peu près quatre heures pour se réveiller. Si elle se réveille.

Jonnie pensa que c'était désormais la seule chose qui importait et qu'il devait mettre toutes les chances de son côté pour que Chirk se réveille. Il reprit le chariot, on y replaça Chirk, et il repartit vers les quartiers pschlos.

Les deux femelles furent très surprises de le voir de retour. Elles l'aidèrent spontanément à remettre Chirk dans son lit. Comme Jonnie lui ôtait son masque respiratoire, l'une d'elles dit :

- Je suppose que vous l'avez ramenée pour nous donner l'ordre de la tuer.

Ce fut la goutte d'eau qui fit déborder le vase. Jonnie les expulsa à coups de pied. Puis il trouva un siège et s'installa pour attendre devant le sas. Il en avait pour quatre heures mais il aurait au moins la certitude qu'aucun de ces fous de Psychlos ne risquait de compromettre le réveil de Chirk. Il espérait qu'elle s'en tirerait. Mais, dans un cas comme dans l'autre, il attendrait et ne bougerait pas d'ici.

8

Malheureusement pour Jonnie, il s'avéra que le couloir où il s'était installé était très fréquenté. Et que les gens trouvaient toutes sortes d'excuses pour y passer, sachant qu'il était là.

Chrissie le rejoignit bientôt.

- Je suis affreusement navrée que nous ayons oublié Pattie dans l'avion. J'étais persuadée que tu allais nous suivre avec elle. Quand j'ai vu qu'elle n'était pas avec nous, je suis revenue, mais tu avais décollé.

Pattie l'avait suivie. Elle regardait Jonnie.

- Mais je ne suis pas venue pour te parler de ça, reprit Chrissie.

Elle ouvrit une enveloppe qu'elle avait jusque-là cachée derrière son dos et se mit à en sortir diverses choses. Au premier coup d'œil, Jonnie comprit qu'il y avait du Dries là-dessous. C'était les premiers tirages des nouvelles coupures de la Banque Galactique, marquées « Spécimen sans valeur ». Quatre, de format différent, plus quatre pièces de formes géométriques variées, parfaitement gravées. L'impression des billets était elle aussi excellente. Jonnie ne voyait pas quel était le problème.

- La pièce d'un onzième de crédit n'est pas si mal, dit Chrissie. Elle est verte et ça ne se voit pas. Et cette bleue, là, c'est une pièce de trois onzièmes de crédit. Elle n'est pas trop vilaine, car là non plus, ça ne se voit pas. Cette rouge de cinq onzièmes est tout juste passable. Et cette jaune, la pièce de six onzièmes, est affreuse.

Ça c'était nouveau, se dit Jonnie. Chrissie faisant une dissertation sur l'argent. Alors qu'elle n'en avait sans doute pas eu entre les mains une seule fois dans sa vie.

- Mais le problème, ce sont les billets. J'ai dit à Dries que j'étais *très fâchée* ! Voilà un billet d'un crédit. Et ça, c'est ce qu'ils appellent le billet de onze crédits, mais il est marqué « dix ».

- C'est le système numérique psychlo, dit Jonnie. Il est basé sur le onze et non sur le dix. « Dix » signifie une unité de onze plus zéro unité de un, ce qui est l'équivalent de onze. Une coupure de onze crédits porter donc les chiffres « un-zéro ».

- Je veux bien te croire, soupira Chrissie, mais ce n'est pas ça qui m'a mise en colère. Regarde ces billets. Celui-ci, c'est le... un-zéro-zéro. Il est marqué « cent » mais c'est la même chose qu'un billet de cent vingt et un crédits. Oui, oui, je sais... A cause des chiffres psychlos. (Elle montra un autre billet.) Celui-là, c'est le billet de mille trois cent trente et un crédits.

Jonnie examina le tout. Les pièces étaient très bien gravées. Et les billets étaient d'un brillant surprenant.

- Désolé, dit-il enfin, mais je ne vois pas.

- Le visage ! Regarde bien. Sur les pièces, tu es de profil et sur les petites, ça ne se voit pas. Par contre, ça se voit très bien sur cette grosse pièce-là, la jaune... Ton nez ! Il est retroussé au bout !

Jonnie prit les pièces. Oui, c'était exact. Il avait le nez qui jappait à la lune.

- Et les billets, dit Chrissie. Je me moque de savoir si c'est difficile ou non de reproduire le portrait avec précision comme le dit Dries. Mais ils ont donné un ton grisâtre à ta peau. Et tes paupières sont trop grosses. Et tes oreilles, Jonnie ! Elles ne sont pas comme ça. On dirait des branchies !

Jonnie prit les billets. Oui, c'était certain, ils avaient modifié le portrait ! Il éclata brusquement de rire. Ils avaient modifié ses traits pour qu'il ressemble vaguement à un Selachee !

Magnifique ! Il aurait moins de chance d'être reconnu partout. Il avait pas mal usé de diplomatie ces derniers temps, aussi dit-il :

- Je suis désolé qu'ils ne te plaisent pas, Chrissie.

- Mais ce n'est pas ça ! C'est simplement que ce n'est pas toi !

- J'ai peur que cela ne coûte effroyablement cher de les modifier maintenant. Peut-être pour la prochaine émission...

Cela parut calmer quelque peu Chrissie et elle remit pièces et billets dans l'enveloppe avant de repartir, songeant qu'il avait l'air décidé à rester là et qu'il convenait sans doute de lui apporter son déjeuner sur place.

Pattie était restée. Elle s'assit par terre. Elle paraissait très pensive mais moins apathique qu'auparavant.

Ker arrivait par la rampe d'accès, suivi d'une trentaine d'ex-marines : Jambitchows, Drawkins, ainsi que deux ou trois Hockners. Il adressa un geste amical à Jonnie mais, lorsque les autres virent qui était assis là, ils reculèrent précipitamment et heurtèrent la paroi. Puis ils allèrent se placer derrière Ker.

Leur réaction n'avait pas échappé à Jonnie. Il appela :

- Ker !

Le petit Psychlo vint vers lui, laissant son groupe sur place.

- Ker, qu'est-ce que tu as raconté à ces ex-soldats ?

- Mais rien, dit Ker avec l'expression de la plus parfaite innocence dans ses yeux d'ambre. C'est juste qu'ils sont plutôt indisciplinés, de temps en temps.

- Je ne sais pas quel est ce « rien », mais tu ferais bien de faire quelque chose.

- Bien sûr ! (Ker se retourna et lança à son groupe :) Ça va, ça va ! Il n'est pas en colère !

Leur soulagement fut si évident que le regard de Jonnie se fit encore plus lourd de soupçons. Le petit Psychlo ordonna à l'ex-officier hockner de les emmener au garage et de commencer à laver les machines, puis il se tourna à nouveau vers Jonnie.

- J'ai eu peur un instant, dit-il. J'ai cru que tu avais deviné.

- Autre chose ? demanda Jonnie.

Ah, ah ! commença le petit Psychlo. Ce n'était pas vrai qu'il était resté seul ici alors que tout le monde s'était envolé pour Edinburgh, y compris les gens des Montagnes de la Lune. On avait laissé les vieux et les enfants. Et lui, Ker, en avait eu assez de rester assis dans un couloir avec son fusil-éclateur. Il était tombé sur un vieux qui parlait une espèce de néerlandais - le néerlandais était un langage de la Terre, ou bien il l'avait été. Et Ker s'était procuré un vocodeur chinko qui traduisait le néerlandais et il s'était amusé à raconter des histoires au vieux pour qu'il les répète aux gamins qui traînaient un peu partout.

D'abord, les enfants avaient eu peur de lui. Ils le prenaient pour un monstre et tout ça, et il avait dû leur dire qu'il était tout ce qu'il y a d'humain. Que son père et sa mère étaient des humains. Mais que sa mère avait été effrayée par un Psychlo et qu'il était né comme ça.

Mais il serait honnête avec Jonnie parce que c'était un ami d'enfance : en fait, il n'était qu'à moitié humain.

- Ce n'est pas pour changer de sujet, dit-il alors même que c'était ce qu'il faisait, mais tu m'as dis que tu étais venu pour cette histoire de mathématiques. Je ne veux pas passer ma vie à nettoyer les véhicules. Quand vas-tu te mettre au travail et secouer Maz pour qu'on rouvre cette mine ?

- J'y travaille en ce moment même ! fit Jonnie.

Il regarda sa montre. Encore une heure et demie. Il saurait bientôt si ça avait marché ou non.

9

C'était peut-être parce qu'elle avait été très affaiblie, mais au bout de cinq heures Chirk n'avait toujours pas remué.

Jonnie avait installé sa chaise au pied du lit, après avoir mis un masque. Pattie avait voulu entrer, mais il l'avait obligée à rester à l'extérieur du sas. Respirer le gaz psychlo provoquait des convulsions. Il était parti à la recherche d'un masque pour elle, et elle était à présent assise contre le mur, les jambes croisées, observant Chirk.

La respiration de la Psychlo semblait moins faible, ou bien était-ce un effet de l'espoir ? Non ! Elle venait de bouger une main. Très doucement.

Après un temps, elle émit un soupir.

Puis elle ouvrit les yeux et promena un regard vide autour d'elle.

Finalement, elle remarqua Jonnie. Elle resta ainsi durant un long moment. Puis, brusquement, elle se dressa sur ses coudes et demanda à Jonnie avec une certaine autorité :

- Jonnie, est-ce que tu as envoyé cette fiche de bibliothèque comme je te l'ai dit ? Le Bureau Central ne va pas apprécier du tout s'il s'aperçoit que le stock d'ouvrages est incomplet !

Il eut un long soupir de soulagement. En partie pour des raisons purement pratiques. En partie pour Chirk.

Il était sur le point de répondre quand Chirk regarda ses bras et demanda :

- Mais pourquoi suis-je si maigre ? (Elle se redressa un peu plus et ajouta :) Et pourquoi suis-je si faible ?

- Tu te sentiras plus forte quand tu auras mangé quelque chose de consistant. Nous avons du très bon goo-foo. Et même des croque-racines.

Son intérêt s'éveilla puis s'estompa aussitôt.

- Je suis là depuis pas mal de temps, n'est-ce pas, Jonnie ?

- Un certain temps, oui.

Elle réfléchit un instant puis se roidit :

- La lapsine ! J'ai la lapsine ! C'est incurable !

Elle gémit.

- Tu es guérie, dit Jonnie.

Elle digéra ce qu'il venait de dire. Puis parut sombrer une fois encore.

- Mais pourquoi ne m'ont-ils pas vaporisée ? Les kiâtres ?
- Je crois que tu vas te rétablir. En fait, tu te porteras mieux qu'avant.

Une explication germa dans la tête de Chirk.

- Jonnie, tu restes là afin qu'on ne vienne pas me chercher pour me vaporiser. C'est courageux et je devrais te remercier, mais on ne peut rien contre les kiâtres ! Ils sont la loi. Ils sont au-dessus de toute loi ! Ils peuvent faire tout ce qu'ils veulent, même avec l'empereur. Tu ferais mieux de partir avant qu'ils n'arrivent.

Jonnie l'observa sans rien dire pendant un moment. Ces Psychlos avaient vécu dans un monde si cruel, si terrifiant.

- Je suis là pour t'apprendre une nouvelle, Chirk, dit-il. J'ai viré tous les kiâtres.

Après tout, est-ce que ce n'était pas le cas ? Il ne savait peut-être pas vraiment ce qu'était un kiâtre, mais s'ils avaient vécu sur Psychlo, ils avaient effectivement été virés. Radioactivement.

Chirk s'assit, luttant pour s'éclaircir l'esprit.

- Oh, Jonnie, c'est vraiment gentil de ta part !

Elle posa les pieds sur le sol et demanda :

- Où sont mes vêtements ? Je ferais bien de me mettre au travail si je ne veux pas une autre marque noire dans mon dossier.

Elle essaya de se lever.

- Du calme, fit Jonnie. (Puis il ajouta, obéissant à une inspiration :) c'est ton jour de congé.

Elle se laissa retomber dans le lit, essayant de dominer sa faiblesse. Elle éprouvait un étourdissement.

- Ça, c'est de la chance. Est-ce que ça ira si je recommence demain ?

Jonnie l'assura qu'il n'y avait aucun problème. Puis il alla chercher les deux femelles psychlos. S'inspirant des histoires à dormir debout de Ker, il leur dit qu'il avait un ordre qui exemptait Chirk de la vaporisation, que si jamais elles la touchaient, il bloquerait leur paie et mettrait une marque noire dans leurs dossiers, et qu'elles feraient bien d'aller lui chercher sans perdre de temps du goo-foo, des croque-racines et de l'aider à prendre un bain. Elles le comprirent parfaitement. Il avait la main sur son éclateur. Elles n'avaient pas besoin qu'on leur fasse un dessin.

TRENTE-DEUXIÈME PARTIE

1

Avec tout ce qui dépendait de ce projet, Jonnie n'était certes pas d'humeur à s'entendre dire qu'il faudrait attendre encore trois jours pour savoir vraiment s'ils avaient réussi avec Chirk. MacKendrick lui affirma qu'il y avait danger d'infection ou de rechute. Il devait observer les réactions de Chirk avant de s'occuper des autres Psychlos.

C'est en vain que Jonnie lui fit observer que s'ils ne trouvaient pas la clé des mathématiques psychlos, il ne tarderait pas à se retrouver dans une salle de conférence face à des émissaires furieux de voir leur économie stagner, obligé de faire appel à une nouvelle démonstration de force. Mais MacKendrick lui répondit qu'il n'arriverait à rien en précipitant les choses.

Chirk ne se remit pas instantanément. Après deux jours, elle était encore alitée, trop faible pour se lever. A tel point que Jonnie en vint à se demander si la suppression de la capsule ne détériorait pas le sens de l'équilibre des Psychlos, voire leur pensée.

D'autres événements intervinrent. Pierre Solens avait disparu et il fallut des heures d'enquête à Jonnie pour découvrir qu'il avait pris place à bord d'un avion de passage et qu'il regagnait l'Europe en faisant de l'avion-stop.

Pattie semblait avoir subi un changement. Jonnie était en train de feuilleter fébrilement d'anciens volumes dans la vieille bibliothèque quand il la vit arriver. A l'évidence, elle avait quelque chose à lui dire. Il attendit en silence, très attentif.

- Jonnie, s'il te plaît, dis-moi la vérité. Est-ce que Bittie a vécu longtemps ?

Jonnie fut bouleversé et repensa à ce jour fatal. Le chagrin monta en lui et il ne put qu'acquiescer faiblement.

- Alors, il aurait pu être sauvé, dit Pattie, sans la moindre trace d'accusation dans la voix, exposant simplement un fait.

Il regardait Pattie. Il était incapable de parler. Grands dieux, non ! Le gosse avait été littéralement cassé en deux par les coups d'éclateur. Il avait la colonne vertébrale brisée. Rien n'aurait pu le sauver. Rien. Mais il ne pouvait pas dire cela à Pattie.

- Jonnie, si j'avais appris à être une doctoresse et si j'avais été là, il ne serait pas mort.

Elle avait prononcé ces mots avec conviction.

Il attendit, toujours silencieux.

- Quand les docteurs partiront, je veux aller avec eux, dit-elle. Je serai très gentille. Je ne les gênerai pas. J'irai à l'école, j'apprendrai tout ce qu'il faut savoir pour être docteur. Tu m'aideras, Jonnie ?

Il ne pouvait toujours pas parler. Il referma ses bras autour d'elle. Puis, après un temps, il réussit à dire :

- Bien sûr, Pattie. Tu pourras habiter chez Tante Ellen. J'en parlerai à Mac-Kendrick. Je vais veiller à ce que tu aies tout l'argent qu'il te faut.

Elle recula, les yeux brillants de détermination. Avec dignité, elle lui dit : « Merci », et s'éloigna.

Après un instant, il ressentit une impression de soulagement. Il avait craint qu'elle ne se remette jamais. Mais elle y était parvenue. Elle savait quelle direction prendre, et quel chemin elle allait emprunter, un chemin qui laissait derrière elle le désespoir et la ramenait dans le monde des vivants.

Le lendemain, il se rendit au magasin d'équipement électrique pour préparer le matériel nécessaire. Il avait aussi besoin de références sur les pistolets moléculaires. Il se précipita à la bibliothèque.

Et il y trouva Chirk !

Elle était là, assise derrière un bureau, entourée de piles de bouquins.

- Jonnie, commença-t-elle sur un ton sévère, tu as laissé le désordre s'installer ici. Il faut que tu apprennes à remettre les choses en place sur les rayons !

Il la regarda attentivement. Sous son masque, elle mastiquait de la croque-racine et le regard de ses yeux d'ambre était parfaitement clair. Elle avait même repris un peu de poids.

- La Compagnie est très stricte sur la tenue des bibliothèques. N'oublie pas ça.

Elle se remit à ranger. Ses mouvements semblaient parfaitement coordonnés et elle disposait les différentes piles de livres avec des gestes assurés. Les piles étaient parfaitement nettes.

Il allait s'élancer au-dehors pour annoncer la bonne nouvelle, quand Chirk lui dit d'un air pensif :

- Jonnie, j'ai réfléchi à cette histoire de mathématiques. Si tu as toujours besoin de moi, j'essaierai d'apprendre l'addition et la soustraction et toutes ces choses. Mais Jonnie (elle posa sur lui un regard interrogateur), sérieusement, comment une personne intelligente peut-elle avoir *envie* de faire des mathématiques ? Je veux dire, à quoi ça sert ?

Trois minutes plus tard, un Jonnie surexcité dit à MacKendrick qu'ils avaient enfin le feu vert.

2

Ils avaient pris leur temps pour mettre chaque détail au point.

C'était toujours risqué de se trouver à proximité des Psychlos. Un coup de griffes suffisait à vous arracher le visage. Si MacKendrick avait commencé par Chirk, c'était en partie parce que le danger avait été bien moindre. Par contre, l'ouvrier psychlo sur lequel il s'était livré à un test, il y a quelques mois, s'était avéré dangereux. A demi anesthésié, il s'était brusquement redressé et s'il n'avait pas été solidement sanglé à la table d'opération, il aurait sans doute sérieusement blessé quelqu'un. Donc il fallait absolument éviter que les Psychlos se mettent dans l'idée qu'on cherchait à les tuer, car anesthésier et opérer un Psychlo effrayé ne serait pas une partie de plaisir.

Comme la plupart des médecins, le jeune assistant de MacKendrick avait étudié la chirurgie dentaire.

Il prit quelques crânes psychlos et examina les dents du fond et les crocs. Ils étaient entartrés de goo-foo qui avait noirci avec le temps et il y avait quelques caries.

Jonnie lui procura du mercure et de l'argent afin qu'il puisse confectionner un mélange de plombage. Il confectionna également un masque respiratoire spécial qui recouvrirait uniquement les os du nez ainsi que des tampons pour forcer les Psychlos à respirer uniquement par le nez et non par la bouche. Il dénicha également quelques petites mèches.

Le plan était d'annoncer à tous les Psychlos qu'un nouveau règlement exigeait que leurs dents fussent soignées et polies. On ajouterait que cela serait douloureux et qu'il faudrait avoir recours à l'anesthésie. Ils rassemblèrent ensuite les Psychlos pour les mettre au courant. Ils parurent un peu dubitatifs, surtout parce que la Compagnie ne s'était jamais préoccupée de la santé de ses employés. Mais à autre lieu autres usages.

L'équipe médicale avait disposé les lieux et le matériel en vue d'un travail à la chaîne. Les Psychlos seraient introduits l'un après l'autre. On ôterait la capsule de leur cerveau, puis on les transférerait sur une autre table où le jeune docteur, profitant de l'anesthésie, soignerait et détartrerait les crocs et les dents.

De cette façon, chaque Psychlo qui entrerait verrait un de ses camarades étendu sur une table, inconscient, le dentiste penché sur lui. Quant à l'analyseur de métal, on justifierait sa présence en disant que c'était pour chercher les cavités dentaires.

Ils relevèrent leurs manches et se mirent à la besogne.

Cela se passa sans une anicroche. Un Psychlo entrait, on l'endormait, on ôtait la capsule de son cerveau, on le passait au dentiste et on le plaçait enfin sur un chariot avant de l'évacuer vers les quartiers psychlos pour une période de convalescence.

Il leur fallut cent quarante-quatre heures pour opérer tous les Psychlos. Douze jours de travail.

Les premiers opérés furent debout bien avant que le dernier soit passé sur la table. Ils avaient tous souffert de caries et beaucoup avaient subi des extractions. Mais qu'est-ce que leurs crocs scintillaient ! Ouah ! Ils étaient très impressionnés par le travail qui avait été fait. Dès qu'ils rencontraient la moindre surface réfléchissante, ils retenaient leur souffle, levaient leur masque respiratoire et admiraient leur nouveau et splendide « sourire » !

Un Psychlo admirant quelque chose de beau était un changement majeur.

Ils ne devinrent certes pas plus polis. Mais, avec le temps, ils furent plus faciles à vivre, plus agréables.

Ker ne put supporter l'idée d'être tenu à l'écart de tout ça. Il ne savait pas qu'il n'avait pas de capsule dans le cerveau, mais une chose était certaine : ses dents n'étaient pas étincelantes. Ils furent donc obligés de le mettre sous anesthésique et de les lui polir. Il fut le dernier à passer entre leurs mains.

Ils soignèrent leurs courbatures puis rangèrent leurs instruments.

- Maintenant, c'est à toi de jouer, Jonnie, dit MacKendrick. Sois prudent car nous ne sommes pas certains qu'il ne leur reste pas quelque trace résiduelle de comportement fondée sur la tradition et l'éducation. J'espère que tu arriveras à percer leurs maths.

L'équipe médicale repartit pour Aberdeen.

Jonnie était désormais livré à lui-même.

3

Ce fut Chirk qui rassembla pour lui les dossiers du personnel de la Compagnie et Jonnie se mit à les explorer un à un, au fur et à mesure qu'elle les lui remettait. Elle venait d'apporter un volumineux dossier déchiré, humide, couvert de moisissure.

Il le prit. C'était le dossier d'un certain Soth, directeur de mine adjoint, qui avait été employé au camp américain. Jonnie ne l'y avait jamais vu et il se dit qu'il avait dû bien peu quitter sa chambre ou son bureau car il était mentionné que Soth avait cent quatre-vingts ans. L'espérance de vie d'un Psychlo était d'à peu près cent quatre-vingt-dix ans, ce qui signifiait que Soth ne devait pas se sentir très exubérant.

Mais il y avait autre chose dans son dossier. Depuis l'âge de cinquante ans, Soth n'était jamais retourné sur Psychlo. Il avait voyagé dans tous les univers, deux années par-ci, quatre par-là. Mais jamais il n'avait revu Psychlo. Lors de chaque transfert, il avait été expédié directement d'un système à l'autre, ce qui était tout à fait inhabituel : tous les chargements transitaient par Psychlo et Jonnie en avait conclu qu'il en était de même pour le personnel. En fait, cette volonté des Psychlos d'utiliser leur planète comme point central du transfert avait freiné, voire stoppé leur expansion. La plate-forme centrale ne pouvait dépasser un certain nombre d'expéditions et de réceptions chaque jour. Jonnie avait d'ores et déjà fait installer deux plates-formes en certains endroits : une pour le transfert, une pour la réception.

Il étudia le dossier. Soth, après avoir obtenu son diplôme de l'école des mines, avait été assistant-professeur en « théorie des minerais ». Sa vie s'était alors déroulée normalement jusqu'à l'âge de cinquante ans. Puis, brusquement, il avait été nommé directeur de mine adjoint sur une lointaine planète. Et, durant les cent trente années qui avaient suivi, on l'avait continuellement changé de secteur, sans jamais modifier son échelon hiérarchique.

C'était bizarre. Jonnie continua d'explorer l'épais dossier. Il découvrit finalement un document dont la date correspondait à celle du premier transfert de Soth. Cela disait : « Inapte à l'enseignement. Signé Fla, Kiâtre en Chef, Clinique Gru, Psychlo. »

Ce petit bout de papier avait suffi à condamner un être à l'exil absolu pendant cent trente années de son existence ! Il n'y avait pas d'autres points noirs dans le dossier. Il semblait avoir toujours bien fait son travail.

Plutôt que d'aller directement voir Soth, Jonnie choisit de faire un essai avec Maz. Maz avait été l'ingénieur du génie, ici. C'était à lui que Ker en voulait particulièrement. Maz était l'un des plus grands Psychlos que Jonnie eût jamais vus.

Se souvenant des Chamco, il chargea un pistolet paralyseur pour faire face à toute éventualité, s'installa dans une pièce assez spacieuse pour pouvoir battre en retraite en cas de besoin et demanda qu'on fasse entrer Maz.

Comme les autres, Maz avait les dents scintillantes derrière son masque. Il s'assit avec une certaine désinvolture, l'air plutôt revêche.

- J'ai entendu dire que ce clown de Ker a déclaré que je ne voulais plus travailler, attaqua-t-il sans préliminaire. Contrat ou non, si vous pensez qu'un petit contremaître de rien du tout peut donner des ordres à un ingénieur du génie, vous pouvez toujours repasser !

- Il veut seulement redémarrer la mine de tungstène, dit Jonnie.

- Ça rime à quoi ? On ne peut plus rien expédier sur Psychlo. Vous avez mis un terme à tout ça !

Jonnie se dit que le moment était venu de plonger plutôt que de traîner.

- Si vous me fournissez les données mathématiques pour déterminer l'emplacement de l'autre veine, je ferai les calculs moi-même.

Maz plissa le front. Jonnie était sur ses gardes, prêt à dégainer.

Le plissement de front de Maz s'accentua.

- Je ne pense pas que je doive m'entretenir de mathématiques avec un étranger, dit-il enfin.

Il se tut et parut s'abîmer dans une profonde réflexion. Il souleva une bride de son masque et se gratta. De longues minutes s'écoulèrent.

- Je me demande d'où je tiens cette idée. De l'école des mines ? Oui, c'est ça. Vous savez, c'est vraiment bizarre. Je revois quelqu'un qui me fait tourner une spirale devant les yeux... (Il bâilla, réfléchit encore et reprit avec exubérance :) Eh ! Mais c'était le kiâtre chargé de notre groupe ! Je n'avais pas repensé à lui depuis des années. Quel vieux... Il passait son temps à courir les jeunes mâles. Quand il n'était pas dans les sex-shops de la vieille ville. Un drôle de zig ! Mais de quoi on parlait au juste ?

- De m'enseigner les mathématiques, dit Jonnie.

Maz haussa les épaules.

- Pour quoi faire ? Cela me prendra beaucoup moins de temps de faire des calculs moi-même. Qu'est-ce que vous allez faire avec le minerai ?

- On va le transférer sur les autres planètes, dit Jonnie.

- C'est plutôt illégal, non ? Qu'est-ce que vous offrez comme prime ? Je veux dire pour moi.

- Comme d'habitude.

- Bon, écoutez-moi. Vous allez dire à Ker qu'il n'est pas mon patron, qu'il surveille ses manières avec moi. Ensuite vous doublez ma prime à la tonne et je vous calcule ce filon. (Il rit.) Il y a du tungstène à la pelle, mais je ne l'ai jamais dit à la Compagnie ! Alors, marché conclu ?

Jonnie dit qu'il était d'accord et Maz se retira. Le test n'était pas concluant, mais il n'avait pas été attaqué. Durant deux jours, il attendit une éventuelle tentative de suicide de Maz. Mais il ne se passa rien. Il se contenta de faire passer un sale quart d'heure à Ker puis, dans la foulée, il installa ses analyseurs, ses instruments et ses piquets gradués et, peu après, il plantait des « rubans luisants » dans le sol pour délimiter les endroits où les ouvriers devraient creuser.

Jonnie employa très bien son temps de son côté. Il alla à Salisbury et, pendant que Thor repoussait les éléphants et les mambas noirs, il se replongea dans les livres-d'homme pour essayer de trouver quelque chose à propos de « spirales tournantes » brandies devant les yeux des gens.

Il trouva une référence dans un opuscule intitulé *L'hypnotisme pour tous*. Cela lui parut complètement stupide. Il confectionna quand même une spirale et, avec l'aide de Thor, il la fit tourner devant un jeune daim qui se contenta de regarder sans broncher. Thor lui proposa alors d'essayer sur lui, mais tout ce que cela déclencha chez lui, ce fut une crise de rire.

A en croire le petit livre, on pouvait arriver à endormir les gens et leur dire de faire certaines choses sans qu'ils aient conscience qu'ils obéissaient à un ordre. Jonnie se dit que les Psychlos devaient être différents pour que ça marche avec eux.

En tout cas, il commençait à avoir une idée de ce que le « kiâtre » avait voulu tenter avec Maz. Cela avait eu un certain effet sur lui, mais pas assez sans la capsule.

Les Psychlos avaient vécu dans un monde tellement étrange ! Imaginez une population tout entière placée dans un véritable nuage mental !... Mais cette idée n'était pas strictement psychlo. Jonnie en avait relevé des bribes entre les toiles d'araignée des anciennes bibliothèques des hommes ! Et c'était un livre-d'homme qui l'avait conduit aux capsules.

Comment un être pouvait-il se considérer comme assez parfait pour transformer tous les autres en robots dévolus à sa seule volonté ? Il songea à Lars. Est-ce que cet homme nommé Hitler avait fait des choses de ce genre ?

Un appel à Victoria lui avait appris que Maz se portait parfaitement bien, aussi Jonnie décida-t-il d'aller voir Soth. Si quelqu'un connaissait les mathématiques psychlos, c'était bien lui.

Il était déterminé à commencer la production des moteurs à téléportation dès que possible. Il avait eu tant de maux de tête avec les mathématiques psychlos que sa volonté était plus forte que jamais. Il *devait* savoir. Et il n'y avait pas deux moyens de réussir. Maudit Terl, avec ses équations qui ne s'équilibraient jamais, qui n'avaient aucun sens ! Si un incident survenait sur une console, il ne pourrait même pas trouver la panne de circuit. Pas sans les maths psychlos.

Tout à coup, il se rappela la lettre de Voraz. Il y avait des centaines de milliers d'inventions et de formules rédigées en mathématiques psychlos. Pour que les sociétés d'armement se reconvertissent dans la production de biens de consommation, toutes ces inventions étaient vitales - même si elles avaient été accumulées durant des millénaires et probablement volées à l'origine par les Psychlos à des races défuntes. Elles pouvaient faire la différence entre un boom économique dans les diverses galaxies et une nouvelle conférence où les émissaires réclameraient à cor et cri la peau de Jonnie. Non, personne ne pourrait jamais exploiter ces inventions s'il n'arrivait pas à tirer le secret des mathématiques psychlos de la bouche des ex-employés de la Compagnie. Monsieur Tsung avait eu raison. Cela pouvait devenir une question « diplomatique ». Et même déboucher sur la guerre.

4

Jonnie découvrit que Soth ne dormait pas dans les dortoirs. Apparemment, il toussait la nuit et empêchait les autres de dormir, aussi avaient-ils tous insisté pour qu'il soit installé dans une pièce qui avait servi de magasin et qui était reliée au système de distribution de gaz respiratoire. C'est là que Jonnie le trouva.

La pièce avait été plutôt bien organisée. Le vieux Psychlo avait ôté les rayonnages et fabriqué des bibliothèques et des tables avec le bois. Les bibliothèques étaient surchargées de livres et des piles de paperasses encombraient les tables.

Soth était assis sur un haut tabouret. Sa toison était parsemée de taches bleues, signe d'un âge avancé chez les Psychlos. Au coin de ses yeux d'ambre, il y avait un voile blanc. Il était simplement habillé d'une sorte de toge et portait une petite casquette.

Il regarda Jonnie en plissant les yeux, cherchant apparemment à l'identifier. C'est alors qu'il remarqua l'arme à sa ceinture.

- Ainsi, vous êtes venu pour m'expédier autre part, dit-il. Je me demandais si quelqu'un y penserait un jour.

- On dirait que vous avez beaucoup de livres ici, dit Jonnie, essayant de changer de sujet.

- J'ai eu de la chance, reprit Soth. Lorsque cette première attaque s'est produite, j'étais dans mon bureau et j'ai entendu les gongs d'alerte-incendie. Je me suis dit alors qu'il y aurait bientôt de l'eau partout, aussi j'ai regagné ma chambre et j'ai mis tout ce que j'avais dans des sacs à minerai étanches. Et puis, plus tard, quand on nous a envoyés ici, j'ai demandé à un jeune humain charmant si je pouvais les emporter. Et il a bien voulu.

Jonnie lisait les titres. Il n'arrivait pas à déchiffrer la plupart. Ils étaient imprimés en caractères qu'il n'avait jamais rencontrés.

- Généralement, ils me laissent mes livres, dit Soth. Dans les transferts entre galaxies, ils se soucient peu du poids ou du volume, vu qu'il n'y a rien d'autre à expédier. Est-ce que vous me les laisserez pour le prochain transfert ?

Un instant, Jonnie craignit que le vieux Psychlo ait sombré dans le gâtisme. Puis il réalisa que les prisonniers ne savaient sans doute pas qu'il n'y avait plus d'autres Psychlos vivants. Ils devaient croire qu'il y avait d'autres prisonniers comme eux, ailleurs.

- Je ne suis pas ici pour vous transférer autre part. Nous avons maintenant la certitude qu'il ne reste plus de Psychlos sur les autres planètes.

Soth digéra lentement ces paroles. Puis il renifla discrètement.

- Drôle de façon de mettre un terme à cent trente années d'exil. Mais ce n'est pas fini. Je suis toujours en exil, même si je reste ici.

Il parlait. Jonnie se dit qu'il devait l'inciter à continuer.

- Comment cela a commencé ?

Soth haussa les épaules.

- Comme toujours. Je me suis montré impoli avec un kiâtre. Est-ce que ce n'est pas dans mon dossier ? (Jonnie secoua la tête et le Psychlo reprit :) Alors autant que vous sachiez. Récemment, il m'est venu cet étrange sentiment comme quoi je devrais être plus honnête. Et je vous suis reconnaissant d'avoir réparé mes crocs. Il y en avait deux qui me faisaient très mal. Bref, pour en revenir à mon histoire, il y avait ce jeune Psychlo que nous avions à l'école. Il ne comprenait rien aux leçons et il avait besoin de meilleures explications...

- Des leçons de mathématiques ? l'interrompit Jonnie.

Soth le dévisagea un certain temps.

- Pourquoi me demandez-vous ça ? dit-il enfin.

C'était comme si un nuage était passé sur lui et s'était dissipé. Puis, comme Jonnie ne répondait pas, il poursuivit :

- Oui, en un sens cela concernait les mathématiques, je suppose. Il s'agissait de calculs concernant les forages à mi-noyau. (Il soupira.) Quelqu'un avait dû faire un rapport sur lui, parce que le kiâtre de cette école est arrivé et lui a passé un savon, et ensuite il s'en est pris à toute la classe. Extrêmement dérangeant. Je n'ai pas d'excuse à fournir pour ce que j'ai fait mais, pendant des années, j'ai pensé que c'était parce que ma mère avait fait partie d'un groupe religieux clandestin, qui pensait que les créatures intelligentes avaient une âme. Rien n'aurait pu l'en faire démordre. Ma mère n'a pas été arrêtée ou quoi que ce soit. Mais elle a dû déteindre sur moi pour que j'aie agi comme je l'ai fait. Ce kiâtre criait à toute la classe qu'ils étaient tous des animaux et qu'ils avaient intérêt à ne jamais l'oublier. Et il faisait tant de bruit que ça m'a remué. Je voulais qu'il se taise parce que j'avais une classe à qui je devais enseigner. Alors, c'est sorti de ma bouche, comme ça.

Soth resta silencieux un long moment puis reprit :

- C'est un peu pénible de parler de tout cela. Je ne le fais jamais. Parce que si jamais on le répète aux... (Il poussa une exclamation.) Je viens juste de réaliser... Ils sont tous morts. Alors, je peux parler de tout ça ! (Il regarda Jonnie bien en face.) Je peux, pas vrai ?

- Bien sûr, dit Jonnie. Je ne sais même pas ce qu'est un « kiâtre ».

- Vous savez, j'en suis arrivé à penser que moi non plus, je ne le savais pas. Mais à cause de ce qu'ils m'ont fait, j'ai étudié des textes et reconstitué une bonne partie du puzzle. Il y a des tas de livres sur de nombreuses planètes. Il y a deux cent cinquante mille ans, les Psychlos étaient des êtres complètement différents. Ils ne s'appelaient même pas « Psychlos ». Mais à une certaine époque, ils ont eu peur que quelqu'un les envahisse ou je ne sais quoi. D'après ce que j'ai pu reconstituer, il existait un groupe de gens de carnaval - vous savez, des charlatans, des escrocs. C'étaient *eux* les Psychlos à l'origine. Ils hypnotisaient les gens sur scène, ils leur faisaient faire des trucs drôles et le public riait. C'était de la fumisterie. En fait, c'étaient des criminels. Quand cette panique a éclaté, ils sont allés voir l'empereur. On ne sait pas ce qu'ils ont pu lui raconter mais, en un rien de temps, il leur avait confié les écoles et les centres médicaux. Si l'on en croit les livres des autres planètes, jusque-là la race avait porté le nom de son empereur. C'est seulement à cette période qu'elle a commencé à s'appeler *Psychlo*. Alors qu'au départ, c'était juste le nom de ces saltimbanques. Cette race est devenue « les Psychlos ». Dans les vieux dictionnaires, ça veut dire « cerveau ». Mais il y a aussi un autre sens : « Propriété de ». Tout le monde est devenu la propriété des Psychlos. Ensuite, les membres de ce ramassis de coupe-jarrets ont commencé à se donner le nom de « kiâtres ». Ça veut dire « docteur du mental ». Bref, les gens étaient les « Psychlos », ou « cerveaux », mais, en fait, le véritable gouvernement, c'était les « docteurs du mental », les « kiâtres ». Ils étaient dans l'ombre et dirigeaient tout. Ils éduquaient les enfants. Ils contrôlaient tous les citoyens. Ils ont supprimé la religion et ils ont dit au peuple comment il devait penser.

» J'ai été stupide. Il n'y a pas d'excuse pour ce que j'ai fait. (Il s'interrompit.) Mais ce kiâtre était si bruyant ! Je ne peux pas en vouloir à ma mère. Je n'aurais jamais dû lui en vouloir. (Il prit une longue inspiration.) Mais ç'a été plus fort que moi. J'ai dit : « Ce ne sont *pas* des animaux ! »

Il tressaillit et resta silencieux quelques instants. Puis il dit :

- C'est comme ça que mon exil a commencé. Voilà, vous savez tout.

Ce que Jonnie savait avant tout, c'était que cette clique, ces escrocs saltimbanques avaient été fous à lier.

- Dites-moi, reprit Soth, s'arrachant à sa mélancolie, si vous n'êtes pas venu pour me transférer, pourquoi êtes-vous ici ? Un vieux débris comme moi n'a rien à offrir.

Jonnie décida de se jeter à l'eau.

- Manifestement, vous connaissez les mathématiques.

La suspicion apparut dans les yeux chassieux de Soth.

- Comment connaissez-vous ma passion pour les mathématiques ? Ça ne figure pas dans mon dossier. J'ai donné cinq cents crédits une fois à une employée pour y jeter un coup d'œil et je sais que ça n'y est pas mentionné.

Il réfléchit un instant à ce mystère et trouva la solution. D'un geste, il indiqua les rayonnages de livres.

- Mes bouquins ! (Puis il se rembrunit.) Mais ils sont pour la plupart écrits dans des langues étrangères. Il y a peu de gens qui peuvent les lire. Et beaucoup de races sont mortes ! Allez, dites-moi pourquoi vous êtes ici !

- Je veux que vous m'appreniez les mathématiques psychlos, dit Jonnie.

Soth se roidit. Il parut encore plus perplexe. Puis son trouble s'estompa.

- Personne ne m'a demandé de lui enseigner quoi que ce soit depuis cent trente ans. Vous appartenez à une race étrangère, mais quelle importance après tout ? Il ne reste que peu de Psychlos. Que voulez-vous savoir ?

Jonnie se détendit. Il avait gagné !

5

- D'abord, commença Soth qui s'était installé plus confortablement et avait accepté une petite lampée du kerbango que Jonnie avait apporté, il y a un nombre incroyable de mathématiques différentes - selon les races, vous comprenez. Mon principal intérêt dans la vie a été de toutes les connaître.

» Il existe des systèmes différents pour différents nombres entiers. Il y a le « système binaire », tel que celui employé par les Chatovariens. Il ne comporte que deux chiffres, le un et le zéro. Ils s'en servent dans les ordinateurs puisque le courant électrique ou bien l'orientation magnétique d'un élément ont deux valeurs possibles. L'une correspond au zéro, l'autre au un. N'importe quel nombre de n'importe quel système peut être transcrit en système binaire en ne se servant que du un et du zéro. C'est peu pratique pour les êtres vivants mais les ordinateurs comprennent.

» Il y a ensuite un système basé sur le nombre entier trois, un autre très différent basé sur le quatre, un autre sur le cinq, le six, le sept, et ainsi de suite. Il en existe même un qui est fondé sur le vingt, et un autre sur le nombre soixante.

» Pour le calcul écrit, le meilleur système est appelé « système décimal ». Il est basé sur le dix. (Jonnie avait appris cela dans les livres-d'homme.) Les mathématiques psychlos sont basées sur le onze. Certains appellent ça le « système endénaire ». C'est très difficile et je ne vais pas essayer de vous l'apprendre.

- Oh, mais si, dit Jonnie. J'aimerais connaître le « système endénaire » !

Parler d'« aimer » à propos des mathématiques psychlos choquait sa conscience. En fait, il *haïssait* ce méli-mélo !

- Ce serait plus facile de vous apprendre le système « décimal », dit Soth. Quand quelqu'un le découvre sur une planète, il est considéré comme un héros. (Il vit que Jonnie ne céderait pas et soupira.) Très bien. (Il prit une feuille de papier plus ou moins froissée.) Je vais vous écrire les chiffres du système « endénaire ».

Jonnie dit qu'il les connaissait déjà, mais Soth secoua la tête.

- Non, non. J'en doute. Pour bien comprendre un symbole, il faut savoir d'où il vient. Voyez-vous, tous les nombres en tant que symboles étaient à l'origine soit la première lettre de leur nom, soit un certain nombre de points ou de traits. Ou alors c'étaient des pictographies qui ont été de plus en plus stylisées jusqu'à ne plus représenter qu'un fragment d'une image ou une version très abrégée.

» Les nombres psychlos, à l'origine, étaient des pictographies. Avec le temps, on les a dessinées de façon de plus en plus simplifiée jusqu'à ce qu'elles soient ce que vous voyez : les onze chiffres psychlos. On les appelait jadis « la route du bonheur ».

Jonnie ignorait cela. Chaque fois qu'il volait, il avait ces chiffres sous les yeux. Il commençait à être intéressé.

Soth écrivait les chiffres sous la forme de petits dessins.

- Zéro, c'est une bouche vide. Vous voyez les dents ? Un, c'est une serre.

Deux, c'est un être et un pic. Trois, c'est un être, une pelle et un rocher. Quatre, c'est un chariot de mine. Vous remarquez les quatre coins ? Cinq, c'est ce que nous appelons la « patte levée », avec les cinq griffes. Six, c'est la « patte baissée », avec six griffes. Sept, c'est une glissière à minerai. Huit, c'est une fonderie. Voyez la fumée ? Neuf, c'est une pile de lingots de métal en forme de pyramide. A l'origine, il y avait neuf lingots, mais maintenant il n'y a plus que la forme de la pyramide. Dix, c'est un éclair : le symbole du pouvoir. Onze, c'est deux pattes jointes. Ça représente le contentement.

» C'est une leçon de morale, en fait. Si vous creusez et faites fondre du minerai, vous échappez à la famine pour accéder au pouvoir et au contentement. (Il rit.) Peu de gens savent cela. Tout ce qu'ils connaissent, c'est la forme que ces chiffres ont pris avec le temps.

Au-dessus des figures, il écrivit rapidement les symboles numériques actuellement en usage. On y lisait encore la trace des pictographies d'origine.

- Je suis très heureux d'avoir appris cela, dit Jonnie.

En fait, cela l'amusait. Les Psychlos avaient été des mineurs depuis le début !

- J'arrive à faire un peu d'arithmétique avec ce système. (Il décida d'aller plus loin.) Mais ce sont les équations de force psychlos sur lesquelles je sèche.

Là, il ne mentait pas. Les équations lui donnaient des migraines.

Il n'arrivait jamais à les équilibrer.

Soth le fixait d'un regard perçant.

- Je pense que vous cherchez les formules de la téléportation, dit-il.

Jonnie haussa les épaules.

- Nous avons un dispositif de transfert qui fonctionne. Nous en fabriquons à la pelle.

- Oui, j'ai appris cela. C'est pour ça que nous avons ces nouvelles recharges de gaz et du goo-foo. J'ai appris qu'il existait une planète, Fobia, où personne ne peut vivre. (Il était visiblement intrigué.) Ah ! Un de vos savants a tout reconverti en mathématiques différentes et vous essayez de les vérifier par rapport aux équations psychlos.

Il se mit à rire à gorge déployée.

Jonnie lui donna encore un peu de kerbango.

- Ma foi, pourquoi pas ? Non pas que ça vous apportera grand-chose. Mais ça ne m'étonne pas que vous n'y arriviez pas. (Il se remit à rire.) Il faudrait que vous soyez né sur Psychlo ! (*)

Il riait si fort qu'il en avait les larmes aux yeux.

- Après tout, dit-il enfin, vous avez déjà la téléportation. Donc, ça ne peut plus faire aucune différence.

Il prit une grande feuille sur laquelle il dessina un cercle. Puis il parut lui venir une arrière-pensée, il se cala dans son siège et regarda Jonnie.

- Si je vous donne ça, qu'est-ce que je reçois en échange ?

- De l'argent ? demanda Jonnie.

- Non. Un dôme privé, l'accès à toutes les bibliothèques, ainsi que des outils et des ordinateurs. Et la garantie qu'on ne m'expédiera *plus jamais nulle part* !

- D'accord, dit Jonnie.

(*) Pour l'édition terrienne, ainsi que quelques autres éditions de ce livre, quelques libertés de traduction ont été prises, mais plus particulièrement dans le cas de l'explication qui suit, les caractères des lettres et chiffres psychlos n'étant pas pour le moment disponibles en imprimerie. (Le traducteur.)

Soth dressa rapidement la liste de ce qu'il avait demandé. Puis il ajouta :

- Et du gaz et de la nourriture pour le restant de mes jours. Je suis désolé d'ajouter cela mais il ne me reste guère que dix ans devant moi. Ce sera tout.

Jonnie signa. Il y apposa même un sceau à la manière psychlo en paraphant de ses ongles. Soth avait l'air rajeuni de dix ans.

D'un geste vif, il attira à lui la feuille de papier avec le cercle et en posa une autre dessus.

- Connaissez-vous quelque chose aux codes et aux messages chiffrés ? A la cryptographie ? Bon, quoi qu'il en soit, je vais écrire l'alphabet psychlo. Et les chiffres.

Il se mit à écrire. Sous chaque lettre, il plaça un chiffre.

- Vous voyez ? A chaque lettre correspond une valeur numérique.

Jonnie hocha la tête. Soth mit alors la feuille de côté et se pencha sur le grand cercle qu'il avait tracé.

- Ceci, commença-t-il d'un ton grave, c'est le périmètre du Palais Impérial de Psychlo. (Il traça une série de traits autour du cercle.) Voici les onze *portes*. Beaucoup de gens, même sur Psychlo, ignoraient qu'elles avaient chacune un nom. En allant dans le sens inverse des aiguilles d'une montre, nous avons : « La Porte de l'Ange », « la Porte du Bien », « la Porte du Cauchemar », « la Porte de Dieu », « la Porte de l'Enfer », « la Porte de la Guerre », « la Porte de la Haine », « la Porte de l'Ivresse », « la Porte du Monstre », « la Porte du Roi », et « la Porte du Traître ». Onze portes, chacune avec un nom. (Il prit un livre dont le titre était *Équations de force*.) Le type d'équation importe peu dans les mathématiques supérieures psychlos. Elles sont toutes pareilles. Mais vous m'avez parlé d'équations de force, et nous allons donc nous servir de celles-là. Il n'y a aucune différence.

D'un coup de griffe, il ouvrit le livre à la page où toutes les équations étaient résumées et montra la première.

- Vous voyez ce « B » ? Vous pourriez croire qu'il a une valeur dans les mathématiques psychlos. Mais ce « B » ne représente rien de mathématique, sinon le « Bien ». (Il reprit la première feuille.) Nous voyons que sous la lettre « B », nous avons le nombre *deux*. Et, quand le « B » intervient, il suffit d'ajouter ou de soustraire *deux*, ou de faire l'opération demandée avec *deux*.

» Au second stade de l'équation, nous n'avons plus de lettre, mais les mathématiciens psychlos savent qu'ils doivent passer au « I », la deuxième lettre du mot « Bien ». On regarde la valeur du « I », qui est de *neuf*, et on passe au troisième stade. Un mathématicien sait qu'il doit multiplier ça par la troisième lettre, le « E », c'est-à-dire *cinq*. Et ainsi de suite.

» Si la lettre de l'équation d'origine était le « E », nous nous servirions de sa valeur numérique et nous poursuivrions de la même façon en prenant les lettres du mot « Enfer ».

» Dans chaque première équation, vous avez toujours une de ces lettres, donc toujours un nom de porte. Et il suffit de l'utiliser. Quand ils ont conçu les équations, ils sont partis de la réponse, pour pouvoir avoir un nom de porte qui aille. Vous avez compris ?

Jonnie avait compris. Des mathématiques fondées sur un code chiffré !

Pas étonnant qu'il n'eût jamais trouvé le moyen de les équilibrer. Même les équations de base, avec ce système, étaient truquées.

Et si on ajoutait à tout ça la complexité inhérente à un système fondé sur le onze, on obtenait ce qui, pour n'importe quel observateur, représentait un embrouillamini indéchiffrable.

Il était heureux d'avoir cet enregistreur dissimulé sous son revers. Il n'était peut-être pas né sur Psychlo, mais les noms des portes étaient pour le moins bizarres.

- Je dois être honnête avec vous, dit Soth. Je ne comprends pas d'où me vient cette impulsion d'honnêteté, mais je dois vous dire que tout ça ne vous sera que d'une utilité relative.

6

Jonnie ne dit rien. Quoi ? Il y avait autre chose ? Il avait fait tout ce chemin pour ne pas atteindre le but ? Il resta silencieux et attendit.

Soth tripotait nerveusement ses paperasses. Il prit le contrat qu'il avait fait signer à Jonnie, puis le reposa. Apparemment, il avait des scrupules.

- Il faut bien comprendre à quel point ils tenaient au secret, dit-il enfin. Ce que je vous ai dit s'applique aux maths psychlos en général, mais il y a autre chose. Quand on applique les équations aux calculs de téléportation, on ne trouve pas toutes les réponses dans les textes. (Il soupira.) Le gouvernement avait peur de bien des choses. Il craignait entre autres que les employés de l'Intergalactique Minière, éparpillés sur les planètes lointaines, n'en viennent à travailler pour leur propre compte. Par conséquent, les textes ne donnent pas l'ordre dans lequel utiliser les équations de force et je crois même que certaines sont fausses. Je ne pourrais pas vous construire de consoles.

- Mais les Chamco semblaient travailler là-dessus ! objecta Jonnie.

- Bah, les Chamco ! fit Soth d'un ton impatient. Ils ont dû faire joujou. Ils ont même peut-être essayé. Mais jamais ils n'y seraient arrivés ! (Il tendit une patte dans la direction des quartiers psychlos.) Aucun de ces pauvres abrutis ne pourrait construire une console. Ils savent tout ce que je viens de vous dire, mais ils n'y connaissent rien en consoles !

Il abaissa les yeux sur le contrat et le relut longuement. Puis il regarda Jonnie :

- A l'école des mines, il existait une classe spéciale. Les kiâtres prospectaient les écoles pour dénicher les étudiants les plus doués. En fait, ils étaient assez rares. Quand ils en trouvaient, ils leur donnaient une formation intensive portant sur tous les secteurs d'activité de la mine, théorie et pratique.

» Le Gouvernement Impérial exigeait que sur chaque planète il n'y ait qu'un membre du personnel qui fût en mesure de construire une console de téléportation en cas d'urgence ou de panne. Et c'est donc à ce groupe spécial d'étudiants qu'on apprenait à le faire. Nous les surnommions les « cerveaux-cerveaux ». Nous évitions de nous frotter à eux. Personne ne les aimait, sauf évidemment les kiâtres. Et comme le gouvernement tenait tellement au secret, on confia bien entendu le poste d'officier de la sécurité aux « cerveaux-cerveaux ».

Terl ! songea Jonnie.

Comme s'il venait de lire dans sa pensée, Soth dit :

- Terl était un « cerveau-cerveau ». L'un des chouchous des kiâtres. Il avait reçu une formation dans tous les domaines. Il était rusé, méchant. Un parfait produit des kiâtres. Lui seul était capable de construire une console de mémoire et il n'est plus là.

Jonnie réfléchissait à toute allure. Il avait tous les papiers de Terl ! Avec les équations dans l'ordre !

Puis ses espoirs s'effondrèrent parce que Soth déclara :

- Cela s'applique également aux moteurs. Seul Terl était capable de calculer les circuits des consoles pour les moteurs.

Jonnie n'avait aucun papier là-dessus.

- Vous savez, ils sont très différents, poursuivit Soth. La console de tir dépend du principe de similitude spatiale. Le moteur, lui, fonctionne par l'effet de résistance de l'espace à toute modification. (Il agita le contrat entre ses griffes.) Ce que je vous ai appris sur les mathématiques psychlos s'applique à tout sauf à la téléportation.

Jonnie se réconforta. Au moins, cela s'appliquerait aux centaines de milliers de brevets. Mais ça ne lui donnait pas de moteurs. Il était définitivement condamné aux moteurs à réaction. Ce qui signifiait que Défense Désespérée, par exemple, aurait quelque difficulté à se reconvertir dans la production de biens de consommation. C'est alors qu'il se rappela quelque chose.

- Mais les cadres de la mine, dit-il, savaient comment réparer les consoles des moteurs.

Soth se redressa. Son regard alla du contrat à Jonnie.

- C'est uniquement le circuit que vous voulez, alors ? Je croyais que c'étaient les mathématiques qui vous intéressaient. (Et il ajouta avec la véhémence du passionné :) Les mathématiques constituent un sujet *pur*. Mais si vous ne désirez que le circuit... (Il fouillait dans ses papiers.) Où est donc mon masque respiratoire ?

Quelques minutes plus tard, ils étaient dehors et Jonnie retransmettait les ordres de Soth.

Il fallait ôter une console d'un avion, une autre d'un camion, et une troisième d'une plate-forme volante. Il fallait les apporter toutes les trois à l'atelier de réparation sans y toucher. Les mécaniciens partirent en courant.

Et les trois consoles furent bientôt déposées au milieu de l'atelier.

- Voilà les trois modèles de consoles pour les moteurs, dit Soth. Toutes les consoles utilisées sur les divers véhicules correspondent à l'un ou l'autre de ces trois modèles. A présent, si vous voulez bien m'aider... Je ne suis plus aussi solide qu'avant.

Il referma la porte de l'atelier, laissant tous les autres à l'extérieur. Puis il s'approcha d'un rayon et prit ce que l'on appelait un « sac à minerai empoisonné ». Jonnie en avait souvent vu. C'était transparent, avec deux manchons très étroits pour les mains et les bras. On s'en servait sans doute lorsqu'on utilisait des sels d'arsenic pour raffiner le minerai.

Avec l'aide de Jonnie, Soth parvint à soulever la console du moteur de camion et la mit dans le sac. Puis il y fourra les câbles de connexion toujours fixés à la console et qui avaient été arrachés du véhicule. Il referma hermétiquement le sac, enfila un tuyau d'arrivée d'air dans le fond et, très vite, le sac commença à gonfler autour de la console.

Soth prit alors une jauge à pression, quelques outils et les plaça dans les manchons avant d'y engager les bras. Un dispositif d'étanchéité se referma autour de ses coudes. Il consulta la jauge à travers le plastique.

- Cent livres, il nous faut cent livres, commenta-t-il.

Le sac gonflait toujours. La jauge marqua bientôt cent. Soth vérifia les joints d'étanchéité autour de ses coudes. La pression était stable.

Il s'empara d'un tournevis et, rapidement, dévissa la plaque supérieure de la console.

Jonnie l'observait, fasciné. Il avait fait cela sur une console de tank qui avait aussitôt refusé de fonctionner !

Mais Soth, tranquillement, ôta les vis, souleva le bâti qui comportait tous les boutons de commande et fit une pelote de tous les câbles. Puis il examina la console. Il y avait une foule de composants mais, à la différence des dispositifs de transfert, il n'y avait pas de tableau d'isolation. Soth prit un fil muni de pinces-crocodile à chaque extrémité et le fixa de part et d'autre de trois composants, pour créer une dérivation.

- Des fusibles à pression, expliqua Soth. L'intérieur de ces consoles est maintenu à haute pression. Si la pression diminue, les trois fusibles se dilatent et sautent ! Si quelqu'un enlève le bâti, l'atmosphère s'échappe et les fusibles sautent.

» A l'exception de ces fusibles et des composants d'effacement, tout ce que vous voyez est de la frime. Ça a l'air vrai. Mais c'est quand même de la frime. De la camelote. Cela ne joue pas le moindre rôle dans le fonctionnement de la console. Vous voyez, j'ai mis un fil sur les fusibles. Ils vont sauter et je devrai les remplacer. Mais le mécanisme d'effacement ne fonctionnera plus, à présent. Le *véritable* circuit est toujours intact.

Jonnie se demandait où diable pouvait se trouver le véritable circuit si tout cet entassement de composants n'était que de la frime, de la camelote.

Soth savait ce qu'il faisait. Il dégagea le tuyau d'arrivée d'air d'un coup de pied et le sac commença à dégonfler. Il ôta les bras des manchons et défit les boucles de fermeture. Le sac tomba, découvrant la console. Soth la retourna.

- On pourrait croire que ces boutons, là, comme tous les boutons ordinaires, s'abaissent pour toucher le faux circuit. Mais ça ne se passe pas comme ça. Tout le circuit se trouve dans le couvercle. Quand on appuie sur un bouton, on coupe un flux lumineux interne et cela met en marche le circuit. Chacun des boutons fonctionne comme ça.

Un circuit totalement caché, réalisé par alignement moléculaire à l'intérieur du couvercle du bâti. Si on tentait d'ouvrir, le circuit était effacé. Si on desserrait une seule vis du couvercle, on n'avait plus de console.

- Est-ce qu'il y a du papier quelque part ? demanda Soth. (Il trouva une grande feuille, plus grande encore que le couvercle du bâti de la console.) Je voudrais aussi de la limaille de fer.

Il en trouva. La poudre brun-noir était si fine qu'on avait l'impression qu'elle pouvait flotter dans l'air.

Soth en déposa un peu sur la feuille et l'étendit en une mince couche. Puis, en s'efforçant d'empêcher les câbles de se balancer, il mit le couvercle de la console sur la feuille, côté face vers le bas.

Il se procura quelques fils, une batterie, et relia la batterie à la console dans un jaillissement d'étincelles. Il avait disposé les connexions de façon à ce que le couvercle et les boutons soient alimentés.

Il rectifia la position du couvercle sur la feuille couverte de limaille et, rapidement, appuya sur chacun des boutons de la console.

Jonnie comprit tout à coup ce qu'il faisait. Il leva la main pour faire signe à Soth de ne pas tout de suite enlever le couvercle. Puis il prit une caméra d'analyse de métaux sur un des rayons, monta sur un tabouret et prit un cliché.

Quand il eut fini, Soth souleva doucement le couvercle.

Et là, sur le papier, dessiné par la limaille, il y avait le circuit ! A chaque fois que Soth avait appuyé sur un bouton, les molécules de fer s'étaient magnétiquement regroupées !

En ôtant le couvercle, il avait brouillé un détail, mais Jonnie avait enregistré l'image. Il prit un autre cliché par prudence.

Ils tenaient leur circuit !

Soth remit la console dans le sac, rétablit la pression à cent livres, remplaça les fusibles, vérifia le joint de la plaque et réassembla la console.

Deux heures après, ils disposaient des trois types de consoles. Ils rangèrent tout, appelèrent les mécaniciens et leur dirent de réinstaller les consoles dans leurs véhicules respectifs.

Puis Jonnie fit un essai. Tous les moteurs démarrèrent.

Effectivement, ça n'avait rien à voir avec un dispositif de transfert. Rien à voir du tout.

7

De retour dans sa chambre, le vieux Soth se sentait très las après toutes les épreuves de la journée. Il toussait un peu. Jonnie, assis sur un banc, attendait qu'il reprenne son souffle.

- Je suis incapable de démanteler ou de construire un dispositif de transfert, dit-il enfin. Seul Terl le pouvait. Aussi, je ne devrais peut-être pas accepter ce contrat.

Il tenait la feuille entre ses griffes. Il la contempla longuement avant de la tendre à Jonnie.

Jonnie se demandait à quoi aurait pu ressembler la race des Psychlos si les kiâtres n'étaient pas venus leur déglinguer le cerveau.

- Non, non, dit-il en repoussant la feuille. Vous avez fait du bon travail. En fait, cette clé que vous m'avez fournie pour accéder aux mathématiques psychlos va sans doute nous apporter un véritable trésor d'inventions séquestrées par l'Intergalactique. Vous avez peut-être apporté la prospérité à des milliers de mondes.

- Vraiment ? (Soth réfléchit un instant.) C'est bien. Oui, c'est très bien.

Il avait visiblement quelque chose en tête.

- Vous savez, dit-il après un instant, vous affrontez aussi un problème de sécurité. Il y a tant de gens appartenant à tant de races qui voudraient bien mettre la main sur les mathématiques psychlos et certaines inventions volées par les Psychlos. Est-ce que vous savez que le professeur En, qui a mis au point la téléportation, était en fait un Boxnard ? Non ? Pourtant c'est le cas. Oui, je crois que des gens vont essayer de voler ces informations. Mais je crois aussi que je peux vous aider. (Il réfléchit un instant.) Oui, je le crois. (Il sourit.) Comme tous les gens qui ont une passion, j'aime bien m'amuser à bricoler. Il y a environ cinquante ans, alors que je me trouvais sur une planète épouvantable, sans même un arbre, je me suis attaqué au problème posé par la programmation des mathématiques supérieures psychlos dans un ordinateur. La Compagnie et le gouvernement auraient piqué une crise s'ils avaient été au courant. Mais je me souviens très bien des circuits que j'ai conçus alors. Cela pourrait fonctionner, mais j'aurai besoin de composants et de matériel.

Un ordinateur ! Jonnie avait été horrifié à l'idée de devoir résoudre des centaines de milliers de formules pour rendre les inventions utilisables. Avec un ordinateur, n'importe qui dans son équipe pourrait y arriver en un rien de temps !

- Si vous faites ça, dit-il, je vous donne un million de crédits de ma poche !

- Un million de crédits ? s'exclama Soth, ébahi. Mais il n'existe pas autant d'argent !

Il fouillait à nouveau dans ses papiers. Jonnie pensa tout d'abord qu'il cherchait quelque référence, puis il découvrit qu'il voulait simplement sa gamelle de kerbango. Il avait besoin d'un stimulant ! La gamelle était vide. Jonnie sortit alors un sac de kerbango de sa poche.

Soth en avala un peu, prit conscience qu'il oubliait les usages et en offrit à Jonnie qui, bien sûr, refusa.

- Vous m'avez surpris, dit-il. Mais j'avais encore autre chose à vous proposer. (Il avala encore un peu de kerbango, jusqu'à ce que les battements de son cœur soient redevenus normaux.) J'ai essayé de convertir l'arithmétique psychlo au système décimal. (Il farfouilla dans des liasses de documents et trouva enfin ce qu'il voulait.) C'est assez surprenant comme système. Les enfants et la plupart des gens du peuple l'apprennent assez facilement. En vérité, l'Empire psychlo a conservé le système « endénaire » pour mieux embrouiller les autres.

- Ç'a été mon cas, dit Jonnie.

- Oui, cela faisait partie de leur programme de sécurité. Néanmoins, toutes les fonctions arithmétiques de base et les formules les plus simples peuvent être converties au système décimal. Même l'argent y viendra peut-être. J'ai vu que la dernière émission de la Banque Galactique est toujours en système endénaire. Mais voici le meilleur. L'usage du système décimal se généralisera. Personne ne voudra plus entendre parler de ce système compliqué de onze et il sera abandonné ! (Soth prit une expression triomphante.) Vous, vous aurez votre ordinateur. Le système endénaire disparaîtra. Les gens le considéreront comme une curiosité puis l'oublieront. Et c'est en quelque sorte une mesure de sécurité.

Jonnie s'était procuré une feuille et écrivait rapidement.

- Un deuxième contrat ! s'exclama Soth qui lisait à l'envers.

- Oui, en complément au premier. Deux millions de crédits si vous construisez cet ordinateur, plus un autre million si vous convertissez les mathématiques psychlos en système décimal.

- Oh, mon dieu ! Avec ça, je vais pouvoir rassembler tout un hangar d'ouvrages mathématiques ! Pourquoi pas dix ! Cinquante ! Vite, surtout ne changez pas d'idée. Laissez-moi signer !

Lorsque ce fut fait, Soth contempla un instant la feuille.

- Vous savez, sur Psychlo je serais très riche. Avec ça, on peut avoir une douzaine de femelles, une grande famille. On peut fonder une dynastie. Mais tout ça, c'est fini.

- Il y a encore quelques Psychlos ici, dit Jonnie. Et plusieurs femelles. La race n'est pas éteinte.

- Ah, fit Soth, vous ne savez donc pas ? (Ses épaules s'affaissèrent.) Il y a bien longtemps, les kiâtres ont rapatrié toutes les colonies de Psychlos qui avaient commencé à s'installer. Ils avaient convaincu le trône que les colonies pourraient muter, survivre dans des atmosphères différentes et constituer une menace pour la couronne. Ils insistèrent donc pour que tous les enfants naissent sur Psychlo.

Pour pouvoir mettre les capsules dans leur cerveau, songea Jonnie.

- De temps à autre, poursuivit Soth, il advenait qu'un membre de la famille royale emmène ses femelles sur d'autres mondes, mais il était toujours accompagné d'une équipe de kiâtres. Sur ordre des kiâtres, toutes les employées femelles de la Compagnie étaient stérilisées avant de quitter la planète-mère.

- Vous voulez dire que ?... commença Jonnie en indiquant le camp.

- Oui, toutes les femelles du camp sont stériles. Elles ne pourront jamais avoir de petits. (Il demeura pensif un moment.) Vous pensez peut-être que je vous en veux d'avoir détruit cette planète. Eh bien, non. Dès le moment où les kiâtres se sont installés au pouvoir, tout a tourné mal pour notre race. Selon moi, leur programme pour dégrader tout le monde, pour persécuter tous les groupes qui étaient en quête d'une moralité nouvelle, pour persuader les gens qu'ils étaient des animaux, eh bien, ce programme a transformé Psychlo en monstre. Les peuples de tous les univers, à travers les âges, ont prié pour que cet empire s'effondre. Ils le *haïssaient* ! (Il regarda Jonnie.) Tôt ou tard, quelqu'un aurait réussi à délivrer les galaxies du joug de Psychlo. Toutes les races ont fait ce même rêve. Et vous... (il pointa une griffe sur Jonnie) il se peut que vous pensiez l'avoir fait. Mais ce n'est pas vrai. Toute la civilisation psychlo, dès le moment où l'influence des kiâtres s'est développée, était condamnée. Non, ce n'est pas vous qui avez détruit Psychlo et tout son empire. C'est eux. Terl était leur produit et je crois qu'il a joué un rôle dans cette destruction. Vous savez, j'ai entendu dire qu'il affirmait souvent, quand il était dans la salle de récréation, que *l'homme* était une espèce en voie de disparition. Mais, à cause des kiâtres, il y a des millénaires que les Psychlos sont en voie de disparition. Et désormais ils sont une espèce éteinte !

Il soupira et contempla ses papiers.

- Ma foi, je pourrai peut-être faire oublier certains de leurs crimes. (Il regarda Jonnie.) Quant à vous, Jonnie Goodboy Tyler, n'ayez pas de remords. En détruisant Psychlo, vous avez donné à toutes les galaxies une chance de revenir à une vie meilleure. Je n'avais pas besoin de ces contrats. Vous me les avez offerts et je les garderai. Mais c'est un privilège que de vous aider et je vous remercie de m'en avoir donné la chance.

ÉPILOGUE

Quelques mois plus tard, Jonnie apprit que le gouvernement écossais allait lancer un impôt pour financer la reconstruction d'Edinburgh. Il savait que, dans l'ancien temps, la nation écossaise avait ignoré l'impôt : le roi, alors, payait pour tout. Jonnie doutait que le peuple écossais eût les ressources nécessaires. Et puis, l'impôt comme moyen de survie pour un gouvernement lui semblait une entreprise stupide. Est-ce qu'un gouvernement ne pouvait pas subvenir à ses besoins sans avoir à détrousser le peuple ?

Il en parla à Dunneldeen et lui suggéra de dire au chef du clan Fearghus qu'Edinburgh serait reconstruite grâce à des « contributions ». Pour entretenir l'illusion que c'était le peuple d'Écosse qui payait, lui et Dunneldeen placèrent des petites boîtes rouges sur les pistes. Les Écossais pouvaient y déposer une pièce et Jonnie et Dunneldeen en vidèrent même quelques-unes.

Mais, en réalité, ce fut Jonnie qui paya. Il envoya sur place sa société de construction chatovarienne, Bâtifort. Ils avaient achevé les aménagements industriels de Luxembourg et les locaux commerciaux de Zurich.

Les Chatovariens, en bons Chatovariens, envoyèrent une équipe d'enquête auprès du gouvernement et dans toute l'Écosse afin de déterminer ce que les gens voulaient à Edinburgh. Puis ils se mirent au travail comme ils l'entendaient, sans s'occuper des désirs des Écossais.

Ils décidèrent qu'Edinburgh serait découpée en trois secteurs d'activité : le gouvernement planétaire, la formation des extra-terrestres, et l'artisanat écossais. C'était un véritable casse-tête pour eux que de réconcilier des activités aussi diverses dans une seule architecture, laquelle devait être (ils y tenaient dur comme fer) a/indigène et b/fonctionnelle.

Leur équipe d'enquête découvrit que la ville avait autrefois été surnommée « Auld Reekie », la « Vieille Puante », à cause de l'odeur qui y régnait. Elle découvrit aussi qu'aucun Écossais n'y avait vécu depuis onze cents ans. Ils avaient donc les coudées franches : ils abattirent tout excepté Castle Rock. Ils relancèrent rapidement plusieurs centrales hydro-électriques des Highlands, puis confièrent à la société Défense Désespérée les travaux de viabilité. Ils se lancèrent dans la pose des systèmes d'égout et de filtrage. Ensuite, ils se frottèrent les mains et passèrent au vrai travail.

La partie nord de la ville fut consacrée à l'industrie - les divers artisanats plus les affaires - et les Chatovariens lui donnèrent un aspect rural et coquet en bâtissant des cottages de pierre tels qu'il en existait dans les Highlands. Ils mirent rapidement au point un projet de construction d'écoles spécialisées : l'architecture extérieure était celle des petits castels écossais avec leurs échauguettes, à l'image de ceux que l'on trouvait dans les illustrations des contes de fées, mais l'intérieur avait été adapté aux modes de vie extra-terrestres. Alentour les Chatovariens avaient prévu d'immenses parcs.

Ils conservèrent Castle Rock comme siège du gouvernement. Le site avait été tellement bombardé qu'ils furent obligés de retrouver d'anciennes gravures pour savoir quelle avait été sa forme réelle. Refaçonner et consolider la roche n'était pas un problème pour eux, mais l'aspect qu'avaient eu les lieux plus de deux mille ans auparavant en était un. Ils trouvèrent une référence : apparemment, un roi des temps anciens, « Duncan », qui avait été assassiné par un certain « Macbeth », avait vécu là. Quant à leur source d'information, elle demeura un mystère. Quelqu'un prétendit qu'ils avaient mis la main sur une très ancienne pièce de théâtre dans les ruines du British Museum.

Ils réassemblèrent donc les ruines du Rock, reconstruisirent les abris intérieurs, recouvrirent le tout de marbre italien d'un bleu éclatant, ajoutèrent un blindage aussi solide que brillant et construisirent au sommet le château de Duncan, d'un blanc immaculé. Puis ils trouvèrent une cathédrale qui leur plaisait dans une ville ancienne appelée Reims. Selon eux, elle convenait particulièrement bien au château. Ils la reconstituèrent sur le Rock en rouge flamboyant et lui donnèrent le nom ancien de « Saint Giles ».

Les Écossais furent ravis du résultat de leur « financement ».

Jonnie, lui aussi, trouvait cela très bien. Mais il y avait un problème. Les Chatovariens, sous l'effet de leur surpopulation locale, engageaient toujours un excédent de main-d'œuvre et, pour ce chantier qui avait été à la fois « urgent » et « spécialement destiné au patron », ils avaient accumulé une énorme équipe. Leur politique, par ailleurs, était de ne jamais licencier. Jonnie se retrouva donc avec une équipe de construction équivalant à l'ensemble de la population de la Terre. Il décida de leur faire reconstruire toutes les villes que les « visiteurs » avaient brûlées.

Là aussi, les Chatovariens eurent un problème. A quoi donc allaient servir ces cités ? Personne n'y avait vécu depuis onze cents ans. Leurs équipes de recherche eurent pour tâche de découvrir à quel usage on pouvait destiner ces villes, cela en se fondant sur les ressources, la proximité des fleuves et de la mer, la culture et le climat, les possibilités de commerce, le nombre de gens qui seraient employés par les éventuelles industries. Tout cela fut très complexe et difficile.

Retrouver l'architecture locale était chose aisée en Asie, plutôt facile en Europe, mais impossible en Amérique. Ce continent avait été fou de modernisme et les Chatovariens ne voulaient pas en entendre parler. Ils relevèrent donc les caractéristiques les plus intéressantes des constructions qu'ils rencontraient, les copièrent, et aménagèrent des parcs, des parcs et encore des parcs. Leur société jumelle de Chatovaria avait un excédent de monorails pour un autre chantier. Ils se les firent expédier et relièrent les cités entre elles pour éviter qu'un réseau routier ne pollue les parcs.

Ils durent engager une société hawvin pour nettoyer les radiations de Denver avec des balais magnétiques volants. Puis ils rebâtirent tout le secteur, y compris l'ancien village de Jonnie.

Il n'y avait pas de population à loger et, quand une ville était achevée, on scellait les portes et les fenêtres, on y mettait une équipe d'entretien et on repartait ailleurs.

Ma foi, songeait Jonnie, peut-être qu'un jour il y aurait des gens pour venir habiter toutes ces villes vides.

Ker prit en main l'école des mines d'Edinburgh et les Psychlos qui restaient s'y installèrent également. Ils étaient chargés des conférences et des cours pratiques. De véritables hordes d'extra-terrestres se déversaient sur Terre pour venir y apprendre les techniques de la mine et relancer leur métallurgie. Ker pictographiait systématiquement toutes les conférences et tous les cours afin que rien ne se perde de la technologie. Il utilisait la mine de Victoria ainsi que celle de

Cornouailles pour la pratique et il n'avait plus un instant de libre, tout comme Chirk qui était chargée, elle, de la réalisation de nouvelles bibliothèques. Ker avait trouvé un truc : il peignait sur son masque respiratoire le visage des races à qui il enseignait. Cela rendait les relations plus amicales, expliquait-il.

Il y avait un nombre impressionnant d'ex-planètes psychlos dont les populations avaient été en esclavage ou qui s'étaient réfugiées dans les montagnes, et les Coordinateurs, au Collège des Coordinateurs d'Edinburgh, apprenaient aux anciennes races soumises à s'organiser et à retrouver la prospérité. Ils étaient aidés de façon appréciable par les taux d'intérêt préférentiels que la Banque Galactique accordait à ces planètes sous condition qu'elles envoient des Coordinateurs à Edinburgh pour qu'ils soient formés.

Le nouveau gouvernement terrestre avait proclamé Roi le chef du clan Fearghus, sans doute sous l'influence du frère de Monsieur Tsung. Ce qui faisait de Dunneldeen un Prince de la Couronne. Mais Jonnie constata que ni le chef ni Dunneldeen ne prenaient cela très au sérieux. Le gouvernement répugnait à édicter des lois et laissait généralement l'initiative aux chefs des tribus des différents secteurs, n'intervenant que pour éviter des conflits.

Le colonel Ivan gouvernait la Russie avec le titre de « Colonel de la Vaillante Armée Rouge Démocratique du Peuple ». Il fut aidé en cela par les gens du village de Jonnie. Puis, certains parmi les plus jeunes revinrent en Amérique pour tenter d'en faire un continent dynamique.

Le chef Chong-won et la tribu des Chinois du Nord firent alliance et entreprirent la reconstruction de la Chine. L'artisanat et le commerce de la soie permirent de résoudre leurs besoins économiques. Ils avaient aussi créé une école de cuisine qui était devenue très courue. Les Selachees, qui s'étaient répandus encore un peu plus dans les galaxies à cause de leurs « banques locales », juraient que c'était la meilleure cuisine de tous les univers, tout particulièrement pour le poisson, et ils n'hésitaient jamais à financer tous les extra-terrestres qui désiraient ouvrir un restaurant chinois dans leur secteur à condition qu'ils envoient des cuistots apprendre le métier. La plupart du temps, il y avait plus d'apprentis cuisiniers que de Chinois en Chine. Non seulement ils devaient apprendre l'art culinaire mais ils devaient aussi savoir faire pousser les ingrédients nécessaires. Ce surcroît de main-d'œuvre et de moyens relança l'agriculture chinoise et la pêche. Comme le faisait remarquer le chef Chong-won à chaque fois qu'il voyait Jonnie, et c'était très souvent, la famine n'était plus le produit national de la Chine. Jonnie se demandait souvent comment des extra-terrestres, dont l'alimentation était totalement différente, pouvaient apprendre à cuisiner des mets qu'ils ne pouvaient pas manger. Mais la puissance de la banque et l'appétit des Selachees n'avaient pas de limite.

Suite à l'adoption croissante du système décimal dans tous les univers, la banque fit une nouvelle émission de monnaie. Chrissie en fut très contrariée : sur les nouvelles pièces et billets, Jonnie était encore moins ressemblant que sur les anciennes. Elle se plaignit des jours durant de sa ressemblance de plus en plus marquée avec un Selachee. Mais Jonnie prit bien soin de ne pas lui dire qu'il avait tout fait pour ça : à présent, il pouvait se promener dans la rue sans que personne ne le montre du doigt. Encore quelques émissions comme ça et il n'y aurait pas un étranger pour le reconnaître.

La banque de Snautch ne restitua jamais l'or qu'on y avait mis en dépôt. Lors de la construction du nouveau complexe bancaire, l'or fut placé derrière une vitrine dans l'entrée du siège principal, avec un écriteau rédigé en de multiples langues et qui disait :

« Cet or a été extrait personnellement par Jonnie Goodboy Tyler et quelques Écossais. Il nous l'a laissé parce qu'il nous fait CONFIANCE. Pourquoi pas vous ? Si vous ouvrez un compte aujourd'hui, vous aurez le droit de passer votre main par cette ouverture et de toucher cet or ! »

Lorsque Jonnie eut besoin d'or pour le modèle inaugural du nouveau véhicule à téléportation que Défense Désespérée construisait sur Chatovaria, Dwight dut se rendre dans les Andes avec l'ancienne équipe de mineurs pour en trouver.

Lorsque les équipes d'enquête eurent achevé d'interroger les différentes populations sur leurs besoins, ainsi que l'avait suggéré Jonnie, la reconversion des sociétés d'armement en biens de consommation s'accéléra. Pendant quelque temps, il y eut peu de demandes pour les brevets de l'Intergalactique. On s'aperçut que les populations des planètes civilisées avaient besoin de poêles, de casseroles, de choses de ce genre, le tout étant facile à fabriquer et de bon rapport.

Les premiers émissaires étaient devenus très riches et influents et appuyaient pleinement Jonnie, menant souvent leurs nations respectives vers un gouvernement de type social-démocrate. Jonnie n'assistait que rarement à leurs conférences, mais ils lui envoyaient souvent des messages qui lui demandaient son opinion sur tel ou tel sujet. Ainsi qu'ils se plaisaient à se le répéter, l'anti-guerre était l'entreprise la plus profitable dont ils aient jamais entendu parler.

Le Service de Renseignements Commercial Hawvin fit circuler un rapport confidentiel concernant les vingt-huit plates-formes, ignorant qu'il lui avait été volontairement donné par la Banque Galactique. On l'avait choisi pour « filtrer » l'information car c'était le service de renseignements le plus infiltré de tous les univers. Rapidement, secrètement, le rapport fut retransmis dans toutes les galaxies.

Il révélait que les vingt-huit plates-formes d'origine avaient été portées à cinquante-trois en accord avec l'admission de nations nouvelles et que ces plates-formes étaient situées dans le dix-septième univers.

Cela provoqua une relance de l'anti-guerre. Mais aussi une crise astrographique car, aussi sûr que seize est le carré de quatre, il ne pouvait exister que seize univers.

La réaction ne se fit pas attendre. Plusieurs comités scientifiques se mirent à chercher non pas les plates-formes de transfert mais ce possible *dix-septième* univers.

L'Institut Royal Démocratique de Chatovaria trouva bien un autre univers, mais il était en formation et ne recelait aucune trace de vie intelligente et, comme il n'y avait pas non plus l'ombre d'une plate-forme, il conclut qu'il s'agissait du dix-huitième univers.

Quant au dix-septième univers, avec toutes les plates-formes, il reste inconnu à ce jour. Ce qui n'était pas difficile à comprendre pour Jonnie puisqu'il n'avait jamais existé que dans sa tête. Jamais il n'avait fait construire les plates-formes.

MacAdam lui avait appris que quelques planètes inhabitées de la vieille Intergalactique Minière, quoique habitables, étaient en plein effondrement sur le marché. Aussi Jonnie, avec l'aide de courriers selachees de son état-major, informa-t-il secrètement les émissaires des divers groupes de planètes qui figuraient sur la liste. Ils conclurent précipitamment des accords avec la Compagnie et les planètes furent mises sur le marché de l'immobilier avec le slogan : « Vivez dès aujourd'hui la vie paisible et libre de la banlieue. » Ils accrurent ainsi leur fortune et celle de leurs amis. Et ils chantèrent plus haut les louanges de Jonnie. La paix, c'était une des découvertes les plus profitables que l'on eût jamais faites !

Durant cette période, le seul son de cloche qui rompit avec l'harmonie générale vint de la comptabilité personnelle de Jonnie. Il y avait maintenant deux cents Selachees pour contrôler ses revenus. Ils lui apprirent que la branche terrestre de Bâtifort était la seule société qui lui appartînt et dont les comptes étaient dans le rouge. Pour toutes les autres, on était à la progression. Jonnie dit qu'il aurait un entretien avec le directeur général. Il découvrit que deux cent mille ouvriers chatovariens supplémentaires avaient été embauchés. Le directeur général lui expliqua qu'ils ne reconstruisaient pas seulement les villes terrestres qui avaient été incendiées mais toutes les autres également, qu'ils avaient un plan de travaux de deux cents ans et qu'ils ne voulaient pas être interrompus. Jonnie lui répondit - ainsi qu'à ses six directeurs adjoints - qu'il édifiait des villes pour des populations qui n'existaient pas ou qui n'existeraient que dans plusieurs siècles et qu'ils avaient intérêt à trouver un moyen de réaliser des bénéfices. Ils le lui promirent. Mais, en contrepartie, il insista pour qu'ils s'en tiennent à leur programme. Non, ils n'avaient pas l'intention d'ouvrir la Terre aux Chatovariens ; ils savaient que cela submergerait la race humaine. Le problème, c'était qu'une fois ils étaient lancés, ils avaient du mal à s'arrêter. De toute façon, Jonnie ne pensait pas que tout cela fût très important et il oublia vite l'affaire.

Quelque temps après, Stormalong lui dit qu'il en avait assez de former des pilotes et de faire la démonstration des nouveaux moyens de transport atmosphériques à téléportation que Défense Désespérée vendait à toutes les galaxies, et il lui demanda de le laisser partir sur la Lune avec un des vieux vaisseaux miniers de la Compagnie. Jonnie accepta mais lui demanda de prévoir des tenues atmosphériques et de retaper des vaisseaux miniers pour *trois autres pilotes* aussi fous que lui. Et de ne pas bâcler les préparatifs.

Le prétexte qu'avait trouvé Stormalong, c'était la possibilité de découvrir encore de ce métal lourd qui leur était nécessaire. Il pensait que de nouvelles pluies de météorites avaient dû se produire sur la Lune.

Il leur fallut deux mois de préparation avant de faire le voyage aller-retour.

Ils découvrirent des champs de météorites avec des traces du métal lourd, ils les exploitèrent et revinrent avec deux cents tonnes de minerai à raffiner. Mais Stormalong était porteur de nouvelles étranges :

- On a trouvé des empreintes là-haut, dit-il à Jonnie. Et des traces de pneus !

Jonnie fut très intéressé. Ils pensèrent tout d'abord à de nouveaux envahisseurs. Mais les responsables de Défense Désespérée dirent *tss, tss, tss*. Rien ne pouvait franchir leurs défenses.

Ils pensèrent alors que certains de leurs ex-visiteurs s'étaient peut-être posés là-bas durant la guerre.

Jonnie n'avait pas l'intention de rester des semaines en orbite dans un cargo minier. Il affréta donc le yacht de Dries Gloton pour le week-end et partit pour la Lune en compagnie de Stormalong.

Mais oui ! Il y avait bien des empreintes ! Et des traces de pneus !

Le regard acéré de Jonnie repéra alors un emballage en papier à moitié recouvert de poussière. Il lut l'inscription qui y était portée : « Chewing-gum Spearmint. Garanti sans sucre. Quinze barrettes. Life Savers Inc., New York. »

Stormalong pensait que c'était sans doute ce qui restait d'une trousse de secours à la suite d'un accident. Mais il n'y avait pas trace d'accident alentour. Dries, quant à lui, pensait à quelque chose pour réparer les crevaisons. A cause de la gomme.

Jonnie leur interdit d'ajouter leurs propres traces aux premières. Il fit un picto-enregistrement, puis ils remontèrent la piste et tombèrent sur un cairn avec ce qui restait d'un drapeau aux couleurs ternies. Jonnie, se débrouillant tant bien que mal dans la faible pesanteur, trouva bientôt un deuxième cairn avec un autre drapeau décoloré au point d'en être méconnaissable. Et ce fut tout. Mais Jonnie leur montra que le côté de l'emballage de papier qui avait été exposé à la lumière solaire était bien plus décoloré que l'autre et il en conclut que les cairns, comme les empreintes, devaient remonter à des centaines d'années. Ils décidèrent donc qu'il n'y avait aucun danger immédiat et repartirent.

C'est sur le chemin du retour qu'ils firent la véritable découverte. Jonnie était occupé à admirer le matériel de communication de Dries. Celui-ci lui montra alors les premières photos qu'il avait prises de la planète. Jonnie remarqua que la couverture nuageuse était plus importante à présent.

Il fit d'autres comparaisons. Ils descendaient vers l'Europe, mais l'Afrique du Nord et le Moyen-Orient étaient parfaitement visibles. Et le Moyen-Orient était *vert*. Quant à l'Afrique du Nord, il y avait une mer intérieure en son centre.

Dès qu'ils se furent posés et bien qu'il fût en retard pour le souper du dimanche, Jonnie alla trouver l'officier de service de Défense Désespérée pour lui demander s'il avait remarqué des modifications planétaires. Il dirigea alors Jonnie vers le directeur général de Bâtifort.

- Vous nous avez demandé de faire des bénéfices, lui dit le directeur, sur la défensive. Alors, nous avons embauché des Chatovariens supplémentaires et lancé une Société Subsidiaire pour la Santé. Nous nous sommes dit que le nom « Bâtifort » pouvait aussi bien faire référence à la force physique.

Jonnie le pressa : que diable avait-il donc fait ?

Eh bien, apparemment ils avaient décelé une cuvette asséchée au-dessous du niveau de la mer au milieu du Sahara et ils avaient laissé entrer l'eau de la Méditerranée pour créer une mer intérieure et provoquer des pluies. Puis ils avaient planté quatre-vingt-cinq trillions d'arbres. Et aussi au Moyen-Orient, où il n'y aurait pas besoin d'autant d'eau. De bonnes variétés à croissance lente mais particulièrement succulentes. Et ils en avaient aussi planté seize trillions dans le Middle West, sur le continent nord-américain... Oh, Jonnie n'avait pas vu ? Eh bien, il y avait eu jadis de très grands arbres dans ces vastes plaines. Les fossiles le leur avaient prouvé. En tout cas, continua le directeur, s'il avait causé des changements de climat, il en était sincèrement navré. Mais c'était inévitable. Et cela nettoyait l'air.

Jonnie lui demanda alors comment il comptait réaliser des bénéfices en dépensant autant d'argent et en engageant toute une armée de Chatovariens. Le directeur général lui montra alors la balance des comptes. Ils faisaient des bénéfices désormais. Ils exportaient des arbres vers des planètes chatovariennes en crise alimentaire. Jonnie lui pardonna tout, augmenta son salaire et rentra chez lui pour un dîner tardif.

Un autre incident notable se produisit durant cette période. Jonnie assistait à une foire à Zurich. Il avait mis un masque atmosphérique pour éviter d'être reconnu à chaque coin de rue. Brusquement, il vit Pierre Solens. L'ex-pilote était en haillons et il racontait à une petite assemblée comment il avait vu de ses yeux Jonnie Goodboy Tyler marcher sur un nuage, et en faire sortir un démon avant de se mettre à chanter en duo avec lui. Quand il eut fini, il passa dans le public avec une vieille tasse pour faire la quête. Apparemment, il survivait comme ça. Quand il arriva devant Jonnie, celui-ci abaissa son masque et Pierre faillit bien s'évanouir à nouveau.

Il y avait tant d'exagérations et de mensonges autour de Jonnie qu'il se dit qu'il n'en avait pas besoin d'autres. Il obligea donc Pierre à le suivre jusqu'à son avion, vola jusqu'au Lac Victoria, et là il le poussa à bord d'un autre avion. Pierre dut le piloter lui-même jusqu'au pic où les cadavres des Psychlos étaient toujours enterrés sous la neige. Il posa l'appareil dans la tourmente, examina les lieux et redécolla sans incident, et Jonnie le ramena jusqu'à Luxembourg. Pierre lui dit « merci », et il était sincère. Il reprit son ancien travail sur les avions du camp et, avec le temps, il devint un pilote acceptable.

Un incident bizarre se produisit à Edinburgh. Le sarcophage de Bittie MacLeod avait été miraculeusement épargné par les bombardements. Trois poutres principales de la cathédrale s'étaient abattues dessus et l'avaient protégé. Les Chatovariens l'avaient réinstallé dans la crypte de la nouvelle cathédrale au côté des héros de la guerre, dont Glencannon.

A seize ans, Pattie demanda à être conduite jusqu'à la crypte pour épouser Bittie MacLeod. Rien ne put la dissuader et elle se tint en robe blanche devant le sarcophage, avec dans sa main le médaillon sur lequel était gravé « A ma future épouse ». Le prêtre, qui n'avait su trouver aucune loi qui s'opposât à cela, procéda à leur union. Ensuite, Pattie revêtit une tenue de deuil et se fit appeler Mrs. Pattie MacLeod.

Pendant qu'elle poursuivait ses études de médecine, elle fonda l'Organisation Intergalactique de Santé MacLeod. Jonnie la finança et l'organisation devint très vite un lieu de halte à proximité des plates-formes de transfert des diverses galaxies, fournissant un service d'intervention médical exprès.

Deux autres événements marquants se produisirent : Jonnie et Chrissie eurent un petit garçon, Timmie Brave Tyler, une véritable copie conforme de Jonnie, selon les dires de chacun. Et, deux ans plus tard, une fille, Missie, qui d'après tous, était l'image même de Chrissie.

Quand Timmie eut six ans, Jonnie se mit en colère. Le garçon ne recevait pas l'éducation qui convenait à un enfant ! Timmie avait une multitude d'« oncles ». Il y avait « Oncle » Colonel Ivan, « Oncle » Sir Robert, « Oncle » Dunneldeen... Et tous les Écossais qui avaient travaillé avec Jonnie ou servi sous ses ordres étaient des « oncles ». Ils pourrissaient littéralement l'enfant. Ils lui ramenaient sans cesse des tas de cadeaux de tous les coins du monde. Mais est-ce qu'ils s'occupaient pour autant de son éducation ? Non ! Timmie parlait certes plusieurs langues - le russe, le chinois, le chatovarien, le psychlo et l'anglais. Il savait très bien calculer quand il le voulait. Et il était même capable de conduire un cart à téléportation qu'Angus et Tom Smiley avaient construit pour lui. Mais Jonnie était hanté par l'image d'un fils qui grandirait dans l'ignorance absolue des choses vitales de l'existence.

Il prit une décision. Tout se passait bien, les affaires marchaient - de toute façon, c'étaient surtout les autres qui s'en occupaient. Il rassembla donc le strict nécessaire, mit Chrissie, Timmie et Missie dans un vieil avion d'assaut, et décolla en direction du sud Colorado. Il débrancha la radio et le téléphone et, lorsqu'ils se furent posés, il dissimula l'avion dans un bouquet d'arbres avant de dresser le camp.

Durant toute l'année qui suivit, qu'il pleuve ou qu'il vente, Jonnie s'occupa de Timmie. Missie grandissait bien et elle aidait sa mère efficacement tout en apprenant ce qu'il convenait de savoir sur la cuisine et le tannage et autres choses de ce genre. Mais c'était Timmie qui recevait toute l'attention de Jonnie.

Au début, il eut du mal car le garçonnet avait du retard à rattraper. Mais au bout de quelques mois, il fit des progrès remarquables. Il apprit à pister les animaux, à deviner leur race, leurs intentions. Il apprit à capturer les chevaux sauvages, à les dresser et à les monter sans avoir besoin d'une selle. Cela le rendit très heureux. Jonnie lui apprit à lancer des bâtons-à-tuer avec une très grande précision et il finit par abattre un coyote. Jonnie commençait à se sentir plus rassuré sur l'avenir de son fils et se disait qu'il pouvait à présent lui apprendre à traquer le loup puis le puma. Mais, le premier jour, il entendit un bruit d'avion dans le ciel. Non, ce n'était pas un drone, mais bien un avion. Il se dirigeait droit vers la mince colonne de fumée qui montait de leur campement.

Jonnie et le petit garçon enfourchèrent leur monture et revinrent au galop. Jonnie avait un mauvais pressentiment.

C'étaient Dunneldeen et Sir Robert.

Timmie courut vers eux comme une véritable petite tornade, hurlant de sa petite voix aiguë : « Oncle Dunneldeen ! Oncle Robert ! »

Jonnie demanda à Chrissie de préparer un dîner. Les deux hommes ne semblaient pas particulièrement pressés. La nuit vint et ils se retrouvèrent tous assis devant un grand feu à chanter des vieux airs écossais. Puis Timmie leur montra qu'il n'avait pas oublié les danses des Highlands et il dansa comme Thor le lui avait appris.

Finalement, quand les enfants et Chrissie furent couchés, Dunneldeen posa une question parfaitement inutile :

- Je suppose que tu te demandes pourquoi nous sommes ici ?

- De mauvaises nouvelles ? fit Jonnie.

- Oh, non, grommela Sir Robert. Nous tenons seize univers dans nos mains, soudés comme avec de la colle. Comment pourrait-il y avoir de mauvaises nouvelles ?

- Ça fait un an, dit Dunneldeen.

- Vous êtes venus pour une raison bien précise, fit Jonnie d'un ton soupçonneux.

- Eh bien, en fait, reprit Dunneldeen, en y réfléchissant bien, tu n'as pas tort. Il y a deux ans, tu as fait la tournée de toutes les tribus de la Terre. On t'a proposé de faire le tour de toutes les civilisations majeures des galaxies. Il y a des tas de gouvernements qui veulent te décorer, t'offrir des honneurs et des cadeaux et des terres et tout ça, parce que tu as donné la prospérité aux galaxies.

Jonnie se mit en colère.

- Je vous ai dit que je prenais une année de congé ! Est-ce que vous ne comprenez pas que j'ai des responsabilités familiales ? Quelle espèce de père serais-je donc si je laissais mon fils grandir comme un sauvage ignare ?

Dunneldeen le laissa dire et se mit à rire.

- Nous étions certains que tu allais réagir comme ça. On a donc envoyé Thor à ta place.

Jonnie réfléchit. Puis il dit :

- Alors, si ce problème est réglé, pourquoi êtes-vous venus ?

Sir Robert le regarda.

- L'année est terminée, mon garçon. Est-ce qu'il ne t'est jamais venu à l'esprit que tu manquais à tes amis ?

Jonnie retourna donc chez lui. Et même si Timmie apprit quinze langues différentes et cinq systèmes mathématiques, même s'il s'entraîna à conduire un véhicule terrestre comme Ker, même s'il sut piloter et conduire tous les avions et engins de la Compagnie, y compris le nouveau yacht de Dries Gloton, son éducation ne fut jamais tout à fait achevée. Ce fut sans doute le seul échec dans l'existence de Jonnie Goodboy Tyler.

Le docteur MacDermott, l'historien qui faisait si peu de cas de sa vie, vécut très longtemps.

Il écrivit un livre : *Jonnie Goodboy Tyler tel que je l'ai connu, ou Le Conquérant de Psychlo, Orgueil de la Nation Écossaise.* Il n'était pas aussi bon que le présent ouvrage car il avait été conçu pour des lecteurs à demi lettrés. Mais il y avait des illustrations en trois dimensions, mobiles et en couleurs - MacDermott avait eu accès à de nombreuses archives - et il se vendit à deux cent cinquante milliards d'exemplaires au premier tirage. Il fut traduit dans quatre-vingt-dix-huit mille langues galactiques et il eut de nombreuses rééditions.

Les droits d'auteur que reçut Mac Dermott excédaient tellement ses besoins modestes qu'il fonda le Tyler Museum. Quand vous sortez du bâtiment de l'Organisation Intergalactique de Santé, au terminal de Denver, le Tyler Museum et son dôme d'or est la première chose que vous voyez.

Peu après son retour d'Amérique, Jonnie disparut. Sa famille et ses amis furent très inquiets. Mais ils savaient qu'il avait toujours détesté les honneurs et qu'il lui était impossible de se déplacer sans attirer la foule. Il avait dit à plusieurs reprises qu'on n'avait plus besoin de lui désormais, que son travail était achevé. Une besace, un couteau et deux bâtons-à-tuer avaient disparu. Quant au casque au dragon et à la tunique aux boutons scintillants, ils étaient toujours accrochés là où il les avait mis.

Mais les peuples des galaxies ne savent pas qu'il est parti. Si vous demandez à n'importe qui, sur n'importe quelle planète civilisée, où il est, on vous répondra qu'il est *là*, juste derrière la colline, qu'il attend au cas où les seigneurs de Psychlo reviendraient. Essayez. Vous verrez. Votre interlocuteur tendra même le doigt.

A PROPOS DE L'AUTEUR

L. Ron Hubbard naît en 1911 à Tilden, dans le Nebraska. Son père est officier dans la Marine des Etats-Unis. Hubbard passe son enfance dans le légendaire Ouest américain et, très jeune, fait le dur apprentissage de la vie en plein air dans une nature souvent hostile. Adolescent, il vit dans les plaines et les montagnes du Nevada, où il côtoie cow-boys et Indiens, avant de s'embarquer pour l'Asie qu'il visite longuement. Sa soif de savoir ne connaît pas de limites et, à l'âge de dix-neuf ans, il a déjà parcouru l'équivalent de dix fois le tour du globe, aussi bien sur terre que sur mer, et écrit de nombreux journaux de voyage dans lesquels il puisera généreusement par la suite pour bâtir les intrigues de ses romans.

Puis il rentre au bercail. Son insatiable appétit d'aventure et de sensations fortes le conduit à devenir aviateur. Il acquiert très rapidement une réputation de virtuose du pilotage et de casse-cou. Mais il est bientôt repris par le démon de la navigation et part pour les Caraïbes sur un quatre-mâts, à la tête d'une expédition.

Hubbard commence sa carrière d'écrivain en écrivant des articles pour divers journaux, principalement des articles sur l'aviation. Mais il se tourne rapidement vers la fiction et, puisant dans une vie déjà riche en voyages et en expériences, il se lance dans une production littéraire aussi abondante que variée : aventure, western, exotisme, policier, fantastique et, finalement, science-fiction.

En 1938, Hubbard est un écrivain célèbre dont les ventes ne cessent de grimper. Un nouveau magazine, *Astounding Science Fiction,* vient d'être créé et il est à la recherche de « sang neuf ». Ses directeurs exhortent Hubbard à s'essayer à la science-fiction, mais il leur répond que les histoires de fusées et de pistolets à rayons ne l'intéressent pas et qu'il écrit uniquement des histoires avec des *gens,* des *personnages vivants.* Ils lui rétorquent que c'est justement ce qu'ils cherchent.

Et c'est ainsi qu'Hubbard commence sa carrière d'écrivain de science-fiction. Travailleur infatigable, il écrit nouvelle sur nouvelle, roman sur roman, et renouvelle complètement le genre. Les critiques acclament son œuvre et la comparent à celle de Wells et de Poe.

Hubbard est reconnu aujourd'hui comme l'un des fondateurs de ce que l'on a appelé l'Age d'Or de la Science-Fiction, au même titre que Robert Heinlein et quelques autres grands maîtres.

Au cours de sa très longue et productive carrière, Hubbard a écrit quelque cent romans et deux cents nouvelles (sous son nom et sous des pseudonymes non moins célèbres tels que René Lafayette, Kurt Von Rachen ou Winchester Remington Colt) et ses œuvres de fiction se sont vendues à plus de vingt-deux millions d'exemplaires. Elles ont été traduites dans une dizaine de langues.

Après avoir complété *Terre - Champ de Bataille*, un roman-fleuve déjà reconnu internationalement comme un grand classique du genre, L. Ron Hubbard s'est attaqué à l'élaboration d'un chef-d'œuvre littéraire d'une veine et d'une inspiration entièrement nouvelles, une aventure spatiale spectaculaire en dix volumes, ponctuée de satire mordante: *Mission Earth* (Mission Terre). Un nouveau jalon dans la carrière fabuleuse de l'un des auteurs les plus prolifiques et les plus importants de notre temps.

Le 24 janvier 1986, ayant achevé le manuscrit de cette nouvelle œuvre et ayant par ailleurs complété tous ses autres travaux, L. Ron Hubbard a quitté ce monde pour continuer sa quête parmi les étoiles et les étendues sans fin des galaxies, laissant derrière lui un prodigieux héritage littéraire. Un héritage pour vous, le lecteur, à découvrir et à savourer.